KU-196-444

A-Z MERSEYSIDE

CONTENTS

REFERENCE

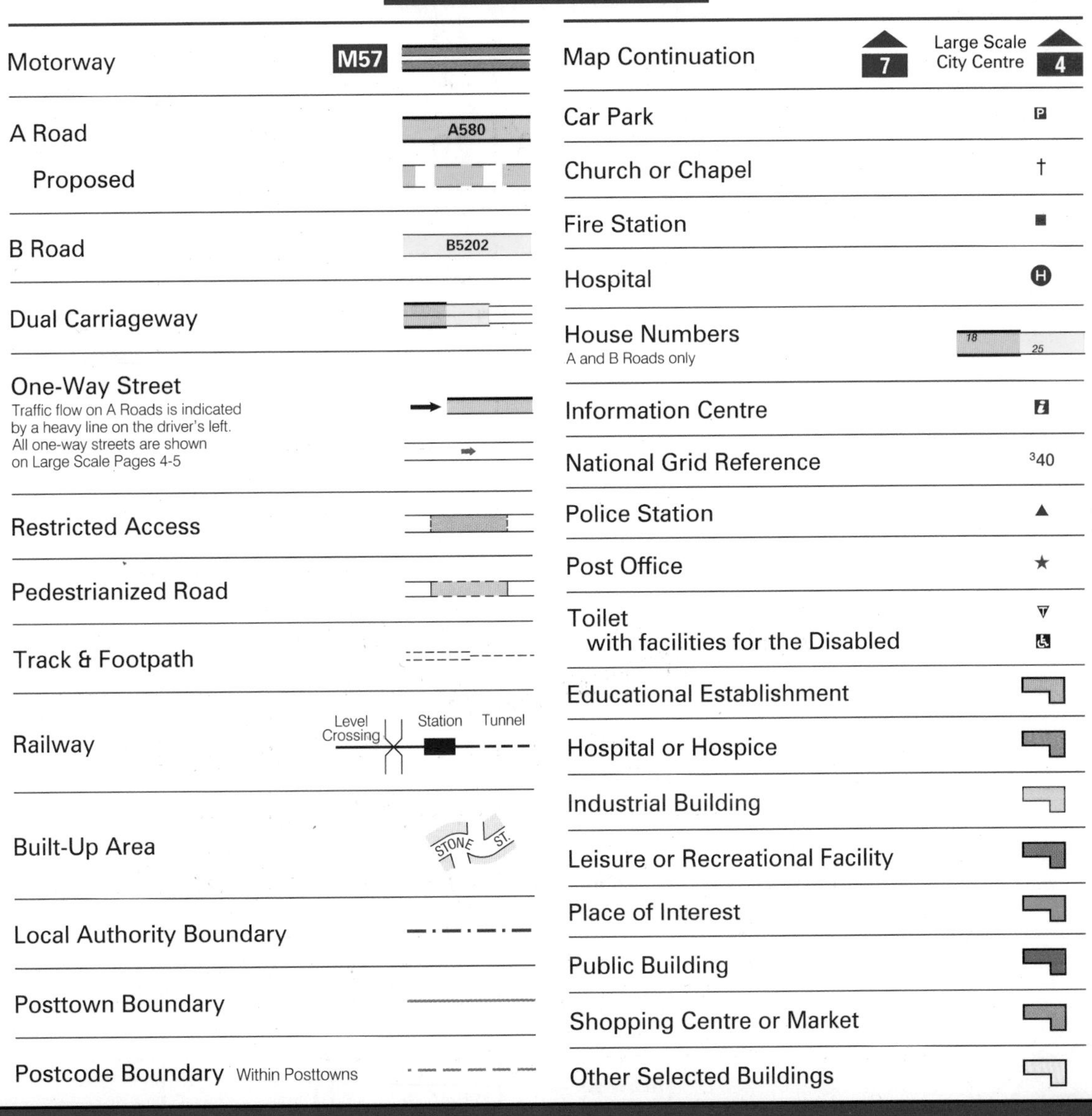

Motorway	M57
A Road	A580
Proposed	
B Road	B5202
Dual Carriageway	
One-Way Street — Traffic flow on A Roads is indicated by a heavy line on the driver's left. All one-way streets are shown on Large Scale Pages 4-5	
Restricted Access	
Pedestrianized Road	
Track & Footpath	
Railway	Level Crossing / Station / Tunnel
Built-Up Area	STONE ST
Local Authority Boundary	
Posttown Boundary	
Postcode Boundary Within Posttowns	

Map Continuation	7 / Large Scale City Centre 4
Car Park	P
Church or Chapel	†
Fire Station	■
Hospital	H
House Numbers A and B Roads only	18 / 25
Information Centre	i
National Grid Reference	$^3 40$
Police Station	▲
Post Office	★
Toilet with facilities for the Disabled	▽ / ♿
Educational Establishment	
Hospital or Hospice	
Industrial Building	
Leisure or Recreational Facility	
Place of Interest	
Public Building	
Shopping Centre or Market	
Other Selected Buildings	

SCALE

Map Pages 6-173
1:14908 4¼ inches to 1 mile

0 — ¼ — ½ Mile
0 — 250 — 500 — 750 Metres
6.7 cm to 1km   10.8 cm to 1 mile

Map Pages 4-5
1:10560 6 inches to 1 mile

0 — ⅛ — ¼ — ⅜ Mile
0 — 100 — 200 — 300 — 400 — 500 Metres
9.46 cm to 1km   15.24 cm to 1 mile

Copyright of Geographers' A-Z Map Company Ltd.

Head Office:
Fairfield Road, Borough Green, Sevenoaks, Kent, TN15 8PP
Tel: 01732 781000 (General Enquiries & Trade Sales)
Showrooms:
44 Gray's Inn Road, London, WC1X 8HX
Tel: 020 7440 9500 (Retail Sales)
www.a-zmaps.co.uk

This map is based upon Ordnance Survey mapping with the permission of The Controller of Her Majesty's Stationery Office.

© Crown Copyright licence number 399000. All rights reserved.

Edition 1 2000
Copyright © Geographers' A-Z Map Co. Ltd. 2000

IRISH SEA

LIVERPOOL BAY

LARGE SCALE
4 5
LIVERPOOL CITY CENTRE

Point of Ayr

RIVER DEE (AFON DYFRDWY)

Holywell (Treffynnon)   Bagillt

Flint (Y Fflint)

Connah's Quay

ENGLAND / WALES

6 **SOUTHPORT** **7**	Marshside **Banks** / **8** Crossens **9** / Churchtown
10 Birkdale **11**	High Park / **12** Brown Edge / Pool Hey / Carr Cross **13**
Hillside / Ainsdale **14** Woodvale **15**	Shirdley Hill / **16** Scarisbrick / **17** Bescar
Ainsdale-on-sea	Pinfold / Hurlston Green / Burscough Bridge
18 **19** Freshfield **FORMBY** **20** **21**	Halsall / Barton / **22** Bangor's Green / **23** Primrose Hill / Clieves Hills / **Burscough** **24** **25** **ORMSKIRK** Westhead **26** Lathom
	Haskayne
28 **29** **30** Lady Green / Ince **31**	Great Altcar / **32** **33** Lydiate / Holt Green / Downholland Cross / Town Green / Aughton Park / **34** Royal Oak / Scarth Hill / **35** Bickerstaffe / Blaguegate / Pennyland **36**
Inset Page 29 / Hightown	
Blundell / Homer Green / Lunt / **40** Little Crosby **41**	**MAGHULL** / **42** Sefton / Netherton / **43** Moss Side / Melling / **44** Melling Mount / Barrow Nook / Tower Hill / **45** Park Hill **46**
CROSBY **52** Waterloo / Seaforth **53** **Litherland**	Buckley Hill / **54** Orrell / **55** Aintree / **56** / **57** **KIRKBY** Knowsley Industrial Estate / **58** Waddicar / Fazakerley
64 New Brighton **65**	**BOOTLE** **66** **67** / **68** Walton / Kirkdale / Anfield / **69** West Derby / Norris Green / **70** **71** / **72** Knowsley / Gill / **PRESC**
82 **83**	**84** Leasowe / Moreton **85** Bidston / **86** Liscard / Seacombe (Kingsway) / Mersey Tunnel (Queensway) / **87** Egremont / **88** Everton / **89** Old Swan / **90** Roby **91** Knotty Ash **HUYTON** / **92** Wavertree
HOYLAKE **102** West Kirby **103** Meols	**104** Upton Greasby / Woodchurch **105** Oxton / **BIRKENHEAD** **106** Claughton / Prenton **107** Tranmere / Rock Ferry / **LIVERPOOL** **108** Toxteth **109** Sefton Park / Mossley Hill / Childwall **110** Allerton / Gateacre / **111** Woolton **112** Tarbock Green
Newton / Grange / Frankby	
122 Caldy / **123** Thurstaston	Irby / **124** Pensby **125** Thingwall / Barnston **126** Storeton / **127** Prenton / Port Sunlight / **128** New Ferry **129** Otterspool / Aigburth / Grassendale / **130** Garston **131** Hunt's Cross / Speke / **132** Halewood
Brimstage	**BEBINGTON** / Spital / Bromborough
HESWALL **142** Gayton **143**	Thornton Hough / **144** Raby **145** Brookhurst / Eastham Ferry / **146** Eastham **147** / **148** **149** / **150** Hale
156 **157** **NESTON** Parkgate	Windle Hill / **158** Little Neston Ness **159** Willaston / Childer Thornton / **160** Hooton / **161** Little Sutton / Overpool / Whitby / **ELLESMERE** **162** **PORT** **163** Stanlow / Ince / **164** Elton / Banks / Ince / CHESTER
	Ledsham / **168** Woodbank / Great Sutton / **169** Whitbyheath / Little Stanney / **170** / Thornton-le-Moors / **171** Stoak / Elton Green / **172**

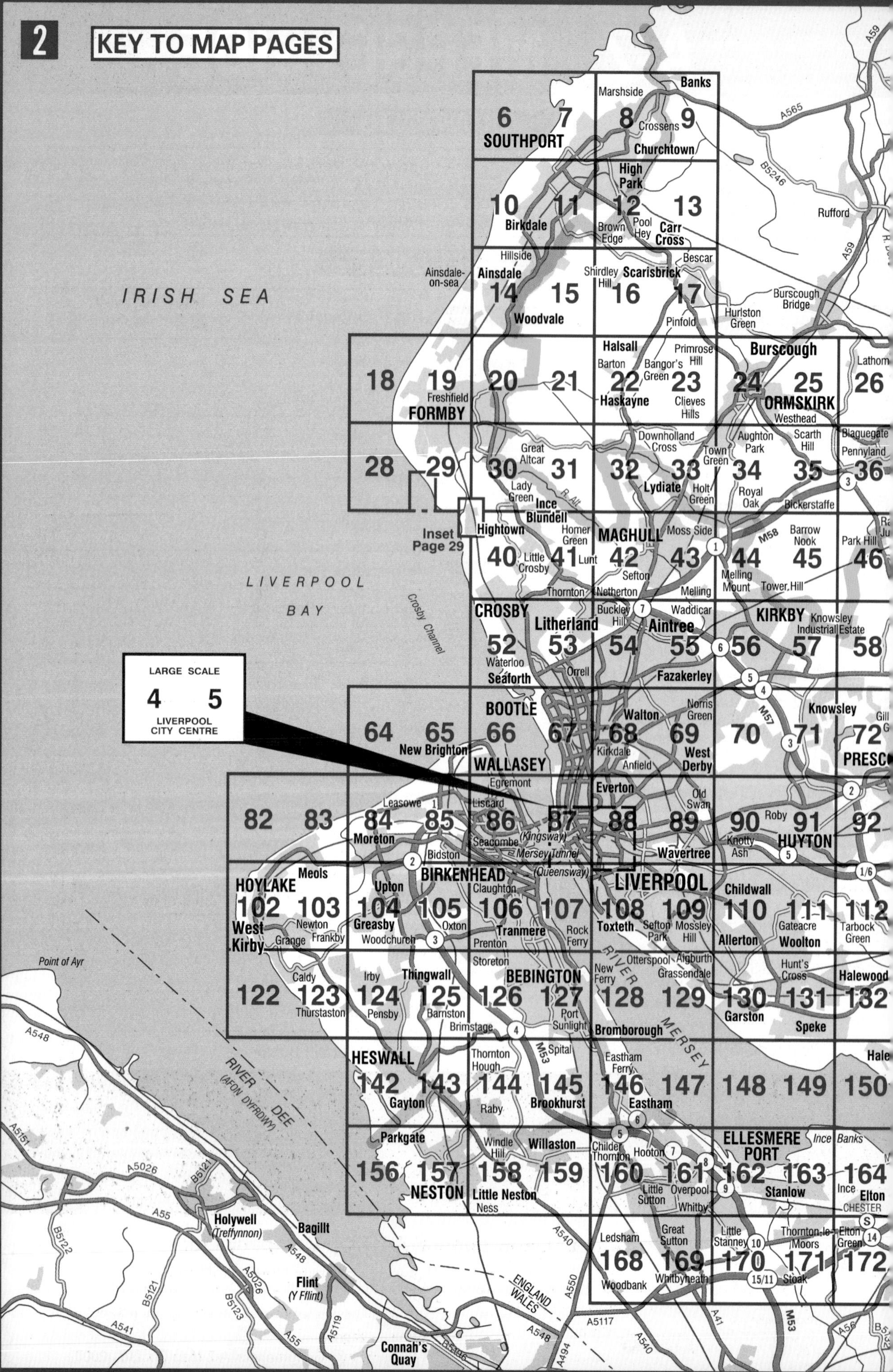

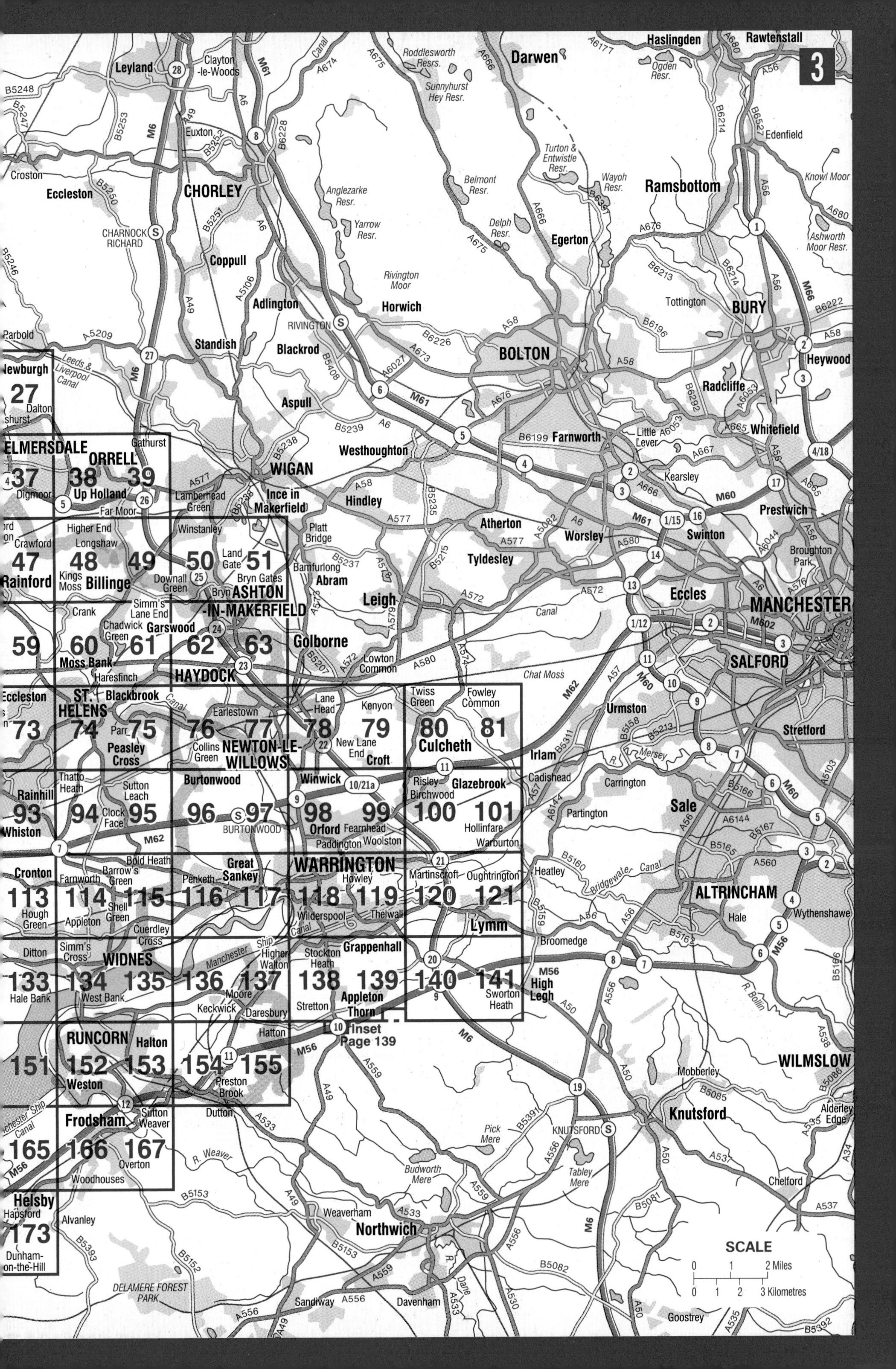
3
Leyland
Clayton
-le-Woods
28
M61
Canal
A674
A675
Roddlesworth
Resrs.
A666
Darwen
A6177
Haslingden
A680
Rawtenstall
Ogden
Resr.
A56
Sunnyhurst
Hey Resr.
B5248
B5247
B5253
M6
A49
A6
Euxton
B5252
8
B6228
B6214
B6527
Edenfield
Turton &
Entwistle
Resr.
Croston
Wayoh
Resr.
Belmont
Resr.
Knowl Moor
Eccleston
B5250
CHORLEY
Anglezarke
Resr.
B6391
Ramsbottom
A56
A680
A666
Delph
Resr.
1
CHARNOCK
RICHARD
B5251
A6
Yarrow
Resr.
A675
Egerton
A676
Ashworth
Moor Resr.
B5246
Coppull
B6213
B6214
A56
M66
Rivington
Moor
A5106
A49
Adlington
Horwich
Tottington
BURY
B6222
Parbold
A5209
RIVINGTON
S
B6196
A58
B6226
A58
Standish
Blackrod
2
27
B5408
A673
BOLTON
Heywood
Leeds &
Liverpool
Canal
Newburgh
A6027
A58
3
M6
6
M61
B6292
Radcliffe
A6053
27
Dalton
Aspull
A676
Skelmersdale
Gathurst
B5238
B5239
A6
5
B6199
Farnworth
Little
Lever
A6053
A665
Whitefield
4/18
ELMERSDALE
ORRELL
Westhoughton
A667
37
38
39
A577
WIGAN
4
2
Kearsley
17
A665
Digmoor
Up Holland
26
Lamberhead
Green
B5238
Ince in
Makerfield
A58
3
A666
M60
Prestwich
5
Far Moor
Hindley
B5235
Higher End
A577
Atherton
M61
1/15
16
Crawford
Longshaw
Winstanley
Platt
Bridge
A5082
A6
Worsley
Swinton
47
48
49
50
Land
Gate
51
A577
A580
A6044
A56
Broughton
Park
Rainford
Kings
Moss
Billinge
Downall
Green
25
Bryn Gates
Bamfurlong
B5237
A578
B5215
Tyldesley
14
Bryn
ASHTON
-IN-MAKERFIELD
Abram
13
A576
Crank
Simm's
Lane End
A573
Leigh
A572
A572
Eccles
A6
MANCHESTER
Chadwick
Green
Garswood
24
A579
Canal
1/12
2
M602
59
60
61
62
63
Golborne
3
Moss Bank
Haresfinch
23
HAYDOCK
B5207
A572
Lowton
Common
A580
A574
11
SALFORD
Chat Moss
M62
A57
Eccleston
ST.
HELENS
Blackbrook
Canal
Earlestown
Lane
Head
Kenyon
Twiss
Green
Fowley
Common
M60
10
9
Urmston
73
74
Parr
75
76
77
78
79
80
81
Stretford
Peasley
Cross
Collins
Green
NEWTON-LE-
WILLOWS
22
New Lane
End
Croft
Culcheth
B5311
B5158
B5213
8
7
Irlam
R. Mersey
11
Thatto
Heath
Sutton
Leach
Burtonwood
Winwick
10/21a
Risley
Glazebrook
Cadishead
Carrington
6
M60
A5103
Rainhill
9
Birchwood
A57
A6144
B5166
93
94
95
96
97
98
99
100
101
Sale
Partington
A6144
Whiston
Clock
Face
S
BURTONWOOD
Orford
Fearnhead
Hollinfare
A56
A5167
5
M62
Paddington
Woolston
Warburton
7
Bold Heath
WARRINGTON
21
B5165
3
Cronton
Barrow's
Green
Great
Sankey
B5160
A560
2
Farnworth
Penketh
Howley
Martinscroft
Oughtrington
Heatley
Bridgewater Canal
113
114
115
116
117
118
119
120
121
ALTRINCHAM
4
Hough
Green
Appleton
Shell
Green
Wilderspool
Thelwall
B5159
Lymm
A56
A56
Hale
Wythenshawe
Cuerdley
Cross
Canal
5
Ditton
Simm's
Cross
WIDNES
Manchester Ship
Higher
Walton
Stockton
Heath
Grappenhall
Broomedge
B5162
6
M56
20
8
7
M56
133
134
135
136
137
138
139
140
141
High
Legh
A556
B5166
Hale Bank
West Bank
Moore
Stretton
Appleton
Thorn
9
Sworton
Heath
A50
R. Bollin
Keckwick
Daresbury
10
Inset
Page 139
Hatton
M6
RUNCORN
Halton
A538
M56
A559
151
152
153
154
155
11
A50
WILMSLOW
Weston
Preston
Brook
A49
19
Mobberley
B5085
B5086
Manchester Ship
Canal
12
Sutton
Weaver
Dutton
A533
Frodsham
B5391
Knutsford
Pick
Mere
KNUTSFORD
S
Alderley
Edge
A535
165
166
167
R. Weaver
A556
Tabley
Mere
A50
A537
M56
Overton
Budworth
Mere
A34
Woodhouses
A559
Chelford
Helsby
B5153
B5081
Hapsford
A49
Weaverham
A533
A537
Alvanley
173
Northwich
M6
Dunham-
on-the-Hill
B5393
B5153
R.
A556
SCALE
0
1
2 Miles
0
1
2
3 Kilometres
B5152
B5082
DELAMERE FOREST
PARK
A559
Dane
A533
A530
Sandiway
A556
Davenham
A556
A49
A50
Goostrey
A535
B5392

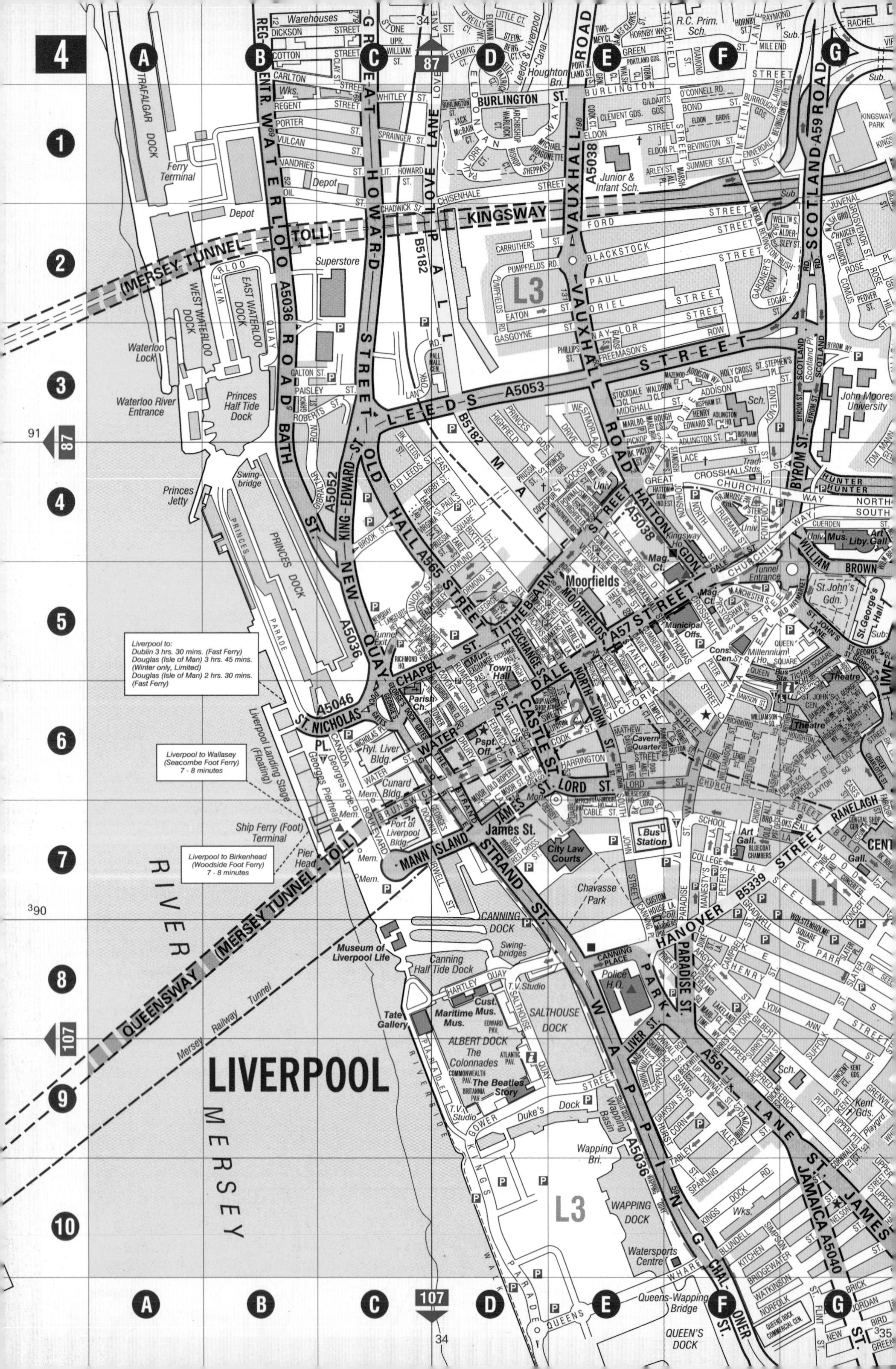

4
A
B
C
D
E
F
G
1
2
3
4
5
6
7
8
9
10
LIVERPOOL
RIVER
MERSEY
Liverpool to:
Dublin 3 hrs. 30 mins. (Fast Ferry)
Douglas (Isle of Man) 3 hrs. 45 mins. (Winter only, Limited)
Douglas (Isle of Man) 2 hrs. 30 mins. (Fast Ferry)
Liverpool to Wallasey (Seacombe Foot Ferry) 7 - 8 minutes
Liverpool to Birkenhead (Woodside Foot Ferry) 7 - 8 minutes
TRAFALGAR DOCK
Ferry Terminal
Depot
MERSEY TUNNEL (TOLL)
WEST WATERLOO DOCK
EAST WATERLOO DOCK
Waterloo Lock
Waterloo River Entrance
Princes Half Tide Dock
Princes Jetty
Swing-bridge
PRINCES DOCK
PRINCES PARADE
Liverpool Landing Stage (Floating)
Ship Ferry (Foot) Terminal
Pier Head
Georges Pierhead
Ryl. Liver Bldg.
Cunard Bldg.
Port of Liverpool Bldg.
MANN ISLAND
QUEENSWAY MERSEY TUNNEL (TOLL)
Mersey Railway Tunnel
Museum of Liverpool Life
CANNING DOCK
Canning Half Tide Dock
Swing-bridges
Tate Gallery
Maritime Mus.
Cust. Mus.
ALBERT DOCK
The Colonnades
The Beatles Story
T.V. Studio
SALTHOUSE DOCK
Duke's Dock
Wapping Basin
Wapping Bri.
WAPPING DOCK
Watersports Centre
Queens-Wapping Bridge
QUEEN'S DOCK
L3
L1
WATERLOO ROAD A5036
BATH ST.
NEW QUAY
ST. NICHOLAS PL.
GREAT HOWARD STREET
OLD HALL STREET
KINGSWAY
LEEDS STREET A5053
VAUXHALL ROAD A5038
SCOTLAND ROAD A59
BYROM ST.
TITHEBARN STREET
MOORFIELDS
DALE ST.
A57 STREET
CHAPEL ST.
WATER ST.
JAMES ST.
CASTLE ST.
NORTH JOHN ST.
VICTORIA ST.
LORD ST.
STRAND ST.
WAPPING A5036
HANOVER STREET B5339
PARK LA.
PARADISE ST.
DUKE ST.
RANELAGH STREET
CHURCHILL WAY
WILLIAM BROWN ST.
HUNTER ST.
ST. JAMES ST.
JAMAICA ST. A5040
CHALONER ST.
KINGS DOCK ST.
Superstore
Junior & Infant Sch.
John Moores University
Moorfields
Town Hall
Parish Ch.
Pspt. Off.
City Law Courts
Cavern Quarter
Bus Station
Chavasse Park
Police H.Q.
CANNING PLACE
Municipal Offs.
Mag. Ct.
Cons. Cen.
Millennium Square
St. John's Gdn.
St. George's Hall
Mus. Liby. Gall.
Theatre
Art Gall.
James St.
87
107
91
34
35
390

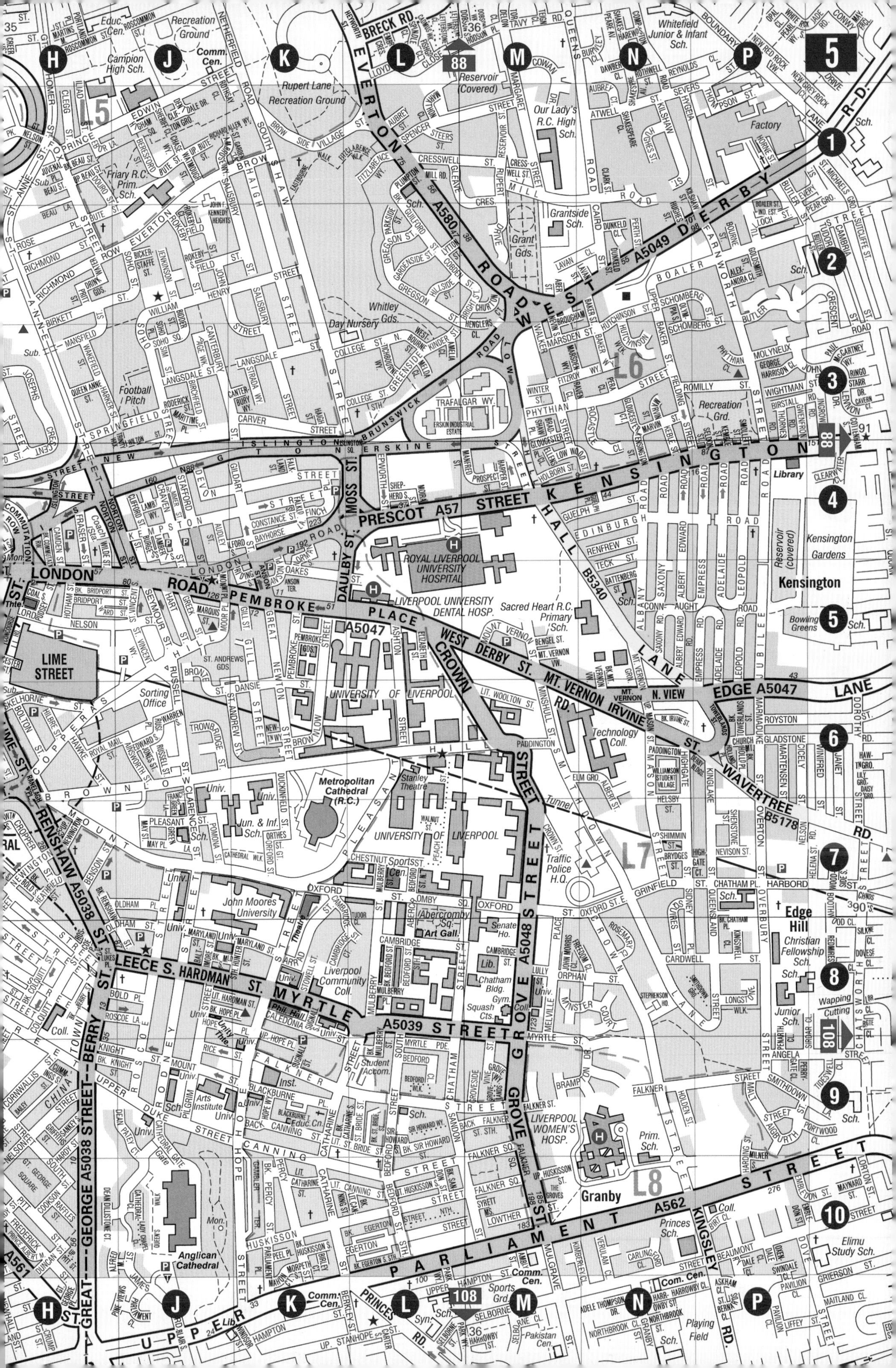

5
35
H
J
K
L
M
N
P
88
108
1
2
3
4
5
6
7
8
9
10
L5
L6
L7
L8
Recreation Ground
Campion High Sch.
Comm. Cen.
Rupert Lane Recreation Ground
Reservoir (Covered)
Whitefield Junior & Infant Sch.
Factory
Our Lady's R.C. High Sch.
Grantside Sch.
Grant Gds.
Friary R.C. Prim. Sch.
Whitley Gds.
Day Nursery
Football Pitch
Trafalgar Wy.
Erskin Industrial Estate
Recreation Grd.
Library
Kensington Gardens
Reservoir (covered)
Kensington
Bowling Greens
Royal Liverpool University Hospital
Liverpool University Dental Hosp.
Sacred Heart R.C. Primary Sch.
Lime Street
Sorting Office
University of Liverpool
Technology Coll.
Williamson Student Village
Metropolitan Cathedral (R.C.)
Stanley Theatre
Jun. & Inf. Sch.
Traffic Police H.Q.
Tunnel
John Moores University
Abercromby Sq.
Art Gall.
Senate Ho.
Liverpool Community Coll.
Chatham Bldg.
Squash Cts.
Gym.
Phil. Hall
Unity Thte.
Arts Institute
Student Accom.
Edge Hill
Christian Fellowship Sch.
Junior Sch.
Wapping Cutting
Liverpool Women's Hosp.
Prim. Sch.
Granby
Princes Sch.
Elimu Study Sch.
Anglican Cathedral
Sports Grd.
Pakistan Cen.
Playing Field
Syn.
EVERTON ROAD A580
WEST DERBY ROAD A5049
ISLINGTON
ERSKINE STREET
BRUNSWICK ROAD
LONDON ROAD
PRESCOT STREET A57
KENSINGTON
PEMBROKE PLACE
WEST DERBY ST.
MT. VERNON
IRVINE ST.
EDGE LANE A5047
WAVERTREE RD. B5178
HALL LANE B5340
CROWN ST.
GROVE STREET A5048
MYRTLE STREET A5039
LEECE S. HARDMAN ST.
RENSHAW A5038
BERRY ST.
GREAT GEORGE STREET A5038
PARLIAMENT STREET A562
UPPER PARLIAMENT STREET
KINGSLEY RD.
PRINCES RD.
UPPER DUKE ST.
HOPE STREET
RODNEY STREET
MOUNT PLEASANT
BROWNLOW HILL
OXFORD ST.
CANNING STREET
FALKNER STREET
SMITHDOWN LANE
CHATSWORTH STREET
A561

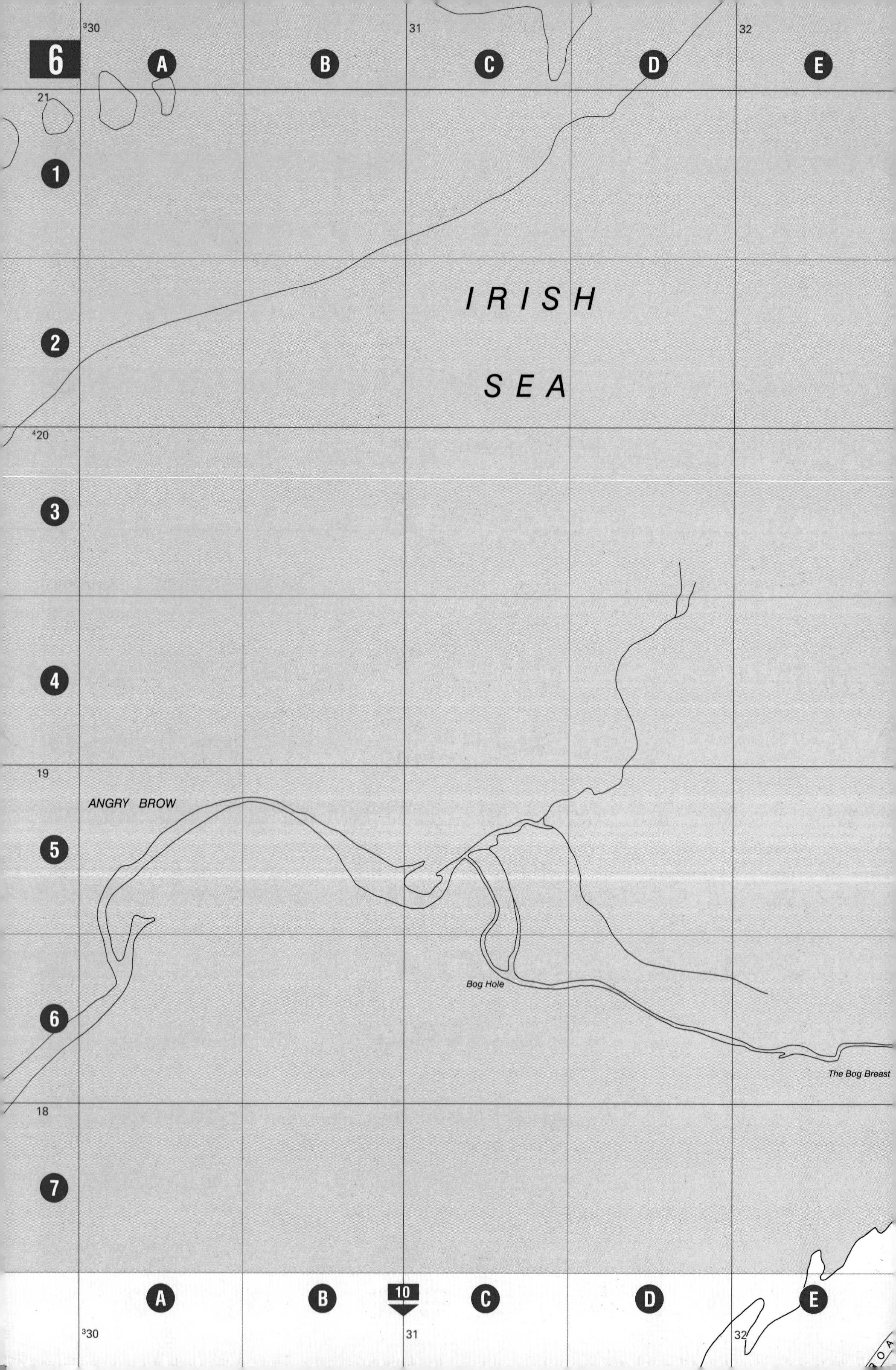

³30   A   B   31   C   D   32   E

21

1

I R I S H

2

S E A

⁴20

3

4

19

ANGRY BROW

5

Bog Hole

6

The Bog Breast

18

7

A   B   10   C   D   E

³30   31   32

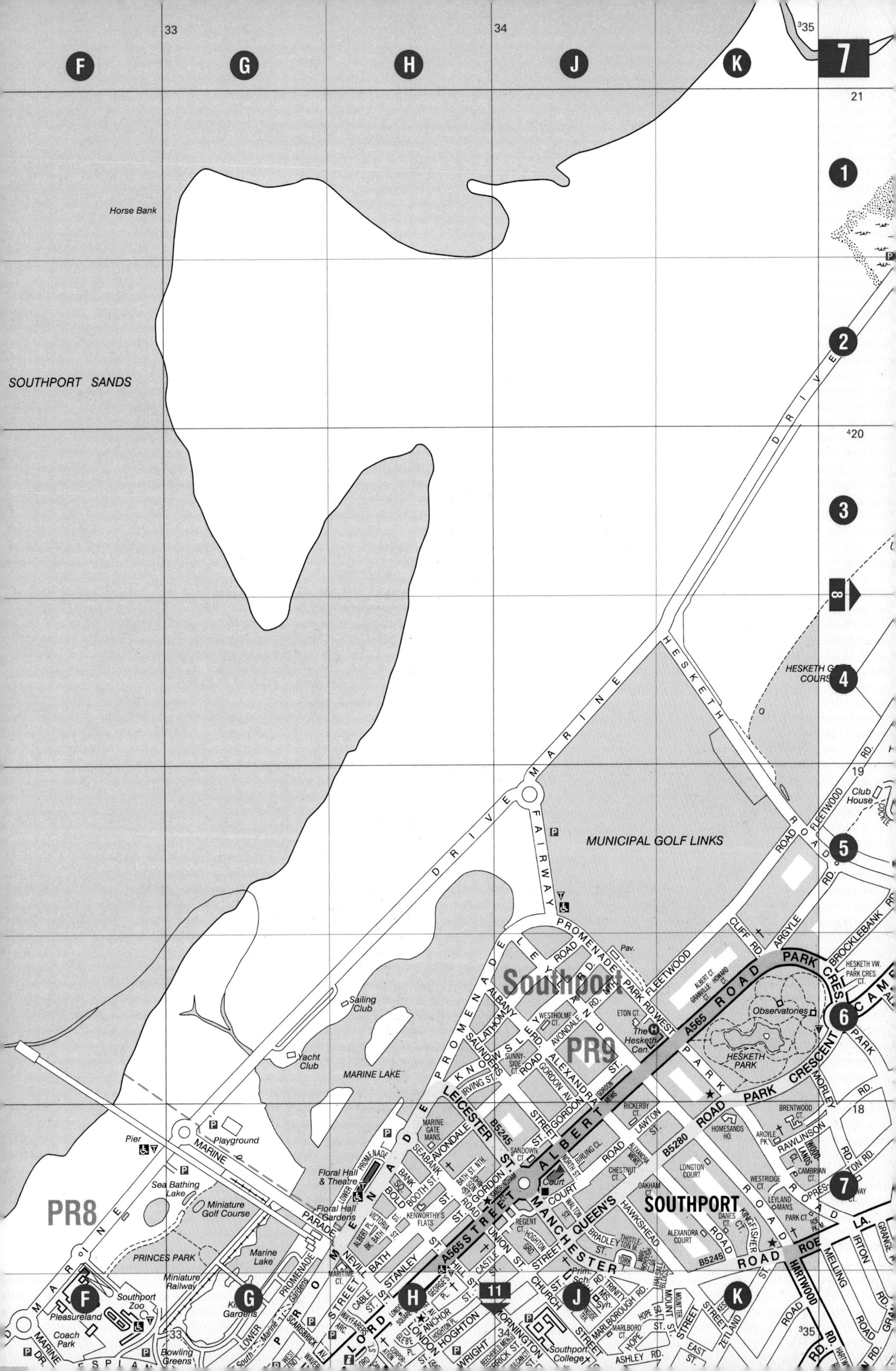

7
F
G
H
J
K
33
34
35
21
20
19
18
1
2
3
4
5
6
7
8
11
Horse Bank
SOUTHPORT SANDS
MARINE DRIVE
HESKETH DRIVE
HESKETH GOLF COURSE
MUNICIPAL GOLF LINKS
FAIRWAY
PROMENADE
Southport
SOUTHPORT
PR9
PR8
Sailing Club
Yacht Club
MARINE LAKE
Playground
Pier
Sea Bathing Lake
Miniature Golf Course
PRINCES PARK
Marine Lake
Miniature Railway
Kings Gardens
Southport Zoo
Pleasureland
Coach Park
Bowling Greens
Floral Hall & Theatre
Floral Hall Gardens
The Hesketh Cen.
HESKETH PARK
Observatories
Club House
Court
Southport College
Pav.
LORD STREET
A565
B5245
B5280
B5245
FLEETWOOD ROAD
PARK CRESCENT
PARK ROAD
ALBERT ROAD
MANCHESTER ROAD
LEICESTER ST.
KNOWSLEY ROAD
QUEEN'S ROAD
HAWKSHEAD STREET
ROE LANE
HARTWOOD ROAD
ARGYLE ROAD
CLIFF RD.
BROCKLEBANK RD.
MORLEY RD.
NEVILL ST.
STANLEY ST.
CHURCH ST.
HOGHTON ST.
LONDON ST.
MOUNT ST.
ZETLAND ST.

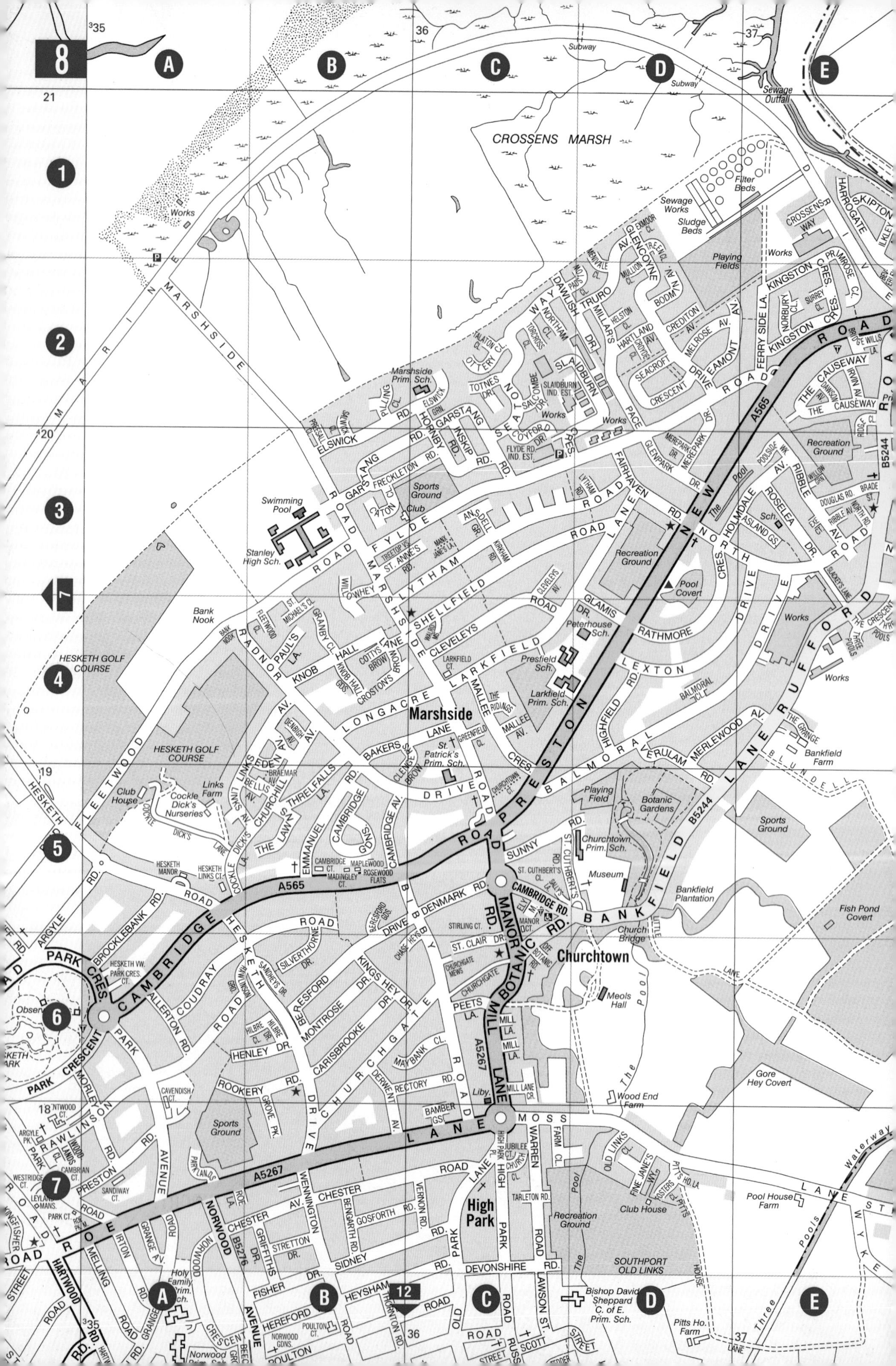
8
A
B
C
D
E
1
2
3
4
5
6
7
Subway
Sewage Outfall
CROSSENS MARSH
Works
Sewage Works
Sludge Beds
Filter Beds
Playing Fields
MARINE DRIVE
MARSHSIDE ROAD
Marshside Prim. Sch.
Swimming Pool
Stanley High Sch.
Sports Ground
Club
Bank Nook
HESKETH GOLF COURSE
Club House
Links Farm
Cockle Dick's Nurseries
Marshside
St. Patrick's Prim. Sch.
Recreation Ground
Pool Covert
Peterhouse Sch.
Presfield Sch.
Larkfield Prim. Sch.
SLAIDBURN IND. EST.
FLYDE RD. IND. EST.
FYLDE ROAD
ROAD LYTHAM
SHELLFIELD ROAD
CLEVELEYS
LARKFIELD
LONGACRE
KNOB HALL LANE
RADNOR DRIVE
BAKERS LANE
BALMORAL DRIVE
PRESTON NEW ROAD
A565
B5244
ROAD NORTH
RATHMORE
LEXTON
HIGHFIELD RD.
VERULAM RD.
MERLEWOOD AV.
RUFFORD ROAD
BANKFIELD LANE
BLUNDELL LANE
Bankfield Farm
Playing Field
Botanic Gardens
Sports Ground
Churchtown Prim. Sch.
Museum
Bankfield Plantation
Fish Pond Covert
Church Bridge
Churchtown
Meols Hall
The Pool
Gore Hey Covert
Wood End Farm
CAMBRIDGE ROAD
HESKETH ROAD
FLEETWOOD ROAD
PARK CRESCENT
MANOR RD.
BOTANIC RD.
MILL LANE
A5267
Liby.
CHURCHGATE
ROOKERY RD.
Sports Ground
ROE LANE
MOSS LANE
High Park
Recreation Ground
Club House
Pool House Farm
Three Pools Waterway
SOUTHPORT OLD LINKS
DEVONSHIRE RD.
Holy Family Prim. Sch.
Bishop David Sheppard C. of E. Prim. Sch.
Pitts Ho. Farm
12
35
36
37
18
19
20
21

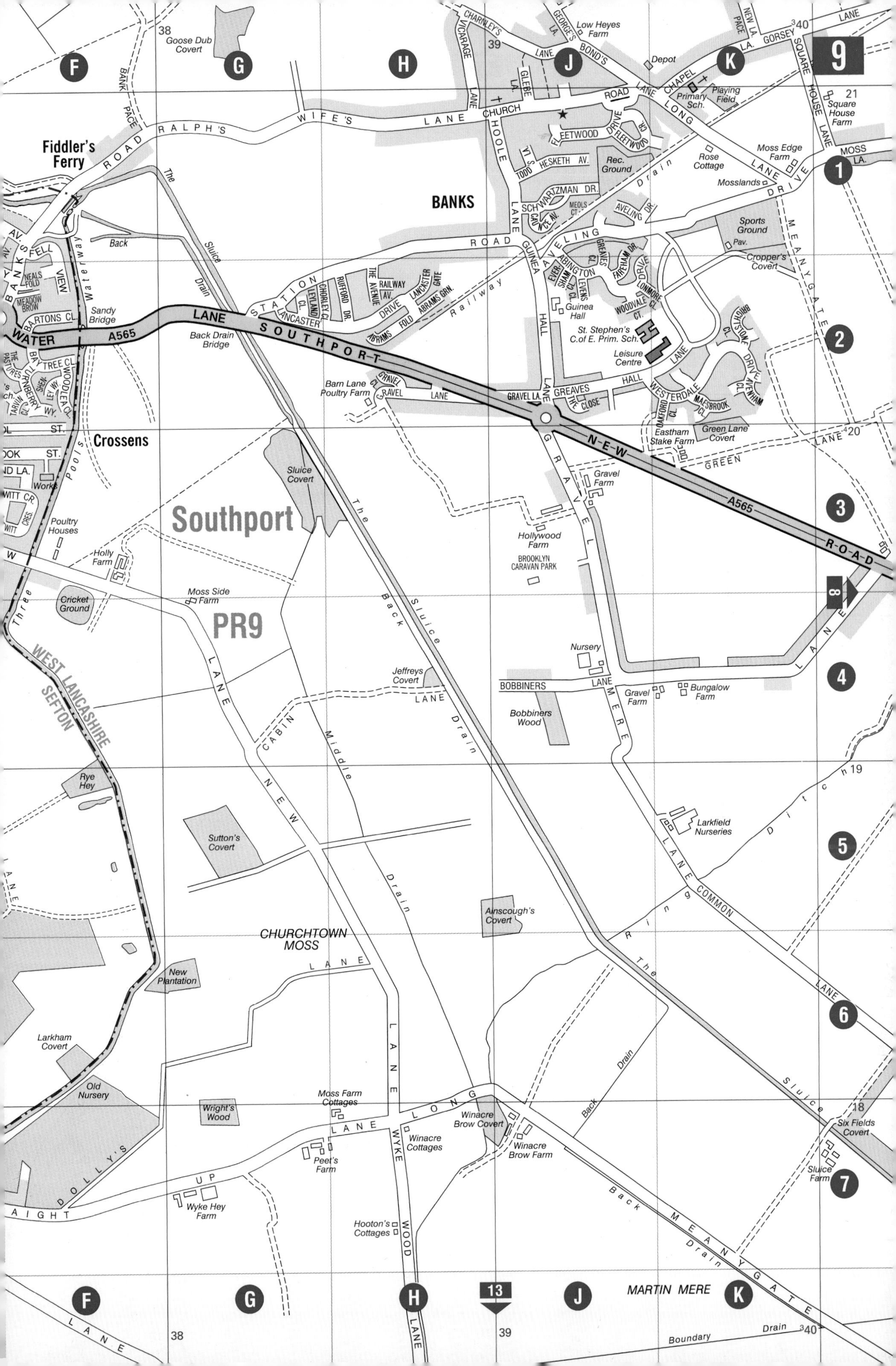

9
Fiddler's Ferry
Goose Dub Covert
BANKS
Southport
PR9
Crossens
CHURCHTOWN MOSS
MARTIN MERE
RALPH'S WIFE'S LANE
CHURCH ROAD
LONG LANE
GORSEY LANE
SQUARE HOUSE LANE
MOSS LA.
Low Heyes Farm
Depot
Primary Sch.
Playing Field
Square House Farm
Moss Edge Farm
Rose Cottage
Mosslands
Rec. Ground
STATION ROAD
HOOLE LANE
GUINEA HALL LANE
AVELING DRIVE
MEANYGATE
Sports Ground
Pav.
Cropper's Covert
Guinea Hall
St. Stephen's C.of E. Prim. Sch.
Leisure Centre
Railway
SOUTHPORT NEW ROAD
A565
WATER LANE
Back Drain Bridge
Sandy Bridge
Barn Lane Poultry Farm
GRAVEL LANE
GREAVES HALL
Eastham Stake Farm
Green Lane Covert
GREEN LANE
Gravel Farm
Hollywood Farm
BROOKLYN CARAVAN PARK
Sluice Covert
The Sluice Drain
The Back Sluice Drain
Poultry Houses
Holly Farm
Moss Side Farm
Cricket Ground
Works
Nursery
BOBBINERS LANE
Gravel Farm
Bungalow Farm
Bobbiners Wood
MERE LANE
Jeffreys Covert
CABIN LANE
NEW LANE
Middle Drain
WEST LANCASHIRE
SEFTON
Rye Hey
Sutton's Covert
Larkfield Nurseries
COMMON LANE
Ring Ditch
Ainscough's Covert
New Plantation
Larkham Covert
Old Nursery
Wright's Wood
Moss Farm Cottages
LONG LANE
Winacre Cottages
Winacre Brow Covert
Winacre Brow Farm
Peet's Farm
Wyke Hey Farm
UP LANE
WYKE WOOD LANE
Hooton's Cottages
Back Drain
Back Meanygate Drain
Six Fields Covert
Sluice Farm
Boundary Drain
13
8
F G H J K
1 2 3 4 5 6 7
38 39 40

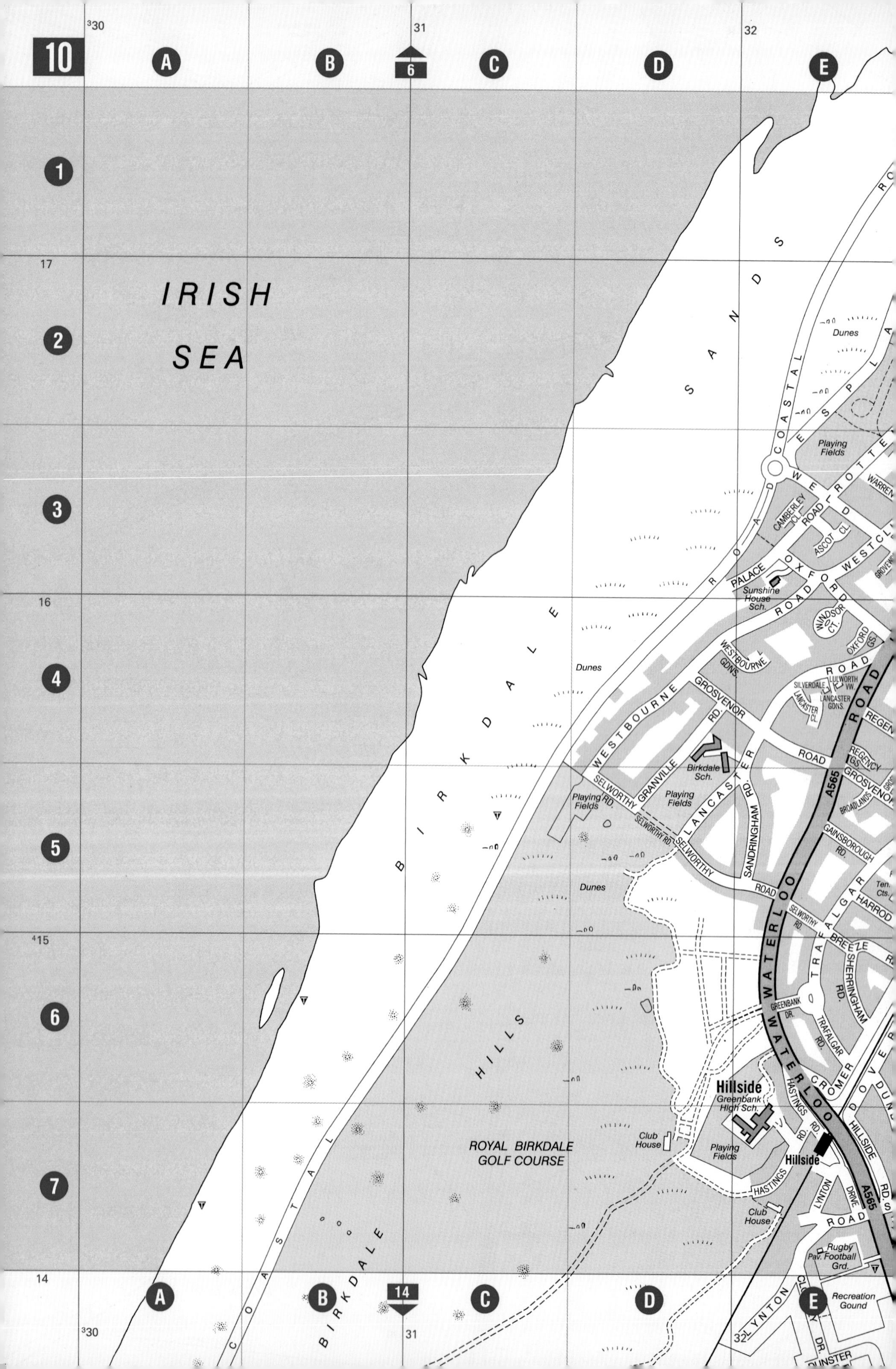

IRISH

SEA

COASTAL

SANDS

PLA

Dunes

Playing
Fields

WARREN

CAMBERLEY
RD.

ASCOT CL.

ROAD

WESTCL

OXFORD

PALACE

Sunshine
House
Sch.

WINDSOR
CT.

ROAD

OXFORD

SS.

ROAD

WESTBOURNE
GDNS.

LULWORTH
VW.

REGEN

SILVERDALE
LANCASTER
CL.

LANCASTER
GDNS.

ROAD

Dunes

WESTBOURNE

GROSVENOR

RD.

A565

GROSVENOR

REGENCY
IGS.

BROADLAND:

B I R K D A L E

Birkdale
Sch.

Playing
Fields

GAINSBOROUGH
RD.

SELWORTHY RD.

GRANVILLE

Playing
Fields

LANCASTER

SELWORTHY

ROAD

Ten.
Cts.

HARROD

Playing
Fields

SANDRINGHAM RD.

ROAD

SELWORTHY
RD.

TRAFALGAR

SHERRINGHAM
RD.

BREEZE

Dunes

B I R K D A L E

GREENBANK
DR.

WATERLOO

CROMER

TRAFALGAR
RD.

Hillside

Greenbank
High Sch.

DUN

DOVER

HASTINGS RD.

HILLSIDE

ROAD

H I L L S

Club
House

Playing
Fields

Hillside

ROYAL BIRKDALE
GOLF COURSE

HASTINGS

LYNTON

A565

Club
House

DRIVE

ROAD

Rugby
Pav. Football
Grd.

LYNTON

CL.

Recreation
Gound

B I R K D A L E

LYNTON

DR.

DUNSTER

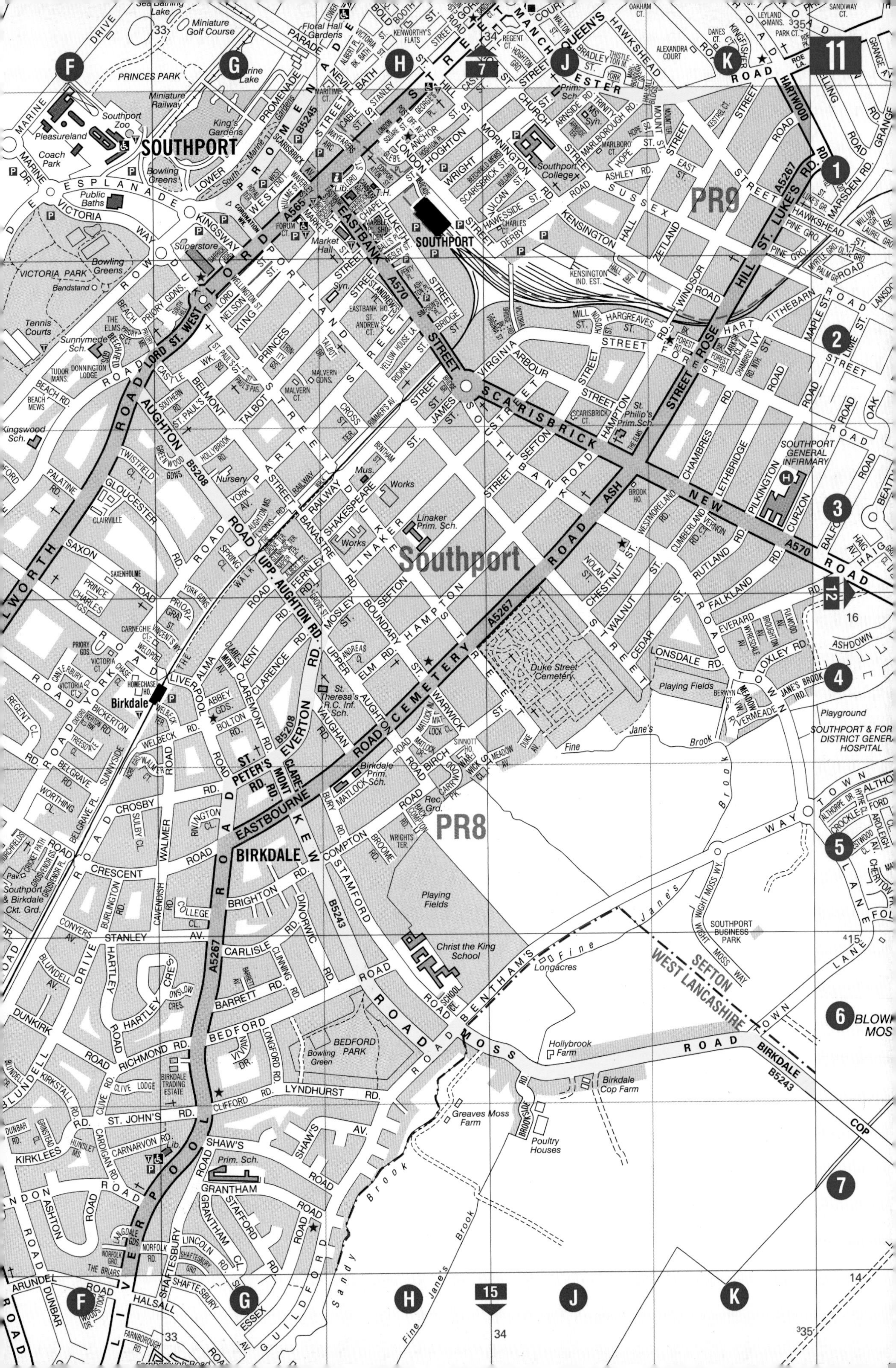
SOUTHPORT
Southport
PR9
PR8
BIRKDALE
Birkdale
F
G
H
J
K
1
2
3
4
5
6
7
7
12
15
16
33
34
35
14
Princes Park
Miniature Golf Course
Floral Hall Gardens
Southport Zoo
Pleasureland
Coach Park
King's Gardens
Miniature Railway
Bowling Greens
Public Baths
Esplanade
Victoria Way
Victoria Park
Bandstand
Tennis Courts
Superstore
Kingsway
Lord Street
Lord St. West
Promenade
Marine Drive
Eastbank Street
London Street
Chapel St.
Market Hall
Southport College
Hoghton St.
Manchester Road
Queen's Road
Hawkshead Street
Sussex Road
Kensington Road
Kensington Ind. Est.
Zetland Street
Windsor Road
Hall Street
St. Luke's Rd.
Hartwood Rd.
Roe Lane
Tithebarn Road
Forest Road
Mill St.
Hargreaves St.
Virginia St.
Arbour Street
Scarisbrick New Road
Hampton Road
St. Philip's Prim. Sch.
Chambres Rd.
Lethbridge Rd.
Pilkington Rd.
Curzon Rd.
Southport General Infirmary
Sefton Street
Bank Road
Ash Street
Hill Street
Rose Street
Linaker Prim. Sch.
Linaker Street
Shakespeare St.
Duke St.
Works
Mus.
Railway St.
Portland Street
Talbot Street
Belmont St.
Nelson St.
King St.
Princes St.
Aughton Road
Upp. Aughton Rd.
Nursery
York Road
Gloucester Rd.
Clairville
Saxon Road
Palatine Rd.
Tudor Mans.
Beach Rd.
Beach Mews
Kingswood Sch.
Sunnymede Sch.
Donnington Lodge
The Elms
Priory Gdns.
Carnegie Ct.
Victoria Ct.
Homechase Ho.
Liverpool Road
Bolton Rd.
Welbeck Rd.
Sunnyside
Belgrave Rd.
Worthing Cl.
Crosby Road
Crescent Road
Southport & Birkdale Ckt. Grd.
Everton Rd.
Clarence Rd.
Kent Rd.
Alma Rd.
St. Peter's Rd.
Upper Aughton Rd.
St. Theresa's R.C. Inf. Sch.
Vaughan Rd.
Cemetery Road
Eastbourne Road
Kew Road
Birkdale Prim. Sch.
Matlock Rd.
Birch Rd.
Warwick St.
Duke Street Cemetery
Chestnut St.
Walnut St.
Cedar St.
Lonsdale Rd.
Loxley Rd.
Everard Rd.
Rutland Rd.
Falkland Rd.
Town Lane
Playing Fields
Playground
Southport & Formby District General Hospital
Jane's Brook
Fine Jane's Brook
Town Lane
Way
Wight Moss Wy.
Southport Business Park
Sefton
West Lancashire
Birkdale Cop
B5243
Blowick Moss
Longacres
Hollybrook Farm
Birkdale Cop Farm
Greaves Moss Farm
Poultry Houses
Brookside Rd.
Moss Road
Bentham's Way
Christ the King School
Playing Fields
Compton Rd.
Broome Rd.
Wrights Ter.
Stamford Road
Dinorwic Rd.
Brighton Rd.
College Cl.
Stanley Av.
Carlisle Rd.
Clinning Rd.
Barrett Rd.
Bedford Road
Bedford Park
Bowling Green
Vivian Dr.
Longford Rd.
Lyndhurst Rd.
Clifford Rd.
Birkdale Trading Estate
Richmond Rd.
Clive Lodge
St. John's Rd.
Shaw's Road
Shaw's Av.
Grantham Road
Prim. Sch.
Stafford Rd.
Lincoln Rd.
Shaftesbury
Guildford Road
Sandy Brook
Liverpool Road
Carnarvon Rd.
Kirklees Rd.
Ashton Road
Arundel Road
Dunbar Road
Halsall
Farnborough Road
Essex
Hartley Road
Hartley Cres.
Blundell Drive
Dunkirk
Conyers Av.
Burlington Rd.
Cavendish Rd.
Walmer Rd.
Rivington Cl.
Dunbar Rd.
A565
A570
A5267
B5245
B5208
Scarisbrick Av.
Wesley St.
Forum
Lib.
T.H.
Syn.
Eastbank Ho.
St. Andrew's Ct.
Malvern Gdns.
Malvern Ct.
Yellow House La.
Riding St.
Cross St.
Bridge St.
James St.
Mornington Rd.
Church Street
Arnside Rd.
Marlborough Rd.
Trinity
Hope St.
Mount Ter.
East St.
Ashley Rd.
Derby Rd.
Hawesside St.
Vulcan St.
Wright St.
Alexandra Court
Kingfisher Ct.
Park Ct.
Oakham Ct.
Sandiway Ct.
Leyland Mans.
Grange Rd.
Marsden Rd.
Pine Gro.
Palm Gro.
Myrtle Gro.
Maple St.
Ivy St.
Hart St.
Lime St.
Oak St.
Balfour Rd.
Beatty Rd.
Haig Av.
Ashdown
Jane's Brook Rd.
Meadow Vw.
Vermeade
Berwyn Ct.
Althorpe Dr.
Crocklecroft
Ardleigh Av.
Cheriton Cl.
Ford

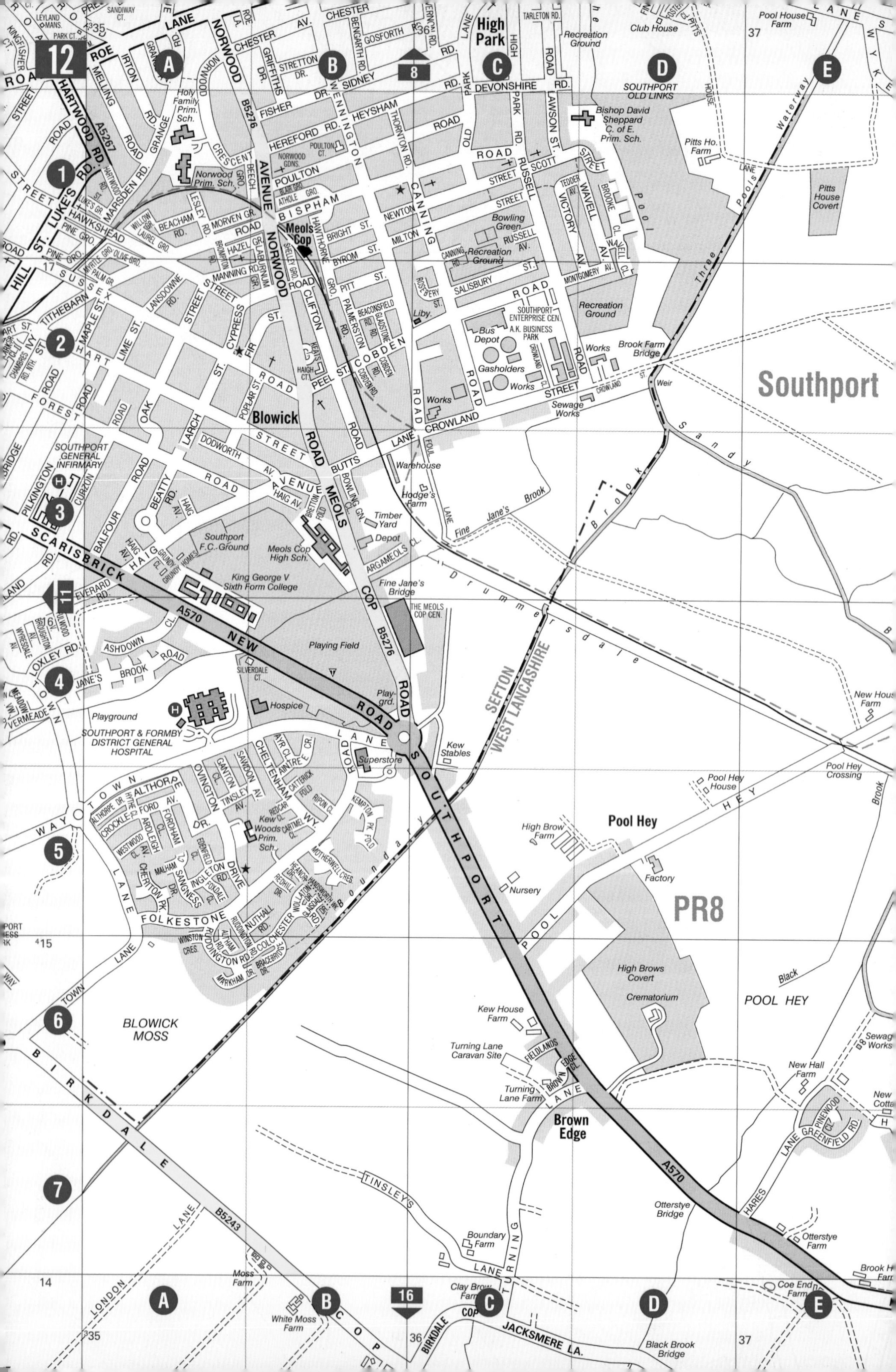
High Park
Southport
Blowick
Meols Cop
Pool Hey
PR8
Brown Edge
BLOWICK MOSS
POOL HEY
SOUTHPORT OLD LINKS
SOUTHPORT GENERAL INFIRMARY
SOUTHPORT & FORMBY DISTRICT GENERAL HOSPITAL
King George V Sixth Form College
Meols Cop High Sch.
Southport F.C. Ground
THE MEOLS COP CEN.
Playing Field
Hospice
Superstore
Kew Woods Prim. Sch.
Holy Family Prim. Sch.
Norwood Prim. Sch.
Bishop David Sheppard C. of E. Prim. Sch.
SOUTHPORT ENTERPRISE CEN.
A.K. BUSINESS PARK
Bus Depot
Gasholders
Works
Sewage Works
Recreation Ground
Bowling Green
Liby.
Warehouse
Hodge's Farm
Timber Yard
Depot
Fine Jane's Bridge
Fine Jane's Brook
Brook Farm Bridge
Weir
Pitts Ho. Farm
Pitts House Covert
Pool House Farm
Club House
New House Farm
Pool Hey House
Pool Hey Crossing
High Brow Farm
Factory
Nursery
High Brows Covert
Crematorium
Kew House Farm
Kew Stables
Turning Lane Caravan Site
Turning Lane Farm
Otterstye Bridge
Otterstye Farm
Boundary Farm
Moss Farm
White Moss Farm
Clay Brow Farm
Coe End Farm
Black Brook Bridge
New Hall Farm
Brook H. Farm
SEFTON
WEST LANCASHIRE
Boundary
Three Pools Waterway
Drummersdale
Sandy Brook
Black Brook
A570 NEW ROAD
SOUTHPORT ROAD
SCARISBRICK
MEOLS COP ROAD
B5276
NORWOOD AVENUE
NORWOOD ROAD
A5267
HARTWOOD RD.
ST. LUKE'S RD.
BIRKDALE
B5243
LONDON LANE
COP
JACKSMERE LA.
TURNING LANE
TINSLEY'S LANE
TOWN LANE
FOLKESTONE
CROWLAND STREET
CANNING ROAD
BISPHAM ROAD
HEYSHAM ROAD
POULTON ROAD
DEVONSHIRE RD.
SUSSEX ROAD
TITHEBARN
HAWKSHEAD
BUTTS LANE
HAIG AVENUE
DODWORTH ROAD
ASHDOWN
BROOK ROAD
WAY
HEY
POOL
HARES LANE
GREENFIELD RD.
PINEWOOD CL.
BROWN EDGE
FIELDLANDS
Playground
Play-grd.
8
11
16
35
36
37
14
15
16
17
A
B
C
D
E
1
2
3
4
5
6
7

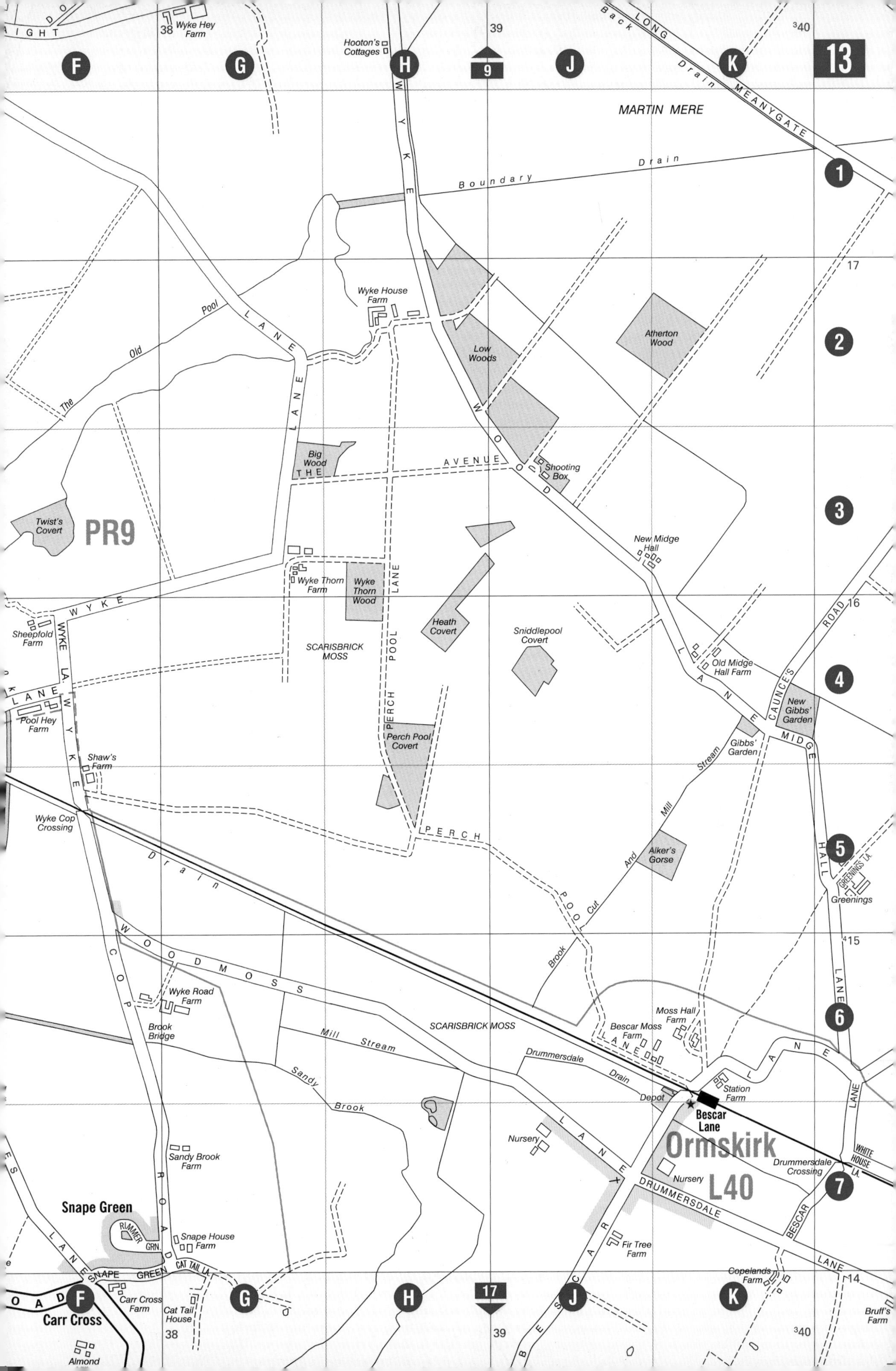

F G H 9 J K

MARTIN MERE

Back Drain LONG MEANYGATE

340

1

Boundary Drain

17

2

Wyke Hey Farm
38

Hooton's Cottages

Wyke House Farm

Atherton Wood

Low Woods

Shooting Box

Big Wood
THE AVENUE
WYKE
WOOD LANE

New Midge Hall

3

Twist's Covert
PR9

WYKE LANE
Sheepfold Farm

Wyke Thorn Farm

Wyke Thorn Wood

PERCH POOL LANE

SCARISBRICK MOSS

Heath Covert

Sniddlepool Covert

CAUNCE'S ROAD
16

Old Midge Hall Farm

New Gibbs' Garden

4

WYKE LANE
Pool Hey Farm

Shaw's Farm

Perch Pool Covert

MIDGE HALL LANE
Gibbs' Garden

Mill Stream

5
Alker's Gorse
GREENINGS T.A.
Greenings

Wyke Cop Crossing

Drain
WOOD COP
PERCH POOL Cut

And Brook

415

Wyke Road Farm

WOODMOSS LANE

SCARISBRICK MOSS

Moss Hall Farm

Bescar Moss Farm

6

Brook Bridge

Mill Stream

Sandy Brook

Drummersdale

Station Farm

Depot

★ Bescar Lane

Ormskirk
L40

Drummersdale Crossing

WHITE HOUSE LA.

7

Sandy Brook Farm

Nursery

BESCAR LANE

Snape Green

RIMMER GRN.

CAT TAIL LA.
Snape House Farm

Nursery

DRUMMERSDALE LANE

F G H 17 J K

Carr Cross
38

Carr Cross Farm

Cat Tail House

SNAPE GREEN LANE

39

Fir Tree Farm

Copelands Farm

Bruff's Farm

14

340

Almond

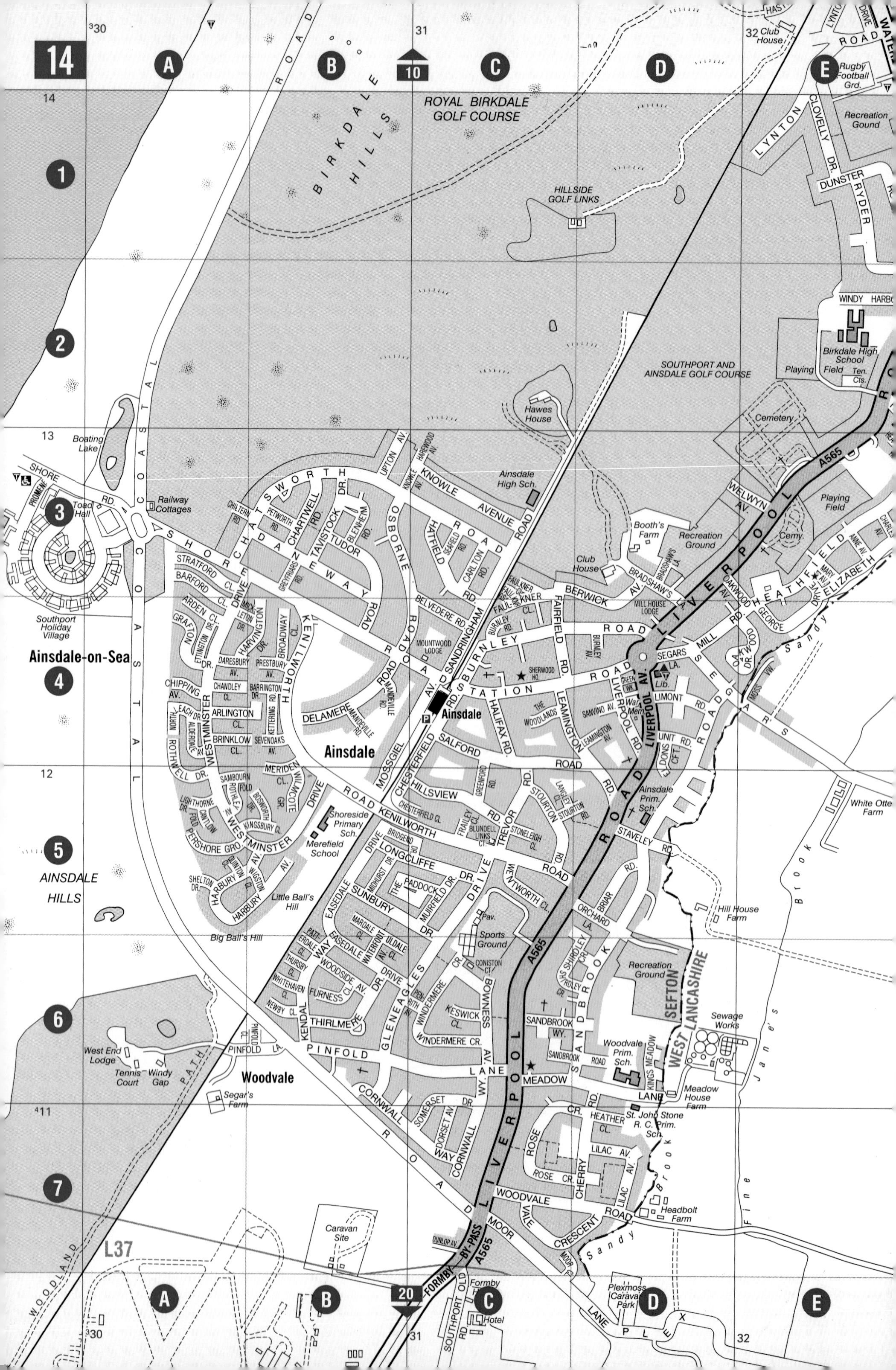
14
A
B
C
D
E
1
2
3
4
5
6
7
10
20
330
31
32
411
ROYAL BIRKDALE
GOLF COURSE
BIRKDALE HILLS
HILLSIDE
GOLF LINKS
SOUTHPORT AND
AINSDALE GOLF COURSE
Hawes
House
Club
House
Rugby
Football
Grd.
Recreation
Gound
LYNTON
CLOVELLY DR.
DUNSTER
RYDER
WINDY HARBO
Birkdale High
School
Playing
Field
Ten.
Cts.
Cemetery
A565
Playing
Field
Cemy.
WELWYN AV.
Booth's
Farm
Recreation
Ground
BRADSHAW'S LA.
MILL HOUSE
LODGE
BERWICK AV.
Boating
Lake
SHORE RD.
Toad
Hall
Railway
Cottages
Southport
Holiday
Village
Ainsdale-on-Sea
COASTAL ROAD
CHATSWORTH
CHARTWELL RD.
TAVISTOCK DR.
TUDOR
BLENHEIM
OSBORNE ROAD
UPTON AV.
HAREWOOD AV.
KNOWLE AV.
KNOWLE AVENUE
Ainsdale
High Sch.
HATFIELD ROAD
SEAFIELD RD.
CARLTON RD.
DANEWAY
GREYFRIARS RD.
PETWORTH RD.
CHILTERN RD.
STRATFORD CL.
BARFORD CL.
ARDEN CL.
GRAFTON
ETTINGTON DR.
DARESBURY AV.
HARVINGTON DR.
BROADWAY
PRESTBURY AV.
KENILWORTH
CHIPPING AV.
CHANDLEY CL.
BARRINGTON DR.
ARLINGTON CL.
KETTERING RD.
BRINKLOW CL.
SEVENOAKS AV.
WESTMINSTER DRIVE
ROTHWELL DR.
SAMBOURN FOLD
MERIDEN CL.
WILMCOTE GR.
LIGHTHORNE DR.
PERSHORE GRO.
KINGSBURY CL.
BOSWORTH DR.
HARBURY AV.
SHELTON DR.
Shoreside
Primary
Sch.
Merefield
School
Little Ball's
Hill
Big Ball's Hill
AINSDALE
HILLS
DELAMERE
MANDEVILLE RD.
MOSSGIEL AV.
Ainsdale
BELVEDERE RD.
MOUNTWOOD
LODGE
SANDRINGHAM RD.
BURNLEY
FAULKNER CL.
FAIRFIELD RD.
BURNLEY AV.
ROAD
STATION ROAD
SHERWOOD HO.
HALIFAX RD.
THE WOODLANDS
LEAMINGTON
SANVINO AV.
LEAMINGTON AV.
LIVERPOOL RD.
LIVERPOOL AV.
La.
Lib.
War Mem.
SEGARS
SEGARS LANE
OAKWOOD
HEATHFIELD
ELIZABETH
GEORGE
MILL RD.
OAKWOOD DR.
MOSS VW.
Sandy
LIMONT RD.
UNIT RD.
ELDONS CFT.
CHESTERFIELD
SALFORD
ROAD
HILLSVIEW
GREENFORD RD.
TREVOR RD.
STOURTON
LANGLEY CL.
STOURTON RD.
Ainsdale
Prim.
Sch.
STAVELEY RD.
CHESTERFIELD CL.
FRAILEY CL.
BLUNDELL LINKS CT.
STONELEIGH CL.
KENILWORTH ROAD
BRIDGEND DR.
LONGCLIFFE DR.
DRIVE
WENTWORTH CL.
MIDHURST DR.
THE PADDOCK
MUIRFIELD DR.
EASEDALE
SUNBURY DR.
MARDALE CL.
ULDALE CL.
EASEDALE DRIVE
WATERFOOT AV.
Pav.
Sports
Ground
ORCHARD LA.
BRIAR RD.
SHIRDLEY CR.
CONISTON CT.
PATTERDALE CL.
THURSBY CL.
WHITEHAVEN CL.
NEWBY CL.
KENDAL WAY
WOODSIDE AV.
FURNESS CL.
THIRLMERE
GLENEAGLES DRIVE
PENRITH AV.
WINDERMERE
KESWICK CL.
BOWNESS AV.
WINDERMERE CR.
Recreation
Ground
SANDBROOK
SANDBROOK WY.
SANDBROOK ROAD
LIVERPOOL ROAD
SEFTON
WEST LANCASHIRE
Sewage
Works
Woodvale
Prim.
Sch.
KINGS MEADOW
MEADOW LANE
Meadow
House
Farm
St. John Stone
R. C. Prim.
Sch.
HEATHER CL.
ROSE CR.
CHERRY RD.
LILAC AV.
WOODVALE ROAD
Headbolt
Farm
Sandy Brook
Hill House
Farm
White Otter
Farm
Brook
Fine Jane's
West End
Lodge
Tennis
Court
Windy
Gap
PATH
PINFOLD CL.
PINFOLD LA.
PINFOLD
LANE
WY.
Woodvale
Segar's
Farm
CORNWALL ROAD
SOMERSET DR
DORSET AV.
CORNWALL WAY
CORNWALL
MOOR
VALE
CRESCENT
MOOR CL.
Caravan
Site
L37
WOODLAND
DUNLOP AV.
FORMBY BY-PASS
A565
SOUTHPORT OLD RD.
Formby
Hotel
Plexmoss
Caravan
Park
MOOR LANE
PLEX

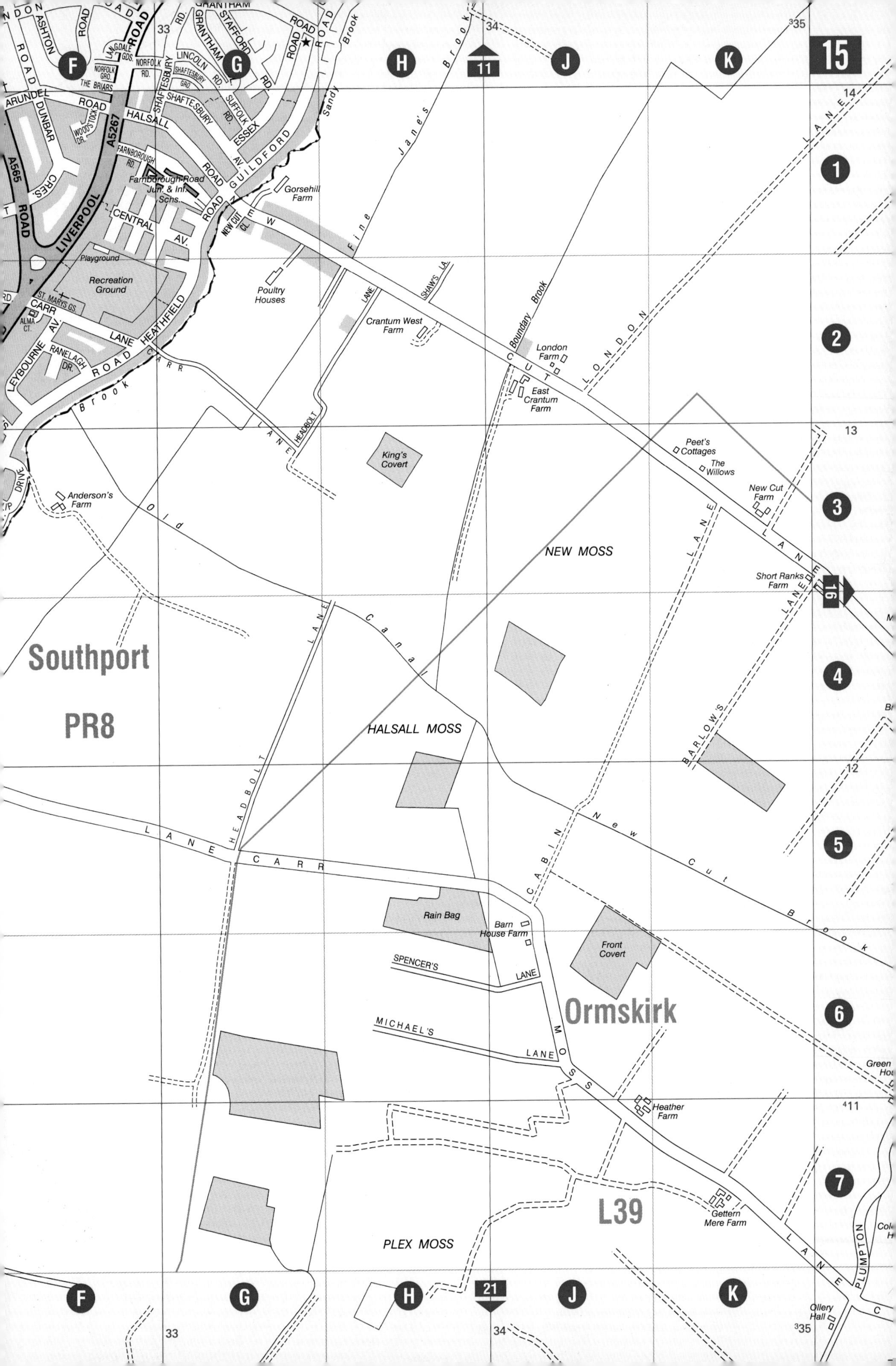

15

F · G · H · J · K

1

2

3

4

5

6

7

Southport
PR8

Ormskirk

L39

Roads and places (labels):

ASHTON ROAD · ARUNDEL ROAD · DUNBAR ROAD · A565 · LIVERPOOL ROAD · A5267 · CARR LANE · HEATHFIELD ROAD · HALSALL ROAD · GUILDFORD AV · GRANTHAM ROAD · STAFFORD ROAD · LINCOLN RD · NORFOLK RD · SUFFOLK RD · SHAFTESBURY AV · ESSEX AV · FARNBOROUGH RD · WOODSTOCK CR · LANGDALE GDNS · NORFOLK GRO · THE BRIARS · CENTRAL AV · LEYBOURNE AV · RANELAGH DR · ST. MARY'S GS · ALMA CT · CARR · NEW CUT LANE · Sandy Brook · Brook · Fine Jane's Brook · Boundary · LONDON LANE · SHAW'S LA · HEADBOLT LANE · OLD · Canal · HEADBOLT LANE · CARR LANE · SPENCER'S LANE · MICHAEL'S LANE · BARLOW'S LANE · New Cut Brook · CABIN LANE · MOSS LANE · PLUMPTON LANE

Named features:

Recreation Ground · Playground · Gorsehill Farm · Poultry Houses · Crantum West Farm · King's Covert · Anderson's Farm · London Farm · East Crantum Farm · Peet's Cottages · The Willows · New Cut Farm · Short Ranks Farm · NEW MOSS · HALSALL MOSS · Rain Bag · Barn House Farm · Front Covert · Heather Farm · Gettern Mere Farm · PLEX MOSS · Green House · Ollery Hall · Farnborough Road Jun. & Inf. Schs.

34 · 35 · 14 · 13 · 16 · 12 · 11 · 33

11 · 21 · 16

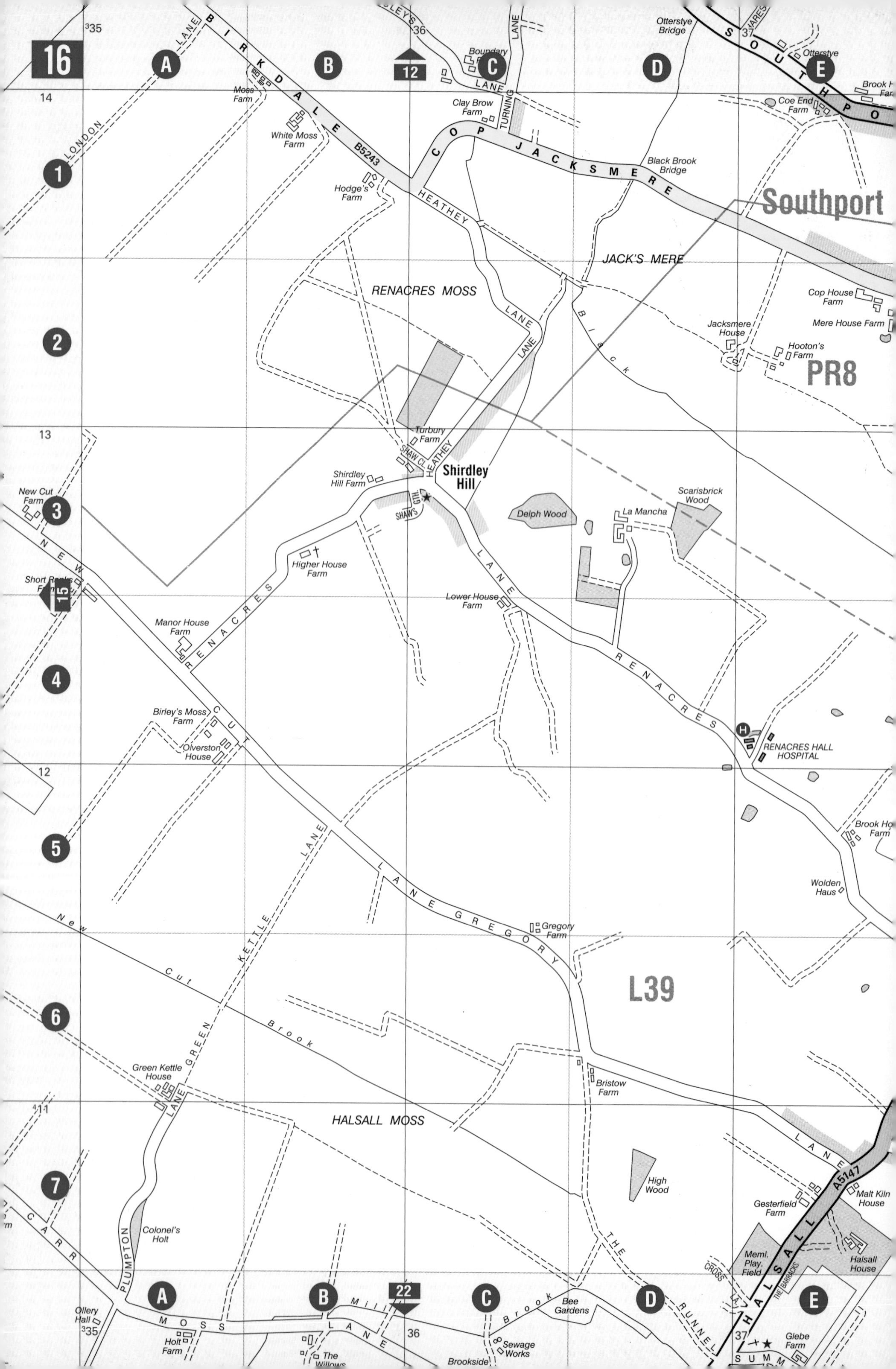

335

14

A **B** 12 **C** **D** **E**

London

Moss Farm

BIRKDALE

White Moss Farm

COP

JACKSMERE

Boundary

Clay Brow Farm

TURNING LANE

Black Brook Bridge

Ottertye Bridge

SOUTHPO

Otterstye

Brook H

Southport

Coe End Farm

Hodge's Farm

HEATHEY

B5243

1

JACK'S MERE

Cop House Farm

Mere House Farm

LANE

RENACRES MOSS

Jacksmere House

Hooton's Farm

PR8

2

13

Black

Turbury Farm

SHAW CL

HEATHEY

Shirdley Hill

Shirdley Hill Farm

Delph Wood

La Mancha

Scarisbrick Wood

New Cut Farm

3

SHAW'S

NEW

Higher House Farm

LANE

Lower House Farm

RENACRES

Short Ranks Farm

15

Manor House Farm

RENACRES

4

CUT

Birley's Moss Farm

Olverston House

H

RENACRES HALL HOSPITAL

12

Brook Ho Farm

5

New

Cut

KETTLE LANE

LANE

LANE GREGORY

Gregory Farm

Wolden Haus

L39

6

GREEN

Brook

Green Kettle House

Bristow Farm

PLUMPTON

11

HALSALL MOSS

High Wood

THE

7

CARR

Colonel's Holt

Gesterfield Farm

Malt Kiln House

HALSALL

A5147

Meml. Play. Field

Halsall House

A **B** 22 **C** **D** **E**

Ollery Hall

335

MOSS LANE

MILL LANE

36

Brook

Bee Gardens

CROSS

RUNNEL

THE BARONS

Glebe Farm

37

SUMM

Holt Farm

The Willows

Brookside

Sewage Works

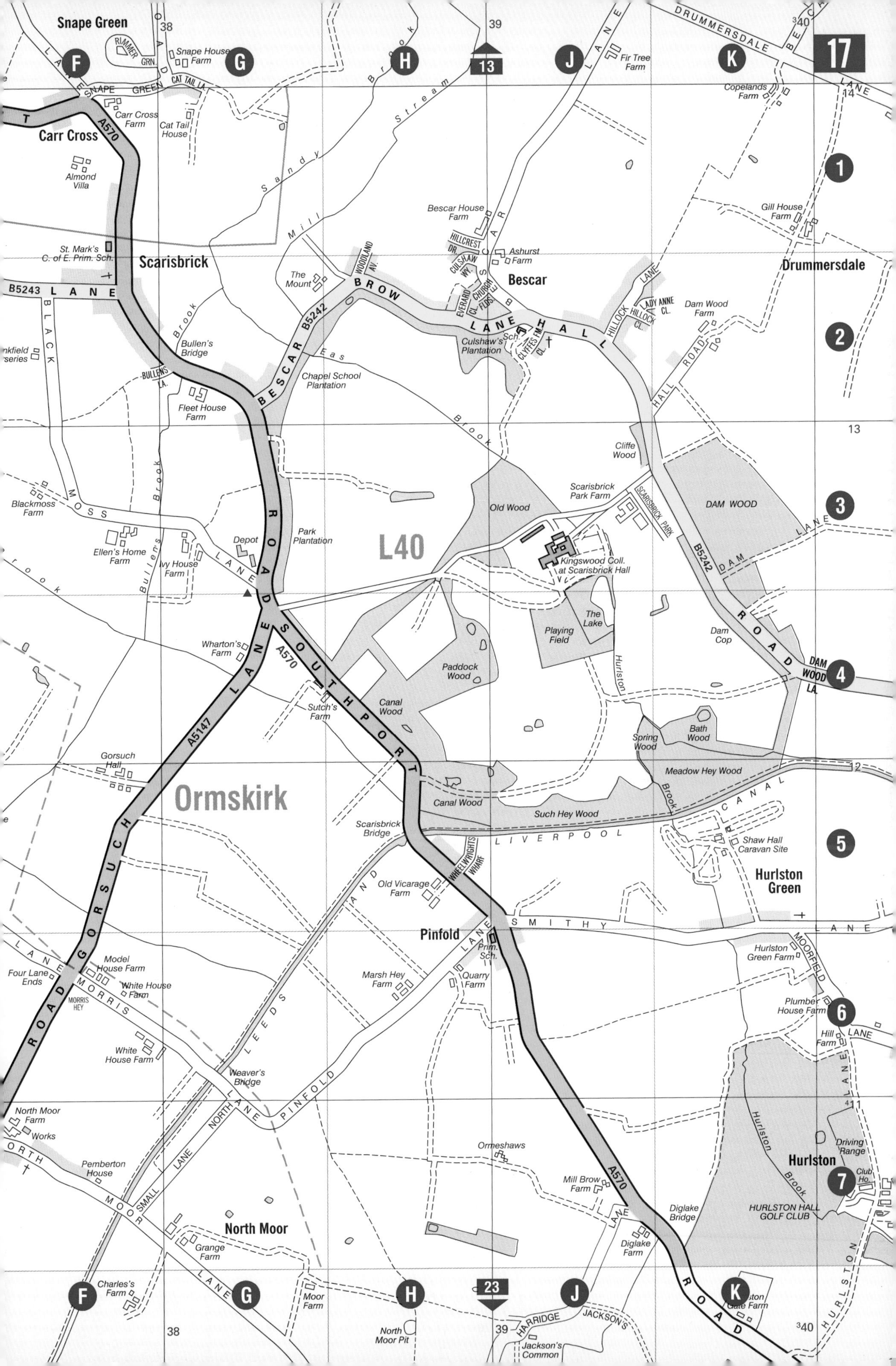

F **G** **H** 13 **J** **K**

Snape Green

38 39 340

Rimmer Snape House
GRN. Farm

Carr Cross
Farm Cat Tail La.

Cat Tail
House

Fir Tree
Farm

Copelands
Farm

1

Carr Cross

A570

Almond
Villa

St. Mark's
C. of E. Prim. Sch.

Scarisbrick

Bescar House
Farm

HILLCREST
DR.
CULSHAW
WY.

Ashurst
Farm

Bescar

Gill House
Farm

Drummersdale

B5243 LANE

The
Mount

WOODLAND WY.

BROW

B5242

EVERARD
CL.
CHURCH
FLDS.

Sch.
Culshaw's
Plantation

CLYFFES
TM.

LADY ANNE
CL.
HILLOCK
CL.

Dam Wood
Farm

2

BLACK

BROOK

Bullen's
Bridge

BESCAR

LANE

LANE

HILLOCK

HALL

HALL

ROAD

13

inkfield
series

BULLENS
LA.

Fleet House
Farm

Chapel School
Plantation

Eas

Cliffe
Wood

DAM WOOD

Scarisbrick
Park Farm

SCARISBRICK PARK

B5242

3

MOSS

BROOK

BROOK

Blackmoss
Farm

Park
Plantation

L40

Old Wood

DAM

Ellen's Home
Farm

Depot

ROAD

Ivy House
Farm

Kingswood Coll.
at Scarisbrick Hall

The Lake

Dam
Cop

ROAD

DAM
WOOD
LA.

4

rook

Wharton's
Farm

LANE DE SOUTHPORT

A570

Sutch's
Farm

Canal
Wood

Playing
Field

Hurlston

Paddock
Wood

Spring
Wood

Bath
Wood

Gorsuch
Hall

A5147

Ormskirk

Meadow Hey Wood

CANAL

Shaw Hall
Caravan Site

5

Model
House Farm

GORSUCH

Scarisbrick
Bridge

Canal Wood

Such Hey Wood

Brook

LIVERPOOL

**Hurlston
Green**

Hurlston
Green Farm

Four Lane
Ends

White House
Farm

MORRIS

Old Vicarage
Farm

WHEELWRIGHTS
WHARF

SMITHY

LANE

MOORFIELD

Plumber
House Farm

6

ROAD

MORRIS
HEY

Marsh Hey
Farm

Pinfold

Prim.
Sch.

Quarry
Farm

Hill
Farm

LANE

White
House Farm

Weaver's
Bridge

LEEDS

PINFOLD

LANE

Hurlston

Driving
Range

Hurlston

7

North Moor
Farm

Works

A570

Ormeshaws

Mill Brow
Farm

Club
Ho.

NORTH

Pemberton
House

SMALL

LANE

MOOR

LANE

North
Moor Pit

North Moor

Moor
Farm

HARRIDGE

Diglake
Bridge

Diglake
Farm

Diglake

ROAD

HURLSTON HALL
GOLF CLUB

ston
Gate Farm

HURLSTON

F **G** **H** 23 **J** **K**

Charles's
Farm

38

Grange
Farm

39

Jackson's
Common

Jackson's

340

North Moor

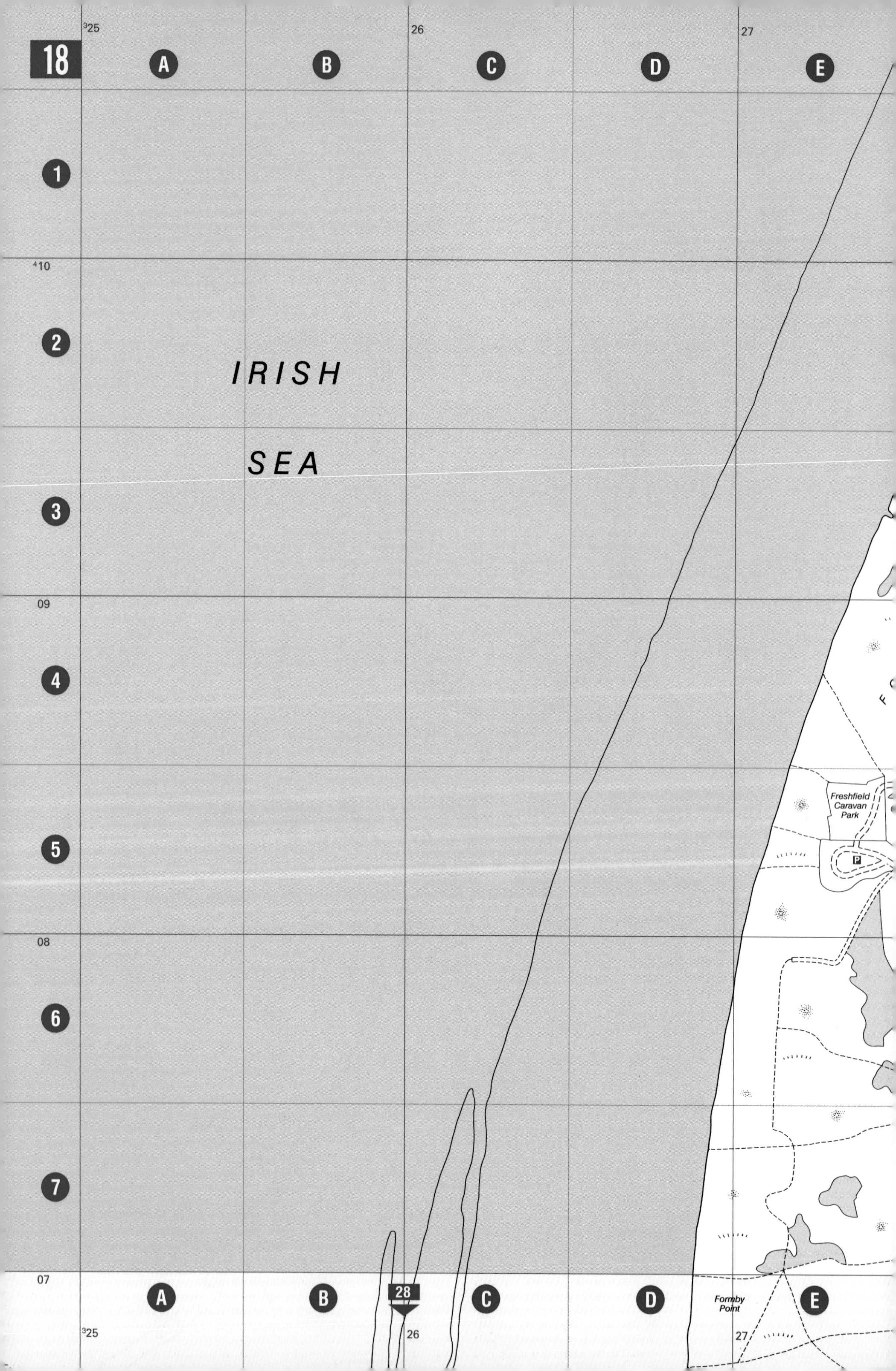

³25

26

27

A   B   C   D   E

1

⁴10

2

IRISH

SEA

3

09

4

Freshfield
Caravan
Park

P

5

08

6

7

07

A   B   28   C   D   E

³25   26   27

Formby
Point

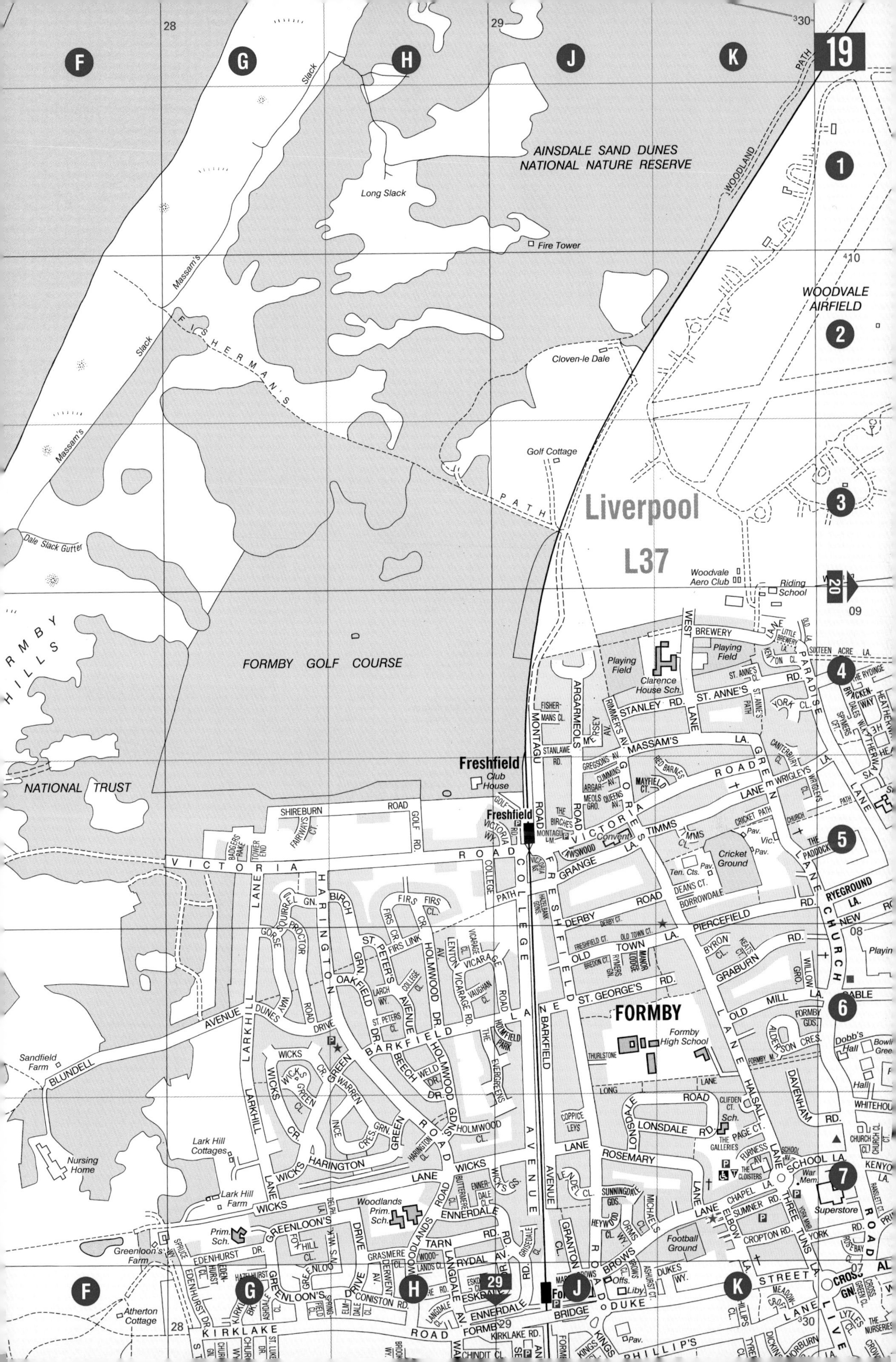
F
G
H
J
K
28
29
30
1
2
3
4
5
6
7
410
09
08
07
AINSDALE SAND DUNES
NATIONAL NATURE RESERVE
Long Slack
Fire Tower
Slack
Massam's
Massam's
Slack
Massam's
FISHERMAN'S PATH
WOODLAND PATH
WOODVALE AIRFIELD
Cloven-le Dale
Golf Cottage
Liverpool
L37
Woodvale Aero Club
Riding School
20
Dale Slack Gutter
FORMBY HILLS
NATIONAL TRUST
FORMBY GOLF COURSE
Freshfield
Club House
Freshfield
SHIREBURN
ROAD
GOLF RD.
VICTORIA ROAD
COLLEGE PATH
COLLEGE AVENUE
FRESHFIELD ROAD
MONTAGU ROAD
ARGARMEOLS ROAD
WEST LANE
BREWERY
LITTLE BREWERY LA.
KENTON CL.
SIXTEEN ACRE LA.
PARADISE LANE
Playing Field
Playing Field
Clarence House Sch.
ST. ANNE'S RD.
ST. ANNE'S CL.
ST. ANNE'S PATH
STANLEY RD.
RIMMER'S AV.
MERSEY AV.
FISHERMANS CL.
STANLAWE RD.
MASSAM'S LA.
YORK CL.
CANTERBURY CL.
WRIGLEYS LA.
WRIGLEYS CL.
GORES ROAD
GREEN LANE
GREGSONS AV.
CUMMINS AV.
ARGAR AV.
MEOLS GRO.
QUEENS AV.
MAYFIELD CT.
RED BARNES
VICTORIA ROAD
TIMMS LANE
TIMMS CL.
CRICKET PATH
CHURCH PATH
Pav.
Vic.
Pav.
THE PADDOCK
Convent
THE BIRCHES
MONTAGU M.
HAWSWOOD
GRANGE LA.
Cricket Ground
Ten. Cts.
Pav.
DEANS CT.
BORROWDALE
RYEGROUND LA.
CHURCH ROAD
DERBY ROAD
DERBY CT.
OLD TOWN CT.
OLD TOWN LA.
FRESHFIELD CT.
BREDON CT.
RYMERS GR.
MANOR LODGE
PIERCEFIELD RD.
BYRON CL.
KEATS CT.
NEW RD.
GRABURN RD.
WILLOW GRO.
Playin
ST. GEORGE'S RD.
CABLE
OLD MILL LA.
FORMBY GDS.
FORMBY
Formby High School
THURLSTONE
ALDERSON CRES.
FORMBY M.
Dobb's Hall
Bowli Gree
Hall
LONG LANE
ROAD
HALSALL LANE
DAVENHAM RD.
WHITEHOU
CLIFDEN CT.
Sch.
LONSDALE ROAD
LONSDALE RD.
PAGE CT.
THE GALLERIES
CHURCH CL.
SCHOOL LA.
FURNESS AV.
THE CLOISTERS
War Mem.
KENYO
Superstore
THREE TUNS LA.
ROSEMARY LANE
SUNNINGDALE GDS.
MICHAELS
CHAPEL LA.
SUMNER RD.
ELBOW LA.
HEYWOOD CL.
ORMIS WY.
Football Ground
CROPTON RD.
YORK RD.
ROSE BAY
BROWS LANE
ASHURST CT.
DUKES WY.
STREET
MEADOW CROFT
CROSS GN.
LIVERPOOL
Offs.
Liby.
DUKE
BRIDGE
PHILLIP'S
KINGS
TYRE
DICKIN
NORBURN
THE NURSERIES
LYTLES
LANE
COPPICE LEYS
GRANTON CL.
LANE
LENDE CL.
BARKFIELD AVENUE
BARKFIELD LANE
BADGERS RAKE
TOWER END
FAIRWAYS CT.
GOLF
VICTORIA WY.
VICTORIA SQ.
HAZEL BANK GDNS.
LARKHILL LANE
SQUIRREL GN.
GORSE WAY
PROCTOR ROAD
DUNES
DUNES DRIVE
BLUNDELL AVENUE
Sandfield Farm
HARINGTON ROAD
BIRCH GRN.
OAKFIELD DR.
FIRS CR.
FIRS CL.
FIRS LINK
ST. PETER'S AVENUE
ST. PETERS CL.
LARCH WY.
COLLEGE CL.
HOLMWOOD DR.
LENTON AV.
VICARAGE CL.
VICARAGE RD.
VAUGHAN CL.
HOLMFIELD PARK
BARKFIELD
BEECH DR.
WELD DR.
HOLMWOOD DR.
HOLMWOOD GDNS.
THE EVERGREENS
WICKS
WICKS GREEN
WICKS CL.
WICKS CR.
WARREN
INCE
GRN.
CRES.
GREEN ROAD
HOLMWOOD CL.
HARINGTON CL.
HARINGTON
WICKS LANE
LARKHILL
Lark Hill Cottages
Nursing Home
Lark Hill Farm
WICKS LANE
Prim. Sch.
Greenloon's Farm
Woodlands Prim. Sch.
WOODLANDS ROAD
BUTTERMERE CL.
ENNERDALE CL.
WICKS GS.
ENNERDALE
TARN RD.
GREENLOON'S
FOXHILL CL.
DELPH
DRIVE
GRASMERE
DERWENT
WOOD-LANDS CL.
LANGDALE
RYDAL AV.
GRISEDALE RD.
SPRUCE WY.
EDENHURST DR.
EDENHURST CL.
HAZELHURST
GREENLOO
CONISTON RD.
ESKDALE
ENNERDALE
29
Atherton Cottage
KIRKLAKE ROAD
KIRKLAKE RD.
FORMBY
CHINDIT CL.

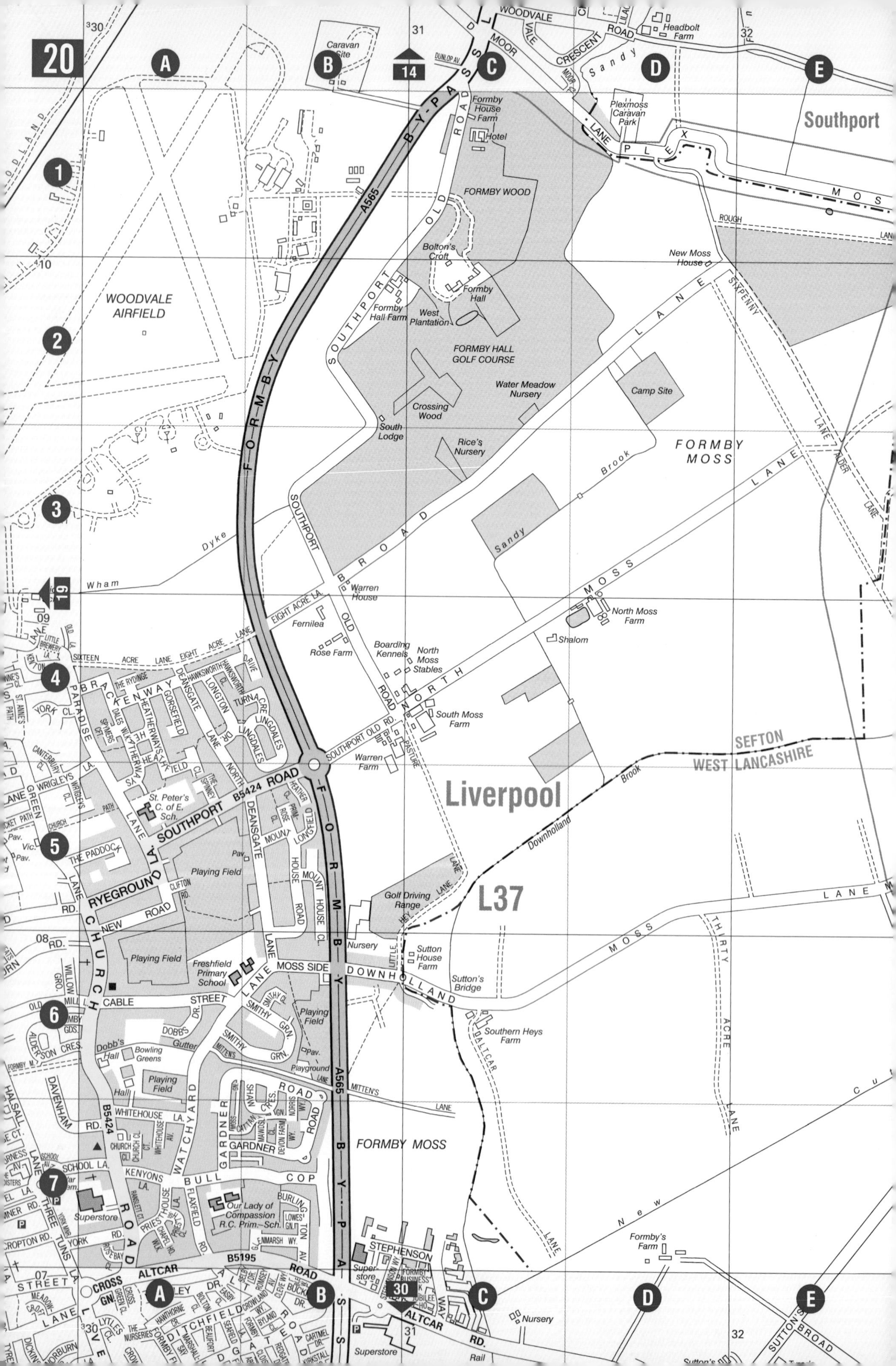

WOODVALE
CRESCENT
ROAD
Headbolt Farm
Caravan Site
DUNLOP AV.
MOOR
Sandy
LANE
14
Southport
Formby House Farm
Hotel
Plexmoss Caravan Park
PLEX
MOSS
ROUGH
FORMBY BY-PASS
A565
OLD ROAD
FORMBY WOOD
Bolton's Croft
Formby Hall
Formby Hall Farm
West Plantation
New Moss House
SIXPENNY
WOODVALE AIRFIELD
FORMBY HALL GOLF COURSE
Water Meadow Nursery
Camp Site
Crossing Wood
South Lodge
Rice's Nursery
FORMBY MOSS
ALDER LANE
Brook
SOUTHPORT
BROAD
Sandy
Dyke
Wham
19
Warren House
EIGHT ACRE LA.
Fernilea
MOSS
North Moss Farm
Shalom
Rose Farm
Boarding Kennels
North Moss Stables
SIXTEEN ACRE LANE
EIGHT ACRE LANE
THE RYDINGE
HAWKSWORTH
DEANSGATE
BRACKENWAY
PARADISE
YORK CL.
ST. ANNE'S PATH
LONGTON
TURNACRE
LINGDALES
HEATHERWAY
GORSEFIELD
NORTH
SOUTHPORT OLD RD.
South Moss Farm
Warren Farm
PASTURE
SEFTON
WEST LANCASHIRE
Liverpool
Brook
CANTERBURY CL.
WRIGLEYS
GREEN
CHURCH PATH
St. Peter's C. of E. Sch.
SOUTHPORT B5424 ROAD
THE PADDOCK
RYEGROUND LA.
Playing Field
NEW ROAD
CLIFTON RD.
MOUNT HOUSE ROAD
LONGFIELD
Downholland
L37
Golf Driving Range
LANE
MOSS
THIRTY ACRE LANE
Nursery
Sutton House Farm
LITTLE HEY
Sutton's Bridge
Freshfield Primary School
MOSS SIDE
DOWNHOLLAND
CHURCH
CABLE STREET
SMITHY GRN.
Playing Field
Southern Heys Farm
DALLCAR
Dobb's Hall
Bowling Greens
Dobbs Gutter
ALDERSON CRES.
Playground
MITTEN'S LANE
DAVENHAM RD.
WHITEHOUSE LA.
WATCHYARD
GARDNER
ROAD
B5424
FORMBY MOSS
New Cut
SCHOOL LA.
KENYONS LA.
BULL COP
Superstore
Our Lady of Compassion R.C. Prim. Sch.
PRIESTHOUSE
FLAXFIELD RD.
BURLINGTON AV.
YORK RD.
THREE TUNS
STEPHENSON
Super store
Formby's Farm
B5195
ALTCAR ROAD
CROSS GN.
STREET
DITCHFIELD
30
ALTCAR RD.
Nursery
SUTTON'S BROAD
Superstore
Rail
A
B
C
D
E
1
2
3
4
5
6
7
330
31
32
10
09
08
07

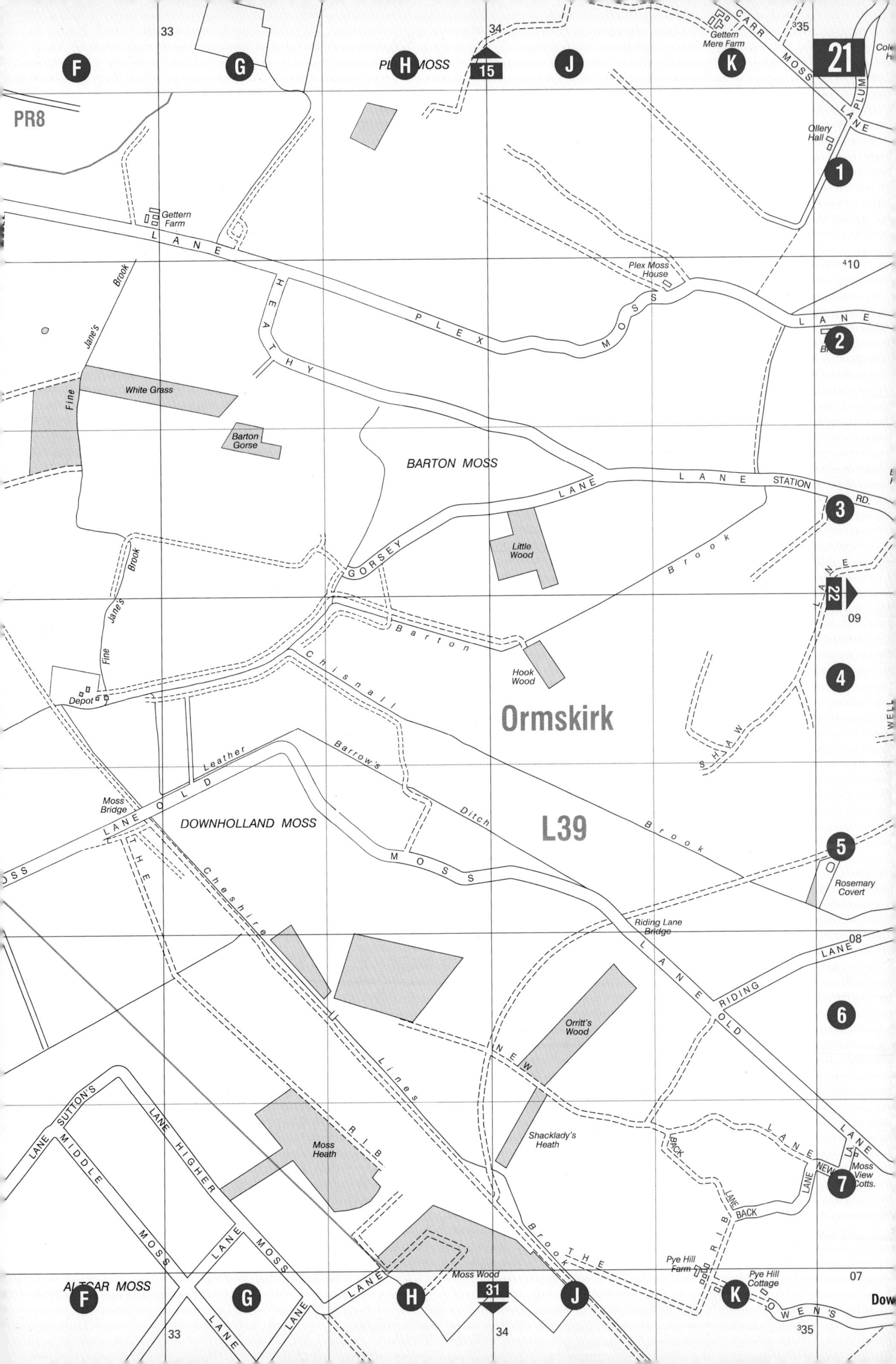

F G PLEX MOSS H **15** J K

PR8

Gettern
Mere Farm

CARR MOSS LANE

33 34 35

PLUM LANE

Ollery
Hall

1

Gettern
Farm

LANE

HEATHY

Brook

Jane's

Fine

White Grass

Barton
Gorse

BARTON MOSS

Little
Wood

GORSEY

LANE

PLEX

MOSS

LANE

Plex Moss
House

410

LANE

2

STATION

LANE

Brook

RD.

3

LANE

22 ◢

09

Jane's

Brook

Barton

Fine

Chisnall

Hook
Wood

Ormskirk

4

Depot

Leather

OLD LANE

Barrow's

DOWNHOLLAND MOSS

Ditch

MOSS

L39

Brook

Riding Lane
Bridge

5

Rosemary
Covert

Moss
Bridge

THE

Cheshire

Lines

RIB

LANE

OLD

RIDING LANE

LANE

08

6

SUTTON'S

LANE

LANE HIGHER

MIDDLE

Moss
Heath

MOSS

New

Orritt's
Wood

Shacklady's
Heath

BACK LANE

NEW LANE

Moss
View
Cotts.

7

ALTCAR MOSS

F

G

MOSS LANE

LANE

Moss Wood

H

31

Brook

THE

J

RIB LANE

BACK

Pye Hill
Farm

Pye Hill
Cottage

K

OWEN'S

07

Dow

33 34 35

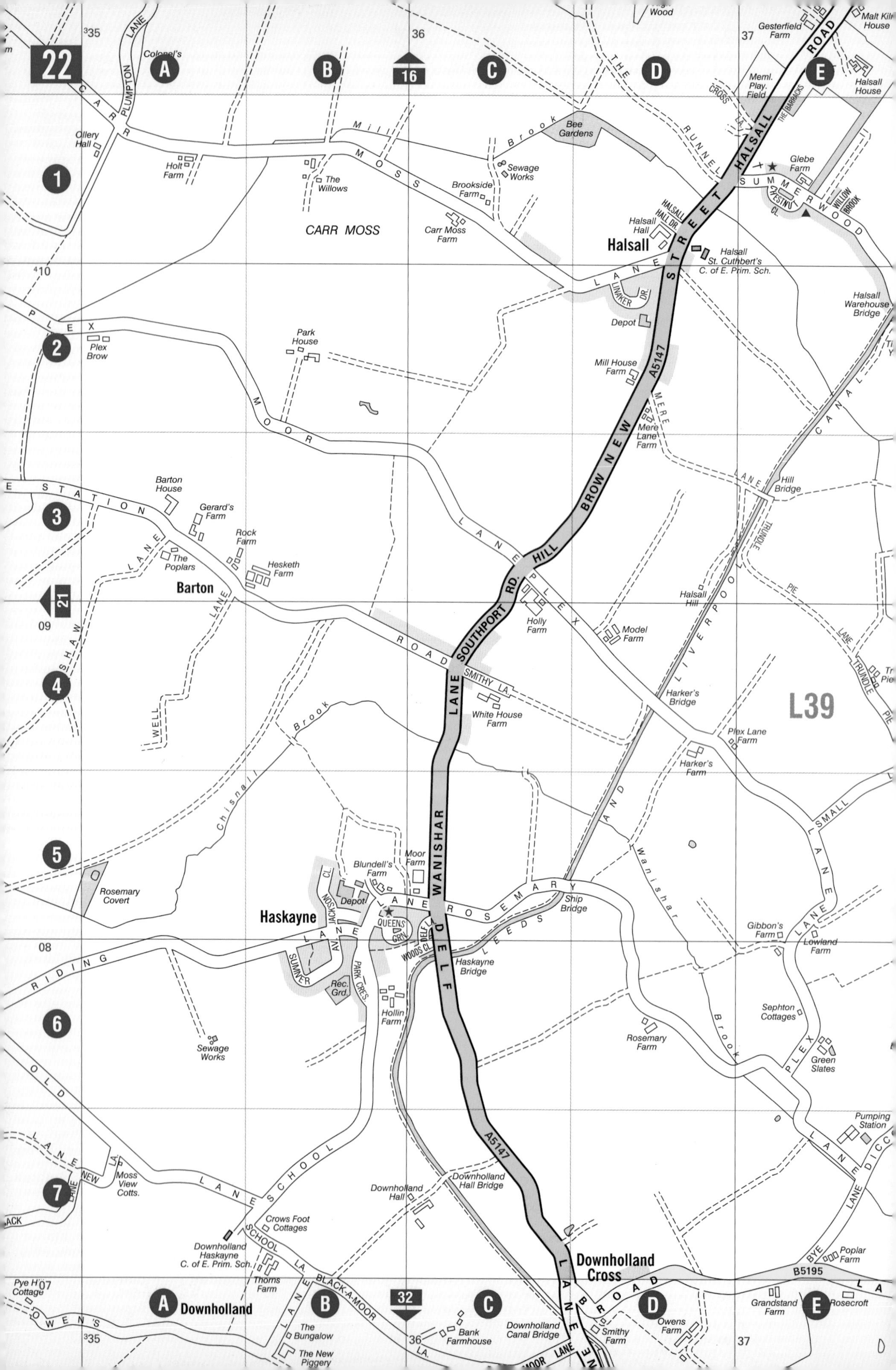

A
B
C
D
E
16
1
2
3
4
5
6
7
21
32
L39
Halsall
Barton
Haskayne
Downholland
Downholland Cross
CARR MOSS
Colonel's
Ollery Hall
Holt Farm
The Willows
Brookside Farm
Carr Moss Farm
Sewage Works
Bee Gardens
Gesterfield Farm
Malt Kiln House
Halsall House
Meml. Play. Field
Glebe Farm
Halsall Hall
Halsall St. Cuthbert's C. of E. Prim. Sch.
Depot
Mill House Farm
Mere Lane Farm
Halsall Warehouse Bridge
Hill Bridge
Plex Brow
Park House
Barton House
Gerard's Farm
Rock Farm
Hesketh Farm
The Poplars
Holly Farm
Model Farm
Halsall Hill
Harker's Bridge
Harker's Farm
Plex Lane Farm
White House Farm
Rosemary Covert
Moor Farm
Blundell's Farm
Ship Bridge
Haskayne Bridge
Rec. Grd.
Hollin Farm
Sewage Works
Gibbon's Farm
Lowland Farm
Sephton Cottages
Rosemary Farm
Green Slates
Pumping Station
Moss View Cotts.
Downholland Hall
Downholland Hall Bridge
Crows Foot Cottages
Downholland Haskayne C. of E. Prim. Sch.
Thorns Farm
Pye H' Cottage
The Bungalow
The New Piggery
Bank Farmhouse
Downholland Canal Bridge
Smithy Farm
Owens Farm
Grandstand Farm
Rosecroft
Poplar Farm
CARR LANE
PLUMPTON LANE
MILL
MOSS
Brook
THE RUNNEL
CROSS LA.
THE BARRACKS
HALSALL ROAD
STREET
SUMMERWOOD
CHESTNUT CL.
WILLOW BROOK
HALSALL HALL DR.
LANE
LINAKER DR.
A5147
NEW
BROW
HILL
MERE
PLEX
MOOR
LANE
STATION
ROAD
SOUTHPORT RD.
SMITHY LA.
LANE
WELL
SHAW
CANAL
LIVERPOOL
AND
LEEDS
TRUNDLE
PIE
LANE
TRUNDLE PIE
Brook
Chisnall
WANISHAR
DELF
ROSEMARY
LANE
JACKSON CL.
QUEENS GRN.
DELF LA.
WOODS CL.
SUMMER AV.
PARK CRES.
RIDING
Wanishar
SMALL LANE
LANE
Brook
PLEX LANE
DICC
BYE LANE
B5195
OLD LANE
NEW LA.
LANE
SCHOOL LANE
SCHOOL LA.
BLACK-A-MOOR LA.
OWEN'S
LANE
ROAD
MOOR LANE
335
36
37
410
09
08
07

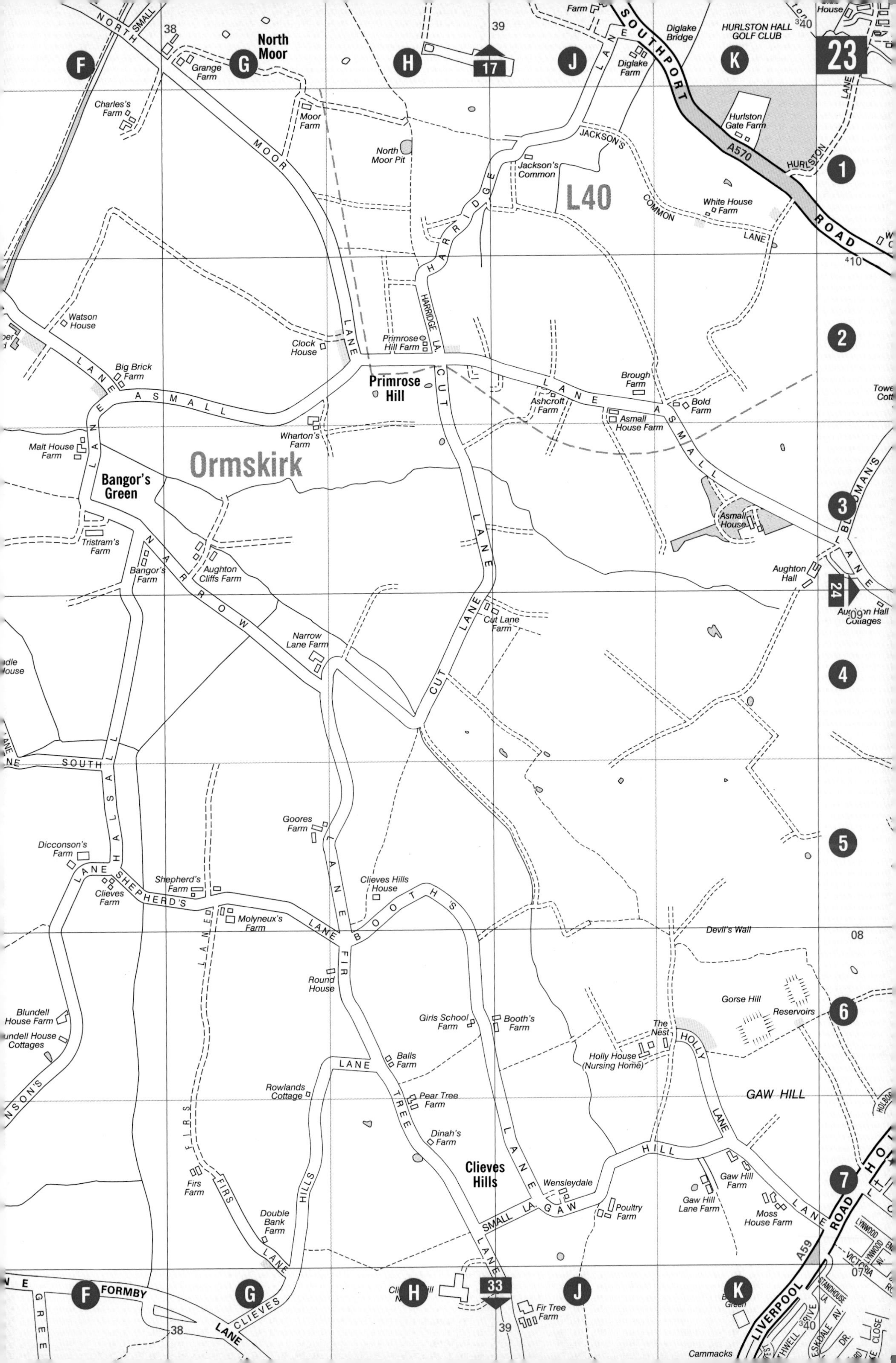
23
North Moor
Grange Farm
Charles's Farm
Moor Farm
North Moor Pit
Diglake Bridge
Diglake Farm
HURLSTON HALL GOLF CLUB
Hurlston Gate Farm
SOUTHPORT ROAD
A570
Jackson's Common
L40
White House Farm
Watson House
Clock House
Primrose Hill Farm
Primrose Hill
Big Brick Farm
ASMALL LANE
Brough Farm
Bold Farm
Ashcroft Farm
Asmall House Farm
Wharton's Farm
Malt House Farm
Ormskirk
Bangor's Green
Asmall House
Tristram's Farm
Bangor's Farm
Aughton Cliffs Farm
Aughton Hall
Aughton Hall Cottages
Cut Lane Farm
Narrow Lane Farm
NARROW LANE
CUT LANE
SOUTH LANE
HALSALL LANE
Goores Farm
Dicconson's Farm
Clieves Farm
Shepherd's Farm
Clieves Hills House
Molyneux's Farm
SHEPHERD'S LANE
BOOTH'S LANE
FIR TREE LANE
Devil's Wall
Round House
Gorse Hill
Reservoirs
Blundell House Farm
Girls School Farm
Booth's Farm
The Nest
Holly House (Nursing Home)
HOLLY LANE
Balls Farm
Rowlands Cottage
Pear Tree Farm
GAW HILL
Dinah's Farm
Clieves Hills
Wensleydale
Gaw Hill Farm
Gaw Hill Lane Farm
Moss House Farm
Firs Farm
FIRS LANE
Double Bank Farm
CLIEVES HILLS LANE
SMALL LA.
Poultry Farm
FORMBY LANE
Fir Tree Farm
LIVERPOOL ROAD
A59
Cammacks
17
24
33
F
G
H
J
K
1
2
3
4
5
6
7

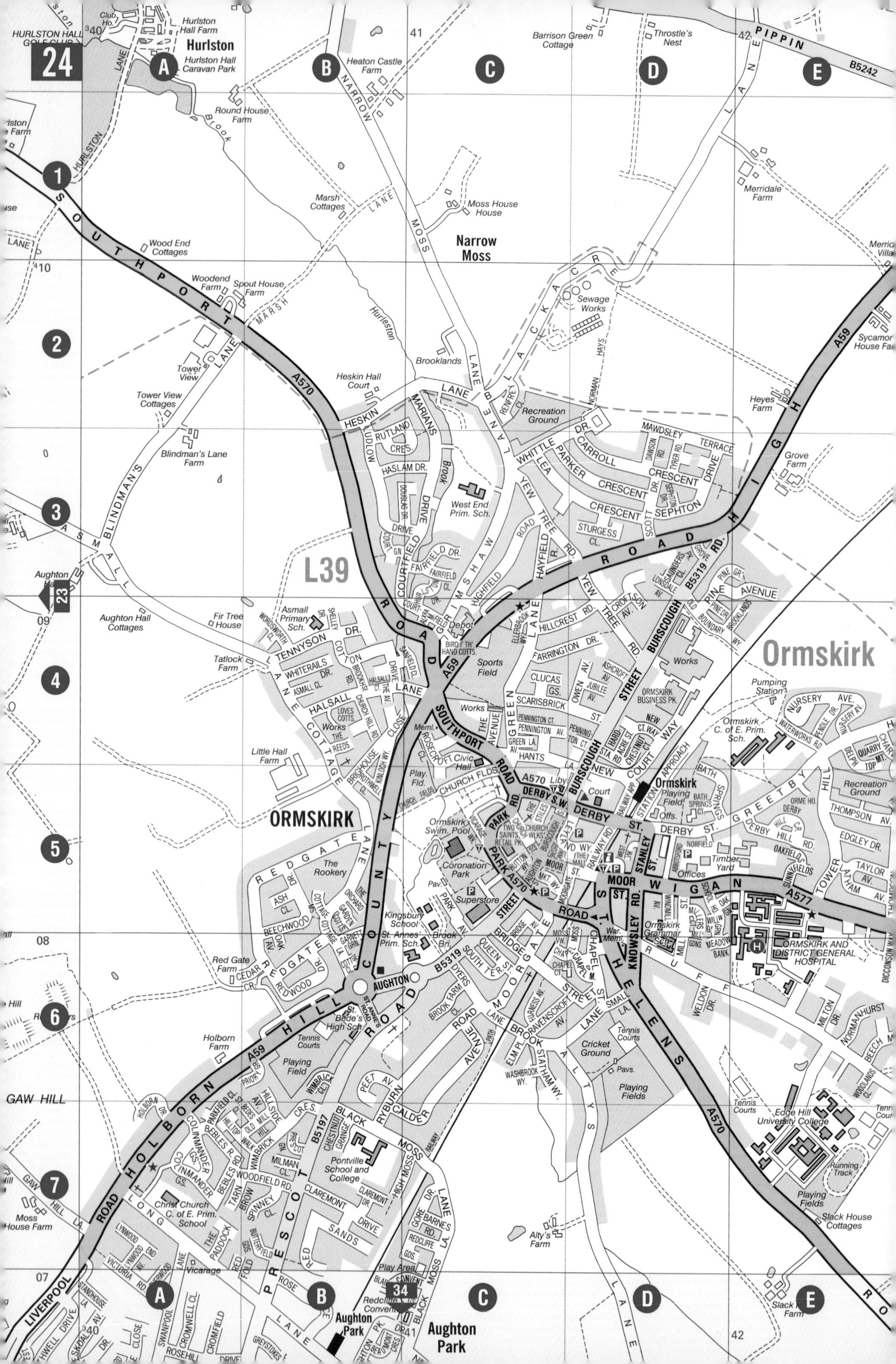

24
Hurlston
Hurlston Hall Farm
Hurlston Hall Caravan Park
HURLSTON HALL GOLF CLUB
Heaton Castle Farm
Barrison Green Cottage
Throstle's Nest
PIPPIN
B5242
Round House Farm
Marsh Cottages
Moss House House
Narrow Moss
Merridale Farm
Wood End Cottages
Woodend Farm
Spout House Farm
Sewage Works
SOUTHPORT
A570
Tower View
Tower View Cottages
Blindman's Lane Farm
Brooklands
Heskin Hall Court
Recreation Ground
Heyes Farm
Grove Farm
Sycamore House Farm
A59
West End Prim. Sch.
L39
Asmall Primary Sch.
Fir Tree House
Aughton Hall Cottages
Tatlock Farm
Sports Field
Ormskirk
Pumping Station
Ormskirk C. of E. Prim. Sch.
ORMSKIRK BUSINESS PK.
Little Hall Farm
Civic Hall
Ormskirk Swim. Pool
Coronation Park
Superstore
ORMSKIRK
The Rookery
Kingsbury School
St. Annes Prim. Sch.
Red Gate Farm
Timber Yard
Ormskirk Grammar Sch.
ORMSKIRK AND DISTRICT GENERAL HOSPITAL
A577
Recreation Ground
Holborn Farm
St. Bede's High Sch.
Cricket Ground
Playing Fields
GAW HILL
Pontville School and College
Christ Church C. of E. Prim. School
Edge Hill University College
Running Track
Slack House Cottages
Alty's Farm
Aughton Park
Redcliffe Convent
Slack Farm
34
23

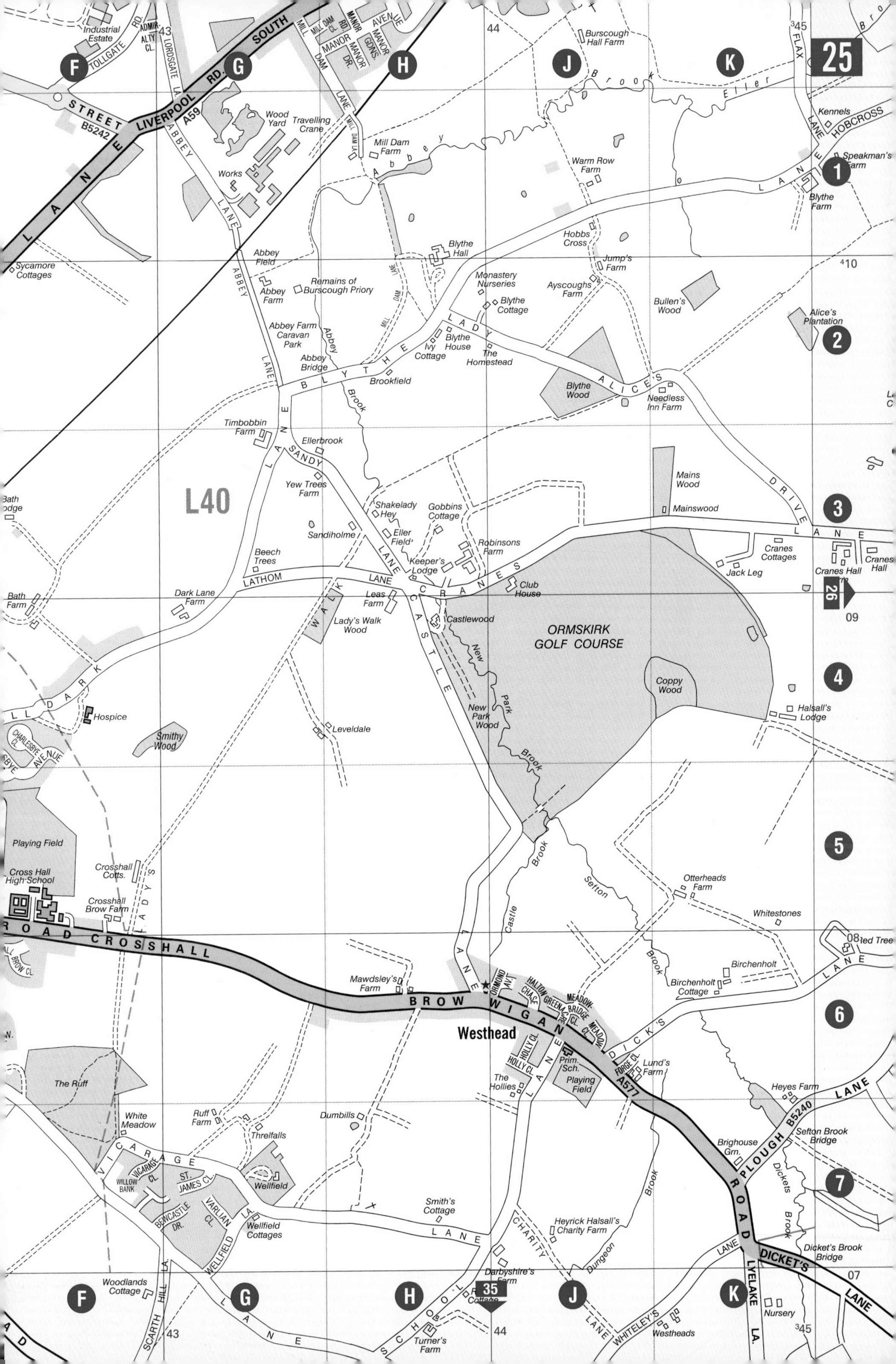

F G H J K

1

2

3

26
09

4

5

6

7

F G H J K

L40

Industrial Estate
Tollgate
ADMIRALTY CL.
LORRISGATE LA.
43
LIVERPOOL RD. SOUTH A59
STREET B5242
LANE
ABBEY LANE

MANOR CL.
MILL DAM
MANOR GDNS.
MANOR DR.
AVENUE
WILL DAM W.
MILL DAM LANE

Wood Yard
Works
Travelling Crane

Sycamore Cottages

Abbey Field
Abbey Farm
Remains of Burscough Priory
Abbey Farm Caravan Park
Abbey Bridge
Brookfield
BLYTHE BROOK
Timbobbin Farm
Ellerbrook
SANDY LANE
Yew Trees Farm
Sandiholme
Shakelady Hey
Eller Field
Keeper's Lodge
Gobbins Cottage
Robinsons Farm

Mill Dam Farm
Blythe Hall
Monastery Nurseries
Blythe Cottage
Blythe House
Ivy Cottage
The Homestead
Blythe Wood

Burscough Hall Farm
Warm Row Farm
Hobbs Cross
Jump's Farm
Ayscoughs Farm
Bullen's Wood
Needless Inn Farm

Kennels
Speakman's Farm
Blythe Farm
HOBCROSS LANE
FLAX LANE
ELLER LANE

Alice's Plantation

410

Mains Wood
Mainswood
Cranes Cottages
Jack Leg
Cranes Hall Fm
Cranes Hall
DRIVE LANE
ALICE'S

Bath Lodge
Bath Farm
Beech Trees
Dark Lane Farm
LATHOM
Lady's Walk Wood
Leveldale
Hospice
Smithy Wood
DARK LANE
CHARLESBYE CL.
AVENUE

WALK
Leas Farm
Castlewood
New Park Wood
New
Park Brook
Club House
CRANES LANE
CASTLE LANE

ORMSKIRK GOLF COURSE
Coppy Wood
Halsall's Lodge

Playing Field
Cross Hall High School
Crosshall Cotts.
Crosshall Brow Farm
CROSSHALL ROAD
CROSS HALL BROW CL.
CHARLESBYE

Otterheads Farm
Whitestones
Sefton Brook
Castle Brook
Birchenholt
Birchenholt Cottage
08
Red Tree
LANE

Mawdsley's Farm
BROW
WIGAN LANE
ORMOND AVE.
CHASE
HALTON GREEN CL.
MEADOW BRIDGE
MEADOW
DICK'S LANE
Westhead
The Hollies
HOLLY CL.
Prim. Sch.
Playing Field
Lund's Farm
FORGE CL.
A517
Heyes Farm
PLOUGH ROAD B5240
Brighouse Grn.
Sefton Brook Bridge
Dicket's Brook

The Ruff
White Meadow
Ruff Farm
Threlfalls
Dumbills
Smith's Cottage
Wellfield
Wellfield Cottages
VICARAGE DR.
VICARAGE CL.
WILLOW BANK
ST. JAMES CL.
BENCASTLE DR.
VARLAN CL.
WELLFIELD LA.
SCARTH HILL
X LANE
CHARITY LANE
Heyrick Halsall's Charity Farm
Dungeon
SCHOOL LANE
Darbyshire's Farm
Cottage
Turner's Farm
Dicket's Brook Bridge
LYELAKE LANE
DICKET'S LANE
Nursery
Whiteleys
Westheads
07
345

Woodlands Cottage

35

43
44
345

07

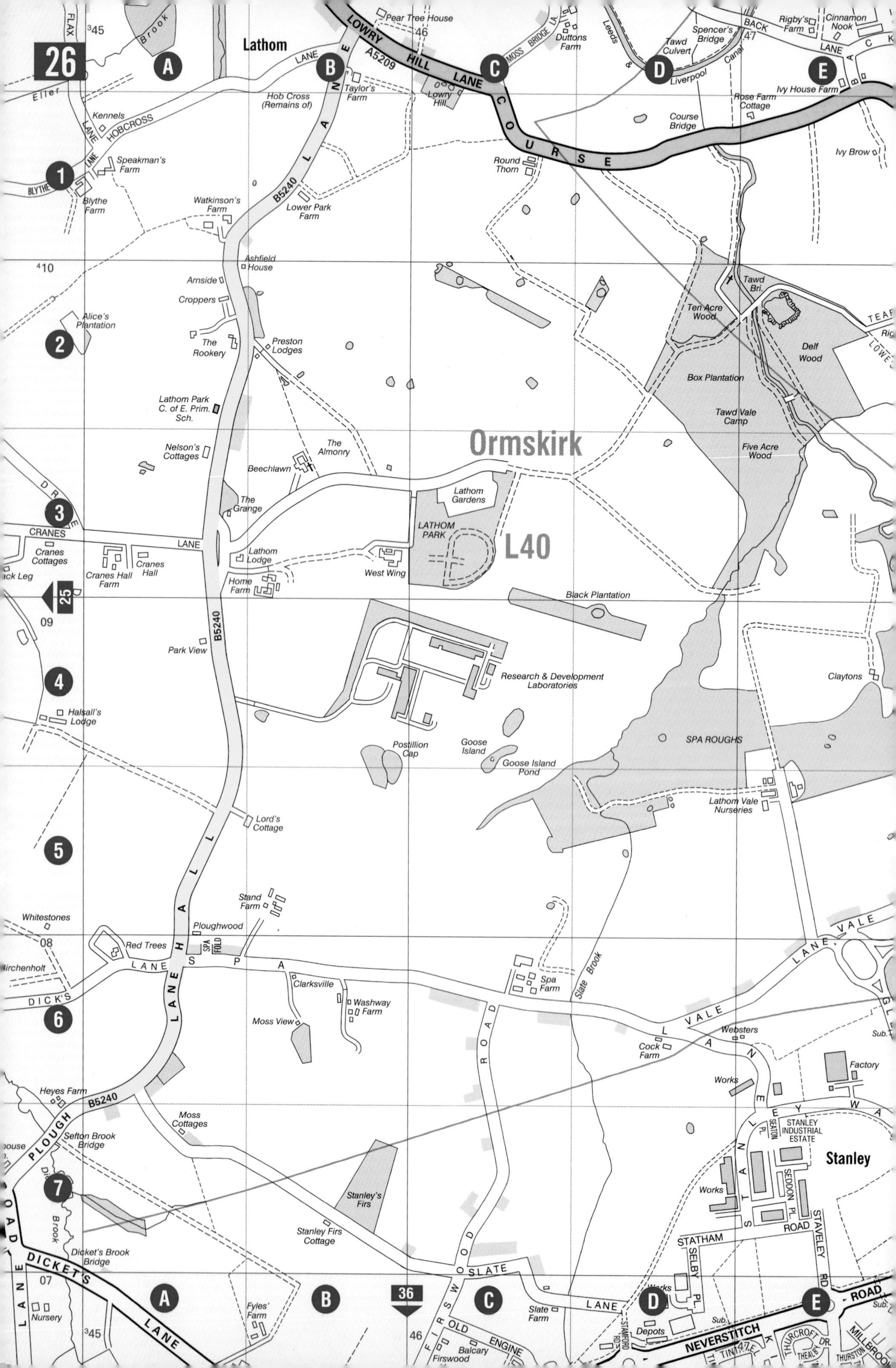
Lathom
Ormskirk
L40
Stanley
LOWRY HILL LANE
A5209
COURSE
B5240
HALL LANE
SPA LANE
VALE LANE
CRANES LANE
DICK'S LANE
PLOUGH
DICKET'S LANE
SLATE LANE
FIRSWOOD ROAD
OLD ENGINE
NEVERSTITCH
STANLEY WAY
STATHAM ROAD
STAVELEY RD
SEDDON PL.
SEATON PL.
SELBY PL.
HOBCROSS LANE
BLYTHE LANE
BACK LANE
MOSS BRIDGE LA.
Pear Tree House
Duttons Farm
Spencer's Bridge
Tawd Culvert
Rigby's Farm
Cinnamon Nook
Ivy House Farm
Rose Farm Cottage
Course Bridge
Ivy Brow
Leeds & Liverpool Canal
Hob Cross (Remains of)
Taylor's Farm
Lowry Hill
Kennels
Speakman's Farm
Blythe Farm
Watkinson's Farm
Lower Park Farm
Round Thorn
Ashfield House
Arnside
Croppers
Alice's Plantation
The Rookery
Preston Lodges
Lathom Park C. of E. Prim. Sch.
Nelson's Cottages
The Almonry
Beechlawn
The Grange
Lathom Gardens
LATHOM PARK
Lathom Lodge
West Wing
Home Farm
Cranes Cottages
Cranes Hall Farm
Cranes Hall
Black Plantation
Park View
Research & Development Laboratories
Halsall's Lodge
Postillion Cap
Goose Island
Goose Island Pond
SPA ROUGHS
Lathom Vale Nurseries
Lord's Cottage
Tawd Bri.
Ten Acre Wood
Delf Wood
Box Plantation
Tawd Vale Camp
Five Acre Wood
Claytons
Stand Farm
Whitestones
Ploughwood
Red Trees
SPA FOLD
Clarksville
Washway Farm
Moss View
Spa Farm
Slate Brook
Websters
Cock Farm
Works
Factory
STANLEY INDUSTRIAL ESTATE
Heyes Farm
Moss Cottages
Sefton Brook Bridge
Stanley's Firs
Stanley Firs Cottage
Dicket's Brook Bridge
Fyles' Farm
Slate Farm
Depots
Nursery
Balcary
Firswood
Birchenholt
Sub.
Brook
Eller
FLAX
A B C D E
1 2 3 4 5 6 7
25
36
345 46 47 410 09 08 07

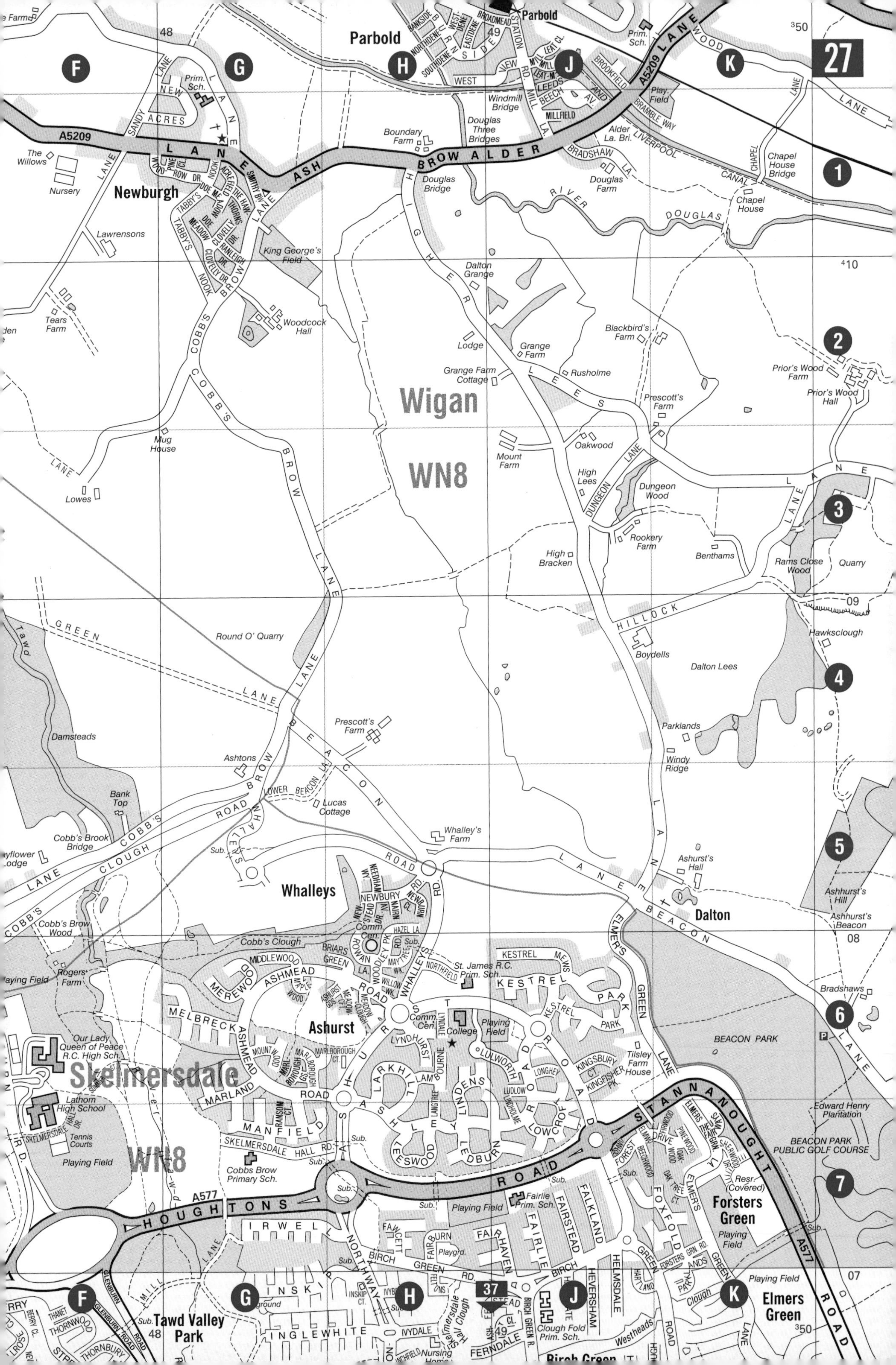
27
Parbold
Newburgh
Wigan
WN8
Whalleys
Ashurst
Skelmersdale
WN8
Dalton
Forsters Green
Elmers Green
Tawd Valley Park
Birch Green
A5209
ASH BROW ALDER
LANE
SANDY LANE
NEW ACRES
Prim. Sch.
The Willows
Nursery
Lawrensons
Tears Farm
King George's Field
Woodcock Hall
COBB'S BROW
COBB'S NOOK
TABBY'S NOOK
Mug House
Lowes
WEST VIEW
BANKSIDE
NORTHDENE
SOUTHDENE
WEST DENE
EASTDENE
BURNSIDE
BROADMEAD
STATION RD.
MILL LA.
LEEDS
BEECH AV.
MILLFIELD
BROOKFIELD
Windmill Bridge
Douglas Three Bridges
Boundary Farm
Douglas Bridge
HIGHER LANE
Play. Field
BRAMBLE WAY
Alder La. Bri.
LIVERPOOL CANAL
BRADSHAW LA.
Douglas Farm
RIVER DOUGLAS
WOOD LANE
CHAPEL LANE
Chapel House Bridge
Chapel House
Prim. Sch.
Dalton Grange
Lodge
Grange Farm
Grange Farm Cottage
Rusholme
Blackbird's Farm
Prescott's Farm
Prior's Wood Farm
Prior's Wood Hall
LEES LANE
Mount Farm
Oakwood
High Lees
DUNGEON LANE
Dungeon Wood
Rookery Farm
High Bracken
Benthams
Rams Close Wood
Quarry
HILLOCK LANE
Boydells
Dalton Lees
Hawksclough
Parklands
Windy Ridge
Round O' Quarry
GREEN LANE
Tawd
Damsteads
Prescott's Farm
Ashtons
BEACON LANE
LOWER BEACON LA.
Lucas Cottage
Bank Top
Cobb's Brook Bridge
Mayflower Lodge
CLOUGH LANE
COBB'S BROW ROAD
Whalley's Farm
WHALLEYS ROAD
Ashurst's Hall
BEACON LANE
Ashhurst's Hill
Ashhurst's Beacon
Cobb's Brow Wood
Cobb's Clough
Playing Field
Rogers' Farm
NEWBURY RD.
NEEDHAM WY.
NAIRN CL.
NEWBURN CL.
HAZEL LA.
Comm. Cen.
BRIARS GREEN
ROWAN LA.
WOODLEY PK.
MAYTREE WK.
WILLOW WK.
NORTHFIELD
St. James R.C. Prim. Sch.
KESTREL MEWS
KESTREL PARK
ELMER'S GREEN LANE
MIDDLEWOOD
MEREWOOD
ASHMEAD ROAD
MELBRECK
Our Lady Queen of Peace R.C. High Sch.
Lathom High School
Tennis Courts
Playing Field
SKELMERSDALE HALL DR.
Comm. Cen.
College
Playing Field
LYNDHURST
LULWORTH
LONGHEY
KINGSBURY CT.
KINGSFISHER PK.
Tilsley Farm House
LARKHILL
LAMBOURNE
LINDENS
LUDLOW
LOWCROFT
ASHLEY
LEESWOOD
LEDBURN
MARLAND
MANFIELD
RANSOM CT.
SKELMERSDALE HALL RD.
Cobbs Brow Primary Sch.
MARLBOROUGH CT.
STANNANOUGHT ROAD
BEACON PARK
Bradshaws
Edward Henry Plantation
BEACON PARK PUBLIC GOLF COURSE
Resr. (Covered)
Playing Field
A577
HOUGHTONS ROAD
IRWELL
NORTHWAY
BIRCH GREEN RD.
FAWCETT
FAIRBURN
Playgrd.
FAIRHAVEN
FAIRLIE
FAIRSTEAD
FALKLAND
Fairlie Prim. Sch.
Playing Field
HELMSDALE
HEVERSHAM
FOXFOLD
FORSTERS GRN. RD.
ELMERS GREEN
Clough
Playing Field
INSKIP
INGLEWHITE
IVYDALE
Skelmersdale Hall Clough
Clough Fold Prim. Sch.
FERNDALE
Westheads
GLENBURN ROAD
THORNWOOD
THORNBURY
37
48
49
350
410
09
08
07
F
G
H
J
K
1
2
3
4
5
6
7

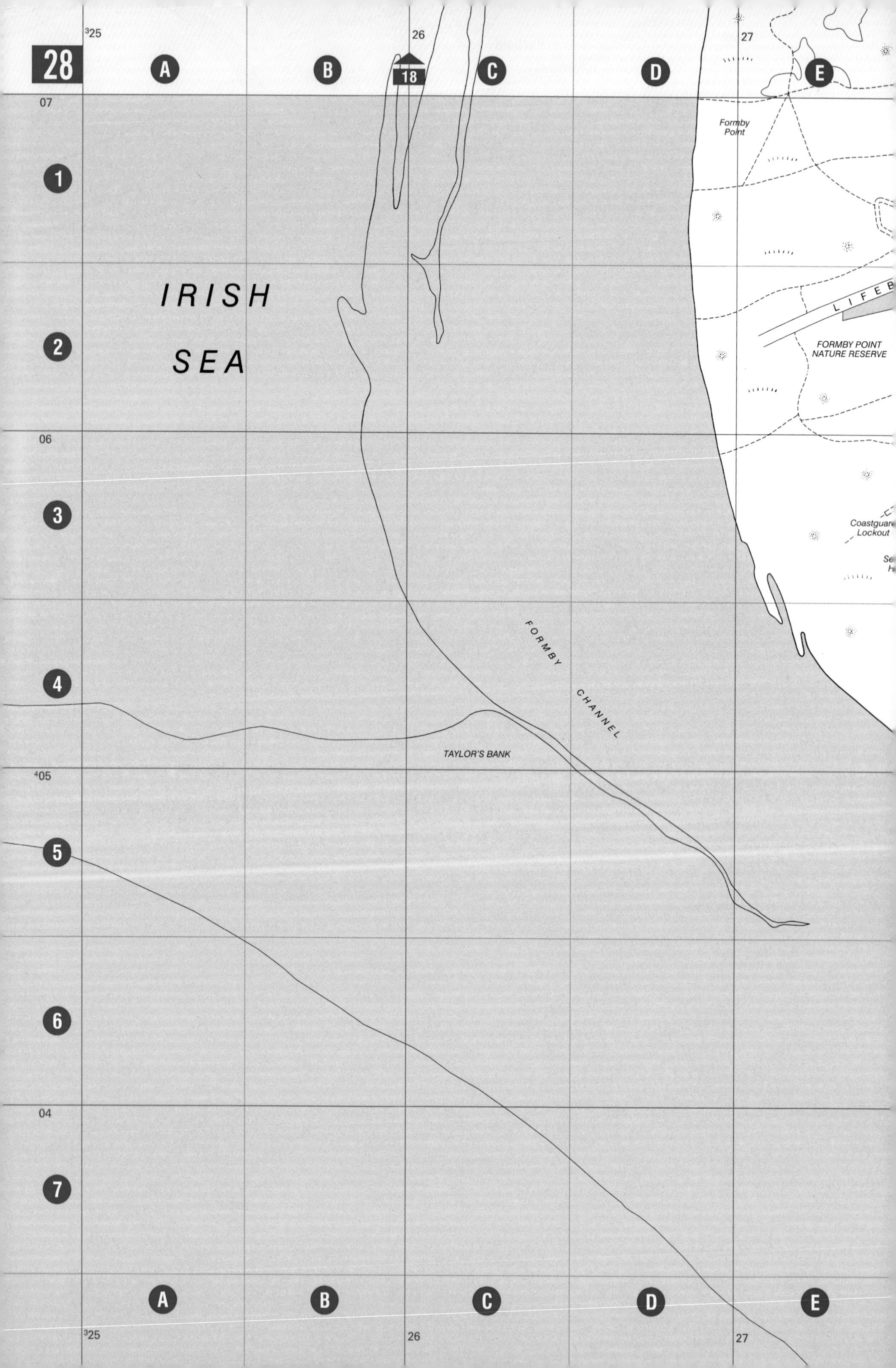

A   B   18   C   D   E

³25   26   27

07

IRISH

SEA

Formby Point

LIFEB

FORMBY POINT
NATURE RESERVE

06

Coastguard
Lockout

Se
H

FORMBY CHANNEL

TAYLOR'S BANK

⁴05

04

³25   26   27

A   B   C   D   E

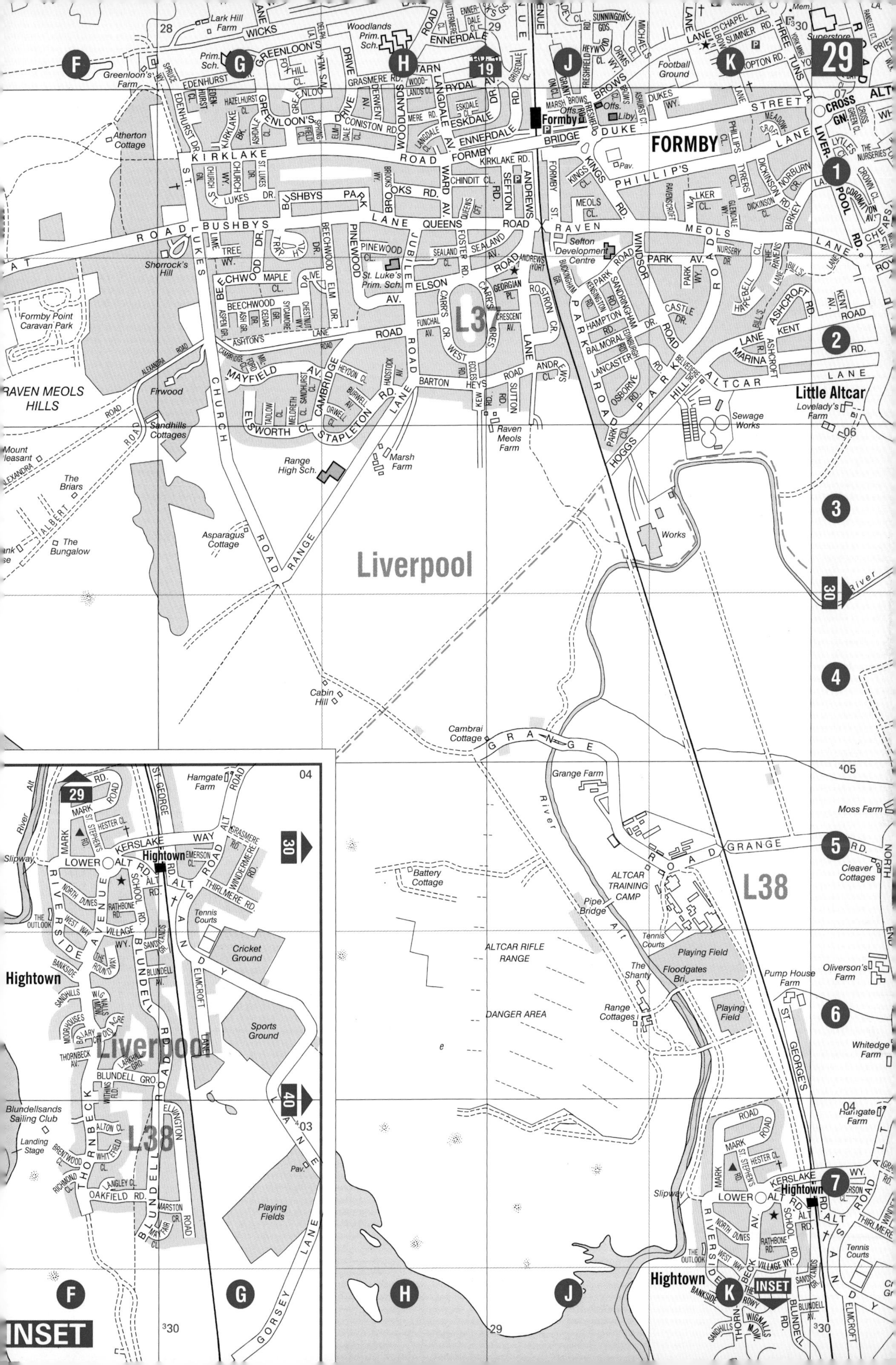
FORMBY
Formby
Liverpool
L37
L38
Little Altcar
RAVEN MEOLS HILLS
Hightown
ALTCAR TRAINING CAMP
ALTCAR RIFLE RANGE
DANGER AREA
Lark Hill Farm
Woodlands Prim. Sch.
Prim. Sch.
Greenloon's Farm
Atherton Cottage
Football Ground
Superstore
Shorrock's Hill
Formby Point Caravan Park
Firwood
Sandhills Cottages
Mount Pleasant
The Briars
The Bungalow
Asparagus Cottage
Range High Sch.
Marsh Farm
Raven Meols Farm
St. Luke's Prim. Sch.
Sefton Development Centre
Sewage Works
Lovelady's Farm
Works
Cabin Hill
Cambrai Cottage
Grange Farm
Battery Cottage
Pipe Bridge
Tennis Courts
Playing Field
Floodgates Bri.
The Shanty
Range Cottages
Moss Farm
Cleaver Cottages
Pump House Farm
Oliverson's Farm
Whitedge Farm
Hamgate Farm
Cricket Ground
Sports Ground
Playing Fields
Blundellsands Sailing Club
Landing Stage
Slipway
River Alt
KIRKLAKE ROAD
BUSHBYS LANE
CHURCH ROAD
RANGE LANE
GRANGE ROAD
DUKE STREET
PHILLIP'S LANE
RAVEN MEOLS LANE
PARK ROAD
ALTCAR LANE
HOGGS HILL LANE
ST. GEORGE'S ROAD
KERSLAKE WAY
LOWER ALT RD.
ALT ROAD
SANDY LANE
BLUNDELL ROAD
GORSEY LANE
RIVERSIDE AVENUE
THORNBECK AV.
ELMCROFT LANE
WICKS LANE
GREENLOON'S DR.
ENNERDALE RD.
FORMBY BRIDGE
WOODLANDS RD.
ANDREWS LANE
SEFTON RD.
JUBILEE AV.
ELSON RD.
CARR'S CRESCENT
BARTON HEYS RD.
STAPLETON RD.
CAMBRIDGE RD.
MAYFIELD AV.
ASHTON'S LANE
BEECHWOOD DR.
PINEWOOD AV.
KINGS RD.
WINDSOR RD.
CASTLE DR.
MARINA LANE
KENT ROAD
ASHCROFT RD.
CROSS GN.
LIVERPOOL RD.
THREE TUNS LA.
CHAPEL LA.
BROWS LANE
INSET
28
29
30
403
404
405
04
06
07
1
2
3
4
5
6
7
F
G
H
J
K
19
40

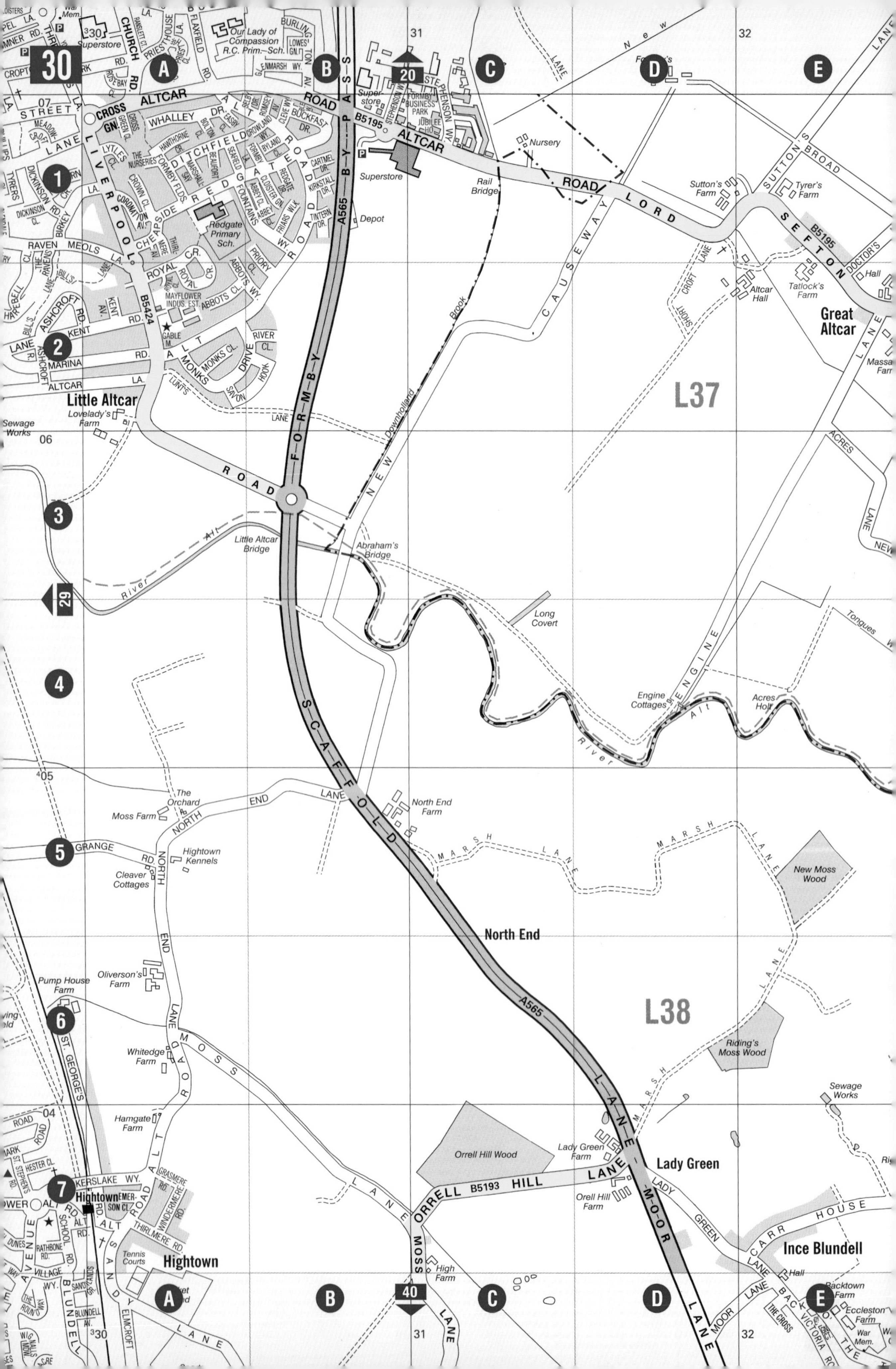

30
A
B
C
D
E
20
29
40
31
32
Little Altcar
Great Altcar
Hightown
North End
Lady Green
Ince Blundell
L37
L38
ALTCAR ROAD
LIVERPOOL ROAD
FORMBY BY-PASS
SCAFFOLD LANE
LORD SEFTON WAY
CAUSEWAY
NEW CAUSEWAY
ORRELL HILL LANE
MOOR LANE
MOSS LANE
NORTH END LANE
GRANGE RD.
ALT ROAD
SANDY LANE
CARR HOUSE LANE
LADY GREEN LANE
MARSH LANE
ENGINE LANE
SUTTON'S BROAD LANE
ST. GEORGE'S RD.
REDGATE
DITCHFIELD
ROYAL CR.
ABBOTS WY.
MONKS DRIVE
KENT RD.
MARINA RD.
ASHCROFT RD.
RAVEN MEOLS LA.
WHALLEY DR.
CROSS GN.
CHURCH RD.
A565
B5195
B5424
B5193
Redgate Primary Sch.
Our Lady of Compassion R.C. Prim. Sch.
MAYFLOWER INDUS. EST.
FORMBY BUSINESS PARK
Superstore
Depot
Nursery
Rail Bridge
Little Altcar Bridge
Abraham's Bridge
River Alt
Downholland Brook
Long Covert
Lovelady's Farm
Sewage Works
Sutton's Farm
Tyrer's Farm
Altcar Hall
Tatlock's Farm
Engine Cottages
Acres Holt
North End Farm
The Orchard
Moss Farm
Hightown Kennels
Cleaver Cottages
Oliverson's Farm
Pump House Farm
Whitedge Farm
Hamgate Farm
New Moss Wood
Riding's Moss Wood
Orrell Hill Wood
Lady Green Farm
Orrell Hill Farm
High Farm
Tennis Courts
Backtown Farm
Eccleston Farm
War Mem.
Hall

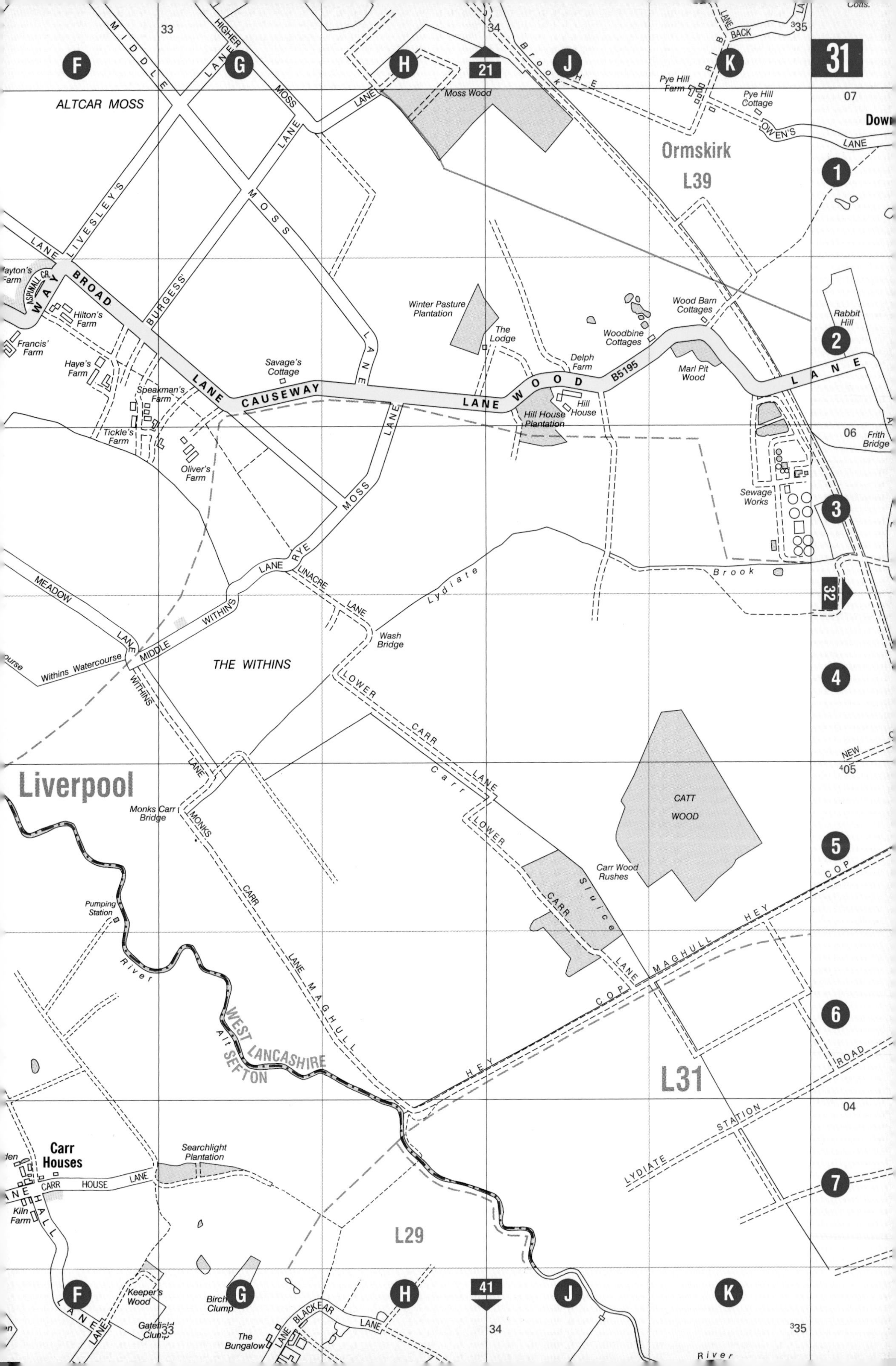
ALTCAR MOSS
Moss Wood
Pye Hill Farm
Pye Hill Cottage
Ormskirk
L39
Winter Pasture Plantation
The Lodge
Wood Barn Cottages
Woodbine Cottages
Rabbit Hill
Delph Farm
Marl Pit Wood
Hilton's Farm
Francis' Farm
Haye's Farm
Savage's Cottage
Speakman's Farm
Tickle's Farm
Oliver's Farm
Hill House
Hill House Plantation
Frith Bridge
Sewage Works
BROAD LANE
CAUSEWAY LANE
WOOD LANE
B5195
MOSS LANE
LINACRE LANE
MIDDLE WITHINS
MEADOW LANE
Withins Watercourse
THE WITHINS
Wash Bridge
Lydiate Brook
LOWER CARR LANE
Carr
Liverpool
Monks Carr Bridge
CATT WOOD
Carr Wood Rushes
Sluice
COP HEY
MAGHULL
Pumping Station
River
WEST LANCASHIRE
SEFTON
Alt
L31
STATION ROAD
LYDIATE
Carr Houses
CARR HOUSE LANE
Searchlight Plantation
Kiln Farm
HALL LANE
L29
Keeper's Wood
Birch Clump
Gatefield Clump
The Bungalow
BLACKEAR LANE
River
21
32
41

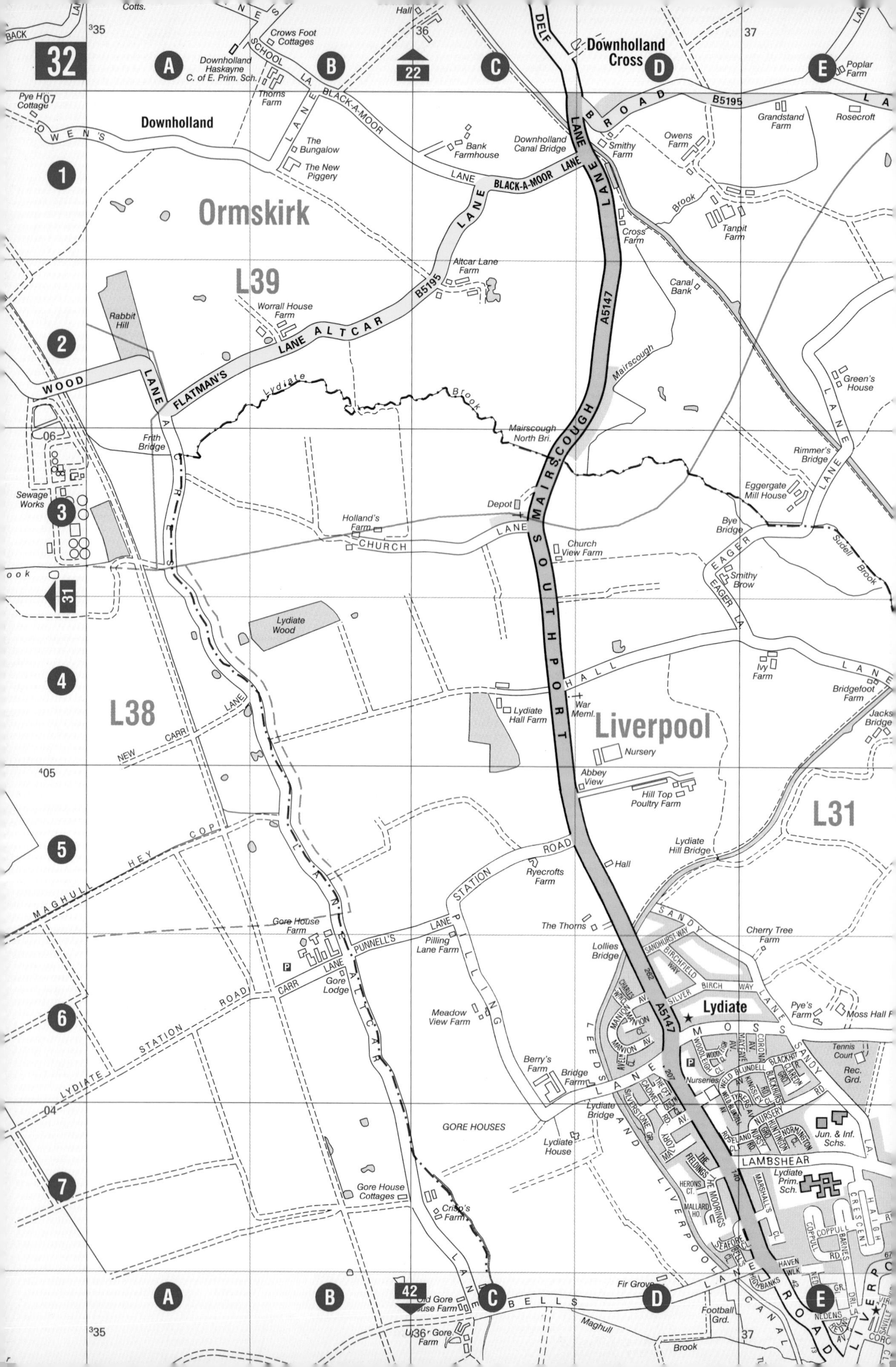

A   B   22   C   D   E

BACK   LANE   Cotts.   Crows Foot Cottages   Hall   36   DELF   Downholland Cross   37   Poplar Farm

Pye H.   Cottage   07   Downholland Haskayne C. of E. Prim. Sch.   Thorns Farm   BLACK-A-MOOR   Grandstand Farm   B5195   Rosecroft

Downholland   The Bungalow   The New Piggery   Bank Farmhouse   Downholland Canal Bridge   Smithy Farm   Owens Farm   LA

1

SCHOOL LA.   LANE   LANE   LANE   BROAD   ROAD   Brook   Tanpit Farm

Ormskirk   Altcar Lane Farm   BLACK-A-MOOR   LANE   Cross Farm

L39   Worrall House Farm   A5147   Canal Bank

LANE ALTCAR   B5195   Mairscough   Green's House

2   Rabbit Hill   LANE A   FLATMAN'S   Lydiate   Brook   Mairscough North Bri.   MAIRSCOUGH   Rimmer's Bridge

WOOD   Frith Bridge   Eggergate Mill House

06   Sewage Works   Depot   SOUTHPORT   Church View Farm   Bye Bridge   Sudell   Brook

3   CHURCH   LANE   Smithy Brow   EAGER LA.   EAGER LA.

31   Holland's Farm   Eager Brow

Lydiate Wood

4   **L38**   War Meml.   **Liverpool**   Ivy Farm   Bridgefoot Farm

NEW   CARR   LANE   Lydiate Hall Farm   HALL   Jacks Bridge

405   Nursery   **L31**

HEY   COP   Abbey View   Hill Top Poultry Farm

5   MAGHULL   STATION   ROAD   Ryecrofts Farm   Hall   Lydiate Hill Bridge   SANDY   Cherry Tree Farm

Gore House Farm   LANE   The Thoms   Lollies Bridge   BIRCHFIELD   Pye's Farm   Moss Hall F

PUNNELL'S   Pilling Lane Farm   SANDHURST WAY   BIRCH WAY   Tennis Court

6   P   CARR   LANE   Gore Lodge   PILLING   Meadow View Farm   **Lydiate**   Nurseries   Nursery   Jun. & Inf. Schs.

STATION   ROAD   Berry's Farm   Bridge Farm   LAMBSHEAR   Lydiate Prim. Sch.

LYDIATE   04   ALTCAR   Lydiate Bridge   SILVERSTONE GR.

7   Gore House Cottages   Crisp's Farm   GORE HOUSES   Lydiate House   HERONS CT.   LIVERPOOL   ROAD   CANAL   HAVEN   CORO.

A   B   42   C   BELLS   Fir Grove   D   E

335   Old Gore House Farm   LANE   Maghull   Football Grd.   NEDENS   LEAFORD

U36 Gore Farm   Brook

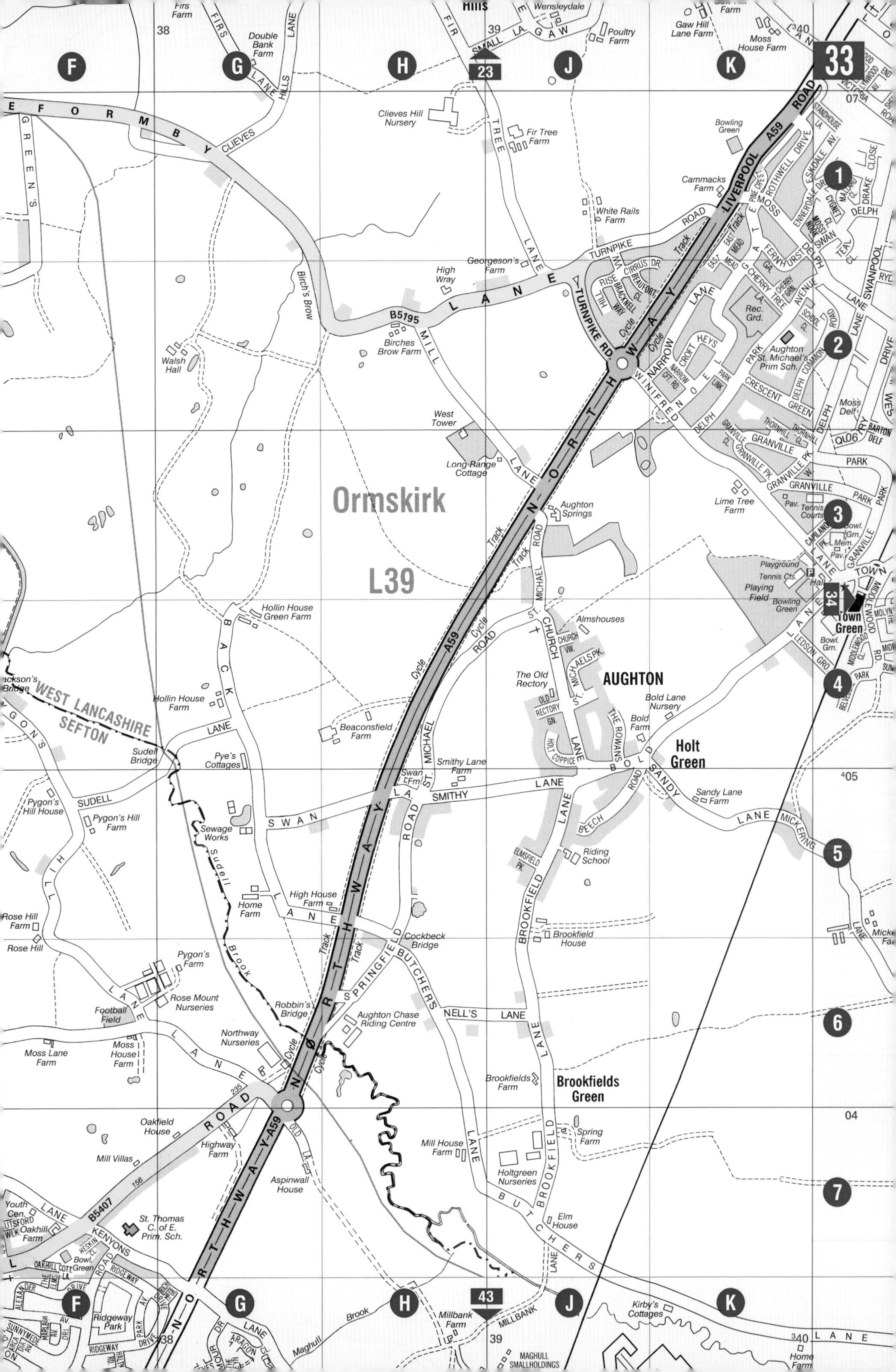
33
Ormskirk
L39
AUGHTON
Holt Green
Brookfields Green
Town Green
WEST LANCASHIRE
SEFTON
FORMBY
CLIEVES
HILLS LANE
FIRS LANE
Double Bank Farm
Clieves Hill Nursery
Fir Tree Farm
Poultry Farm
Gaw Hill Lane Farm
Moss House Farm
Wensleydale
SMALL LA.
GAW
23
43
34
38
39
340
405
04
07
B5195
LANE
TURNPIKE ROAD
TURNPIKE RD.
LIVERPOOL ROAD
A59
NORTHWAY
Cycle
Track
Bowling Green
Cammacks Farm
White Rails Farm
Georgeson's Farm
High Wray
Birch's Brow
Birches Brow Farm
MILL LANE
Walsh Hall
West Tower
Long Range Cottage
Aughton Springs
Aughton St. Michael's Prim Sch.
Rec. Grd.
Moss Delf
Lime Tree Farm
Playground
Tennis Cts.
Playing Field
Bowling Green
Tennis Courts
Pav.
Hall
Bowl. Grn.
Mem.
Almshouses
The Old Rectory
Bold Lane Nursery
Bold Farm
Beaconsfield Farm
Hollin House Green Farm
Hollin House Farm
Jackson's Bridge
Sudell Bridge
Pye's Cottages
Smithy Lane Farm
Swan Fm.
SWAN LANE
SMITHY LANE
Sandy Lane Farm
SANDY LANE
MICKERING LANE
Riding School
Pygon's Hill House
Pygon's Hill Farm
Sewage Works
Sudell Brook
High House Farm
Home Farm
Rose Hill Farm
Rose Hill
Pygon's Farm
Rose Mount Nurseries
Football Field
Cockbeck Bridge
Brookfield House
Robbin's Bridge
Aughton Chase Riding Centre
NELL'S LANE
BUTCHERS LANE
BROOKFIELD LANE
SPRINGFIELD
Northway Nurseries
Moss Lane Farm
Moss House Farm
Brookfields Farm
Spring Farm
Oakfield House
Highway Farm
Mill Villas
Mill House Farm
Holtgreen Nurseries
Aspinwall House
Elm House
B5407
ROAD
Youth Cen.
Oakhill Farm
St. Thomas C. of E. Prim. Sch.
KENYONS LANE
Bowl. Green
Ridgeway Park
RIDGEWAY
Maghull Brook
Millbank Farm
MILLBANK
Kirby's Cottages
Home Farm
MAGHULL SMALLHOLDINGS
F
G
H
J
K
1
2
3
4
5
6
7

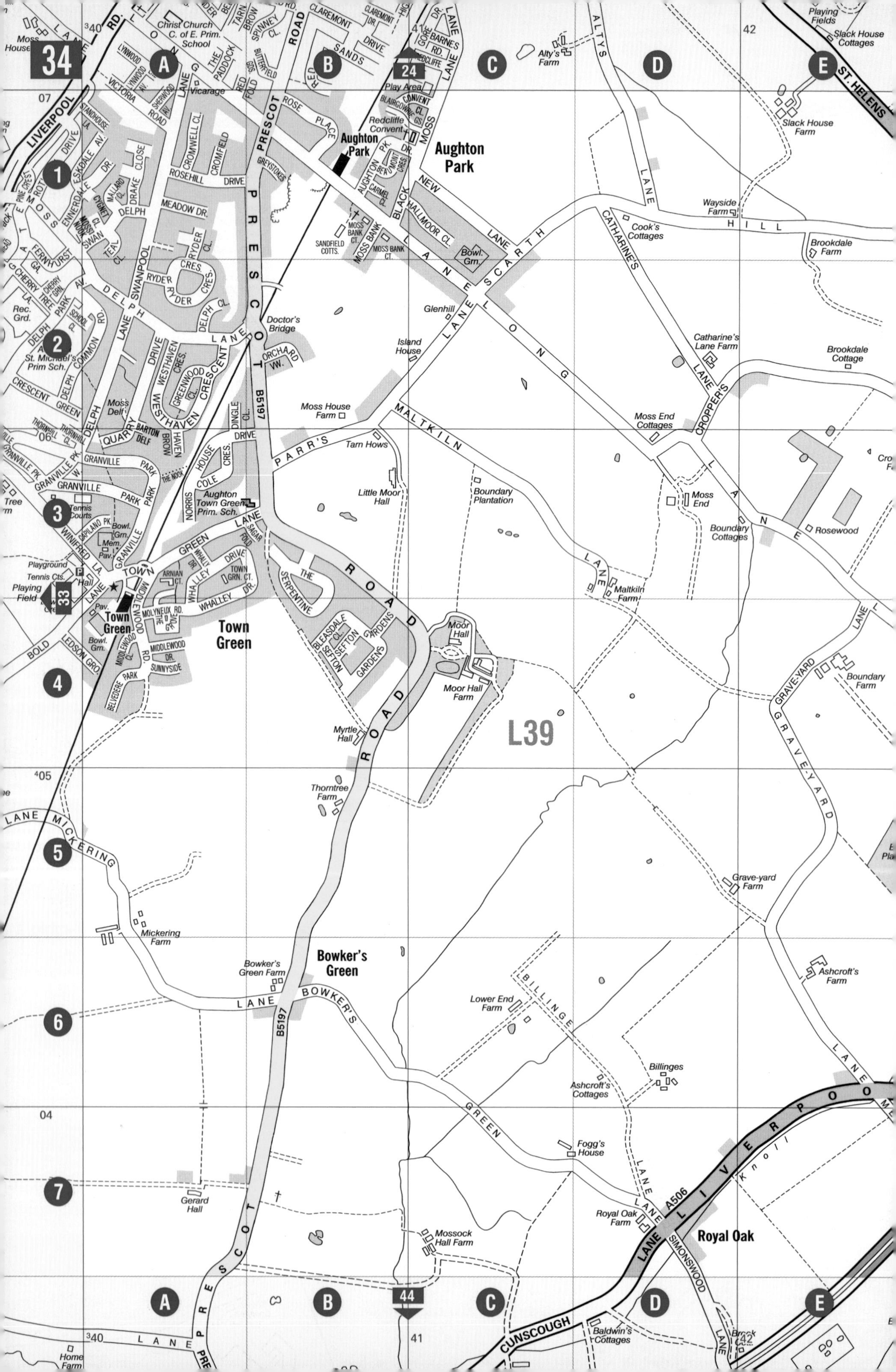

34
A
B
C
D
E
24
33
44
Christ Church C. of E. Prim. School
Vicarage
Moss House
Play Area
Redcliffe Convent
Aughton Park
Aughton Park
Alty's Farm
Playing Fields
Slack House Cottages
Slack House Farm
ST. HELENS
LIVERPOOL RD.
PRESCOT ROAD
B5197
CLAREMONT
SANDS
ROSE PLACE
GREYSTOKES
ROSEHILL DRIVE
CROMWELL CL.
CROMFIELD
MEADOW DR.
RYDER CRES.
SWANPOOL
DELPH LANE
DELPH CL.
CRESCENT
WESTHAVEN CRES.
GREENWOOD CL.
ORCHARD VW.
DINGLE CL.
DRIVE
NEW LANE
MOSS LANE
BLACK MOSS LANE
HALLMOOR CL.
Bowl. Grn.
SANDFIELD COTTS.
MOSS BANK CT.
Wayside Farm
HILL
Cook's Cottages
Brookdale Farm
SCARTH LANE
ALTYS LANE
CATHARINE'S LANE
LONG LANE
Glenhill
Island House
Doctor's Bridge
Catharine's Lane Farm
Brookdale Cottage
CROPPER'S LANE
Moss End Cottages
Moss House Farm
MALTKILN LANE
PARR'S LANE
Tarn Hows
Little Moor Hall
Boundary Plantation
Moss End
Boundary Cottages
Rosewood
Rec. Grd.
St. Michael's Prim Sch.
Moss Delf
QUARRY
BARTON DELF
GRANVILLE PARK
GRANVILLE PK. W.
Tennis Courts
Bowl. Grn.
Mem. Pav.
Playground
Tennis Cts.
Hall
Playing Field
Pav.
Town Green
Bowl. Grn.
Aughton Town Green Prim. Sch.
NORRIS
HOUSE
COLE CRES.
THE NOOK
TOWN GREEN LANE
SAGAR FOLD
WHALLEY DRIVE
WHALLEY DR.
TOWN GRN. CT.
MOLYNEUX RD.
ARNIAN CT.
MIDDLEWOOD
MIDDLEWOOD DR.
SUNNYSIDE
BELVEDERE PARK
LEDSON GRO.
BOLD LANE
WINIFRED LA.
Town Green
THE SERPENTINE
BLEASDALE CL.
SEFTON
SEFTON GARDENS
Moor Hall
Moor Hall Farm
Maltkiln Farm
Boundary Farm
GRAVE-YARD LANE
L39
Myrtle Hall
Thorntree Farm
MICKERING LANE
Mickering Farm
Grave-yard Farm
Bowker's Green Farm
Bowker's Green
BOWKER'S GREEN LANE
Ashcroft's Farm
Lower End Farm
BILLINGE LANE
Billinges
Ashcroft's Cottages
Fogg's House
LIVERPOOL
A506
Knoll
Gerard Hall
Royal Oak Farm
Royal Oak
SIMONSWOOD LANE
Mossock Hall Farm
CUNSCOUGH LANE
Baldwin's Cottages
Home Farm
PRESCOT ROAD
340
41
42
07
06
405
04

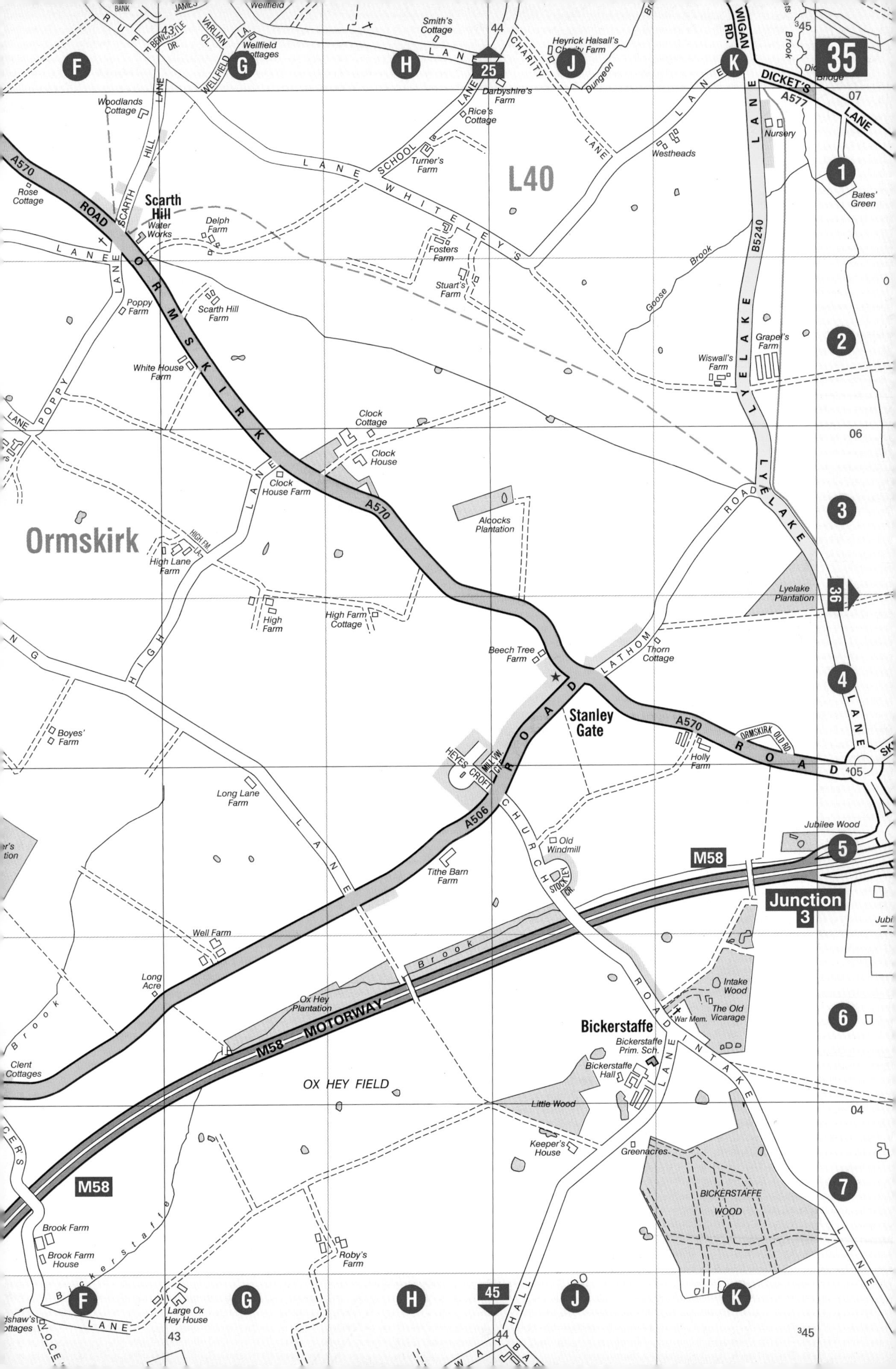

35
Scarth Hill
Ormskirk
L40
Stanley Gate
Bickerstaffe
Junction 3
M58 MOTORWAY
ORMSKIRK ROAD
A570
A506
A577
B5240
LYELAKE LANE
DICKET'S LANE
WHITELEY'S LANE
SCHOOL LANE
CHARITY LANE
SCARTH HILL LANE
POPPY LANE
HIGH LANE
LONG LANE
CHURCH ROAD
LATHOM ROAD
INTAKE LANE
Woodlands Cottage
Rose Cottage
Water Works
Delph Farm
Poppy Farm
Scarth Hill Farm
White House Farm
Clock Cottage
Clock House
Clock House Farm
High Lane Farm
High Farm
High Farm Cottage
Alcocks Plantation
Lyelake Plantation
Beech Tree Farm
Thorn Cottage
Holly Farm
Boyes' Farm
Long Lane Farm
Old Windmill
Tithe Barn Farm
Well Farm
Long Acre
Ox Hey Plantation
OX HEY FIELD
Clent Cottages
Brook Farm
Brook Farm House
Large Ox Hey House
Roby's Farm
Keeper's House
Little Wood
Greenacres
BICKERSTAFFE WOOD
Bickerstaffe Prim. Sch.
Bickerstaffe Hall
The Old Vicarage
Intake Wood
War Mem.
Jubilee Wood
Smith's Cottage
Wellfield Cottages
Heyrick Halsall's Charity Farm
Darbyshire's Farm
Rice's Cottage
Turner's Farm
Fosters Farm
Stuart's Farm
Westheads
Nursery
Bates' Green
Grapel's Farm
Wiswall's Farm
Goose Brook
Dungeon
25
36
45

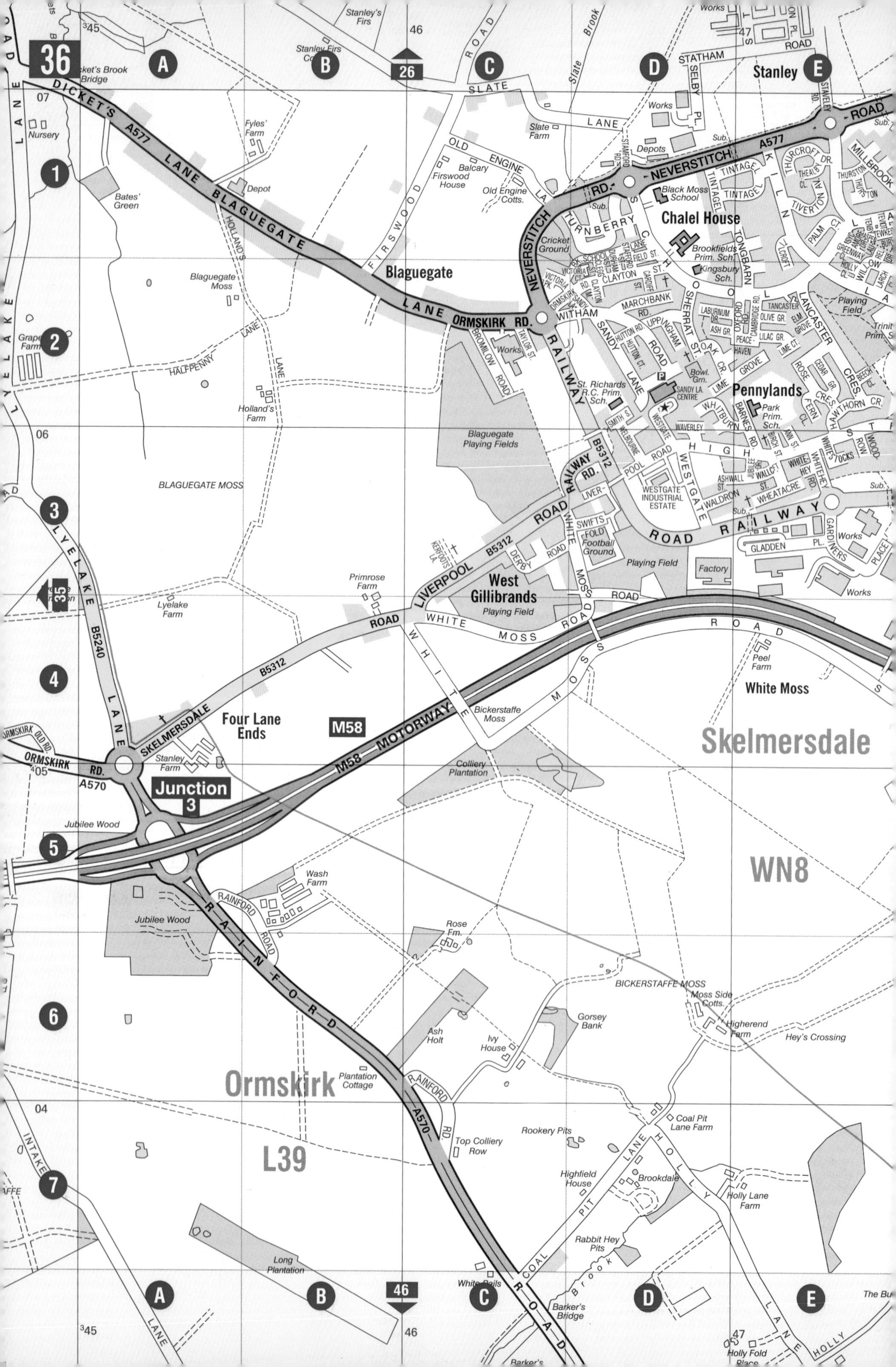
36
26
35
46
Stanley
Chalel House
Blaguegate
Pennylands
West Gillibrands
Four Lane Ends
White Moss
Skelmersdale
WN8
Ormskirk
L39
Junction 3
M58 MOTORWAY
DICKET'S LANE
BLAGUEGATE LANE
ORMSKIRK RD.
NEVERSTITCH RD.
LIVERPOOL ROAD
SKELMERSDALE ROAD
WHITE MOSS ROAD
RAINFORD ROAD
LYELAKE LANE
BLAGUEGATE MOSS
BICKERSTAFFE MOSS
Hey's Crossing
Coal Pit Lane Farm
Holly Lane Farm
Rookery Pits
Gorsey Bank
Ash Holt
Ivy House
Long Plantation
Jubilee Wood
Colliery Plantation
Bickerstaffe Moss
Peel Farm
Primrose Farm
Lyelake Farm
Holland's Farm
Bates' Green
Fyles' Farm
Slate Farm
Firswood House
Old Engine Cotts.
Blaguegate Playing Fields
Westgate Industrial Estate
Brookdale
Highfield House
Rabbit Hey Pits
Barker's Bridge
Top Colliery Row
Plantation Cottage
Wash Farm
Rose Fm.
Moss Side Cotts.
Higherend Farm
Stanley Farm

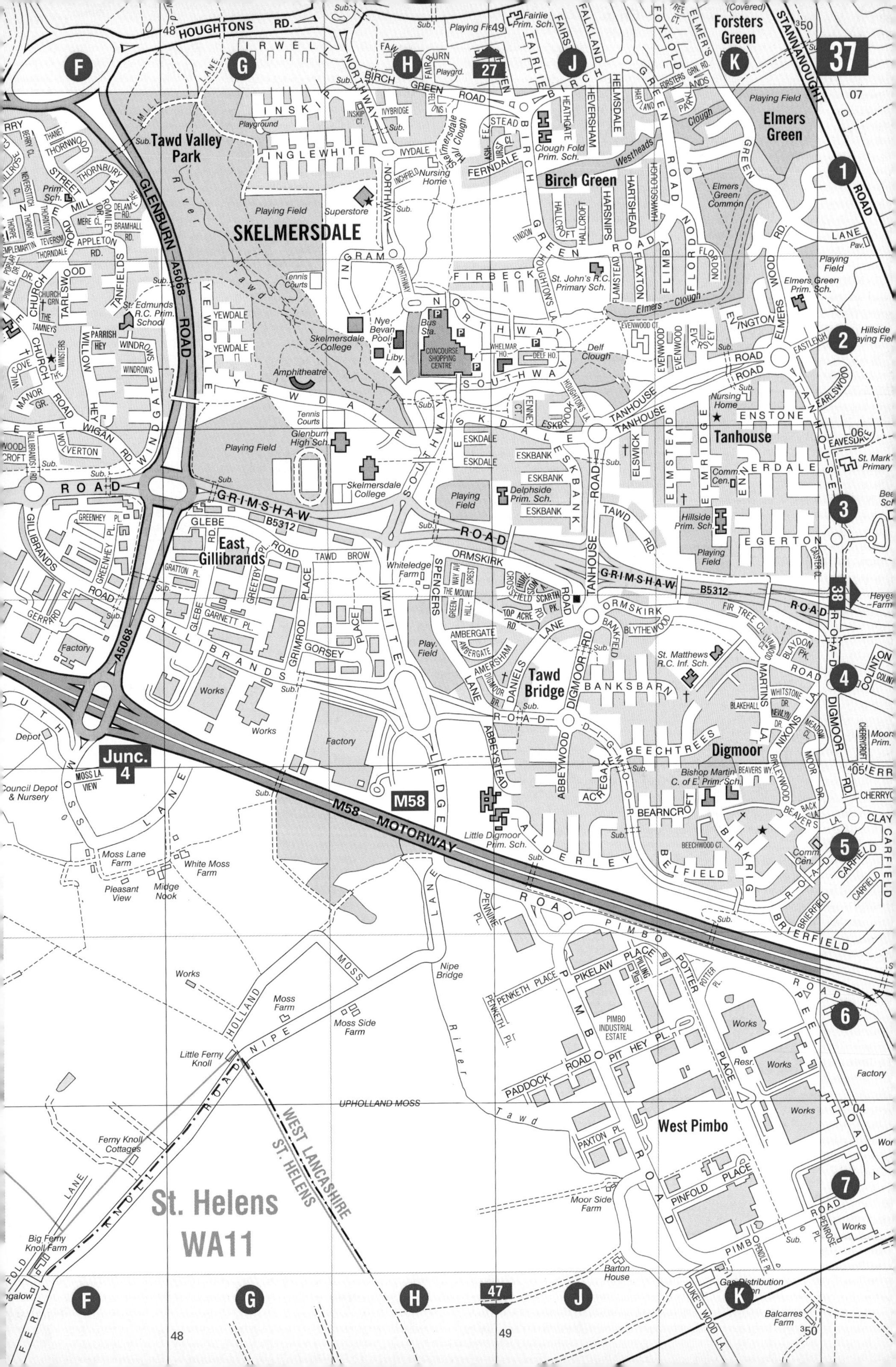
37
SKELMERSDALE
Tawd Valley Park
Birch Green
Forsters Green
Elmers Green
Elmers Green Common
Tanhouse
East Gillibrands
Tawd Bridge
Digmoor
West Pimbo
St. Helens
WA11
HOUGHTONS RD.
BIRCH GREEN ROAD
GLENBURN A5068 ROAD
GRIMSHAW B5312 ROAD
ORMSKIRK ROAD
TANHOUSE ROAD
NORTHWAY
SOUTHWAY
YEWDALE
ESKDALE
ESKBANK
GILLIBRANDS ROAD
WIGAN RD.
WINDGATE
PIMBO ROAD
PIMBO PLACE
PIKELAW PLACE
PENKETH PLACE
PIT HEY PL.
PADDOCK ROAD
PINFOLD PLACE
POTTER PLACE
PEEL ROAD
DIGMOOR ROAD
BEECHTREES
ALDERLEY
BELFIELD
BIRKRIG
BRIERFIELD
BANKSBARN
ENSTONE
ENNERDALE
EGERTON
ELMERS WOOD RD.
STANNANOUGHT ROAD
NIPE ROAD
HOLLAND MOSS
FERNY KNOLL ROAD
MOSS LANE
WHITELEDGE
SPENCERS LANE
ABBEYSTEAD
M58 MOTORWAY
Junc. 4
WEST LANCASHIRE
ST. HELENS
UPHOLLAND MOSS
Superstore
Skelmersdale College
Glenburn High Sch.
Concourse Shopping Centre
Bus Sta.
Nye Bevan Pool
Liby.
Amphitheatre
Playing Field
Tennis Courts
Delphside Prim. Sch.
Hillside Prim. Sch.
Clough Fold Prim. Sch.
St. John's R.C. Primary Sch.
Elmers Green Prim. Sch.
St. Edmunds R.C. Prim. School
St. Matthews R.C. Inf. Sch.
Bishop Martin C. of E. Prim. Sch.
Little Digmoor Prim. Sch.
Pimbo Industrial Estate
Works
Factory
Depot
Council Depot & Nursery
Moss Lane Farm
White Moss Farm
Pleasant View
Midge Nook
Moss Farm
Moss Side Farm
Little Ferny Knoll
Ferny Knoll Cottages
Big Ferny Knoll Farm
Nipe Bridge
Moor Side Farm
Barton House
Gas Distribution Station
Balcarres Farm
Whiteledge Farm
Nursing Home
Comm. Cen.
F
G
H
J
K
1
2
3
4
5
6
7
27
38
47
48
49
50

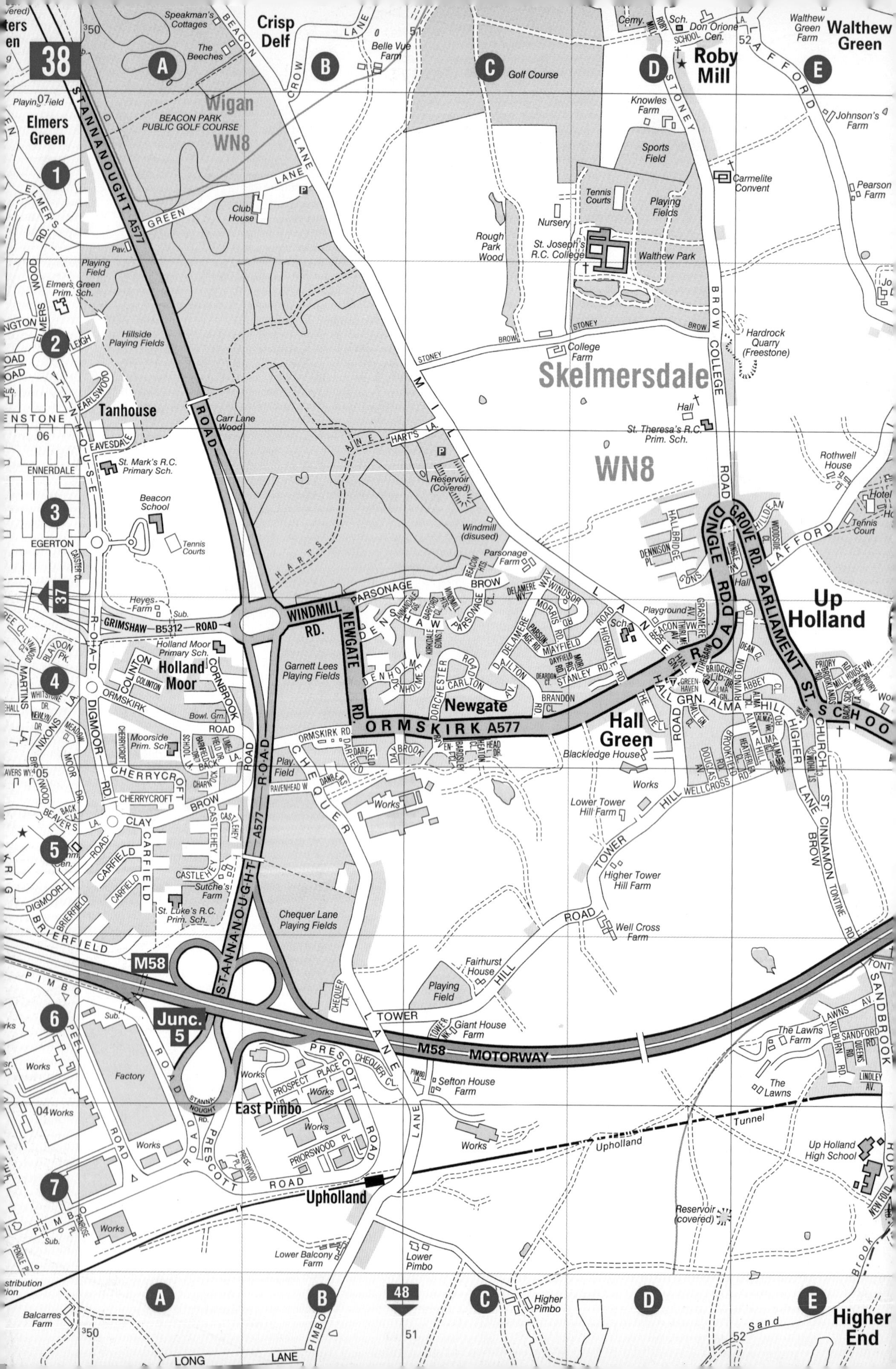

Crisp Delf
Roby Mill
Walthew Green
Elmers Green
Wigan
WN8
BEACON PARK PUBLIC GOLF COURSE
Golf Course
Tanhouse
Skelmersdale
Holland Moor
Newgate
Hall Green
Up Holland
East Pimbo
Upholland
Higher End
STANNANOUGHT ROAD A577
ORMSKIRK A577
WINDMILL RD.
GRIMSHAW B5312 ROAD
M58 MOTORWAY
Junc. 5
St. Joseph's R.C. College
Walthew Park
Rough Park Wood
Carr Lane Wood
Garnett Lees Playing Fields
Chequer Lane Playing Fields
Hillside Playing Fields
St. Mark's R.C. Primary Sch.
Beacon School
Holland Moor Primary Sch.
Moorside Prim. Sch.
St. Luke's R.C. Prim. Sch.
St. Theresa's R.C. Prim. Sch.
Elmers Green Prim. Sch.
Carmelite Convent
Hardrock Quarry (Freestone)
Up Holland High School
Tunnel

37
48

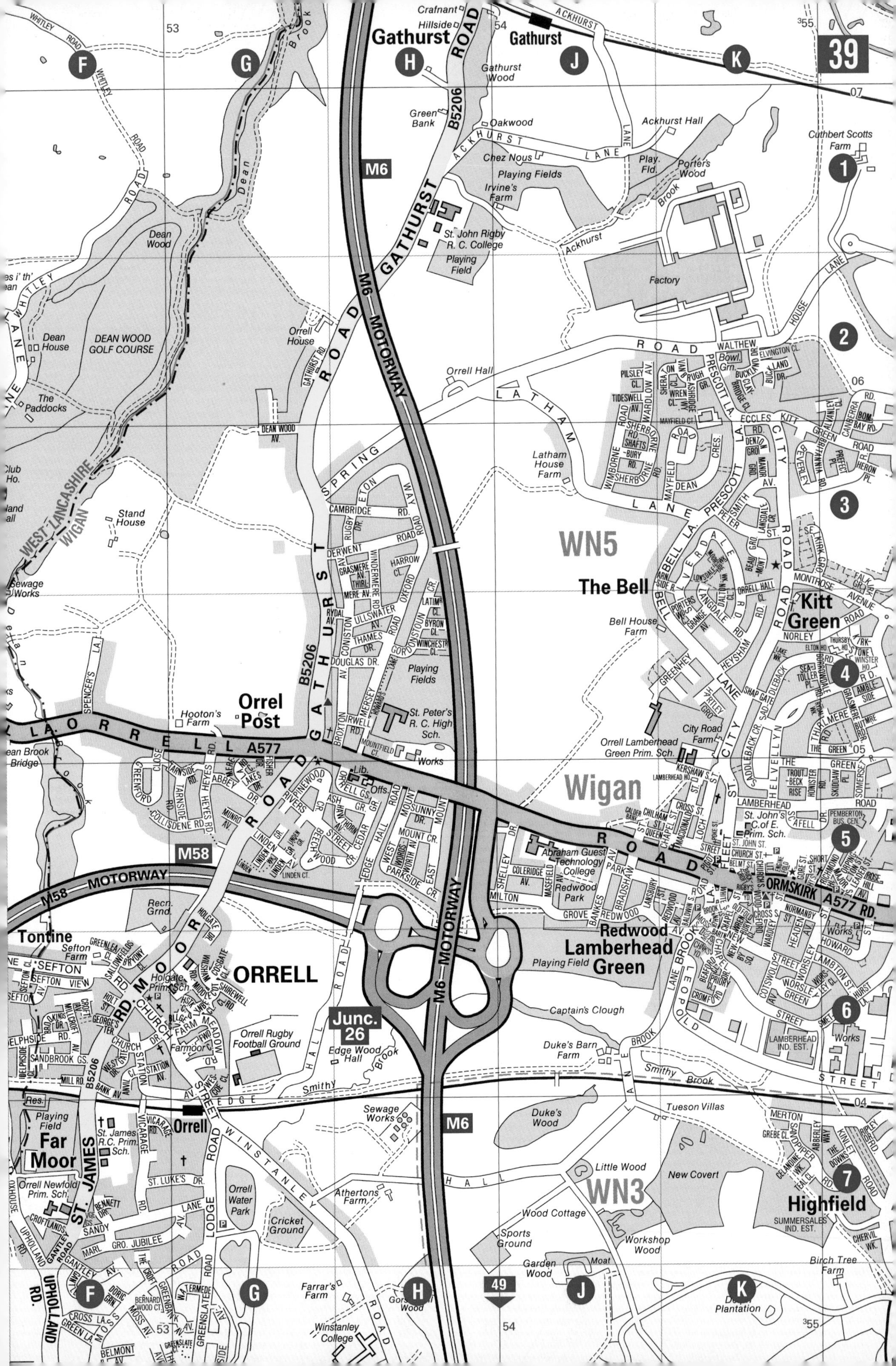

39
Gathurst
Gathurst Wood
Orrel Post
The Bell
Kitt Green
WN5
Wigan
ORRELL
Tontine
Far Moor
Orrell
Redwood
Lamberhead Green
Highfield
WN3
Junc. 26
M6
M58
MOTORWAY
GATHURST ROAD
ORRELL ROAD A577
ORMSKIRK A577 RD.
WALTHEW ROAD
LATHAM LANE
ACKHURST LANE
ST. JAMES
WINSTANLEY ROAD
DEAN WOOD GOLF COURSE
Dean Wood
Factory
Playing Fields
St. John Rigby R. C. College
St. Peter's R. C. High Sch.
Orrell Rugby Football Ground
Abraham Guest Technology College
Orrell Water Park
Cricket Ground
Winstanley College
Duke's Wood
New Covert
Little Wood
Workshop Wood
Garden Wood
Captain's Clough
Smithy Brook
LAMBERHEAD IND. EST.
SUMMERSALES IND. EST.
Orrell Lamberhead Green Prim. Sch.
St. John's C.of E. Prim. Sch.
St. James R.C. Prim. Sch.
Orrell Newfold Prim. Sch.
Holgate Prim. Sch.
Latham House Farm
Bell House Farm
City Road Farm
Duke's Barn Farm
Edge Wood Hall
Ackhurst Hall
Cuthbert Scotts Farm
Birch Tree Farm
Atherton's Farm
Farrar's Farm
Hooton's Farm
Sefton Farm
Irvine's Farm
Orrell Hall
Orrell House
Dean House
Stand House
Sewage Works
WEST LANCASHIRE
WIGAN
49

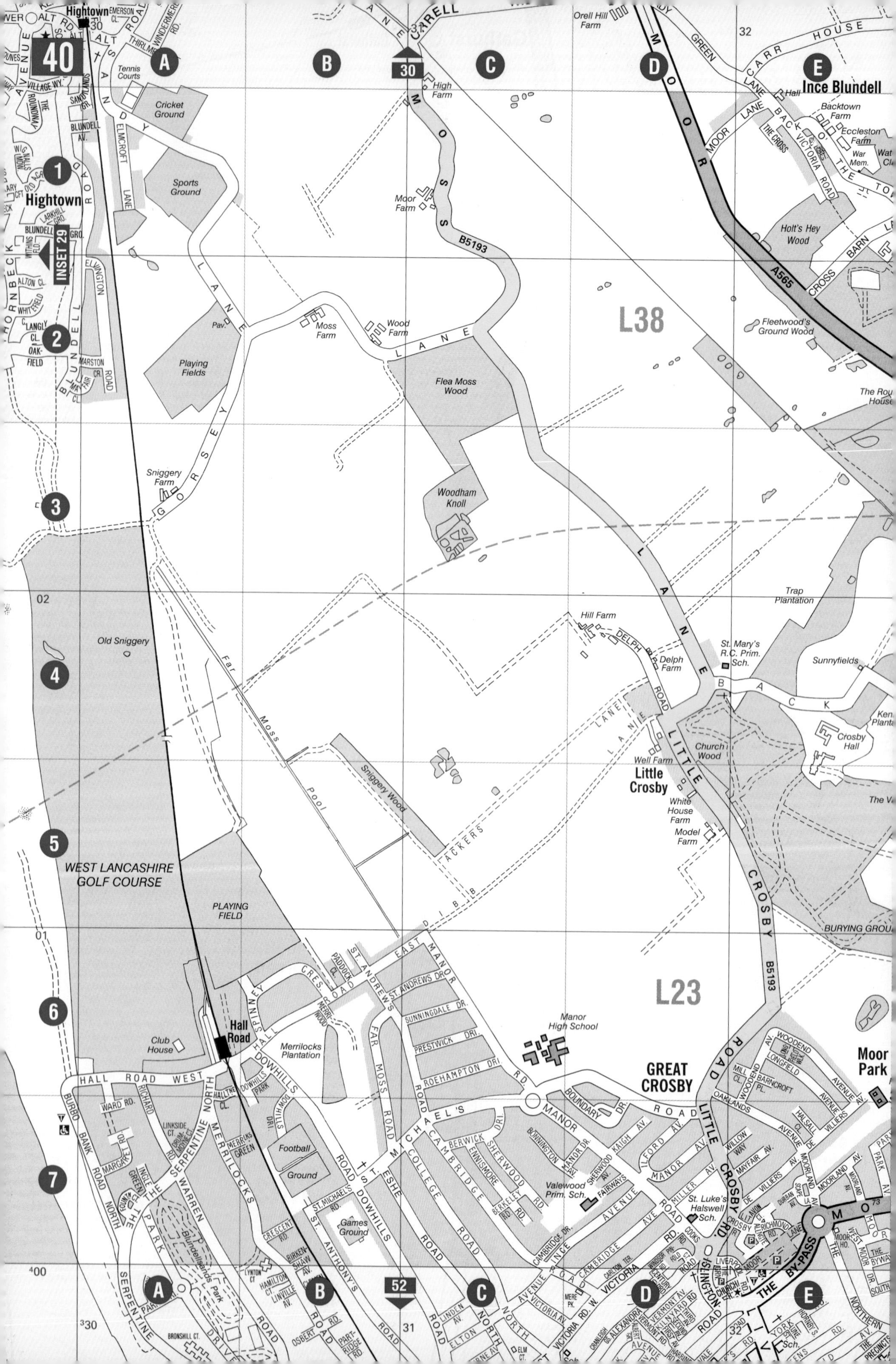
Hightown
Ince Blundell
L38
L23
GREAT CROSBY
Little Crosby
Moor Park
Hall Road
WEST LANCASHIRE GOLF COURSE
PLAYING FIELD
Playing Fields
Sports Ground
Cricket Ground
Tennis Courts
Flea Moss Wood
Woodham Knoll
Sniggery Wood
Old Sniggery
Sniggery Farm
Moss Farm
Wood Farm
Moor Farm
High Farm
Orell Hill Farm
Hill Farm
Delph Farm
Well Farm
White House Farm
Model Farm
Church Wood
Crosby Hall
Trap Plantation
Sunnyfields
Holt's Hey Wood
Fleetwood's Ground Wood
Backtown Farm
Eccleston Farm
Merrilocks Plantation
Manor High School
Valewood Prim. Sch.
St. Luke's Halswell Sch.
St. Mary's R.C. Prim. Sch.
Football Ground
Games Ground
Club House
Blundellsands Park
Far Moss Pool
MOSS LANE
GORSEY LANE
LITTLE CROSBY ROAD
DIBB LANE
ACKERS LANE
DELPH ROAD
BACK LANE
HALL ROAD WEST
MANOR ROAD
ST. MICHAEL'S ROAD
THE SERPENTINE NORTH
THE BY-PASS
MOOR LANE
CARR HOUSE LANE
B5193
A565
INSET 29
30
52
A
B
C
D
E
1
2
3
4
5
6
7

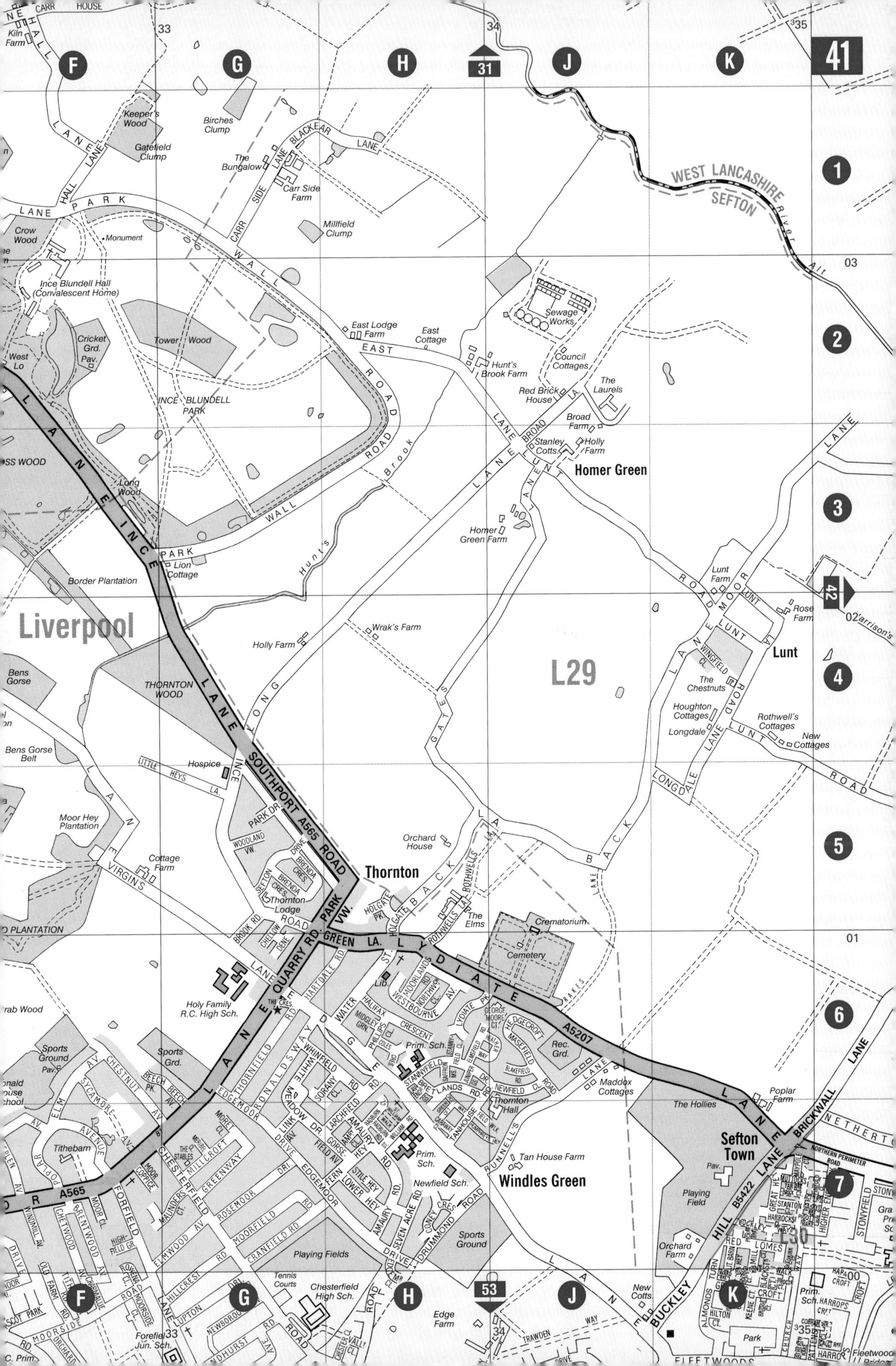

41
31
53
42
WEST LANCASHIRE
SEFTON
River Alt
Kiln Farm
Keeper's Wood
Gatefield Clump
Birches Clump
The Bungalow
Carr Side Farm
Millfield Clump
BLACKEAR LANE
CARR SIDE LANE
HALL LANE
PARK LANE
Crow Wood
Monument
Ince Blundell Hall (Convalescent Home)
Cricket Grd. Pav.
Tower Wood
INCE BLUNDELL PARK
PARK WALL ROAD
East Lodge Farm
East Cottage
EAST ROAD
Sewage Works
Council Cottages
Hunt's Brook Farm
Red Brick House
The Laurels
Broad Farm
BROAD LA.
Stanley Cotts.
Holly Farm
Homer Green
LUNT LANE
Homer Green Farm
Long Wood
Hunt's Brook
Lion Cottage
Border Plantation
Liverpool
INCE LANE
Holly Farm
Wrak's Farm
LONG LANE
L29
GATES LA.
Lunt Farm
MOOR ROAD
LUNT
Rose Farm
Lunt
WINGFIELD CL.
The Chestnuts
Houghton Cottages
Longdale
Rothwell's Cottages
New Cottages
LUNT ROAD
LONGDALE LANE
BACK LANE
Bens Gorse
THORNTON WOOD
Bens Gorse Belt
Hospice
LITTLE HEYS LA.
SOUTHPORT A565 ROAD
Moor Hey Plantation
VIRGINS LANE
Cottage Farm
Orchard House
Thornton
Thornton Lodge
The Elms
Crematorium
Cemetery
GREEN LA.
LYDIATE LANE
A5207
QUARRY RD.
Holy Family R.C. High Sch.
Sports Ground Pav.
Sports Grd.
Prim. Sch.
Rec. Grd.
Maddox Cottages
Thornton Hall
Tan House Farm
Windles Green
Newfield Sch.
The Hollies
Poplar Farm
Sefton Town
BRICKWALL LANE
B5422
BUCKLEY HILL LANE
Playing Field
Orchard Farm
Tithebarn
Playing Fields
Sports Ground
Tennis Courts
Chesterfield High Sch.
Edge Farm
New Cotts.
Forefield Jun. Sch.
Park
L30
F
G
H
J
K
1
2
3
4
5
6
7
33
34
35
03
02
01

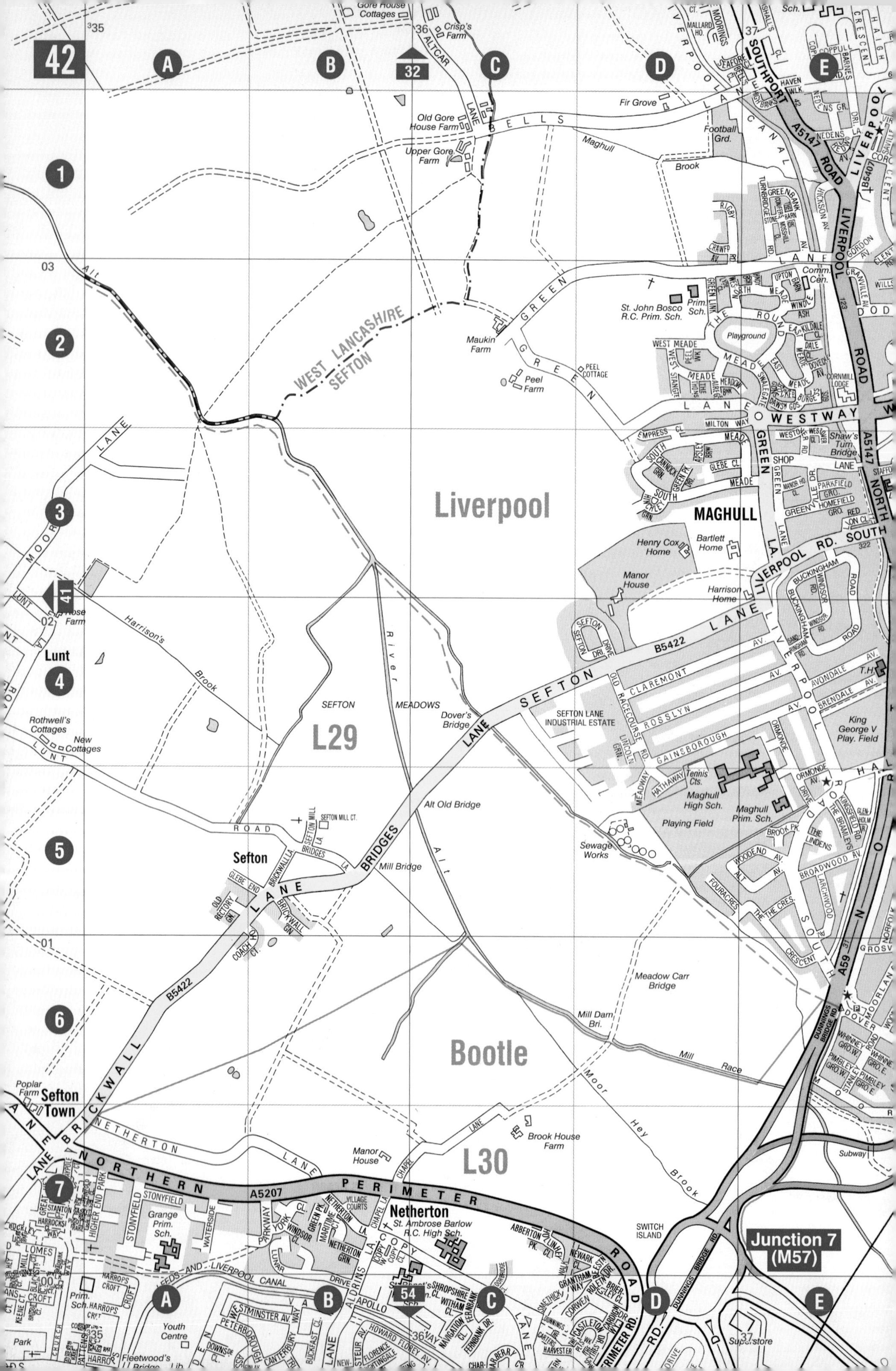

Liverpool
Bootle
L29
L30
MAGHULL
Sefton
Sefton Town
Lunt
Netherton
WEST LANCASHIRE
SEFTON
Junction 7
(M57)
SWITCH ISLAND
Gore House Cottages
Crisp's Farm
ALTCAR
Old Gore House Farm
Upper Gore Farm
BELLS LANE
Fir Grove
Maghull Brook
Football Grd.
SOUTHPORT ROAD
A5147
LIVERPOOL ROAD
Maukin Farm
Peel Farm
PEEL COTTAGE
St. John Bosco R.C. Prim. Sch.
Prim. Sch.
Comm. Cen.
Playground
WESTWAY
Shaw's Turn Bridge
SHOP
Henry Cox Home
Bartlett Home
Manor House
Harrison Home
LIVERPOOL RD. SOUTH
SEFTON LANE
B5422
SEFTON LANE INDUSTRIAL ESTATE
CLAREMONT AV.
ROSSLYN AV.
GAINSBOROUGH AV.
AVONDALE AV.
BRENDALE AV.
King George V Play. Field
Maghull High Sch.
Maghull Prim. Sch.
Tennis Cts.
Playing Field
Sewage Works
Rose Farm
Harrison's Brook
Rothwell's Cottages
New Cottages
LUNT ROAD
MOOR LANE
SEFTON MEADOWS
River Alt
Dover's Bridge
Alt Old Bridge
Mill Bridge
SEFTON MILL CT.
BRIDGES LANE
BRICKWALL LANE
GLEBE END
OLD RECTORY GN.
COACH HO. CT.
Meadow Carr Bridge
Mill Dam Bri.
Mill Race
Moor Hey Brook
A59
DUNNINGS BRIDGE RD.
Subway
Poplar Farm
NETHERTON LANE
Manor House
Brook House Farm
CHAPEL LANE
NORTHERN PERIMETER ROAD
A5207
Grange Prim. Sch.
St. Ambrose Barlow R.C. High Sch.
LEEDS AND LIVERPOOL CANAL
Prim. Sch.
Youth Centre
Park
Fleetwood's Bridge
Superstore

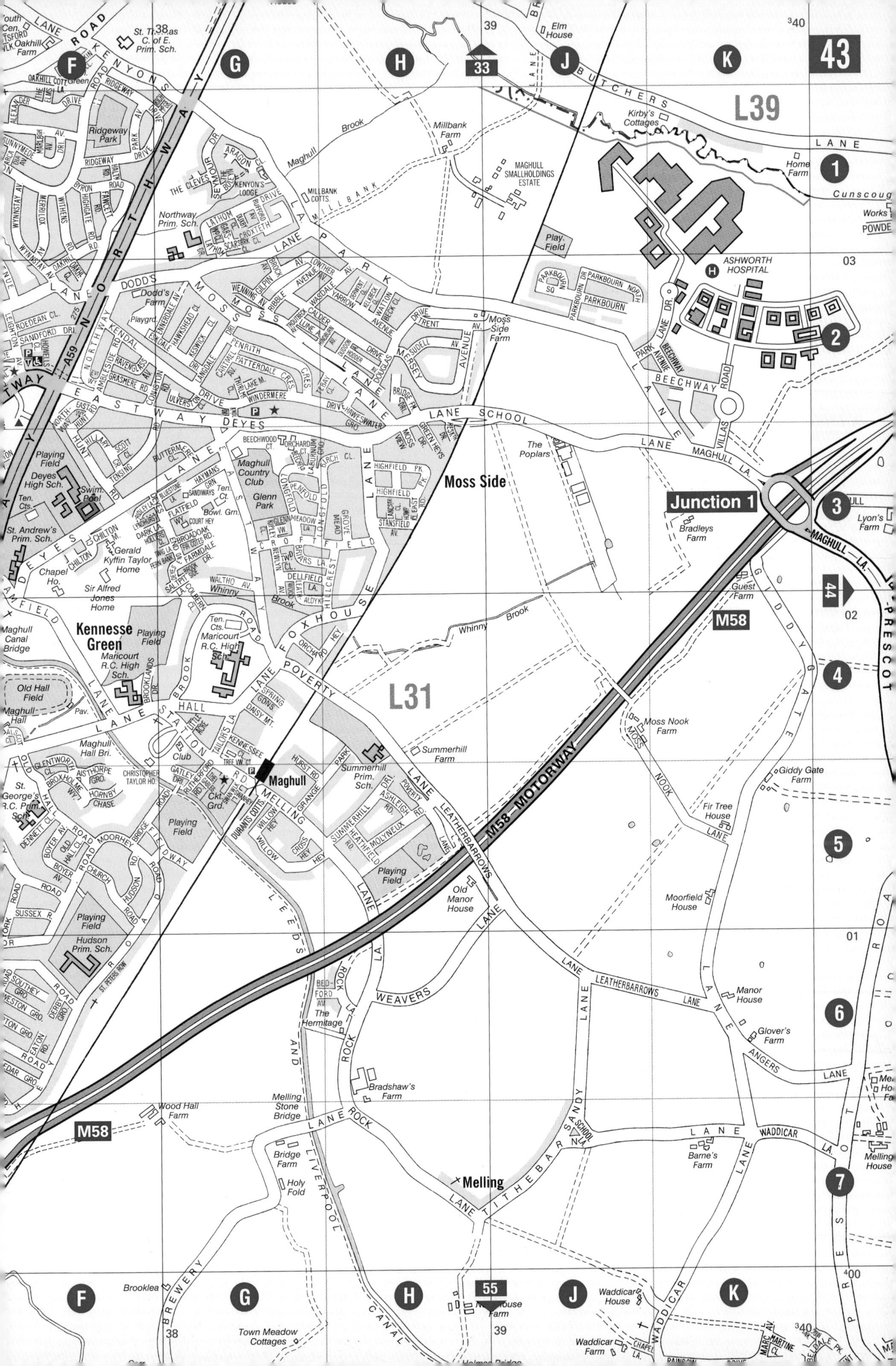
L39
L31
ASHWORTH HOSPITAL
MAGHULL SMALLHOLDINGS ESTATE
Moss Side
Junction 1
M58
M58 MOTORWAY
Maghull
Kennesse Green
Melling
A59
NORTHWAY
BUTCHERS LANE
Kirby's Cottages
Home Farm
Millbank Farm
Maghull Brook
Elm House
Moss Side Farm
The Poplars
Bradleys Farm
Guest Farm
Lyon's Farm
MAGHULL LA.
PRESCOT
Whinny Brook
Moss Nook Farm
Summerhill Farm
Giddy Gate Farm
Fir Tree House
Moorfield House
Manor House
Glover's Farm
ANGERS LANE
WADDICAR LANE
Barne's Farm
Melling House
Old Manor House
LEATHERBARROWS LANE
SANDY LANE
TITHEBARN LANE
WEAVERS LANE
ROCK LANE
Bradshaw's Farm
The Hermitage
Melling Stone Bridge
Bridge Farm
Holy Fold
Wood Hall Farm
LEEDS AND LIVERPOOL CANAL
BREWERY LANE
Brooklea
Town Meadow Cottages
Waddicar House
Waddicar Farm
Maghull Country Club
Glenn Park
Maricourt R.C. High Sch.
Summerhill Prim. Sch.
Deyes High Sch.
St. Andrew's Prim. Sch.
Gerald Kyffin Taylor Home
Sir Alfred Jones Home
Chapel Ho.
Maghull Canal Bridge
Old Hall Field
Maghull Hall
Maghull Hall Bri.
St. George's R.C. Prim. Sch.
Hudson Prim. Sch.
Northway Prim. Sch.
Ridgeway Park
Dodd's Farm
DEYES LANE
EASTWAY
SCHOOL LANE
MOSS LANE
PARK LANE
POVERTY LANE
HALL LANE
STATION RD.
FOXHOUSE LANE
BEECHWAY
PARKBOURN
Play. Field
Playing Field
33
44
55
F
G
H
J
K
1
2
3
4
5
6
7
38
39
340
03
02
01
400

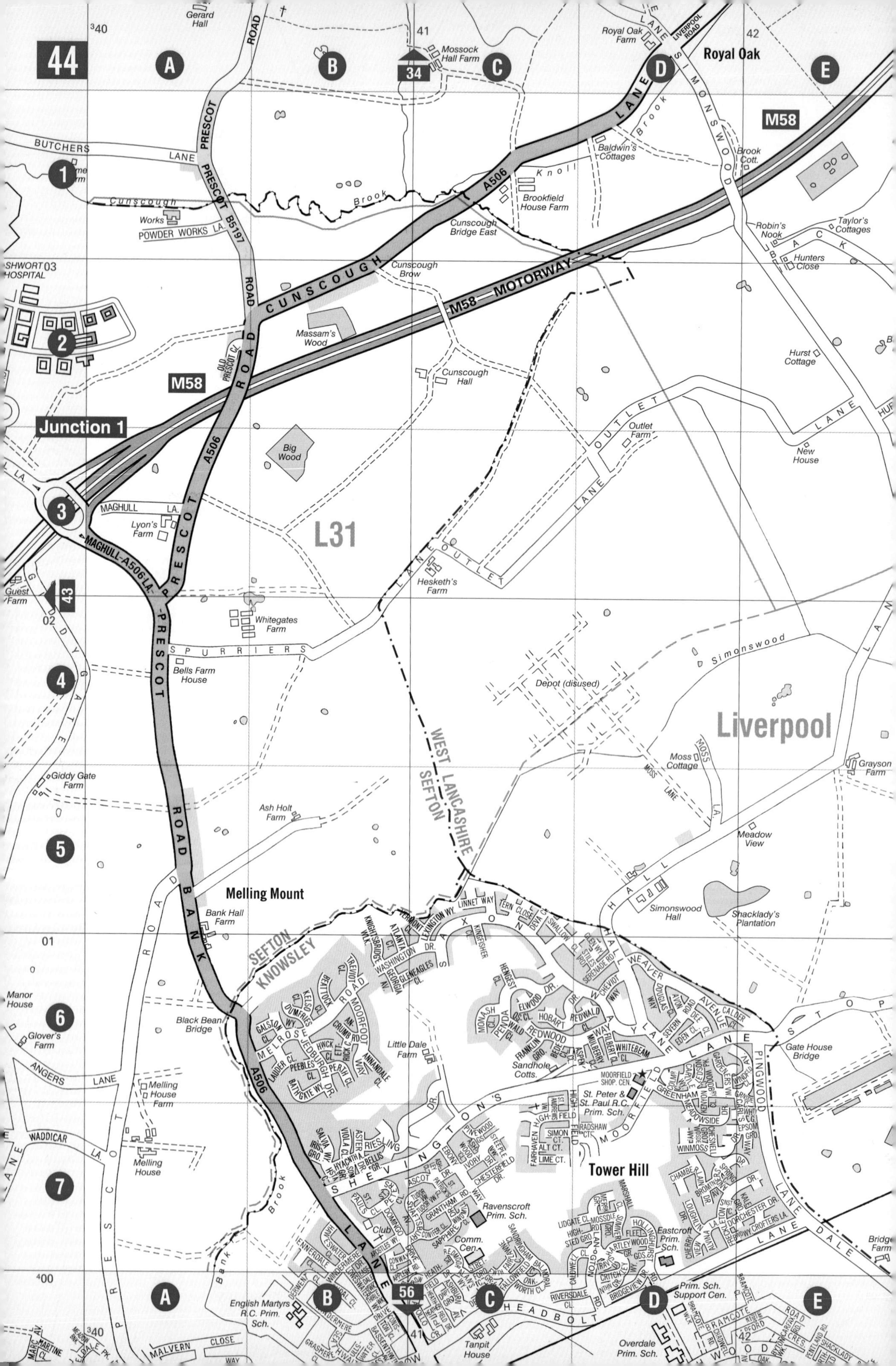
44
A
B
C
D
E
1
2
3
4
5
6
7
34
43
56
340
341
342
400
401
402
403
Gerard Hall
Mossock Hall Farm
Royal Oak Farm
Royal Oak
LIVERPOOL ROAD
SIMONSWOOD LANE
M58
BUTCHERS LANE
PRESCOT ROAD
Cunscough Brook
Works
POWDER WORKS LA.
B5197
A506
CUNSCOUGH LANE
Baldwin's Cottages
Brook
Knoll
Brookfield House Farm
Brook Cott.
Robin's Nook
Taylor's Cottages
BLACK LANE
Hunters Close
Cunscough Bridge East
Cunscough Brow
M58 MOTORWAY
Massam's Wood
OLD PRESCOT CL.
Cunscough Hall
Hurst Cottage
Junction 1
Big Wood
Outlet Farm
OUTLET LANE
New House
MAGHULL LA.
Lyon's Farm
MAGHULL A506 LA.
L31
Hesketh's Farm
Guest Farm
GIDDYGATE
Whitegates Farm
SPURRIERS
Bells Farm House
Simonswood
Depot (disused)
Liverpool
WEST LANCASHIRE
SEFTON
Moss Cottage
MOSS LANE
MOSS LA.
Grayson Farm
Giddy Gate Farm
Ash Holt Farm
Meadow View
Melling Mount
HALL LANE
Simonswood Hall
Shacklady's Plantation
Bank Hall Farm
PRESCOT ROAD BANK
SEFTON
KNOWSLEY
LINNET WAY
TERN CLOSE
SAXON WAY
Manor House
Black Bean Bridge
Little Dale Farm
Glover's Farm
ANGERS LANE
Melling House Farm
Sandhole Cotts.
MOORFIELD SHOP. CEN.
St. Peter & St. Paul R.C. Prim. Sch.
Gate House Bridge
STOPGATE LANE
PINGWOOD LANE
WADDICAR LA.
Melling House
SHEVINGTON'S LANE
MOORFIELD
Tower Hill
Ravenscroft Prim. Sch.
Club
Comm. Cen.
Eastcroft Prim. Sch.
Bridge Farm
DALE LANE
English Martyrs R.C. Prim. Sch.
HEADBOLT LANE
Prim. Sch. Support Cen.
Tanpit House
Overdale Prim. Sch.
MALVERN CLOSE
BRAMCOTE ROAD
WOODLANDS

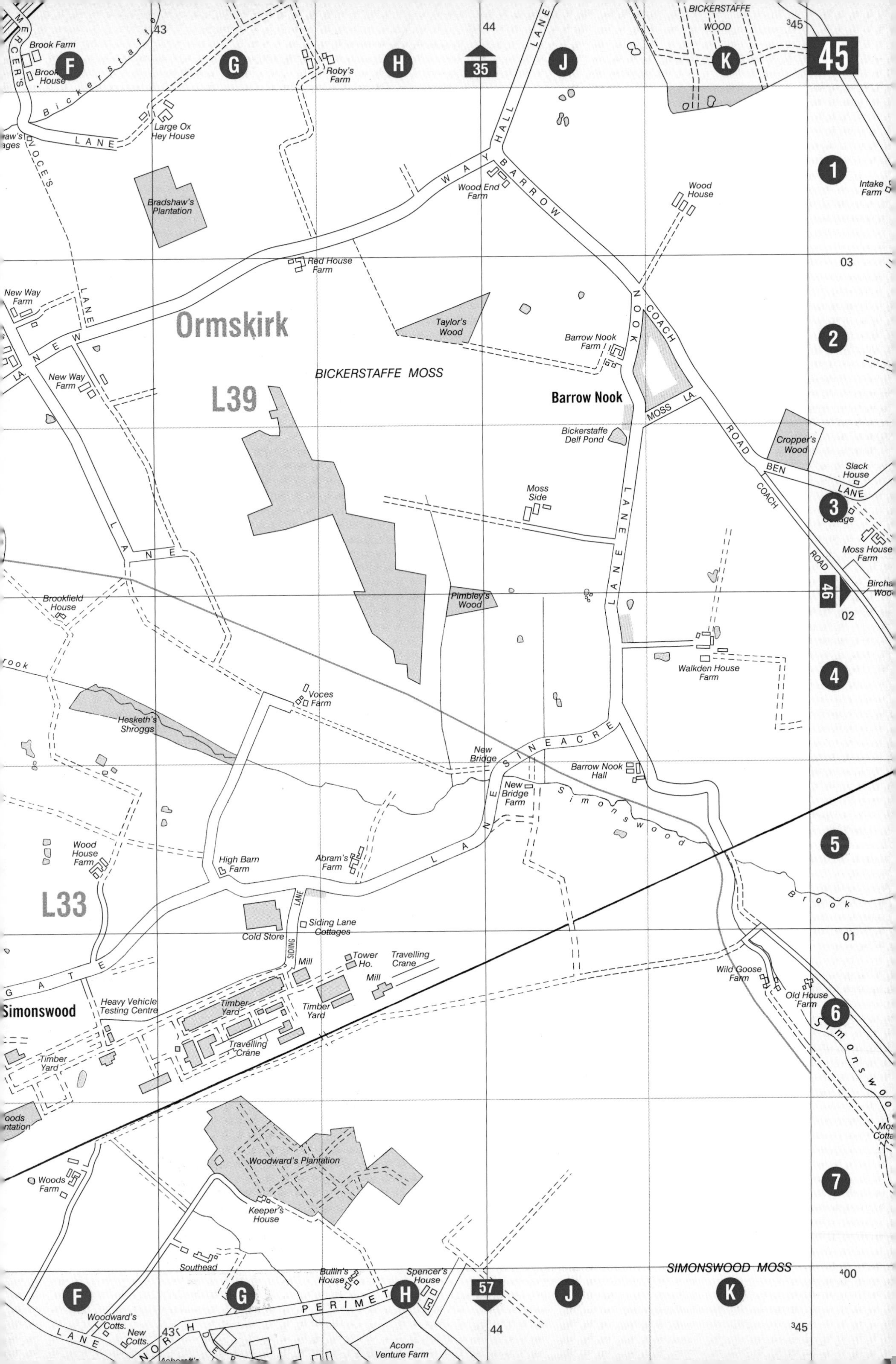

Brook Farm
Brook House
Bickerstaffe
Large Ox Hey House
LANE
Roby's Farm
35
BICKERSTAFFE WOOD
VOCE'S
Bradshaw's Plantation
WAY HALL LANE
BARROW
Wood End Farm
Wood House
Intake Farm
03
Red House Farm
New Way Farm
NEW LANE
Ormskirk
Taylor's Wood
BICKERSTAFFE MOSS
NOOK
COACH
Barrow Nook Farm
New Way Farm
L39
Barrow Nook
MOSS LA.
ROAD
Bickerstaffe Delf Pond
Cropper's Wood
BEN LANE
Slack House
COACH
Moss Side
LANE
ROAD
Moss House Farm
46
Brookfield House
Pimbley's Wood
02
Walkden House Farm
Hesketh's Shroggs
Voces Farm
New Bridge
SINEACRE
Barrow Nook Hall
New Bridge Farm
Simonswood
Wood House Farm
High Barn Farm
Abram's Farm
LANE
Brook
L33
Siding Lane Cottages
Cold Store
SIDING
Tower Ho.
Travelling Crane
01
Mill
Mill
Wild Goose Farm
Old House Farm
Simonswood
Heavy Vehicle Testing Centre
Timber Yard
Timber Yard
Travelling Crane
Timber Yard
Simonswood
Woodward's Plantation
Woods Farm
Keeper's House
Southead
Bullin's House
Spencer's House
SIMONSWOOD MOSS
400
57
PERIMETER
Woodward's Cotts.
New Cotts.
NORTH
Acorn Venture Farm
F
G
H
J
K
1
2
3
4
5
6
7
43
44
345

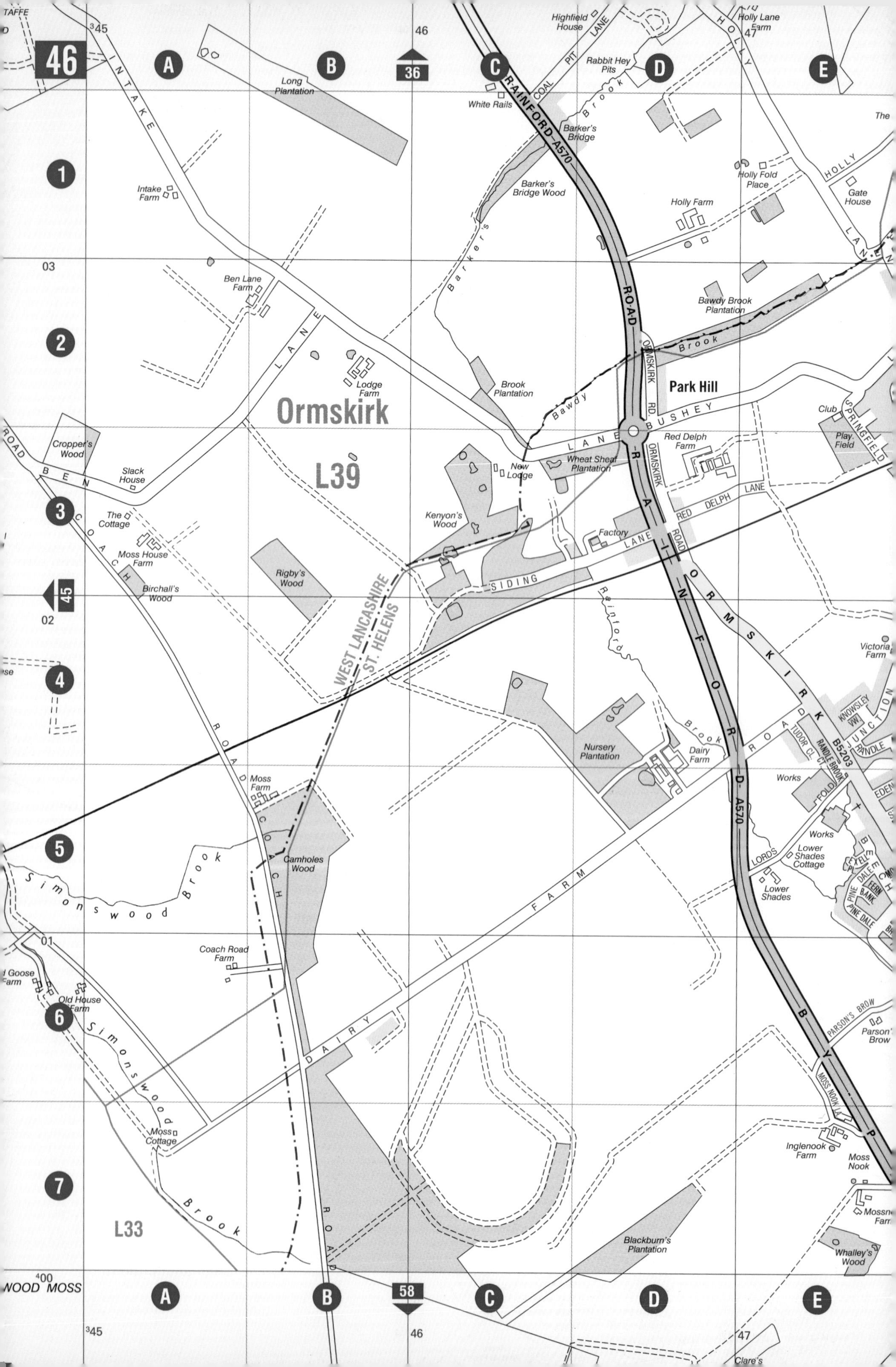

Ormskirk
L39
L33
Park Hill
Long Plantation
Intake Farm
Ben Lane Farm
Lodge Farm
Cropper's Wood
Slack House
The Cottage
Moss House Farm
Birchall's Wood
Rigby's Wood
Moss Farm
Camholes Wood
Coach Road Farm
Old House Farm
Moss Cottage
White Rails
Highfield House
Rabbit Hey Pits
Holly Lane Farm
Barker's Bridge
Barker's Bridge Wood
Holly Fold Place
Holly Farm
Gate House
Bawdy Brook Plantation
Brook Plantation
New Lodge
Kenyon's Wood
Wheat Sheaf Plantation
Red Delph Farm
Factory
Club
Play. Field
Victoria Farm
Nursery Plantation
Dairy Farm
Works
Lower Shades Cottage
Lower Shades
Parson's Brow
Inglenook Farm
Moss Nook
Whalley's Wood
Blackburn's Plantation
WEST LANCASHIRE
ST. HELENS
INTAKE LANE
BEN LANE
COACH ROAD
SIDING LANE
BUSHEY LANE
RED DELPH LANE
DAIRY FARM ROAD
RAINFORD ROAD A570
RAINFORD BY-PASS A570
ORMSKIRK RD.
ORMSKIRK ROAD B5203
COAL PIT LANE
HOLLY LANE
SPRINGFIELD
KNOWSLEY
JUNCTION
TUDOR CL.
RANDLE BROOK CT
FOLD
LORDS
PARSON'S BROW
MOSS NOOK LA.
Simonswood Brook
Bawdy Brook
Barkers Brook
Rainford Brook
WOOD MOSS
36
45
58

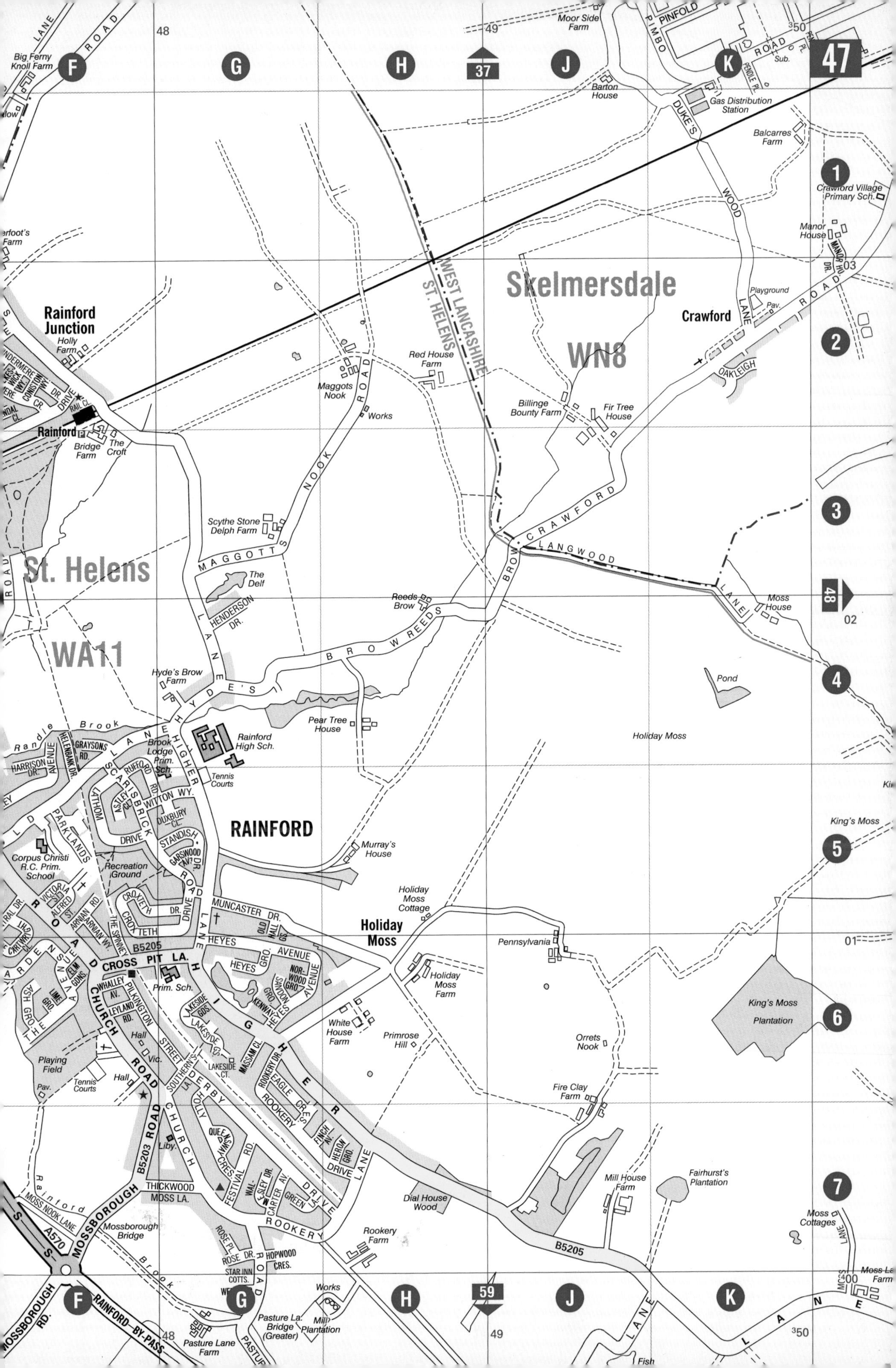
47
48
49
350
F
G
H
J
K
37
59
48
1
2
3
4
5
6
7
03
02
01
00
Big Ferny Knoll Farm
LANE
ROAD
Moor Side Farm
PINFOLD
PIMBO
ROAD
PENDLE PL.
Sub.
Barton House
Gas Distribution Station
DUKE'S
Balcarres Farm
WOOD
LANE
Crawford Village Primary Sch.
Manor House
MANOR HO. DR.
Playground
Pav.
ROAD
Skelmersdale
Crawford
WN8
OAKLEIGH
WEST LANCASHIRE
ST. HELENS
Red House Farm
Billinge Bounty Farm
Fir Tree House
Rainford Junction
Holly Farm
WINDERMERE
CONISTON WY.
DR.
DRIVE
CR.
RAIL CL.
Rainford
Bridge Farm
The Croft
Maggots Nook
NOOK
ROAD
Works
Scythe Stone Delph Farm
MAGGOTTS
The Delf
HENDERSON DR.
LANE
St. Helens
WA11
ROAD
CRAWFORD
BROW
LANGWOOD
LANE
Moss House
Reeds Brow
BROW REEDS
Hyde's Brow Farm
HYDE'S
Pond
Holiday Moss
Pear Tree House
Randle Brook
GRAYSONS RD.
HELENBANK DR.
HARRISON DR.
AVENUE
LANE
HIGHER
Brook Lodge Prim. Sch.
Rainford High Sch.
Tennis Courts
RUFFORD RD.
SCARISBRICK
LATHOM
ASTLEY CL.
WITTON WY.
DUXBURY CL.
PARKLANDS
DRIVE
STANDISH
GARSWOOD AV.
DR.
RAINFORD
King's Moss
Corpus Christi R.C. Prim. School
Recreation Ground
Murray's House
ROAD
VICTORIA ST.
ALFRED ST.
ARMAN RD.
ARNIAN WY.
THE SPINNEY
CROXTETH DR.
CROXTETH
DRIVE
MUNCASTER DR.
OLD HALL GS.
HEYES
AVENUE
Holiday Moss Cottage
Holiday Moss
Pennsylvania
B5205
CROSS PIT LA.
HEYES GRO.
NORWOOD GRO.
SANDON GRO.
KENWAY
HEYES
AVENUE
Holiday Moss Farm
King's Moss Plantation
ROAD
AVENUE
ELM GDNS.
LIME GRO.
ASH GRO.
THE
CHURCH
WHALLEY AV.
PILKINGTON
LEYLAND RD.
Prim. Sch.
LAKESIDE GDS.
LAKESIDE GS.
LAKESIDE CT.
MASSAM CL.
ROOKERY DR.
White House Farm
Primrose Hill
Orrets Nook
Playing Field
Pav.
Tennis Courts
Hall
Hall
Vic.
ROAD
STREET
SOUTHERN'S LA.
DERBY
EAGLE CRES.
ROOKERY
HIGHER
Fire Clay Farm
HOLLY
QUEEN'S
FINCH AV.
HERON GRO.
DRIVE
LANE
B5203 ROAD
CHURCH
Liby.
FESTIVAL RD.
WALSLEY DR.
CARTER AV.
GREEN LA.
DRIVE
Mill House Farm
Fairhurst's Plantation
Dial House Wood
THICKWOOD MOSS LA.
Rainford
MOSS NOOK LANE
MOSSBOROUGH
Mossborough Bridge
A570
ROOKERY
Rookery Farm
B5205
Moss Cottages
LANE
Moss Lane Farm
ROSE PL.
ROSE DR.
HOPWOOD CRES.
ROAD
STAR INN COTTS.
Brook
MOSSBOROUGH RD.
RAINFORD-BY-PASS
Works
Pasture La. Bridge (Greater)
Mill Plantation
Pasture Lane Farm
LANE
LANE
Fish

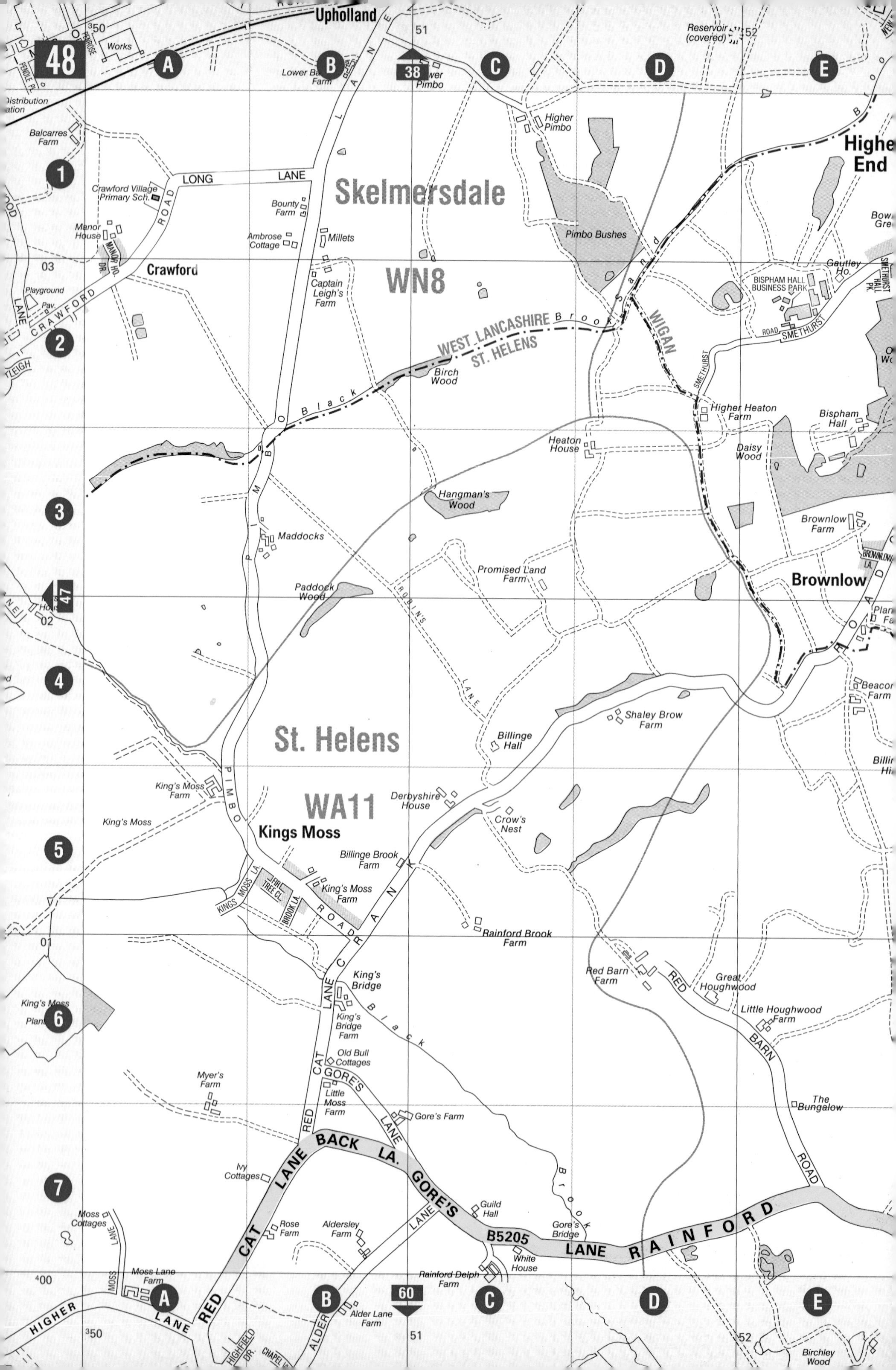
Upholland
Works
Lower Barn Farm
Lower Pimbo
38
Reservoir (covered)
Distribution Station
Balcarres Farm
Higher Pimbo
Higher End
LONG LANE
Crawford Village Primary Sch.
Skelmersdale
Bounty Farm
Manor House
Ambrose Cottage
Millets
Pimbo Bushes
Crawford
Captain Leigh's Farm
WN8
Playground
Pav.
CRAWFORD
BISPHAM HALL BUSINESS PARK
Gautley Ho.
SMETHURST ROAD
WEST LANCASHIRE
ST. HELENS
WIGAN
Birch Wood
Black Brook
Higher Heaton Farm
Heaton House
Daisy Wood
Bispham Hall
Hangman's Wood
Maddocks
Brownlow Farm
Promised Land Farm
Brownlow
Paddock Wood
47
ROBIN'S LANE
Shaley Brow Farm
Billinge Hall
Beacon Farm
St. Helens
WA11
King's Moss Farm
Derbyshire House
King's Moss
Crow's Nest
Kings Moss
Billinge Brook Farm
King's Moss Farm
Rainford Brook Farm
KINGS MOSS LA.
FIR TREE CL.
BROOK LA.
CRANK ROAD
PIMBO ROAD
Red Barn Farm
King's Bridge
Great Houghwood
King's Moss Plant.
King's Bridge Farm
Little Houghwood Farm
Old Bull Cottages
Myer's Farm
GORE'S LANE
Little Moss Farm
Gore's Farm
The Bungalow
RED CAT LANE
BACK LA.
Ivy Cottages
Moss Cottages
Rose Farm
Aldersley Farm
Guild Hall
Gore's Bridge
B5205
RAINFORD
White House
Moss Lane Farm
Rainford Delph Farm
60
HIGHER LANE
RED BARN ROAD
Alder Lane Farm
ALDER LANE
HIGHFIELD DR.
CHAPEL
Birchley Wood
350
51
52
03
02
01
400

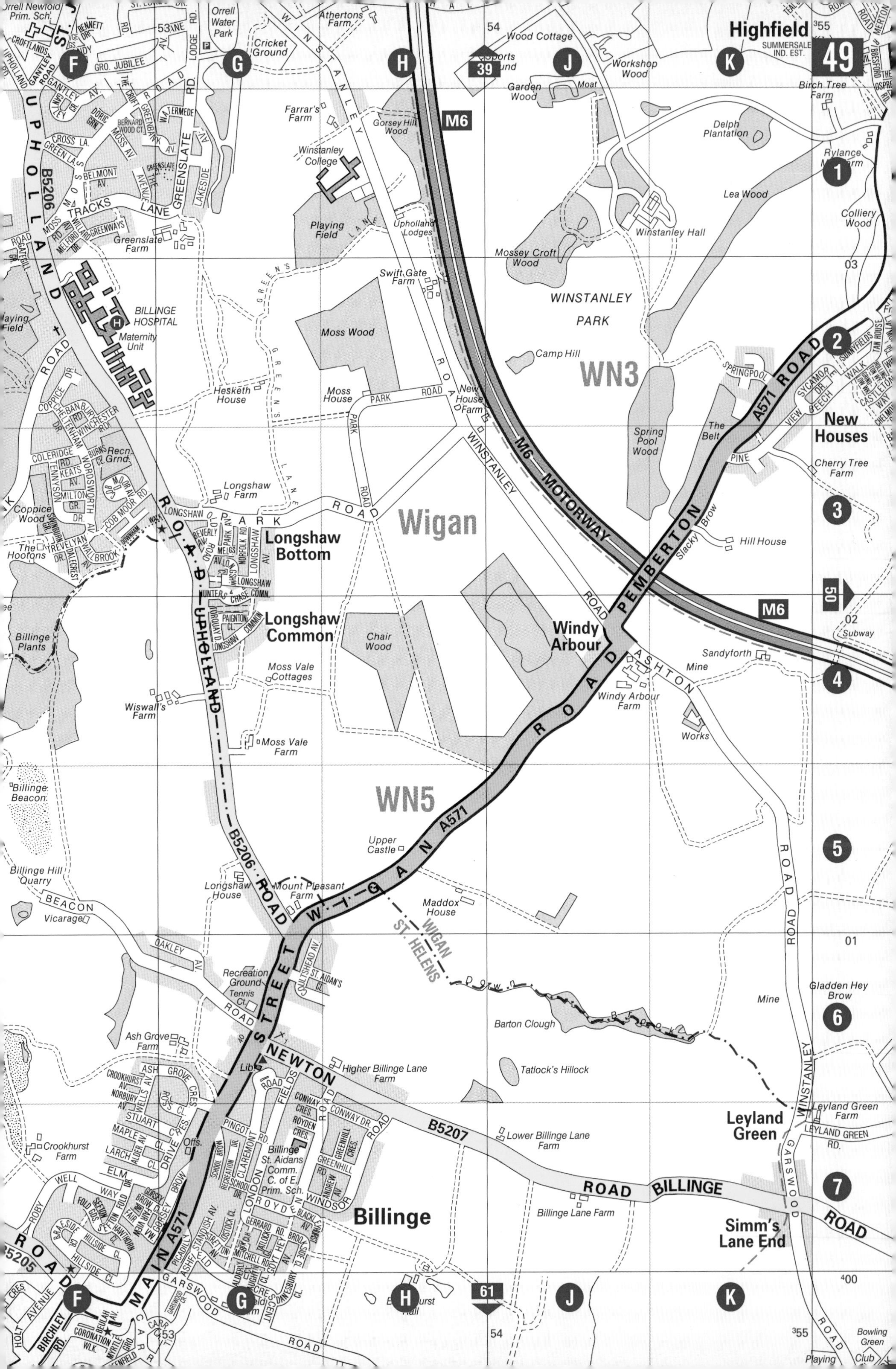
49
Highfield
SUMMERSALE IND. EST.
Orrell Newfold Prim. Sch.
Orrell Water Park
Cricket Ground
Athertons Farm
Wood Cottage
Sports Ground
39
Workshop Wood
Garden Wood
Moat
Birch Tree Farm
Delph Plantation
Rylance Farm
Lea Wood
Colliery Wood
F
G
H
J
K
1
2
3
4
5
6
7
UPHOLLAND ROAD
B5206
GRO. JUBILEE
GANTLEY AV.
CROSS LA.
GREEN LA.
BELMONT AV.
TRACKS LANE
GREENSLATE RD.
LAKESIDE
GREENWAYS
Greenslate Farm
Farrar's Farm
Gorsey Hill Wood
M6
Winstanley College
Playing Field
Upholland Lodges
Winstanley Hall
Mossey Croft Wood
WINSTANLEY PARK
Camp Hill
WN3
Swift Gate Farm
BILLINGE HOSPITAL
Maternity Unit
Moss Wood
Moss House
PARK ROAD
Hesketh House
New House Farm
WINSTANLEY ROAD
M6 MOTORWAY
Spring Pool Wood
The Belt
SPRINGPOOL
A571 ROAD
New Houses
Cherry Tree Farm
Longshaw Farm
Coppice Wood
The Hootons
Wigan
Longshaw Bottom
Longshaw Common
Slacky Brow
Hill House
PEMBERTON ROAD
50
M6
Subway
Billinge Plants
Chair Wood
Windy Arbour
Moss Vale Cottages
Wiswall's Farm
Moss Vale Farm
ASHTON
Windy Arbour Farm
Sandyforth
Mine
Works
Billinge Beacon
WN5
A571
Upper Castle
Billinge Hill Quarry
Longshaw House
Mount Pleasant Farm
B5206 ROAD
WIGAN
Maddox House
BEACON
Vicarage
OAKLEY AV.
WIGAN ST. HELENS
Recreation Ground
Tennis Ct.
Barton Clough
Gladden Hey Brow
Mine
Ash Grove Farm
STREET
NEWTON
Higher Billinge Lane Farm
Tatlock's Hillock
Crookhurst Farm
B5207
Lower Billinge Lane Farm
Leyland Green
Leyland Green Farm
LEYLAND GREEN RD.
WINSTANLEY ROAD
Billinge St. Aidans Comm. C. of E. Prim. Sch.
ROAD BILLINGE ROAD
Billinge
Billinge Lane Farm
Simm's Lane End
GARSWOOD
MAIN A571
B5205 ROAD
61
Birchley Hall
GARSWOOD ROAD
Bowling Green
Playing
Club

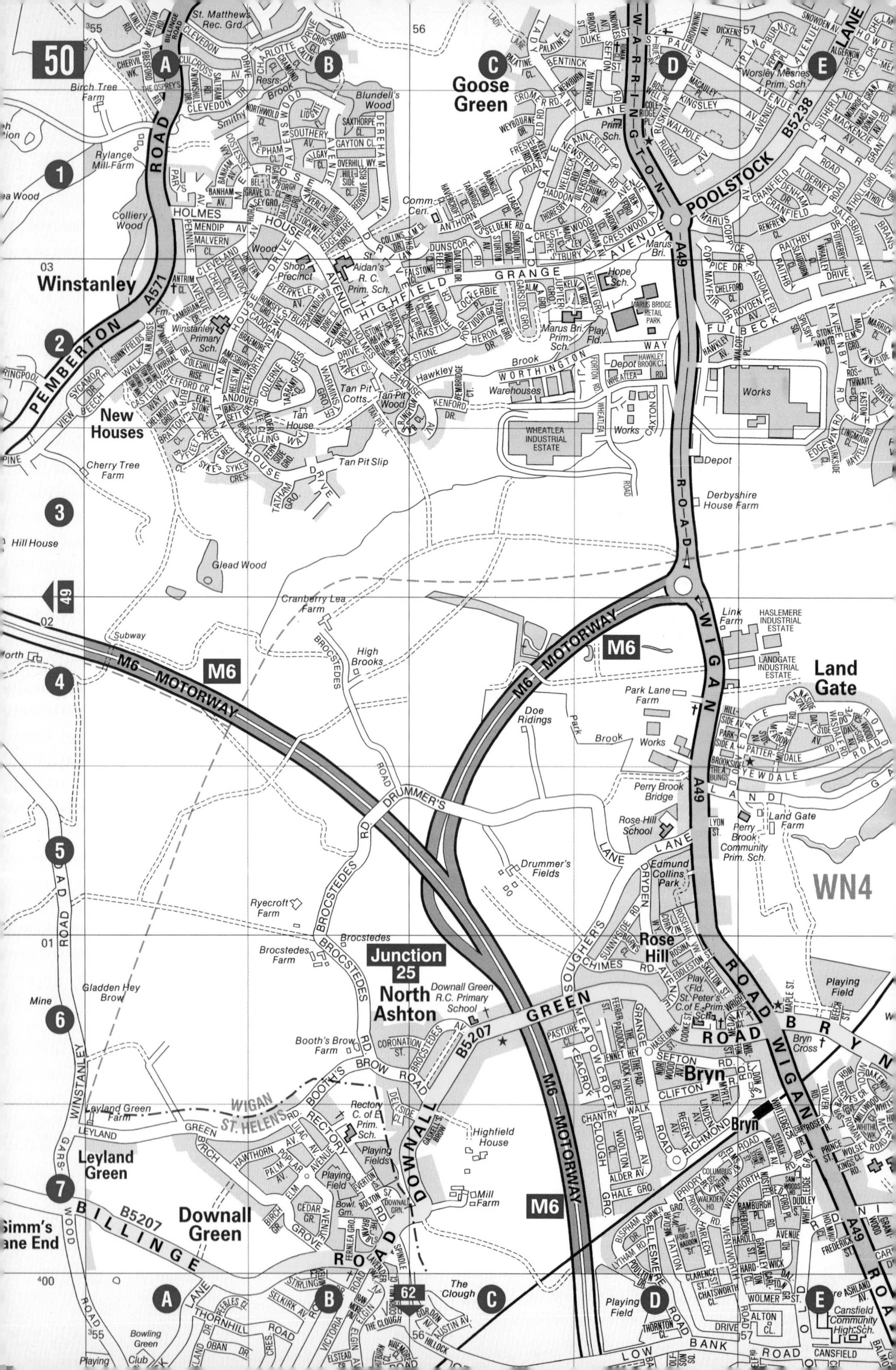
50
A
B
C
D
E
1
2
3
4
5
6
7
49
62
Goose Green
Winstanley
New Houses
Land Gate
Rose Hill
North Ashton
Bryn
Leyland Green
Downall Green
Simm's Lane End
WN4
Junction 25
M6
M6 MOTORWAY
WARRINGTON ROAD
A49
WIGAN ROAD
PEMBERTON ROAD
A571
POOLSTOCK LANE
B5238
BILLINGE ROAD
B5207
GREEN LANE
HIGHFIELD GRANGE AVENUE
HOLMES HOUSE AVENUE
TAN HOUSE DRIVE
WORTHINGTON WAY
DRUMMER'S LANE
BROCSTEDES RD.
BOOTH'S BROW ROAD
DOWNALL GREEN ROAD
LOW BANK ROAD
WINSTANLEY ROAD
LEYLAND GREEN RD.
SOUGHER'S LANE
CRESTWOOD AV.
MARUS AVENUE
FULBECK AV.
YEWDALE
WIGAN
ST. HELENS
Birch Tree Farm
Rylance Mill Farm
Colliery Wood
Blundell's Wood
St. Matthews Rec. Grd.
Comm. Cen.
St. Aidan's R.C. Prim. Sch.
Shop. Precinct
Winstanley Primary Sch.
Tan Pit Cotts.
Tan Pit Wood
Tan House
Tan Pit Slip
Cherry Tree Farm
Hill House
Glead Wood
Cranberry Lea Farm
High Brooks
Subway
Hope Sch.
MARUS BRIDGE RETAIL PARK
Marus Bri. Prim. Sch.
Play. Fld.
Marus Bri.
Hawkley Brook
Depot
Warehouses
WHEATLEA INDUSTRIAL ESTATE
Works
Derbyshire House Farm
Worsley Mesnes Prim. Sch.
Prim. Sch.
Link Farm
HASLEMERE INDUSTRIAL ESTATE
LANDGATE INDUSTRIAL ESTATE
Park Lane Farm
Doe Ridings
Perry Brook Bridge
Rose Hill School
Land Gate Farm
Perry Brook Community Prim. Sch.
Edmund Collins Park
Drummer's Fields
Ryecroft Farm
Brocstedes
Brocstedes Farm
Downall Green R.C. Primary School
Booth's Brow Farm
Gladden Hey Brow
Mine
Leyland Green Farm
Rectory
C. of E. Prim. Sch.
Playing Fields
Playing Field
Bowl. Gm.
Highfield House
Mill Farm
The Clough
St. Peter's C. of E. Prim. Sch.
Bryn Cross
Cansfield Community High Sch.
Bowling Green
Club
Playing Field

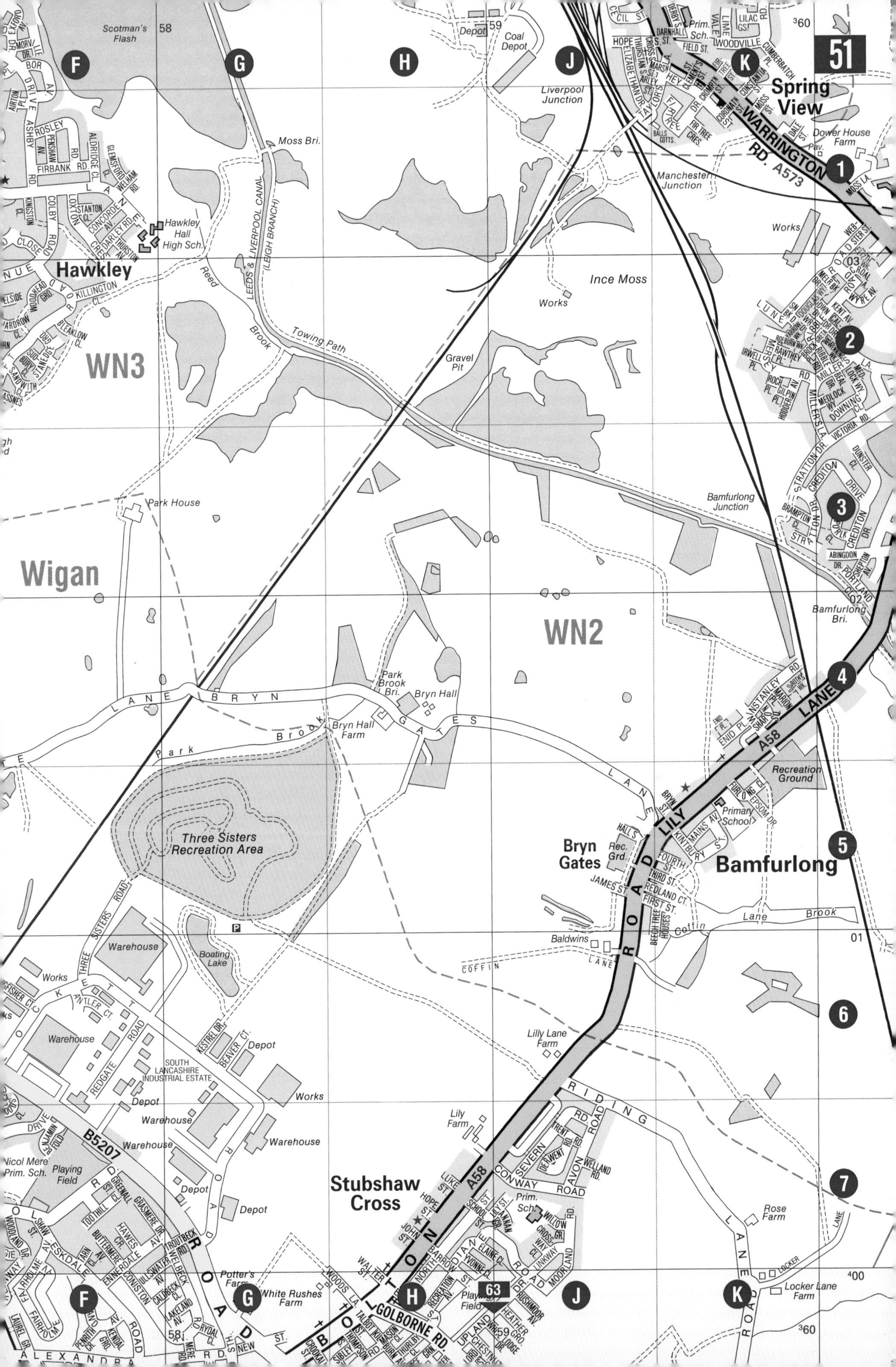

51

Spring View

WARRINGTON RD. A573

Scotman's Flash 58

Moss Bri.

Hawkley Hall High Sch.

Hawkley

WN3

Park House

Wigan

Ince Moss

Works

Gravel Pit

Works

Bamfurlong Junction

Liverpool Junction

Manchester Junction

Coal Depot

Depot

Towing Path

LEEDS & LIVERPOOL CANAL (LEIGH BRANCH)

Reed Brook

Dower House Farm

Works

WN2

Bamfurlong Bri.

Park Brook Bri.

Bryn Hall

Bryn Hall Farm

PARK LANE BRYN GATES

Park Brook

LANE BRYN GATES

A58 LANE LILY

Recreation Ground

Primary School

Three Sisters Recreation Area

P

Warehouse

Boating Lake

Works

Antler Ct.

Beaver Ct.

Kestrel Dr.

Depot

THREE SISTERS ROAD

REDGATE ROAD

Bryn Gates

Bamfurlong

Halls

Rec. Grd.

Fourth St.

Third St.

Redland Ct.

First St.

James St.

Baldwins

LILY LANE ROAD

COFFIN LANE

Coffin Lane Brook

Lane Brook

01

Lilly Lane Farm

Warehouse

SOUTH LANCASHIRE INDUSTRIAL ESTATE

Depot

Warehouse

Warehouse

Works

Depot

B5207

Nicol Mere Prim. Sch.

Playing Field

Stubshaw Cross

White Rushes Farm

Potter's Farm

BOLTON ROAD

GOLBORNE RD.

63

Lily Farm

RIDING LANE

CONWAY ROAD

SEVERN RD.

TRENT RD.

DERWENT RD.

AVON RD.

WELLAND RD.

MOORLAND ROAD

Prim. Sch.

WILLOW CROSS WAY

LINKWAY

A58

JOHN ST.

Rose Farm

Locker Lane Farm

400

360

F

G

H

J

K

1

2

3

4

5

6

7

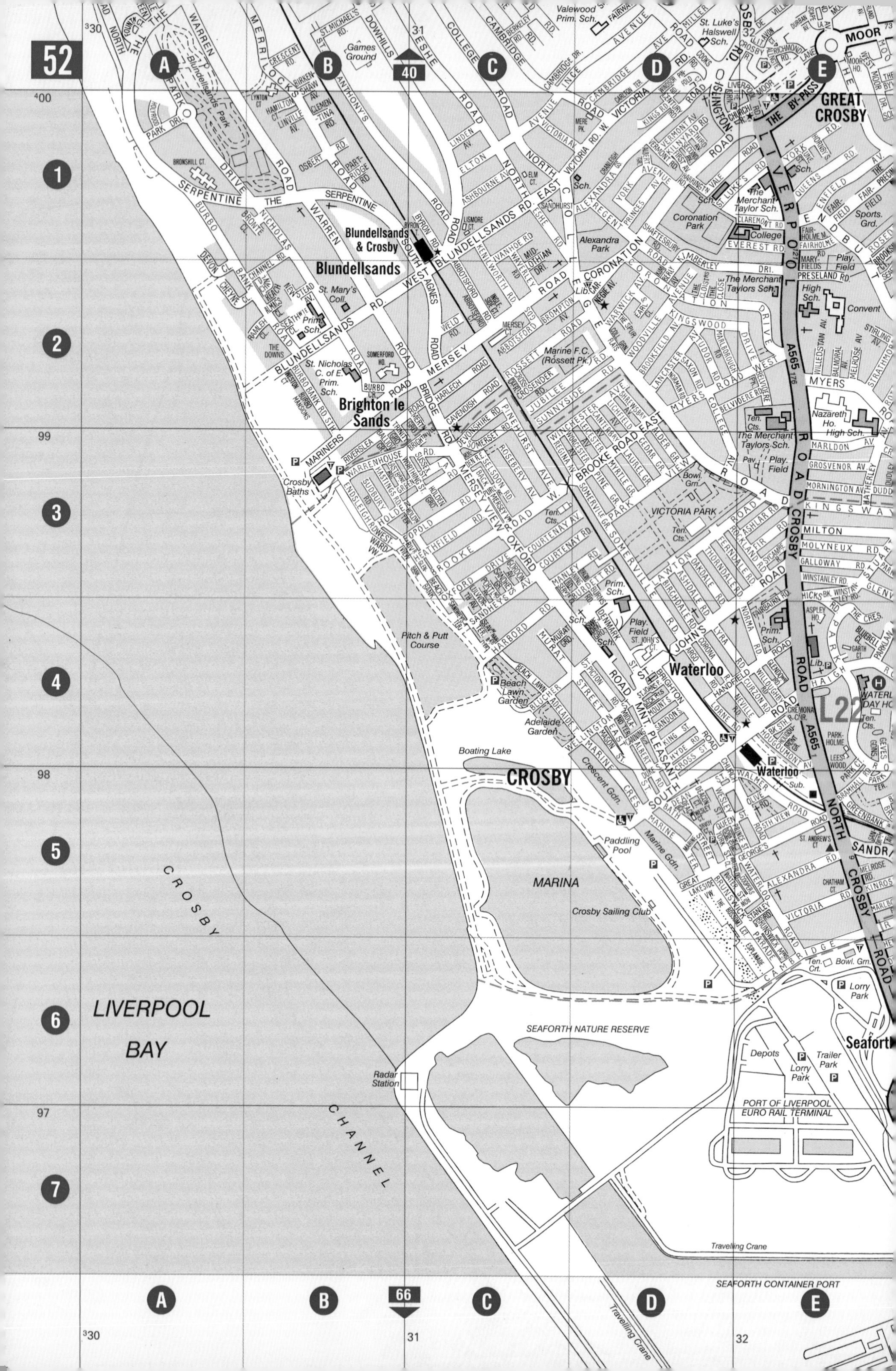
GREAT CROSBY
Blundellsands & Crosby
Blundellsands
Brighton le Sands
CROSBY
Waterloo
L22
Seaforth
LIVERPOOL BAY
CROSBY CHANNEL
MARINA
Boating Lake
Crosby Sailing Club
Paddling Pool
Pitch & Putt Course
Beach Lawn Garden
Adelaide Garden
Crescent Gdn.
Marine Gdn.
SEAFORTH NATURE RESERVE
Radar Station
PORT OF LIVERPOOL EURO RAIL TERMINAL
SEAFORTH CONTAINER PORT
Travelling Crane
Depots
Lorry Park
Trailer Park
Crosby Baths
Coronation Park
Alexandra Park
VICTORIA PARK
Marine F.C. (Rossett Pk.)
St. Mary's Coll.
St. Nicholas C. of E. Prim. Sch.
The Merchant Taylors Sch.
Nazareth Ho. High Sch.
Convent
Games Ground
Valewood Prim. Sch.
St. Luke's Halswell Sch.
Blundellsands Park
Sports Grd.
Play. Field
LIVERPOOL ROAD
CROSBY ROAD NORTH
A565
BLUNDELLSANDS RD. WEST
BLUNDELLSANDS RD. EAST
SERPENTINE
MERSEY ROAD
SOUTH ROAD
COLLEGE ROAD
CORONATION ROAD
BROOKE ROAD EAST
OXFORD ROAD
ST. JOHNS ROAD
MARINE CRES.
KINGSWAY
MYERS ROAD WEST
A B C D E
1 2 3 4 5 6 7
40
66
330
31
32
400
99
98
97

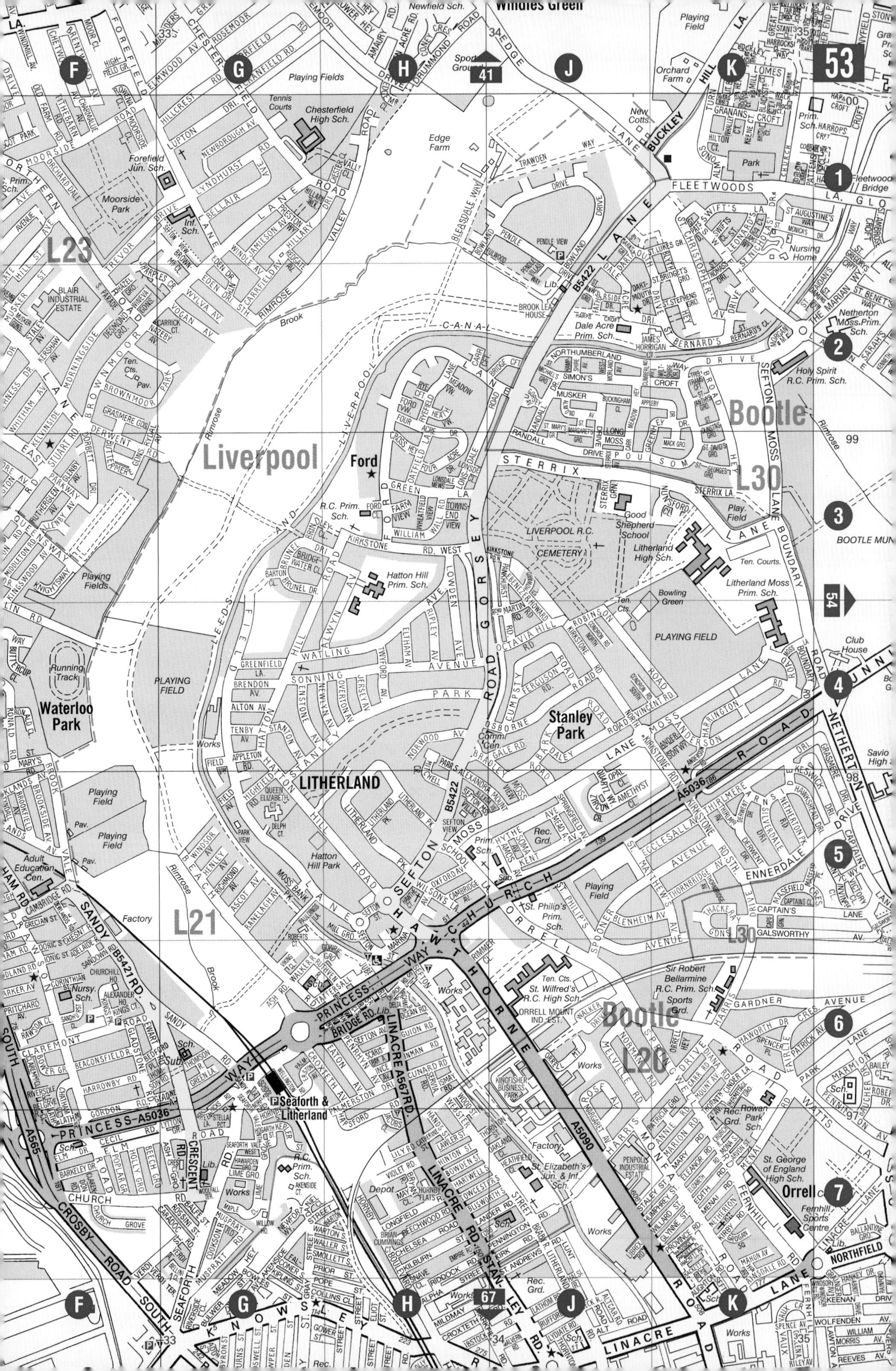
53
41
54
67
F
G
H
J
K
1
2
3
4
5
6
7
Liverpool
Bootle
Litherland
L23
L30
L21
L20
Ford
Orrell
Stanley Park
Waterloo Park
Running Track
Moorside Park
Hatton Hill Park
Blair Industrial Estate
Chesterfield High Sch.
Forefield Jun. Sch.
Inf. Sch.
Edge Farm
Orchard Farm
New Cotts.
Playing Fields
Playing Field
Tennis Courts
Liverpool R.C. Cemetery
Good Shepherd School
Litherland High Sch.
Litherland Moss Prim. Sch.
Hatton Hill Prim. Sch.
R.C. Prim. Sch.
Dale Acre Prim. Sch.
Holy Spirit R.C. Prim. Sch.
Netherton Moss Prim. Sch.
Queen Elizabeth Ct.
St. Philip's Prim. Sch.
St. Wilfred's R.C. High Sch.
Sir Robert Bellarmine R.C. Prim. Sch.
Rowan Park Sch.
St. George of England High Sch.
Fernhill Sports Centre
St. Elizabeth's Jun. & Inf. Sch.
Seaforth & Litherland
Kingfisher Business Park
Penpolis Industrial Estate
Orrell Mount Ind. Est.
Nursing Home
Bowling Green
Club House
Brook Lea House
Fleetwoods Bridge
Canal
Leeds and Liverpool
Rimrose Brook
Brook
Factory
Works
Depot
Adult Education Cen.
Comm. Cen.
Playing Field
Ten. Courts
B5422
A5036
A5090
A565
A567
B5421
Gorsey Lane
Sefton Lane
Hawthorne Road
Church Road
Princess Way
Linacre Road
Linacre Lane
Stanley Road
Knowsley Road
Crosby Road South
Netherton Way
Buckley Hill Lane
Sterrix Lane
Fleetwoods Lane
Northfield
Dunnings Bridge Road

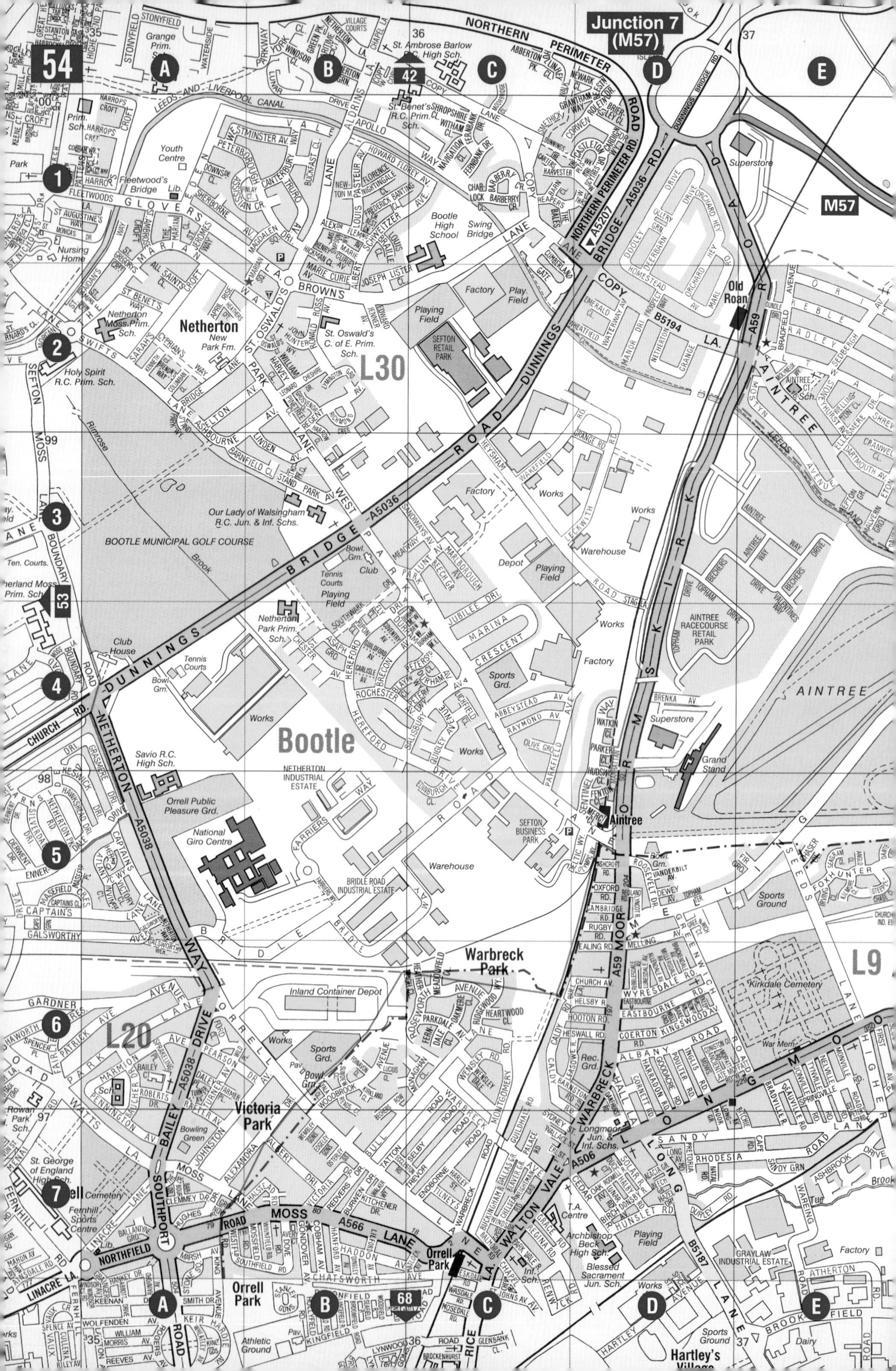

54
Junction 7 (M57)
M57
NORTHERN PERIMETER ROAD
NORTHERN PERIMETER RD.
A5207
DUNNINGS BRIDGE ROAD
A5036
DUNNINGS BRIDGE RD.
LEEDS AND LIVERPOOL CANAL
Grange Prim. Sch.
STONYFIELD
WATERSIDE
PARKWAY
YORK CL.
WINDSOR CL.
NETHERTON LA.
VILLAGE COURTS
CHAPEL LA.
St. Ambrose Barlow R.C. High Sch.
42
ABBERTON PK.
COPY LANE
St. Benet's R.C. Prim. Sch.
APOLLO WAY
ALDRINS LANE
LUNAR DRIVE
HARROPS CROFT
Prim. Sch.
Youth Centre
Fleetwood's Bridge
Lib.
FLEETWOODS LA.
GLOVERS LA.
WESTMINSTER AV.
PETERBOROUGH DR.
DOWNSIDE CL.
SHERBORNE AV.
CANTERBURY CL.
BUCKFAST CL.
TRURO AV.
HOWARD FLOREY AV.
PASTEUR AV.
FLORENCE NIGHTINGALE CL.
FREDERICK BANTING CL.
SCHWEITZER AV.
LOUIS BRAILLE CL.
MARIE CURIE AV.
JOSEPH LISTER CL.
ALBERT SCHWEITZER AVE.
NAVIGATION WAY
SHROPSHIRE CL.
WITHAM CL.
FERNBANK DR.
BARBERRY CR.
CHARLOCK CL.
REAPERS
HARVESTER
THE BALES
CASTLETON WAY
CUMBERLAND GATE
Bootle High School
Swing Bridge
Nursing Home
ST. AUGUSTINE'S WAY
MONICA'S DR.
MARIAN WAY
ALL SAINTS CL.
ST. BENET'S WAY
MAGDALEN SQ.
BROWN'S LA.
Netherton Moss Prim. Sch.
Netherton
New Park Fm.
SWIFTS LANE
Holy Spirit R.C. Prim. Sch.
SEFTON MOSS LANE
ST. OSWALD'S LANE
St. Oswald's C. of E. Prim. Sch.
L30
Factory
Play. Field
Playing Field
SEFTON RETAIL PARK
COPY LA.
B5194
EMERALD CL.
WATERWAY AV.
MANOR DRI.
NETHERTON GRANGE
HOMESTEAD AV.
ORCHARD HEY
Superstore
Old Roan
A59
ORMSKIRK ROAD
AINTREE LANE
KEBLE DR.
RADLEY DR.
SEDBERGH
Aintree C.E. Sch.
BRADFIELD AVENUE
LEEDS AVENUE
SHREWSBURY
CRANWELL CL.
DARTMOUTH AV.
ELLESMERE DR.
MALVERN GR.
99
Rimrose
ASHBOURNE AV.
BARNFIELD CL.
LINDEN AV.
STAND PARK AV.
WEST PARK LA.
Our Lady of Walsingham R.C. Jun. & Inf. Schs.
BOOTLE MUNICIPAL GOLF COURSE
Brook
BOUNDARY LANE
Ten. Courts.
53
HEYSHAM RD.
GRANGE RD.
WAKEFIELD RD.
Factory
Works
Warehouse
Depot
Playing Field
STAGE ROAD
LECKWITH
AINTREE WAY
BECHERS DRIVE
TOPHAM DRIVE
VALENTINES WAY
AINTREE RACECOURSE RETAIL PARK
AINTREE
Bowl. Grn.
Club
Tennis Courts
Playing Field
SANDIWAYS AV.
MEADWAY AV.
LUNT AV.
MARLBOROUGH AV.
BEECH GR.
JUBILEE DRI.
MARINA CRESCENT
Netherton Park Prim. Sch.
CHESTER ST.
ASAPH GRO.
HEREFORD AV.
ROCHESTER AV.
SALISBURY AV.
QUIGLEY AVENUE
LICHFIELD AV.
Sports Grd.
ABBEYSTEAD AV.
RAYMOND AV.
OLIVE GRO.
PARKFIELD AVE.
WATKIN CL.
PARKER CL.
HUDSWELL CL.
SENTINEL WAY
FENTON CL.
BRENKA AV.
Superstore
Grand Stand
Club House
Tennis Courts
Bowl Grn.
Works
CHURCH RD.
NETHERTON WAY
A5038
Bootle
NETHERTON INDUSTRIAL ESTATE
FARRIERS WAY
EDINBURGH CL.
SEFTON BUSINESS PARK
Aintree
CELTIC WY.
Savio R.C. High Sch.
Orrell Public Pleasure Grd.
National Giro Centre
Warehouse
BRIDLE ROAD INDUSTRIAL ESTATE
BRIDLE ROAD
KESWICK
GRASMERE DRI.
HAWKSHEAD DRI.
98
CAPTAINS LANE
CAPTAINS CL.
MASEFIELD CRES.
GALSWORTHY AVE.
DERWENT DR.
ENNERDALE
ASHCROFT RD.
OXFORD RD.
CAMBRIDGE RD.
RUGBY RD.
EALING RD.
ROOSEVELT DR.
VANDERBILT AV.
DEWEY AV.
TOPHAM TER.
MELLING AV.
GREENWICH RD.
MOOR LANE
204
Sports Ground
SEEDS LANE
FOXHUNTER DR.
SEAGRAM CL.
CHURCH IND. ES.
L9
Kirkdale Cemetery
War Mem.
Warbreck Park
Inland Container Depot
HEATHER CL.
MEADOWFIELD CL.
ROSEWORTH AV.
OAKMERE CL.
RIDGEWOOD WY.
HEARTWOOD CL.
PARKDALE AV.
GARDNER AVENUE
PATRICK AVE.
SPENCER PL.
PARK LANE
L20
BAILEY DR.
A5038
ORRELL LANE
PEARSON RD.
Works
Sports Grd.
Sch.
MARMION AV.
PENNINGTON AV.
WATTS LA.
Victoria Park
Bowling Green
JOHNSTON AV.
ALEXANDRA
Bowl Grn.
WOODBROOK AV.
BULL LANE
TATTON RD.
SELBY RD.
TREVOR RD.
WARBRECK ROAD
MONTGOMERY RD.
WENSLEY RD.
CALDY RD.
CHURCH AV.
WYRESDALE RD.
HELSBY RD.
HOOTON RD.
EASTBOURNE RD.
HESWALL RD.
COERTON RD.
KINGSWOOD AV.
ALBANY ROAD
HARRADON RD.
Rec. Grd.
WARBRECK MOOR
A59
LONGMOOR LANE
Longmoor Jun. & Inf. Schs.
A506
WALTON VALE
SANDY LANE
PRETORIA RD.
RHODESIA RD.
CAPE RD.
SANDY GRN.
ASHBROOK
Brook
Rowan Park Sch.
97
St. George of England High Sch.
Cemetery
Fernhill Sports Centre
FERNHILL
SOUTHPORT ROAD
MOSS LANE
ROAD
MOSS LANE
A566
ORRELL LANE
79
18
NORTHFIELD
LINACRE LA.
Lib.
HUGHES
CLEMMEY DR.
MARSH AV.
STONE SQ.
KING AV.
COBHAM AV.
HANFORD AV.
HADDON AV.
CHATSWORTH AVE.
Orrell Park
Orrell Park
SMITH DR.
KEIR HARDIE AVENUE
ROGERS AV.
WOLFENDEN AV.
WILLIAM AV.
MORRIS AV.
REEVES AV.
KEENAN
Athletic Ground
Pav.
KINGFIELD
68
LYNWOOD
ROAD
BROCKENHURST
RICE LANE
GLENBANK CL.
WASDALE RD.
ESKDALE RD.
CHAPEL AV.
GRACE RD.
REGINA RD.
T.A. Centre
Archbishop Beck High Sch.
Blessed Sacrament Jun. Sch.
Playing Field
HUNSLET RD.
DUDLEY RD.
B5187
LONG LANE
Works
HARTLEY AVENUE
Sports Ground
Hartley's Village
GRAYLAW INDUSTRIAL ESTATE
Factory
ATHERTON RD.
BROOKFIELD
Dairy
WAREING RD.
35
36
37
A
B
C
D
E
1
2
3
4
5
6
7

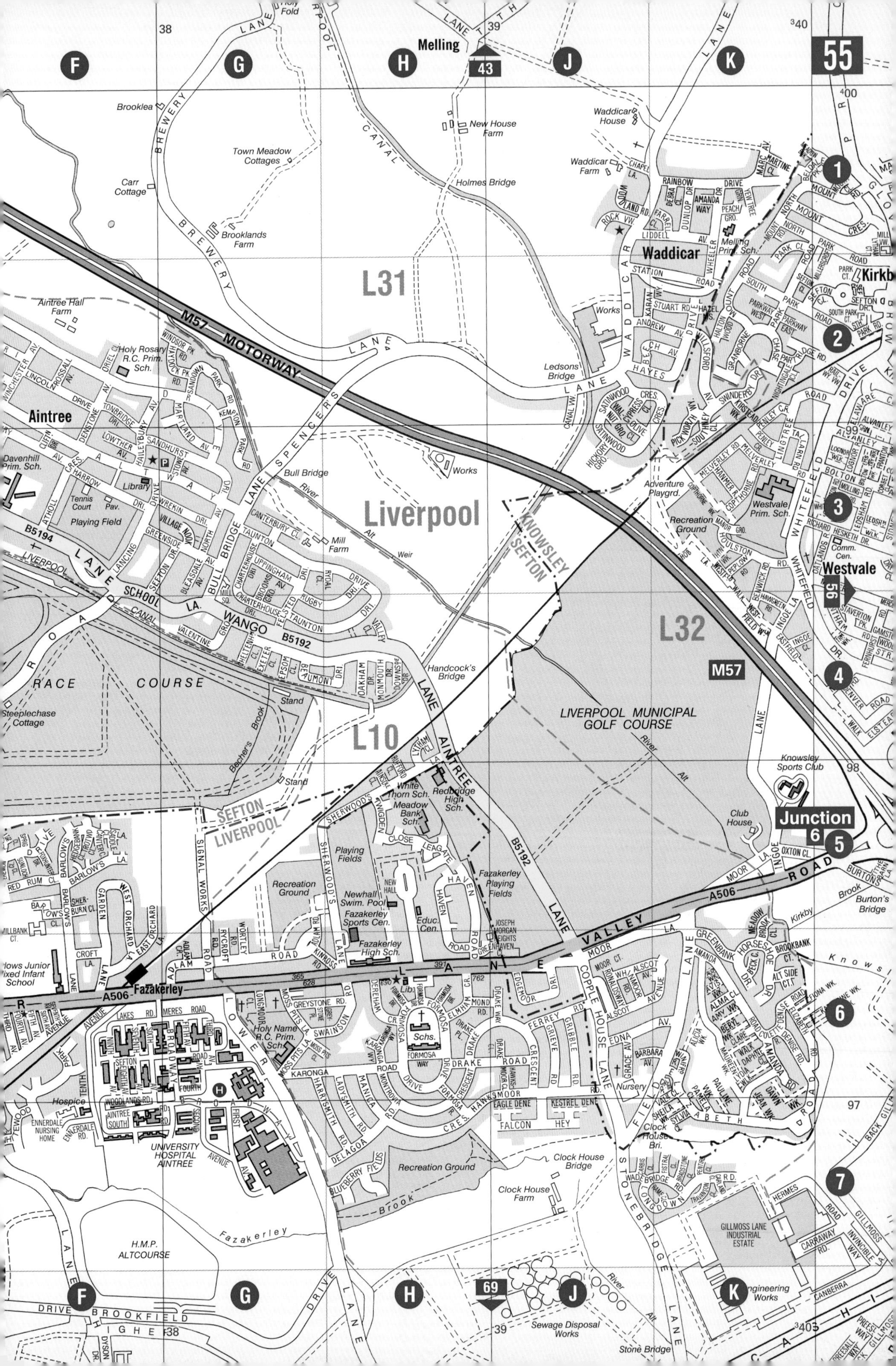
Melling
43
L31
Waddicar
Liverpool
Aintree
L32
L10
Westvale
Kirkby
M57 MOTORWAY
LIVERPOOL MUNICIPAL GOLF COURSE
RACE COURSE
KNOWSLEY
SEFTON
LIVERPOOL
Fazakerley
UNIVERSITY HOSPITAL AINTREE
H.M.P. ALTCOURSE
GILLMOSS LANE INDUSTRIAL ESTATE
Junction 6
Knowsley Sports Club
Recreation Ground
Sewage Disposal Works
Stone Bridge
Clock House Farm
Clock House Bridge
56
69

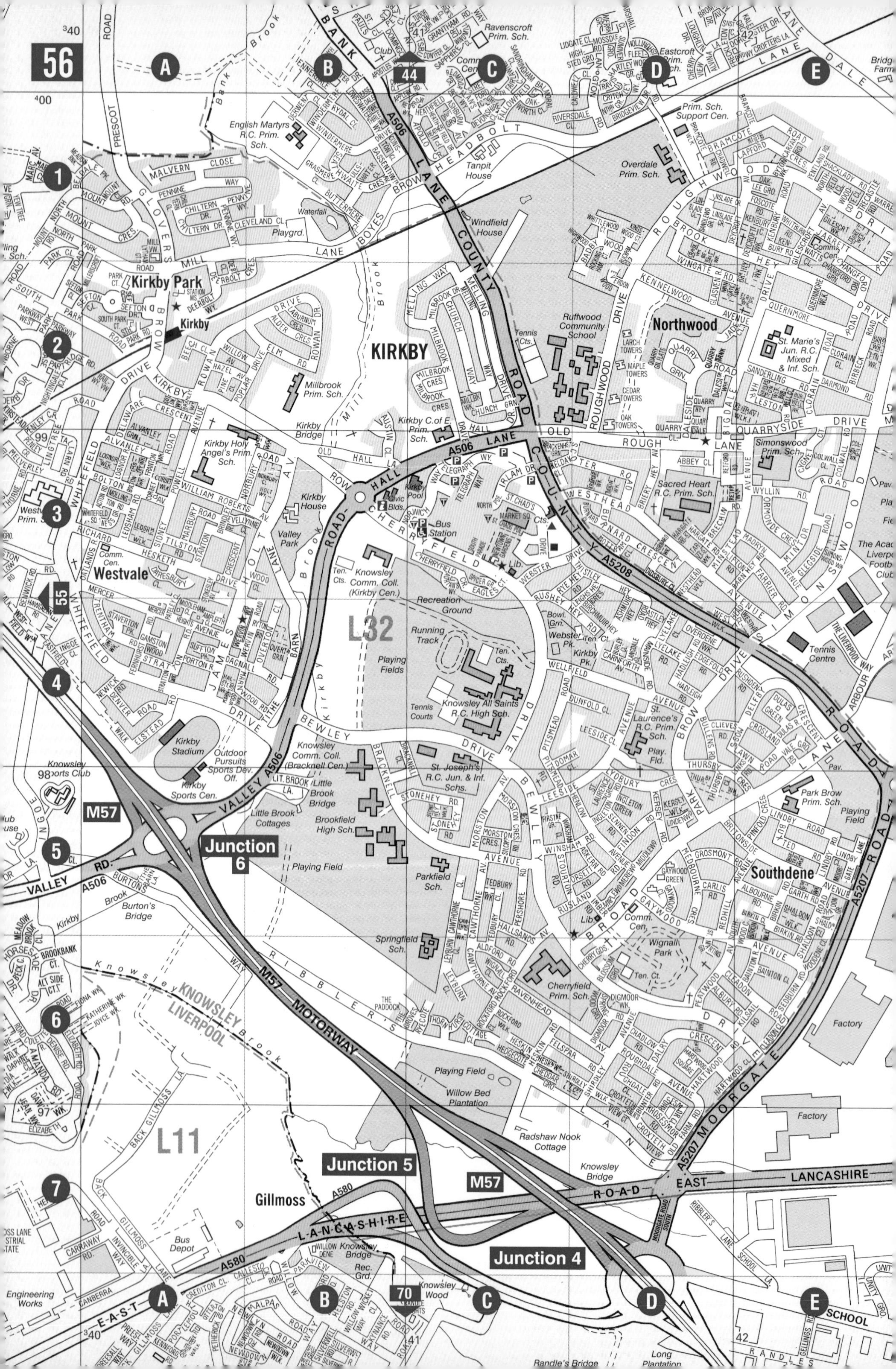
56
A
B
C
D
E
1
2
3
4
5
6
7
44
55
70
340
400
99
98
97
41
42
Kirkby Park
Kirkby
KIRKBY
Westvale
Northwood
Southdene
Gillmoss
L32
L11
KNOWSLEY
LIVERPOOL
Junction 6
Junction 5
Junction 4
M57
M57 MOTORWAY
A506
A5208
A5207
A580
COUNTY ROAD
VALLEY ROAD
HALL LANE
CHERRYFIELD DRIVE
BEWLEY DRIVE
MOORGATE ROAD
EAST LANCASHIRE ROAD
ROUGHWOOD DRIVE
SIMONSWOOD LANE
WHITEFIELD DRIVE
KIRKBY ROW
BANK LANE
HEADBOLT LANE
GLOVERS BROW
MILL LANE
BOYES BROW
PRESCOT ROAD
RIBBLERS LANE
PARK BROW DRIVE
BROAD LANE
QUARRYSIDE DRIVE
ROUGH LANE
WESTHEAD AVENUE
KNOWSLEY BROOK
English Martyrs R.C. Prim. Sch.
Ravenscroft Prim. Sch.
Eastcroft Prim. Sch.
Prim. Sch. Support Cen.
Overdale Prim. Sch.
Tanpit House
Windfield House
Waterfall
Playgrd.
Millbrook Prim. Sch.
Kirkby Holy Angel's Prim. Sch.
Kirkby Bridge
Kirkby C. of E. Prim. Sch.
Ruffwood Community School
Larch Towers
Maple Towers
Cedar Towers
Oak Towers
St. Marie's Jun. R.C. Mixed & Inf. Sch.
Simonswood Prim. Sch.
Sacred Heart R.C. Prim. Sch.
Kirkby House
Valley Park
Civic Blds.
Kirkby Pool
Bus Station
Lib.
Knowsley Comm. Coll. (Kirkby Cen.)
Recreation Ground
Running Track
Playing Fields
Tennis Courts
Knowsley All Saints R.C. High Sch.
Webster Pk.
Kirkby Pk.
Bowl. Grn.
St. Laurence's R.C. Prim. Sch.
Play. Fld.
Park Brow Prim. Sch.
Playing Field
Tennis Centre
The Liverpool Way
Kirkby Stadium
Outdoor Pursuits Sports Dev. Off.
Kirkby Sports Cen.
Knowsley Comm. Coll. (Bracknell Cen.)
Little Brook Bridge
Little Brook Cottages
St. Joseph's R.C. Jun. & Inf. Schs.
Brookfield High Sch.
Parkfield Sch.
Springfield Sch.
Comm. Cen.
Wignall Park
Cherryfield Prim. Sch.
Factory
Burton's Bridge
Willow Bed Plantation
Radshaw Nook Cottage
Knowsley Bridge
Bus Depot
Engineering Works
Rec. Grd.
Knowsley Wood
Randle's Bridge
Long Plantation
Bridge Farm
Westvale Prim. Sch.
Knowsley Sports Club
The Paddock

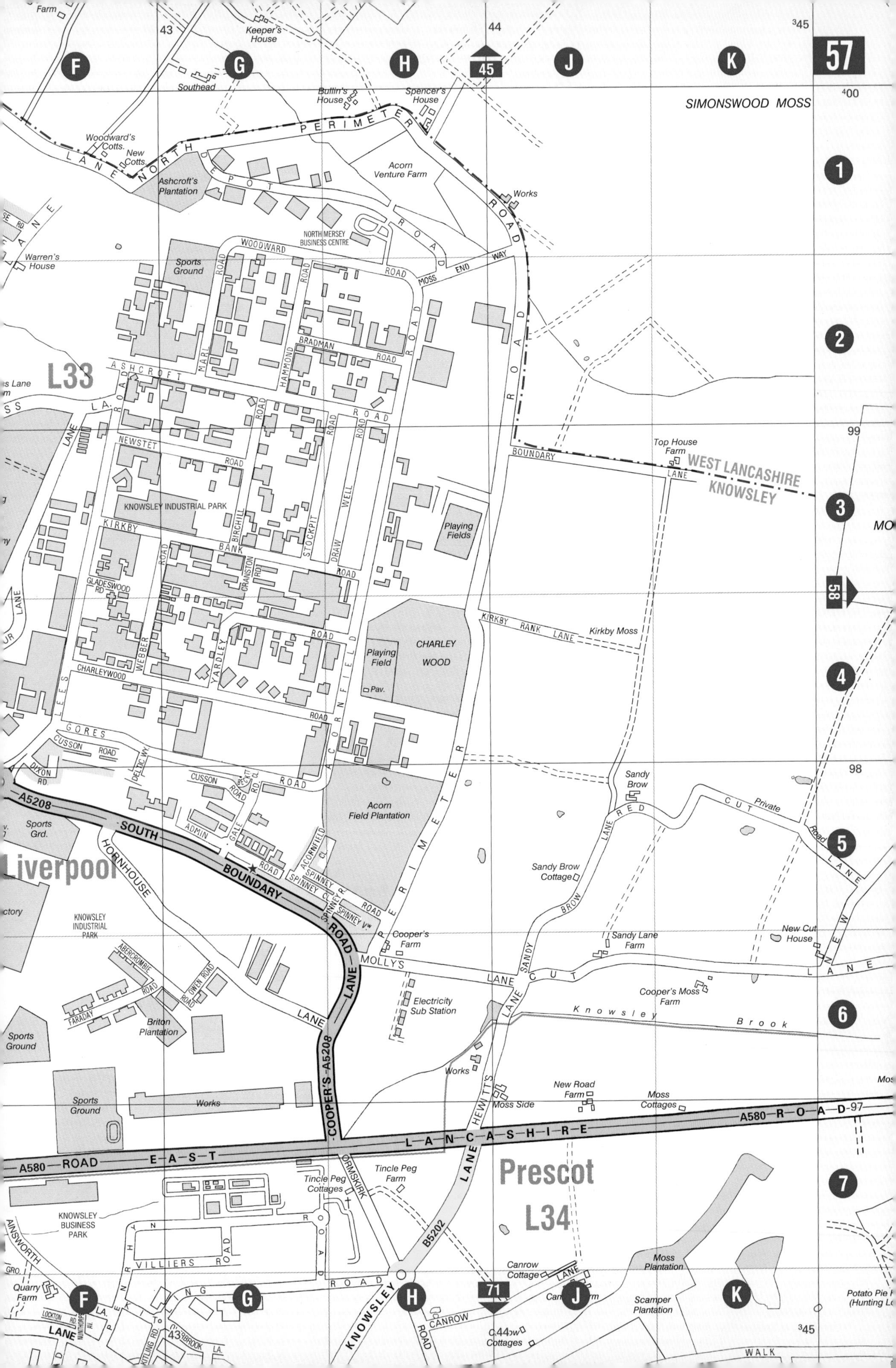

SIMONSWOOD MOSS
Keeper's House
Southead
Bullin's House
Spencer's House
Woodward's Cotts.
New Cotts.
Ashcroft's Plantation
Acorn Venture Farm
Works
PERIMETER ROAD
NORTH LANE
DEPOT ROAD
NORTH MERSEY BUSINESS CENTRE
Warren's House
Sports Ground
WOODWARD ROAD
MOSS END WAY
BRADMAN ROAD
HAMMOND
MARL ROAD
ASHCROFT ROAD
L33
NEWSTET ROAD
KNOWSLEY INDUSTRIAL PARK
KIRKBY BANK ROAD
BIRCHILL
STOCKPIT ROAD
DRAW WELL ROAD
CRANSTON RD
GLADESWOOD RD
Playing Fields
BOUNDARY LANE
Top House Farm
WEST LANCASHIRE
KNOWSLEY
KIRKBY BANK LANE
Kirkby Moss
CHARLEY WOOD
Playing Field
Pav.
WEBBER
YARDLEY
CHARLEYWOOD ROAD
LEES
GORES ROAD
CUSSON ROAD
DIXON RD.
DELTIC WY.
BECKIT CL
ACORNFIELD ROAD
Acorn Field Plantation
A5208 SOUTH BOUNDARY ROAD
ADMIN
GALE ROAD
ACORNFIELD CL.
SPINNEY ROAD
SPINNEY CL.
SPINNEY VW.
Liverpool
Sports Grd.
HORNHOUSE LANE
KNOWSLEY INDUSTRIAL PARK
ABERCROMBIE ROAD
OWEN ROAD
FARADAY
Briton Plantation
Sports Ground
Cooper's Farm
MOLLYS LANE
Electricity Sub Station
Sandy Brow
RED LANE
Sandy Brow Cottage
BROW
SANDY LANE
CUT LANE
Private Road
Sandy Lane Farm
New Cut House
NEW LANE
Cooper's Moss Farm
Knowsley Brook
COOPER'S A5208 LANE
Works
HEWITT'S LANE
Moss Side
New Road Farm
Moss Cottages
A580 ROAD EAST LANCASHIRE ROAD A580
Prescot
L34
Tincle Peg Farm
Tincle Peg Cottages
ORMSKIRK ROAD
B5202
KNOWSLEY BUSINESS PARK
AINSWORTH
VILLIERS ROAD
Quarry Farm
LOCKTON RD.
KNOWSLEY ROAD
Canrow Cottage
CANROW LANE
Moss Plantation
Scamper Plantation
Potato Pie (Hunting L
Cottages
WALK
F G H J K
1 2 3 4 5 6 7
43 44 345
400 99 98 97
45
58
71

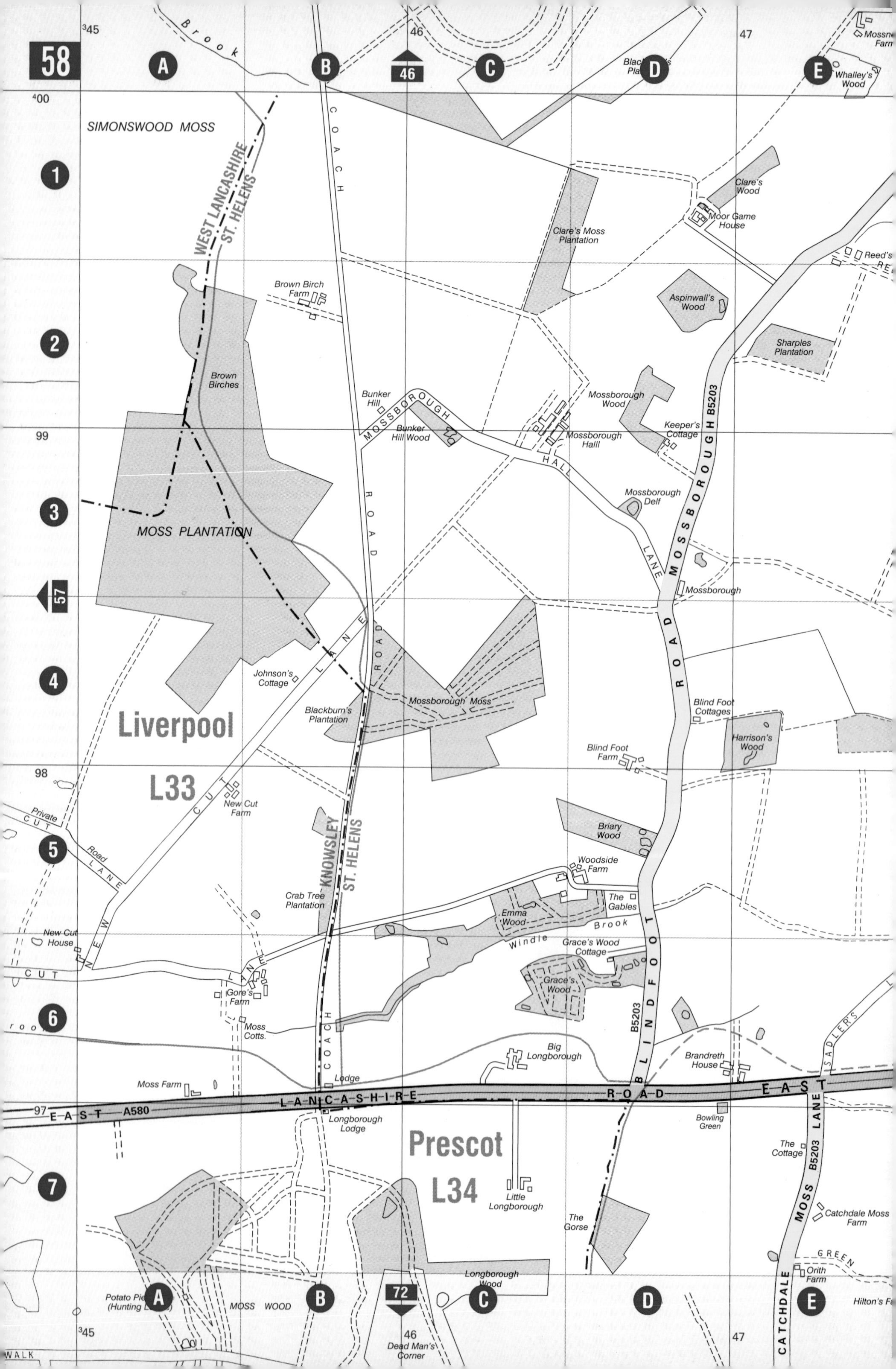

58

³45　　46　　47

⁴00

A　B　46　C　D　Whalley's　E
Wood

1　SIMONSWOOD MOSS

Clare's
Wood

Clare's Moss
Plantation　Moor Game
House

Reed's RE

Brown Birch
Farm

WEST LANCASHIRE

ST. HELENS

COACH

Aspinwall's
Wood

Sharples
Plantation

2　Brown
Birches

Bunker
Hill

Bunker
Hill Wood

MOSSBOROUGH RD

Mossborough
Wood

Mossborough
Hall　Keeper's
Cottage

MOSSBOROUGH B5203

99

HALL

ROAD

Mossborough
Delf

LANE

3　MOSS PLANTATION

Mossborough

57

Mossborough

4　Johnson's
Cottage

Blackburn's
Plantation

Mossborough Moss

ROAD

LANE END

Blind Foot
Cottages

Harrison's
Wood

Blind Foot
Farm

Liverpool

L33

98

New Cut
Farm

Private

Briary
Wood

Woodside
Farm

ROAD

5　Road

CUT

LANE

Crab Tree
Plantation

KNOWSLEY

ST. HELENS

Emma
Wood

The
Gables

Brook

BLINDFOOT

New Cut
House

Windle

Grace's Wood
Cottage

NEW CUT

Grace's
Wood

6　roo

COACH

Moss
Cotts.

Gore's
Farm

LANE

Big
Longborough

B5203

Brandreth
House

SADLERS

Moss Farm

Lodge

97　EAST　A580　E A S T　L A N C A S H I R E　R O A D　E A S T

Longborough
Lodge

Prescot

L34

Bowling
Green

MOSS B5203 LANE

The
Cottage

7

Little
Longborough

The
Gorse

Catchdale Moss
Farm

CATCHDALE

GREEN

Orith
Farm

A　Potato Pie
(Hunting L...)　MOSS WOOD　B　72　Longborough
Wood　C　D　E　Hilton's Fa

³45　46　47

Dead Man's
Corner

WALK

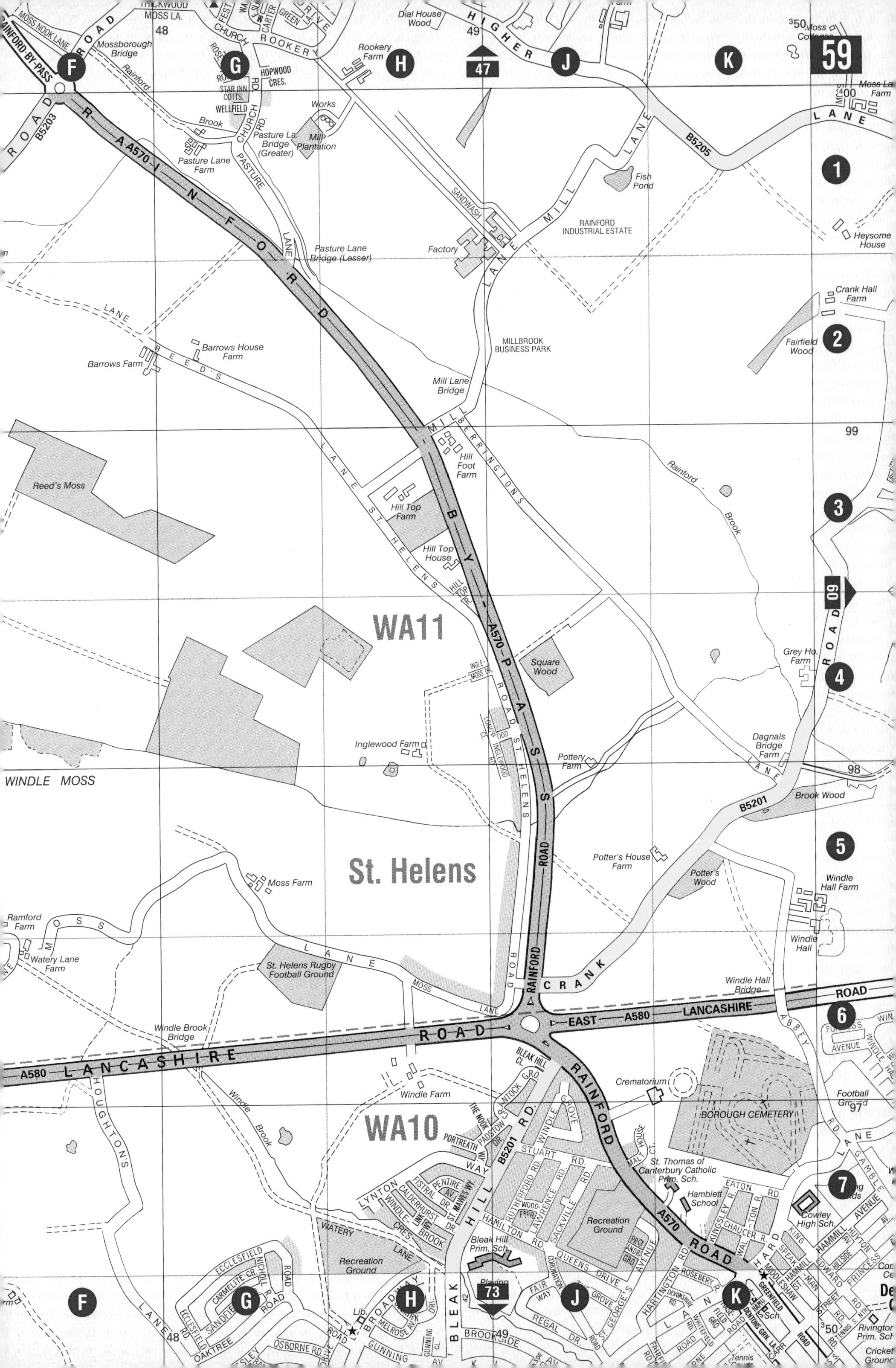
59
47
73
60
WA11
WA10
St. Helens
WINDLE MOSS
RAINFORD BY-PASS
A570
B5203
B5205
B5201
A580
LANCASHIRE ROAD
EAST LANCASHIRE ROAD
RAINFORD ROAD
CRANK ROAD
MILL LANE
SANDWASH CL.
PASTURE LANE
CHURCH RD.
ROOKERY LA.
HIGHER LANE
MOSS NOOK LANE
THICKWOOD MOSS LA.
HOPWOOD CRES.
STAR INN COTTS.
WELLFIELD
REED'S LANE
ST. HELENS LANE
HILL TOP RD.
BERRINGTONS LANE
ST. HELENS ROAD
MOSS LANE
ABBEY ROAD
HOUGHTON'S LANE
Mossborough Bridge
Rookery Farm
Dial House Wood
Works
Mill Plantation
Pasture La. Bridge (Greater)
Pasture Lane Farm
Pasture Lane Bridge (Lesser)
Factory
Fish Pond
RAINFORD INDUSTRIAL ESTATE
MILLBROOK BUSINESS PARK
Mill Lane Bridge
Barrows House Farm
Barrows Farm
Reed's Moss
Hill Foot Farm
Hill Top Farm
Hill Top House
Square Wood
Inglewood Farm
Pottery Farm
Potter's House Farm
Potter's Wood
Dagnals Bridge Farm
Brook Wood
Grey Ho. Farm
Crank Hall Farm
Fairfield Wood
Heysome House
Moss Lane Farm
Moss Cottage
Windle Hall Farm
Windle Hall
Windle Hall Bridge
Moss Farm
Ramford Farm
Watery Lane Farm
St. Helens Rugby Football Ground
Windle Brook Bridge
Windle Farm
Windle Brook
Rainford Brook
Crematorium
BOROUGH CEMETERY
St. Thomas of Canterbury Catholic Prim. Sch.
Hamblett School
Cowley High Sch.
Recreation Ground
Bleak Hill Prim. Sch.
Playing Field
Football Ground
Lib.
Rivington Prim. Sch.
Tennis Courts
BLEAK HILL RD.
WINDLE GROVE
STUART RD.
RUTHERFORD RD.
LAWRENCE RD.
SACKVILLE RD.
HAMILTON RD.
QUEENS DRIVE
MALT HOUSE CT.
EATON RD.
KINGSLEY RD.
CHAUCER RD.
HARTINGTON RD.
ROSEBERY RD.
DEVONSHIRE RD.
ST. GEORGE'S RD.
REGAL DR.
CORONATION DR.
FAIRWAY
WATERY LANE
ECCLESFIELD RD.
NICHOLL RD.
CARMELITE CR.
SANDFIELD
OAKTREE
OSBORNE RD.
BROADWAY
MELROSE AV.
GUNNING AV.
BROOKSIDE
LYNTON WAY
PORTREATH WAY
PADSTOW DR.
LANTOCK GRO.
BLEAK HILL CL.
WINDLE BROOK
CALDERHURST DR.
FISTRAL AV.
PENTIRE AV.
ST. MAWES WY.
GREENFIELD RD.
MIDDLESHAW
HAMMILL ST.
SPEAKMAN RD.
HARD LANE
GAMBLE AVENUE
HUYTON AVENUE
HILLSIDE
EDWARD ST.
PRINCESS
FURNESS AVENUE
INGLEWOOD RD.
LONDON CL.
48
49
50
97
98
99
1
2
3
4
5
6
7
F G H J K

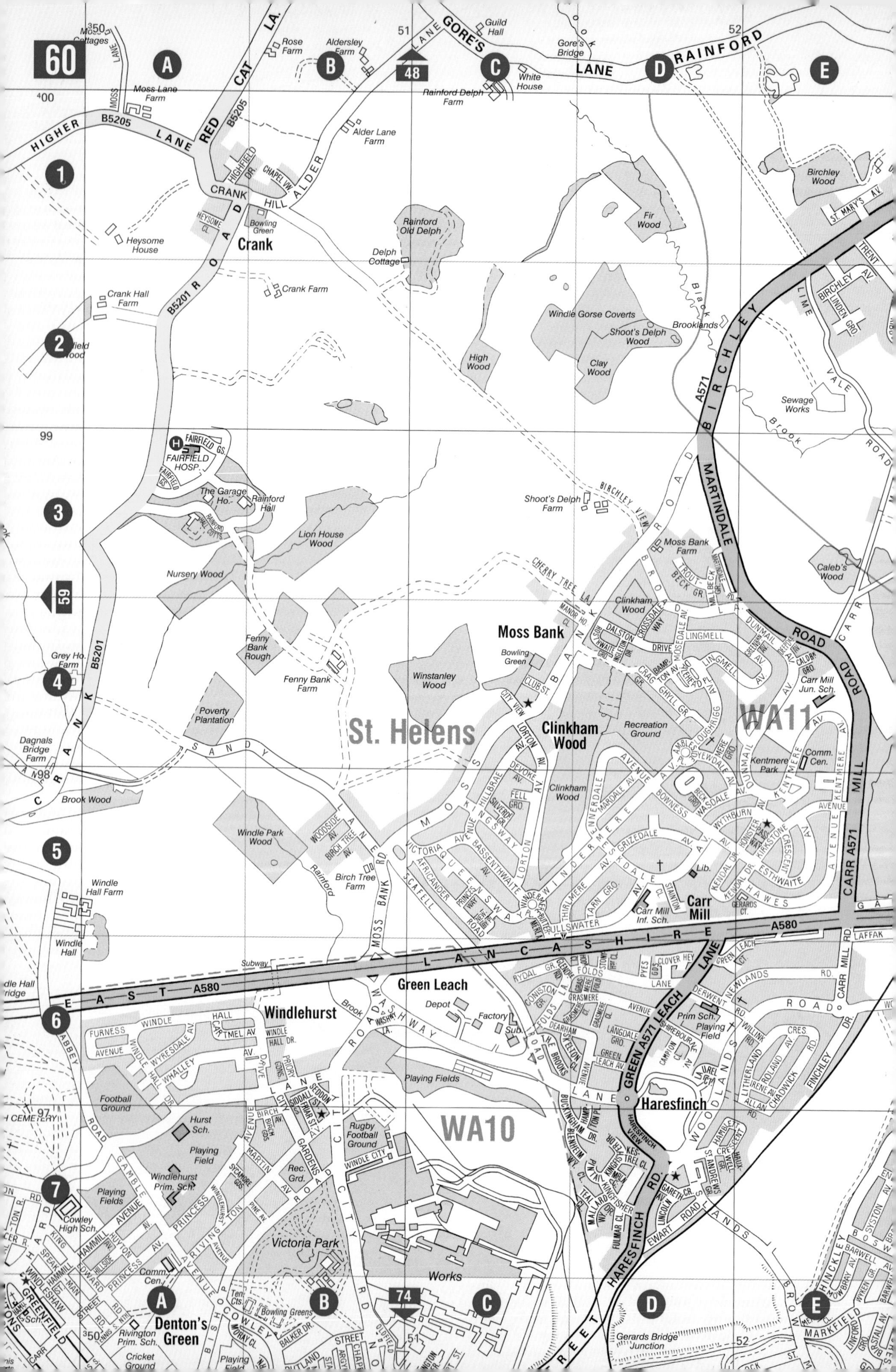
Moss Cottages
Moss Lane
Moss Lane Farm
Red Cat La.
Rose Farm
Aldersley Farm
Alder Lane
Gore's Lane
Guild Hall
Gore's Bridge
Rainford Lane
White House
Rainford Delph Farm
48
Higher Lane
B5205
Alder Lane Farm
Highfield Dr.
Chapel Vw.
Crank Hill
Crank Road
Heysome Cl.
Bowling Green
Heysome House
Crank
Rainford Old Delph
Delph Cottage
Crank Farm
Crank Hall Farm
Fir Wood
Birchley Wood
St. Mary's Av.
Trent
Birchley Av.
Linden Gro.
Lime Vale Road
Black Brook
Brooklands
Windle Gorse Coverts
Shoot's Delph Wood
Clay Wood
High Wood
Birchley Road
A571
Sewage Works
Brook
B5201
Fairfield Gs.
Fairfield Hosp.
The Garage Ho.
Rainford Hall
Rainford Hall Cotts.
Shoot's Delph Farm
Birchley View
Martindale
Lion House Wood
Moss Bank Farm
Cherry Tree La.
Troutbeck Gr.
Millbeck Gr.
Caleb's Wood
Nursery Wood
59
Clinkham Wood
Crossdale Way
Dalston Dr.
Manor Ho. Cl.
Dunmail Av.
Lingmell
Carr Road
Grey Ho. Farm
Fenny Bank Rough
Moss Bank
Bowling Green
Mosedale Av.
Fenny Bank Farm
Winstanley Wood
Club St.
City View
Crag Gr.
Ghyll Gr.
Carr Mill Jun. Sch.
Poverty Plantation
St. Helens
Clinkham Wood
Recreation Ground
WA11
Loughrigg
Ambleside Pl.
Yewdale Av.
Kentmere Park
Comm. Cen.
Kentmere Avenue
Dagnals Bridge Farm
Crank Sandy Lane
Lorton Av.
Devoke Av.
Hillbrae Av.
Fell Gro.
Kingsway
Ennerdale Mardale Av.
Windermere Avenue
Bowness Wasdale Av.
Wythburn
Honister
Kirkstone Crescent
Brook Wood
Windle Park Wood
Woodside Av.
Birch Tree Av.
Moss Bank Rd.
Victoria Avenue
Queensway
Bassenthwaite Av.
Grizedale
Eskdale Av.
Lib.
Esthwaite
Hawes Av.
Windle Hall Farm
Rainford
Birch Tree Farm
Scafell
Africander Road
Princess Way
Thirlmere
Tarn Gro.
Stainton
Carr Mill
Carr Mill Inf. Sch.
Kendal Dr.
Gerards Ct.
Carr Mill Road
Carr A571
Windle Hall
Ullswater
East Lancashire Road
A580
Subway
Laffak
Rydal Gr.
Folds
Clover Hey
Pyes Gdns.
Green Leach Ct.
Newlands Rd.
Windle Hall Bridge
Green Leach
Depot
Factory
Sub.
Coniston Gr.
Grasmere
Derwent
Road
Windlehurst
Furness Avenue
Windle Hall
Cartmel Av.
Wyresdale Av.
Windle Hall Dr.
Brook
Washway La.
Avenue
Langdale Gro.
Prim. Sch.
Playing Field
Shirebourne Av.
Willink Rd.
Roland Av.
Cres.
Finchley Dr.
Abbey Road
Whalley Av.
Priory Gdns.
Dearham
Green Leach Av.
Green Leach A571
Campion Cl.
Laurel Ct.
Litherland Rd.
Chadwick
Allan
Playing Fields
Lane
Haresfinch
Woodlands
Football Ground
City Lane
Siddall St.
Seddon St.
Friar St.
Buckingham Dr.
Hampton Pl.
Haresfinch View
Hamblett Crescent
Hawkswell
Cemetery
Hurst Sch.
Playing Field
Birch Av.
Martin Av.
Rugby Football Ground
WA10
Blenheim
Kestrel Cl.
St. Andrews Gr.
Windlehurst Prim. Sch.
Sycamore Gdns.
Rec. Grd.
Gardens
Windle City
Kingfisher
Gamble Avenue
Cowley High Sch.
Playing Fields
Princess Av.
Rivington Avenue
Pine Av.
City Road
Teal Cl.
Mallard Wy.
Fulmar Cl.
Gareth Cr.
Lincoln Dr.
Ewart Road
Haresfinch Rd.
Hinckley
Syston Av.
Barwell
Mowbray Av.
Wykeham Gr.
Hammill Avenue
Huyton
Hillside
Speakman Street
King Edward Rd.
Victoria Park
Comm. Cen.
Works
Windleshaw Rd.
Greenfield Rd.
Tennis Cts.
Bowling Greens
74
Gerards Bridge Junction
Haresfinch Street
Markfield
Linford
Rivington Prim. Sch.
Denton's Green
Bishop Cowley
Balker Dr.
Moray Cl.
Oldfield
Cricket Ground
Playing Field
Rutland
Street
Chapel
Carr
Gerards Bridge
St.
A
B
C
D
E
1
2
3
4
5
6
7
350
400
51
52
99
98
97

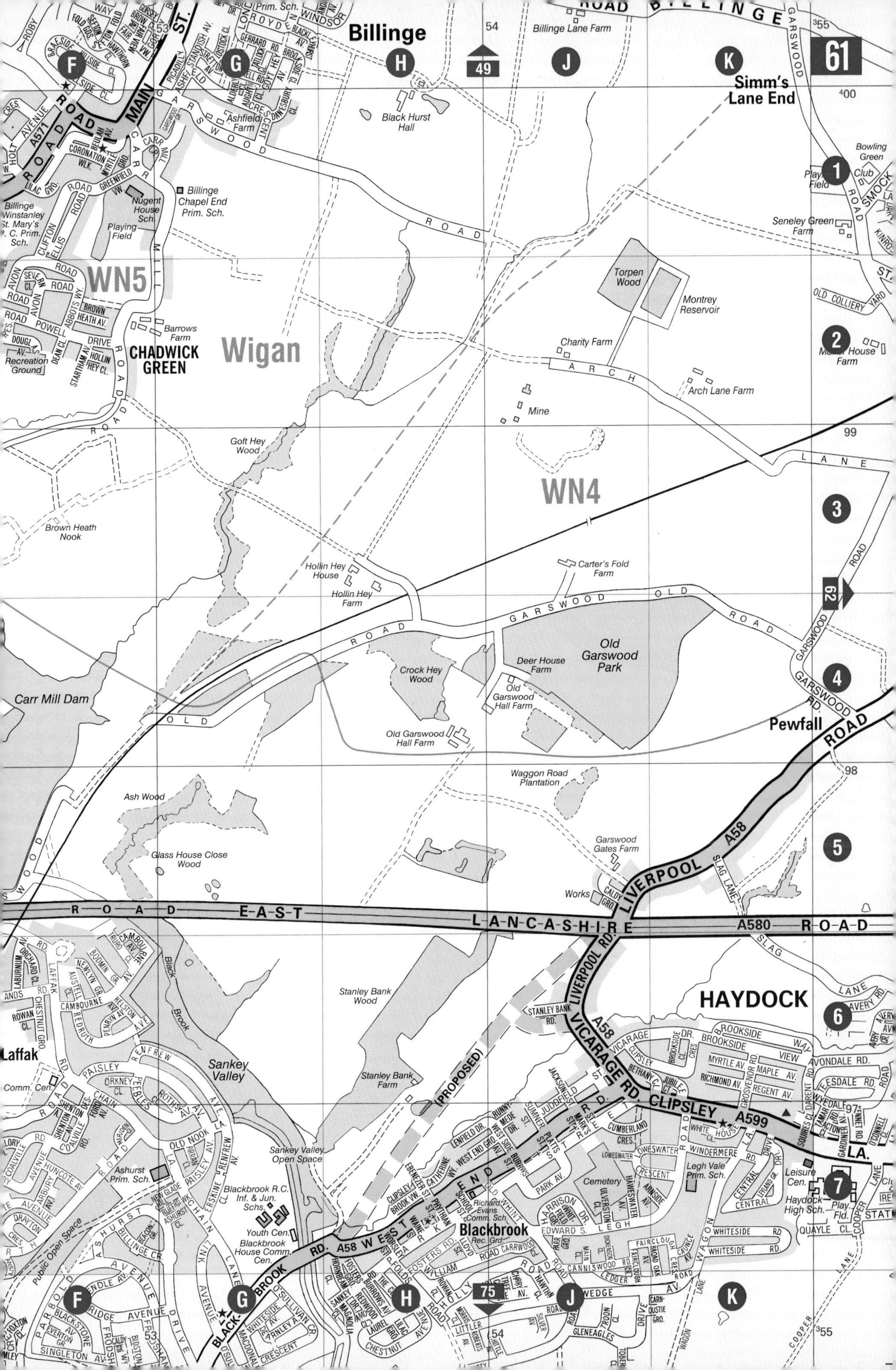
Billinge
Simm's Lane End
Black Hurst Hall
Billinge Lane Farm
Ashfield Farm
Billinge Chapel End Prim. Sch.
Nugent House Sch.
Playing Field
Billinge Winstanley St. Mary's R. C. Prim. Sch.
WN5
Wigan
CHADWICK GREEN
Barrows Farm
Recreation Ground
Torpen Wood
Montrey Reservoir
Charity Farm
Arch Lane Farm
Mine
Seneley Green Farm
Bowling Green
Club
Play. Field
Manor House Farm
Goft Hey Wood
Brown Heath Nook
WN4
Carter's Fold Farm
Hollin Hey House
Hollin Hey Farm
Crock Hey Wood
Deer House Farm
Old Garswood Park
Old Garswood Hall Farm
Carr Mill Dam
Pewfall
Waggon Road Plantation
Ash Wood
Glass House Close Wood
Garswood Gates Farm
Works
EAST LANCASHIRE ROAD
A580
LIVERPOOL ROAD
A58
HAYDOCK
Stanley Bank Wood
Stanley Bank Farm
Sankey Valley
Black Brook
Sankey Valley Open Space
(PROPOSED)
Laffak
Comm. Cen.
Ashurst Prim. Sch.
Public Open Space
Blackbrook R.C. Inf. & Jun. Schs.
Youth Cen.
Blackbrook House Comm. Cen.
Richard Evans Comm. Sch.
Blackbrook
Rec. Grd.
Cemetery
Legh Vale Prim. Sch.
Leisure Cen.
Haydock High Sch.
Play. Fld.
CLIPSLEY LA.
A599
VICARAGE RD.
WEST END RD.
GARSWOOD RD.
GARSWOOD OLD ROAD
SMOCK LANE
OLD COLLIERY YARD
MAIN ST.
A571
49
62
75
F G H J K
1 2 3 4 5 6 7
53 54 55
400 99 98 97

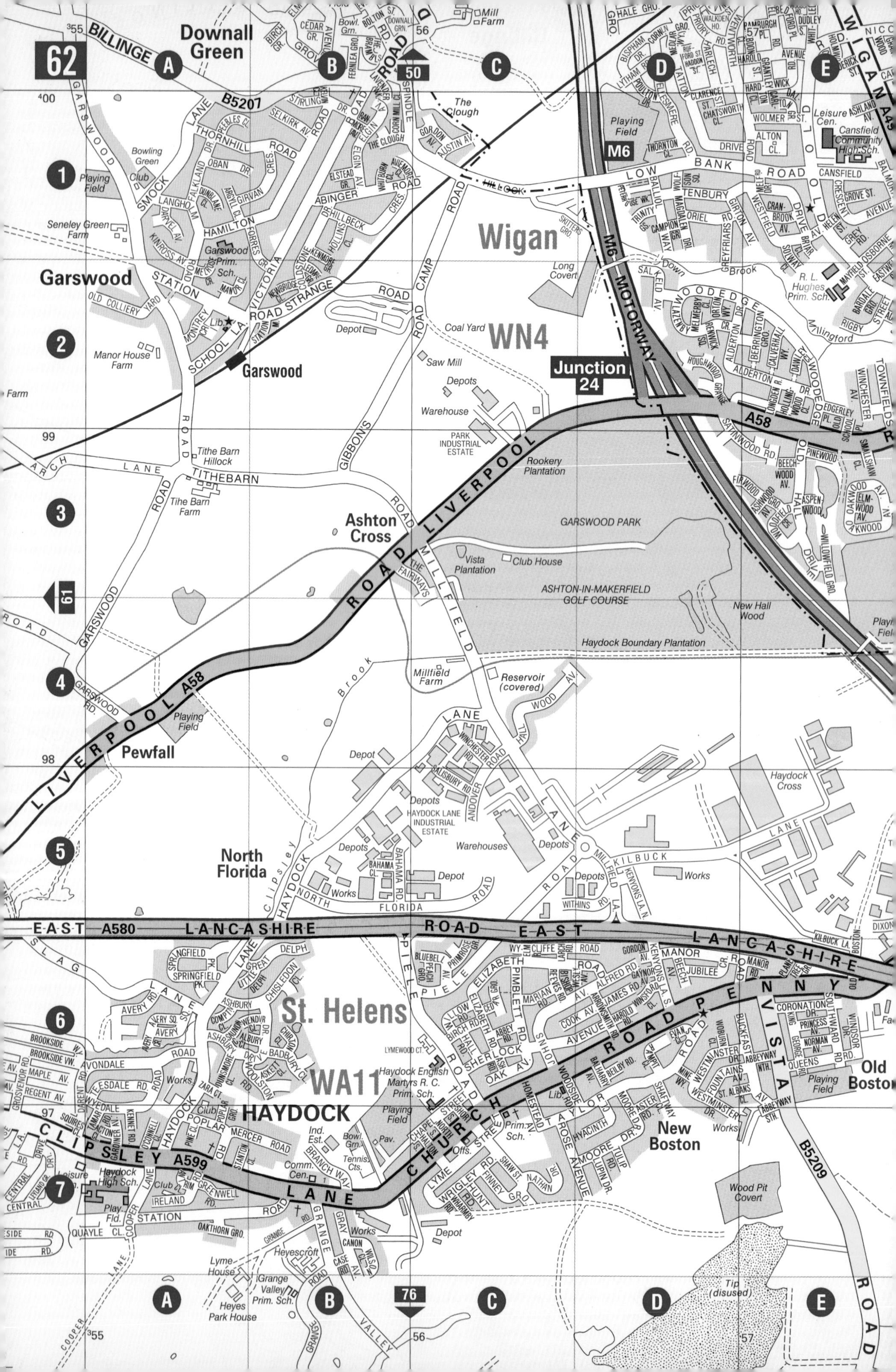
62
Downall Green
Garswood
Wigan
WN4
Junction 24
M6 MOTORWAY
LIVERPOOL ROAD
A58
B5207
Ashton Cross
GARSWOOD PARK
ASHTON-IN-MAKERFIELD GOLF COURSE
Haydock Boundary Plantation
Rookery Plantation
PARK INDUSTRIAL ESTATE
HAYDOCK LANE INDUSTRIAL ESTATE
Pewfall
North Florida
Haydock Cross
EAST A580 LANCASHIRE ROAD EAST LANCASHIRE
St. Helens
WA11
HAYDOCK
CLIPSLEY A599 LANE
CHURCH ROAD
PENNY ROAD
VISTA ROAD
B5209
New Boston
Old Boston
Wood Pit Covert
Tip (disused)
Haydock High Sch.
Garswood Prim. Sch.
R. L. Hughes Prim. Sch.
Cansfield Community High Sch.
Haydock English Martyrs R. C. Prim. Sch.
Grange Valley Prim. Sch.
Heyes Park House
50
61
76
A
B
C
D
E
1
2
3
4
5
6
7
355
56
57
400
99
98
97

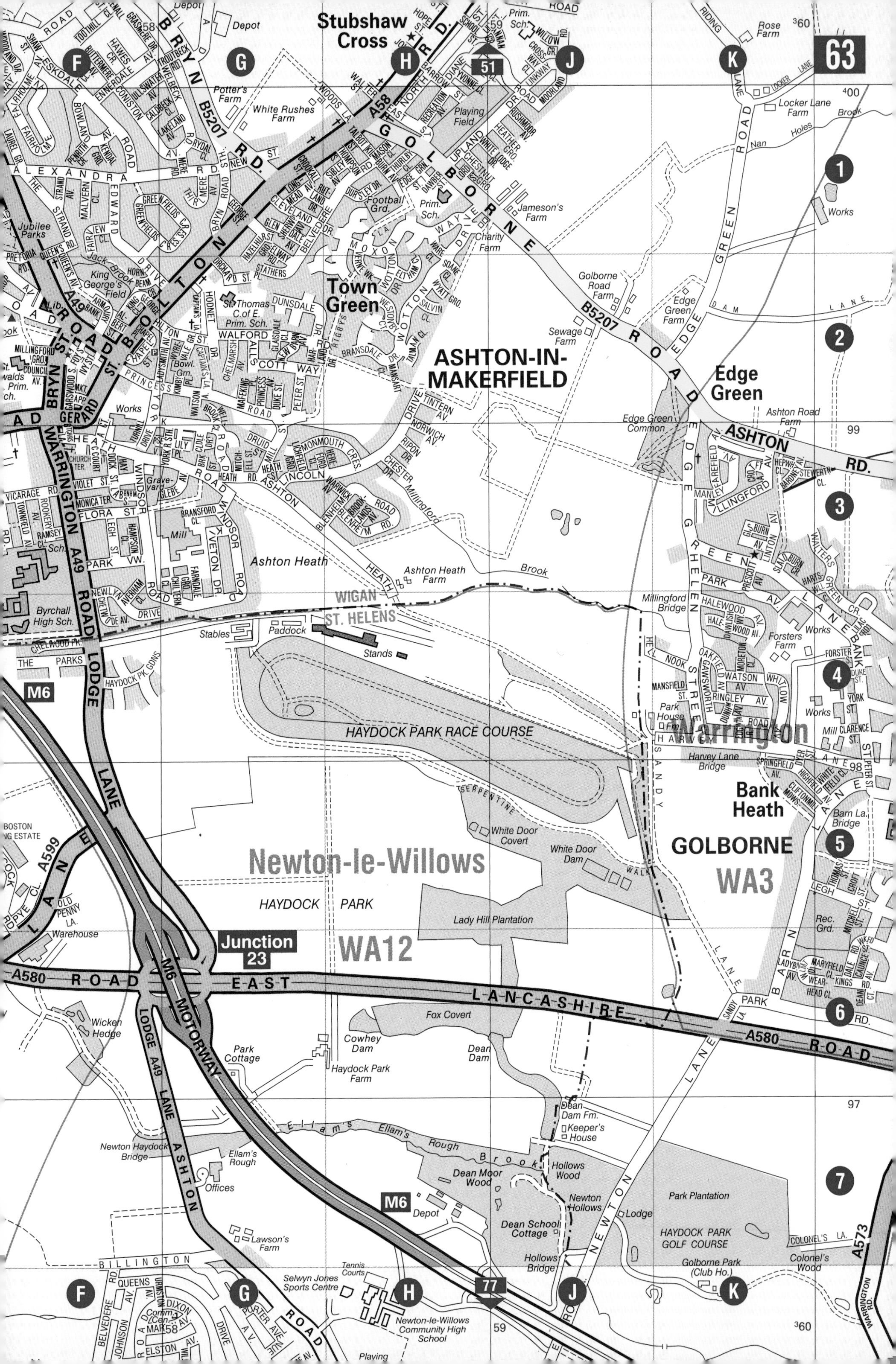
63
Stubshaw Cross
51
F
G
H
J
K
Depot
Potter's Farm
White Rushes Farm
Rose Farm
Locker Lane Farm
Works
Jubilee Parks
King George's Field
Lib.
Town Green
Football Grd.
Prim. Sch.
Jameson's Farm
Charity Farm
Golborne Road Farm
Sewage Farm
Edge Green Farm
St. Thomas C.of E. Prim. Sch.
ASHTON-IN-MAKERFIELD
Edge Green
Edge Green Common
Ashton Road Farm
Ashton Heath
Ashton Heath Farm
WIGAN
ST. HELENS
Byrchall High Sch.
Stables
Paddock
Stands
Millingford Bridge
Forsters Farm
Park House Fm.
HAYDOCK PARK RACE COURSE
Warrington
Harvey Lane Bridge
Bank Heath
GOLBORNE
WA3
White Door Covert
White Door Dam
Newton-le-Willows
HAYDOCK PARK
Lady Hill Plantation
Rec. Grd.
Warehouse
Junction 23
WA12
A580 ROAD EAST
LANCASHIRE
A580 ROAD
M6 MOTORWAY
Wicken Hedge
Fox Covert
Cowhey Dam
Dean Dam
Park Cottage
Haydock Park Farm
Dean Dam Fm.
Keeper's House
Ellam's Rough Brook
Newton Haydock Bridge
Ellam's Rough
Offices
Dean Moor Wood
Hollows Wood
Newton Hollows
Depot
Lodge
Park Plantation
HAYDOCK PARK GOLF COURSE
Dean School Cottage
Lawson's Farm
Hollows Bridge
Golborne Park (Club Ho.)
Colonel's Wood
Tennis Courts
Selwyn Jones Sports Centre
Newton-le-Willows Community High School
77
1
2
3
4
5
6
7
99
98
97
400
360
58
59

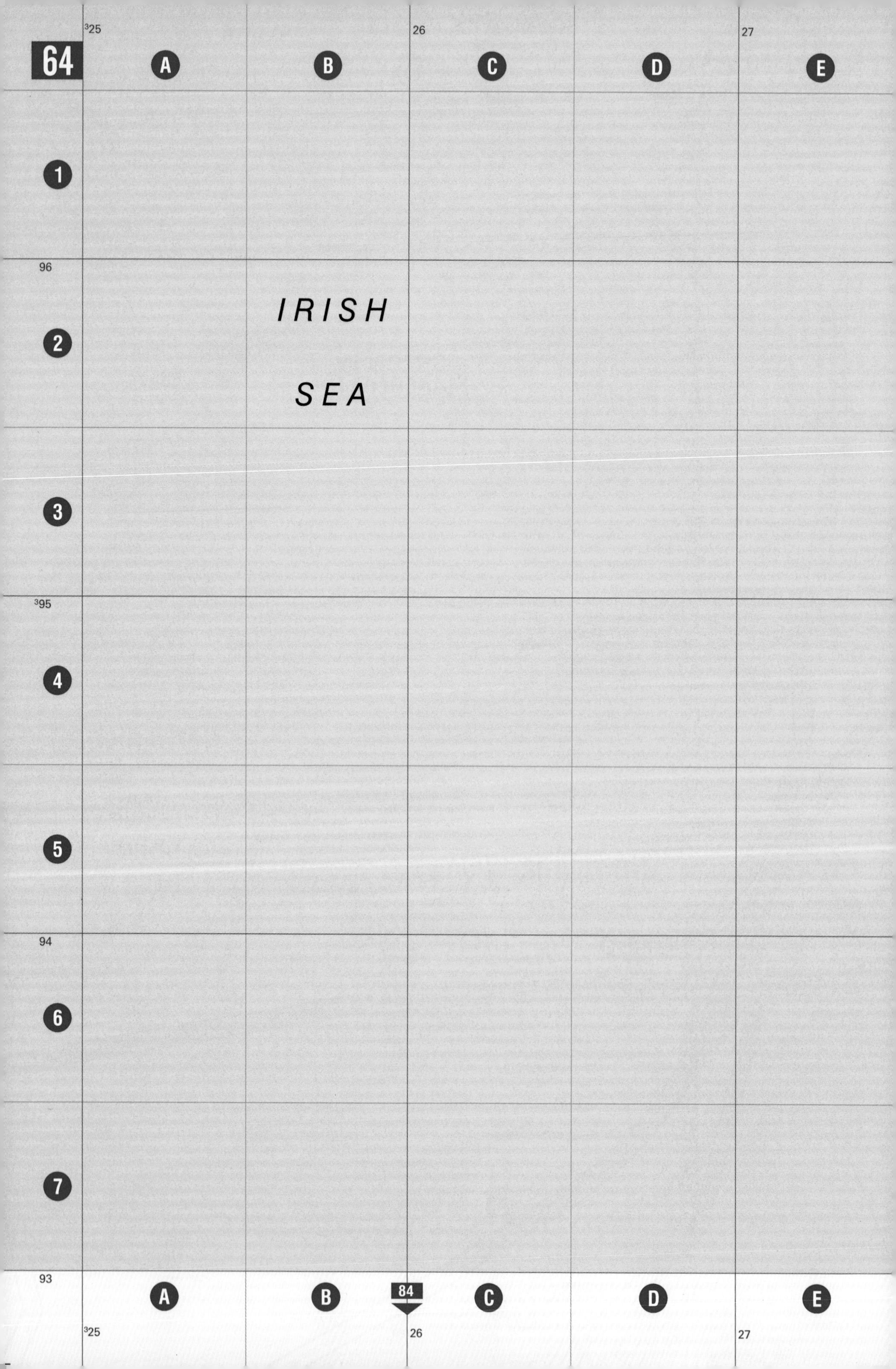

³25   26   27

A   B   C   D   E

1

96

2

IRISH

SEA

3

³95

4

5

94

6

7

93

A   B   84   C   D   E

³25   26   27

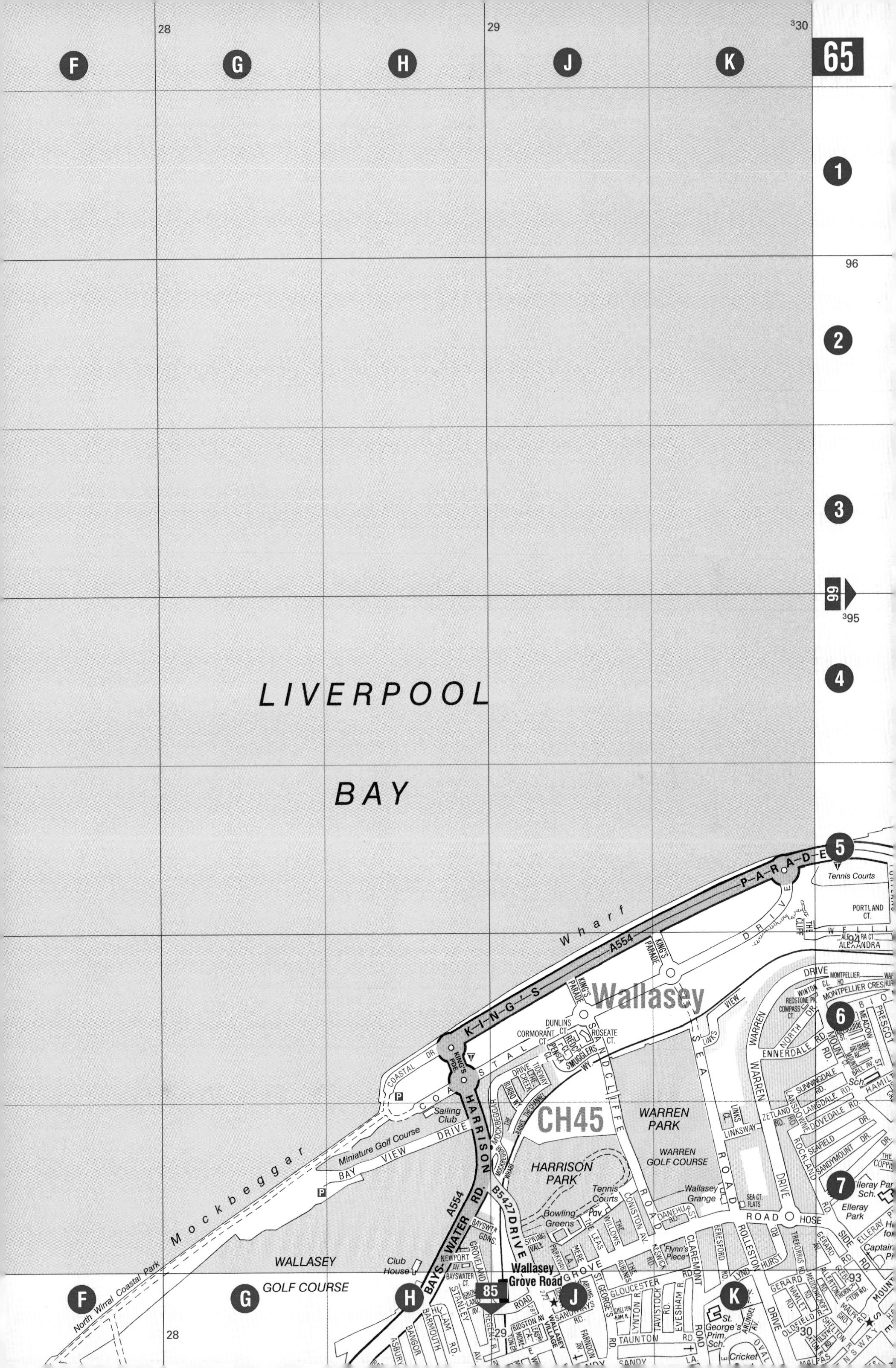

LIVERPOOL
BAY
Wallasey
CH45
WARREN PARK
WARREN GOLF COURSE
HARRISON PARK
WALLASEY
GOLF COURSE
KING'S PARADE
A554
HARRISON DRIVE
B5427 DRIVE
BAYSWATER RD.
Mockbeggar Wharf
North Wirral Coastal Park
COASTAL DR.
BAY VIEW DRIVE
Miniature Golf Course
Sailing Club
Club House
Tennis Courts
Bowling Greens
Wallasey Grange
Wallasey Grove Road
Elleray Park
St. George's Prim. Sch.
GROVE ROAD
HOSE SIDE ROAD
WARREN DRIVE
SEAVIEW ROAD
ALEXANDRA
PORTLAND CT.
66
85

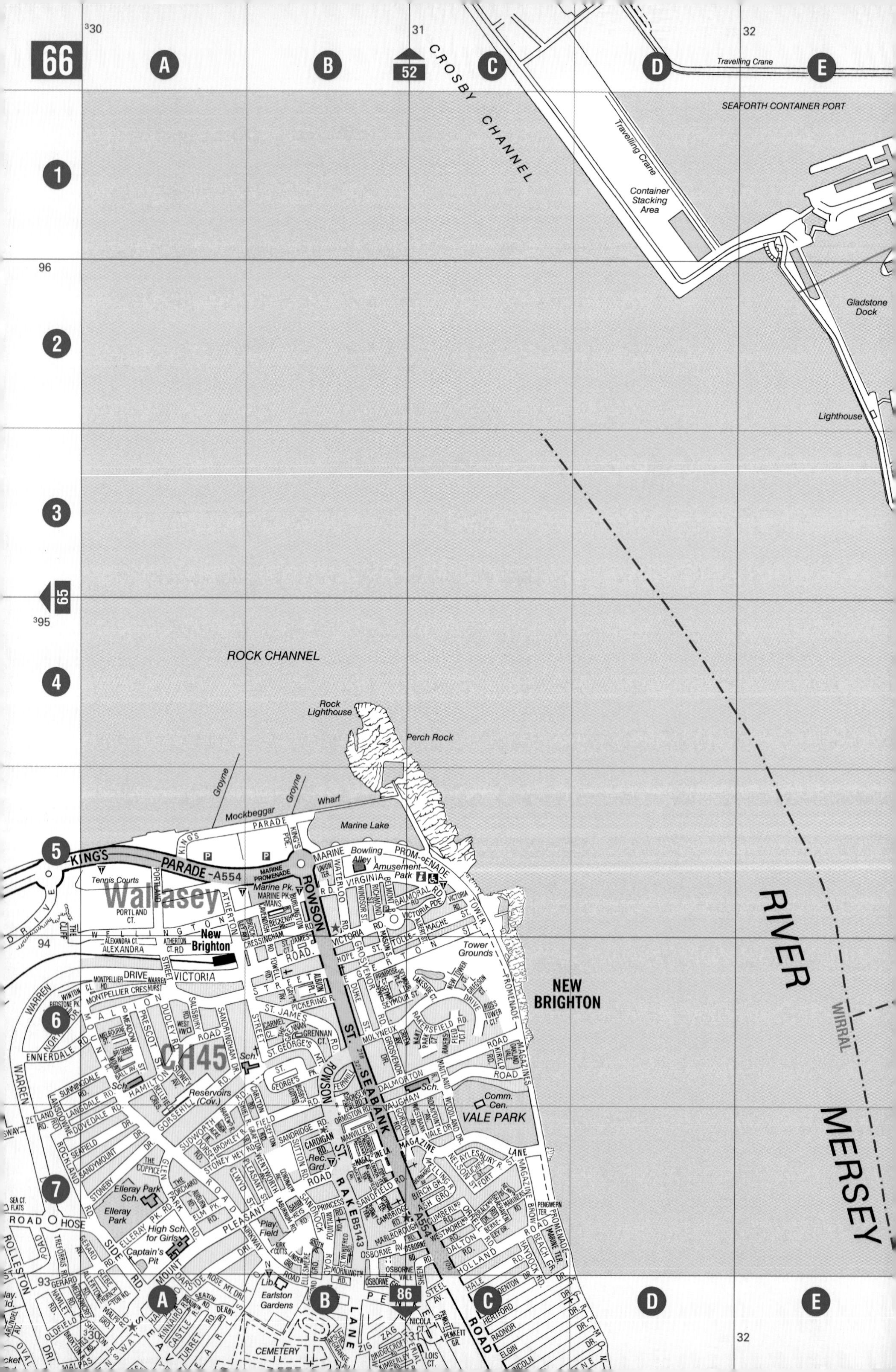

66

A   B   52   C   D   *Travelling Crane*   E

SEAFORTH CONTAINER PORT

CROSBY CHANNEL

Travelling Crane

1

Container Stacking Area

96

2

Gladstone Dock

3

65

395

Lighthouse

ROCK CHANNEL

4

Rock Lighthouse

Perch Rock

Groyne   *Groyne*   *Wharf*

Mockbeggar   *Marine Lake*

KINGS   PARADE   P   P   PROM-ENADE

5   **KINGS**   PARADE–A554   Bowling Alley   Amusement Park   RIVER

Tennis Courts   MARINE PK.   MANS   Marine Promenade

Wallasey   PORTLAND CT.

94   ALEXANDRA CT.   **New Brighton**

Alexandra Ct.Rd   VICTORIA

MONTPELLIER DRIVE

Montpellier Cres   **NEW BRIGHTON**

6   **CH45**   ST. JAMES   *Tower Grounds*

ENNERDALE RD.

Reservoirs (Cov.)   ST. GEORGE'S PK.   *Comm. Cen.*

VALE PARK

Elleray Park Sch.

7   *Elleray Park*   *Play Field*   **MERSEY**

SEA CT. FLATS   *High Sch. for Girls*   *Lib*.   86

Captain's Pit   *Earlston Gardens*

ROAD   HOSE

93   CEMETERY   A   B   C   D   E

32

WIRRAL

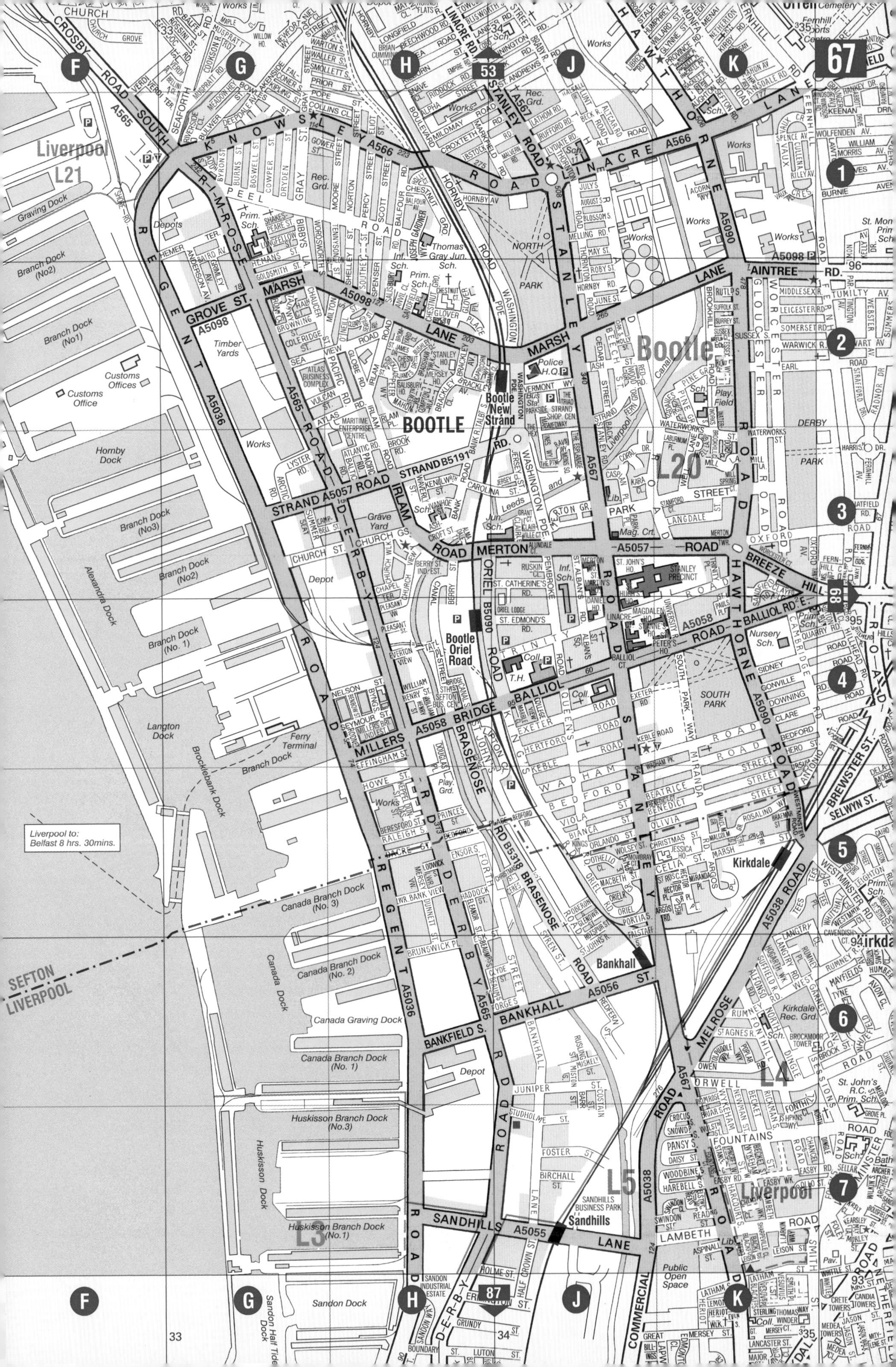

67
53
68
87
F
G
H
J
K
1
2
3
4
5
6
7
Liverpool L21
L20
L3
L4
L5
Bootle
BOOTLE
Liverpool
SEFTON
LIVERPOOL
Liverpool to:
Belfast 8 hrs. 30mins.
CROSBY ROAD SOUTH
A565
KNOWSLEY ROAD
A566
LINACRE LANE
LINACRE RD.
STANLEY ROAD
A567
HAWTHORNE ROAD
A5090
AINTREE RD.
A5098
MARSH LANE
GROVE ST.
RIMROSE
REGENT ROAD
A5036
DERBY ROAD
STRAND ROAD
A5057
STRAND B5191
MERTON ROAD
BALLIOL ROAD
A5058
BRIDGE
MILLERS
ORIEL ROAD
B5090
BRASENOSE RD
B5318
IRLAM
BREEZE HILL
BANKHALL ST.
BANKHALL
A5056
BANKFIELD S.
SANDHILLS LANE
A5055
COMMERCIAL ROAD
A5038
MELROSE ROAD
A5038 ROAD
WESTMINSTER RD.
BREWSTER ST.
SELWYN ST.
Graving Dock
Branch Dock (No2)
Branch Dock (No1)
Customs Offices
Customs Office
Hornby Dock
Branch Dock (No3)
Branch Dock (No2)
Branch Dock (No. 1)
Alexandra Dock
Langton Dock
Brocklebank Dock
Branch Dock
Ferry Terminal
Canada Branch Dock (No. 3)
Canada Branch Dock (No. 2)
Canada Dock
Canada Graving Dock
Canada Branch Dock (No. 1)
Huskisson Branch Dock (No.3)
Huskisson Dock
Huskisson Branch Dock (No.1)
Sandon Dock
Sandon Half Tide Dock
Timber Yards
Works
Depots
Depot
NORTH PARK
SOUTH PARK
DERBY PARK
Bootle New Strand
Bootle Oriel Road
Bankhall
Kirkdale
Sandhills
Police H.Q.
Kirkdale Rec. Grd.
Public Open Space
SANDHILLS BUSINESS PARK
SANDON INDUSTRIAL ESTATE
STANLEY PRECINCT
Thomas Gray Jun. Sch.
Nursery Sch.
St. John's R.C. Prim. Sch.
Grave Yard
Leeds and Liverpool Canal
Rec. Grd.
Play. Field
33
34
35

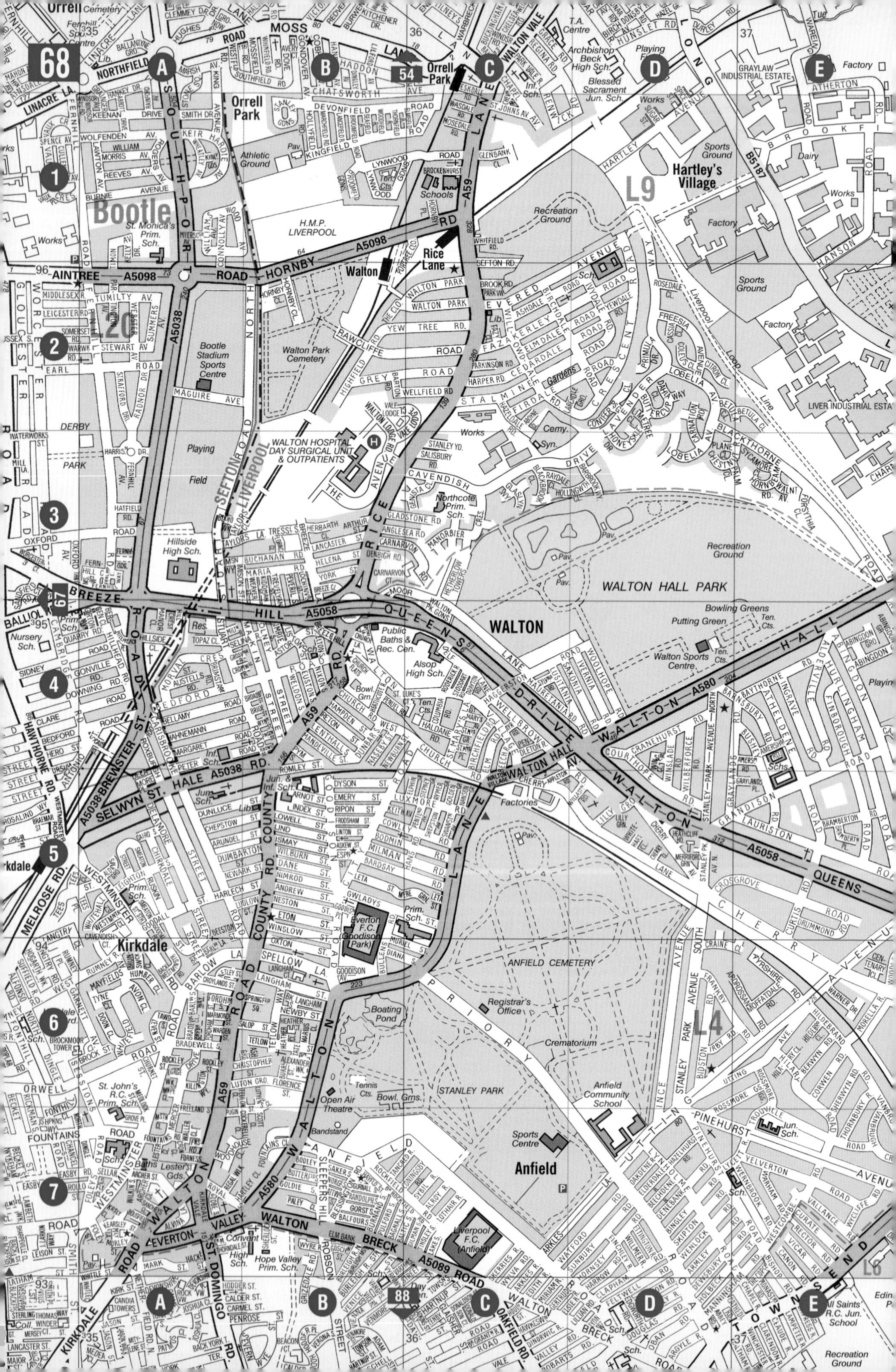
68
A
B
C
D
E
1
2
3
4
5
6
7
Orrell
Moss
Orrell Park
Walton Vale
T.A. Centre
Archbishop Beck High Sch.
Playing Field
Blessed Sacrament Jun. Sch.
Graylaw Industrial Estate
Factory
Atherton
Northfield
Linacre La.
Bootle
St. Monica's Prim. Sch.
Works
Athletic Ground
H.M.P. Liverpool
Hornby
A5098
Rice Lane
Walton
Schools
A59
Recreation Ground
L9
Hartley's Village
Sports Ground
B5187
Liver Industrial Estate
Aintree
Road
L20
Bootle Stadium Sports Centre
Maguire Ave
Playing Field
Walton Park Cemetery
Walton Hospital Day Surgical Unit & Outpatients
Northcote Prim. Sch.
Cemy.
Syn.
Derby
Park
Hillside High Sch.
Breeze
Hill
A5058
Queens Drive
Walton Hall Park
Bowling Greens
Putting Green
Walton Sports Centre
Public Baths & Rec. Cen.
Alsop High Sch.
WALTON
Walton Hall Av.
A580
A5038
Selwyn St.
Hale
Brewster St.
County Rd.
Factories
Everton F.C. (Goodison Park)
Anfield Cemetery
Priory
Registrar's Office
Crematorium
Boating Pond
Open Air Theatre
Bandstand
Stanley Park
Tennis Cts.
Bowl. Grns.
Anfield Community School
Sports Centre
Anfield
L4
Kirkdale
Westminster
Melrose Rd.
Hawthorne Rd.
St. John's R.C. Prim. Sch.
Liverpool F.C. (Anfield)
Walton Breck Road
A5089
Everton Valley
St Domingo Rd.
Convent High Sch.
Hope Valley Prim. Sch.
Kirkdale Rd.
Lester Gds.
Utting
Pinehurst
Jun. Sch.
Townsend
All Saints' R.C. Jun. School
Recreation Ground
Oakfield Rd.
Breck
88
54
67
35
36
37
93
94
95
96

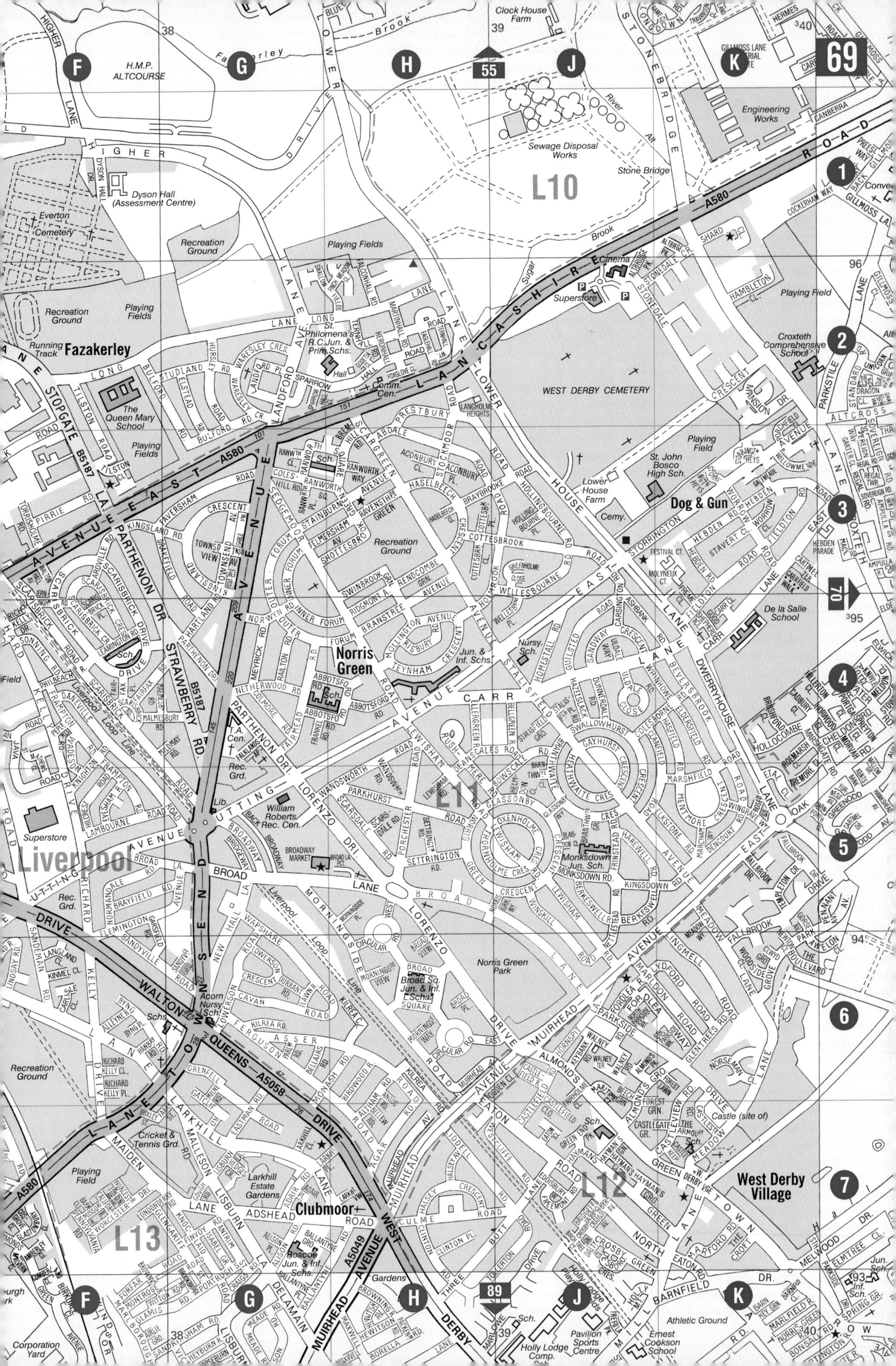

69
55
70
89
F
G
H
J
K
1
2
3
4
5
6
7
38
39
340
96
395
94
93
40
H.M.P. ALTCOURSE
Clock House Farm
Fazakerley Brook
Higher Lane
Lower Lane
Stonebridge Lane
Gillmoss Lane Industrial Estate
Hermes Road
Engineering Works
Canberra
Sewage Disposal Works
River Alt
Stone Bridge
L10
Dyson Hall (Assessment Centre)
Everton Cemetery
Recreation Ground
Playing Fields
Playing Field
Running Track
Fazakerley
The Queen Mary School
St. Philomena's R.C.Jun. & Prim.Schs.
Hall
Comm. Cen.
Cinema
Superstore
West Derby Cemetery
Croxteth Comprehensive School
Parkstile
Altcross
Langholme Heights
East Lancashire Road
A580
Long Lane
Stopgate Lane
B5187
Sparrow Hall
Landford Ave
Lower House Lane
Lower House Farm
Cemy.
St. John Bosco High Sch.
Dog & Gun
Storrington
Festival Ct.
Molyneux Ct.
De la Salle School
Hebden Parade
Croxteth
Hollocombe
Ranworth Square
Sch.
Recreation Ground
Norris Green
Abbotsford Rd.
Jun. & Inf. Schs.
Nursy. Sch.
Carr Lane
Carr Lane East
Dwerryhouse Lane
Parthenon Dr.
Strawberry Rd.
T.A. Cen.
Rec. Grd.
Lib.
Utting Avenue
Utting Avenue East
Broad Lane
Broadway
Broadway Market
William Roberts Rec. Cen.
Lorenzo Dri.
L11
Gayhurst Crescent
Monksdown Jun. Sch.
Monksdown Rd.
Kingsdown Rd.
Superstore
Liverpool
Liverpool Loop Line
Rec. Grd.
Walton Hall Avenue
Norris Green Park
Muirhead Avenue
Muirhead Avenue East
Broad Sq. Jun. & Inf. Schs.
Acorn Nursy. Sch.
Schs.
Queens Drive
A5058
Walton Lane
Recreation Ground
Cricket & Tennis Grd.
Larkhill Estate Gardens
Clubmoor
Playing Field
L13
Roscoe Jun. & Inf. Schs.
Gardens
West Derby Road
A5049
Delamain
L12
Eaton Road
Castle (site of)
The Armoury
West Derby Village
Town Row
Green Lane
North Eaton Rd.
Almond's Grn.
Castlegate Gr.
Holly Lodge Playing Fields
Pavilion Sports Centre
Holly Lodge Comp.
Athletic Ground
Ernest Cookson School
Barnfield Dr.
Mill Lane
Melwood Dr.
Jun. Sch.
Inf. Sch.
Norris Green Rd.
Corporation Yard
A580

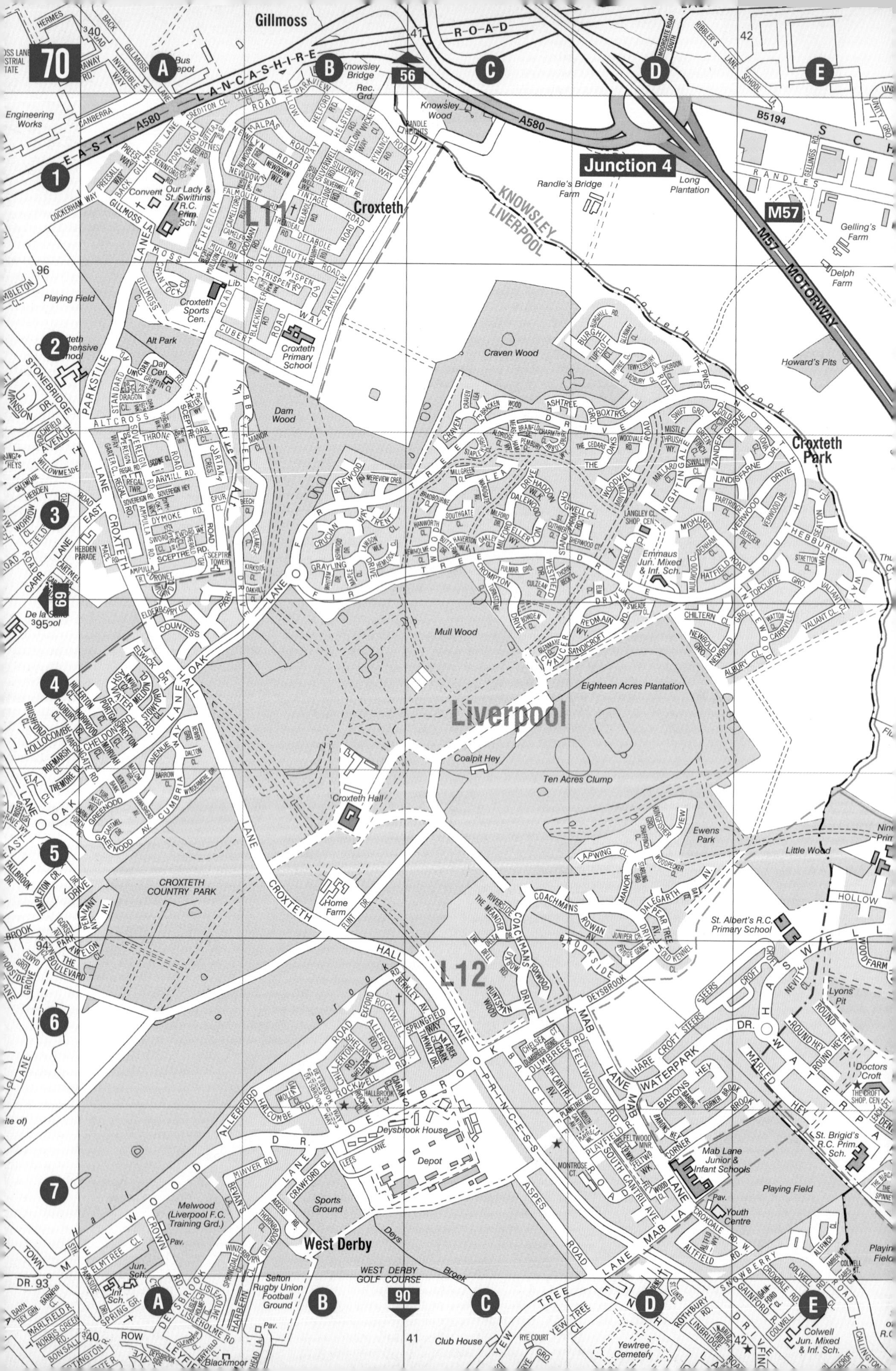

70
Gillmoss
EAST LANCASHIRE ROAD
A580
Bus Depot
Knowsley Bridge
Rec. Grd.
56
Knowsley Wood
Junction 4
Randle's Bridge Farm
Long Plantation
M57 MOTORWAY
B5194
Gelling's Farm
Delph Farm
Engineering Works
Convent
Our Lady & St. Swithins R.C. Prim. Sch.
L11
Croxteth
KNOWSLEY
LIVERPOOL
Playing Field
Croxteth Sports Cen.
Lib.
Croxteth Primary School
Alt Park
Craven Wood
Howard's Pits
Dam Wood
Croxteth Park
Day Cen.
Sceptre Tower
Hebden Parade
Langley Cl. Shop. Cen.
Emmaus Jun. Mixed & Inf. Sch.
Mull Wood
Eighteen Acres Plantation
Liverpool
Coalpit Hey
Ten Acres Clump
Croxteth Hall
Ewens Park
Little Wood
CROXTETH COUNTRY PARK
Home Farm
St. Albert's R.C. Primary School
L12
Lyons Pit
Doctors Croft
The Croft Shop. Cen.
Deysbrook House
Depot
St. Brigid's R.C. Prim. Sch.
Mab Lane Junior & Infant Schools
Playing Field
Sports Ground
Youth Centre
Melwood (Liverpool F.C. Training Grd.)
West Derby
Sefton Rugby Union Football Ground
WEST DERBY GOLF COURSE
Club House
Yewtree Cemetery
Colwell Jun. Mixed & Inf. Sch.
90
69
A
B
C
D
E
1
2
3
4
5
6
7
40
41
42
93
94
95
96

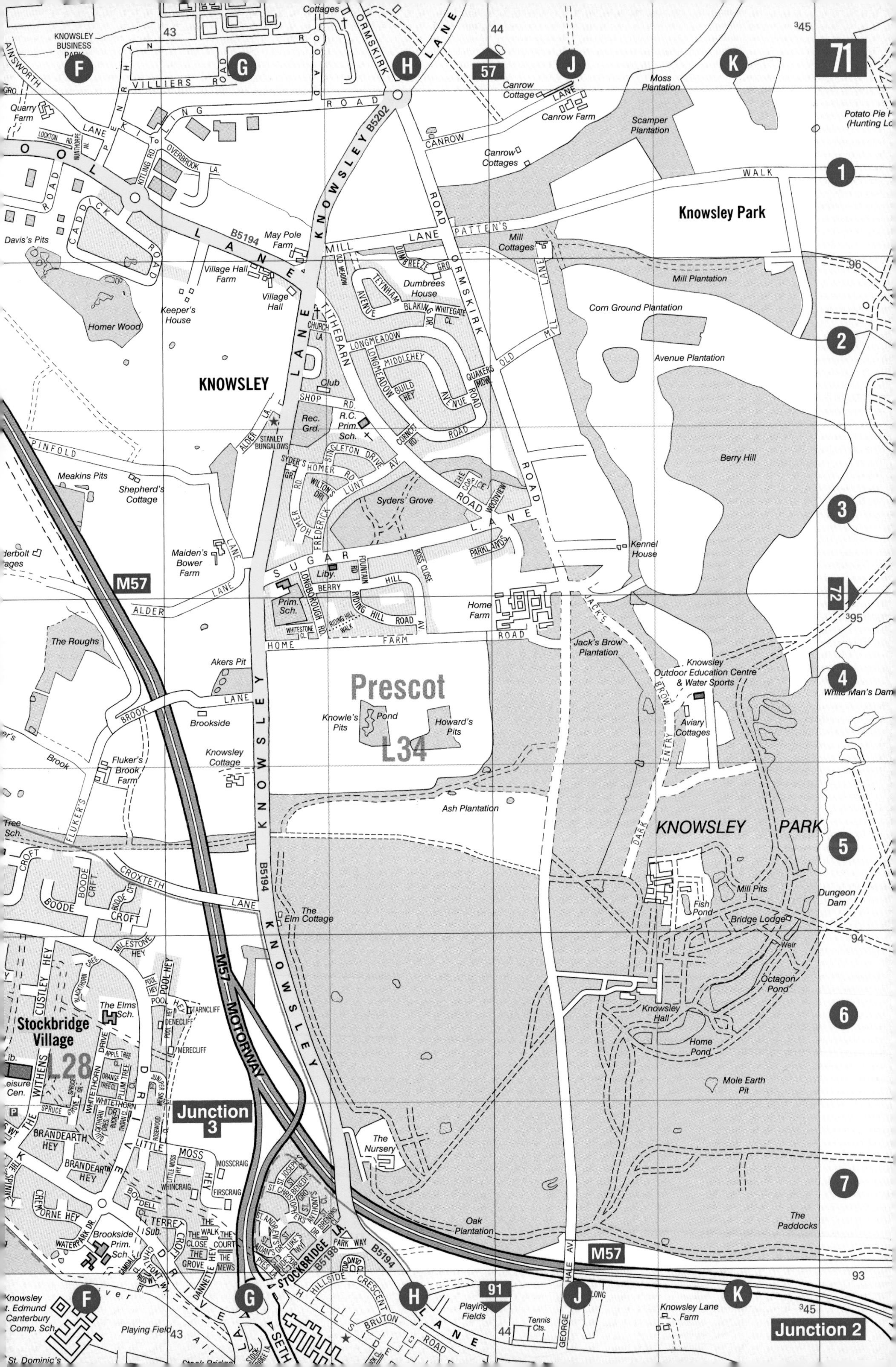

KNOWSLEY
Prescot
L34
Knowsley Park
KNOWSLEY PARK
Stockbridge Village
L28
KNOWSLEY BUSINESS PARK
Homer Wood
Davis's Pits
Keeper's House
Village Hall Farm
Village Hall
May Pole Farm
Dumbrees House
Mill Cottages
Mill Plantation
Corn Ground Plantation
Avenue Plantation
Berry Hill
Moss Plantation
Scamper Plantation
Canrow Cottage
Canrow Farm
Canrow Cottages
Potato Pie House (Hunting Lodge)
Meakins Pits
Shepherd's Cottage
Maiden's Bower Farm
Syders' Grove
Kennel House
Home Farm
Jack's Brow Plantation
Knowsley Outdoor Education Centre & Water Sports
Aviary Cottages
White Man's Dam
The Roughs
Akers Pit
Brookside
Knowsley Cottage
Fluker's Brook Farm
Knowle's Pits
Pond
Howard's Pits
Ash Plantation
The Elm Cottage
Mill Pits
Fish Pond
Bridge Lodge
Dungeon Dam
Weir
Octagon Pond
Knowsley Hall
Home Pond
Mole Earth Pit
The Nursery
Oak Plantation
The Paddocks
The Elms Sch.
Brookside Prim. Sch.
Knowsley Lane Farm
Playing Fields
Tennis Cts.
Playing Field
Junction 3
Junction 2
M57
M57 MOTORWAY
B5194
B5202
B5198
KNOWSLEY LANE
ORMSKIRK ROAD
MILL LANE
PATTEN'S WALK
SUGAR LANE
HOME FARM ROAD
BROOK LANE
CROXTETH LANE
ALDER LANE
PINFOLD
DARK ENTRY
JACK'S BROW
HALE AV
GEORGE
CANROW LANE
KNOWSLEY ENTRY
STOCKBRIDGE LA.
HILLSIDE CRESCENT
BRUTON ROAD
LONGMEADOW
TITHEBARN
OLD MILL LANE
PARKLANDS
FOUNTAIN RD
RIDING HILL ROAD
BERRY HILL
LONGBOROUGH RD
WHITESTONE CL.
Prim. Sch.
Liby.
Club
Rec. Grd.
R.C. Prim. Sch.
STANLEY BUNGALOWS
SHOP RD.
LUNT ROAD
HOMER RD.
FREDERICK
WILTON'S
SYDER'S GR.
SINGLETON DRIVE
THE COPPICE
WOODVIEW
ROSS CLOSE
CORNCROFT RD.
GUILD HEY
MIDDLEHEY
QUAKERS MDW.
TEYNHAM AVENUE
BLAKING DR.
WHITEGATE CL.
DUMBREEZE GRO
CHURCH LA.
CADDICK ROAD
OVERBROOK LA.
KITLING RD.
LOCKTON RD
NUNTHORPE AV.
VILLIERS ROAD
AINSWORTH LANE
Quarry Farm
BOODE CROFT
CUSTLEY HEY
POOL HEY
WHITETHORN DRIVE
BRANDEARTH HEY
MOSS HEY
CREMORNE HEY
WATERPARK DR.
DANNETTE HEY
DELL
THE WALK
THE CLOSE
THE GROVE
THE COURT
THE MEWS
MILESTONE HEY
Leisure Cen.
57
91
72
F G H J K
1 2 3 4 5 6 7
43 44 45 93 94 95 96

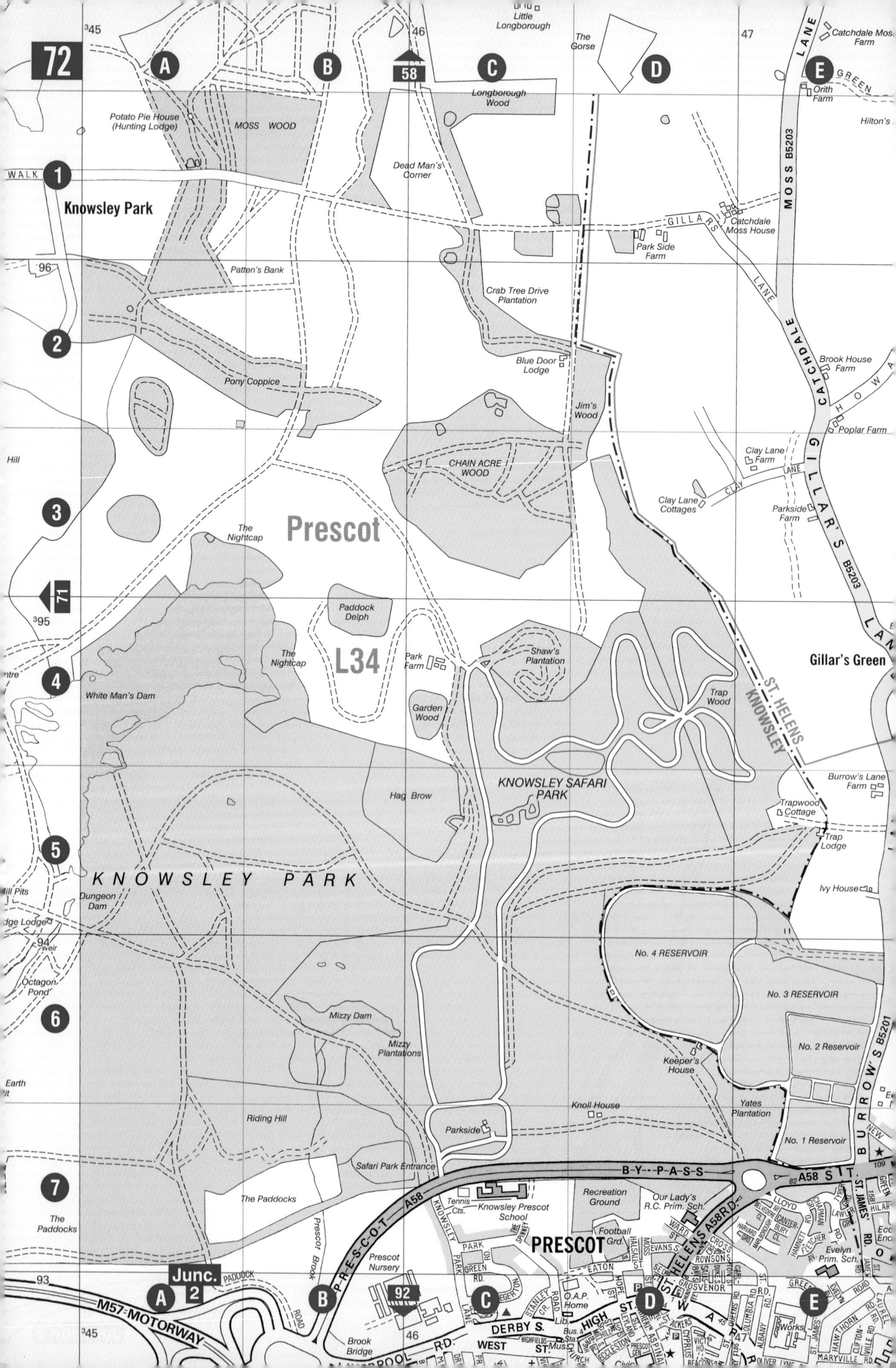
Knowsley Park
Potato Pie House (Hunting Lodge)
MOSS WOOD
Little Longborough
The Gorse
Longborough Wood
Dead Man's Corner
Catchdale Moss Farm
Orith Farm
Hilton's
GILLARS LANE
Catchdale Moss House
Park Side Farm
Patten's Bank
Crab Tree Drive Plantation
Blue Door Lodge
MOSS LANE B5203
CATCHDALE
Brook House Farm
Pony Coppice
Jim's Wood
Poplar Farm
CHAIN ACRE WOOD
Clay Lane Farm
CLAY LANE
Clay Lane Cottages
Parkside Farm
GILLAR'S B5203 LANE
Hill
Prescot
The Nightcap
Paddock Delph
L34
Park Farm
Shaw's Plantation
Gillar's Green
White Man's Dam
Garden Wood
Trap Wood
ST. HELENS
KNOWSLEY
Hag Brow
KNOWSLEY SAFARI PARK
Burrow's Lane Farm
Trapwood Cottage
Trap Lodge
KNOWSLEY PARK
Ivy House
Dungeon Dam
Weir
Octagon Pond
No. 4 RESERVOIR
No. 3 RESERVOIR
No. 2 Reservoir
No. 1 Reservoir
Mizzy Dam
Mizzy Plantations
Keeper's House
Knoll House
Yates Plantation
Riding Hill
Parkside
BURROW'S B5201
Safari Park Entrance
BY-PASS
A58
The Paddocks
Recreation Ground
Our Lady's R.C. Prim. Sch.
Tennis Cts.
Knowsley Prescot School
PRESCOT
Football Grd.
Prescot Nursery
Evelyn Prim. Sch.
Junc. 2
M57 MOTORWAY
Prescot Brook
O.A.P. Home
DERBY S.
HIGH ST.
WEST ST.
Brook Bridge
LIVERPOOL RD.

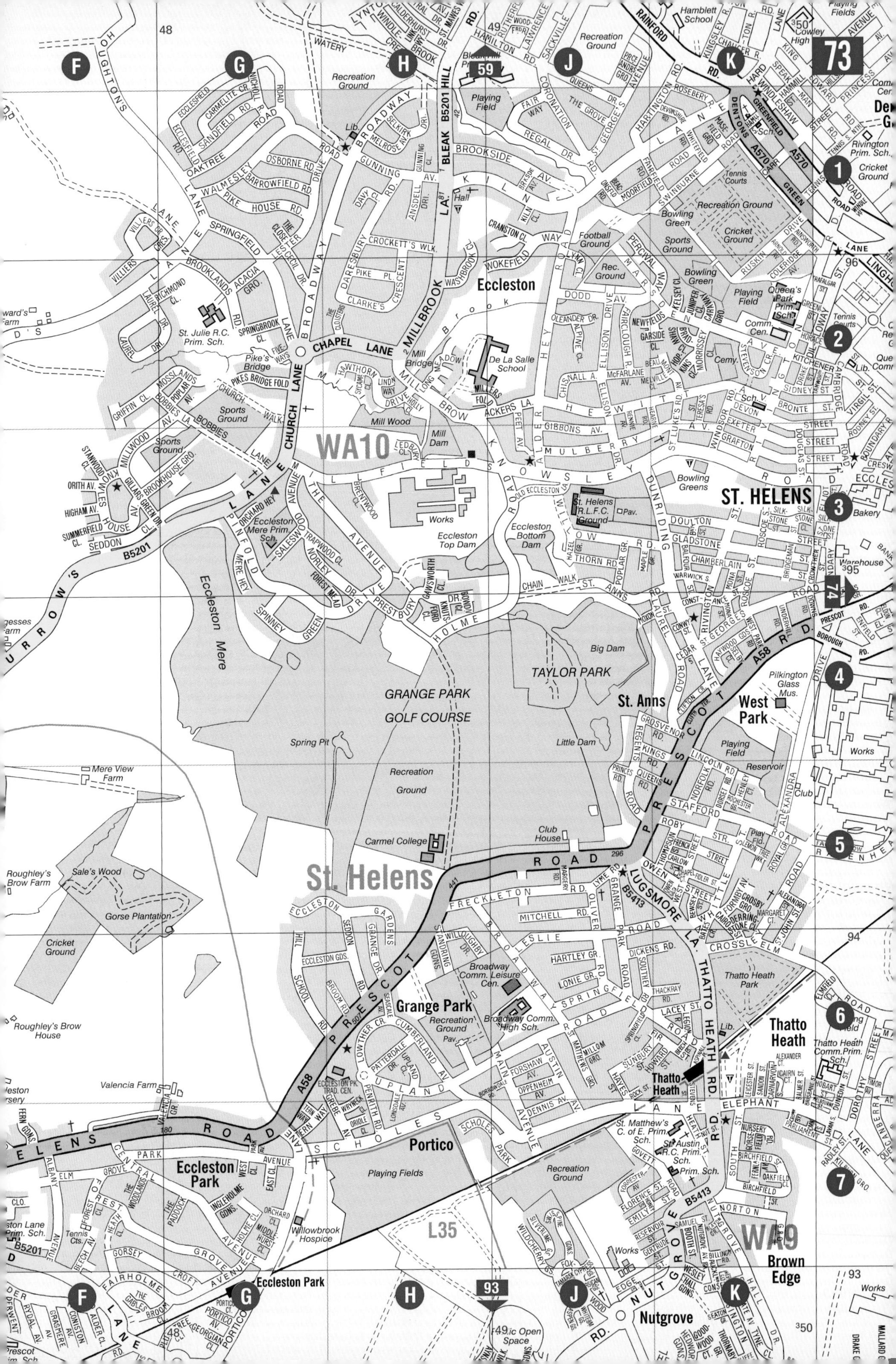

73
59
74
93
ST. HELENS
St. Helens
Eccleston
Eccleston Park
Grange Park
Thatto Heath
West Park
St. Anns
Portico
Nutgrove
Brown Edge
WA10
WA9
L35
TAYLOR PARK
GRANGE PARK GOLF COURSE
Eccleston Mere
Eccleston Top Dam
Eccleston Bottom Dam
Big Dam
Little Dam
Spring Pit
Mill Dam
Mill Wood
Sale's Wood
Gorse Plantation
Cricket Ground
Recreation Ground
Playing Field
Playing Fields
Sports Ground
Football Ground
Rec. Ground
Bowling Green
Bowling Greens
Tennis Courts
Thatto Heath Park
Reservoir
Works
De La Salle School
St. Julie R.C. Prim. Sch.
Eccleston Mere Prim. Sch.
Carmel College
Broadway Comm. Leisure Cen.
Broadway Comm. High Sch.
Pilkington Glass Mus.
St. Helens R.L.F.C. Ground
Willowbrook Hospice
Thatto Heath Comm. Prim. Sch.
St. Matthew's C. of E. Prim. Sch.
St. Austin R.C. Prim. Sch.
Hamblett School
Cowley High
Rivington Prim. Sch.
Queen's Park Prim. Sch.
Club House
Pike's Bridge
Mill Bridge
Mere View Farm
Roughley's Brow Farm
Roughley's Brow House
Valencia Farm
Eccleston Pk. Trad. Cen.
Prescot Road
A58
A570
B5201
B5413
Bleak Hill Rd.
Chapel Lane
Church Lane
Millbrook La.
Broadway
Kiln Lane
Knowsley Road
Dunriding Lane
Hard Lane
Rainford Rd.
Boundary Road
Borough Rd.
Alexandra Drive
Lugsmore La.
Thatto Heath Rd.
Elephant Lane
Scholes Lane
Nutgrove Rd.
Burrow's Lane
Springfield Lane
Windle Hall Dr.
Dentons Green Lane
Hewitt Avenue
Mulberry Avenue

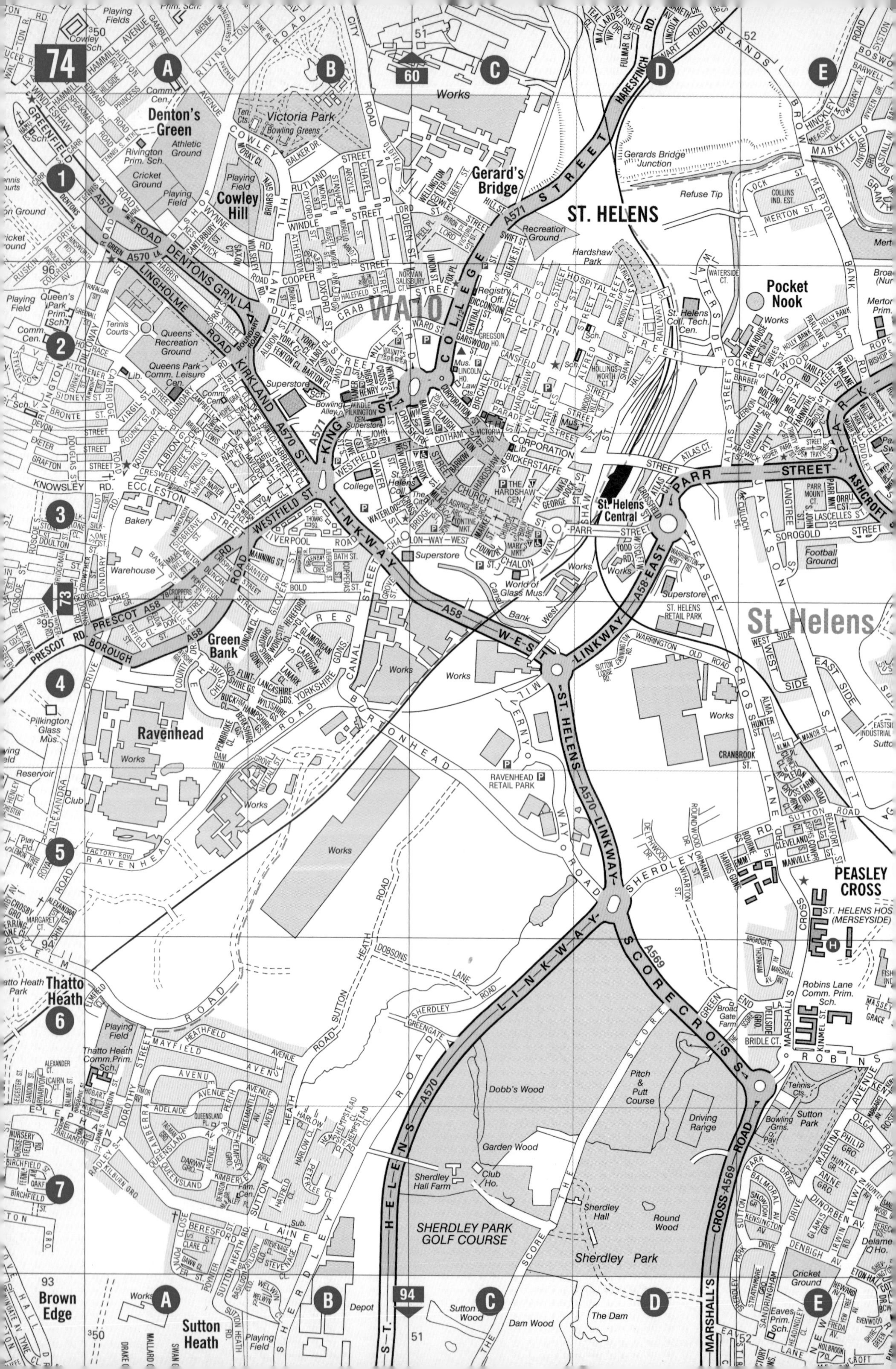

ST. HELENS
WA10
St. Helens
Denton's Green
Cowley Hill
Gerard's Bridge
Pocket Nook
Green Bank
Ravenhead
Thatto Heath
Peasley Cross
Sutton Heath
Brown Edge
Victoria Park
Athletic Ground
Cricket Ground
Playing Field
Recreation Ground
Hardshaw Park
Queens Recreation Ground
Queens Park Comm. Leisure Cen.
St. Helens Central
St. Helens Coll. Tech. Cen.
St. Helens Retail Park
Ravenhead Retail Park
World of Glass Mus.
Pilkington Glass Mus.
Gerards Bridge Junction
Refuse Tip
Collins Ind. Est.
Football Ground
St. Helens Hos (Merseyside)
Robins Lane Comm. Prim. Sch.
Sutton Park
Sherdley Park Golf Course
Sherdley Park
Sherdley Hall
Sherdley Hall Farm
Dobb's Wood
Garden Wood
Round Wood
Sutton Wood
Dam Wood
The Dam
Pitch & Putt Course
Driving Range
Broad Gate Farm
Works
Superstore
College
Bakery
Warehouse
Reservoir
Depot
A570
A571
A58
A569
LINKWAY
LINKWAY WEST
LINKWAY EAST
PRESCOT RD.
BOROUGH RD.
DENTONS GRN. LA.
COLLEGE ST.
HARESFINCH RD.
PARR STREET
WESTFIELD ST.
KIRKLAND ST.
CORPORATION ST.
ECCLESTON STREET
SCORECROSS
MARSHALL'S CROSS ROAD
ELEPHANT LANE
SHERDLEY ROAD
BURTONHEAD ROAD
RAVENHEAD ROAD
DOBSONS LANE
A B C D E
1 2 3 4 5 6 7
60
73
94

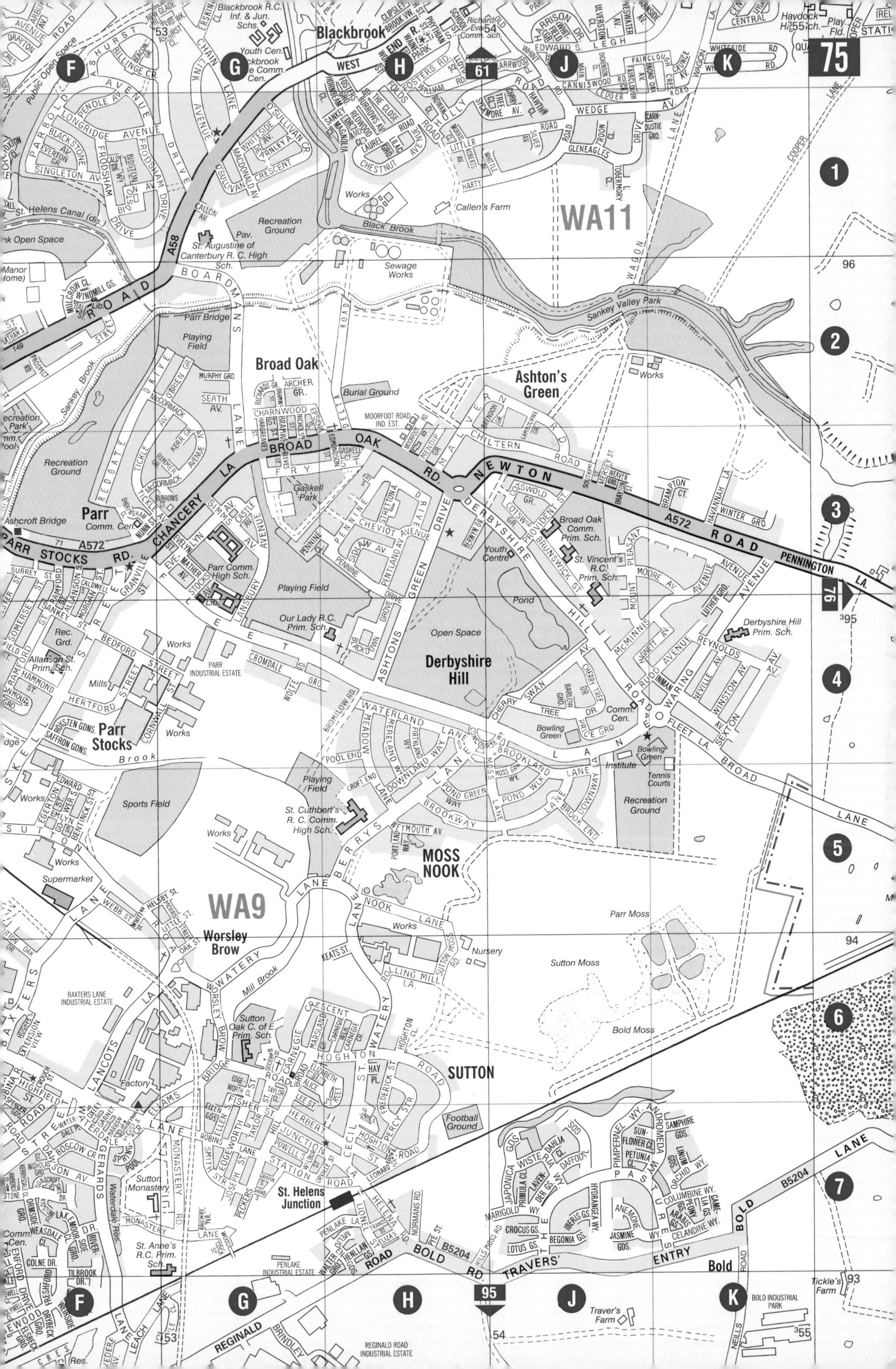

Blackbrook
Broad Oak
Ashton's Green
WA11
Derbyshire Hill
Parr
Parr Stocks
MOSS NOOK
WA9
Worsley Brow
SUTTON
St. Helens Junction
Bold
Parr Moss
Sutton Moss
Bold Moss
Sankey Valley Park
Black Brook
Sankey Brook
Mill Brook
St. Helens Canal (dis.)
Recreation Ground
Sewage Works
Burial Ground
Gaskell Park
Playing Field
Open Space
Sports Field
Football Ground
Callen's Farm
Traver's Farm
Tickle's Farm
BAXTERS LANE INDUSTRIAL ESTATE
PARR INDUSTRIAL ESTATE
PENLAKE INDUSTRIAL ESTATE
REGINALD ROAD INDUSTRIAL ESTATE
BOLD INDUSTRIAL PARK
MOORFOOT ROAD IND. EST.
St. Augustine of Canterbury R. C. High Sch.
Parr Comm. High Sch.
Our Lady R.C. Prim. Sch.
Broad Oak Comm. Prim. Sch.
St. Vincent's R.C. Prim. Sch.
Derbyshire Hill Prim. Sch.
St. Cuthbert's R. C. Comm. High Sch.
Sutton Oak C. of E. Prim. Sch.
St. Anne's R.C. Prim. Sch.
Allanson St. Prim. Sch.
Sutton Monastery
A58
A572
B5204
NEWTON ROAD
BROAD OAK RD.
PARR STOCKS RD.
CHANCERY LA.
PENNINGTON LA.
FLEET LA
BOLD RD.
TRAVERS' ENTRY
BOLD LANE
61
76
95
F
G
H
J
K
1
2
3
4
5
6
7

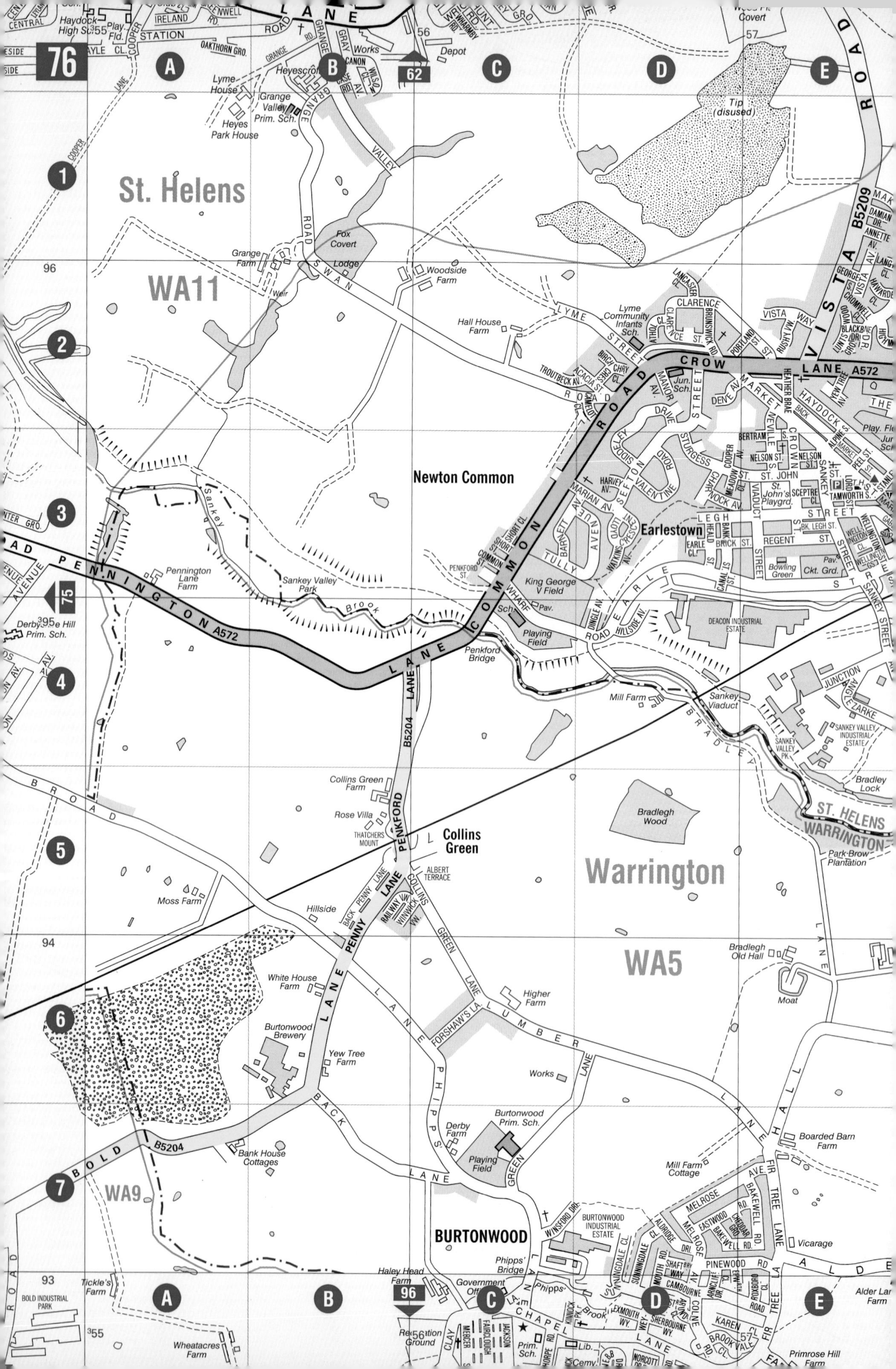

Grid reference header: 76 | A | B | 62 | C | D | E

Postcodes: WA11, WA9, WA5

Major places:
- St. Helens
- Newton Common
- Earlestown
- Warrington
- Collins Green
- Burtonwood

Notable features (selection):

Row 1: Central, Haydock High St, Play Fld, Oakthorn Gro., Lyme House, Heyescroft, Grange Valley Prim. Sch., Grange Park House, Works, Depot, Tip (disused), West Pit Covert

Row 2: Grange Farm, Fox Covert, Lodge, Woodside Farm, Weir, Hall House Farm, Lyme Community Infants Sch., Crow Lane A572, Vista Way, Haydock Road, B5209

Row 3: Pennington Lane Farm, Sankey Valley Park, Penkford St., King George V Field, Earlestown, Legh, Bowling Green, Pav. Ckt. Grd.

Row 4: Derby Hill Prim. Sch., Pennington Lane A572, B5204, Penkford Bridge, Playing Field, Mill Farm, Sankey Viaduct, Deacon Industrial Estate, Junction, Sankey Valley Industrial Estate, Bradley Lock

Row 5: Broad, Collins Green Farm, Rose Villa, Thatchers Mount, Collins Green, Albert Terrace, Bradlegh Wood, St. Helens / Warrington, Park Brow Plantation, Bradley

Row 6: Moss Farm, Hillside, Back Penny Lane, Railway, Winwick Vw., White House Farm, Burtonwood Brewery, Yew Tree Farm, Higher Farm, Forshaw's La., Lumber Lane, Works, Bradlegh Old Hall, Moat, Hall Lane, WA5

Row 7: Bold, B5204, Bank House Cottages, WA9, Phipps La., Derby Farm, Burtonwood Prim. Sch., Playing Field, Burtonwood Industrial Estate, Mill Farm Cottage, Boarded Barn Farm, Melrose, Eastwood, Vicarage, Fir Tree Lane, Pinewood

Bottom: Bold Industrial Park, Tickle's Farm, Wheatacres Farm, Haley Head Farm, Phipps Bridge, Government Off., Recreation Ground, Winsford Dro., Chapel Lane, Burtonwood Industrial Estate, Phipps Brook, Karen, Brook Vale, Primrose Hill, Alder Lane, B5209, 355

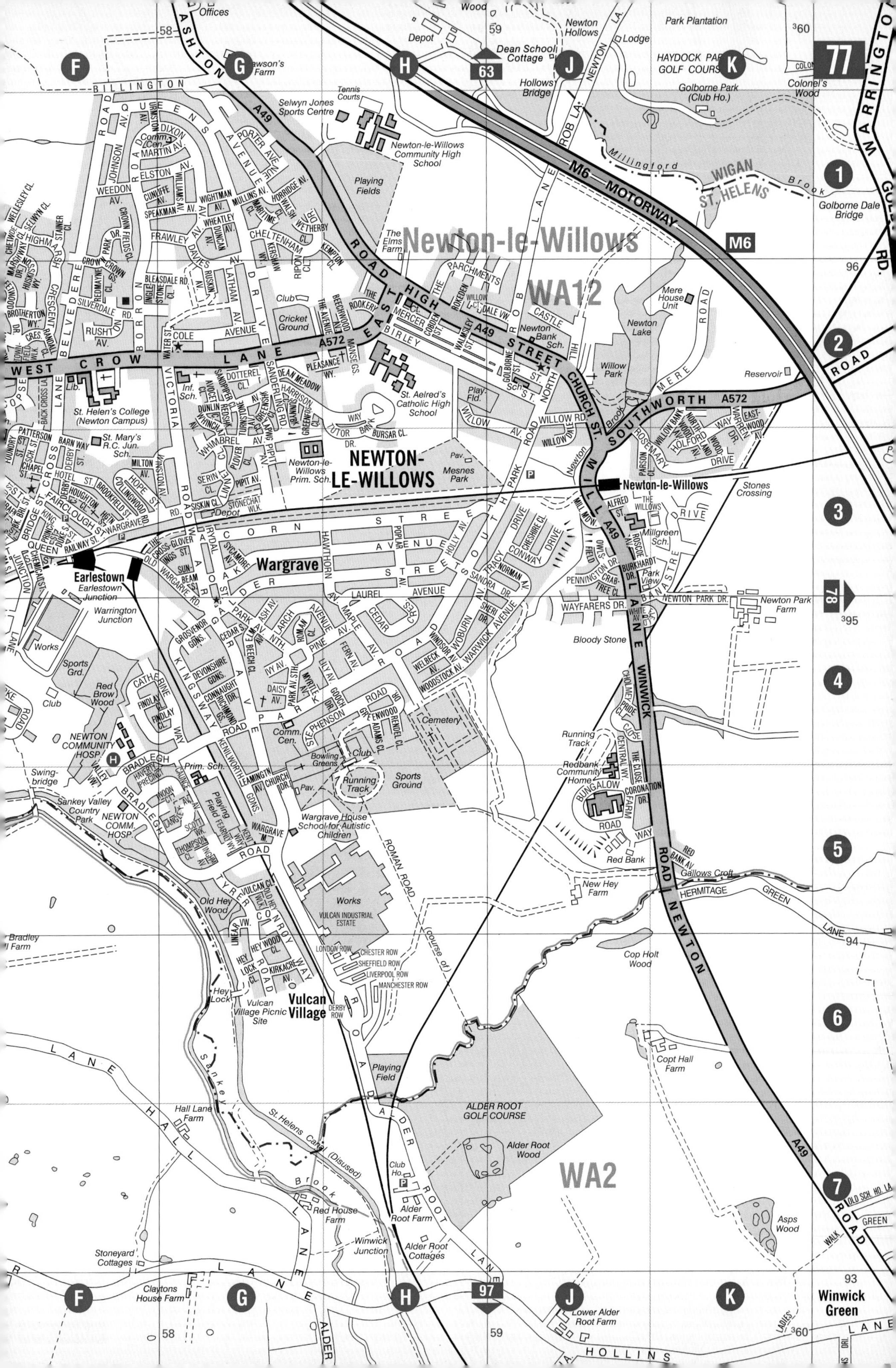
Newton-le-Willows
NEWTON-LE-WILLOWS
WA12
WA2
Wargrave
Earlestown
Vulcan Village
Winwick Green
M6 MOTORWAY
M6
A49
A572
63
78
97
ASHTON ROAD
BILLINGTON
EAST HIGH STREET
CHURCH ST.
MILL LANE
WINWICK ROAD
NEWTON ROAD
SOUTHWORTH ROAD
CROW LANE
WEST
BELVEDERE CRESCENT
BORRON ROAD
VICTORIA ROAD
QUEENS AVENUE
SANDERLING RD.
ACORN STREET
HAWTHORN AV.
LAUREL AVENUE
PARK ROAD
KINGSWAY
WARGRAVE ROAD
ALDER STREET
SOUTH PARK ROAD
HALL LANE
ALDER ROOT LANE
ALDER LANE
HOLLINS LANE
HERMITAGE GREEN LANE
MERE ROAD
WARRINGTON RD.
NEWTON PARK DR.
WAYFARERS DR.
BANASTRE DRIVE
Haydock Park Golf Course
Park Plantation
Golborne Park (Club Ho.)
Colonel's Wood
Golborne Dale Bridge
Millingford Brook
WIGAN
ST. HELENS
Newton Hollows
Dean School Cottage
Hollows Bridge
Depot
Lodge
Selwyn Jones Sports Centre
Tennis Courts
Newton-le-Willows Community High School
Playing Fields
The Elms Farm
Mere House Unit
Newton Lake
Willow Park
Reservoir
Newton Bank Sch.
Club
Cricket Ground
St. Aelred's Catholic High School
Play. Fld.
Mesnes Park
Pav.
Newton-le-Willows Prim. Sch.
Newton-le-Willows
Stones Crossing
Millgreen Sch.
Park View
Newton Park Farm
Bloody Stone
Inf. Sch.
Lib.
St. Helen's College (Newton Campus)
St. Mary's R.C. Jun. Sch.
Earlestown Junction
Warrington Junction
Works
Sports Grd.
Red Brow Wood
NEWTON COMMUNITY HOSP.
Swing-bridge
Sankey Valley Country Park
NEWTON COMM. HOSP.
Prim. Sch.
Playing Field
Comm. Cen.
Bowling Greens
Running Track
Sports Ground
Cemetery
Wargrave House School for Autistic Children
ROMAN ROAD (course of)
VULCAN INDUSTRIAL ESTATE
Running Track
Redbank Community Home
Red Bank
Gallows Croft
New Hey Farm
Old Hey Wood
Cop Holt Wood
Bradley Farm
Hey Lock
Vulcan Village Picnic Site
Sankey Brook
Copt Hall Farm
Playing Field
ALDER ROOT GOLF COURSE
Alder Root Wood
Hall Lane Farm
St. Helens Canal (Disused)
Club Ho.
Red House Farm
Alder Root Farm
Winwick Junction
Alder Root Cottages
Stoneyard Cottages
Claytons House Farm
Lower Alder Root Farm
Asps Wood
58
59
360
96
395
94
93
F
G
H
J
K
1
2
3
4
5
6
7

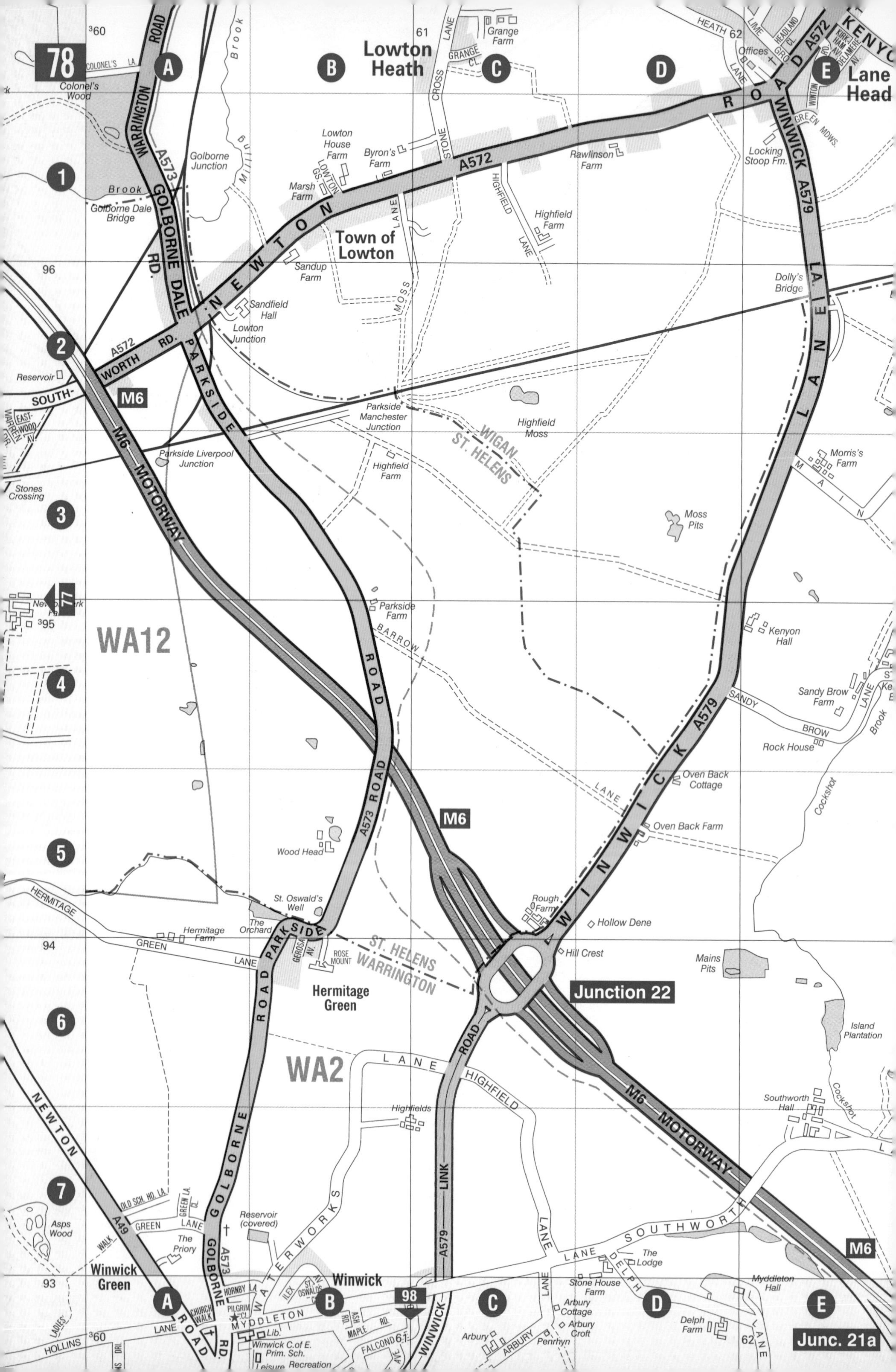

Lowton Heath
Town of Lowton
Lane Head
Hermitage Green
Winwick
Winwick Green
WA12
WA2
Junction 22
Junc. 21a
M6 MOTORWAY
NEWTON ROAD
A572
A573
A579
A49
GOLBORNE DALE RD.
WARRINGTON ROAD
PARKSIDE ROAD
WINWICK LANE
WINWICK LINK ROAD
GOLBORNE ROAD
HERMITAGE GREEN LANE
SOUTHWORTH LANE
HIGHFIELD LANE
MYDDLETON LANE
Colonel's Wood
Golborne Junction
Golborne Dale Bridge
Lowton House Farm
Byron's Farm
Marsh Farm
Rawlinson Farm
Highfield Farm
Sandup Farm
Sandfield Hall
Lowton Junction
Grange Farm
Locking Stoop Fm.
Dolly's Bridge
Parkside Manchester Junction
Parkside Liverpool Junction
Highfield Moss
WIGAN
ST. HELENS
WARRINGTON
Morris's Farm
Moss Pits
Parkside Farm
Kenyon Hall
Sandy Brow Farm
Rock House
Oven Back Cottage
Oven Back Farm
Wood Head
St. Oswald's Well
The Orchard
Hermitage Farm
Rough Farm
Hollow Dene
Hill Crest
Mains Pits
Island Plantation
Highfields
Southworth Hall
Reservoir (covered)
The Priory
Asps Wood
The Lodge
Stone House Farm
Arbury Cottage
Arbury Croft
Penrhyn
Myddleton Hall
Delph Farm
Stones Crossing
Reservoir
Offices
Winwick C.of E. Prim. Sch.
Lib.
Recreation

77
98

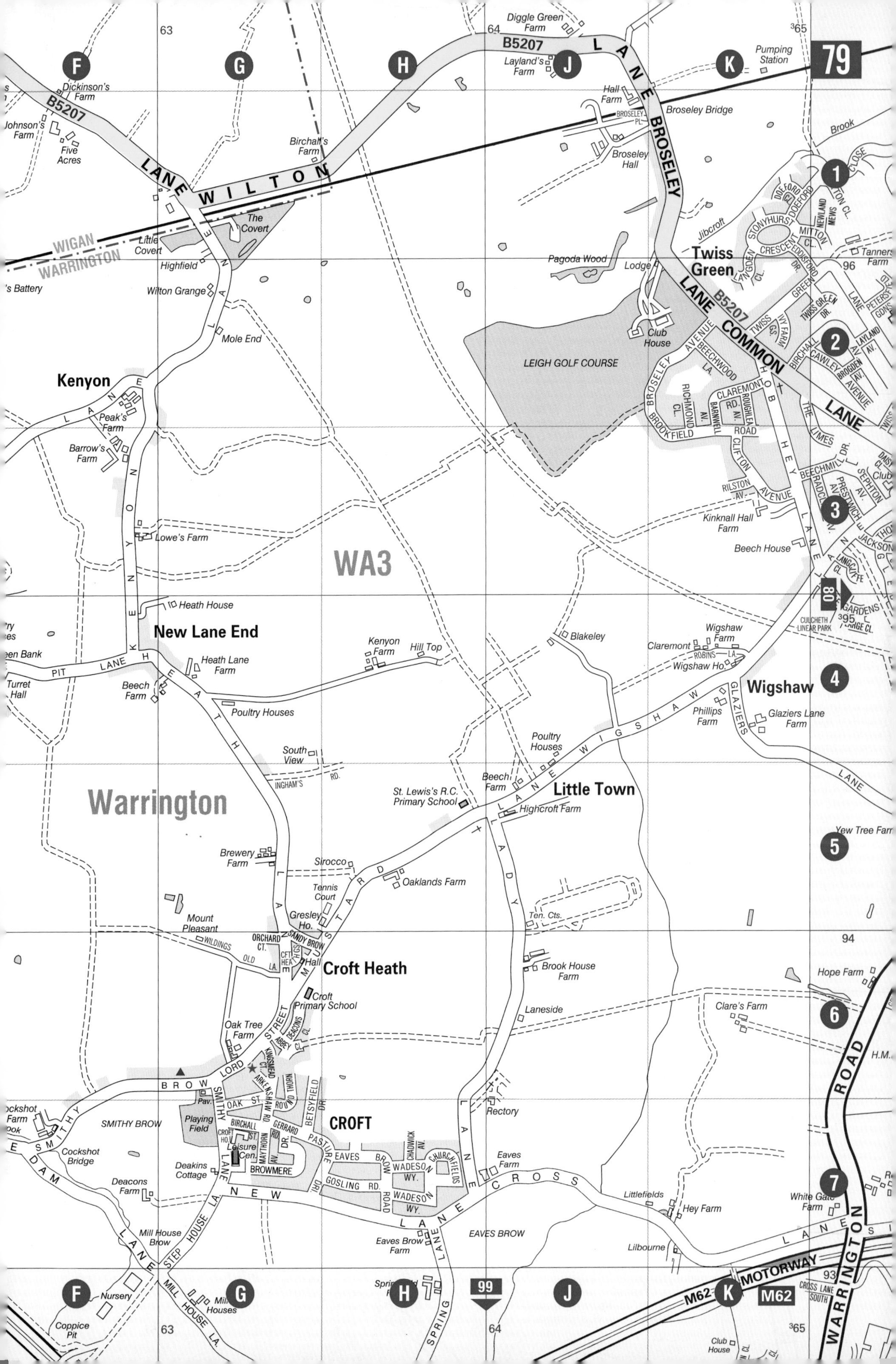

F **G** **H** **J** **K**

Diggle Green Farm

B5207

Pumping Station

64

365

Layland's Farm

Hall Farm

Broseley Pl.

Broseley Bridge

Brook

Dickinson's Farm

B5207

Johnson's Farm

Five Acres

Birchall's Farm

Broseley Hall

Doeford Cl.

Doeford Cl.

Newland Mews

Wilton Cl.

Mitton Cl.

Stonyhurst Cres.

Langden Cl.

Crescent Dr.

Eddisford Dr.

1

Tanners Farm

96

's Battery

WIGAN

WARRINGTON

LANE WILTON

The Covert

Little Covert

Highfield

Wilton Grange

Pagoda Wood

Lodge

Jibcroft

Twiss Farm

BROSELEY LANE COMMON

B5207

Green Av.

Twiss Green Dr.

Twiss Green La.

Cawley Av.

Peters Gdns.

Brogden Av.

Twiss Green

2

LANE

Mole End

Club House

LEIGH GOLF COURSE

AVENUE

Beechwood La.

Claremont Av.

Richmond Cl.

Barnwell Av.

Roughlea Av.

Layland Av.

Avenue

THE LIMES

Dasty Cl.

Club

Kenyon

NEW

Peak's Farm

Barrow's Farm

Lowe's Farm

Heath House

RD.

Clifton Av.

ROAD

HEY LANE

Sephton Av.

Prestwich Av.

Beechmill Dr.

3

Rilston Av.

Avenue

Langate

Jackson Av.

LANE

KENYON

WA3

Kinknall Hall Farm

Beech House

80

Culcheth Linear Park

395

Grange Cl.

Gardens

New Lane End

Heath Lane Farm

Hill Top

Kenyon Farm

Blakeley

Wigshaw Farm

Claremont

Robins La.

Wigshaw Ho.

Wigshaw

Glaziers Lane Farm

4

Green Bank

PIT LANE

HEATH

Beech Farm

Poultry Houses

South View

INGHAM'S

RD.

St. Lewis's R.C. Primary School

Beech Farm

WIGSHAW LANE

Poultry Houses

Little Town

Highcroft Farm

LADY LANE

Phillips Farm

GLAZIERS

LANE

Yew Tree Farm

5

Turret Hall

LANE

Warrington

Brewery Farm

Sirocco

Oaklands Farm

Ten. Cts.

Brook House Farm

94

Mount Pleasant

Wildings

Gresley Ho.

Tennis Court

ORCHARD CT.

SANDY BROW

CFT HEA

Hall

OLD LA.

STREET

Croft Heath

Laneside

Clare's Farm

Hope Farm

6

Oak Tree Farm

Croft Primary School

BROW

SMITHY LANE

OAK ST.

LORD ST.

KINGSHEAD CL.

BIRCHALL ST.

MAYTHORN

ANKERS

GERRARD DR.

BETSYFIELD DR.

PASTURE

EAVES

BROW RD.

CROFT

Rectory

CROSS LANE

ROAD

H.M.

Cockshot Farm

Cockshot Bridge

Brook

EDAM

DAM LANE

SMITHY BROW

Playing Field

Croft Ho.

Leisure Cen.

Pav.

BROWMERE

Deakins Cottage

Deacons Farm

Mill House Brow

NEW LANE

MILL HOUSE LA.

STEP HOUSE LA.

Nursery

Coppice Pit

Mill Houses

Springfield

Eaves Brow Farm

EAVES BROW

SPRING LANE

GOSLING RD.

WADESON WY.

WADESON WY.

CHADWICK AV.

CHURCHFIELDS

Eaves Farm

Littlefields

Hey Farm

Lilbourne

White Gate Farm

WARRINGTON ROAD

7

M62 MOTORWAY

M62

CROSS LANE SOUTH

93

365

Club House

F **G** **H** 99 **J** **K** M62

63 64

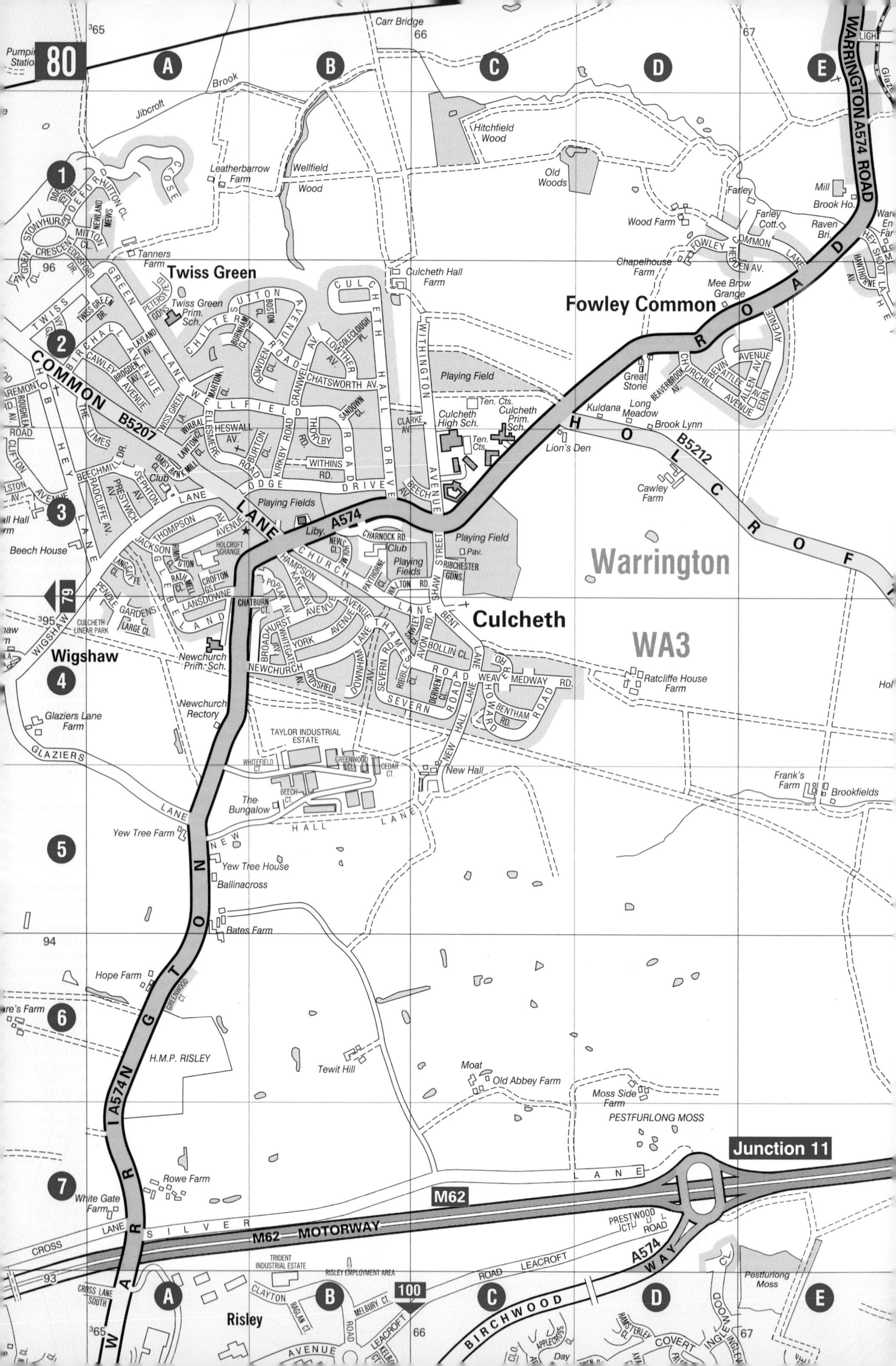

80
Carr Bridge
Brook
Jibcroft
Hitchfield Wood
Leatherbarrow Farm
Wellfield Wood
Old Woods
Tanners Farm
Twiss Green
Twiss Green Prim. Sch.
Culcheth Hall Farm
Wood Farm
Chapelhouse Farm
Farley
Farley Cott.
Mill
Brook Ho.
Raven Bri.
Mee Brow Grange
Fowley Common
WARRINGTON A574 ROAD
FOWLEY COMMON LANE
HOLCROFT B5212
Great Stone
Kuldana
Long Meadow
Brook Lynn
Lion's Den
Cawley Farm
Playing Field
Culcheth High Sch.
Culcheth Prim. Sch.
Ten. Cts.
COMMON B5207
LODGE DRIVE
LANE
Playing Fields
Liby.
A574
Club
Playing Fields
Pav.
Warrington
Culcheth
WA3
Beech House
79
Wigshaw
CULCHETH LINEAR PARK
Newchurch Prim. Sch.
Newchurch Rectory
Glaziers Lane Farm
GLAZIERS LANE
TAYLOR INDUSTRIAL ESTATE
New Hall
NEW HALL LANE
The Bungalow
Ratcliffe House Farm
Frank's Farm
Brookfields
Yew Tree Farm
Yew Tree House
Ballinacross
Bates Farm
Hope Farm
H.M.P. RISLEY
Tewit Hill
Moat
Old Abbey Farm
Moss Side Farm
PESTFURLONG MOSS
Junction 11
Rowe Farm
White Gate Farm
M62
M62 MOTORWAY
CROSS LANE
SILVER LANE
TRIDENT INDUSTRIAL ESTATE
RISLEY EMPLOYMENT AREA
100
LEACROFT ROAD
BIRCHWOOD WAY
A574
Pestfurlong Moss
Risley
WARRINGTON A574
365
366
367
395
396
394
393

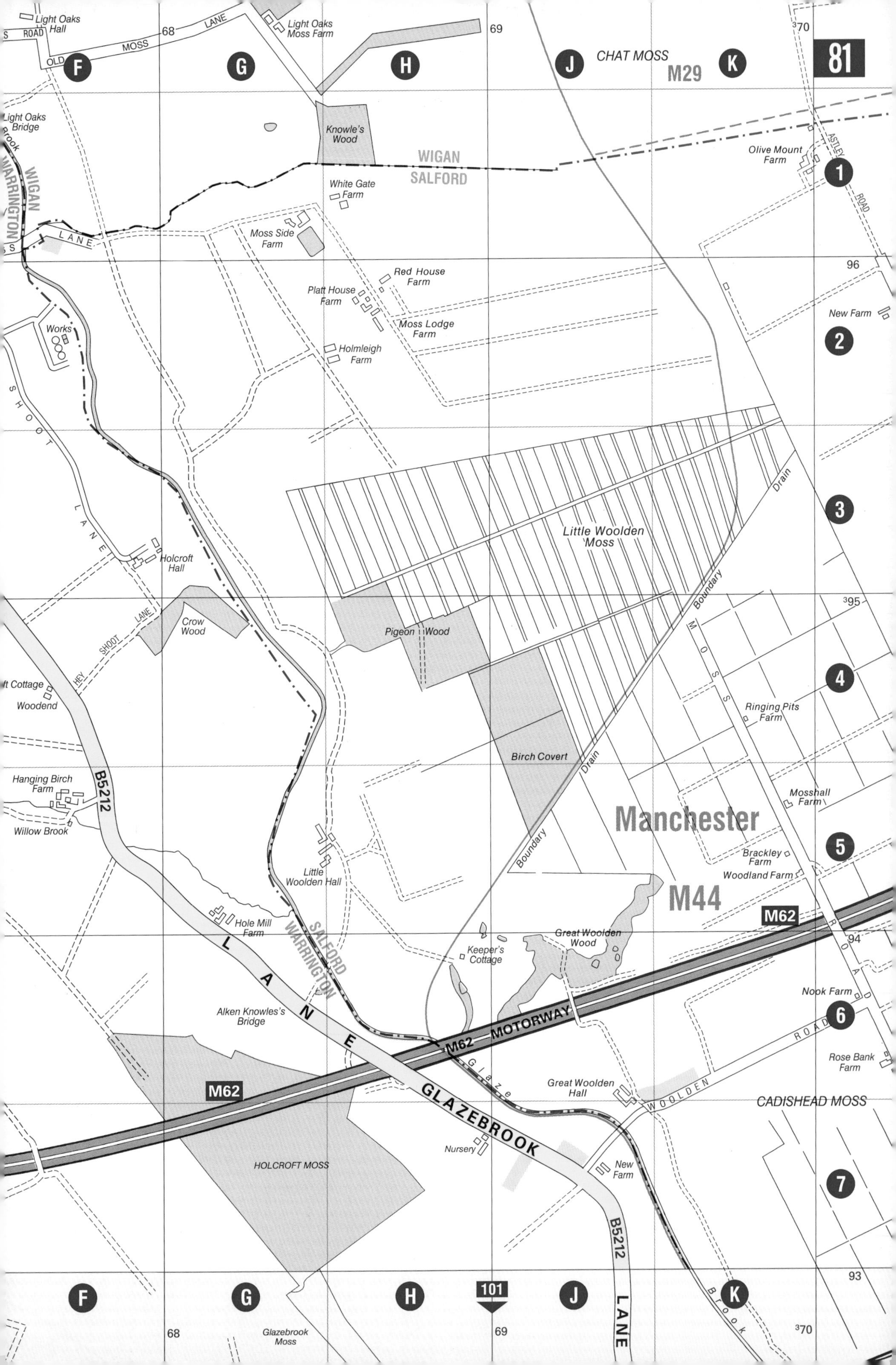

Light Oaks Hall

Light Oaks Moss Farm

CHAT MOSS

M29

OLD

MOSS

LANE

68

69

370

Light Oaks Bridge

Knowle's Wood

WIGAN
SALFORD

Olive Mount Farm

1

WARRINGTON'S

WIGAN

White Gate Farm

LANE

New Farm

96

2

Works

Moss Side Farm

Red House Farm

Platt House Farm

Moss Lodge Farm

Holmleigh Farm

SHOOT

LANE

Little Woolden Moss

Drain

Boundary

3

395

Holcroft Hall

Crow Wood

Pigeon Wood

MOSS

Ringing Pits Farm

4

ft Cottage

Woodend

HEY

SHOOT

LANE

Birch Covert

Drain

Mosshall Farm

Manchester

Hanging Birch Farm

B5212

Willow Brook

Little Woolden Hall

Boundary

M44

Brackley Farm

Woodland Farm

5

M62

ROAD

94

Hole Mill Farm

SALFORD

WARRINGTON

LANE

Keeper's Cottage

Great Woolden Wood

Nook Farm

6

Alken Knowles's Bridge

M62

MOTORWAY

Glaze

Great Woolden Hall

WOOLDEN

Rose Bank Farm

CADISHEAD MOSS

M62

GLAZEBROOK

Nursery

New Farm

7

HOLCROFT MOSS

B5212

Brook

ROAD

93

68

Glazebrook Moss

69

LANE

370

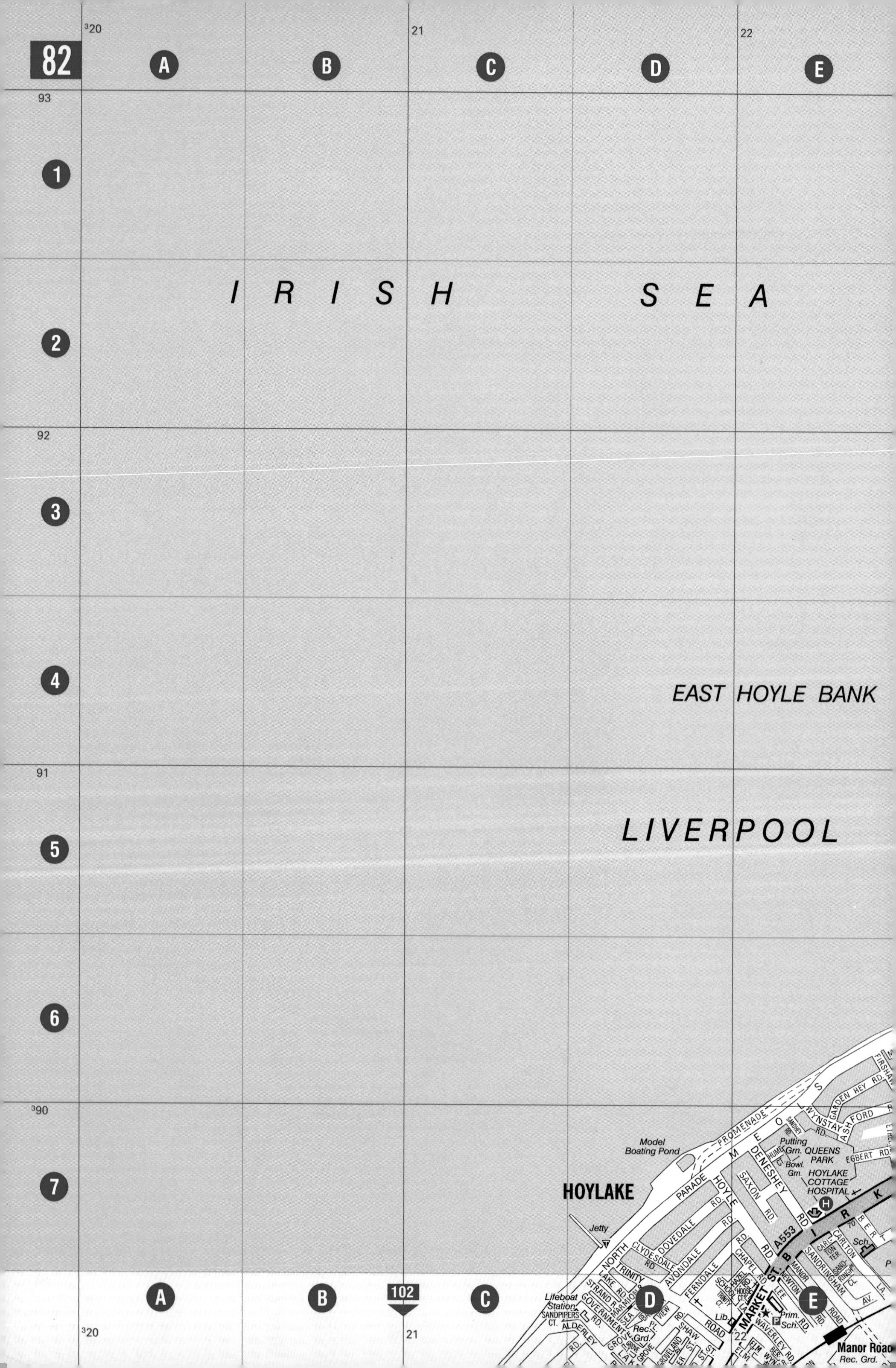

IRISH   SEA

EAST HOYLE BANK

LIVERPOOL

HOYLAKE

Model
Boating Pond

Putting
Grn. QUEENS
Bowl. PARK
Gm. HOYLAKE
COTTAGE
HOSPITAL

Lifeboat
Station
SANDPIPERS
CT.

Jetty

Manor Road
Rec. Grd.

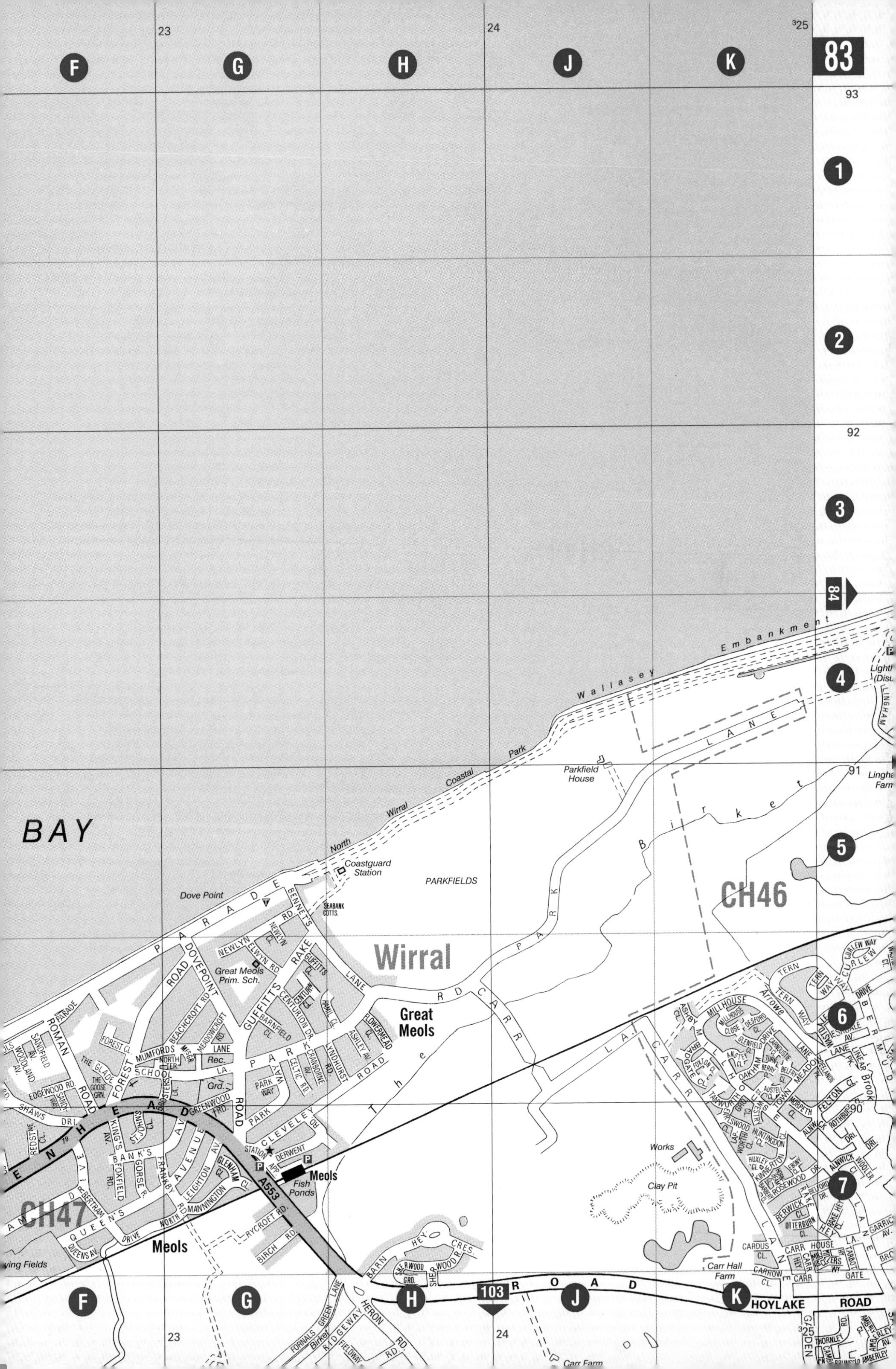

1

2

92

3

84

Wallasey   Embankment

LANE

LINGHAM

Lighth
(Disu

4

BAY

Wirral   Coastal   Park

Parkfield
House

B   i   r   k   e   t

91   Lingha
Far

CH46

5

North

Dove Point

Coastguard
Station

SEABANK
COTTS.

PARKFIELDS

PARADE

BENNETT'S

RD.

NEWLYN

ELWYN

NEWLYN

GUFFITTS

RAKE

LANE

P   A   R   K

R   D

C   A   R   R

Wirral

Great Meols
Prim. Sch.

ROMAN

Road

DOVEPOINT

FOREST CL.

Parade

SANDFIELD

WOODLAND

EDGEWOOD RD.

SMITHY

THE GLADE
THE GOOSE GRN.

BEACHCROFT RD.

MUMFORDS
LANE

MEADOWCROFT RD.

WEBB

NORTH
PIER

LA.

CENTURION
CL.

BARNFIELD
CL.

CENTURION DR.

FLOWERMEAD

CELTIC RD.

OSBORNE

PARK
WAY

LYNDHURST

ROAD

ASHLEY AV.

R   A   K   E

LANE

MILL

RD.

**Great
Meols**

T   h   e

ASHBY
MI. CL.

MILLHOUSE
CLOSE

GLENFIELD
CL.

MILLHOUSE

BEDFORD
DRIVE

TERN
WAY

ARROWE

TERN
WAY

CURLEW WAY

CURLEW

BE

LINEAR BROOK

ROTHBURY

DRIVE

90

6

SHAWS
DRI.

REDSTONE
CL.

FOREST
ROAD

SCHOOL
LA.

DRI.

B   A   N   K   '   S

KING'S
GORSE
DRI.

ST.

FOXFIELD
RD.

FRANKBY
AVENUE

LEIGHTON
AV.

GREENWOOD
FRD.

GLENHAM
AV.

ROMAN
DRIVE

PARK

CLEVELEY

Station

DERWENT

ROAD

RD.

P

ASHTON
DR.

GATE
CL.

OAKHAM
GRN.

AUSTELL
CLOSE

HUNTINGDON
RD.

WORTHING
CL.

KINNERTON
CL.

HUXLEY
CL.

NORTHOLT
CL.

DR.

AUSTELL
CL.

ALNWICK

MORPETH

FELTON
CL.

MEADOW

LANE

ROSEWOOD
DR.

HEXHAM

ALNWICK

DOLLAR

7

CH47

SANDYLANDS

QUEEN'S

GORSE
RD.

BERTRAM
CL.

QUEEN'S AV.

NORTH
DRIVE

MANNINGTON
RD.

A553

Meols

Fish
Ponds

P

Meols

RYCROFT RD.

BIRCH   RD.

HEY
CRES.

BARN

SHERWOOD
GRO.

SHERWOOD

Works

Clay Pit

Carr Hall
Farm

BERWICK
CL.

OTTERBURN
CL.

CARDUS
CL.

CARR HOUSE

CARROW
CL.

CARR

HEDFORD

ROSEWOOD

BERWICK

CL.

CARR   HEY

CARR
GATE

WY.

WY.

THORNLE

AMBERLE

GARDEN

ving Fields

Meols

FORNALS GREEN LANE

BIRKET

RIDGEWAY

HERON
RD.

FIELDWAY

RD.

103   R   O   A   D

HEY

HOYLAKE   ROAD

³25

Carr Farm

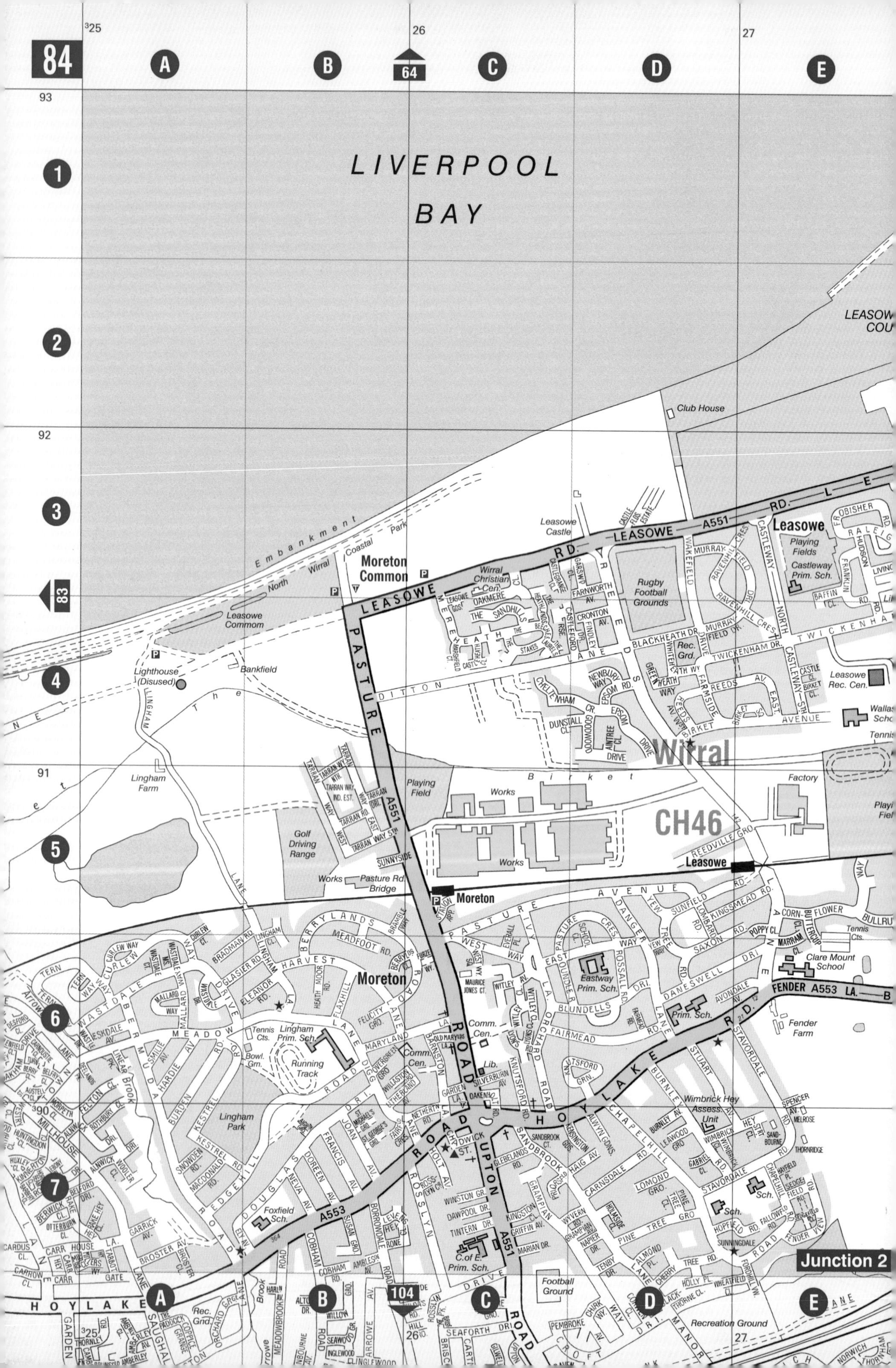

LIVERPOOL
BAY
Embankment
North Wirral Coastal Park
Moreton Common
Leasowe Commom
Lighthouse (Disused)
Bankfield
Lingham Farm
Leasowe Castle
Club House
Wirral Christian Cen.
Rugby Football Grounds
Leasowe
Playing Fields
Castleway Prim. Sch.
Leasowe Rec. Cen.
Playing Field
Golf Driving Range
Works
Pasture Rd Bridge
Factory
Wirral
CH46
Moreton
Lingham Prim. Sch.
Running Track
Lingham Park
Eastway Prim. Sch.
Clare Mount School
Fender Farm
Wimbrick Hey Assess. Unit
Foxfield Sch.
C.of E. Prim. Sch.
Football Ground
Recreation Ground
Rec. Grd.
Junction 2
LEASOWE RD.
PASTURE ROAD
HOYLAKE ROAD
UPTON ROAD
FENDER LA.
A551
A553

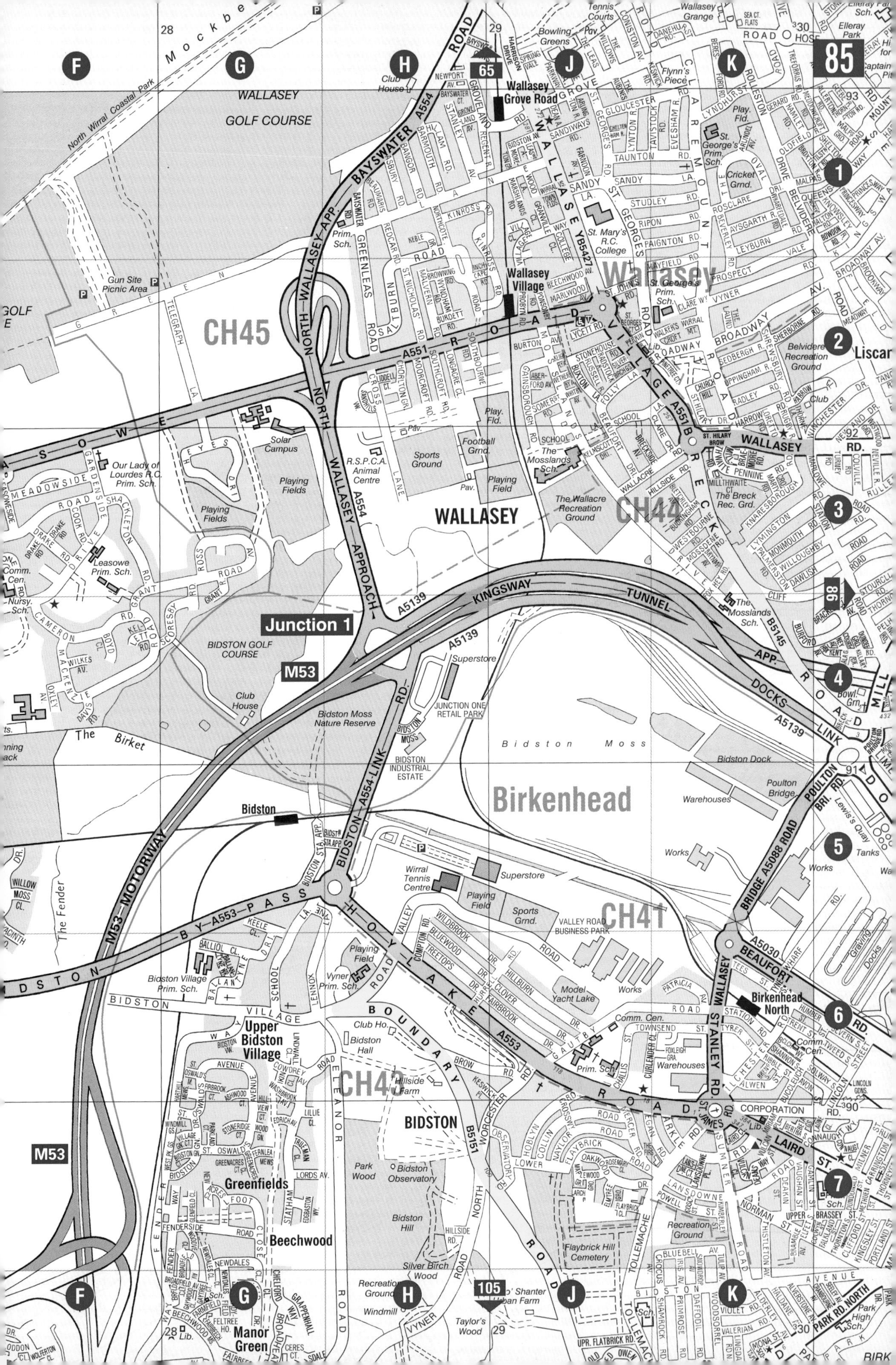
F
G
H
J
K
28
29
30
65
86
105
Mockbeggar
North Wirral Coastal Park
WALLASEY
GOLF COURSE
Club House
Wallasey Grove Road
Tennis Courts
Bowling Greens
Wallasey Grange
Flynn's Piece
Elleray Park
Play. Fld.
St. George's Prim. Sch.
Cricket Grnd.
St. Mary's R.C. College
Wallasey Village
Wallasey
St. George's Prim. Sch.
Belvidere Recreation Ground
Liscard
1
2
3
4
5
6
7
Gun Site Picnic Area
CH45
GOLF
Prim. Sch.
Solar Campus
Playing Fields
Our Lady of Lourdes R.C. Prim. Sch.
Leasowe Prim. Sch.
Comm. Cen.
Nursy. Sch.
R.S.P.C.A. Animal Centre
Sports Ground
Football Grnd.
Play. Fld.
Playing Field
The Mosslands Sch.
The Wallacre Recreation Ground
CH44
WALLASEY
The Breck Rec. Grd.
The Mosslands Sch.
Junction 1
M53
BIDSTON GOLF COURSE
Club House
KINGSWAY
TUNNEL
A5139
Superstore
JUNCTION ONE RETAIL PARK
Bidston Moss Nature Reserve
BIDSTON INDUSTRIAL ESTATE
Bidston Moss
Birkenhead
Bidston Dock
Warehouses
Poulton Bridge
The Birket
Bidston
Works
Tanks
Wirral Tennis Centre
Superstore
Playing Field
Sports Grnd.
VALLEY ROAD BUSINESS PARK
CH41
M53 MOTORWAY
BIDSTON BY-PASS
A553
Playing Field
Vyner Prim. Sch.
Bidston Village Prim. Sch.
Model Yacht Lake
Works
Birkenhead North
Comm. Cen.
Upper Bidston Village
Club Ho.
Bidston Hall
CH43
Hillside Farm
BIDSTON
Prim. Sch.
Warehouses
Comm. Cen.
Greenfields
Park Wood
Bidston Observatory
Bidston Hill
Flaybrick Hill Cemetery
Recreation Ground
Beechwood
Silver Birch Wood
Recreation Ground
Windmill
Tam O' Shanter Urban Farm
Taylor's Wood
Manor Green
Lib.
Park High Sch.
The Fender
BIDSTON VILLAGE
HOYLAKE ROAD
BOUNDARY ROAD
PARK RD. NORTH
LAIRD ST.
CORPORATION RD.
BEAUFORT RD.
STANLEY RD.
WALLASEY BRIDGE ROAD
A5088
DOCKS LINK
A5030
BREEK ROAD
WALLASEY ROAD
LEASOWE ROAD
BAYSWATER ROAD
NORTH WALLASEY APPROACH
A554
A551
B5145
B5151
BIDSTON LINK RD.

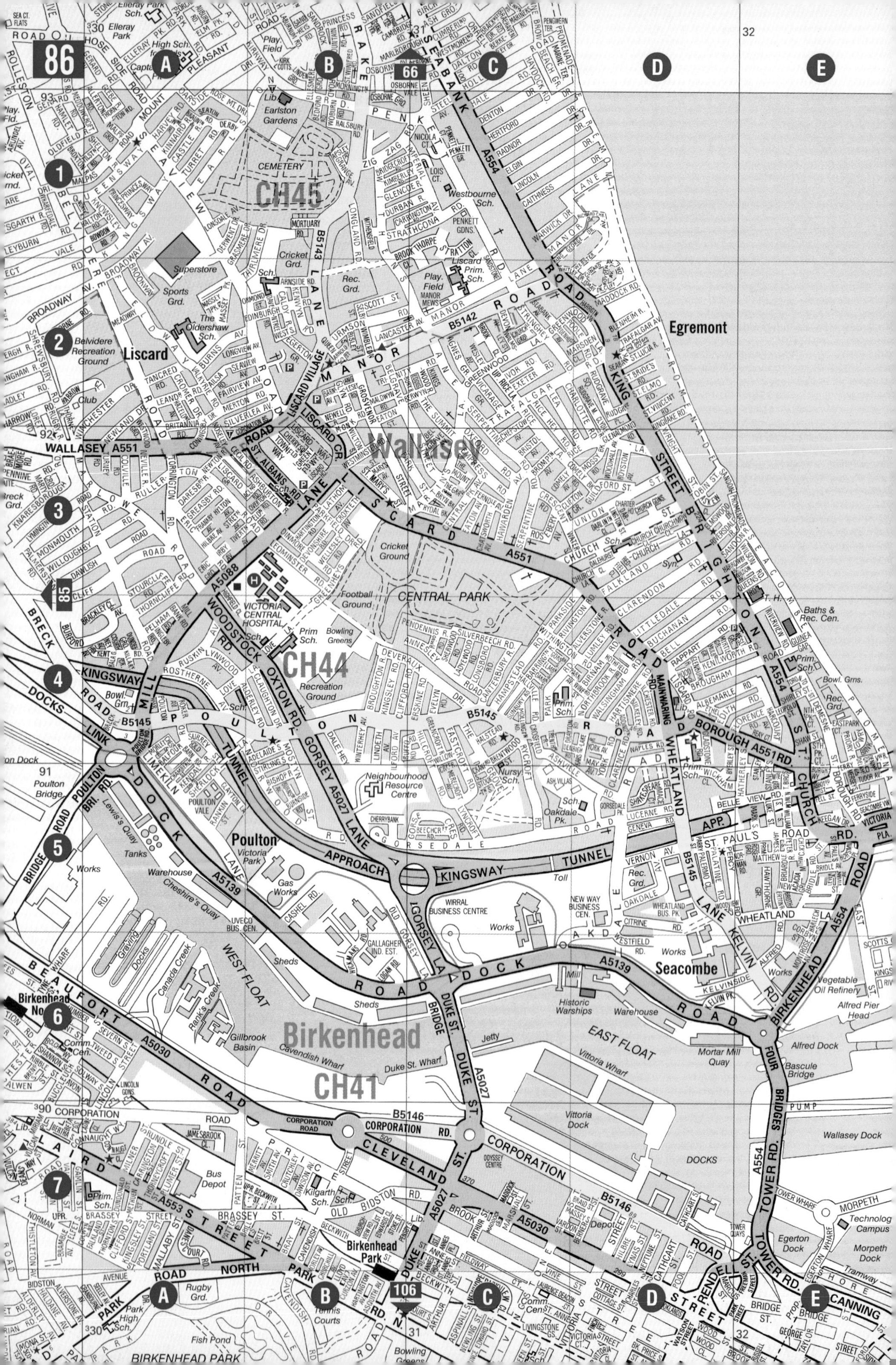
86
66
85
106
A
B
C
D
E
1
2
3
4
5
6
7
Liscard
Wallasey
Egremont
Seacombe
Poulton
Birkenhead
CH45
CH44
CH41
CEMETERY
Superstore
Sports Grd.
Belvidere Recreation Ground
The Oldershaw Sch.
Cricket Grd.
Rec. Grd.
Play. Field
Earlston Gardens
Westbourne Sch.
Liscard Prim. Sch.
VICTORIA CENTRAL HOSPITAL
Cricket Ground
Football Ground
CENTRAL PARK
Bowling Greens
Prim. Sch.
Recreation Ground
Neighbourhood Resource Centre
Oakdale Pk.
Baths & Rec. Cen.
Victoria Park
Gas Works
Warehouse
Works
Tanks
Lewis's Quay
Cheshire's Quay
Graving Docks
Canada Creek
Rank's Creek
WEST FLOAT
Gillbrook Basin
Cavendish Wharf
Duke St. Wharf
EAST FLOAT
Vittoria Wharf
Vittoria Dock
DOCKS
Wallasey Dock
Alfred Dock
Bascule Bridge
Mortar Mill Quay
Historic Warships
Alfred Pier Head
Vegetable Oil Refinery
WIRRAL BUSINESS CENTRE
NEW WAY BUSINESS CEN.
GALLAGHER IND. EST.
UVECO BUS. CEN.
Egerton Dock
Morpeth Dock
Technology Campus
Bus Depot
Birkenhead Park
Rugby Grd.
Tennis Courts
Fish Pond
BIRKENHEAD PARK
Bowling Greens
KINGSWAY TUNNEL APPROACH
A551
A554
A5088
A5027
A5139
A5030
A553
B5142
B5143
B5145
B5146
WALLASEY
KINGSWAY
DOCKS LINK
POULTON ROAD
DOCK ROAD
CORPORATION ROAD
CLEVELAND ST.
BEAUFORT ROAD
DUKE ST.
FOUR BRIDGES
TOWER RD.
BIRKENHEAD ROAD
BRIGHTON STREET
KING STREET
SEABANK ROAD
MANOR ROAD
LISCARD ROAD
BOROUGH RD.
CHURCH ST.
WHEATLAND LANE
KELVIN RD.
GORSEY LANE
OXTON RD.
WOODSTOCK RD.
MILL LANE
SEAVIEW ROAD
BROADWAY AV.
LAIRD STREET
PARK ROAD NORTH
CANNING STREET
30
31
32
90
91
92
93

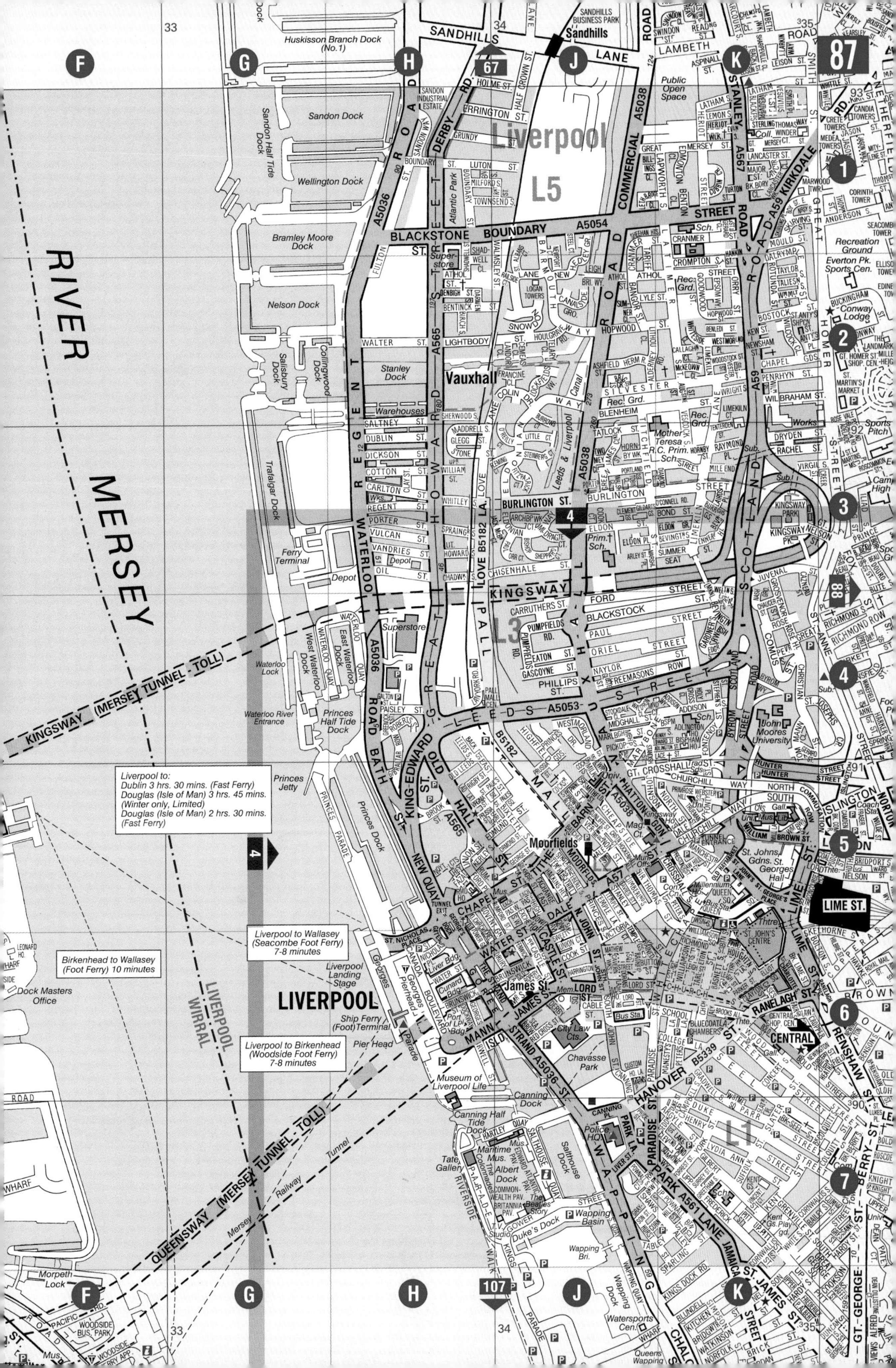

Liverpool to:
Dublin 3 hrs. 30 mins. (Fast Ferry)
Douglas (Isle of Man) 3 hrs. 45 mins.
(Winter only, Limited)
Douglas (Isle of Man) 2 hrs. 30 mins.
(Fast Ferry)

Birkenhead to Wallasey
(Foot Ferry) 10 minutes

Liverpool to Wallasey
(Seacombe Foot Ferry)
7-8 minutes

Liverpool to Birkenhead
(Woodside Foot Ferry)
7-8 minutes

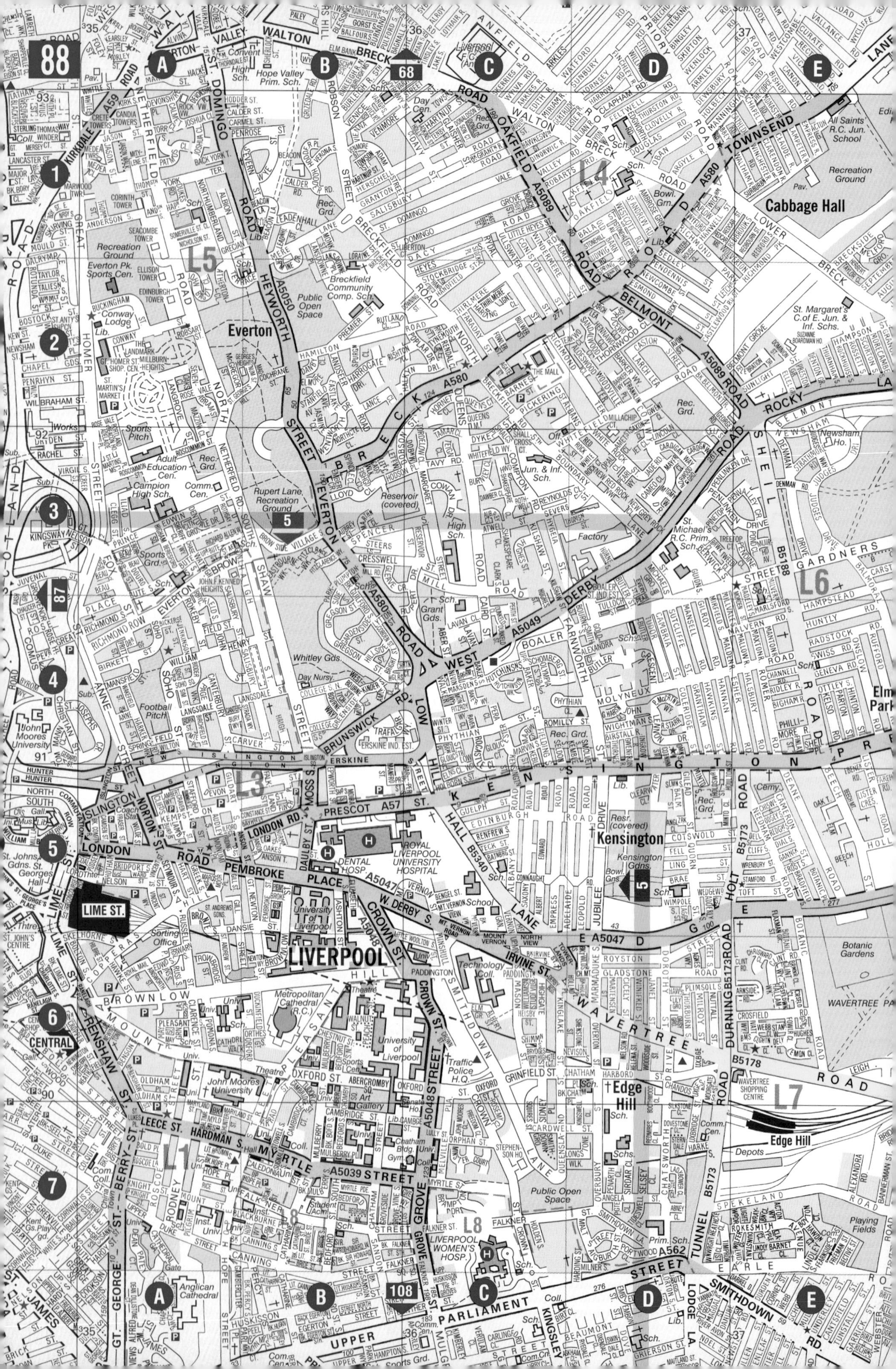

A
B
C
D
E
68
1
2
3
4
5
6
7
L1
L3
L4
L5
L6
L7
L8
87
108
5
Everton
Kensington
Edge Hill
LIVERPOOL
Cabbage Hall
LIME ST.
CENTRAL
Anglican Cathedral
Metropolitan Cathedral (R.C.)
University of Liverpool
John Moores University
ROYAL LIVERPOOL UNIVERSITY HOSPITAL
DENTAL HOSP.
LIVERPOOL WOMEN'S HOSP.
Liverpool F.C. (Anfield)
Hope Valley Prim. Sch.
Convent High Sch.
Breckfield Community Comp. Sch.
Public Open Space
Recreation Ground
Everton Pk. Sports Cen.
Conway Lodge
Rupert Lane Recreation Ground
Reservoir (covered)
Campion High Sch.
Adult Education Cen.
Sports Pitch
Football Pitch
Whitley Gds.
Grant Gds.
Technology Coll.
Traffic Police H.Q.
Sorting Office
Jun. & Inf. Sch.
High Sch.
Factory
St. Michael's R.C. Prim. Sch.
St. Margaret's C.of E. Jun. & Inf. Schs.
All Saints' R.C. Jun. School
Newsham Ho.
Botanic Gardens
WAVERTREE PARK
WAVERTREE SHOPPING CENTRE
Edge Hill
Depots
Playing Fields
Kensington Gdns.
Resr. (covered)
Elm Park
Chatham Bldg.
Art Gallery
St. Johns Gdns.
St. Georges Hall
St. John's Centre
Sports Grd.
WALTON BRECK ROAD
ANFIELD ROAD
OAKFIELD ROAD A5089
BELMONT ROAD A5089
BRECK ROAD A580
TOWNSEND LANE A580
ROCKY LANE
SHEIL ROAD
WEST DERBY ROAD A5049
EVERTON ROAD A580
HEYWORTH STREET A5050
ST. DOMINGO ROAD
NETHERFIELD ROAD NORTH
NETHERFIELD RD. SOUTH
KIRKDALE ROAD A59
GREAT HOMER STREET
SCOTLAND ROAD
ISLINGTON
KENSINGTON
PRESCOT ST. A57
LONDON ROAD
PEMBROKE PLACE A5047
W. DERBY ST.
EDGE LANE A5047
CROWN STREET A5048
WAVERTREE ROAD
SMITHDOWN ROAD
GROVE STREET
MYRTLE STREET A5039
UPPER PARLIAMENT STREET
LODGE LANE
TUNNEL ROAD B5173
DURNING ROAD B5173
HOLT ROAD B5173
BROWNLOW HILL
MOUNT PLEASANT
HARDMAN ST.
LEECE ST.
BERRY ST.
RENSHAW ST.
LIME ST.
HALL LANE B5340
ERSKINE ST.
BRUNSWICK RD.
LOW HILL
STREET
EARLE ROAD
SPEKELAND ROAD
GARDNERS DRIVE
B5188
B5178
A562
BELMONT GROVE
LOWER BRECK ROAD

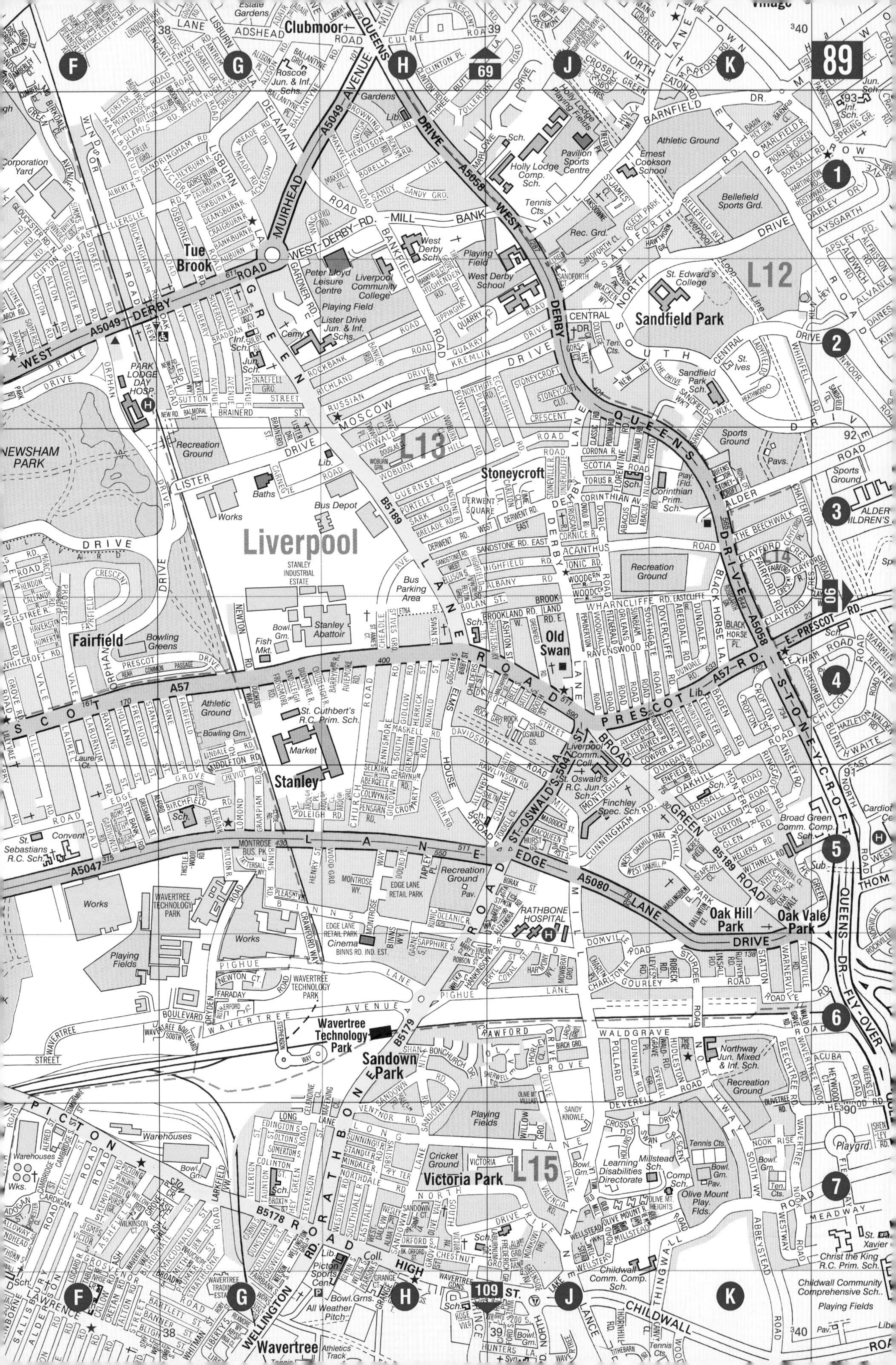

89
F
G
H
J
K
1
2
3
4
5
6
7
69
90
109
Clubmoor
Tue Brook
Liverpool
L12
L13
L14
L15
Sandfield Park
Stoneycroft
Old Swan
Fairfield
Stanley
Oak Hill Park
Oak Vale Park
Sandown Park
Victoria Park
Wavertree
Wavertree Technology Park
NEWSHAM PARK
Corporation Yard
Athletic Ground
Bellefield Sports Grd.
Ernest Cookson School
Holly Lodge Playing Fields
Pavilion Sports Centre
Holly Lodge Comp. Sch.
St. Edward's College
West Derby School
West Derby Sch.
Peter Lloyd Leisure Centre
Liverpool Community College
Lister Drive Jun. & Inf. Schs.
Roscoe Jun. & Inf. Schs.
Recreation Ground
Stanley Industrial Estate
Stanley Abattoir
Bus Depot
Bus Parking Area
St. Cuthbert's R.C. Prim. Sch.
Market
Rathbone Hospital
Edge Lane Retail Park
Binns Rd. Ind. Est.
Finchley Spec. Sch.
St. Oswald's R.C. Jun. Sch.
Liverpool Comm. Coll.
Broad Green Comm. Comp. Sch.
Corinthian Prim. Sch.
Sandfield Park Sch.
Northway Jun. Mixed & Inf. Sch.
Learning Disabilities Directorate
Millstead Sch.
Olive Mount Play. Flds.
Childwall Comm. Comp. Sch.
Childwall Community Comprehensive Sch.
Christ the King R.C. Prim. Sch.
St. Sebastians R.C. Sch.
Convent
Warehouses
Works
Playing Fields
Cricket Ground
Picton Sports Cen.
All Weather Pitch
A5049
A5058
A57
A5047
A5080
B5189
B5179
B5178
QUEENS DRIVE
WEST DERBY ROAD
PRESCOT ROAD
EDGE LANE
EDGE LANE DRIVE
QUEENS DR. FLY-OVER
STONEYCROFT
PICTON ROAD
WELLINGTON RD.
CHILDWALL ROAD
MUIRHEAD AVENUE
GREEN LANE
MILL LANE
WAVERTREE BOULEVARD
ROATHBONE ROAD

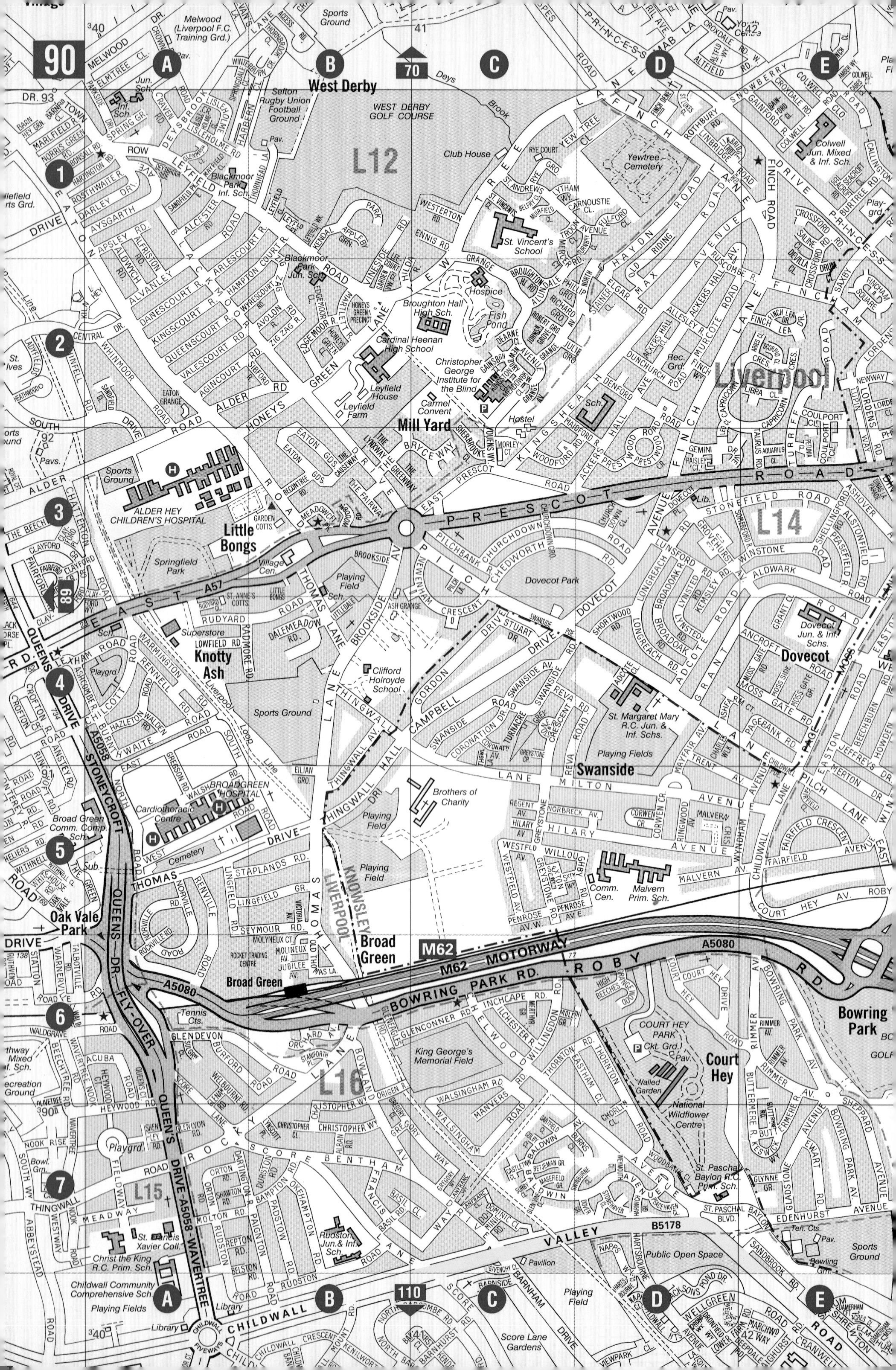
70
110
West Derby
WEST DERBY GOLF COURSE
L12
L14
L15
L16
Liverpool
Sefton Rugby Union Football Ground
Melwood (Liverpool F.C. Training Grd.)
Club House
Yewtree Cemetery
Colwell Jun. Mixed & Inf. Sch.
St. Vincent's School
Blackmoor Park Inf. Sch.
Blackmoor Park Jun. Sch.
Broughton Hall High Sch.
Cardinal Heenan High School
Hospice
Fish Pond
Christopher George Institute for the Blind
Carmel Convent
Leyfield House
Leyfield Farm
Mill Yard
ALDER HEY CHILDREN'S HOSPITAL
Little Bongs
Springfield Park
Village Cen.
Knotty Ash
Superstore
Sports Ground
Playing Field
Dovecot Park
Dovecot
Dovecot Jun. & Inf. Schs.
Clifford Holroyde School
St. Margaret Mary R.C. Jun. & Inf. Schs.
Playing Fields
Swanside
Brothers of Charity
BROADGREEN HOSPITAL
Cardiothoracic Centre
Cemetery
Broad Green Comm. Comp. Sch.
Oak Vale Park
Comm. Cen.
Malvern Prim. Sch.
Broad Green
ROCKET TRADING CENTRE
M62 MOTORWAY
A5080
A5058
A57
B5178
PRESCOT ROAD
EAST PRESCOT ROAD
QUEENS DRIVE
STONEYCROFT
QUEENS DR. FLY-OVER
QUEEN'S DRIVE-A5058-WAVERTREE
BOWRING PARK RD.
ROBY RD.
Bowring Park
COURT HEY PARK
Court Hey
Walled Garden
National Wildflower Centre
St. Paschal Baylon R.C. Prim. Sch.
King George's Memorial Field
Rudston Jun.& Inf. Sch.
St. Francis Xavier Coll.
Christ the King R.C. Prim. Sch.
Childwall Community Comprehensive Sch.
Playing Fields
Library
CHILDWALL FIVEWAYS
Public Open Space
Pavilion
Score Lane Gardens
Sports Ground
Ten. Cts.
Bowling Grn.
VALLEY ROAD
ROCKY LANE
SCORE LANE
CHILDWALL ROAD
FINCH LANE
PRINCESS DRIVE
THOMAS LANE
THINGWALL HALL DRIVE
KNOWSLEY LIVERPOOL
MILTON AVENUE
HILARY AVENUE
MALVERN
PILCH LANE
DOVECOT AVENUE
ALDER ROAD
HONEY'S GREEN LANE
LEYFIELD ROAD
BLACKMOOR DRIVE
EATON ROAD
DEYSBROOK LANE
YEW TREE LANE
CHURCH DOWN
BROOKSIDE AV.
PILCH LANE EAST
WAVERTREE NOOK
Playgrd.

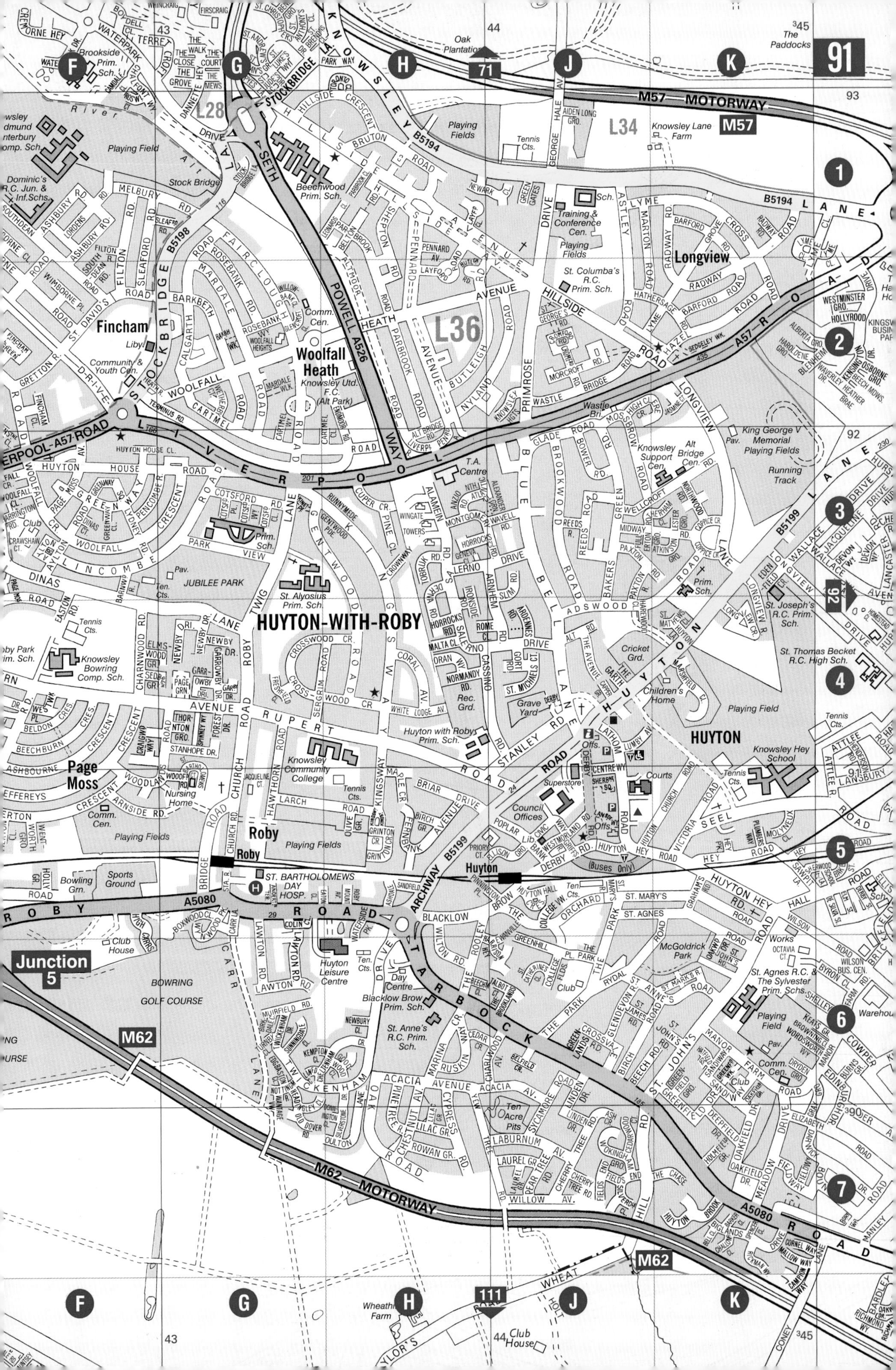
91
71
111
92
HUYTON-WITH-ROBY
HUYTON
Longview
Fincham
Woolfall Heath
Page Moss
Roby
Huyton
L28
L34
L36
M57 MOTORWAY
M57
M62 MOTORWAY
M62
Junction 5
A5080
A526
A57
B5194
B5199
B5198
KNOWSLEY LANE
LIVERPOOL ROAD
POWELL WAY
STOCKBRIDGE LANE
SETH POWELL WAY
HUYTON LANE
LONGVIEW LANE
HUYTON HEY ROAD
TARBOCK ROAD
ROBY ROAD
ARCHWAY ROAD
BLUE BELL LANE
TWIG LANE
RUPERT ROAD
PRIMROSE DRIVE
HILLSIDE ROAD
HILLSIDE AVENUE
HEATH AVENUE
GEORGE HALE AVENUE
ASTLEY ROAD
LINCOMBE ROAD
WOOLFALL CRESCENT
GREENWAY
PARK VIEW
CHURCH ROAD
BRIDGE ROAD
CARR LANE
TWICKENHAM DRIVE
ACACIA AVENUE
WHEAT LANE
SEEL ROAD
STANLEY ROAD
DERBY ROAD
Oak Plantation
The Paddocks
Playing Fields
Playing Field
Knowsley Lane Farm
Tennis Cts.
Beechwood Prim. Sch.
Brookside Prim. Sch.
Stock Bridge
Training & Conference Cen.
St. Columba's R.C. Prim. Sch.
Knowsley Utd. F.C. (Alt Park)
Comm. Cen.
Community & Youth Cen.
Liby.
Wastle Bri.
King George V Memorial Playing Fields
Running Track
Knowsley Support Cen.
Alt Bridge Cen.
T.A. Centre
Jubilee Park
St. Alyosius Prim. Sch.
Knowsley Bowring Comp. Sch.
St. Joseph's R.C. Prim. Sch.
St. Thomas Becket R.C. High Sch.
Cricket Grd.
Children's Home
Grave Yard
Huyton with Roby Prim. Sch.
Knowsley Community College
Nursing Home
Council Offices
Superstore
Courts
Knowsley Hey School
(Buses Only)
St. Bartholomews Day Hosp.
Sports Ground
Bowling Grn.
Club House
Bowring Golf Course
Huyton Leisure Centre
Day Centre
Blacklow Brow Prim. Sch.
St. Anne's R.C. Prim. Sch.
McGoldrick Park
St. Agnes R.C. & The Sylvester Prim. Schs.
Wilson Bus. Cen.
Ten Acre Pits
Wheathill Farm
Club House
F
G
H
J
K
1
2
3
4
5
6
7
43
44
345

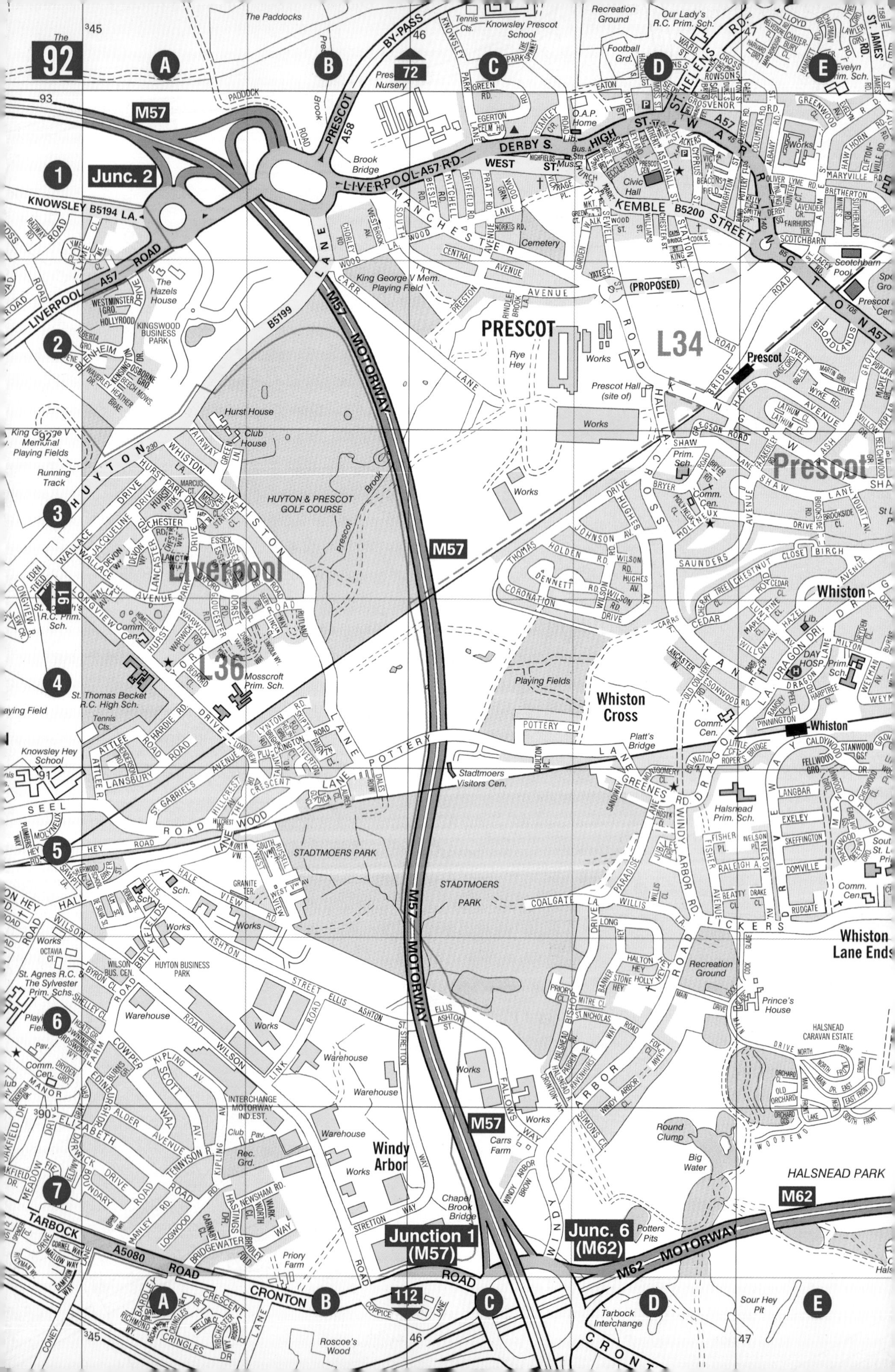

92
A
B
C
D
E
1
2
3
4
5
6
7
72
112
91
93
345
46
47
390
M57
Junc. 2
KNOWSLEY B5194 LA.
LIVERPOOL A57 ROAD
PRESCOT BY-PASS
A58
Brook Bridge
LIVERPOOL A57 RD.
DERBY S.
HIGH ST.
WARRINGTON RD.
A57
KEMBLE B5200 STREET
WEST ST.
MANCHESTER R
CENTRAL AVENUE
King George V Mem. Playing Field
CARR LANE
B5199
PRESCOT
L34
Prescot
Works
Prescot Hall (site of)
Rye Hey
HALL LA.
The Hazels House
KINGSWOOD BUSINESS PARK
King George V Memorial Playing Fields
Running Track
HUYTON LANE
Hurst House
Club House
HUYTON & PRESCOT GOLF COURSE
Prescot Brook
M57 MOTORWAY
Liverpool
L36
Mosscroft Prim. Sch.
St. Thomas Becket R.C. High Sch.
Knowsley Hey School
Playing Fields
Whiston Cross
Whiston
POTTERY LANE
Stadtmoers Visitors Cen.
Platt's Bridge
STADTMOERS PARK
WINDY ARBOR RD.
Halsnead Prim. Sch.
LICKERS LANE
Whiston Lane Ends
Recreation Ground
Prince's House
HALSNEAD CARAVAN ESTATE
HUYTON BUSINESS PARK
INTERCHANGE MOTORWAY IND. EST.
Windy Arbor
Carrs Farm
Round Clump
Big Water
HALSNEAD PARK
M62
Junction 1 (M57)
Junc. 6 (M62)
M62 MOTORWAY
TARBOCK A5080 ROAD
CRONTON ROAD
Chapel Brook Bridge
Potters Pits
Priory Farm
Tarbock Interchange
Sour Hey Pit
Roscoe's Wood
The Paddocks
Knowsley Prescot School
Recreation Ground
Our Lady's R.C. Prim. Sch.
Evelyn Prim. Sch.
Scotchbarn Pool
Civic Hall
Cemetery
(PROPOSED)

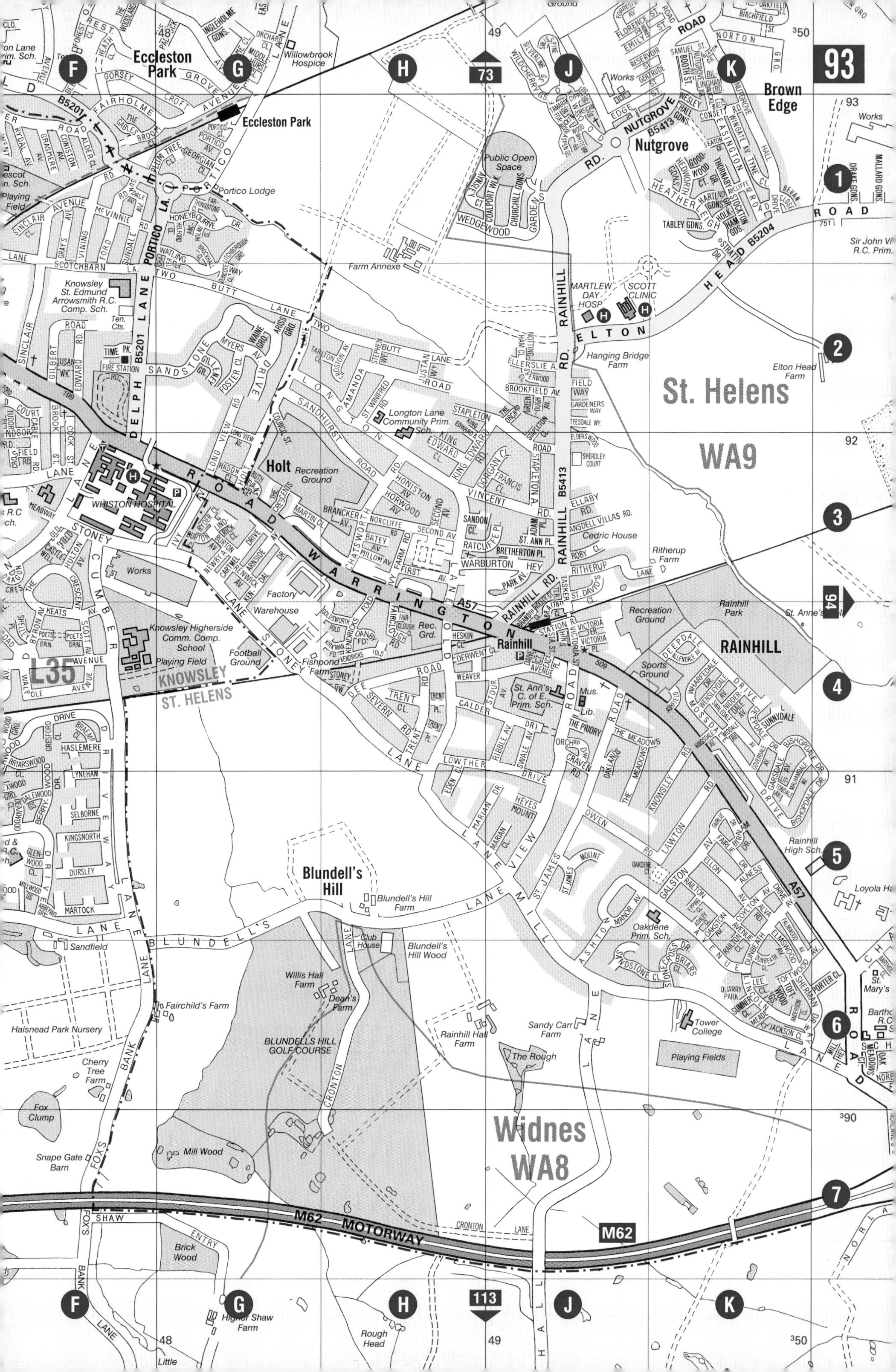
F
G
H
J
K
73
Eccleston Park
Willowbrook Hospice
Brown Edge
Works
Nutgrove
NUTGROVE RD.
B5413
B5201
Portico Lodge
PORTICO LA.
Public Open Space
WEDGEWOOD
CHURCHILL GDNS.
ELTON HEAD ROAD
B5204
751
Sir John Vi R.C. Prim.
1
2
3
4
5
6
7
93
92
91
90
350
48
49
Knowsley St. Edmund Arrowsmith R.C. Comp. Sch.
Farm Annexe
MARTLEW DAY HOSP.
SCOTT CLINIC
Hanging Bridge Farm
Elton Head Farm
St. Helens
WA9
Longton Lane Community Prim. Sch.
Holt
Recreation Ground
WHISTON HOSPITAL
Works
Factory
Warehouse
Cedric House
Ritherup Farm
WARRINGTON ROAD
A57
Rainhill
RAINHILL RD.
RAINHILL
Recreation Ground
Rainhill Park
St. Anne's
94
Knowsley Higherside Comm. Comp. School
Playing Field
Football Ground
Fishpond Farm
Rec. Grd.
Sports Ground
St. Ann's C. of E. Prim. Sch.
Mus.
Lib.
509
L35
KNOWSLEY
ST. HELENS
THE PRIORY
THE MEADOWS
Rainhill High Sch.
Loyola Ha
Blundell's Hill
Blundell's Hill Farm
Club House
Blundell's Hill Wood
Oakdene Prim. Sch.
BLUNDELL'S LANE
Sandfield
Willis Hall Farm
Dean's Farm
Fairchild's Farm
Halsnead Park Nursery
BLUNDELLS HILL GOLF COURSE
Rainhill Hall Farm
Sandy Carr Farm
The Rough
Tower College
Playing Fields
Quarry Park
St. Mary's
Cherry Tree Farm
Fox Clump
Snape Gate Barn
Mill Wood
Widnes
WA8
M62 MOTORWAY
M62
CRONTON LANE
FOXS BANK LANE
SHAW ENTRY
Brick Wood
Higher Shaw Farm
113
Rough Head
Little
HALL LANE

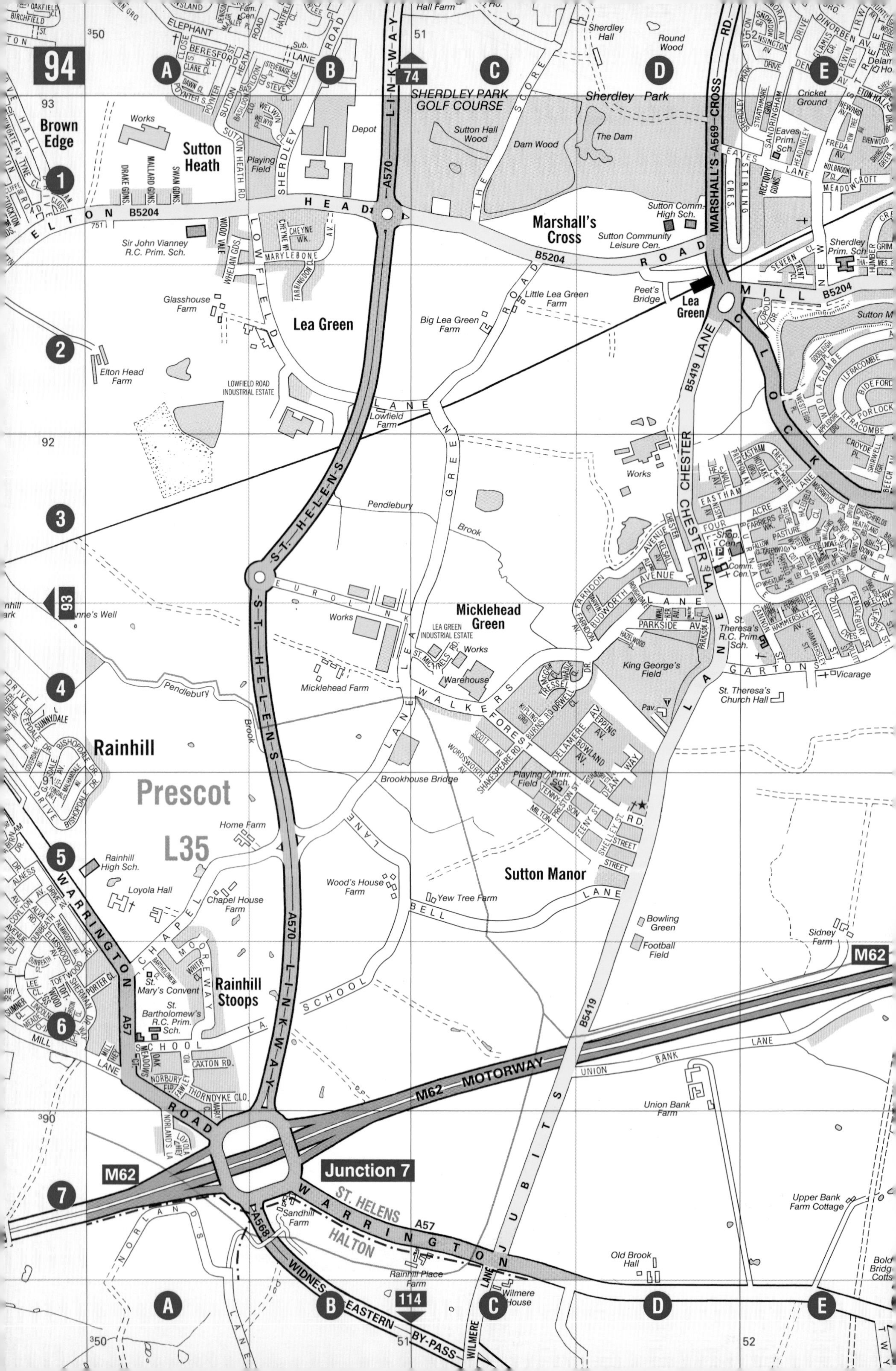
A
B
C
D
E
1
2
3
4
5
6
7
74
93
114
350
51
52
93
92
91
390
Brown Edge
Sutton Heath
Works
Playing Field
Depot
SHERDLEY PARK GOLF COURSE
Sutton Hall Wood
Dam Wood
The Dam
Sherdley Park
Sherdley Hall
Round Wood
Cricket Ground
Eaves Prim. Sch.
Sutton Comm. High Sch.
Sutton Community Leisure Cen.
Marshall's Cross
Sherdley Prim. Sch.
Sir John Vianney R.C. Prim. Sch.
ELTON HEAD ROAD
B5204
A570
LINKWAY
MARSHALL'S CROSS RD.
A569
MILL LANE
CLOCK FACE
Glasshouse Farm
Lea Green
Little Lea Green Farm
Big Lea Green Farm
Peet's Bridge
Elton Head Farm
LOWFIELD ROAD INDUSTRIAL ESTATE
Lowfield Farm
LOWFIELD LANE
LEA GREEN
B5419
CHESTER LANE
Works
Pendlebury Brook
ST. HELENS LINKWAY
EUROLINK
Micklehead Green
LEA GREEN INDUSTRIAL ESTATE
Warehouse
Micklehead Farm
Shop. Cen.
Lib.
Comm. Cen.
St. Theresa's R.C. Prim. Sch.
King George's Field
St. Theresa's Church Hall
Vicarage
GARTONS LANE
FOUR ACRE LANE
WALKERS LANE
Rainhill
Prescot
L35
Brookhouse Bridge
Playing Field
Prim. Sch.
Home Farm
Rainhill High Sch.
Loyola Hall
Chapel House Farm
Wood's House Farm
Yew Tree Farm
Sutton Manor
BELL LANE
Bowling Green
Football Field
Sidney Farm
M62
St. Mary's Convent
Rainhill Stoops
St. Bartholomew's R.C. Prim. Sch.
SCHOOL LANE
WARRINGTON ROAD
A57
M62 MOTORWAY
UNION BANK LANE
Union Bank Farm
Junction 7
ST. HELENS
HALTON
Sandhill Farm
A568
WIDNES EASTERN BY-PASS
Rainhill Place Farm
Wilmere House
WILMERE LANE
JUBITS LANE
Old Brook Hall
Upper Bank Farm Cottage
NORLANDS LANE

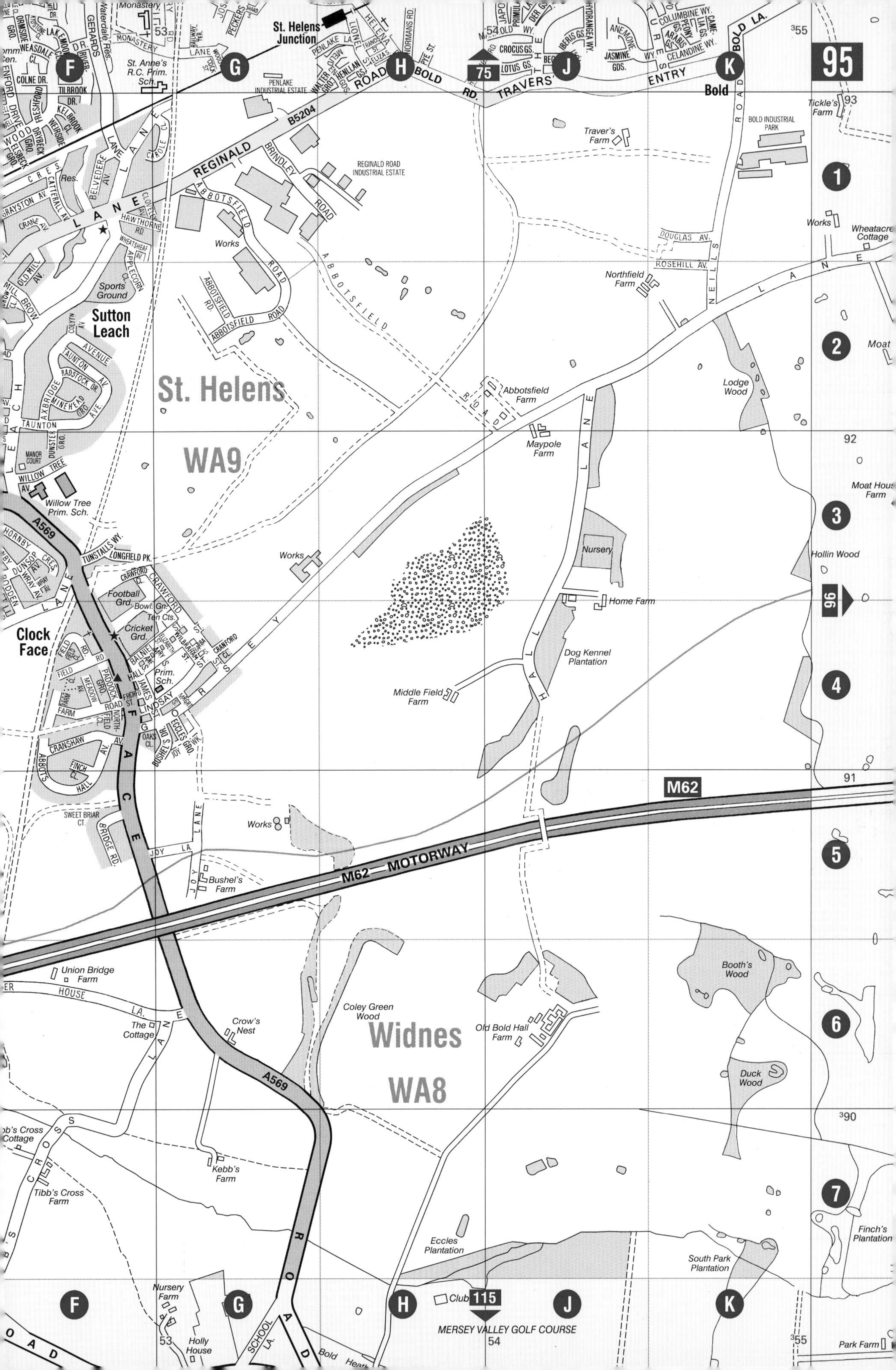
St. Helens Junction
Monastery
St. Anne's R.C. Prim. Sch.
PENLAKE INDUSTRIAL ESTATE
BOLD RD.
TRAVERS' ENTRY
BOLD LA.
Bold
75
Tickle's Farm
BOLD INDUSTRIAL PARK
Traver's Farm
REGINALD ROAD INDUSTRIAL ESTATE
REGINALD LANE
B5204
BRINDLEY ROAD
ABBOTSFIELD ROAD
ABBOTSFIELD
Works
Sports Ground
Sutton Leach
St. Helens
WA9
Abbotsfield Farm
Maypole Farm
DOUGLAS AV.
ROSEHILL AV.
Northfield Farm
NEILLS ROAD
Wheatacre Cottage
Lodge Wood
Moat
Moat House Farm
Hollin Wood
96
Willow Tree Prim. Sch.
A569
Clock Face
Football Grd.
Cricket Grd.
Prim. Sch.
Nursery
Home Farm
Dog Kennel Plantation
Middle Field Farm
HALL LANE
M62
M62 MOTORWAY
Works
Bushel's Farm
JOY LANE
Union Bridge Farm
The Cottage
Crow's Nest
Coley Green Wood
Widnes
WA8
Old Bold Hall Farm
Booth's Wood
Duck Wood
Tibb's Cross Cottage
Tibb's Cross Farm
Kebb's Farm
Eccles Plantation
South Park Plantation
Finch's Plantation
Nursery Farm
Holly House
SCHOOL LA.
Club
115
MERSEY VALLEY GOLF COURSE
Park Farm
F
G
H
J
K
1
2
3
4
5
6
7
53
54
355
93
92
91
390

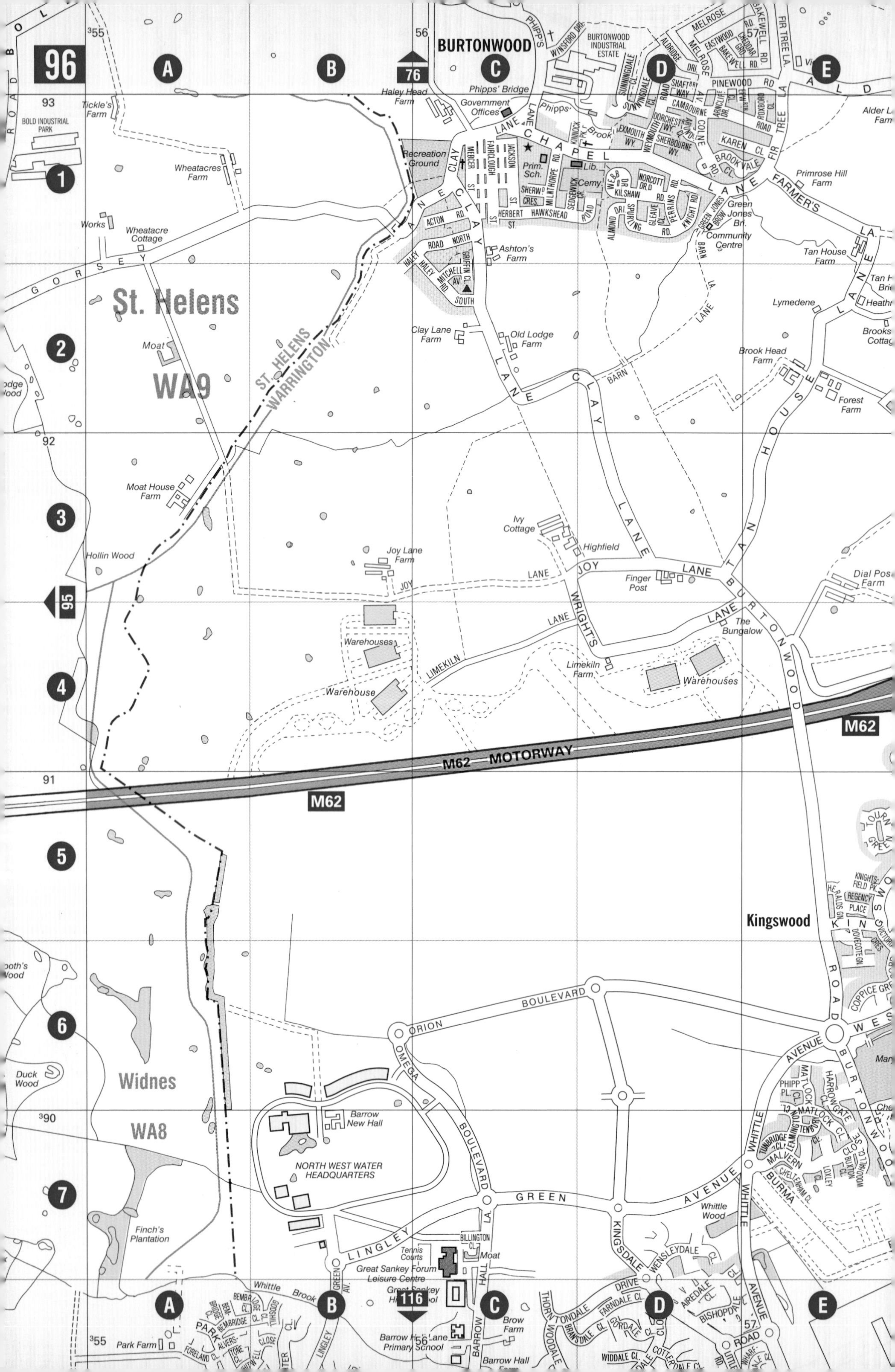
BURTONWOOD
76
95
116
A
B
C
D
E
1
2
3
4
5
6
7
93
92
91
390
355
56
57
BOLD INDUSTRIAL PARK
BOLD ROAD
Tickle's Farm
Wheatacres Farm
Works
Wheatacre Cottage
GORSEY LANE
St. Helens
WA9
Moat
Hodge Wood
ST. HELENS
WARRINGTON
Moat House Farm
Hollin Wood
Haley Head Farm
Phipps' Bridge
Government Offices
Recreation Ground
BURTONWOOD INDUSTRIAL ESTATE
WINSFORD DR.
PHIPPS
Phipps' Brook
CHAPEL LANE
CLAY LANE
MERCER ST.
FAIRCLOUGH ST.
JACKSON ST.
HERBERT ST.
HAWKSHEAD ROAD
Prim. Sch.
Lib.
Cemy.
SHERWOOD CRES.
MILNTHORPE RD.
SEDGEWICK CR.
KINNOCK PK.
ACTON RD.
ROAD NORTH
HALEY ROAD SOUTH
MITCHELL AV.
GRIFFIN CL.
Ashton's Farm
Clay Lane Farm
Old Lodge Farm
WEBB DR
KILSHAW RD.
NORCOTT DR
ALMOND DRI.
SPURLING RD.
GLEAVE CL.
PERRINS RD.
KNIGHT RD.
GREEN JONES BROW
Green Jones Br.
Community Centre
MELROSE
EASTWOOD
CHEDDAR GRO.
BAKEWELL RD.
FIR TREE LA.
ALDRIDGE DRI.
SUNNINGDALE CL.
SHAFTSBURY WAY
PINEWOOD RD
CAMBOURNE RD
ARNCLIFFE DR.
EXMOUTH WY.
WEYMOUTH
DORCHESTER WY.
SHERBOURNE WY.
COLNE
KAREN CL
ROXBORO ROAD
BROOK VALE
BROOK CL.
FIR TREE LANE
FARMER'S LANE
ALDER LANE
Alder Lane Farm
Primrose Hill Farm
Tan House Farm
Lymedene
Brook Head Farm
Forest Farm
TAN HOUSE LANE
BARN LANE
CLAY LANE
Ivy Cottage
Highfield
JOY LANE
Joy Lane Farm
Finger Post
WRIGHT'S LANE
BURTONWOOD LANE
The Bungalow
Dial Post Farm
LIMEKILN LANE
Limekiln Farm
Warehouses
Warehouse
M62 MOTORWAY
M62
Kingswood
KNIGHTS-FIELD PK.
REGENCY PLACE
HERALDS GN.
DOVECOTE GN.
COPPICE GREEN
BURTONWOOD ROAD
WESTBROOK
ORION BOULEVARD
OMEGA BOULEVARD
GREEN AVENUE
WHITTLE AVENUE
Widnes
WA8
Duck Wood
Booth's Wood
Barrow New Hall
NORTH WEST WATER HEADQUARTERS
Finch's Plantation
LINGLEY GREEN AV.
BARROW HALL LA.
BILLINGTON CL.
Moat
Tennis Courts
Great Sankey Forum Leisure Centre
Great Sankey High School
Whittle Brook
Whittle Wood
KINGSDALE
WENSLEYDALE
AIREDALE
BISHOPDALE
FARNDALE CL.
DRIVE
THORNTONDALE
WIDDALE CL.
COTTERDALE
PHIPP PL.
MATLOCK CL.
HARROWGATE CL.
TUNBRIDGE CL.
LEAMINGTON
MALVERN
CHELTENHAM CL.
BUXTON CL.
LOXLEY
BURMA
Brow Farm
Barrow Hall Lane Primary School
Barrow Hall Farm
Park Farm
PARK
BEMBRIDGE CL.
FORELAND CL.
LINGLEY
ROAD

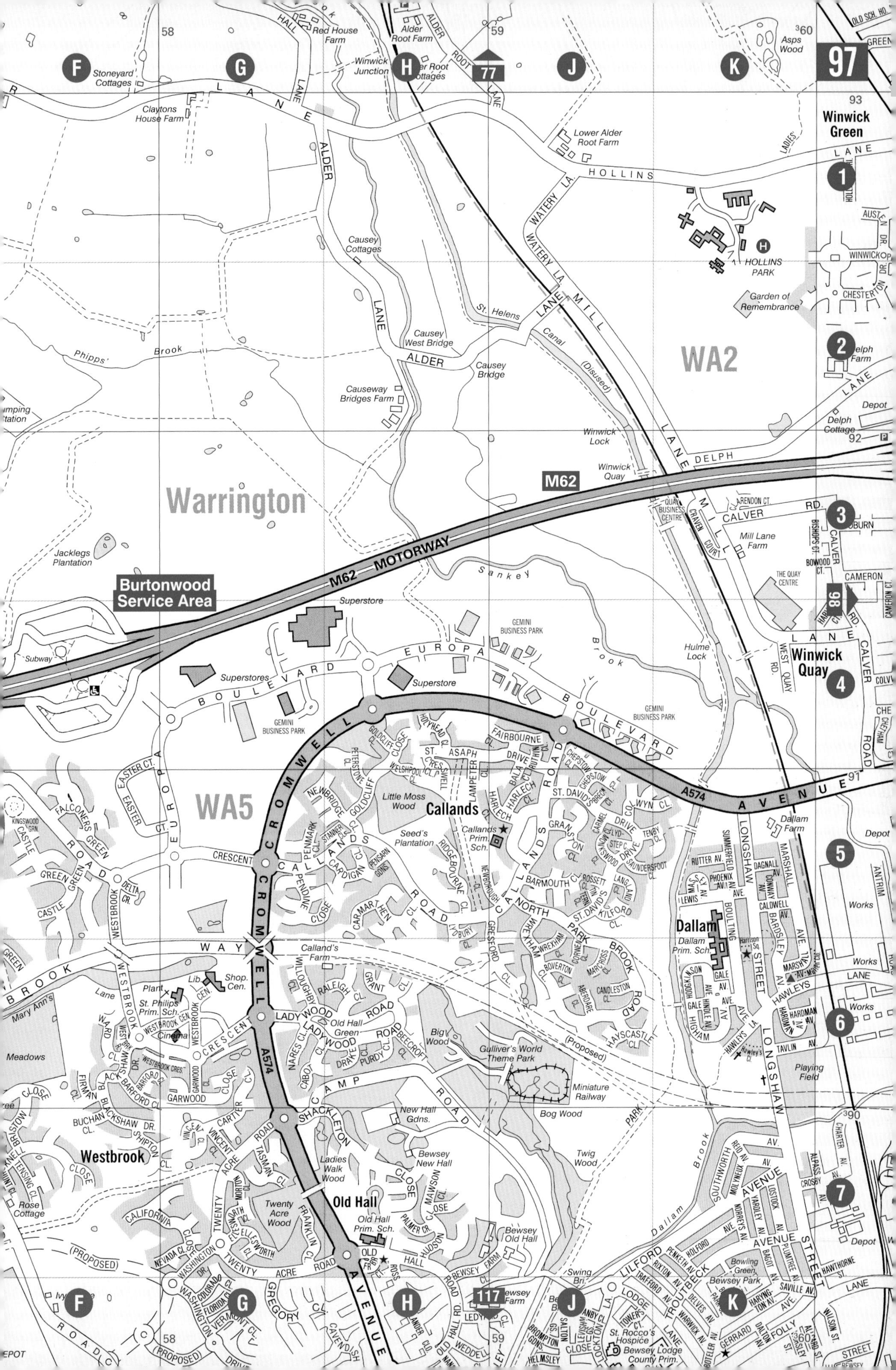

Warrington
WA2
WA5
Winwick Green
Winwick Quay
Callands
Dallam
Westbrook
Old Hall
Burtonwood Service Area
M62 MOTORWAY
M62
A574
CROMWELL AVENUE
EUROPA BOULEVARD
HOLLINS LANE
ALDER LANE
MILL LANE
DELPH LANE
LONGSHAW STREET
WESTBROOK WAY
TWENTY ACRE ROAD
Red House Farm
Alder Root Farm
Winwick Junction
Stoneyard Cottages
Claytons House Farm
Lower Alder Root Farm
HOLLINS PARK
Garden of Remembrance
Causey Cottages
Causey West Bridge
Causey Bridge
Causeway Bridges Farm
St. Helens Canal (Disused)
Winwick Lock
Winwick Quay
Phipps' Brook
Jacklegs Plantation
Sankey Brook
Superstore
Superstores
GEMINI BUSINESS PARK
THE QUAY CENTRE
QUAY BUSINESS CENTRE
Mill Lane Farm
Hulme Lock
Delph Cottage
Depot
Little Moss Wood
Seed's Plantation
Callands Prim. Sch.
Calland's Farm
Dallam Farm
Dallam Prim. Sch.
Works
Playing Field
Big Wood
Gulliver's World Theme Park
Miniature Railway
Bog Wood
Twig Wood
New Hall Gdns.
Bewsey New Hall
Ladies Walk Wood
Twenty Acre Wood
Old Hall Prim. Sch.
Bewsey Old Hall
Bewsey Farm
Bewsey Park
Bowling Green
St. Rocco's Hospice
Bewsey Lodge County Prim.
St. Philips Prim. Sch.
Shop. Cen.
Lib.
Cinema
Plant
Mary Ann's Meadows
Rose Cottage
Swing Bri.
Dallam Brook
(PROPOSED)
77
117
98

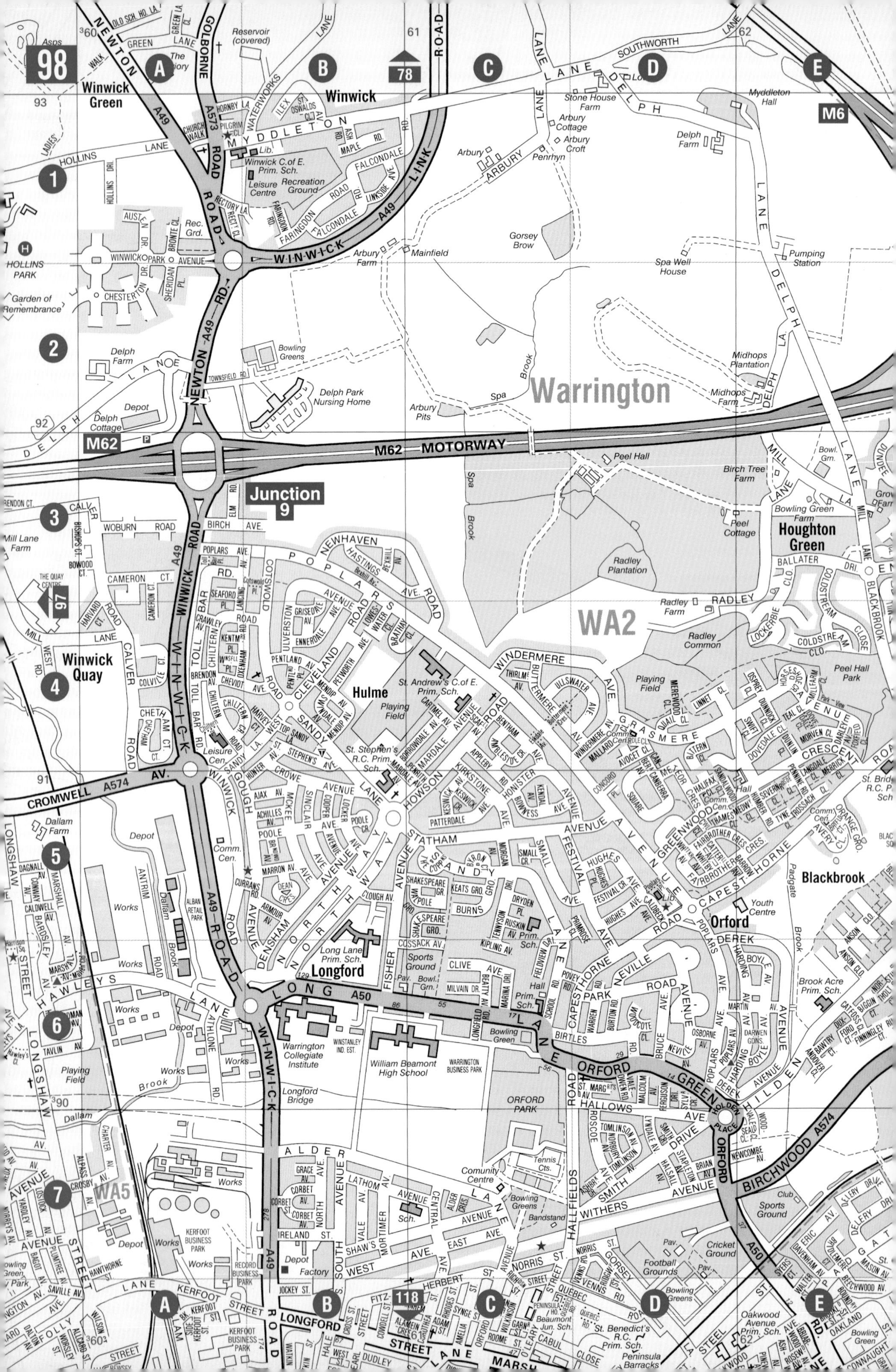

98
A
B
C
D
E
1
2
3
4
5
6
7
78
118
97
M6
M62
Junction 9
M62 MOTORWAY
Warrington
WA2
WA5
Winwick Green
Winwick
Winwick Quay
Hulme
Longford
Orford
Houghton Green
Blackbrook
HOLLINS PARK
Garden of Remembrance
NEWTON ROAD
GOLBORNE ROAD
WINWICK LINK
WINWICK ROAD
WINWICK PARK AVENUE
MYDDLETON LANE
SOUTHWORTH LANE
DELPH LANE
HOLLINS LANE
ARBURY LANE
Stone House Farm
Arbury Cottage
Arbury Croft
Penrhyn
Delph Farm
Myddleton Hall
Pumping Station
Spa Well House
Gorsey Brow
Mainfield
Arbury Farm
Arbury Pits
Spa Brook
Midhops Plantation
Midhops Farm
Delph Park Nursing Home
Bowling Greens
Delph Cottage
Depot
Reservoir (covered)
The Priory
Winwick C.of E. Prim. Sch.
Leisure Centre
Recreation Ground
Rec. Grd.
Peel Hall
Birch Tree Farm
Bowling Green Farm
Peel Cottage
Radley Plantation
Radley Farm
Radley Common
Peel Hall Park
Playing Field
St. Andrew's C.of E. Prim. Sch.
St. Stephen's R.C. Prim. Sch.
Long Lane Prim. Sch.
Sports Ground
Warrington Collegiate Institute
William Beamont High School
WARRINGTON BUSINESS PARK
WINSTANLEY IND. EST.
ORFORD PARK
Youth Centre
Brook Acre Prim. Sch.
Community Centre
Tennis Cts.
Bandstand
Cricket Ground
Football Grounds
Sports Ground
Oakwood Avenue Prim. Sch.
St. Benedict's R.C. Prim. Sch.
Beaumont Jun. Sch.
Peninsula Barracks
KERFOOT BUSINESS PARK
RECORD BUSINESS PARK
ALBAN RETAIL PARK
Works
Dallam Farm
Mill Lane Farm
THE QUAY CENTRE
Longford Bridge
LONG LANE
CROMWELL AV.
ORFORD GREEN
BIRCHWOOD A574
WITHERS AVENUE
POPLARS AVENUE
GRASMERE AVENUE
CAPESTHORNE ROAD
LONGFORD STREET
KERFOOT STREET
LONGSHAW STREET
HAWLEYS LANE
ALDER LANE

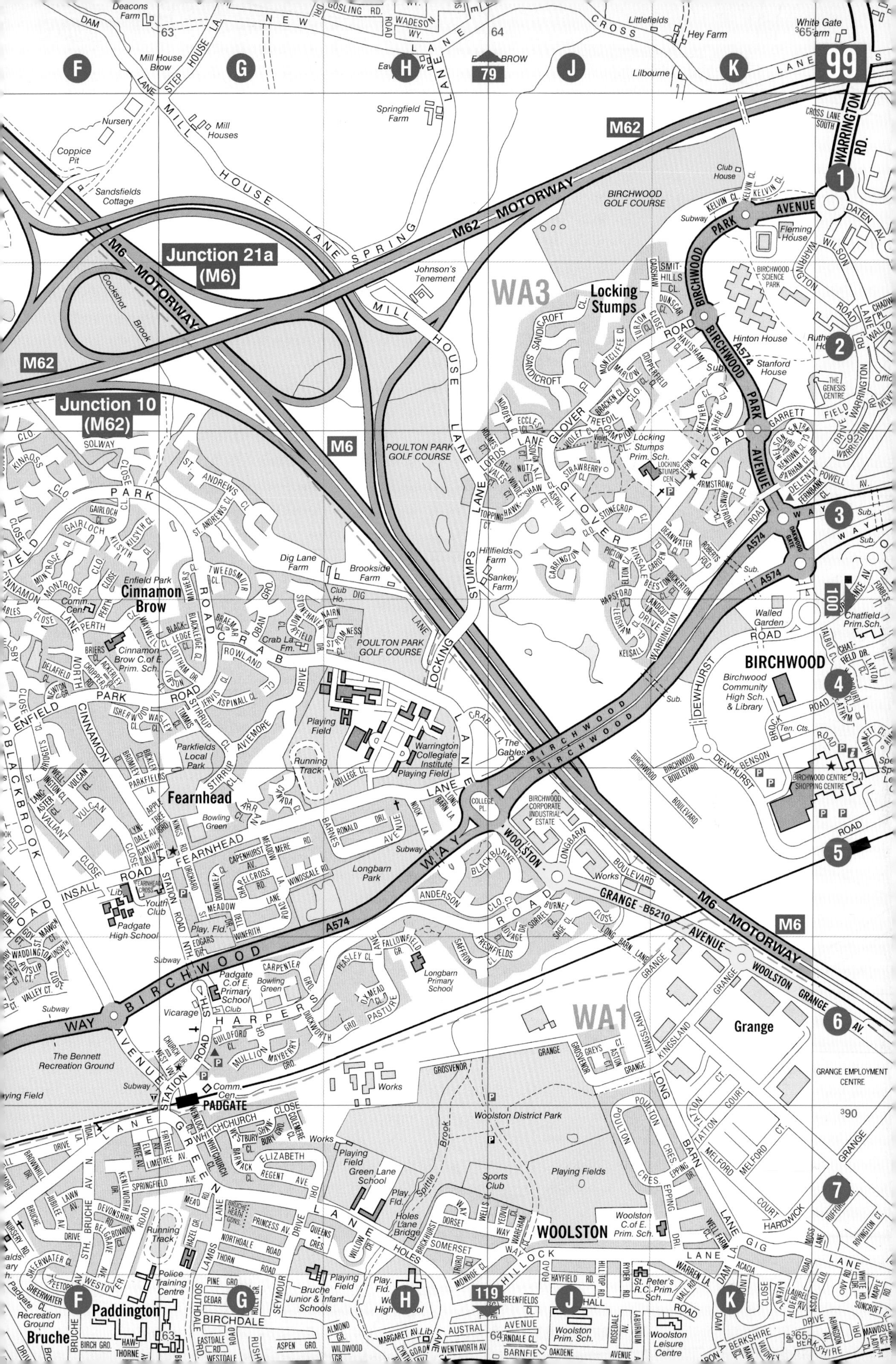

99
79
100
119
F
G
H
J
K
1
2
3
4
5
6
7
63
64
65
90
91
92
Deacons Farm
DAM LANE
NEW LANE
GOSLING RD.
WADESON WY.
CROSS LANE
Littlefields
Hey Farm
White Gate Farm
Lilbourne
Mill House Brow
STEP HOUSE LA.
Springfield Farm
Nursery
Mill Houses
MILL HOUSE LANE
Coppice Pit
Sandsfields Cottage
M62
M62 MOTORWAY
M6 MOTORWAY
M6
Junction 21a (M6)
Junction 10 (M62)
SPRING LANE
Cockshot Brook
Johnson's Tenement
Club House
BIRCHWOOD GOLF COURSE
CROSS LANE SOUTH
WARRINGTON RD.
KELVIN CL.
BIRCHWOOD PARK AVENUE
DATEN AV.
Fleming House
WILSON
BIRCHWOOD SCIENCE PARK
Hinton House
Stanford House
THE GENESIS CENTRE
WA3
Locking Stumps
SMITHILLS CL.
CADSHAW
DUNSCAR
SANDICROFT
MONTCLIFFE CL.
TURTON CLOSE
HAVISHAM
COPPERFIELD
GLOVER ROAD
BRACKEN CL.
TREFOIL
CAMPION
Violet
Locking Stumps Prim. Sch.
LOCKING STUMPS CEN.
HEATHER
FERN CL.
ARMSTRONG
STRAWBERRY CL.
STONECROP
ECCLESTON
NORDEN
HOLMES CL.
LORDS
NUTTALL
HAWKSHAW CL.
ASPULL
TOPPING CL.
GARRETT FIELD
WARRINGTON
NELSON
RENOWN CL.
BARHAM CT.
DELENEY
FERNBANK CL.
POWELL AV.
OAKWOOD GATE
A574
POULTON PARK GOLF COURSE
LOCKING STUMPS LANE
Hillfields Farm
Sankey Farm
CARRINGTON
PICTON CL.
KINSALE
DEANWATER CL.
ROBERTS FOLD
GARDEN
BICKERTON
BEESTON
ELTON CL.
HAPSFORD CL.
LANDCUT
LEDSHAM CL.
KELSALL
WARRINGTON DRIVE
Walled Garden
Chatfield Prim. Sch.
TALBOT CL.
CHATFIELD DR.
LAYTON
BIRCHWOOD
Birchwood Community High Sch. & Library
DEWHURST ROAD
BROCK ROAD
Ten. Cts.
BENSON
BIRCHWOOD BOULEVARD
BIRCHWOOD CENTRE SHOPPING CENTRE
BIRCHWOOD WAY
CRAB LANE
The Gables
Dig Lane Farm
Brookside Farm
Club Ho.
DIG LANE
Crab La. Fm.
POULTON PARK GOLF COURSE
Playing Field
Warrington Collegiate Institute
Running Track
COLLEGE CL.
COLLEGE PL.
LONG BARN LA.
NOOK LA.
SOLWAY
KINROSS
PARK CLOSE
ST. ANDREWS CL.
GAIRLOCH CL.
KILSYTH CL.
MONTROSE
PERTH
Enfield Park
Cinnamon Brow
Comm. Cen.
TWEEDSMUIR CL.
OBAN GRO.
STONEHAVEN
NAIRN
MUIRFIELD DR.
STROMNESS CL.
BRAEMAR CL.
CRAB ROAD
ROWLAND
ASPINALL CL.
AVIEMORE
STIRRUP CL.
Cinnamon Brow C.of E. Prim. Sch.
BRIERS CL.
DELAFIELD
ENFIELD PARK ROAD
NORTH CINNAMON
ISHERWOOD CL.
WASLEY CL.
Parkfields Local Park
BICKLEY CL.
PARKFIELDS
Fearnhead
ARRAN
CANADA
Bowling Green
FEARNHEAD
RONALD DRI.
BARNES AVENUE
CAPENHURST
MEADOW
MERE RD.
WINDSCALE RD.
Longbarn Park
Subway
WOOLSTON
LONGBARN BOULEVARD
BIRCHWOOD CORPORATE INDUSTRIAL ESTATE
Works
BLACKBURNE
ANDERSON
GRANGE AVENUE B5210
BURNET CL.
SORREL
SAGE CL.
LOVAGE
FRESHFIELDS
SAFFRON
FALLOWFIELD GR.
Longbarn Primary School
PEASLEY CL.
LONG BARN LANE
WOOLSTON GRANGE AV.
M6 MOTORWAY
WA1
Grange
GRANGE EMPLOYMENT CENTRE
KINGSLAND
GREYS CT.
ASTON CT.
GROSVENOR
CHARLCROSS
MEADOW DELL
WINERITH
Play. Fld.
EDGARS DR.
STATION ROAD NTH.
KINGS RD.
ORCHARD
INSALL ROAD
Lib.
FEARNHEAD CROSS
Youth Club
Padgate High School
VULCAN CL.
VALIANT CLOSE
BLACKBROOK
WADDINGTON CL.
VALLEY CT.
Padgate C.of E. Primary School
CARPENTER GRO.
Bowling Green
Club
Vicarage
HARPER
OXMEAD CL.
PASTURE
DUCKWORTH GRO.
GUILDFORD CL.
MULLION
MAYBERRY GRO.
The Bennett Recreation Ground
BIRCHWOOD WAY
STATION AVENUE
Comm. Cen.
PADGATE
Playing Field
Works
Woolston District Park
Brook
Sports Club
Playing Fields
POULTON CRES.
EPPING DR.
LONG BARN LANE
TATTON CT.
TATTON COURT
MELFORD CT.
HARDWICK
GRANGE
LANE
WHITCHURCH CLOSE
WESTBURY CL.
SHAWBURY GRO.
ELIZABETH
REGENT AVE
LIMETREE AV.
FIRTREE AV.
ELM
SPRINGFIELD AVE
KENILWORTH DR.
DEVONSHIRE
BOWDON
BELGRAVE
Running Track
GREEN LANE
Green Lane School
Play. Fld.
Holes Lane Bridge
Spittle
BRICKHURST
DORSET WAY
WELLS
YEOVIL
WAREHAM
SOMERSET
WOOLSTON
Woolston C.of E. Prim. Sch.
HOLES LANE
PRINCESS AV.
QUEENS CRES.
NORTHDALE ROAD
THORN ROAD
PINE GRO.
CEDAR
BIRCHDALE
SEYMOUR
Bruche Junior & Infant Schools
Playing Field
Play. Fld.
WILLOW CR.
HILLOCK LANE
MONROE CL.
TRURO CL.
HAYFIELD RD.
HILL TOP RD.
RYDER RD.
St. Peter's R.C. Prim. Sch.
HALL ROAD
Woolston Prim. Sch.
Woolston Leisure Centre
GREENFIELDS CL.
AUSTRAL AVENUE
BARNFIELD
OAKDENE
ROSEDALE
LABURNUM
GIG LANE
WARREN LA.
DAM LA.
CLOSE
BERKSHIRE
ACACIA
ALDER AV.
ASCOT
RUFFORD
RIVINGTON CL.
SUNCROFT CL.
WHITE HO.
MAPLE
MAWDSLEY
ABINGDON
Police Training Centre
Paddington
Bruche
Recreation Ground
SHEERWATER CL.
PEETOPS
WESTOVER
BRUCHE DRIVE
STH. BRUCHE
JUBILEE AV.
NURSERY RD.
BIRCH GRO.
HAWTHORNE
EASTDALE
WESTDALE
ASPEN GRO.
ALMOND GR.
WILDWOOD GR.
MARGARET AV.
WENTWORTH AV.

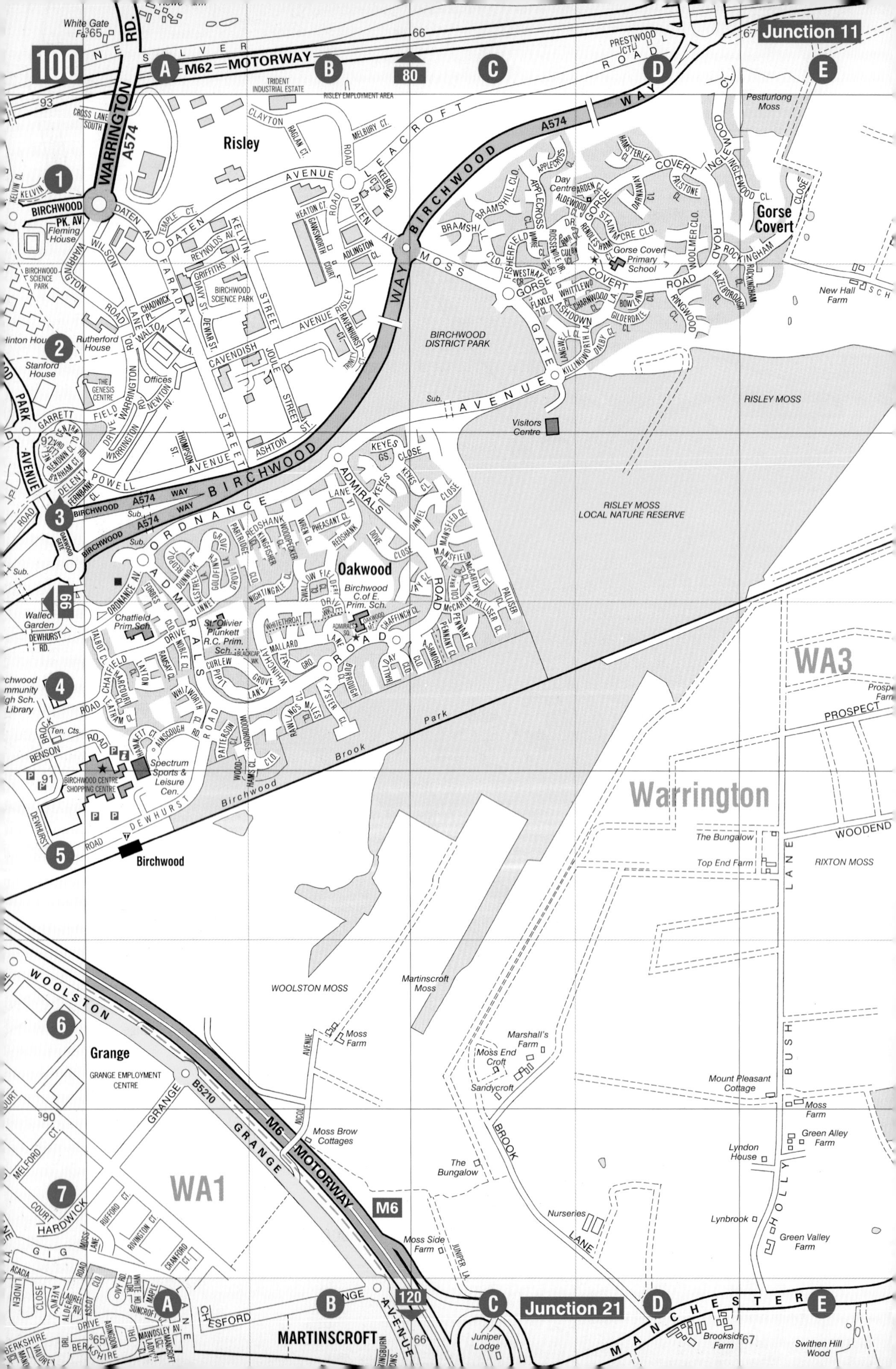
100
Junction 11
M62 MOTORWAY
80
White Gate Fa.
WARRINGTON RD.
A574
CROSS LANE SOUTH
TRIDENT INDUSTRIAL ESTATE
RISLEY EMPLOYMENT AREA
PRESTWOOD CT.
Risley
CLAYTON
RAGLAN CT.
MELBURY CT.
LEACROFT
BIRCHWOOD WAY
Pestfurlong Moss
KELVIN CL.
BIRCHWOOD PK. AV.
Fleming House
DATEN AV.
TEMPLE CT.
DATEN AVENUE
HEATON CT.
GAINSWORTH COURT
ADLINGTON CL.
BIRCHWOOD SCIENCE PARK
WILSON
FARADAY
REYNOLDS AV.
GRIFFITHS AV.
KELVIN STREET
AVENUE RISLEY
RAVENHURST CT.
CHADWICK PL.
WALTON LA.
CAVENDISH
JOULE STREET
TRINITY CT.
Hinton House
Rutherford House
Stanford House
THE GENESIS CENTRE
Offices
NEWTON AV.
FIELD DRIVE
WARRINGTON RD.
GARRETT
THOMPSON ST.
ASHTON ST.
POWELL AVENUE
DELENTY
FERNBANK CL.
PARK AVENUE
BIRCHWOOD DISTRICT PARK
Applecross
Day Centre
ARDEN CL.
ALDEWOOD
GORSE
STAINMORE CLO.
DARNAWAY CL.
FALSTONE
COVERT
INGLEWOOD CL.
Gorse Covert
BRAMSHILL CLO.
FISHERFIELD
WESTHAY CR.
ROSSENDALE DR.
Gorse Covert Primary School
MOSS GATE
GORSE COVERT ROAD
WOOLMER CLO.
ROCKINGHAM
HAZLEBOROUGH
RINGWOOD
FLAXLEY CL.
WHITTLEWOOD
CHARNWOOD
ASHDOWN
BOWLAND CL.
GILDERDALE CL.
LANGWELL CL.
KILLINGWORTH LA.
DALBY CL.
New Hall Farm
RISLEY MOSS
Visitors Centre
AVENUE
KEYES GS.
KEYES CLOSE
ADMIRALS
ORDNANCE
Oakwood
RISLEY MOSS LOCAL NATURE RESERVE
REDSHANK
KINGFISHER
WOODPECKER
WREN CL.
PHEASANT CL.
DOVE
DANIEL CLOSE
MANSFIELD CL.
PARTRIDGE
GROVE
DUNNOCK
KESTREL
GOLDFINCH LA.
LINNET
NIGHTINGALE
SWALLOW FIELD
Birchwood C.of E. Prim. Sch.
JAY CL.
McCARTHY CL.
PALLISER CL.
PENNANT CL.
ORDNANCE AV.
FORBES
Chatfield Prim. Sch.
St. Oliver Plunkett R.C. Prim. Sch.
WHITETHROAT
CHAFFINCH CL.
ADMIRALS ROAD
MALLARD
CURLEW
PIPIT
WHINCHAT
BURROUGH CL.
HALLIDAY
ASHMORE
Walled Garden
DEWHURST RD.
TALBOT CL.
CHATFIELD
HARCOURT
LAYTON
RAMSAY CL.
WHITWORTH
Birchwood Community High Sch. Library
BROCK ROAD
Ten. Cts.
BENSON
HAMMETT CT.
AINSCOUGH RD.
PATTERSON
WOODHOUSE
RAWLINGS CL.
MILES CL.
TYSTER CL.
Spectrum Sports & Leisure Cen.
BIRCHWOOD CENTRE SHOPPING CENTRE
DEWHURST ROAD
Birchwood
Birchwood Brook Park
WA3
PROSPECT
Warrington
The Bungalow
Top End Farm
WOODEND
RIXTON MOSS
WOOLSTON
Grange
GRANGE EMPLOYMENT CENTRE
B5210
GRANGE
WOOLSTON MOSS
Martinscroft Moss
Moss Farm
M6 MOTORWAY
Marshall's Farm
Moss End Croft
Sandycroft
Mount Pleasant Cottage
BUSH LANE
Moss Brow Cottages
The Bungalow
BROOK LANE
Lyndon House
Green Alley Farm
WA1
MELFORD CT.
COURT HARDWICK
M6
Nurseries
Lynbrook
Green Valley Farm
Moss Side Farm
JUNIPER LA.
HOLLY
GIG LANE
ACACIA
LINDEN CLOSE
RUFFORD CT.
RIVINGTON CT.
CRANFORD CT.
MOSS LANE
120
Junction 21
MANCHESTER
CHESFORD
MARTINSCROFT
AVENUE
Juniper Lodge
Brookside Farm
Swithen Hill Wood
BERKSHIRE DRI.
MAWDSLEY AV.
SUNCROFT

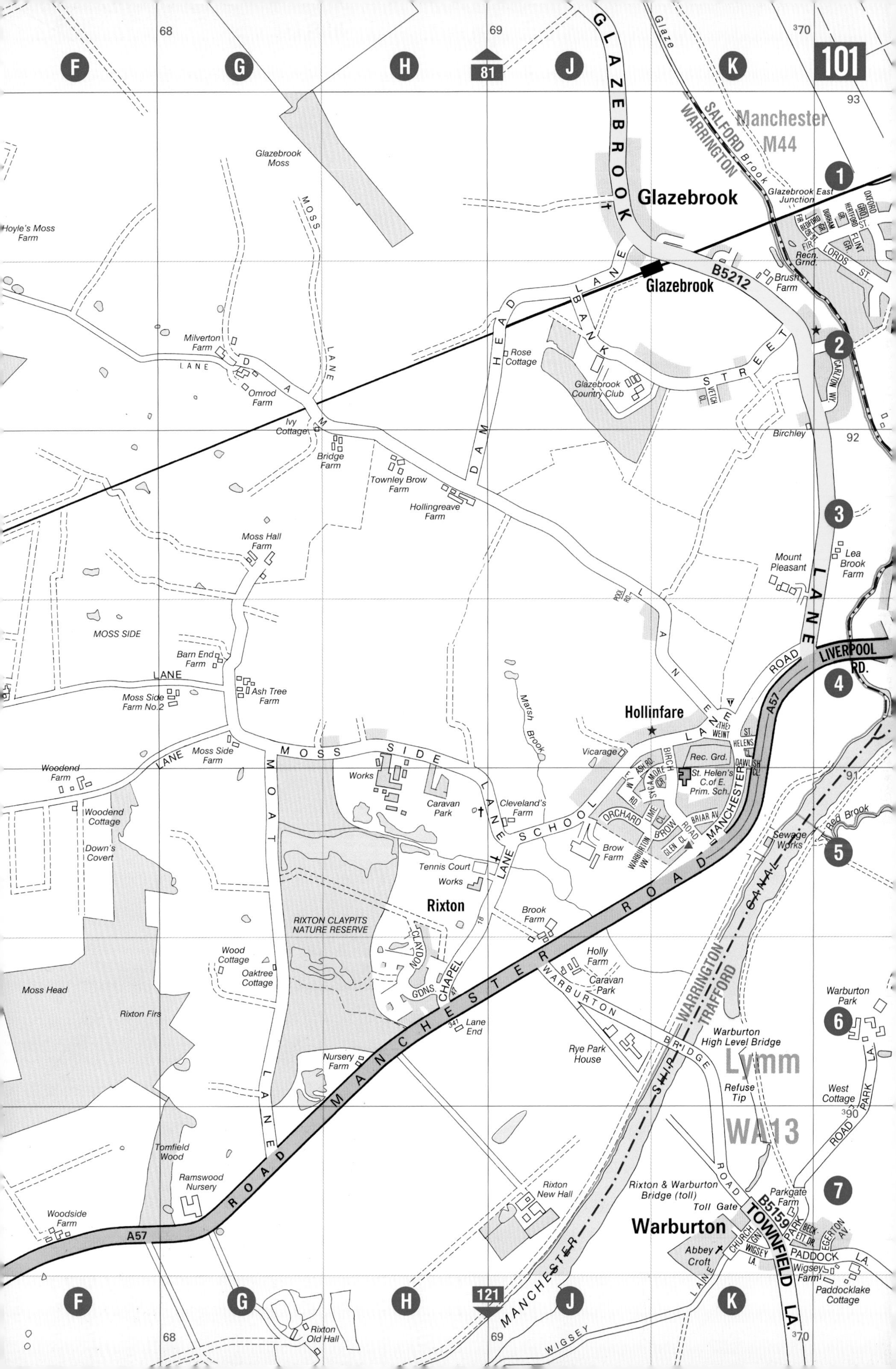
Glazebrook
Glazebrook Moss
Hoyle's Moss Farm
Manchester M44
Glazebrook East Junction
B5212
Milverton Farm
Omrod Farm
Ivy Cottage
Bridge Farm
Townley Brow Farm
Hollingreave Farm
Rose Cottage
Glazebrook Country Club
Birchley
Mount Pleasant
Lea Brook Farm
Brush Farm
Recn. Grnd.
Moss Hall Farm
MOSS SIDE
Barn End Farm
Ash Tree Farm
Moss Side Farm No.2
Moss Side Farm
Woodend Farm
Woodend Cottage
Down's Covert
Hollinfare
Vicarage
Rec. Grd.
St. Helen's C.of E. Prim. Sch.
Works
Caravan Park
Cleveland's Farm
Brow Farm
Tennis Court
Rixton
RIXTON CLAYPITS NATURE RESERVE
Brook Farm
Holly Farm
Wood Cottage
Oaktree Cottage
Moss Head
Rixton Firs
Lane End
Rye Park House
Warburton High Level Bridge
Lymm
WA13
Warburton Park
West Cottage
Refuse Tip
Nursery Farm
Tomfield Wood
Ramswood Nursery
Woodside Farm
Rixton New Hall
Rixton & Warburton Bridge (toll)
Toll Gate
Warburton
Parkgate Farm
Abbey Croft
Wigsey Farm
Paddocklake Cottage
Rixton Old Hall
Sewage Works
Red Brook
Marsh Brook
A57
B5159
MANCHESTER ROAD
LIVERPOOL RD.
MOSS SIDE LANE
SCHOOL LANE
MOAT LANE
DAM HEAD LANE
DAM LANE
BANK STREET
GLAZEBROOK LANE
WARBURTON BRIDGE ROAD
TOWNFIELD LA.
PADDOCK LA.
WIGSEY LANE
CHURCH LANE
MANCHESTER SHIP CANAL
WARRINGTON TRAFFORD
SALFORD WARRINGTON
F G H J K
81
121
68 69 370
93 92 91 390
1 2 3 4 5 6 7

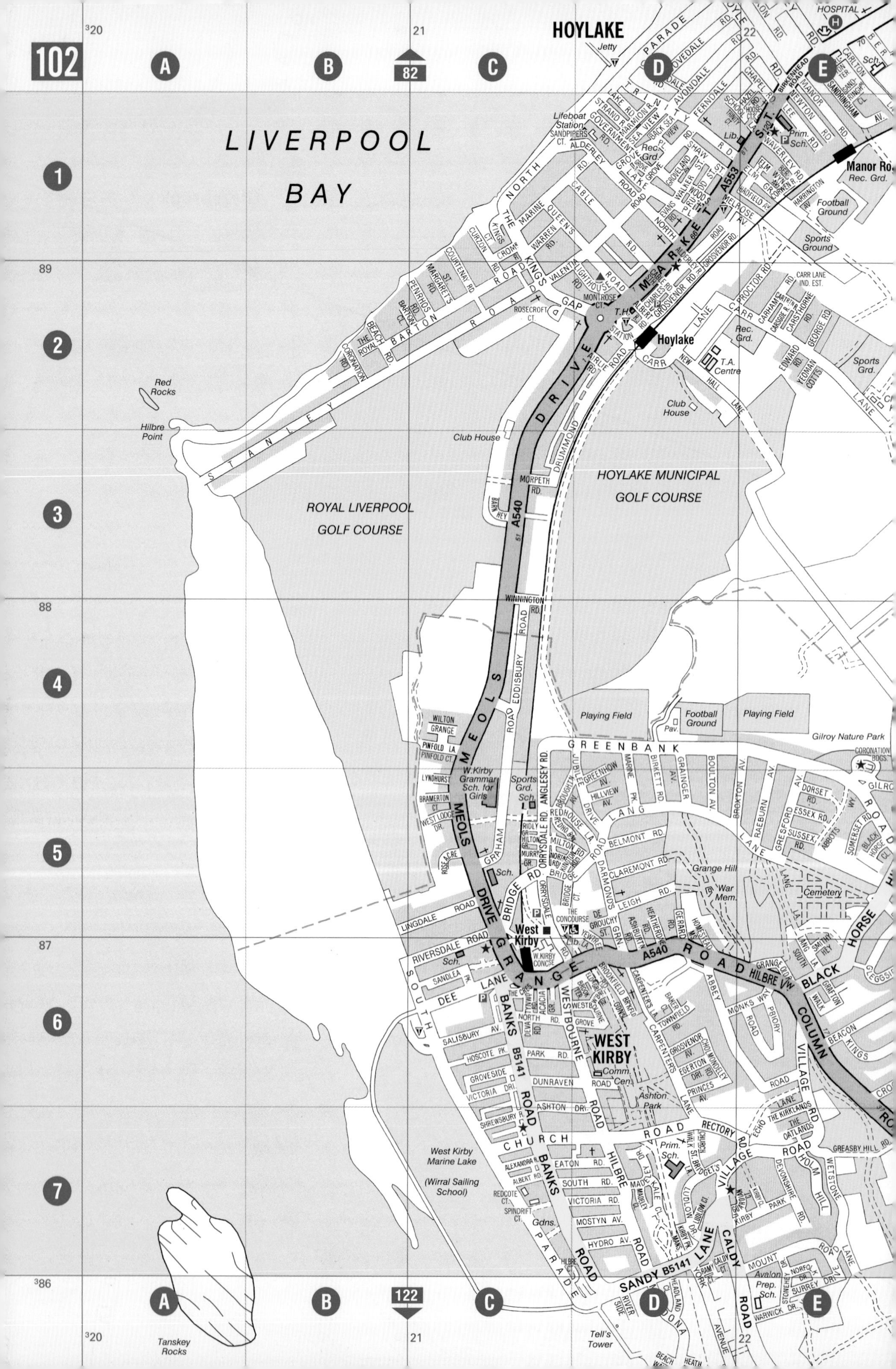
HOYLAKE
Jetty
82
122
LIVERPOOL BAY
Lifeboat Station
Red Rocks
Hilbre Point
ROYAL LIVERPOOL GOLF COURSE
HOYLAKE MUNICIPAL GOLF COURSE
Club House
Hoylake
T.A. Centre
Manor Rd.
Rec. Grd.
Football Ground
Sports Ground
CARR LANE IND. EST.
Playing Field
Gilroy Nature Park
W.Kirby Grammar Sch. for Girls
Grange Hill
War Mem.
Cemetery
West Kirby
WEST KIRBY
Comm. Cen.
Ashton Park
West Kirby Marine Lake
(Wirral Sailing School)
Tanskey Rocks
Tell's Tower
Avalon Prep. Sch.
HOSPITAL
A540
A553
B5141
STANLEY ROAD
MEOLS DRIVE
GRANGE ROAD
BANKS ROAD
SANDY LANE
CALDY ROAD
VILLAGE RD.
COLUMN ROAD
BLACK HORSE HILL
MARKET ST.
GREENBANK
LANG LANE
CHURCH ROAD
RECTORY RD.
SOUTH PARADE
NORTH PARADE
KINGS GAP
DRUMMOND RD.
EDDISBURY ROAD
BIRKENHEAD ROAD
CARR LANE
320
21
22
89
88
87
386

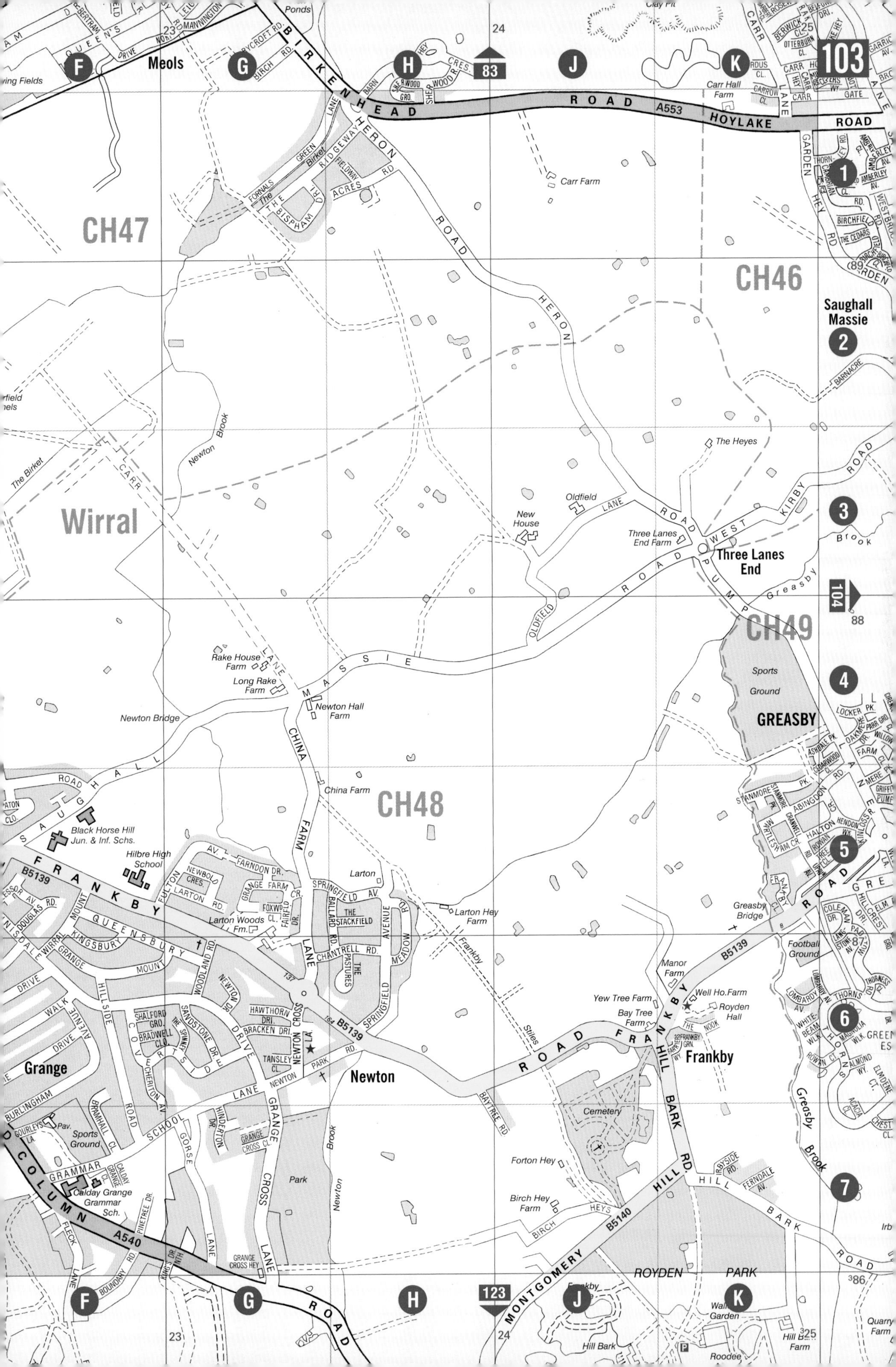
Meols
CH47
Wirral
CH46
Saughall Massie
CH48
CH49
GREASBY
Three Lanes End
Frankby
Newton
Grange
BIRKENHEAD ROAD
HOYLAKE ROAD
A553
HERON ROAD
CARR LANE
SAUGHALL MASSIE ROAD
FRANKBY ROAD
B5139
CHINA FARM LANE
GRANGE CROSS LANE
HILL BARK RD.
MONTGOMERY HILL
B5140
COLUMN ROAD
A540
SCHOOL LANE
PUMP LANE
WEST KIRBY ROAD
OLDFIELD LANE
Carr Farm
Carr Hall Farm
The Heyes
Oldfield
New House
Three Lanes End Farm
Rake House Farm
Long Rake Farm
Newton Hall Farm
Newton Bridge
China Farm
Larton
Larton Hey Farm
Larton Woods Fm.
Black Horse Hill Jun. & Inf. Schs.
Hilbre High School
Calday Grange Grammar Sch.
Sports Ground
Football Ground
Greasby Bridge
Manor Farm
Yew Tree Farm
Well Ho.Farm
Royden Hall
Bay Tree Farm
Cemetery
Forton Hey
Birch Hey Farm
ROYDEN PARK
Park
Newton Brook
Greasby Brook
The Birket
Clay Pit
Ponds
Playing Fields
Quarry Farm
Hill Bark Farm
Roodee
Wall Garden
83
104
123
23
24
25
86
87
88
89

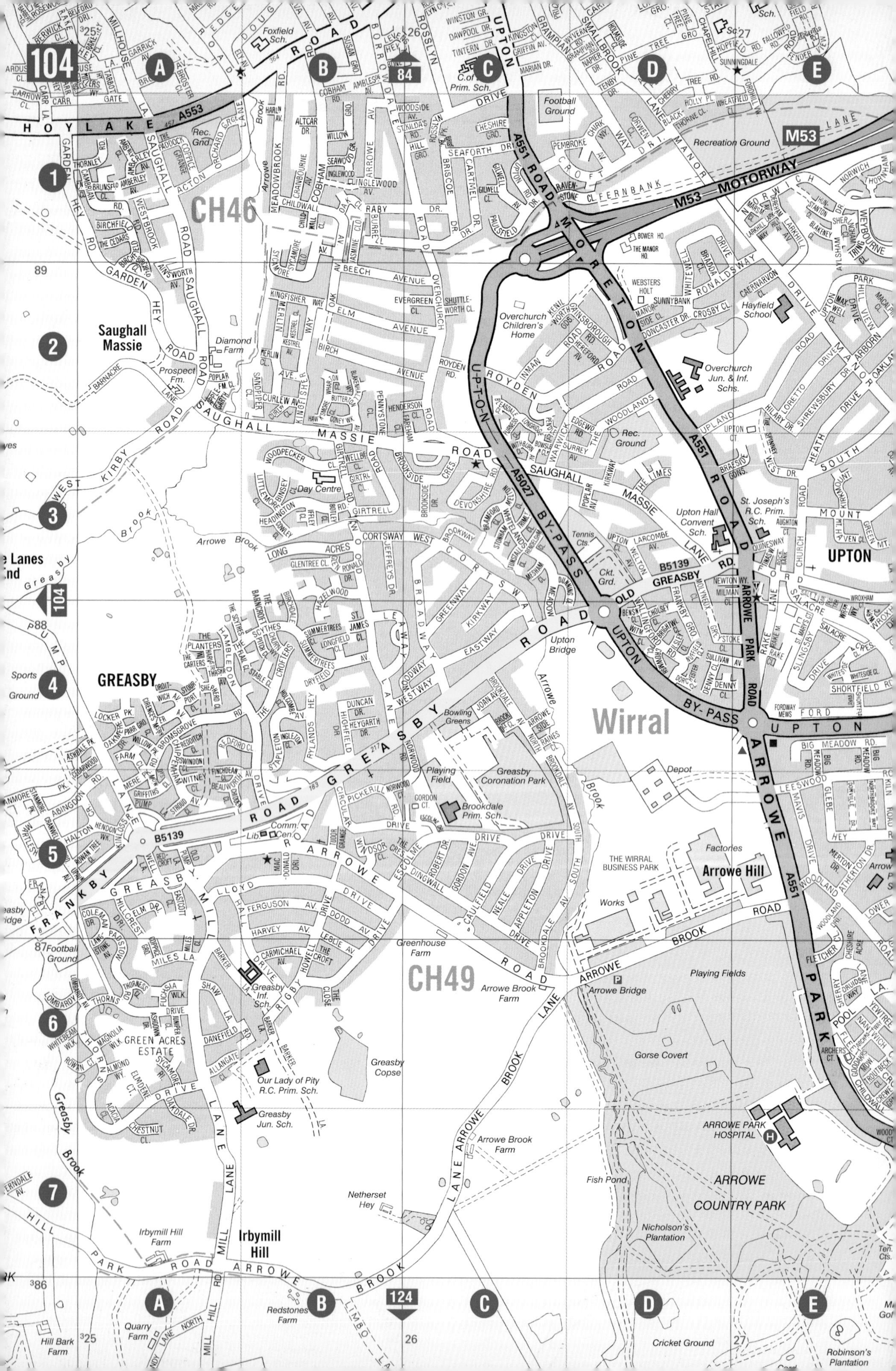
104
A
B
C
D
E
1
2
3
4
5
6
7
CH46
CH49
HOYLAKE ROAD
A553
Foxfield Sch.
C. of E. Prim. Sch.
Football Ground
Recreation Ground
M53
M53 MOTORWAY
Rec. Gnd.
Saughall Massie
Diamond Farm
Prospect Fm.
SAUGHALL MASSIE ROAD
WEST KIRBY ROAD
Arrowe Brook
Overchurch Children's Home
Overchurch Jun. & Inf. Schs.
Hayfield School
MORETON ROAD
A551
UPTON BY-PASS
A5027
Day Centre
Rec. Ground
Tennis Cts.
Ckt. Grd.
Upton Hall Convent Sch.
St. Joseph's R.C. Prim. Sch.
UPTON
GREASBY RD.
B5139
Upton Bridge
Sports Ground
GREASBY
Wirral
GREASBY ROAD
Bowling Greens
Playing Field
Greasby Coronation Park
Brookdale Prim. Sch.
Depot
Comm. Cen.
Lib.
THE WIRRAL BUSINESS PARK
Factories
Arrowe Hill
Works
ARROWE PARK ROAD
ARROWE BROOK ROAD
Greenhouse Farm
Arrowe Brook Farm
Arrowe Bridge
Playing Fields
Football Ground
Greasby Inf. Sch.
GREEN ACRES ESTATE
Our Lady of Pity R.C. Prim. Sch.
Greasby Copse
Gorse Covert
Greasby Jun. Sch.
Greasby Brook
ARROWE PARK HOSPITAL
Fish Pond
ARROWE COUNTRY PARK
Netherset Hey
Nicholson's Plantation
Irbymill Hill Farm
Irbymill Hill
ARROWE BROOK LANE
HILL BARK ROAD
124
Redstones Farm
Quarry Farm
Hill Bark Farm
Cricket Ground
Robinson's Plantation
25
26
27
86
87
88
89

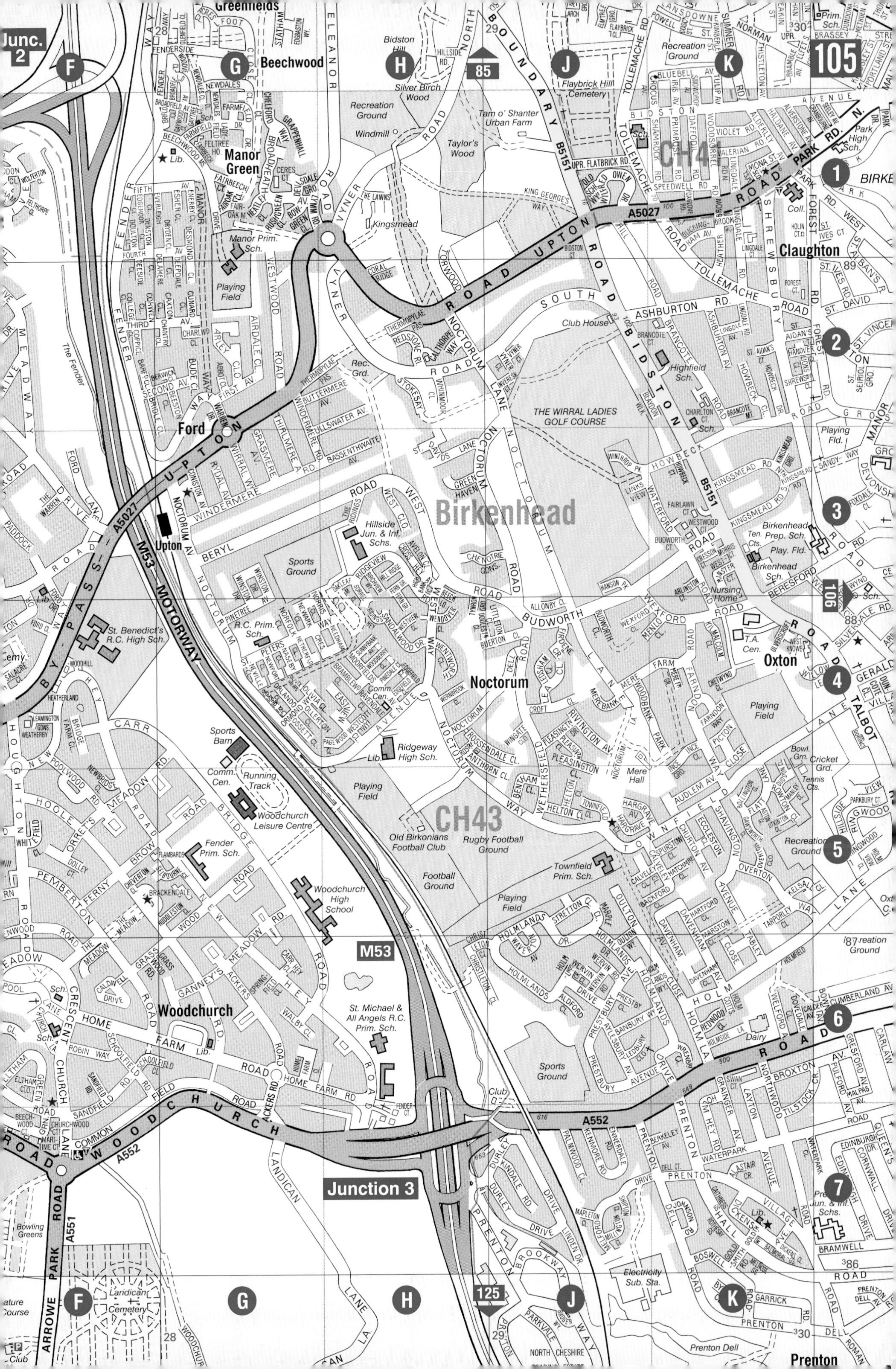
Junc. 2
Greenfields
Beechwood
Bidston Hill
Silver Birch Wood
Recreation Ground
Windmill
Tam o' Shanter Urban Farm
Taylor's Wood
Flaybrick Hill Cemetery
85
CH41
Manor Green
Lib.
Manor Prim. Sch.
Playing Field
Kingsmead
UPTON ROAD
A5027
B5151
BOUNDARY ROAD
NORTH ROAD
VYNER ROAD
TOLLEMACHE RD.
PARK RD. N.
Park High Sch.
Coll.
Claughton
BIRKE
Club House
ASHBURTON RD.
SOUTH
Highfield Sch.
Charlton Sch.
THE WIRRAL LADIES GOLF COURSE
Rec. Grd.
Ford
The Fender
Upton
M53 MOTORWAY
BY-PASS
Birkenhead
Hillside Jun. & Inf. Schs.
Sports Ground
BERYL
NOCTORUM AV.
WINDERMERE
Birkenhead Prep. Sch.
Birkenhead Sch.
Play. Fld.
Ten. Cts.
Nursing Home
106
St. Benedict's R.C. High Sch.
R.C. Prim. Sch.
Comm. Cen.
Lib.
BUDWORTH ROAD
Noctorum
T.A. Cen.
Oxton
Playing Field
Ridgeway High Sch.
Sports Barn
Comm. Cen.
Running Track
Woodchurch Leisure Centre
Fender Prim. Sch.
Playing Field
CH43
Old Birkonians Football Club
Rugby Football Ground
Mere Hall
Bowl. Grn.
Cricket Grd.
Tennis Cts.
Recreation Ground
Townfield Prim. Sch.
Football Ground
Playing Field
Woodchurch High School
M53
St. Michael & All Angels R.C. Prim. Sch.
Woodchurch
Sports Ground
Dairy
CUMBERLAND AV.
A552
WOODCHURCH ROAD
Club
Junction 3
Electricity Sub. Sta.
Bowling Greens
Landican Cemetery
ARROWE PARK ROAD
A551
125
LANDICAN LANE
PRENTON ROAD
Prenton Dell
Prenton
1
2
3
4
5
6
7
F
G
H
J
K
28
29
30
85
86
87
88
89

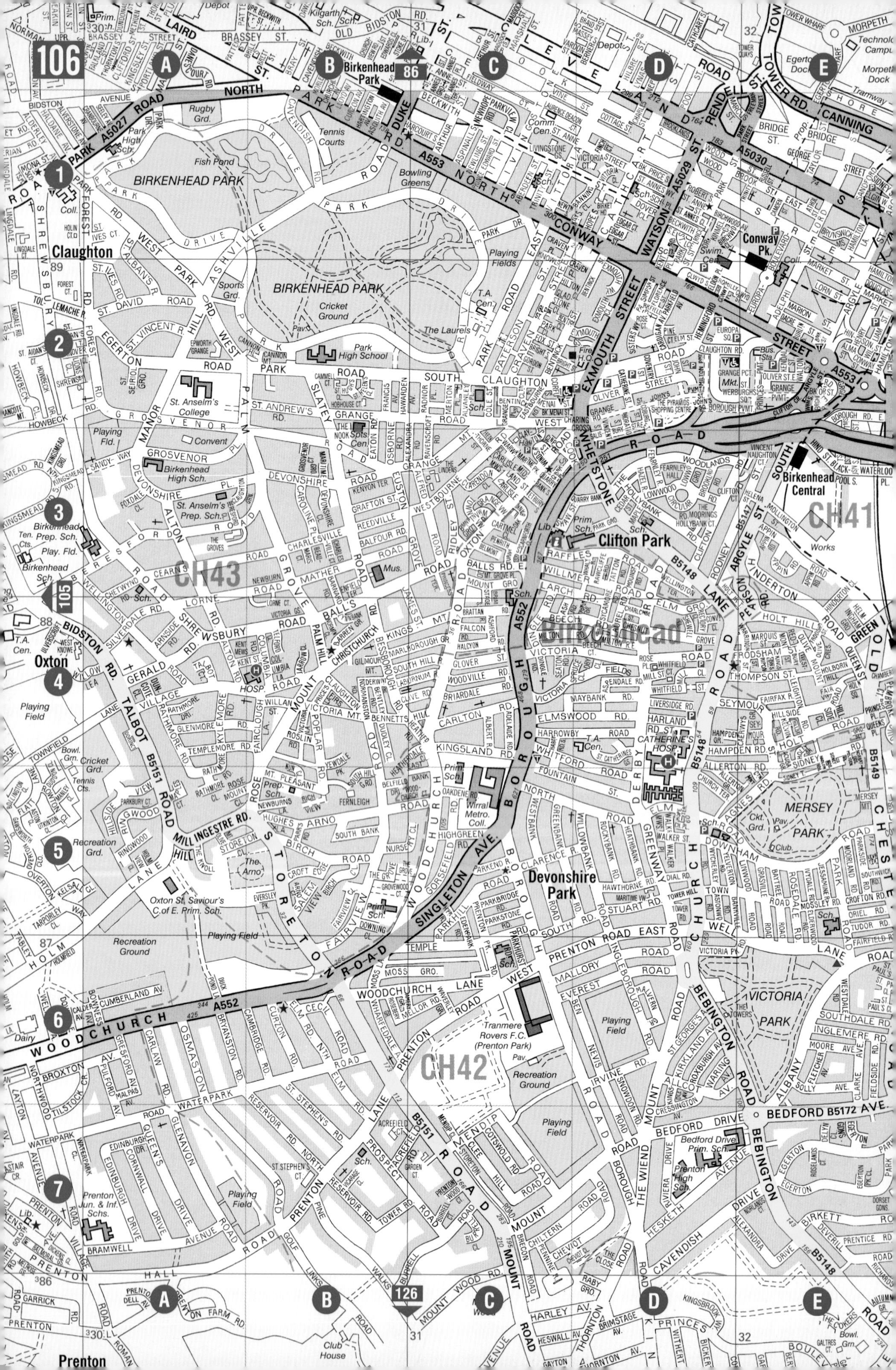

A
B
C
D
E
1
2
3
4
5
6
7
86
105
126
30
31
32
87
88
89
CH41
CH42
CH43
Birkenhead Park
BIRKENHEAD PARK
Claughton
Oxton
Prenton
Birkenhead
Clifton Park
Devonshire Park
Birkenhead Central
Conway Pk.
MERSEY PARK
VICTORIA PARK
Tranmere Rovers F.C. (Prenton Park)
St. Anselm's College
Park High School
Birkenhead High Sch.
St. Anselm's Prep. Sch.
Birkenhead Prep. Sch.
Wirral Metro. Coll.
St. Catherine's Hosp.
Bedford Drive Prim. Sch.
Prenton High Sch.
Prenton Jun. & Inf. Schs.
Oxton St. Saviour's C.of E. Prim. Sch.
Rugby Grd.
Fish Pond
Tennis Courts
Bowling Greens
Playing Fields
Cricket Ground
The Laurels
Sports Grd.
Recreation Ground
Recreation Grd.
Playing Field
The Arno
Egerton Dock
Morpeth Dock
Technology Campus
A5027
A553
A552
A5029
A5030
B5148
B5151
B5147
B5149
B5172
PARK ROAD NORTH
CONWAY STREET
BOROUGH ROAD
WOODCHURCH ROAD
SINGLETON AVE.
STORETON ROAD
EXMOUTH STREET
WHETSTONE LANE
CHURCH ROAD
BEBINGTON ROAD
BEDFORD AVE.
CLAUGHTON ROAD
SHREWSBURY ROAD
BIDSTON RD.
TALBOT ROAD
MOUNT ROAD
PRENTON ROAD WEST
PRENTON ROAD EAST

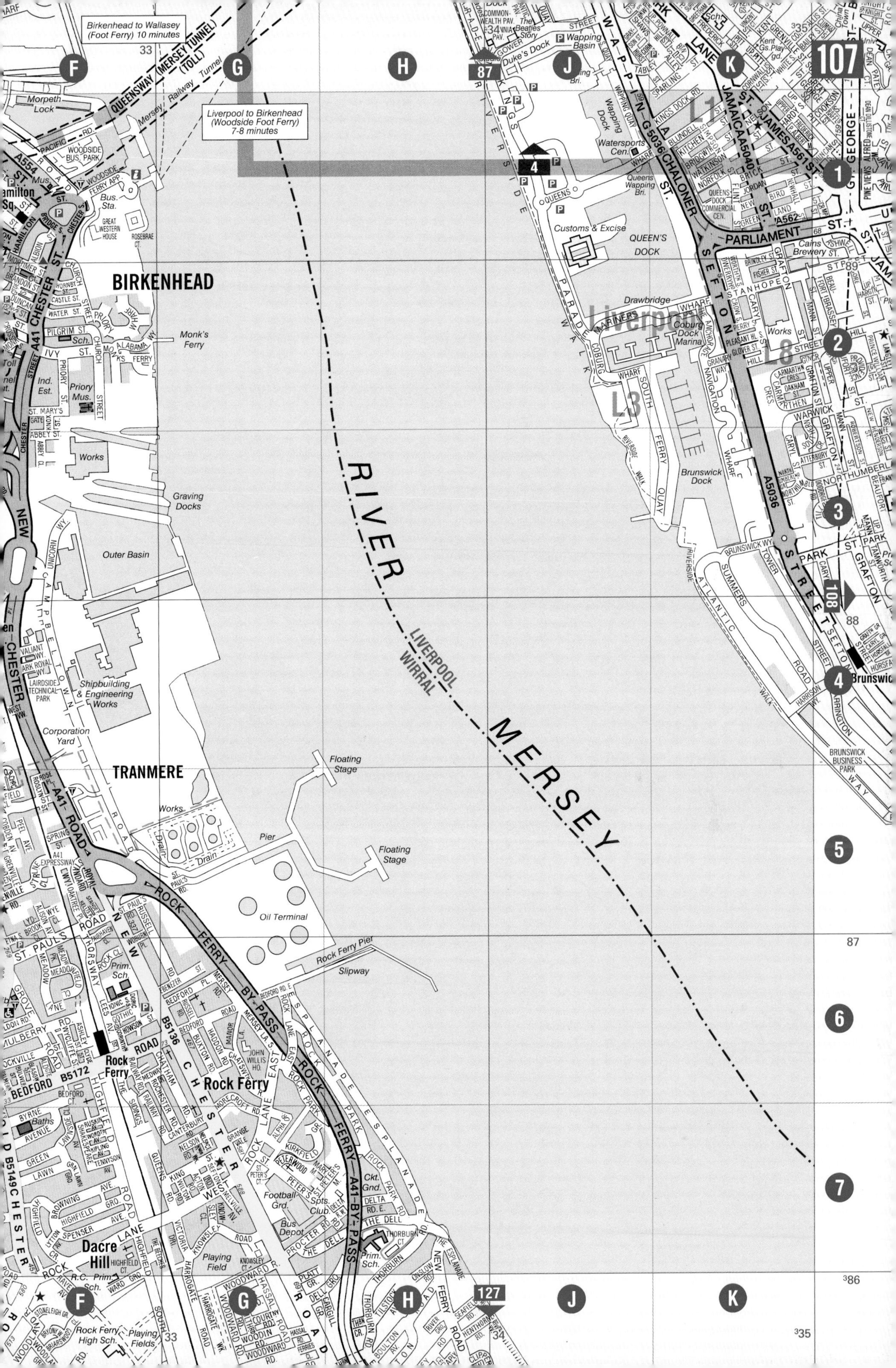

BIRKENHEAD

Liverpool

TRANMERE

Rock Ferry

Dacre Hill

RIVER MERSEY

LIVERPOOL WIRRAL

Birkenhead to Wallasey
(Foot Ferry) 10 minutes

Queensway (Mersey Tunnel) (Toll)

Mersey Railway Tunnel

Liverpool to Birkenhead
(Woodside Foot Ferry)
7-8 minutes

Grid references: F, G, H, J, K across top and bottom

Column numbers: 1, 2, 3, 4, 5, 6, 7 down the right side

Morpeth Lock
Woodside Bus Park
Bus. Sta.
Great Western House
Rosebrae Ct.
Hamilton Sq.
Ind. Est.
Priory Mus.
Works
Monk's Ferry
Graving Docks
Outer Basin
Shipbuilding & Engineering Works
Lairdside Technical Park
Corporation Yard
Works
Floating Stage
Pier
Oil Terminal
Floating Stage
Rock Ferry Pier
Slipway
Rock Ferry
Bedford
Football Grd.
Bus Depot
Playing Field

Queens Dock
Queen's Dock
Customs & Excise
Wapping Dock
Watersports Cen.
Wapping Basin
The Beatles Story
Coburg Dock Marina
South Wharf
Brunswick Dock
Brunswick Business Park
Cains Brewery
Brunswick

Roads: CHESTER ST, A41, NEW CHESTER ROAD, ROCK FERRY BY-PASS, A41 EXPRESSWAY, ROCK LANE, ESPLANADE, THE ESPLANADE, NEW FERRY ROAD, PARLIAMENT ST, SEFTON ST, A5036, GRAFTON ST, JAMAICA ST, A561, GEORGE ST

87

33

386

35

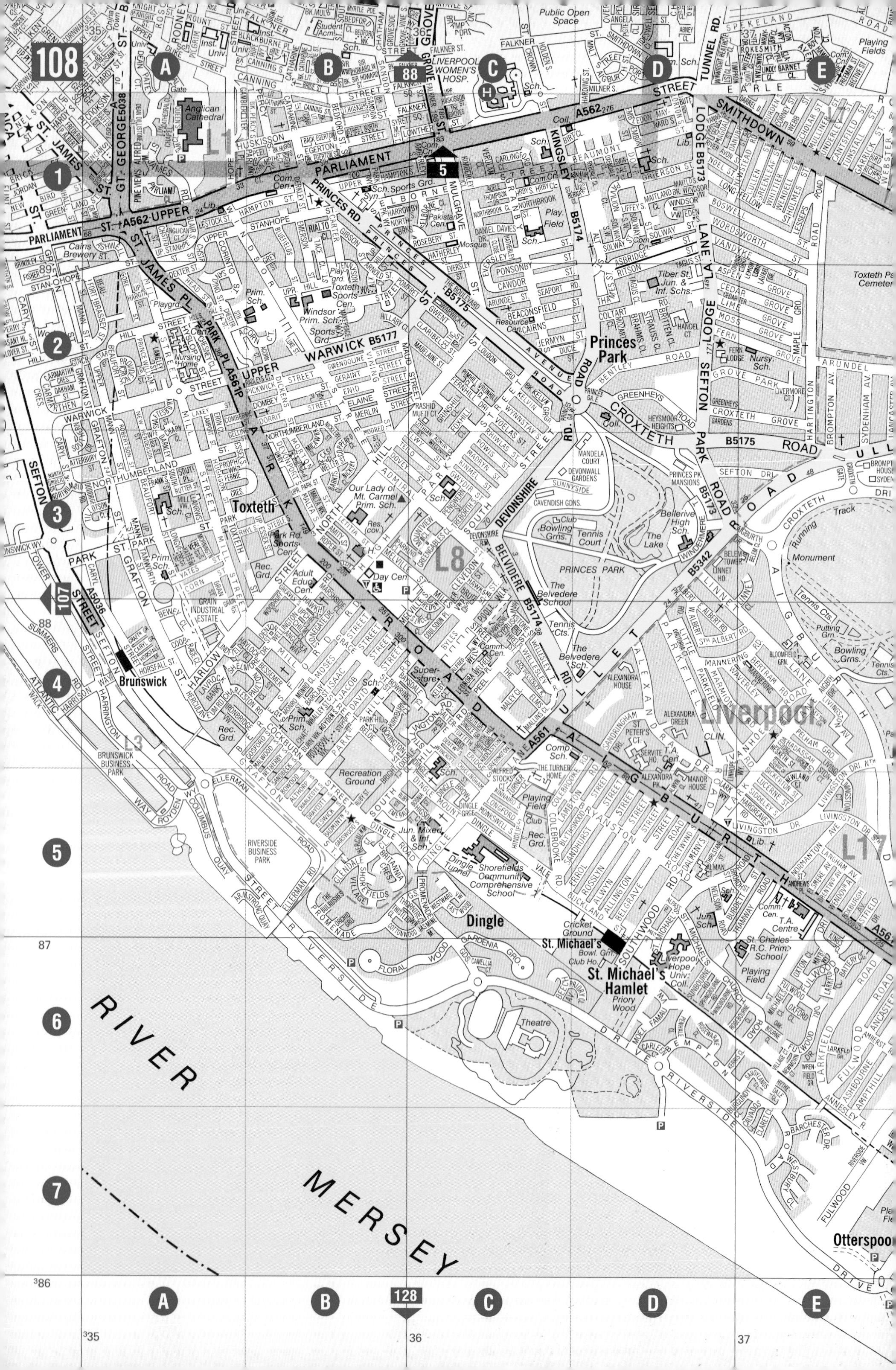
A
B
C
D
E
1
2
3
4
5
6
7
88
5
107
128
Anglican Cathedral
Liverpool Women's Hosp.
Public Open Space
Playing Fields
PARLIAMENT
A562 UPPER
PARLIAMENT ST.
SMITHDOWN
A562
TUNNEL RD.
GT. GEORGE ST.
ST. JAMES PL.
PRINCES RD.
B5175
WARWICK B5177
UPPER
PARK PL. A561
Toxteth
Princes Park
PRINCES PARK
The Lake
Tennis Court
Bowling Grns.
The Belvedere School
DEVONSHIRE
BELVIDERE
B5174
L8
L1
L3
L17
CROXTETH ROAD
B5175
SEFTON PARK ROAD
B5173
LODGE LANE
B5342
ULLET ROAD
Toxteth Park Cemetery
Running Track
Monument
Liverpool
Brunswick
Brunswick Business Park
Riverside Business Park
Recreation Ground
Day Cen
Our Lady of Mt. Carmel Prim. Sch.
Superstore
A561
AIGBURTH
Dingle
Shorefields Community Comprehensive School
Jun. Mixed & Inf. Sch.
Dingle Tunnel
Cricket Ground
St. Michael's
St. Michael's Hamlet
Liverpool Hope Univ. Coll.
Priory Wood
Theatre
St. Charles' R.C. Prim. School
Playing Field
Otterspool
RIVERSIDE DRIVE
RIVER
MERSEY
87
386
335
36
37

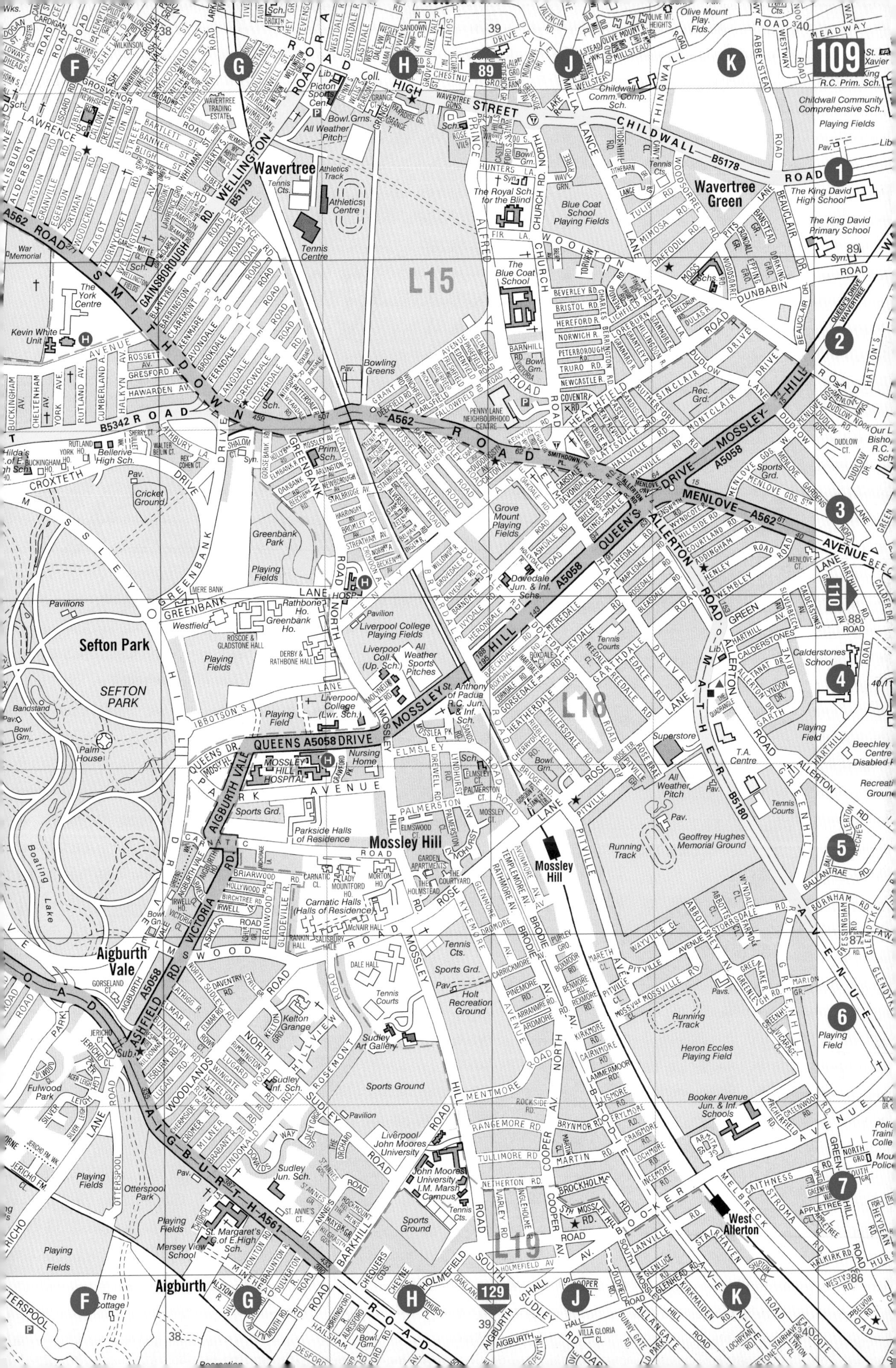

109
89
110
129
F
G
H
J
K
1
2
3
4
5
6
7
38
39
40
L15
L18
L19
Wavertree
Wavertree Green
Mossley Hill
Sefton Park
SEFTON PARK
Aigburth Vale
Aigburth
West Allerton
HIGH STREET
CHILDWALL ROAD
B5178
WELLINGTON RD.
B5179
SMITHDOWN ROAD
A562
B5342 ROAD
QUEENS A5058 DRIVE
QUEEN'S DRIVE
A5058
MOSSLEY HILL DRIVE
MENLOVE AVENUE
ALLERTON ROAD
MATHER AVENUE
B5180
AIGBURTH VALE
AIGBURTH ROAD
A561
ASHFIELD RD.
VICTORIA RD.
MOSSLEY HILL ROAD
BOOKER AVENUE
GREENBANK LANE
PENNY LANE
CHURCH ROAD
CHURCH RD. NORTH
WOOLTON ROAD
ROSE LANE
GREEN LANE
CROXTETH DRIVE
PARK AVENUE
North Sudley Road
Wavertree Trading Estate
Athletics Centre
Athletics Track
Tennis Centre
The Royal Sch. for the Blind
Blue Coat School
Blue Coat School Playing Fields
Childwall Comm. Comp. Sch.
Childwall Community Comprehensive Sch.
Olive Mount Play. Flds.
The King David High School
The King David Primary School
The York Centre
Kevin White Unit
War Memorial
Bellerive High Sch.
Cricket Ground
Greenbank Park
Pavilions
Westfield
Rathbone Ho.
Greenbank Ho.
Roscoe & Gladstone Hall
Derby & Rathbone Hall
Liverpool College Playing Fields
Liverpool Coll. (Up. Sch.)
Liverpool College (Lwr. Sch.)
All Weather Sports Pitches
St. Anthony of Padua R.C. Jun. & Inf. Sch.
Grove Mount Playing Fields
Dovedale Jun. & Inf. Schs.
Penny Lane Neighbourhood Centre
Bowling Greens
Palm House
Bandstand
Boating Lake
Mossley Hill Hospital
Nursing Home
Parkside Halls of Residence
Carnatic Halls (Halls of Residence)
Dale Hall
Sudley Art Gallery
Kelton Grange
Sudley Inf. Sch.
Sudley Jun. Sch.
Liverpool John Moores University
John Moores University I.M. Marsh Campus
Holt Recreation Ground
Sports Ground
Otterspool Park
St. Margaret's C. of E. High Sch.
Mersey View School
The Cottage
Superstore
T.A. Centre
Geoffrey Hughes Memorial Ground
Running Track
Heron Eccles Playing Field
Booker Avenue Jun. & Inf. Schools
Calderstones School
Fulwood Park
Playing Fields

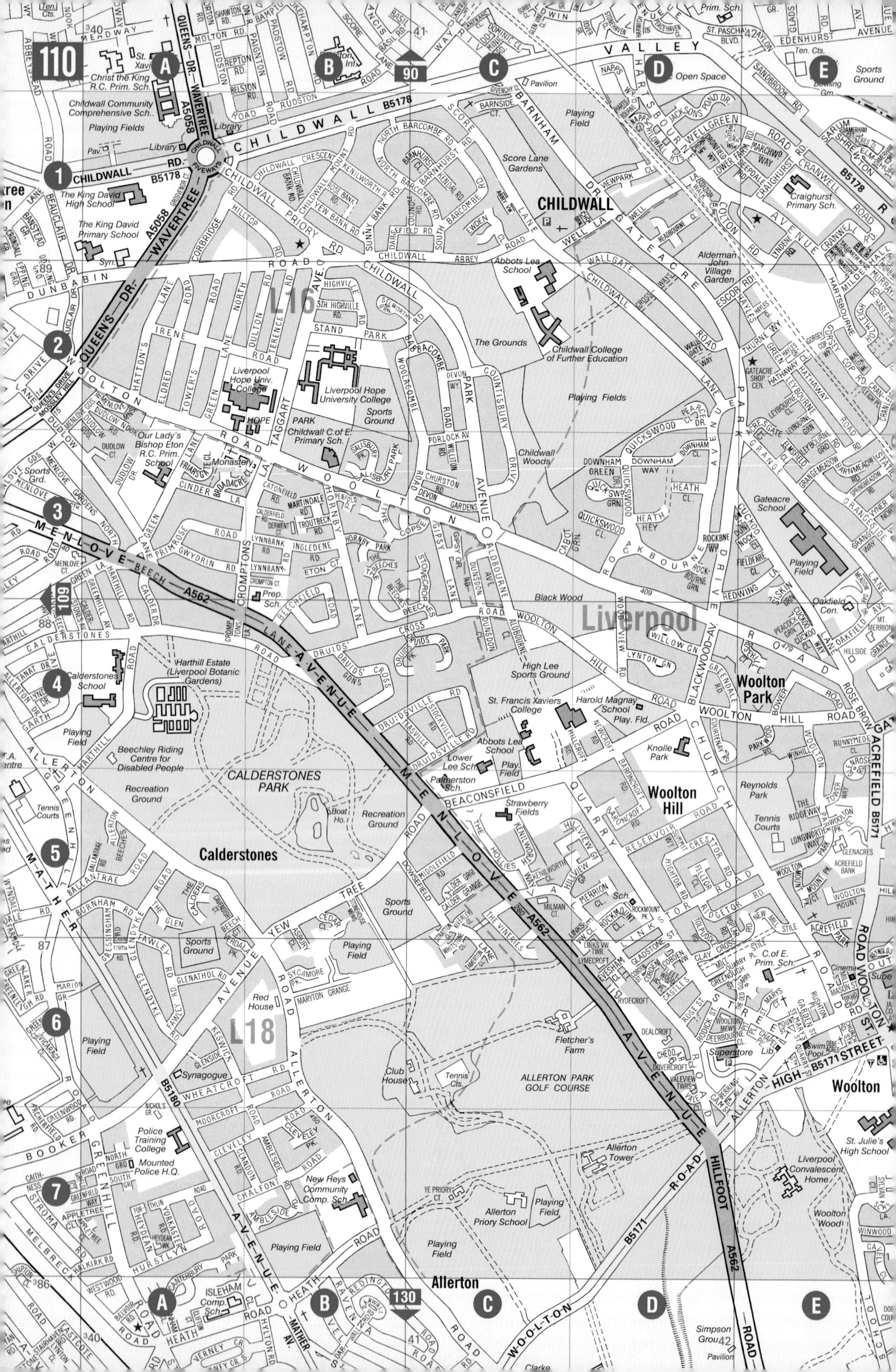

110
90
109
130
A
B
C
D
E
1
2
3
4
5
6
7
CHILDWALL
Childwall
Liverpool
L16
L18
Woolton Park
Woolton Hill
Woolton
Calderstones
Allerton
CALDERSTONES PARK
ALLERTON PARK GOLF COURSE
CHILDWALL FIVEWAYS
QUEENS DR.
QUEEN'S DRIVE
WAVERTREE
A5058
A562
B5178
B5171
B5180
CHILDWALL RD.
CHILDWALL VALLEY RD.
CHILDWALL PRIORY RD.
CHILDWALL ABBEY ROAD
CHILDWALL PARK AVE.
WOOLTON ROAD
MENLOVE AVENUE
HILLFOOT ROAD
ALLERTON ROAD
MATHER AVENUE
YEW TREE ROAD
BEACONSFIELD ROAD
GATEACRE PARK DRIVE
QUARRY STREET
CHURCH ROAD
WOOLTON HILL ROAD
ROCKBOURNE AVENUE
BARNHAM DR.
SCORE LANE
HARTSBOURNE AVENUE
HIGH STREET
Christ the King R.C. Prim. Sch.
Childwall Community Comprehensive Sch.
Playing Fields
Library
The King David High School
The King David Primary School
Syn.
Score Lane Gardens
Playing Field
Pavilion
Open Space
Abbots Lea School
Childwall College of Further Education
The Grounds
Liverpool Hope Univ. College
Liverpool Hope University College
Sports Ground
Childwall C.of E. Primary Sch.
Our Lady's Bishop Eton R.C. Prim. School
Monastery
Childwall Woods
Alderman John Village Garden
Craighurst Primary Sch.
Gateacre School
Oakfield Cen.
Black Wood
High Lee Sports Ground
St. Francis Xaviers College
Harold Magnay School Play. Fld.
Knolle Park
Lower Lee Sch.
Palmerston Sch.
Strawberry Fields
Reynolds Park
Tennis Courts
Harthill Estate (Liverpool Botanic Gardens)
Calderstones School
Beechley Riding Centre for Disabled People
Recreation Ground
Boat Ho.
Prep. Sch.
Sports Grd.
Red House
Synagogue
Police Training College
Mounted Police H.Q.
New Heys Community Comp. Sch.
Club House
Tennis Cts.
Allerton Tower
Allerton Priory School
Fletcher's Farm
Superstore
C.of E. Prim. Sch.
Cinema
Swim. Pool
St. Julie's High School
Liverpool Convalescent Home
Woolton Wood
Isleham Comp. Sch.
Simpson Grou
Pavilion

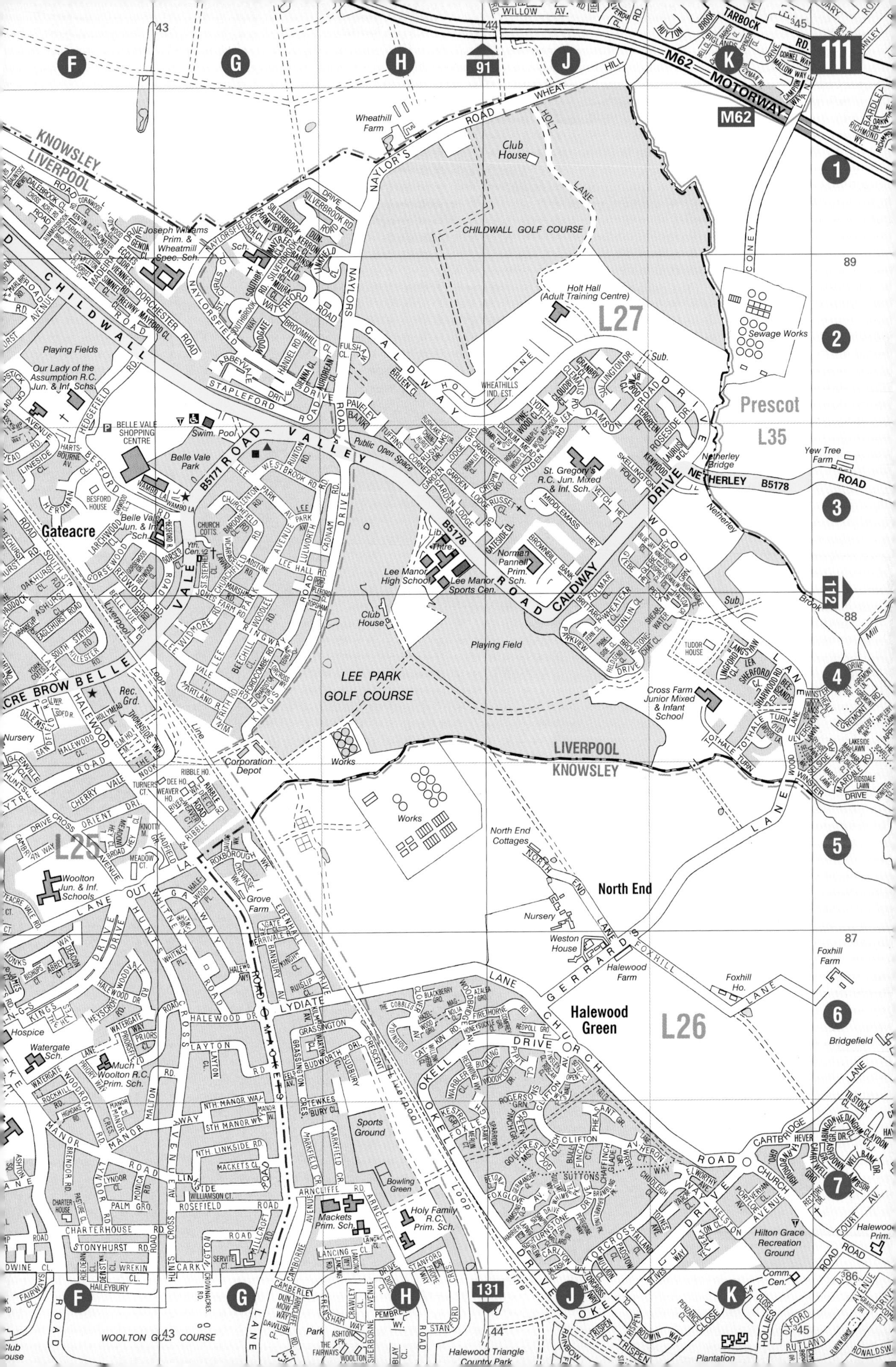
M62 MOTORWAY
M62
91
112
131
F
G
H
J
K
1
2
3
4
5
6
7
43
44
45
89
88
87
86
KNOWSLEY
LIVERPOOL
L27
L35
L25
L26
Prescot
Gateacre
North End
Halewood Green
Wheathill Farm
Club House
CHILDWALL GOLF COURSE
Holt Hall (Adult Training Centre)
Sewage Works
Joseph Williams Prim. & Wheatmill Spec. Sch.
Playing Fields
Our Lady of the Assumption R.C. Jun. & Inf. Schs.
BELLE VALE SHOPPING CENTRE
Swim. Pool
Belle Vale Park
Public Open Space
WHEATHILLS IND. EST.
St. Gregory's R.C. Jun. Mixed & Inf. Sch.
Netherley Bridge
Yew Tree Farm
Belle Vale Jun. & Inf. Sch.
BESFORD HOUSE
Lee Manor High School
Lee Manor Sports Cen.
Norman Pannell Prim. Sch.
Playing Field
LEE PARK GOLF COURSE
TUDOR HOUSE
Cross Farm Junior Mixed & Infant School
Corporation Depot
Works
Rec. Grd.
Nursery
Woolton Jun. & Inf. Schools
Grove Farm
North End Cottages
Weston House
Halewood Farm
Foxhill Farm
Foxhill Ho.
Bridgefield
Hospice
Watergate Sch.
Much Woolton R.C. Prim. Sch.
Sports Ground
Bowling Green
Mackets Prim. Sch.
Holy Family R.C. Prim. Sch.
Hilton Grace Recreation Ground
Halewood Prim.
Comm. Cen.
WOOLTON GOLF COURSE
Halewood Triangle Country Park
Plantation
NAYLOR'S ROAD
WHEAT HILL ROAD
HOLT LANE
CHILDWALL ROAD
CALDWAY DRIVE
B5171 ROAD VALLEY
B5178
NETHERLEY ROAD
WOOD LANE
NAYLORS ROAD
BELLE VALE ROAD
HALEWOOD ROAD
GERRARD'S LANE
CHURCH ROAD
LYDIATE LANE
OKELL DRIVE
CARTBRIDGE LANE
CHURCH ROAD
COURT AV.
OUT LANE
HUNTS CROSS AVENUE
MANOR ROAD
ROSEFIELD ROAD
CHARTERHOUSE RD.
STONYHURST RD.
HALEWOOD DRIVE
FOXHILL LANE
TARBOCK RD.
WILLOW AV.
CONEY LANE
Liverpool Loop Line

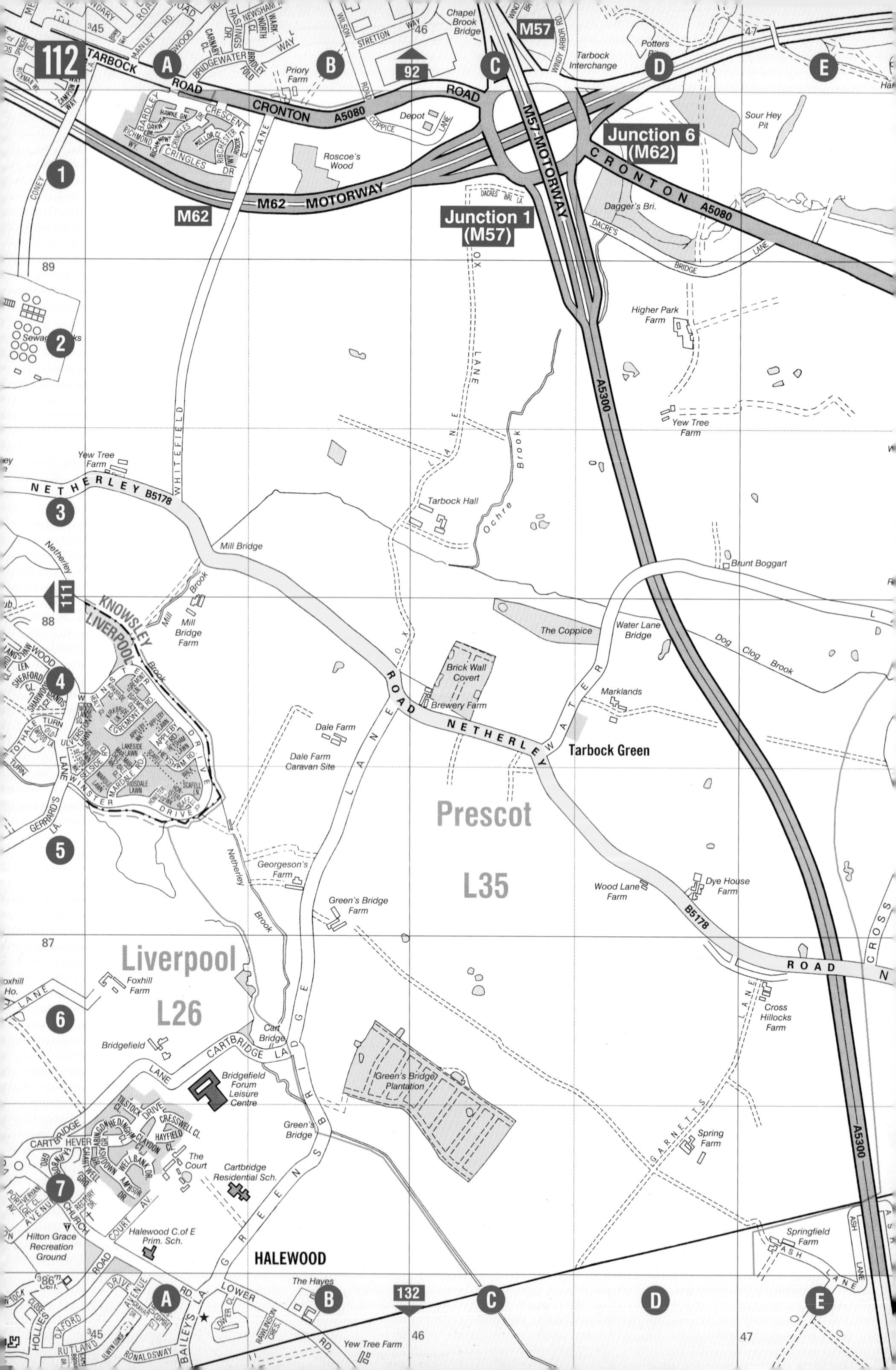

112
TARBOCK ROAD
CRONTON ROAD A5080
M62 MOTORWAY
M62
M57
M57 MOTORWAY
Junction 6 (M62)
Junction 1 (M57)
Tarbock Interchange
Chapel Brook Bridge
Potters Pit
Sour Hey Pit
Priory Farm
Depot
Roscoe's Wood
COPPICE LANE
STRETTON WAY
92
Dagger's Bri.
DACRE'S BRIDGE LANE
DACRES BRI. LA.
CRONTON A5080
Higher Park Farm
Yew Tree Farm
OX LANE
Ochre Brook
A5300
Tarbock Hall
NETHERLEY B5178
WHITEFIELD LANE
Mill Bridge
Mill Bridge Farm
Netherley Brook
111
KNOWSLEY
LIVERPOOL
Brunt Boggart
The Coppice
Water Lane Bridge
Dog Clog Brook
Brick Wall Covert
Brewery Farm
Marklands
WATER LANE
NETHERLEY ROAD
Tarbock Green
Dale Farm
Dale Farm Caravan Site
Prescot
L35
Georgeson's Farm
Green's Bridge Farm
Wood Lane Farm
Dye House Farm
B5178
ROAD
CROSS
Cross Hillocks Farm
Liverpool
L26
Foxhill Farm
Bridgefield
Cart Bridge
CARTBRIDGE LANE
Bridgefield Forum Leisure Centre
Green's Bridge Plantation
Green's Bridge
GREENS BRIDGE LANE
The Court
Cartbridge Residential Sch.
GARNETTS
Spring Farm
Springfield Farm
ASH LANE
Hilton Grace Recreation Ground
Halewood C.of E Prim. Sch.
HALEWOOD
The Hayes
LOWER ROAD
BAILEY'S LA.
RONALDSWAY
Yew Tree Farm
132
A B C D E
1 2 3 4 5 6 7
45 46 47
89 88 87 86

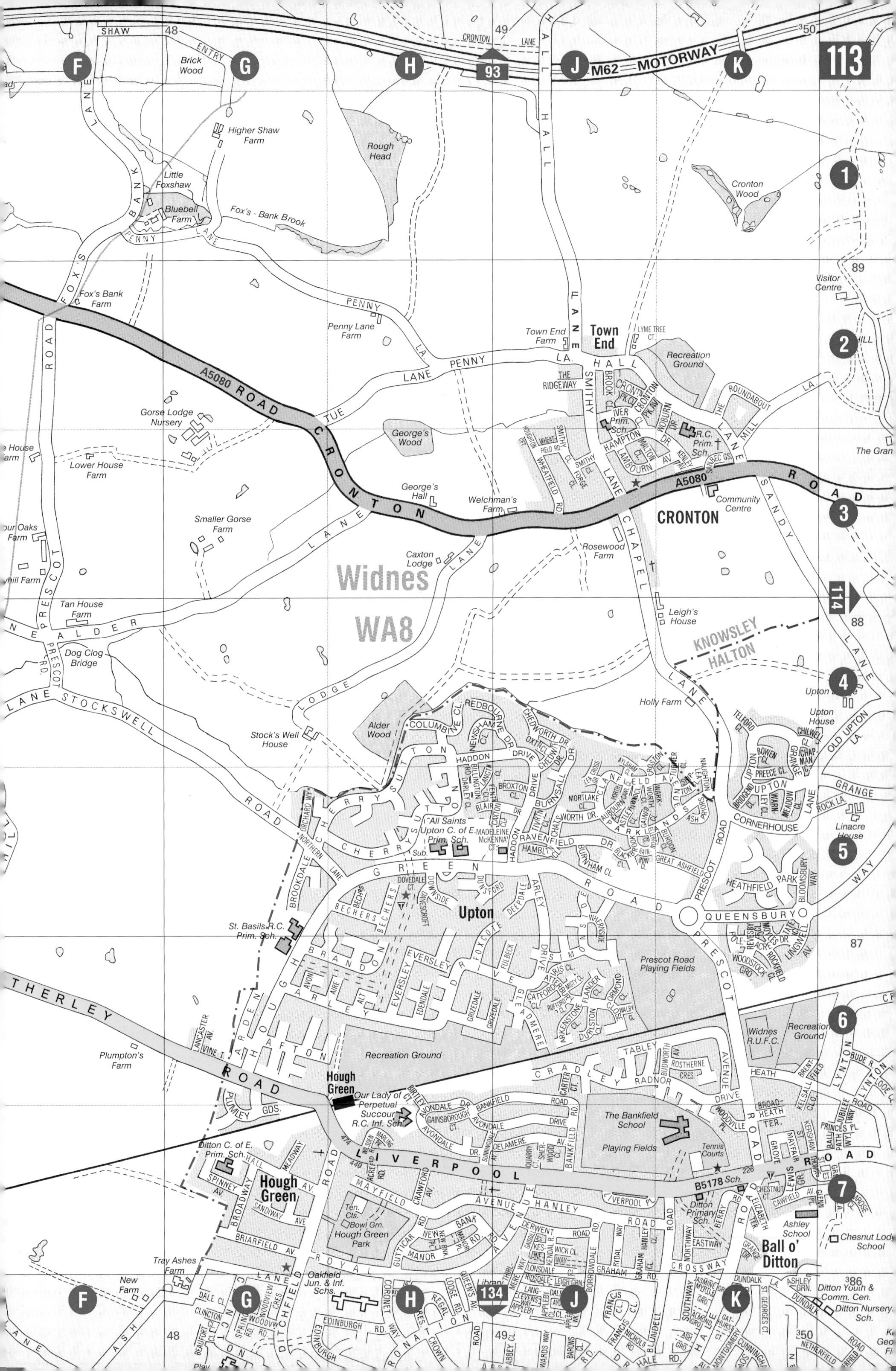
M62 MOTORWAY
93
134
114
CRONTON LANE
SHAW LANE
ENTRY
Brick Wood
Higher Shaw Farm
Rough Head
Little Foxshaw
Bluebell Farm
Fox's - Bank Brook
FOX'S BANK
PENNY LANE
HALL LANE
Cronton Wood
Visitor Centre
Fox's Bank Farm
Penny Lane Farm
Town End Farm
Town End
LYME TREE CT.
Recreation Ground
A5080 ROAD
CRONTON ROAD
TUE LANE
THE RIDGEWAY
SMITHY LANE
Gorse Lodge Nursery
George's Wood
R.C. Prim. Sch.
THE ROUNDABOUT
MILL LANE
Lower House Farm
George's Hall
Welchman's Farm
Community Centre
SANDY LANE
Smaller Gorse Farm
CRONTON
Rosewood Farm
CHAPEL LANE
Caxton Lodge
Widnes
WA8
PRESCOT ROAD
Leigh's House
Tan House Farm
ALDER LANE
KNOWSLEY
HALTON
Dog Clog Bridge
STOCKSWELL LANE
LODGE LANE
Holly Farm
Upton House
Alder Wood
Stock's Well House
OLD UPTON LA.
GRANGE LANE
ROCK LA.
Linacre House
All Saints Upton C. of E. Prim. Sch.
CHERRY SUTTON
GREEN ROAD
CORNERHOUSE LANE
HEATHFIELD PARK
QUEENSBURY WAY
Upton
St. Basils R.C. Prim. Sch.
Prescot Road Playing Fields
HOUGH GREEN
FARNWORTH ROAD
DITTON ROAD
THERLEY ROAD
Plumpton's Farm
Recreation Ground
Hough Green
Our Lady of Perpetual Succour R.C. Inf. Sch.
Widnes R.U.F.C.
Recreation Ground
The Bankfield School
Playing Fields
Tennis Courts
LIVERPOOL ROAD
B5178
Ditton C. of E. Prim. Sch.
Hough Green
Ditton Primary Sch.
Hough Green Park
Ashley School
Chesnut Lodge School
Ball o' Ditton
Tray Ashes Farm
New Farm
Oakfield Jun. & Inf. Schs.
Ditton Youth & Comm. Cen.
Ditton Nursery Sch.
ROYAL AVENUE
HANLEY ROAD
CROSSWAY
48
49
350
89
88
87
86

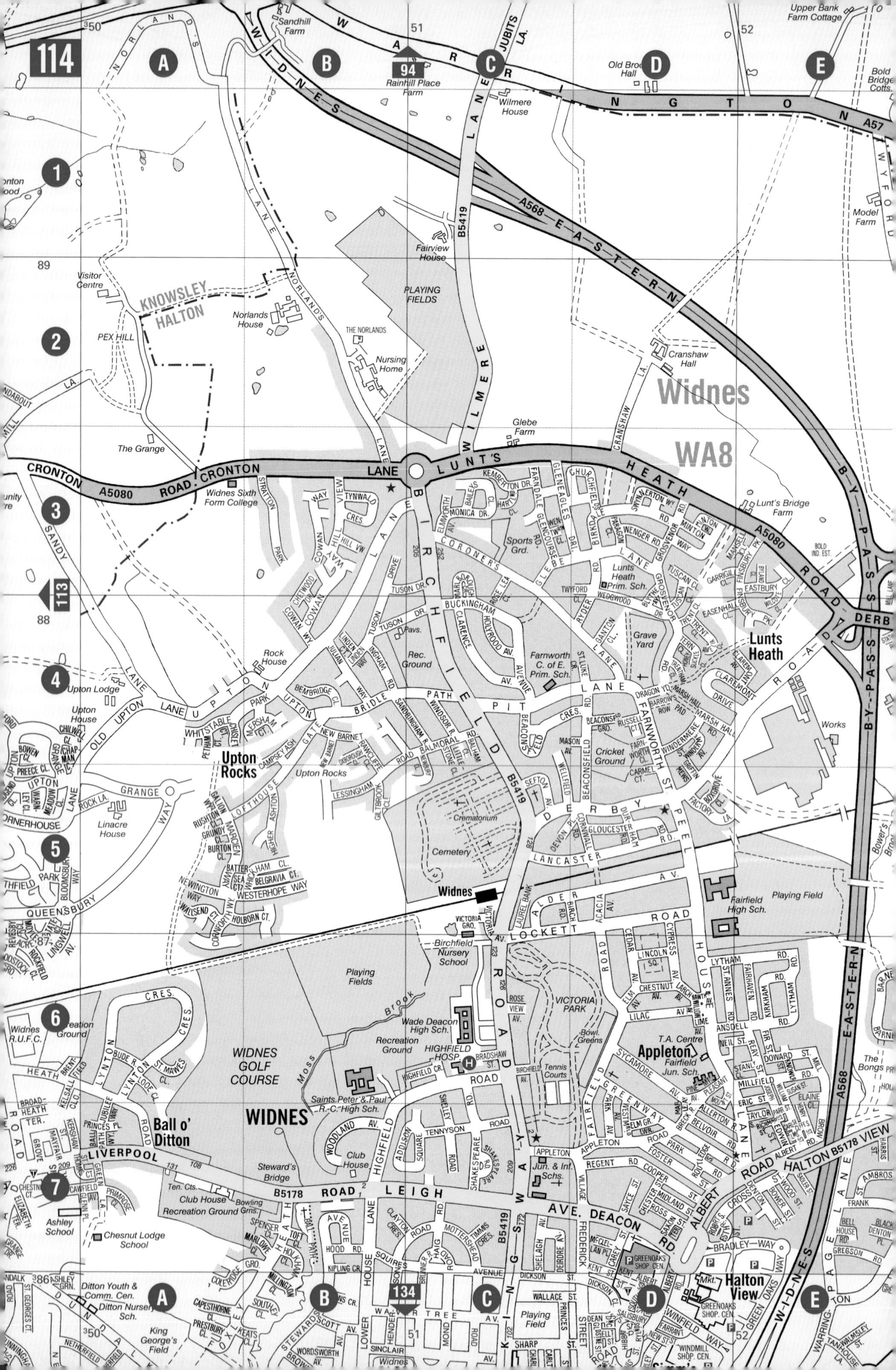

114
Widnes
WA8
WIDNES
Lunts Heath
Upton Rocks
Appleton
Ball o' Ditton
Halton View
KNOWSLEY
HALTON
WARRINGTON A57
A568 EASTERN
WIDNES EASTERN BY-PASS
CRONTON A5080 ROAD. CRONTON LANE
LUNT'S HEATH A5080 ROAD
B5178 ROAD LEIGH
LIVERPOOL
BIRCHFIELD B5419
WILMERE LANE B5419
JUBITS LA.
NORLAND'S LANE
UPTON LANE
OLD UPTON LANE
SANDY LANE
GRANGE WAY
FARNWORTH ST.
PEEL HOUSE LANE
DERBY RD.
LOCKETT ROAD
LANCASTER AV.
PIT LANE
CORONER'S
GLEBE LANE
DEACON RD.
ALBERT ROAD
HALTON B5178 VIEW
KINGSWAY
VICTORIA ROAD
APPLETON VILLAGE
BIRCHFIELD NURSERY SCHOOL
Sandhill Farm
Rainhill Place Farm
Wilmere House
Old Brook Hall
Upper Bank Farm Cottage
Bold Bridge Cotts.
Model Farm
Fairview House
PLAYING FIELDS
Visitor Centre
PEX HILL
Norlands House
THE NORLANDS
Nursing Home
Cranshaw Hall
Glebe Farm
The Grange
Widnes Sixth Form College
Lunt's Bridge Farm
BOLD IND. EST.
Sports Grd.
Lunts Heath Prim. Sch.
Grave Yard
Rec. Ground
Pavs.
Farnworth C. of E. Prim. Sch.
Rock House
Upton Lodge
Upton House
Linacre House
Cricket Ground
Crematorium
Cemetery
Works
Widnes
Fairfield High Sch.
Playing Field
Playing Fields
Wade Deacon High Sch.
Recreation Ground
HIGHFIELD HOSP.
VICTORIA PARK
Bowl. Greens
Tennis Courts
T.A. Centre
Fairfield Jun. Sch.
Saints Peter & Paul R.C. High Sch.
WIDNES GOLF COURSE
Widnes R.U.F.C.
Club House
Steward's Bridge
Ten. Cts.
Club House
Bowling Grns.
Recreation Ground
Ashley School
Chesnut Lodge School
Jun. & Inf. Schs.
GREENOAKS SHOP. CEN.
Mkt.
Ditton Youth & Comm. Cen.
Ditton Nursery Sch.
King George's Field
Playing Field
WINDMILL SHOP. CEN.
The Bongs
94
113
134

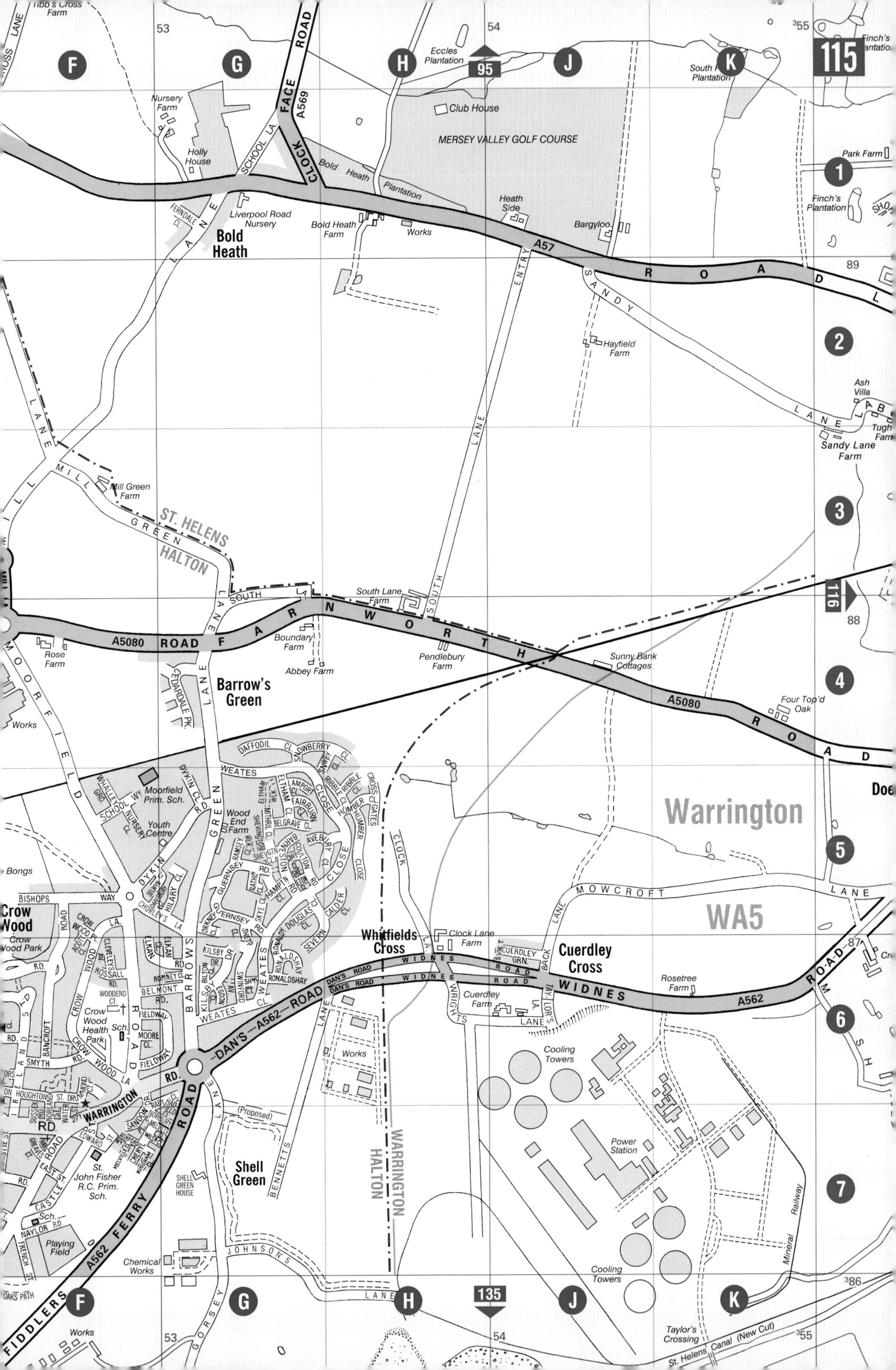

115
F
G
H
J
K
53
54
355
95
135
116
89
88
87
86
1
2
3
4
5
6
7
Tibb's Cross Farm
Nursery Farm
Holly House
Eccles Plantation
South Plantation
Finch's Plantation
Club House
MERSEY VALLEY GOLF COURSE
Park Farm
Bold Heath Plantation
CLOCK FACE ROAD
A569
SCHOOL LA.
FERNDALE CL.
Liverpool Road Nursery
Bold Heath
Bold Heath Farm
Works
Heath Side
Bargyloo
A57
ROAD
SANDY
ENTRY
Hayfield Farm
Ash Villa
Tugh Farm
Sandy Lane Farm
LANE
MILL LANE
MILL GREEN
Mill Green Farm
ST. HELENS
HALTON
SOUTH LANE
South Lane Farm
FARNWORTH
A5080 ROAD
Rose Farm
Boundary Farm
Abbey Farm
Pendlebury Farm
Sunny Bank Cottages
Four Top'd Oak
A5080
ROAD
MOORFIELD
Works
Barrow's Green
CEDARDALE PK.
DAFFODIL CL.
SNOWBERRY CL.
WEATES
WHALLEY GRO.
Moorfield Prim. Sch.
SCHOOL WY
NURSERY CL.
Youth Centre
DYKIN CL.
DYKIN RD.
Wood End Farm
GREEN
Warrington
Doe
Bongs
BISHOPS WAY
Crow Wood
Crow Wood Park
CROW WOOD PL.
CLOCK LA.
MOWCROFT LANE
WA5
Whitfields Cross
Clock Lane Farm
CUERDLEY GRN.
BACK LANE
Cuerdley Cross
WIDNES ROAD
DAN'S ROAD
Rosetree Farm
A562
Cuerdley Farm
WRIGHTS LANE
TAYLOR'S LA.
Works
Cooling Towers
Power Station
Cooling Towers
Mineral Railway
BARROWS
ROAD
Crow Wood Health Park
CROW WOOD LA.
DAN'S A562 ROAD
WARRINGTON RD.
St. John Fisher R.C. Prim. Sch.
Playing Field
A562 FIDDLERS FERRY ROAD
(Proposed)
Shell Green
SHELL GREEN HOUSE
BENNETTS
HALTON
WARRINGTON
JOHNSON'S LANE
Chemical Works
GORSEY LANE
Works
Taylor's Crossing
St. Helens Canal (New Cut)

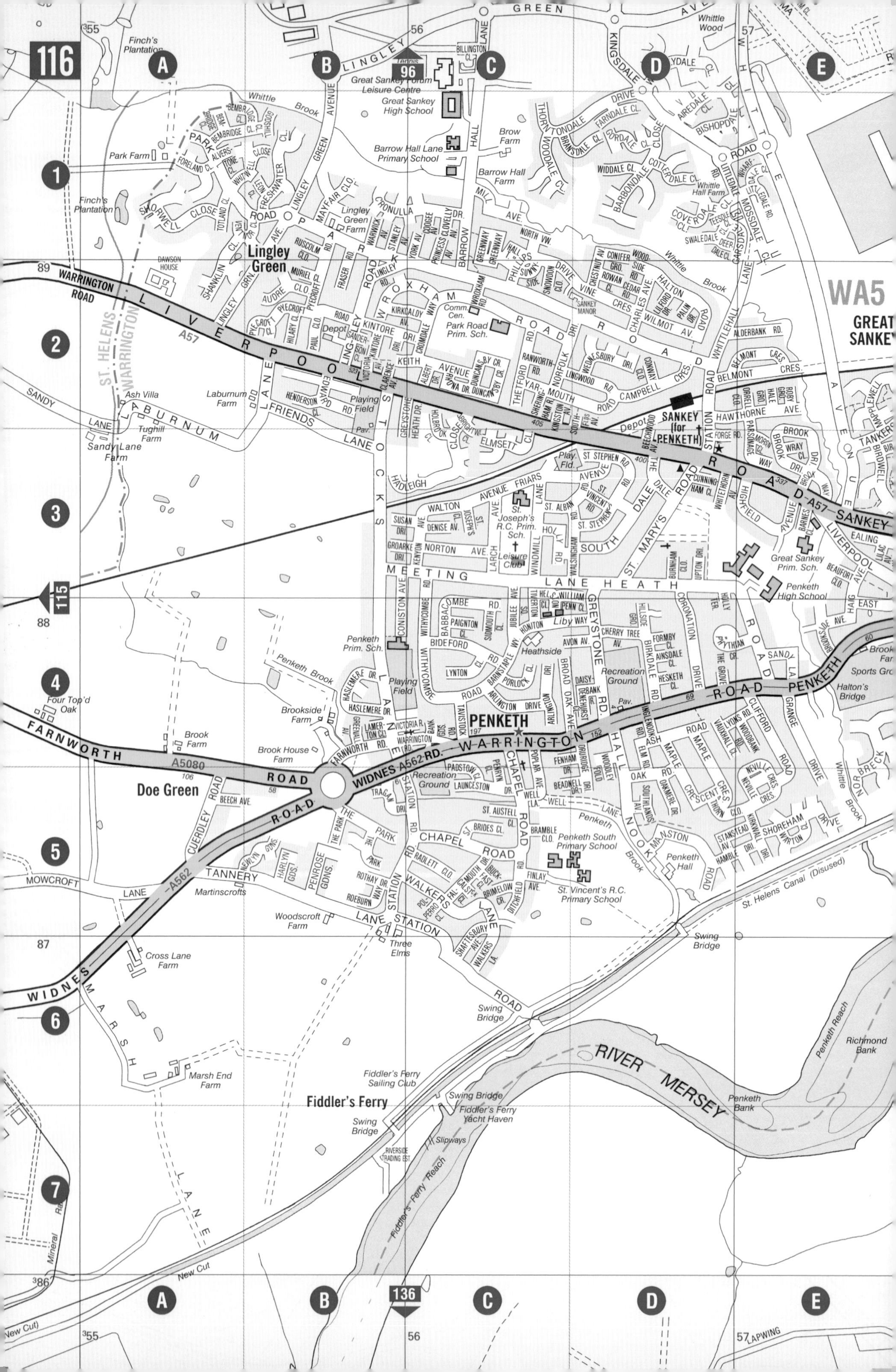

A
B
C
D
E
1
2
3
4
5
6
7
96
115
136
WA5
GREAT SANKEY
Lingley Green
PENKETH
Doe Green
Fiddler's Ferry
RIVER MERSEY
St. Helens Canal (Disused)
WARRINGTON ROAD
LIVERPOOL ROAD
A57
FARNWORTH ROAD
A5080
WIDNES ROAD
A562
WIDNES A562 RD.
WARRINGTON ROAD
PENKETH ROAD
MEETING LANE
HEATH
LANE
STATION ROAD
CHAPEL ROAD
TANNERY LANE
MOWCROFT LANE
SANDY LANE
LABURNUM LANE
FRIENDS LANE
STOCKS LANE
LINGLEY GREEN AVENUE
BARROW HALL LANE
KINGSDALE ROAD
WHITTLE AVENUE
GREEN
WROXHAM ROAD
PARK ROAD
SOUTH DALE
ST. MARY'S ROAD
HALL NOOK
MARSH LANE
Finch's Plantation
Park Farm
Whittle Brook
Great Sankey Forum Leisure Centre
Great Sankey High School
Barrow Hall Lane Primary School
Brow Farm
Barrow Hall Farm
Lingley Green Farm
Whittle Wood
Whittle Hall Farm
DAWSON HOUSE
Comm. Cen.
Park Road Prim. Sch.
SANKEY MANOR
SANKEY (for PENKETH)
Depot
Playing Field
Ash Villa
Laburnum Farm
Tughill Farm
Sandy Lane Farm
St. Joseph's R.C. Prim. Sch.
Leisure Club
Great Sankey Prim. Sch.
Penketh High School
Penketh Prim. Sch.
Penketh Brook
Heathside
Recreation Ground
Four Top'd Oak
Brookside Farm
Brook Farm
Brook House Farm
Penketh South Primary School
St. Vincent's R.C. Primary School
Penketh Hall
Martinscrofts
Woodscroft Farm
Three Elms
Cross Lane Farm
Swing Bridge
Marsh End Farm
Fiddler's Ferry Sailing Club
Fiddler's Ferry Yacht Haven
Slipways
RIVERSIDE TRADING EST.
Fiddler's Ferry Reach
Penketh Bank
Penketh Reach
Richmond Bank
Halton's Bridge
Sports Gro
New Cut
Mineral Rly
ST. HELENS
WARRINGTON
355
56
57
89
88
87
386
LAPWING

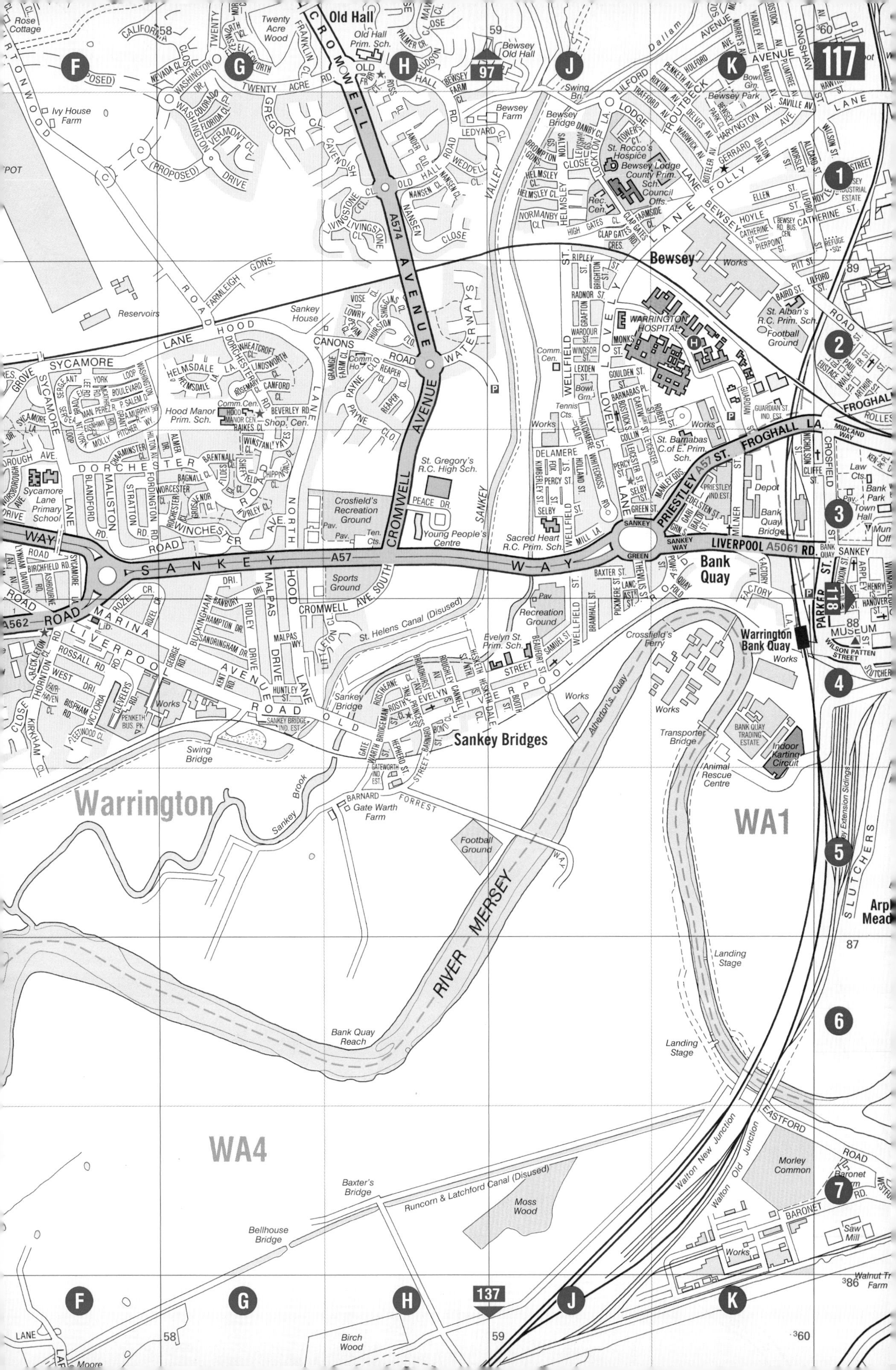

117
Old Hall
Old Hall Prim. Sch.
Twenty Acre Wood
Bewsey Old Hall
97
Rose Cottage
Ivy House Farm
Dallam Avenue
Swing Bri.
Bewsey Bridge
Bewsey Farm
Bewsey Park
St. Rocco's Hospice
Bewsey Lodge County Prim. Sch.
Council Offs.
Rec. Cen.
Lodge Lane
Folly Lane
Bewsey
Works
St. Alban's R.C. Prim. Sch.
Football Ground
Warrington Hospital
Froghall La.
Reservoirs
Sankey House
Farmleigh Gdns.
Hood Lane
Sycamore Lane
Dorchester Road
Canons Road
Waterways
Cromwell Avenue
A574
Hood Manor Prim. Sch.
Comm. Cen.
Shop. Cen.
Sycamore Lane Primary School
St. Gregory's R.C. High Sch.
Crosfield's Recreation Ground
Young People's Centre
Sports Ground
Comm. Cen.
Tennis Cts.
Bowl. Grn.
St. Barnabas C.of E. Prim. Sch.
Priestley St.
A57
Sacred Heart R.C. Prim. Sch.
Sankey Way
A57
Liverpool Road
A5061
Bank Quay
Priestley Ind. Est.
Depot
Bank Quay Bridge
Law Cts.
Bank Park
Town Hall
Museum
Warrington Bank Quay
118
A562
Liverpool Road
Marina Avenue
Lib.
Penketh Bus. Pk.
Sankey Bridge Ind. Est.
Cromwell Ave. South
St. Helens Canal (Disused)
Recreation Ground
Evelyn St. Prim. Sch.
Crosfield's Ferry
Works
Sankey Bridge
Sankey Bridges
Swing Bridge
Gateworth Ind. Est.
Gate Warth Farm
Forrest Way
Atherton's Quay
Transporter Bridge
Bank Quay Trading Estate
Indoor Karting Circuit
Animal Rescue Centre
Warrington
Sankey Brook
Football Ground
WA1
River Mersey
Bank Quay Reach
Landing Stage
Landing Stage
Slutchers Lane
WA4
Baxter's Bridge
Runcorn & Latchford Canal (Disused)
Moss Wood
Bellhouse Bridge
Walton New Junction
Walton Old Junction
Eastford Road
Morley Common
Baronet Rd.
Saw Mill
Works
Walnut Tree Farm
137
Birch Wood
Lane
Moore
F
G
H
J
K
1
2
3
4
5
6
7
58
59
60
86
87
88
89

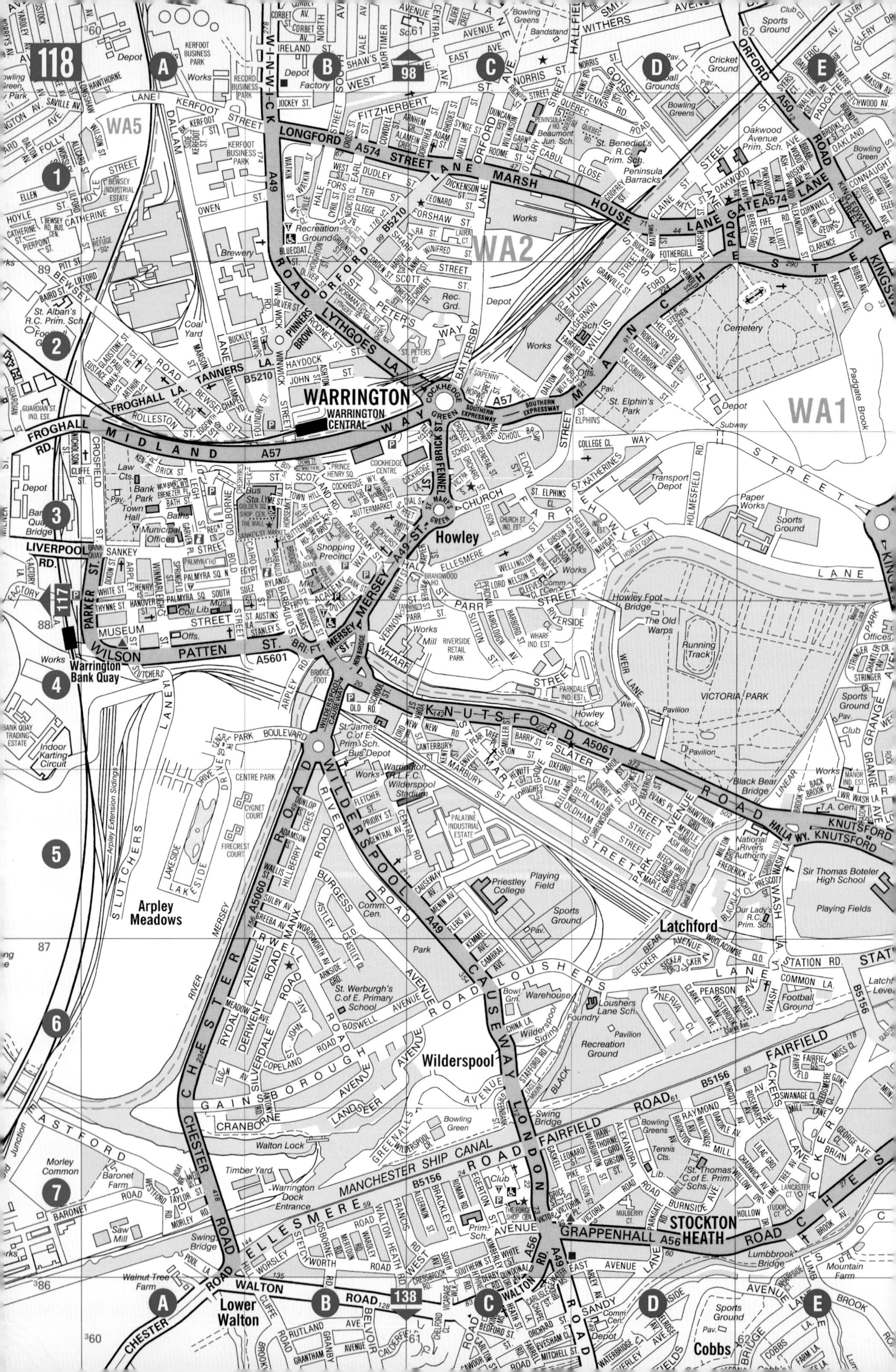
98
117
138
A
B
C
D
E
1
2
3
4
5
6
7
WA5
WA2
WA1
WARRINGTON
WARRINGTON CENTRAL
Warrington Bank Quay
Howley
Latchford
Wilderspool
STOCKTON HEATH
Lower Walton
Cobbs
Arpley Meadows
Morley Common
Baronet Farm
Walnut Tree Farm
Saw Mill
Timber Yard
Warrington Dock Entrance
Walton Lock
Swing Bridge
Lumbbrook Bridge
Mountain Farm
MANCHESTER SHIP CANAL
RIVER MERSEY
Arpley Extension Sidings
Indoor Karting Circuit
BANK QUAY TRADING ESTATE
CENTRE PARK
CYGNET COURT
FIRECREST COURT
LAKESIDE
Warrington R.L.F.C. Wilderspool Stadium
PALATINE INDUSTRIAL ESTATE
Priestley College
Playing Field
Sports Ground
Recreation Ground
Loushers Lane Sch.
Foundry
Warehouse
Pavilion
St. Werburgh's C.of E. Primary School
St. James C.of E. Prim. Sch.
Bus Depot
St. Thomas' C.of E. Prim. Schs.
Tennis Cts.
Bowling Greens
Bowling Green
Club
Lib.
MULBERRY CT.
THE FORGE SHOP. CEN.
Prim. Sch.
Black Bear Bridge
National Rivers Authority
Sir Thomas Boteler High School
Playing Fields
Our Lady's R.C. Prim. Sch.
Football Ground
Latchford Levels
VICTORIA PARK
Running Track
The Old Warps
Howley Foot Bridge
Howley Lock
Weir
RIVERSIDE RETAIL PARK
WHARF IND. EST.
PARKDALE IND. EST.
Works Mill
Transport Depot
Paper Works
Shopping Precinct
Mkt.
Bus Sta.
GOLDEN SQ. SHOP. CEN.
THE MALL
Town Hall
Bank Park
Law Cts.
Municipal Offices
Baths
Museum
Coll.
Lib.
Mus.
COCKHEDGE CENTRE
COCKHEDGE GREEN
ST. MARY'S GREEN
Cemetery
Padgate Brook
St. Elphin's Park
Depot
Works
Brewery
Coal Yard
KERFOOT BUSINESS PARK
RECORD BUSINESS PARK
BEWSEY INDUSTRIAL ESTATE
GUARDIAN ST. IND. EST.
St. Alban's R.C. Prim. Sch.
Recreation Ground
Rec. Grd.
Peninsula Barracks
St. Benedict's R.C. Prim. Sch.
Beaumont Jun. Sch.
Oakwood Avenue Prim. Sch.
Cricket Ground
Football Grounds
Bowling Greens
Bandstand
Sports Ground
LONGFORD STREET
A574
HOUSE LANE
MARSH
PADGATE LANE
WINWICK ROAD
A49
LYTHGOES LA.
MIDLAND WAY
A57
SOUTHERN EXPRESSWAY
MANCHESTER ROAD
FROGHALL LA.
TANNERS LA.
B5210
LIVERPOOL RD.
PARKER ST.
WILSON PATTEN ST.
A5601
MERSEY ST.
BRIDGE FOOT
KNUTSFORD ROAD
A5061
KNUTSFORD
HALLA WY.
WILDERSPOOL CAUSEWAY
CHESTER ROAD
A5060
LONDON ROAD
A56
FAIRFIELD ROAD
B5156
ELLESMERE ROAD
WALTON ROAD
GRAPPENHALL ROAD
LOUSHERS LANE
GAINSBOROUGH AVENUE
STATION RD.
COMMON LA.

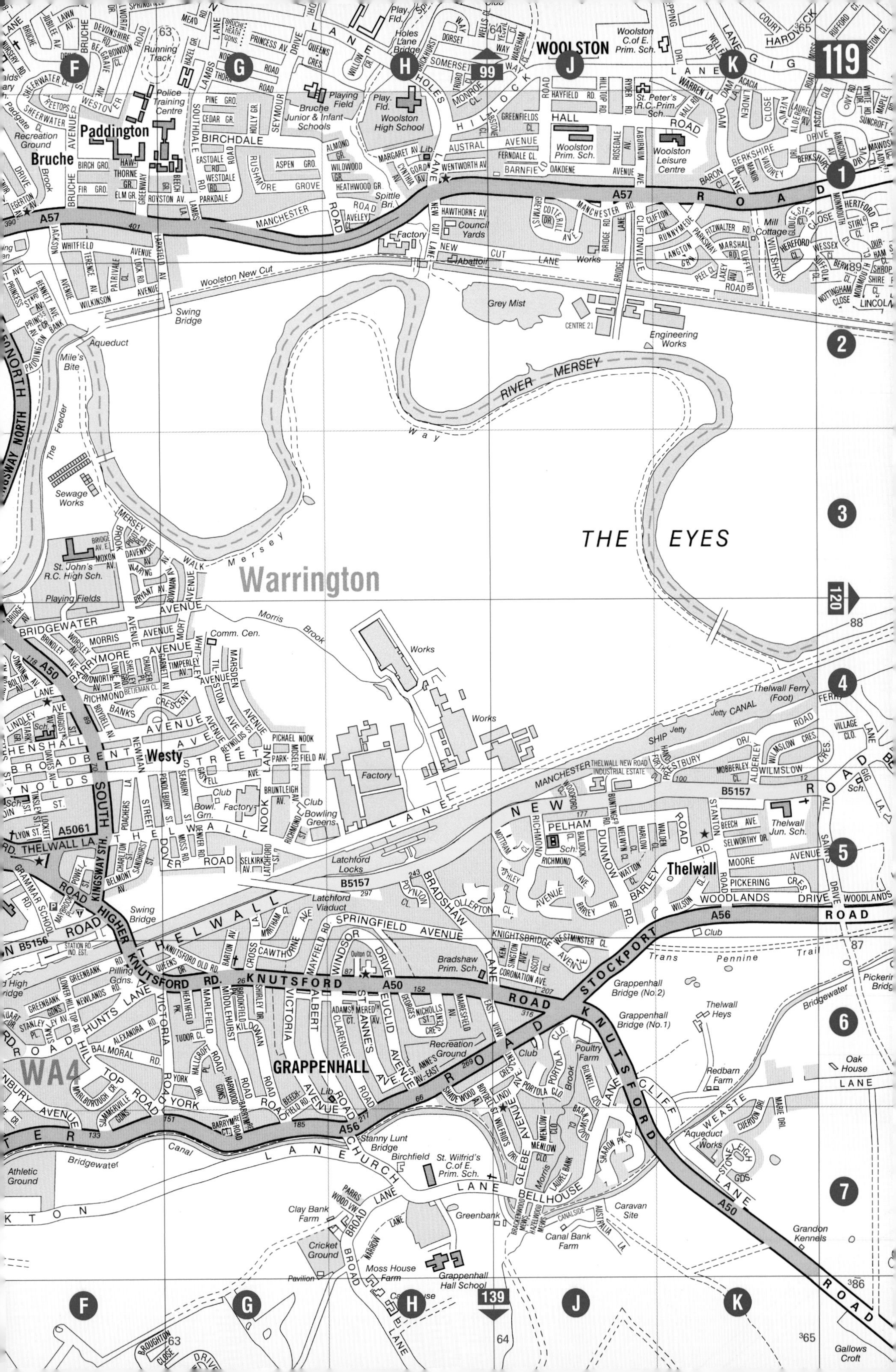
119
WOOLSTON
Paddington
Bruche
Warrington
THE EYES
Westy
Thelwall
GRAPPENHALL
WA4
RIVER MERSEY
Woolston New Cut
Mersey Way
Manchester Ship Canal
Trans Pennine Trail
Bridgewater Canal
A57
A50
A56
B5157
B5156
A5061
KINGSWAY NORTH
KINGSWAY SOUTH
MANCHESTER ROAD
KNUTSFORD ROAD
STOCKPORT ROAD
THELWALL NEW ROAD
THELWALL LANE
HIGHER KNUTSFORD RD.
NEW CUT LANE
HOLES LANE
HILLOCK LANE
HALL ROAD
GIG LANE
CHURCH LANE
BELLHOUSE LANE
BROAD LANE
Woolston High School
Woolston Prim. Sch.
Woolston Leisure Centre
Woolston C.of E. Prim. Sch.
St. Peter's R.C. Prim. Sch.
Bruche Junior & Infant Schools
Police Training Centre
Running Track
Recreation Ground
Swing Bridge
Aqueduct
Mile's Bite
The Feeder
Sewage Works
St. John's R.C. High Sch.
Playing Fields
Comm. Cen.
Works
Factory
Grey Mist
Centre 21
Engineering Works
Council Yards
Abattoir
Spittle Bri.
Latchford Locks
Latchford Viaduct
Thelwall Ferry (Foot)
Thelwall Jun. Sch.
Bradshaw Prim. Sch.
Grappenhall Bridge (No.1)
Grappenhall Bridge (No.2)
Thelwall Heys
Redbarn Farm
Oak House
Poultry Farm
Stanny Lunt Bridge
Birchfield
St. Wilfrid's C.of E. Prim. Sch.
Athletic Ground
Clay Bank Farm
Cricket Ground
Pavilion
Moss House Farm
Grappenhall Hall School
Greenbank
Canal Bank Farm
Caravan Site
Grandon Kennels
Gallows Croft
99
120
139
F G H J K
1 2 3 4 5 6 7
63 64 65
86 87 88 89

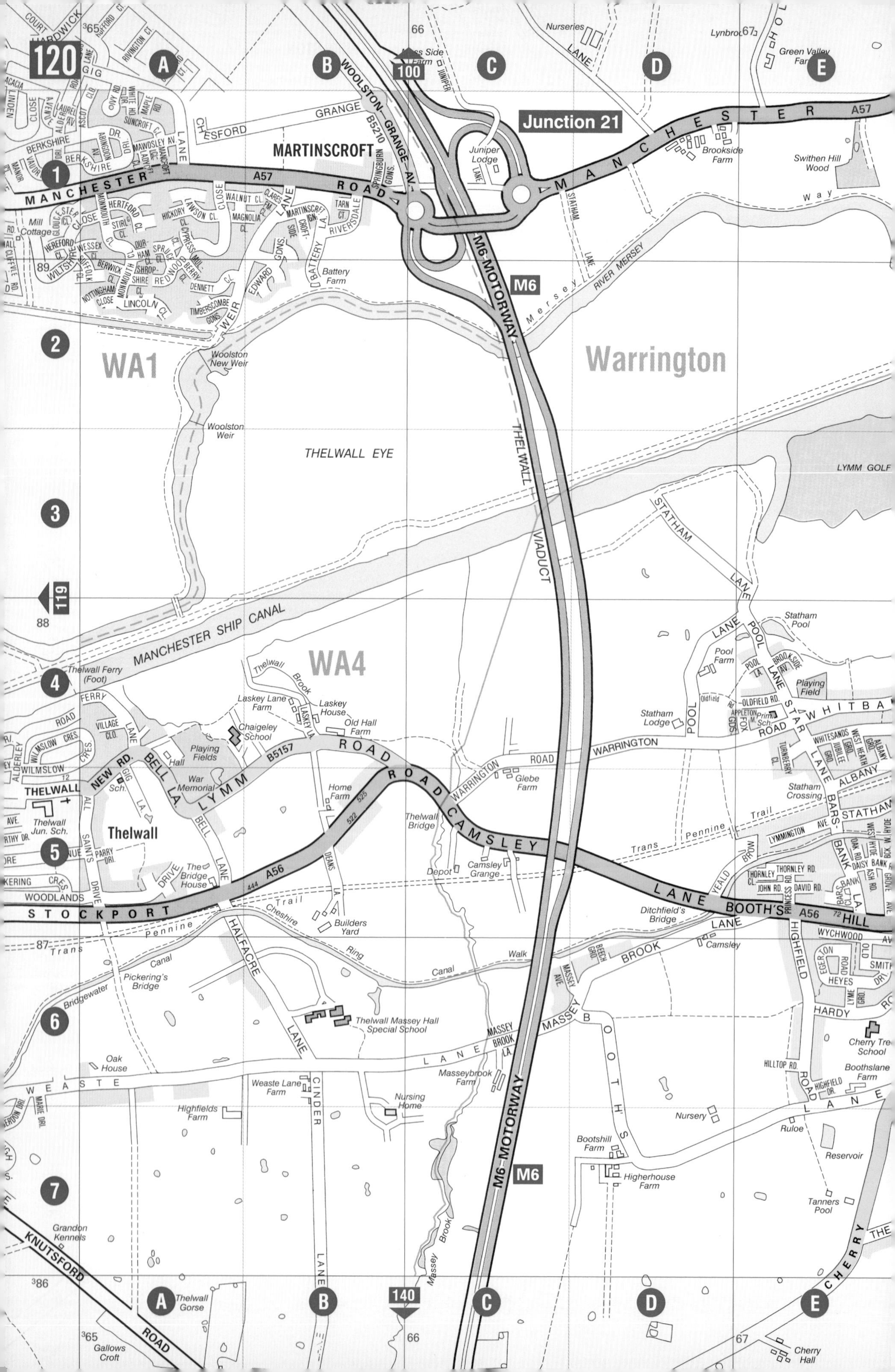
120
A
B
C
D
E
1
2
3
4
5
6
7
100
119
140
Junction 21
MANCHESTER ROAD
A57
MARTINSCROFT
WOOLSTON GRANGE AV.
B5210
CHESFORD GRANGE
Juniper Lodge
Brookside Farm
Swithen Hill Wood
Nurseries
Green Valley Farm
M6 MOTORWAY
M6
River Mersey
Battery Farm
Mill Cottage
WA1
Warrington
Woolston New Weir
Woolston Weir
THELWALL EYE
THELWALL VIADUCT
LYMM GOLF
MANCHESTER SHIP CANAL
WA4
Thelwall Ferry (Foot)
Statham Pool
Pool Farm
Playing Field
Statham Lodge
Laskey Lane Farm
Laskey House
Old Hall Farm
Chaigeley School
Playing Fields
War Memorial
Hall
THELWALL
Thelwall
Thelwall Jun. Sch.
LYMM ROAD
B5157
Home Farm
Glebe Farm
WARRINGTON ROAD
Statham Crossing
Thelwall Bridge
CAMSLEY LANE
The Bridge House
Depot
Camsley Grange
BOOTH'S HILL
A56
STOCKPORT ROAD
Trans Pennine Trail
Cheshire Ring Canal Walk
Builders Yard
Ditchfield's Bridge
Camsley
Bridgewater Canal
Pickering's Bridge
Thelwall Massey Hall Special School
HALFACRE LANE
BROOK LANE
MASSEY BROOK LANE
Cherry Tree School
Boothslane Farm
Oak House
WEASTE LANE
Weaste Lane Farm
Masseybrook Farm
Nursing Home
Highfields Farm
Nursery
Ruloe
Reservoir
Bootshill Farm
Higherhouse Farm
Tanners Pool
Grandon Kennels
KNUTSFORD ROAD
CINDER LANE
Massey Brook
CHERRY LANE
Thelwall Gorse
Gallows Croft
Cherry Hall

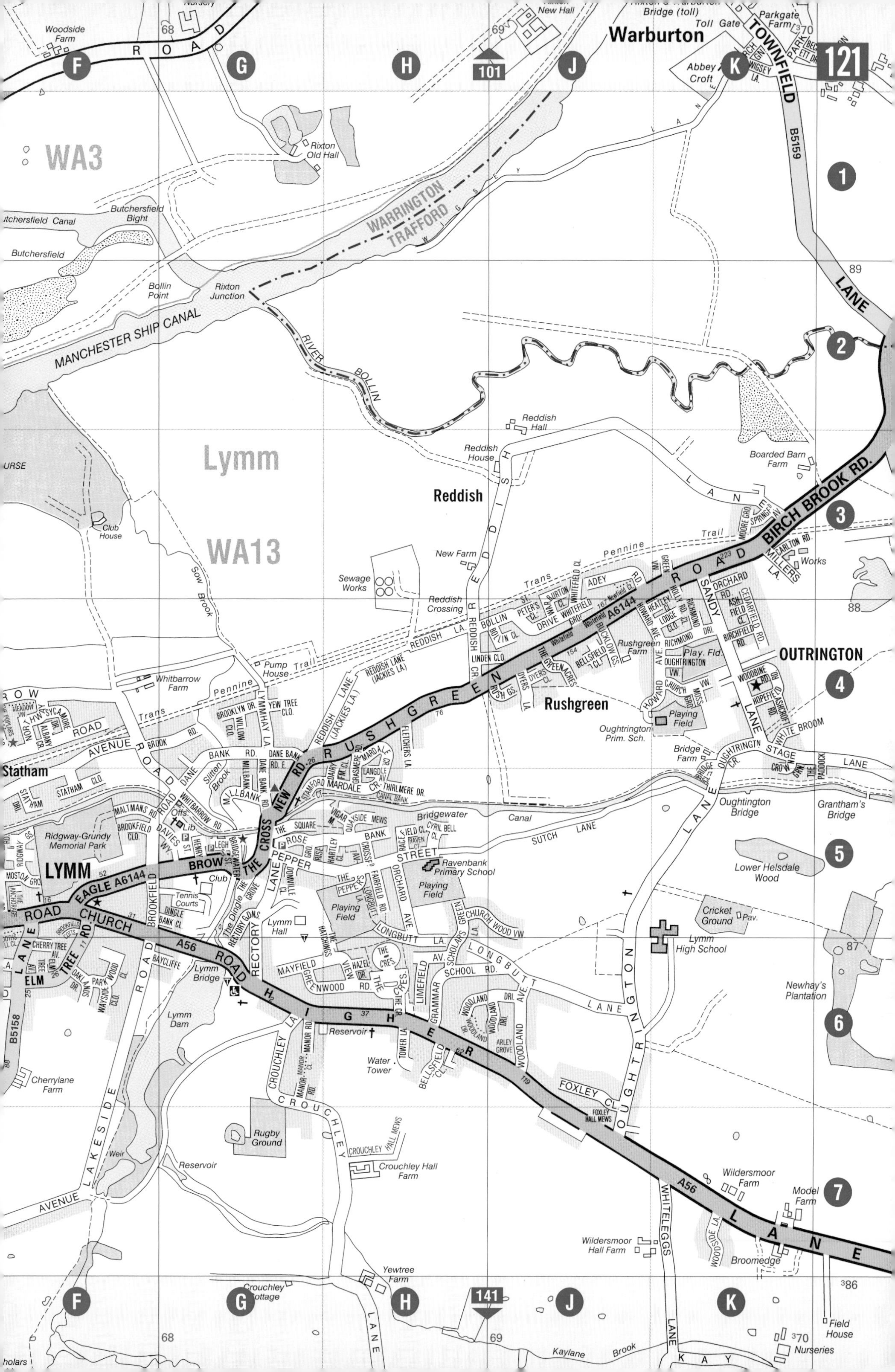

Warburton
Woodside Farm
New Hall
Toll Gate
Parkgate Farm
Abbey Croft
TOWNFIELD
B5159
WA3
Rixton Old Hall
WARRINGTON
TRAFFORD
Butchersfield Bight
Butchersfield
Bollin Point
Rixton Junction
MANCHESTER SHIP CANAL
RIVER BOLLIN
LANE
Reddish Hall
Reddish House
Lymm
Reddish
Boarded Barn Farm
BIRCH BROOK RD.
Club House
WA13
Sow Brook
New Farm
Sewage Works
Reddish Crossing
Trans Pennine Trail
Works
OUTRINGTON
Rushgreen
Rushgreen Farm
Pump House
Whitbarrow Farm
RUSHGREEN ROAD
A6144
Playing Field
Oughtrington Prim. Sch.
Bridge Farm
Statham
Ridgway-Grundy Memorial Park
LYMM
Bridgewater Canal
Oughtington Bridge
Grantham's Bridge
Ravenbank Primary School
Lower Helsdale Wood
Tennis Courts
Lymm Hall
Cricket Ground
Lymm High School
Newhay's Plantation
Lymm Bridge
Lymm Dam
HIGHER LANE
A56
Reservoir
Water Tower
Cherrylane Farm
Rugby Ground
Weir
Crouchley Hall Farm
Wildersmoor Farm
Model Farm
Wildersmoor Hall Farm
Broomedge
Yewtree Farm
Crouchley Cottage
Field House
Nurseries
Kaylane Brook
B5158
101
141

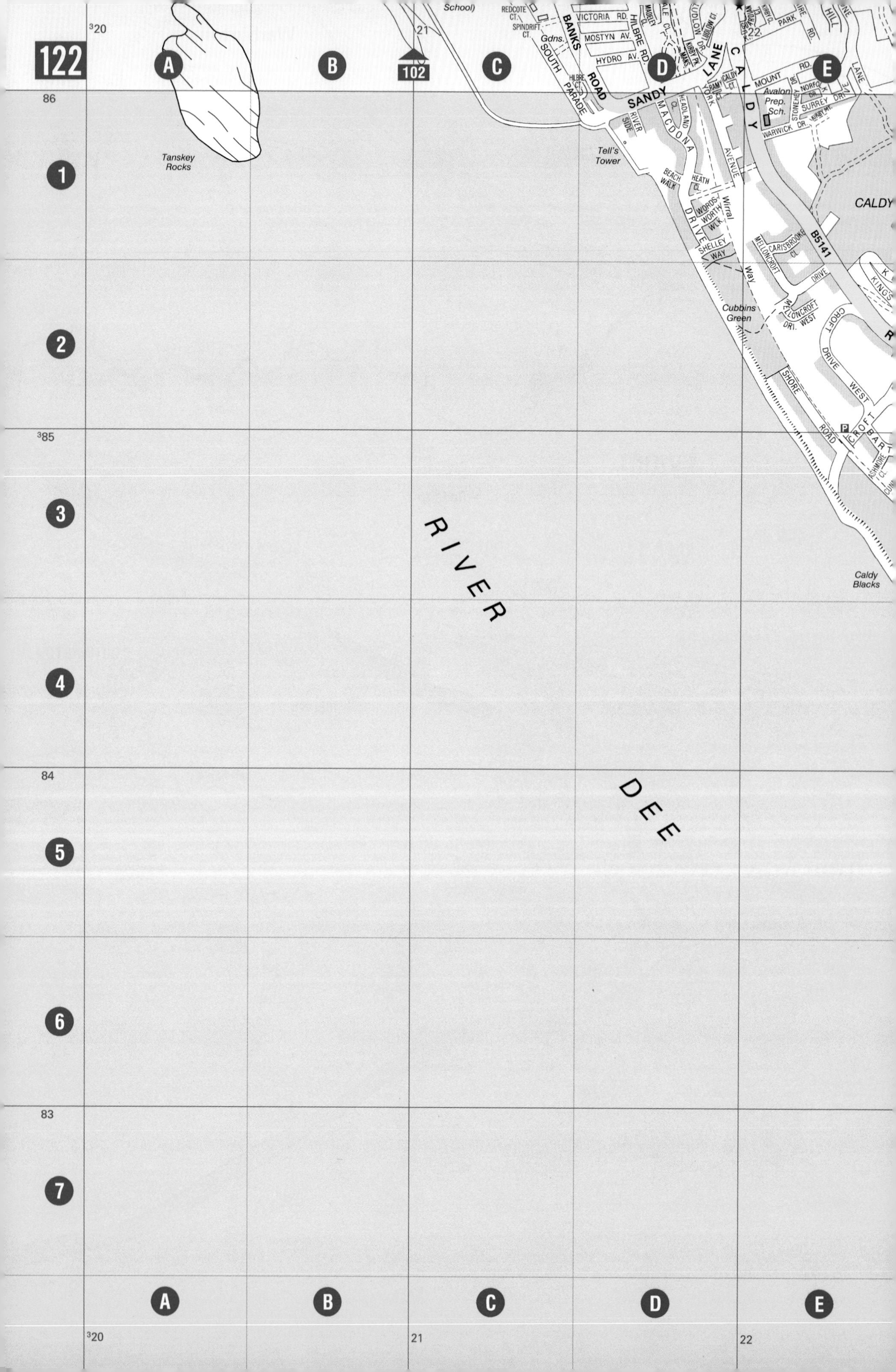

A | B | 102 | C | D | E

1

2

3

4

5

6

7

³20

86

³85

84

83

³20

21

22

Tanskey
Rocks

School)

REDCOTE
CT.
SPINDRIFT
CT.

VICTORIA RD.

BANKS ROAD

MOSTYN AV.

HYDRO AV.

Gdns.

SOUTH PARADE

HILBRE
CT.

HILBRE RD.

MAGNET
CT.
DALE
CT.

CALDY
CT.

MOSTYN AV.

LUDLOW
CT.

SANDY

RIVER SHORE

MACDONA

AVENUE

Tell's
Tower

BEACH
WALK

HEATH
CT.

Wirral

WORDS-
WORTH
WK.

WELLINGTON CT.

SHELLEY
WAY

DRIVE

Way

CARISBROOKE
CL.

CONCROFT

DRI. WEST

Cubbins
Green

SHORE
DRIVE

ROAD

CROFT
DRIVE
WEST

CROFT
ROAD

WARWICK
DR.

SHORE

ROAD

B5141

CALDY

Avalon
Prep. Sch.

MOUNT

SURREY DR.

NORFOLK

KING'S

KINGS
R

R I V E R

D E E

Caldy
Blacks

A | B | C | D | E

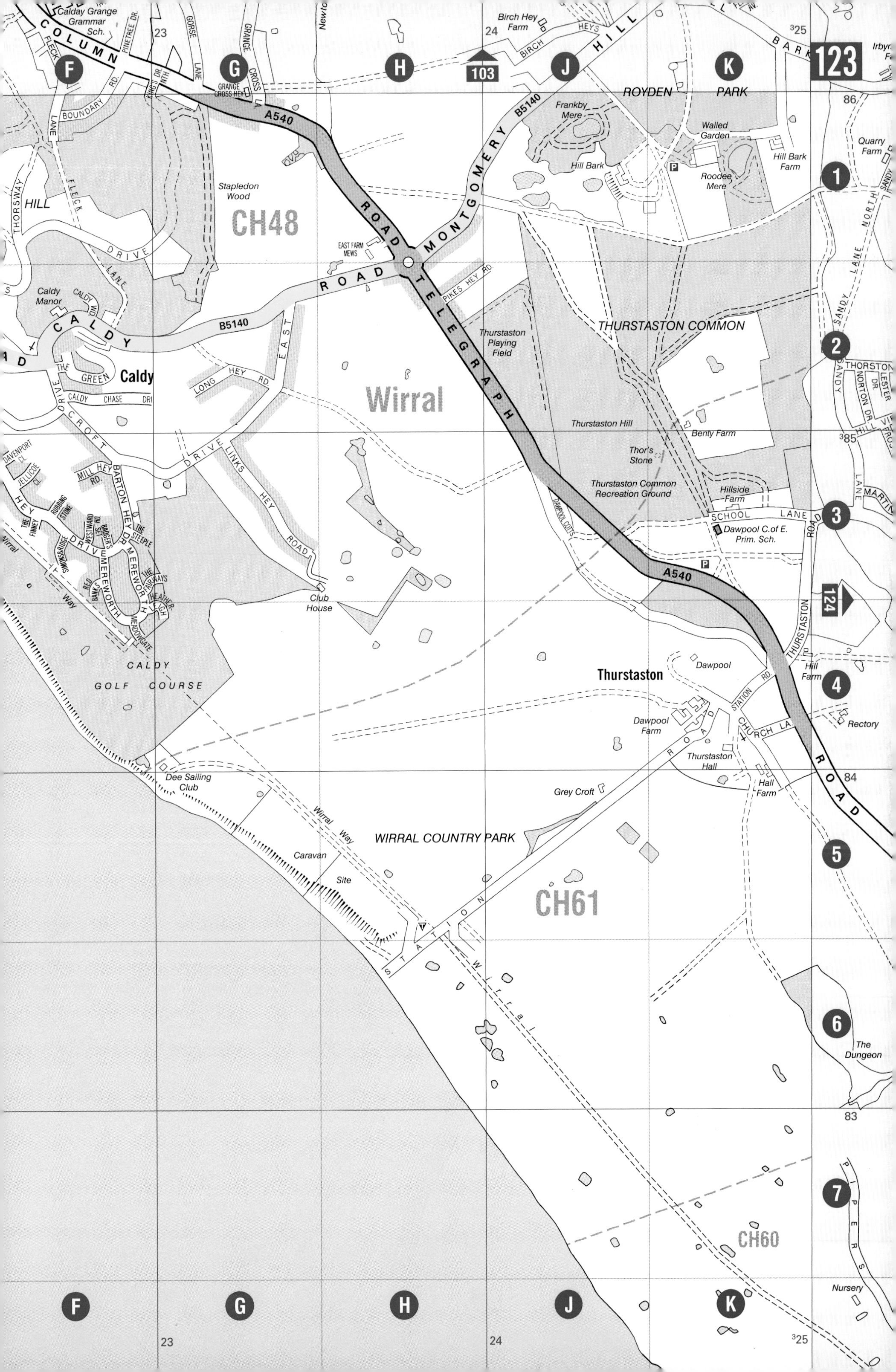
Calday Grange Grammar Sch.
COLUMN
PINETREE DR.
GORSE LANE
GRANGE CROSS LA.
GRANGE CROSS HEY
Birch Hey Farm
BIRCH HEYS
HILL BARK
103
F
G
H
J
K
ROYDEN PARK
A540
B5140
MONTGOMERY
Frankby Mere
Walled Garden
Quarry Farm
Hill Bark
Roodee Mere
Hill Bark Farm
BOUNDARY RD.
FLECK LANE
THORSWAY
HILL
Stapledon Wood
CH48
ROAD
TELEGRAPH
EAST FARM MEWS
PIKES HEY RD.
SANDY LANE NORTH
DRIVE
Caldy Manor
CALDY WD.
CALDY
B5140
THURSTASTON COMMON
Thurstaston Playing Field
THE GREEN
Caldy
CALDY CHASE DRI
LONG HEY RD.
EAST
Wirral
SANDY
THORSTON
NORTON DR.
LESTER DR.
CROFT
DRIVE
Thurstaston Hill
Benty Farm
DAVENPORT CL.
JELLICOE CL.
MILL HEY RD.
BARTON HEY DR.
LINKS HEY ROAD
Thor's Stone
Thurstaston Common Recreation Ground
HILL VIEW
LANE
MARTIN
HEY
THE FINNEY
RUBBING STONE
WESTWARD HO
BADGERS SET
THE STEEPLE
MEREWORTH
DAWPOOL COTTS.
Hillside Farm
SCHOOL LANE
Dawpool C.of E. Prim. Sch.
ROAD
THE FAIRWAYS
HEATHER LEIGH
RED BANK
Club House
A540
124
THURSTASTON
MEADOWGATE
Way
CALDY
GOLF COURSE
Thurstaston
Dawpool
Hill Farm
STATION RD.
Dawpool Farm
CHURCH LA.
Rectory
Thurstaston Hall
Dee Sailing Club
Grey Croft
Hall Farm
ROAD
Wirral Way
WIRRAL COUNTRY PARK
Caravan Site
CH61
STATION
Wirral
The Dungeon
PIPERS
CH60
Nursery
23
24
325
86
85
84
83
1
2
3
4
5
6
7

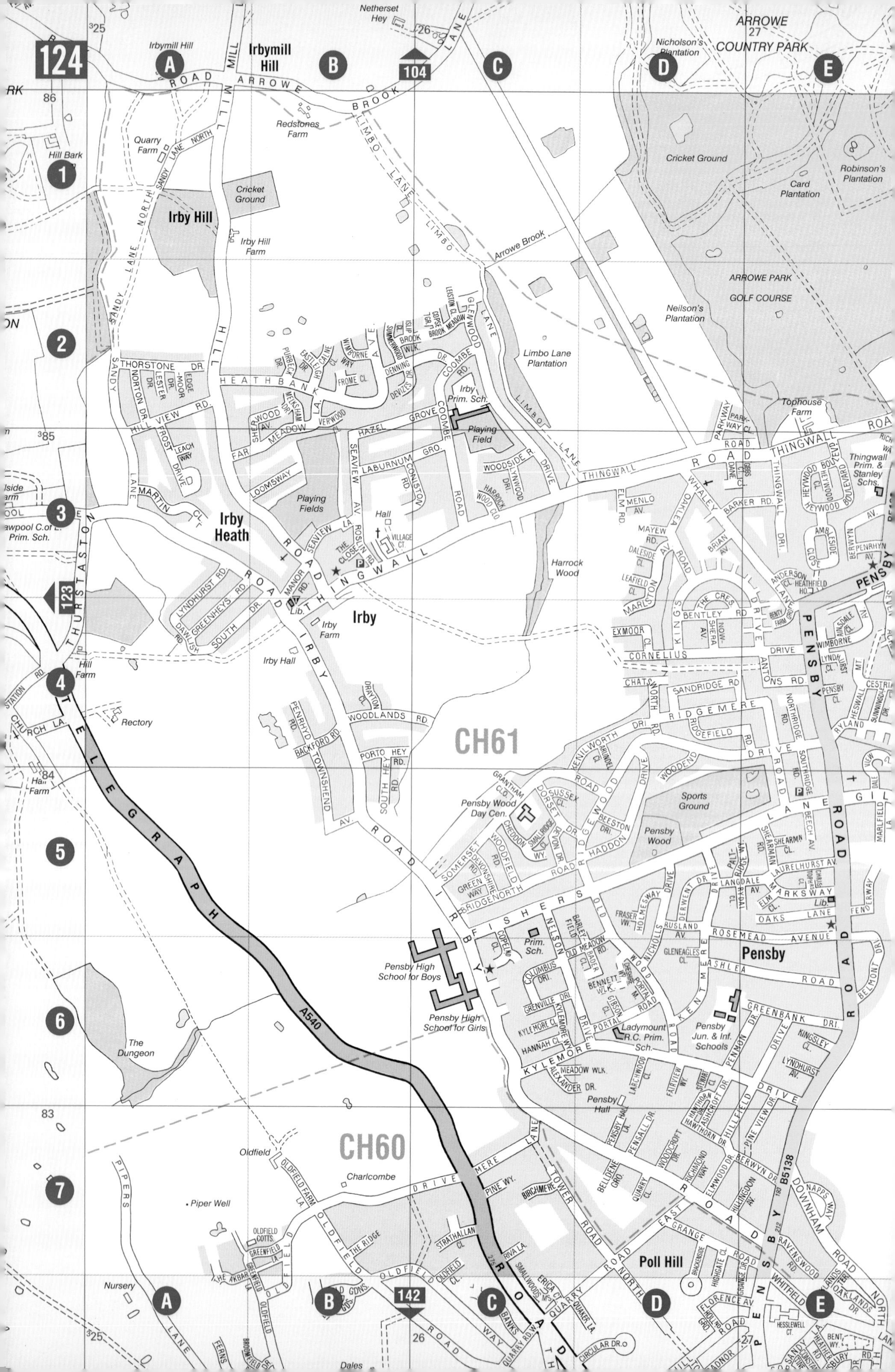
Irbymill Hill
Irbymill Hill
Netherset Hey
ARROWE COUNTRY PARK
Nicholson's Plantation
104
ARROWE ROAD
BROOK LANE
Redstones Farm
Quarry Farm
Hill Bark
Cricket Ground
Irby Hill
Irby Hill Farm
Cricket Ground
Robinson's Plantation
Card Plantation
LIMBO LANE
Arrowe Brook
ARROWE PARK GOLF COURSE
Neilson's Plantation
Limbo Lane Plantation
SANDY LANE NORTH
MILL HILL
THORSTONE DR.
HEATHBANK
HILL VIEW RD.
FAR MEADOW
Irby Prim. Sch.
Playing Field
Tophouse Farm
Thingwall Prim. & Stanley Schs.
THINGWALL ROAD
Playing Fields
Irby Heath
Irby
Hall
Lib.
Irby Farm
Irby Hall
Harrock Wood
THURSTASTON ROAD
123
Hill Farm
Rectory
Hall Farm
CHURCH LA.
STATION RD.
WOODLANDS RD.
PORTO HEY RD.
CH61
CORNELIUS DRIVE
RIDGEMERE
PENSBY ROAD
Pensby Wood Day Cen.
Sports Ground
Pensby Wood
TELEGRAPH ROAD
A540
FISHERS LANE
Prim. Sch.
Pensby High School for Boys
Pensby High School for Girls
Pensby
Ladymount R.C. Prim. Sch.
Pensby Jun. & Inf. Schools
The Dungeon
KYLEMORE DRIVE
Pensby Hall
CH60
Oldfield
Charlcombe
Piper Well
Nursery
OLDFIELD ROAD
TOWER ROAD
Poll Hill
DOWNHAM ROAD NORTH
B5138
142
Dales
A B C D E
1 2 3 4 5 6 7
25 26 27
83 84 85 86

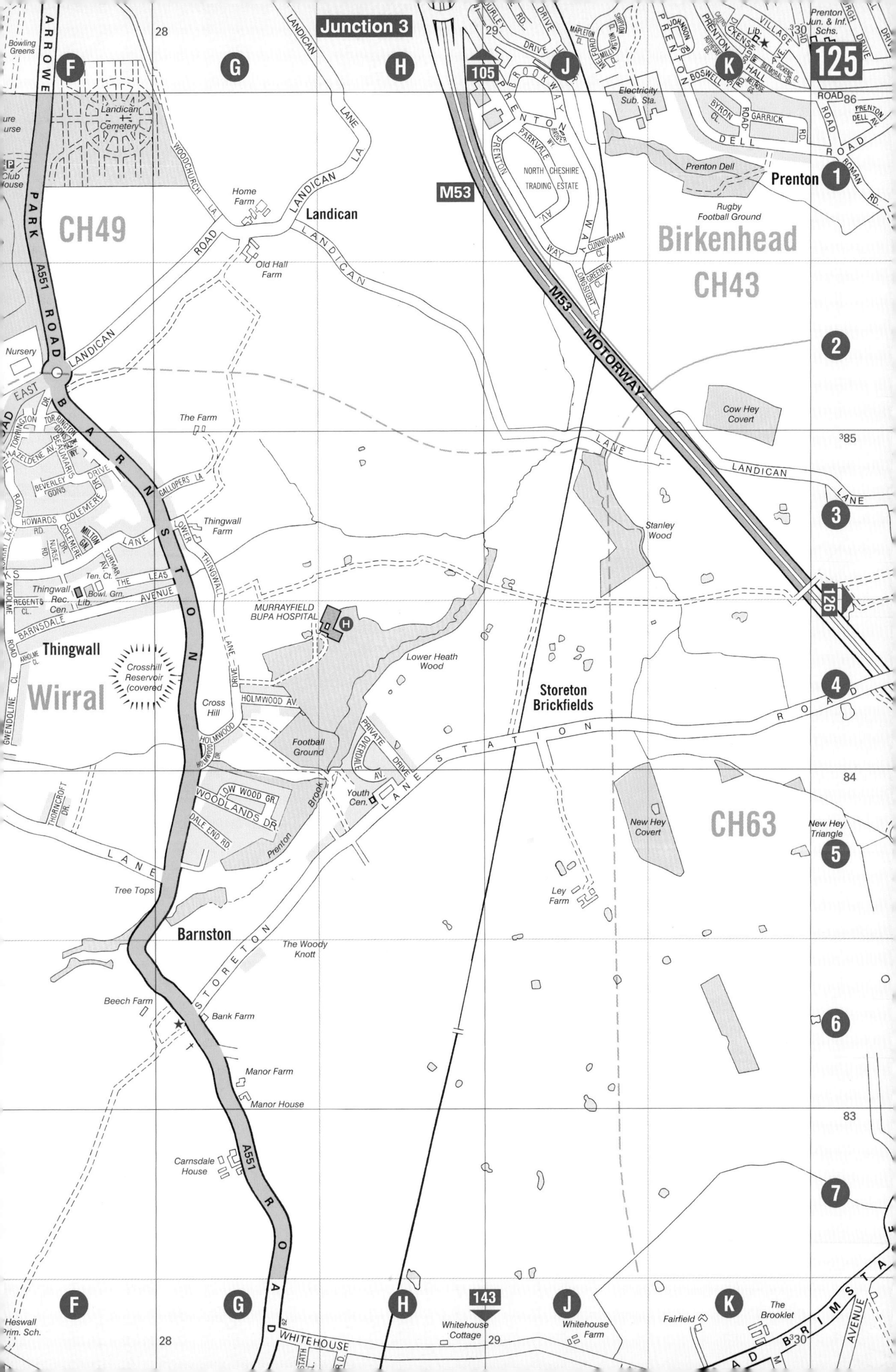
Junction 3
105
M53
M53 MOTORWAY
Landican
Landican Cemetery
Home Farm
Old Hall Farm
CH49
CH43
CH63
Birkenhead
Prenton
Prenton Dell
Rugby Football Ground
Electricity Sub. Sta.
NORTH CHESHIRE TRADING ESTATE
Cow Hey Covert
Stanley Wood
126
Thingwall
Wirral
Crosshill Reservoir (covered)
MURRAYFIELD BUPA HOSPITAL
Lower Heath Wood
Storeton Brickfields
Football Ground
Youth Cen.
New Hey Covert
New Hey Triangle
Ley Farm
Barnston
The Woody Knott
Tree Tops
Beech Farm
Bank Farm
Manor Farm
Manor House
Carnsdale House
The Farm
Thingwall Farm
Cross Hill
Thingwall Rec. Cen.
Lib.
Bowl. Grn.
Ten. Ct.
Nursery
Bowling Greens
Club House
Whitehouse Cottage
Whitehouse Farm
Fairfield
The Brooklet
Heswall Prim. Sch.
Prenton Jun. & Inf. Schs.
143
A551
ARROWE PARK ROAD
BARNSTON ROAD
LANDICAN LANE
LANDICAN ROAD
WOODCHURCH LA.
STORETON LANE
STATION ROAD
BARNSTON LANE
LOWER THINGWALL LANE
WHITEHOUSE LANE
BRIMSTAGE ROAD
PRENTON DELL ROAD
ROMAN RD.
F G H J K
1 2 3 4 5 6 7
28 29 30
85 84 83

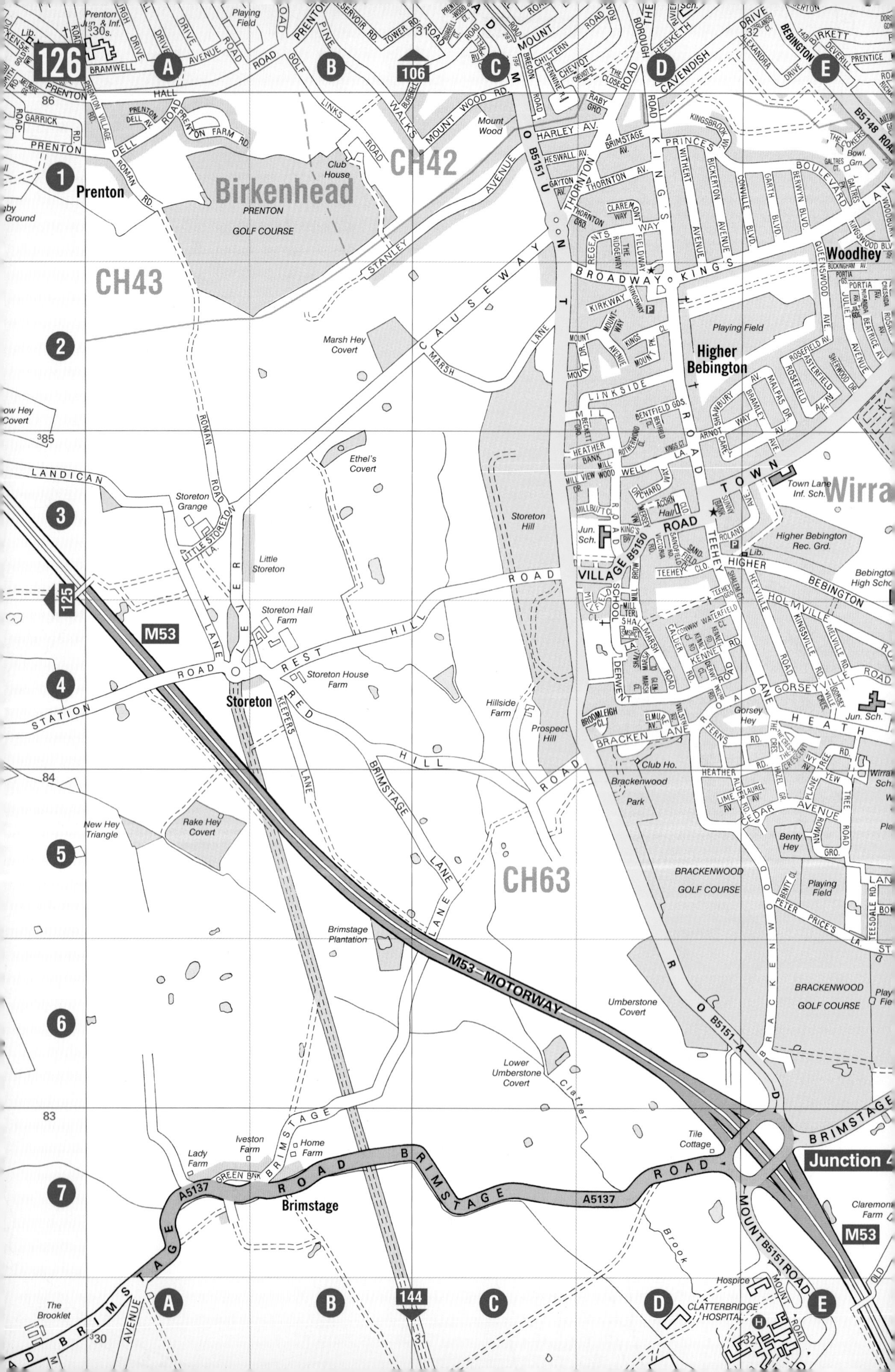
A
B
C
D
E
1
2
3
4
5
6
7
106
125
144
Prenton
Birkenhead
PRENTON
GOLF COURSE
CH42
CH43
CH63
Club House
Mount Wood
Marsh Hey Covert
Ethel's Covert
Storeton Grange
Little Storeton
Storeton Hall Farm
Storeton House Farm
Storeton
Storeton Hill
Hillside Farm
Prospect Hill
Brackenwood Park
Club Ho.
Higher Bebington
Woodhey
Playing Field
Town Lane Inf. Sch.
Higher Bebington Rec. Grd.
Bebington High Sch.
Jun. Sch.
Gorsey Hey
Benty Hey
BRACKENWOOD GOLF COURSE
Umberstone Covert
Lower Umberstone Covert
Clatter Brook
Tile Cottage
Junction 4
Claremont Farm
Hospice
CLATTERBRIDGE HOSPITAL
Brimstage Plantation
Lady Farm
Iveston Farm
Home Farm
Brimstage
The Brooklet
New Hey Triangle
Rake Hey Covert
M53
M53 MOTORWAY
A5137
B5151
B5150
B5148
STATION ROAD
LANDICAN LANE
ROMAN ROAD
CAUSEWAY
STANLEY AVENUE
MARSH LANE
REST HILL ROAD
RED HILL ROAD
BRIMSTAGE LANE
BRIMSTAGE ROAD
KEEPERS LANE
LEVER LANE
VILLAGE ROAD
KINGS ROAD
BROADWAY
TOWN LANE
HIGHER BEBINGTON ROAD
MOUNT ROAD
BRACKENWOOD ROAD
GORSEY LANE
HEATH ROAD
BRACKEN LANE
PETER PRICE'S LA.
CEDAR AVENUE
PRINCES BOULEVARD
BRAMWELL AVENUE
PRENTON HALL ROAD
PRENTON DELL ROAD
MOUNT WOOD RD.
CAVENDISH DRIVE
Wirral

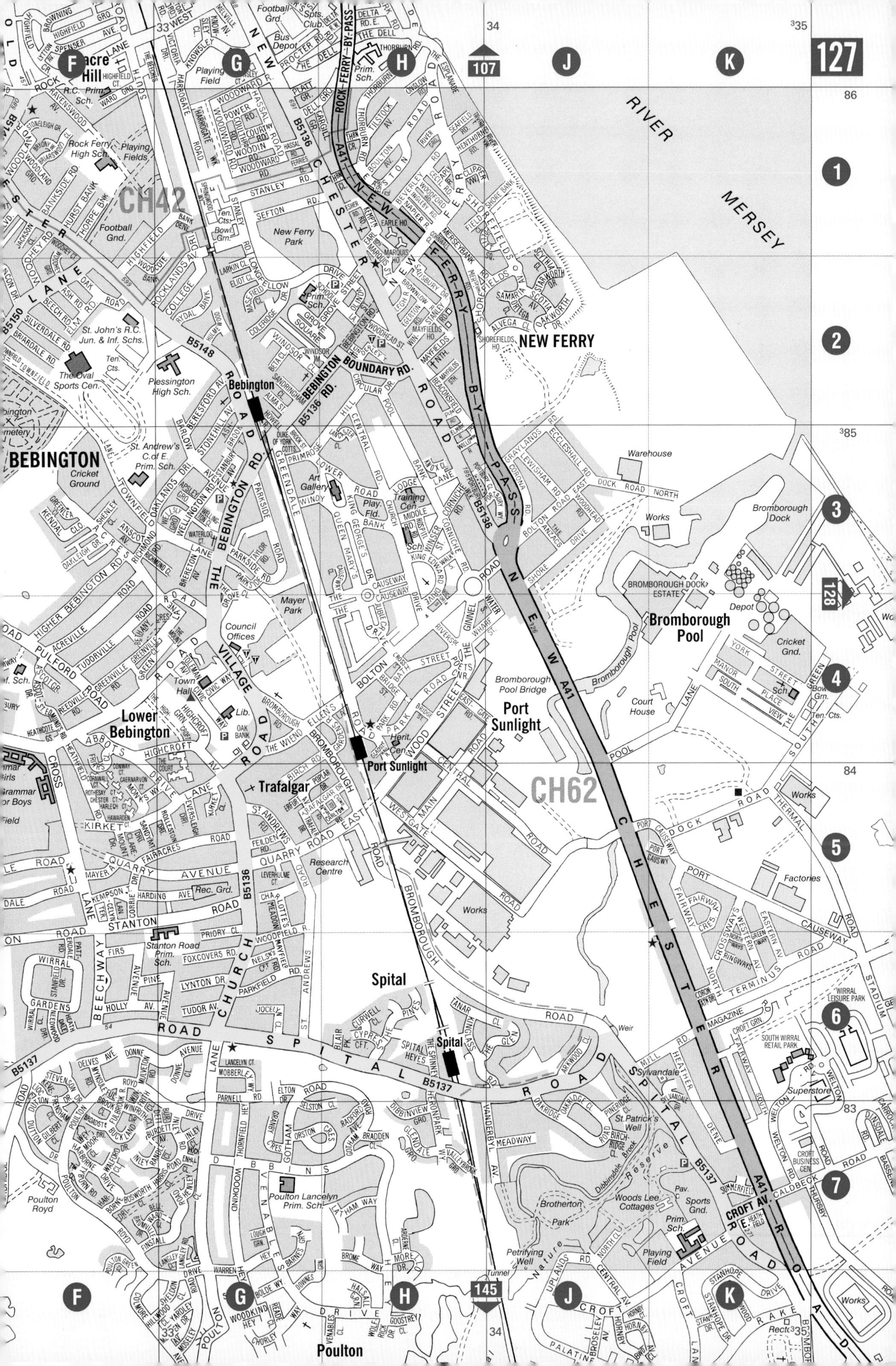

RIVER MERSEY
Rock Ferry
Higher Tranmere
Bebington
BEBINGTON
Lower Bebington
NEW FERRY
Port Sunlight
Bromborough Pool
Trafalgar
Spital
Poulton
Sylvandale
CH42
CH62
ROCK FERRY BY-PASS
NEW FERRY BY-PASS
NEW CHESTER ROAD
A41
B5136
B5137
B5148
B5150
SPITAL ROAD
BEBINGTON RD.
BOUNDARY RD.
THE VILLAGE
CHURCH ROAD
BROMBOROUGH ROAD
QUARRY ROAD EAST
DOCK ROAD NORTH
PORT CAUSEWAY
OLD CHESTER ROAD
TOWNFIELD LANE
HIGHER BEBINGTON RD.
STANTON ROAD
POULTON ROAD
Rock Ferry High Sch.
St. John's R.C. Jun. & Inf. Schs.
The Oval Sports Cen.
Plessington High Sch.
St. Andrew's C.of E. Prim. Sch.
Cricket Ground
Football Gnd.
New Ferry Park
Mayer Park
Council Offices
Town Hall
Lib.
Art Gallery
Play. Fld.
Training Cen.
Herit. Cen.
Research Centre
Works
Warehouse
Bromborough Dock
BROMBOROUGH DOCK ESTATE
Depot
Cricket Gnd.
Court House
Bromborough Pool Bridge
Factories
WIRRAL LEISURE PARK
SOUTH WIRRAL RETAIL PARK
Superstore
CROFT BUSINESS CEN.
Stanton Road Prim. Sch.
Poulton Lancelyn Prim. Sch.
Poulton Royd
Brotherton Park
Dibbinsdale Nature Reserve
Woods Lee Cottages
St.Patrick's Well
Petrifying Well
Sports Gnd.
Playing Field
Weir
Tunnel
107
128
145
F
G
H
J
K
1
2
3
4
5
6
7
33
34
35
83
84
85
86

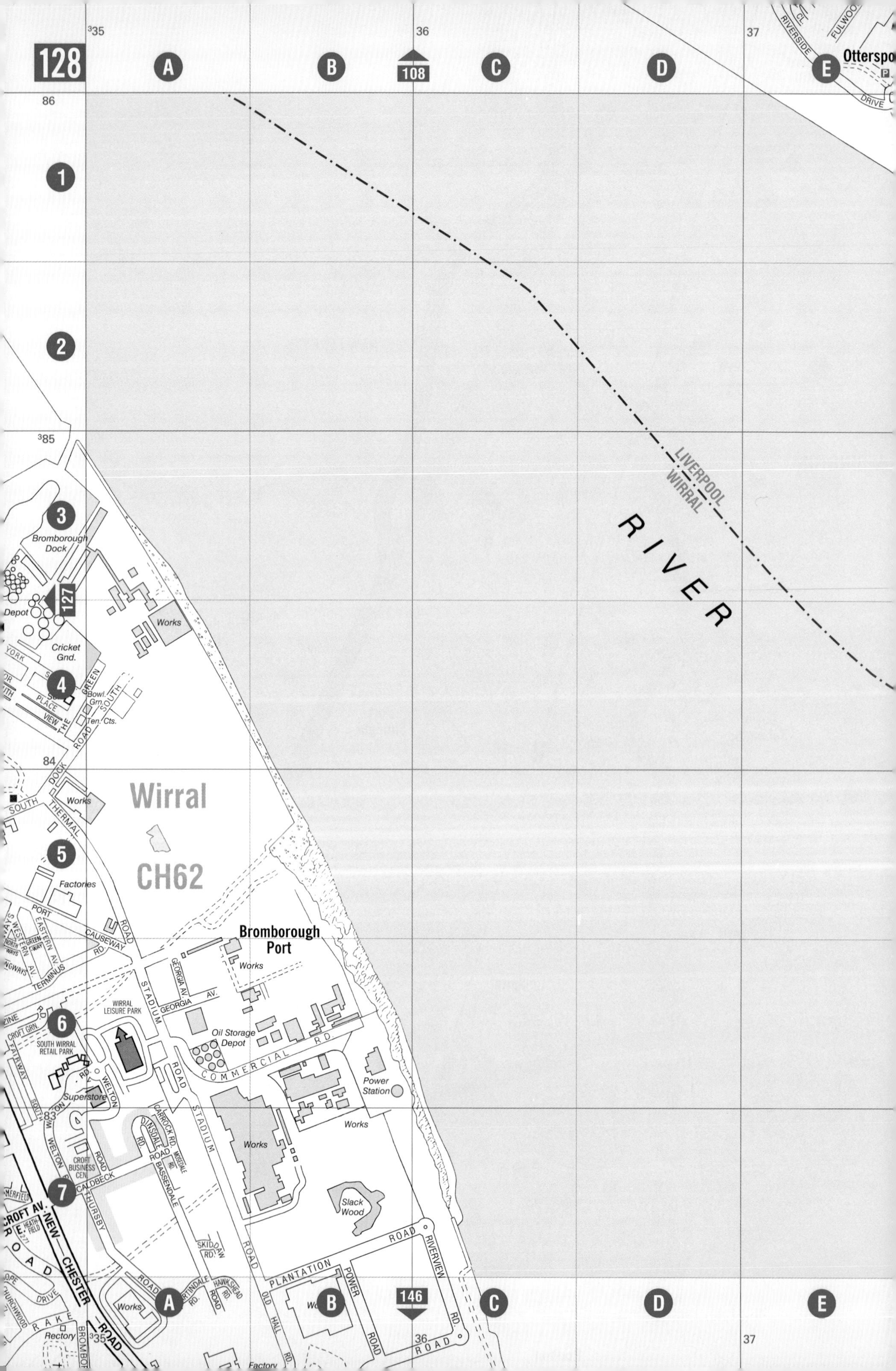

A
B
C
D
E
1
2
3
4
5
6
7
108
127
146
Otterspo
RIVERSIDE
CL.
FULWOOD
DRIVE
LIVERPOOL
WIRRAL
RIVER
Bromborough Dock
Depot
Works
Cricket Gnd.
YORK
PLACE
VIEW
THE GREEN
Bowl. Grn.
Ten. Cts.
SOUTH ROAD
DOCK
SOUTH
THERMAL
Wirral
CH62
Factories
PORT
EASTERN AV.
WESTERN
CAUSEWAY RD.
ROAD
TERMINUS
Bromborough Port
GEORGIA AV.
GEORGIA AV.
STADIUM
WIRRAL LEISURE PARK
Oil Storage Depot
COMMERCIAL RD.
Power Station
CROFT GRN.
SOUTH WIRRAL RETAIL PARK
FAIRWAY
Superstore
WELTON
WELTON
ROAD
STADIUM
CARROCK RD.
DINSDALE RD.
MOSEDALE RD.
BASSENDALE
ROAD
CROFT BUSINESS CEN.
CALDBECK
THURSBY
Slack Wood
SKIDDAW RD.
CROFT AV.
NEW CHESTER ROAD
HEATHFIELD
DRIVE
RAKE
Rectory
PLANTATION
ROAD
RIVERVIEW RD.
POWER ROAD
OLD HALL RD.
MARTINDALE RD.
HAWKSHEAD RD.
Factory

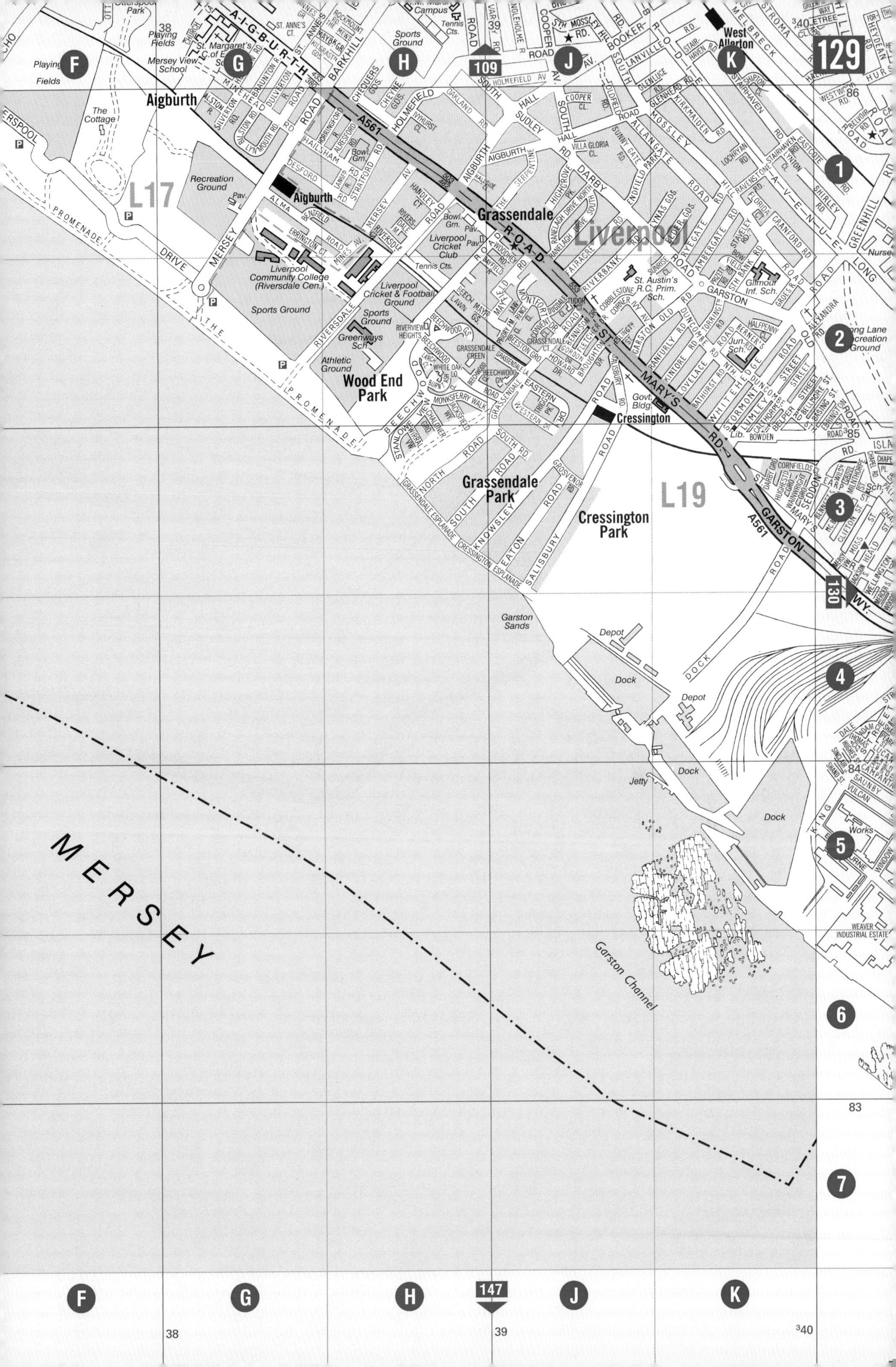

Aigburth
Recreation Ground
L17
Liverpool Community College (Riversdale Cen.)
Sports Ground
Liverpool Cricket & Football Ground
Liverpool Cricket Club
Greenways Sch.
Athletic Ground
Wood End Park
Grassendale
Liverpool
St. Austin's R.C. Prim. Sch.
Gilmour Inf. Sch.
Cressington
L19
Grassendale Park
Cressington Park
Garston Sands
Depot
Dock
Jetty
Garston Channel
MERSEY
West Allerton
Long Lane Recreation Ground
WEAVER INDUSTRIAL ESTATE
Works
Mersey View School
St. Margaret's C.of E. Sch.
Playing Fields
The Cottage
AIGBURTH ROAD
GRASSENDALE ROAD
ST. MARY'S RD.
GARSTON OLD RD.
A561
THE PROMENADE
MERSEY ROAD
RIVERSDALE ROAD
GRASSENDALE ESPLANADE
CRESSINGTON ESPLANADE
DOCK ROAD
109
147
130
F
G
H
J
K
1
2
3
4
5
6
7
38
39
340

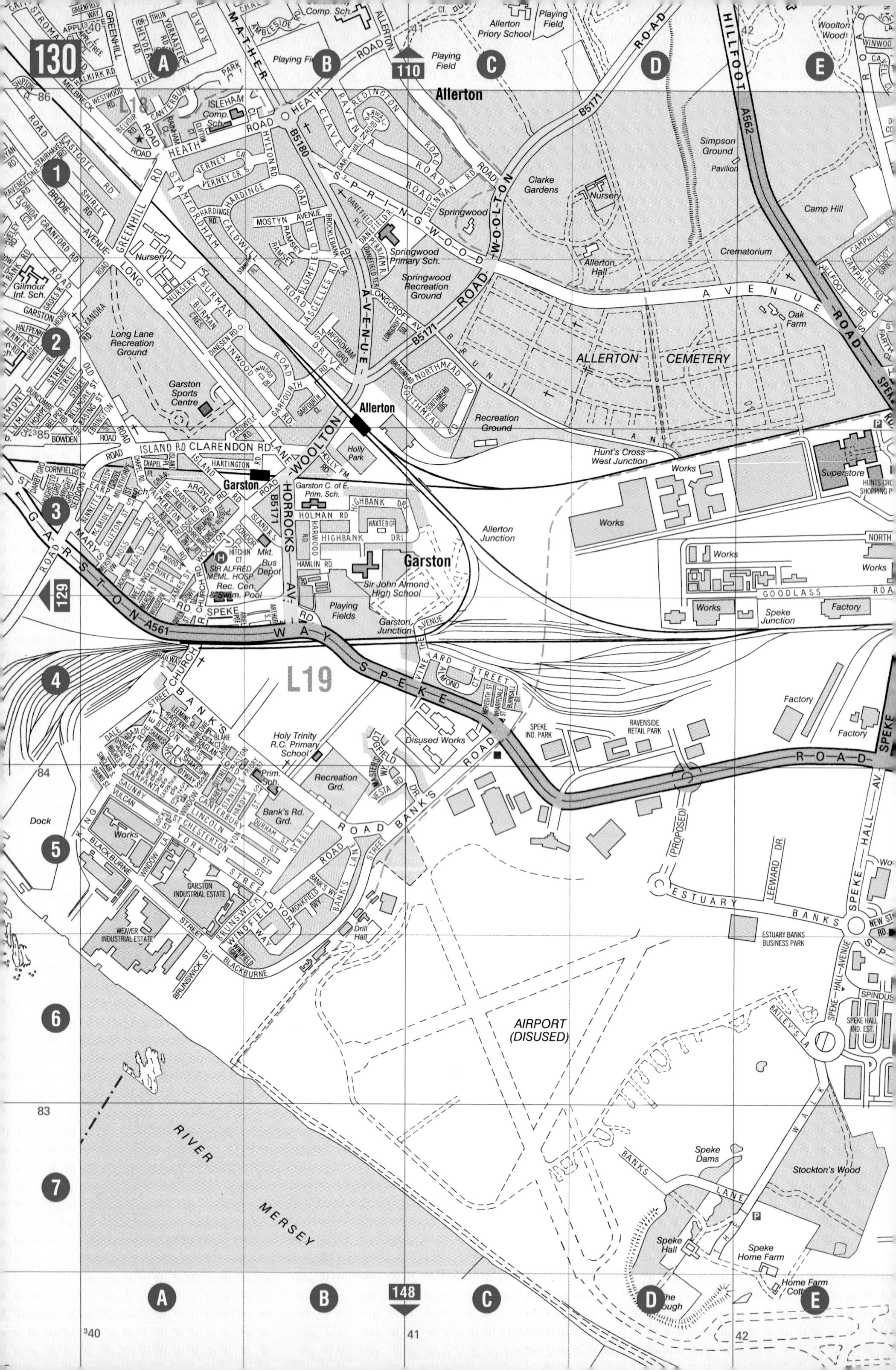

110
129
148
Allerton
Garston
L18
L19
Allerton Priory School
Playing Field
Comp. Sch.
Isleham Comp. Sch.
Woolton Wood
Hillfoot Road
A562
Simpson Ground
Pavilion
Camp Hill
Crematorium
Clarke Gardens
Nursery
Springwood
Springwood Primary Sch.
Springwood Recreation Ground
Allerton Hall
Oak Farm
Allerton Cemetery
Brunt Lane
Recreation Ground
Hunt's Cross West Junction
Superstore
Hunts Cross Shopping Park
Works
Allerton Junction
Goodlass Road
Factory
Speke Junction
Springwood Avenue
Woolton Road
B5171
B5180
B5177
Mather Avenue
Heath Road
Long Lane Recreation Ground
Garston Sports Centre
Long Lane
Gilmour Inf. Sch.
Holly Park
Garston C. of E. Prim. Sch.
Sir John Almond High School
Playing Fields
Garston Junction
Sir Alfred Meml. Hosp.
Rec. Cen. & Swim. Pool
Mkt.
Bus Depot
Island Rd.
Clarendon Rd.
Speke Road
Garston Way
A561
Speke Road
Holy Trinity R.C. Primary School
Prim. Sch.
Recreation Grd.
Bank's Rd. Grd.
Disused Works
Speke Ind. Park
Ravenside Retail Park
Garston Industrial Estate
Weaver Industrial Estate
Drill Hall
Dock
Estuary Banks
Estuary Banks Business Park
Leeward Dr.
(Proposed)
Speke Hall Avenue
Speke Hall Ind. Est.
Bailey's La.
Airport (Disused)
River Mersey
Banks Lane
Speke Dams
Speke Hall
Speke Home Farm
Home Farm Cotts.
Stockton's Wood
The Walk

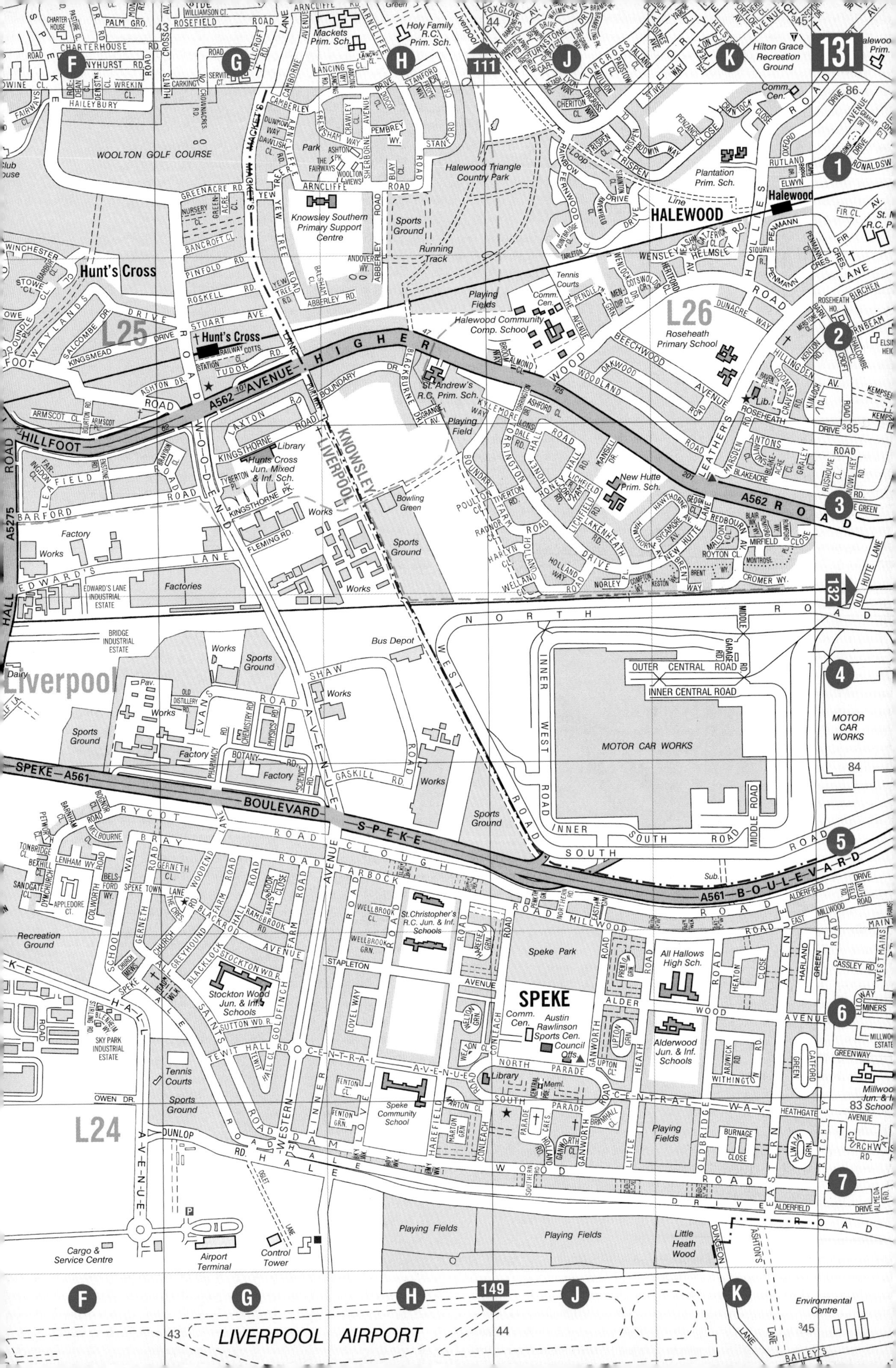
WOOLTON GOLF COURSE
Hunt's Cross
L25
Halewood Triangle Country Park
HALEWOOD
L26
Liverpool
SPEKE
L24
LIVERPOOL AIRPORT
MOTOR CAR WORKS
Knowsley Southern Primary Support Centre
Mackets Prim. Sch.
Holy Family R.C. Prim. Sch.
Hilton Grace Recreation Ground
Plantation Prim. Sch.
Roseheath Primary School
Halewood Community Comp. School
St. Andrew's R.C. Prim. Sch.
Hunts Cross Jun. Mixed & Inf. Sch.
New Hutte Prim. Sch.
Edward's Lane Industrial Estate
Bridge Industrial Estate
Bus Depot
St. Christopher's R.C. Jun. & Inf. Schools
All Hallows High Sch.
Speke Park
Austin Rawlinson Sports Cen.
Council Offs.
Stockton Wood Jun. & Inf. Schools
Alderwood Jun. & Inf. Schools
Speke Community School
Millwood Jun. & Inf. School
Sky Park Industrial Estate
Cargo & Service Centre
Airport Terminal
Control Tower
Little Heath Wood
Environmental Centre
Playing Fields
Sports Ground
Recreation Ground
Running Track
A562 HIGHER AVENUE
A562 ROAD
HILLFOOT ROAD
A5275 HALL ROAD
SPEKE - A561 BOULEVARD
A561 BOULEVARD
NORTH ROAD
INNER WEST ROAD
INNER SOUTH ROAD
OUTER CENTRAL ROAD
INNER CENTRAL ROAD
WEST ROAD
KNOWSLEY LIVERPOOL
MACKET'S LANE
CENTRAL AVENUE
CENTRAL WAY
HALE ROAD
DUNLOP RD.
WESTERN AVENUE
EASTERN AVENUE
ALDERWOOD AVENUE
MILLWOOD ROAD
ALDERFIELD DRIVE
DUNGEON LANE
BAILEY'S LANE
OLD HUTTE LANE
LEATHERS LANE
HOLLIES ROAD
ARNCLIFFE ROAD
YEW TREE ROAD
WOODEND AVENUE
CLOUGH ROAD
TARBOCK ROAD
SPEKE TOWN LANE
F G H J K
1 2 3 4 5 6 7
111
132
149
43 44 45

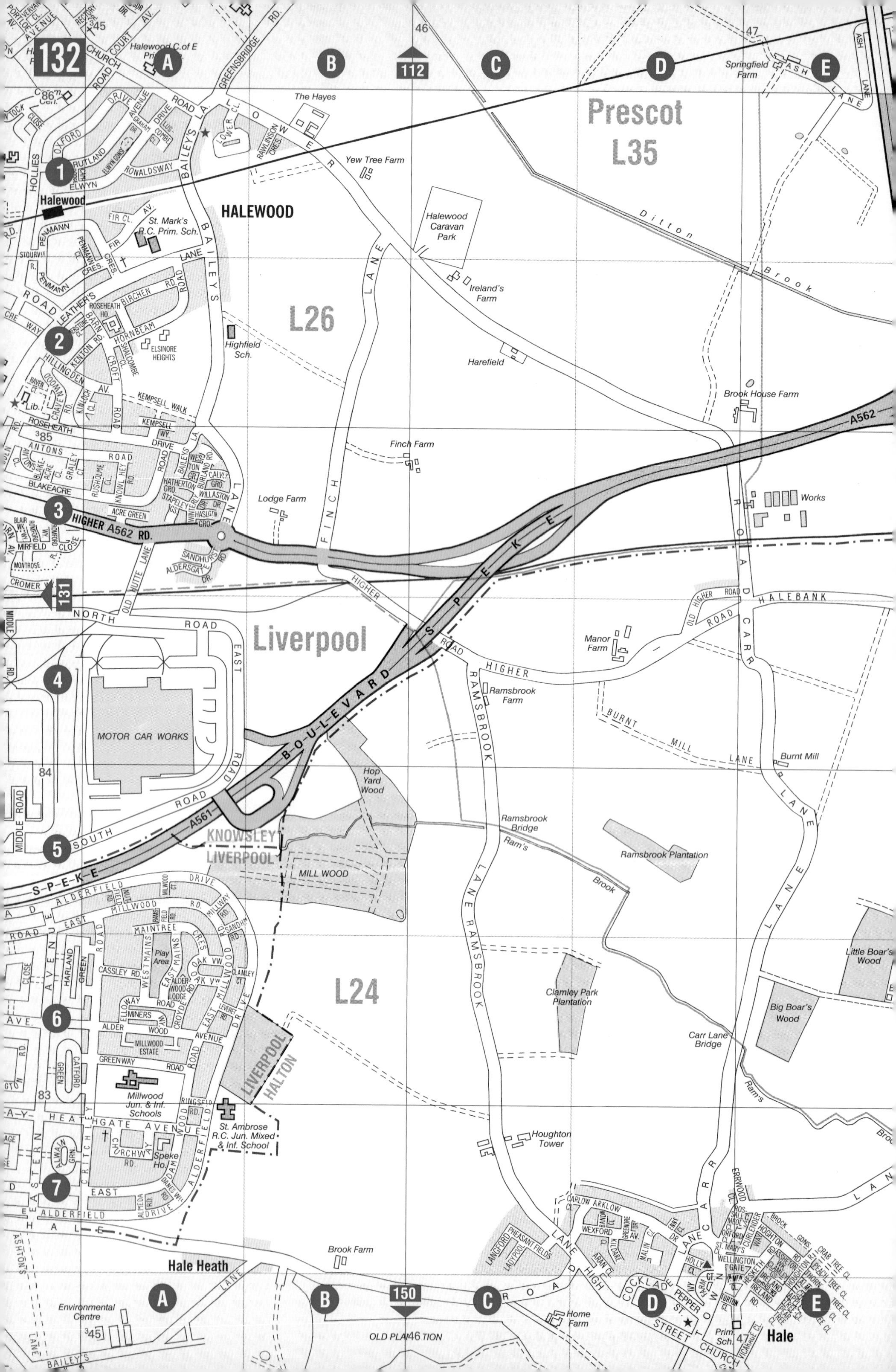

Prescot
L35
L26
L24
Liverpool
HALEWOOD
Halewood
Hale Heath
Hale
KNOWSLEY
LIVERPOOL
HALTON
112
131
150
The Hayes
Yew Tree Farm
Halewood Caravan Park
Ireland's Farm
Harefield
Springfield Farm
Brook House Farm
Finch Farm
Lodge Farm
Works
Manor Farm
Ramsbrook Farm
Burnt Mill
Hop Yard Wood
MILL WOOD
MOTOR CAR WORKS
Ramsbrook Bridge
Ramsbrook Plantation
Clamley Park Plantation
Little Boar's Wood
Big Boar's Wood
Carr Lane Bridge
Houghton Tower
Brook Farm
Home Farm
Environmental Centre
OLD PLANTATION
Millwood Jun. & Inf. Schools
St. Ambrose R.C. Jun. Mixed & Inf. School
Speke Ho.
St. Mark's R.C. Prim. Sch.
Highfield Sch.
Halewood C.of E Prim. Sch.
ELSINORE HEIGHTS
Ditton Brook
Ram's Brook
HIGHER A562 RD.
SPEKE BOULEVARD
A562
A561
NORTH ROAD
EAST ROAD
SOUTH ROAD
HIGHER ROAD
HALEBANK
CARR LANE
RAMSBROOK LANE
FINCH LANE
LOWER ROAD
BAILEYS LANE
BURNT MILL LANE
OLD WHITE LANE
MIDDLE ROAD
HALE ROAD
HIGH STREET
CHURCH ROAD
ALDERFIELD DRIVE
EASTERN AVENUE
HEATHGATE AVENUE
MILLWOOD ROAD
GREENWAY ROAD
ASH LANE

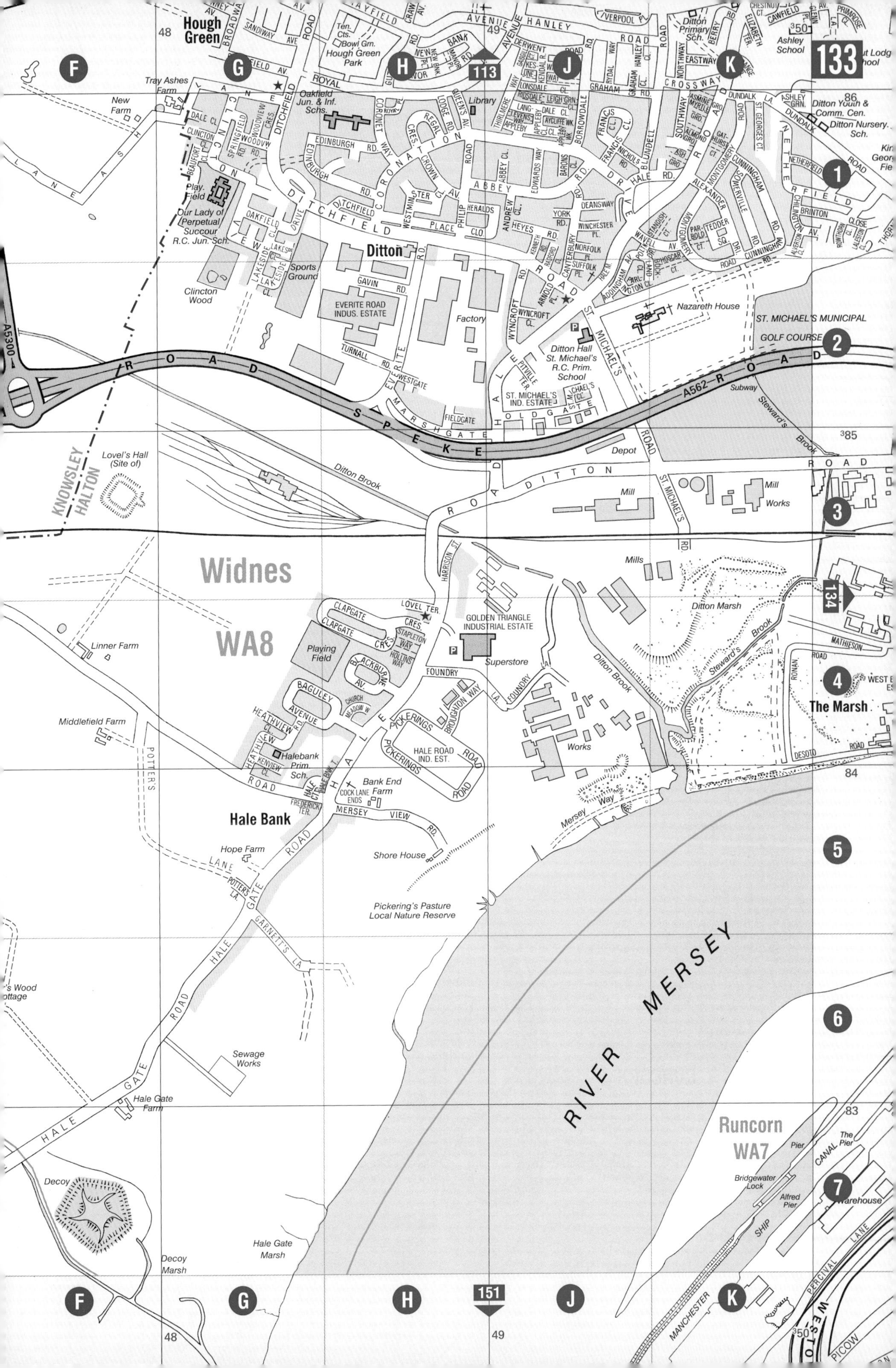

133
Hough Green
Ditton
Widnes
WA8
Hale Bank
Runcorn
WA7
The Marsh
RIVER MERSEY
Tray Ashes Farm
New Farm
Oakfield Jun. & Inf. Schs.
Hough Green Park
Library
Ditton Primary Sch.
Ashley School
Ditton Youth & Comm. Cen.
Ditton Nursery Sch.
Play. Field
Our Lady of Perpetual Succour R.C. Jun. Sch.
Clincton Wood
Sports Ground
EVERITE ROAD INDUS. ESTATE
Factory
Nazareth House
ST. MICHAEL'S MUNICIPAL GOLF COURSE
Ditton Hall
St. Michael's R.C. Prim. School
ST. MICHAEL'S IND. ESTATE
Depot
Subway
Steward's Brook
Lovel's Hall (Site of)
KNOWSLEY
HALTON
Ditton Brook
Mill
Mill Works
Mills
Ditton Marsh
GOLDEN TRIANGLE INDUSTRIAL ESTATE
Superstore
Linner Farm
Playing Field
Middlefield Farm
Halebank Prim. Sch.
HALE ROAD IND. EST.
Bank End Farm
Works
Mersey Way
Hope Farm
Shore House
Pickering's Pasture Local Nature Reserve
Sewage Works
Hale Gate Farm
Decoy
Decoy Marsh
Hale Gate Marsh
Pier
The Pier
Bridgewater Lock
Alfred Pier
Warehouse
SPEKE ROAD
A562
A5300
DITTON ROAD
HALE ROAD
HALE GATE ROAD
MERSEY VIEW RD.
POTTER'S LANE
GARNETT'S LA.
FOUNDRY LA.
PICKERINGS ROAD
MANCHESTER SHIP CANAL
PERCIVAL LANE
113
134
151
48
49
85
84
83
86

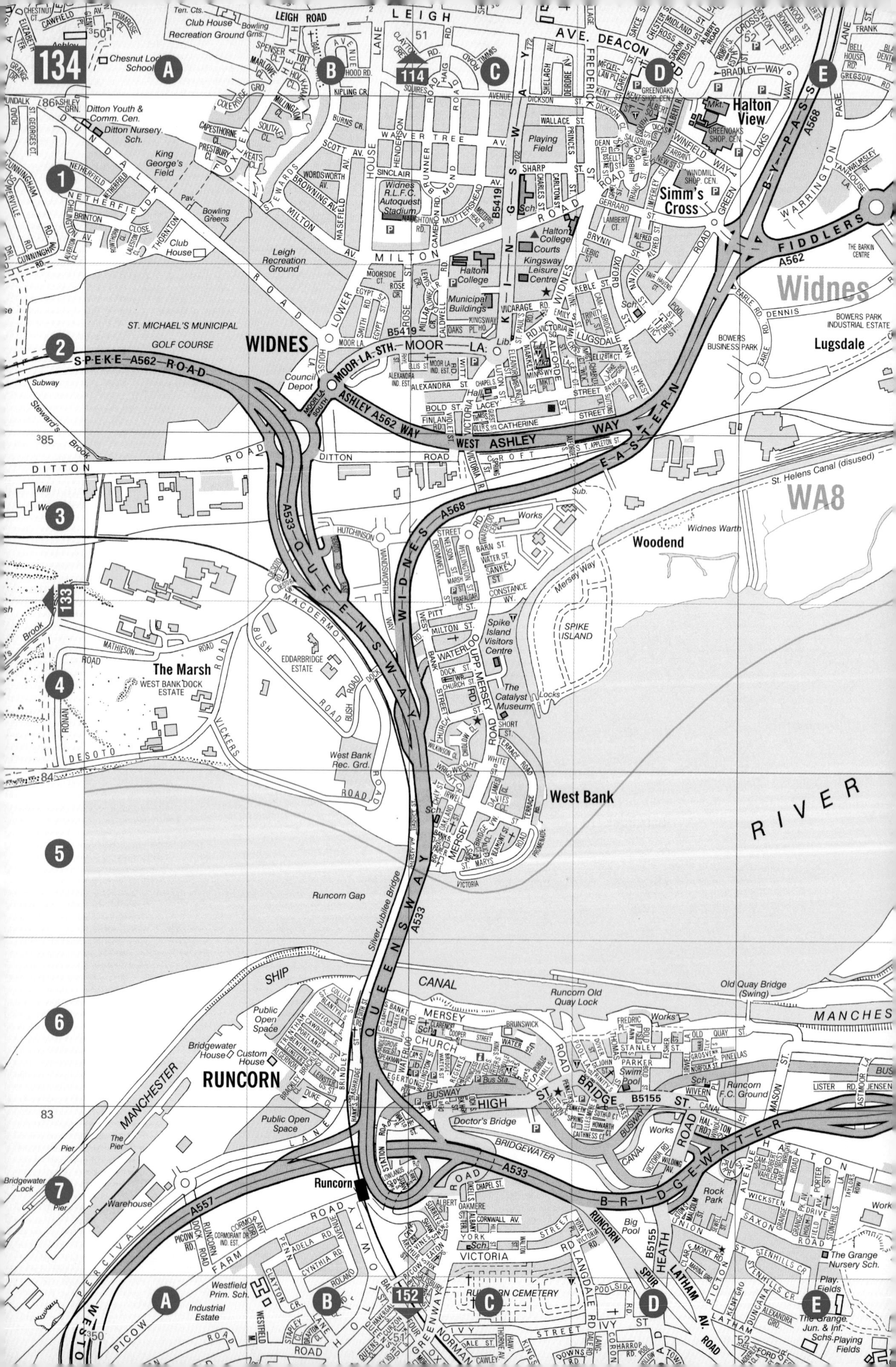

WIDNES
RUNCORN
Widnes
WA8
Halton View
Simm's Cross
Lugsdale
Woodend
West Bank
The Marsh
RIVER
Runcorn Gap
Silver Jubilee Bridge
QUEENSWAY A533
SPEKE A562 ROAD
ASHLEY A562 WAY
WEST ASHLEY WAY
EASTERN
WIDNES A568
FIDDLERS
A562
A568
DITTON ROAD
LEIGH ROAD
MILTON AV.
MOOR LA.
KINGSWAY
BRIDGEWATER
A557
HIGH ST.
B5155
SHIP CANAL
MANCHESTER
St. Helens Canal (disused)
Widnes Warth
SPIKE ISLAND
Spike Island Visitors Centre
The Catalyst Museum
Mersey Way
St. MICHAEL'S MUNICIPAL GOLF COURSE
Leigh Recreation Ground
King George's Field
Playing Field
Widnes R.L.F.C. Autoquest Stadium
Halton College
Courts
Kingsway Leisure Centre
Municipal Buildings
Council Depot
EDDARBRIDGE ESTATE
WEST BANK DOCK ESTATE
West Bank Rec. Grd.
BOWERS PARK INDUSTRIAL ESTATE
BOWERS BUSINESS PARK
Runcorn Old Quay Lock
Old Quay Bridge (Swing)
Bridgewater House
Custom House
Public Open Space
Doctor's Bridge
Runcorn
Runcorn F.C. Ground
Rock Park
Big Pool
RUNCORN CEMETERY
Westfield Prim. Sch.
Industrial Estate
The Grange Nursery Sch.
The Grange Jun. & Inf. Schs.
Playing Fields
Bridgewater Lock
The Pier
Warehouse
Ditton Youth & Comm. Cen.
Ditton Nursery Sch.
Chesnut Lodge School
114
133
152
A
B
C
D
E
1
2
3
4
5
6
7

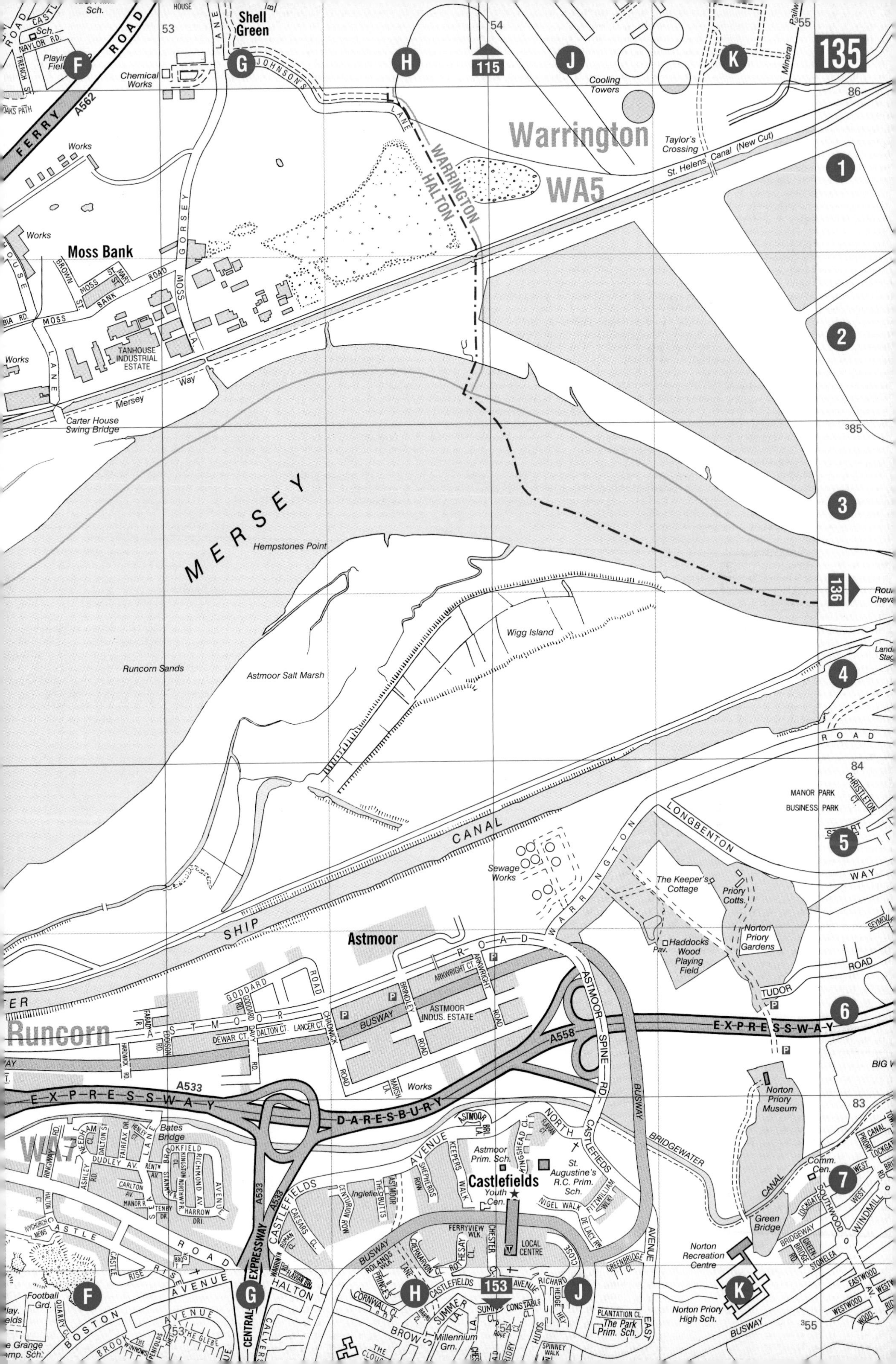

Shell Green
Warrington
WA5
Moss Bank
TANHOUSE INDUSTRIAL ESTATE
Carter House Swing Bridge
Mersey Way
St. Helens Canal (New Cut)
Taylor's Crossing
Cooling Towers
Chemical Works
Works
WARRINGTON
HALTON
MERSEY
Hempstones Point
Runcorn Sands
Astmoor Salt Marsh
Wigg Island
SHIP CANAL
Sewage Works
Astmoor
ASTMOOR INDUS. ESTATE
MANOR PARK BUSINESS PARK
The Keeper's Cottage
Priory Cotts.
Norton Priory Gardens
Haddocks Wood Playing Field
Norton Priory Museum
Runcorn
WA7
EXPRESSWAY
DARESBURY
A533
A558
A562
FERRY ROAD
Castlefields
Astmoor Prim. Sch.
St. Augustine's R.C. Prim. Sch.
Youth Cen.
LOCAL CENTRE
Bates Bridge
BRIDGEWATER CANAL
Green Bridge
Norton Recreation Centre
Norton Priory High Sch.
The Park Prim. Sch.
Millennium Grn.
Football Grd.
115
136
153

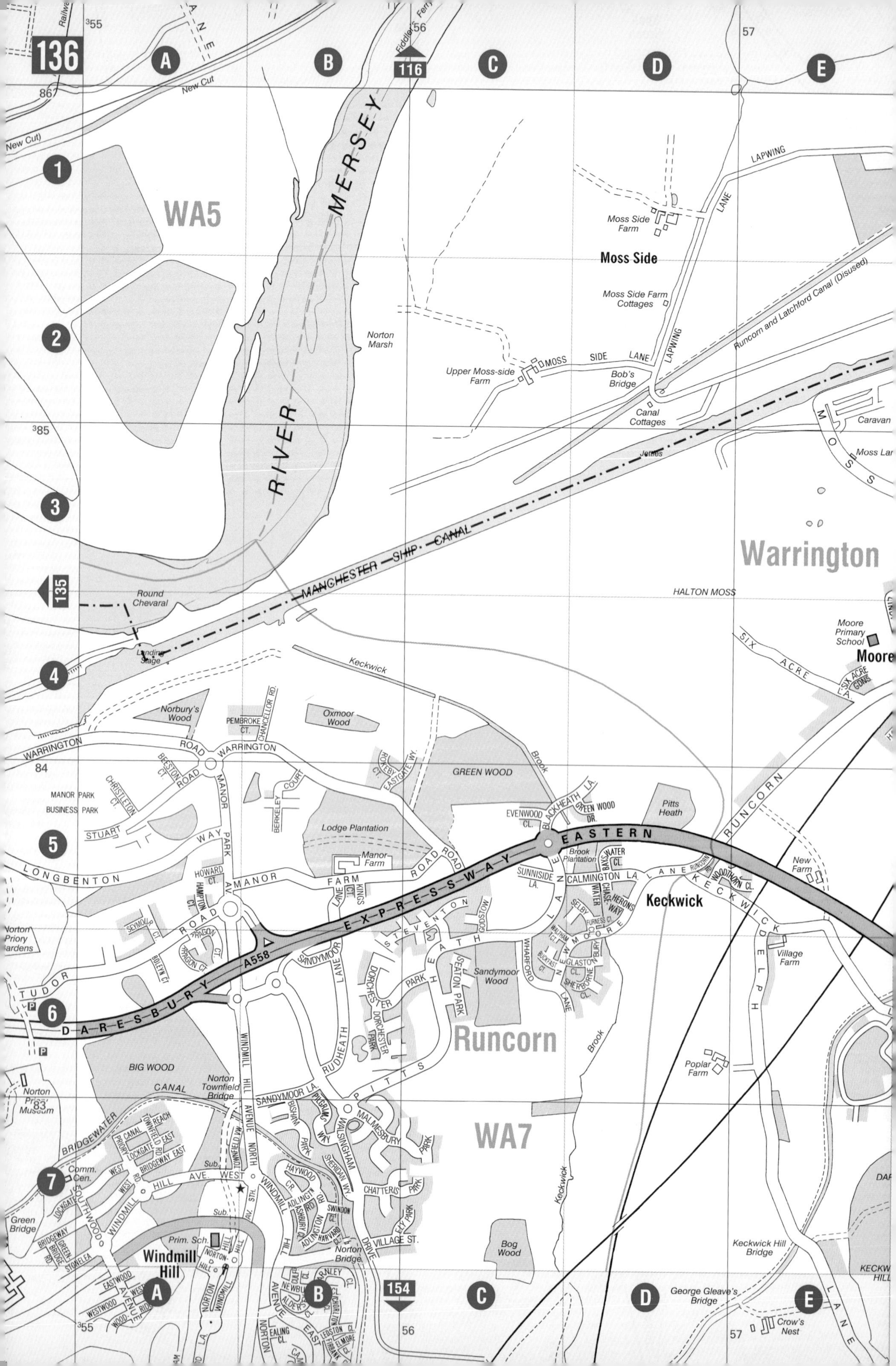

A
B
C
D
E
116
1
2
3
4
5
6
7
WA5
RIVER MERSEY
New Cut
Norton Marsh
Moss Side Farm
Moss Side
Moss Side Farm Cottages
LAPWING LANE
Runcorn and Latchford Canal (Disused)
Upper Moss-side Farm
MOSS SIDE LANE
Bob's Bridge
Canal Cottages
Jetties
Caravan
Moss Lar
MANCHESTER SHIP CANAL
Warrington
HALTON MOSS
Round Chevaral
135
Landing Stage
Keckwick
Moore Primary School
Moore
SIX ACRE LA
Norbury's Wood
PEMBROKE CT.
CHANCELLOR RD.
Oxmoor Wood
WARRINGTON ROAD
GREEN WOOD
Brook
MANOR PARK BUSINESS PARK
STUART WAY
Lodge Plantation
Manor Farm
Pitts Heath
EASTERN EXPRESSWAY
Brook Plantation
LONGBENTON
MANOR PARK AV.
MANOR FARM ROAD
Keckwick
KECKWICK LA.
New Farm
Village Farm
Norton Priory Gardens
DARESBURY EXPRESSWAY
A558
TUDOR
Sandymoor Wood
Runcorn
Poplar Farm
BIG WOOD
Norton Townfield Bridge
CANAL
BRIDGEWATER
Norton Priory Museum
WA7
Comm. Cen.
WINDMILL HILL AVE. WEST
Green Bridge
Prim. Sch.
Windmill Hill
Norton Bridge
Bog Wood
Keckwick Hill Bridge
George Gleave's Bridge
Crow's Nest
154

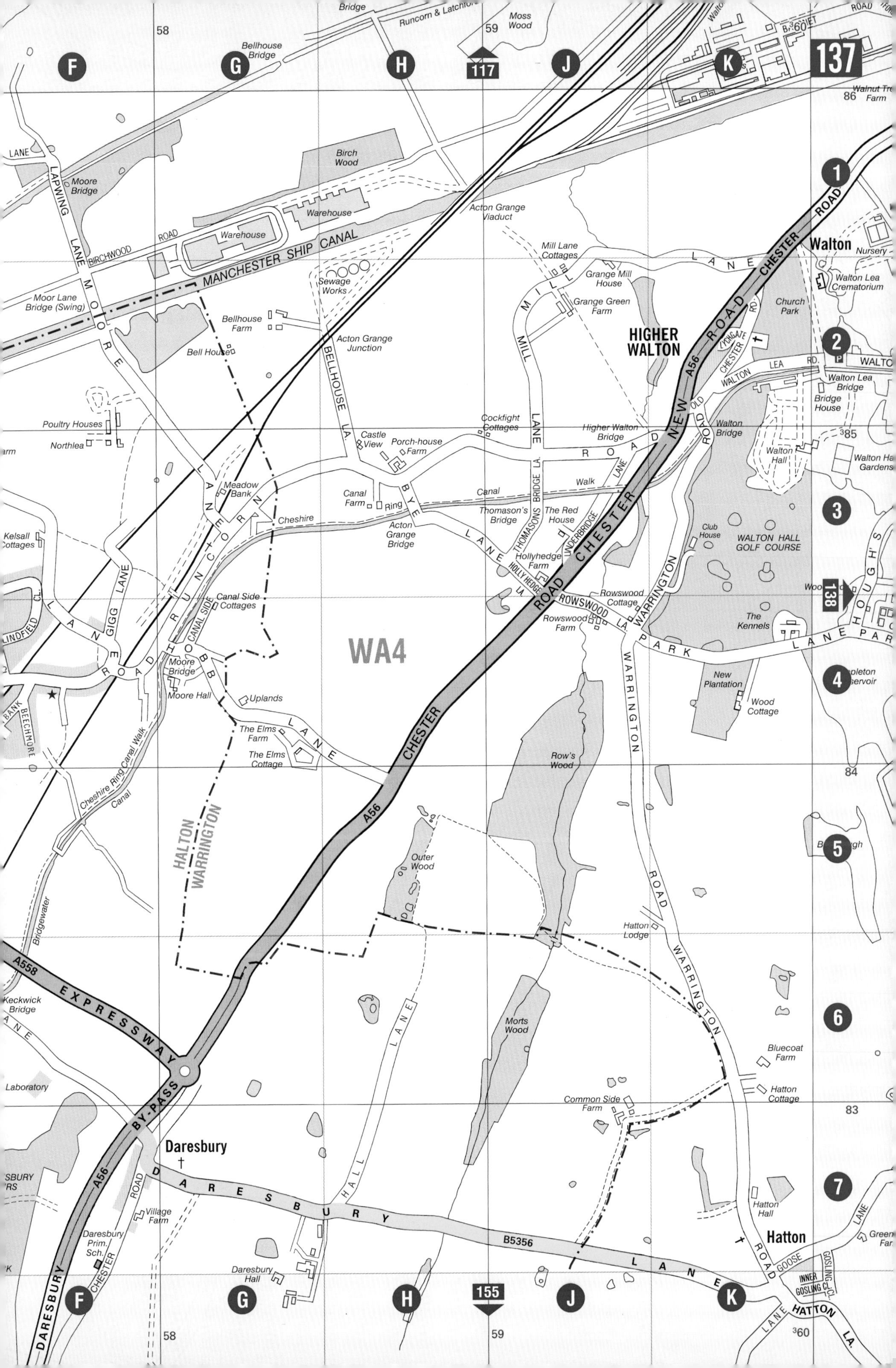

F **G** **H** 117 **J** **K**

58 59

Moss Wood

Runcorn & Latchford

Bridge

Walnut Tree Farm

86

1

Bellhouse Bridge

Birch Wood

Acton Grange Viaduct

Mill Lane Cottages

Walton

Nursery

Walton Lea Crematorium

Moore Bridge

Warehouse

MANCHESTER SHIP CANAL

Warehouse

BIRCHWOOD ROAD

Sewage Works

Grange Mill House

Grange Green Farm

CHESTER ROAD

LANE

Church Park

2

WALTON

Moor Lane Bridge (Swing)

Bellhouse Farm

Bell House

Acton Grange Junction

BELLHOUSE LA.

Castle View

Porch-house Farm

Cockfight Cottages

MILL LANE

Higher Walton Bridge

HIGHER WALTON

Walton Bridge

A56 NEW ROAD

OLD CHESTER RD.

ZOYGATE

WALTON LEA RD.

P

Walton Lea Bridge

Bridge House

Walton Hall

385

Walton Hall Gardens

Poultry Houses

Northlea

Meadow Bank

Cheshire

Canal Farm

Ring

Bye

Thomason's Bridge

Canal

Walk

LANE

The Red House

Club House

WALTON HALL GOLF COURSE

3

Kelsall Cottages

LINDFIELD CL.

GIGG LANE

Acton Grange Bridge

Canal Side Cottages

THOMASONS BRIDGE LA.

Hollyhedge Farm

HOLLY HEDGE LA.

UNDERBRIDGE

CHESTER ROAD

Rowswood Cottage

Rowswood Farm

ROWSWOOD LA.

WARRINGTON

The Kennels

Woo

138

4

BEECHMOR

★

Moore Bridge

Moore Hall

Uplands

The Elms Farm

The Elms Cottage

WA4

Row's Wood

New Plantation

Wood Cottage

pleton ervoir

BANK

Cheshire Ring Canal Walk

Canal

A56

CHESTER

LANE

HALTON WARRINGTON

ROAD

PARK

WARRINGTON

Outer Wood

Br

5

A558

Bridgewater

Keckwick Bridge

LANE

EXPRESSWAY

BY-PASS

A56

Morts Wood

Hatton Lodge

ROAD

WARRINGTON

Bluecoat Farm

6

Laboratory

Common Side Farm

Hatton Cottage

83

Daresbury †

Village Farm

Daresbury Prim. Sch.

CHESTER ROAD

DARESBURY HALL

DARESBURY

B5356

LANE

Hatton Hall

Hatton †

ROAD

GOOSE

7

SBURY RS

A56

Daresbury Hall

INNER GOSLING CL.

GOSLING CL.

LANE

HATTON LA.

360

F **G** **H** 155 **J** **K**

58 59 60

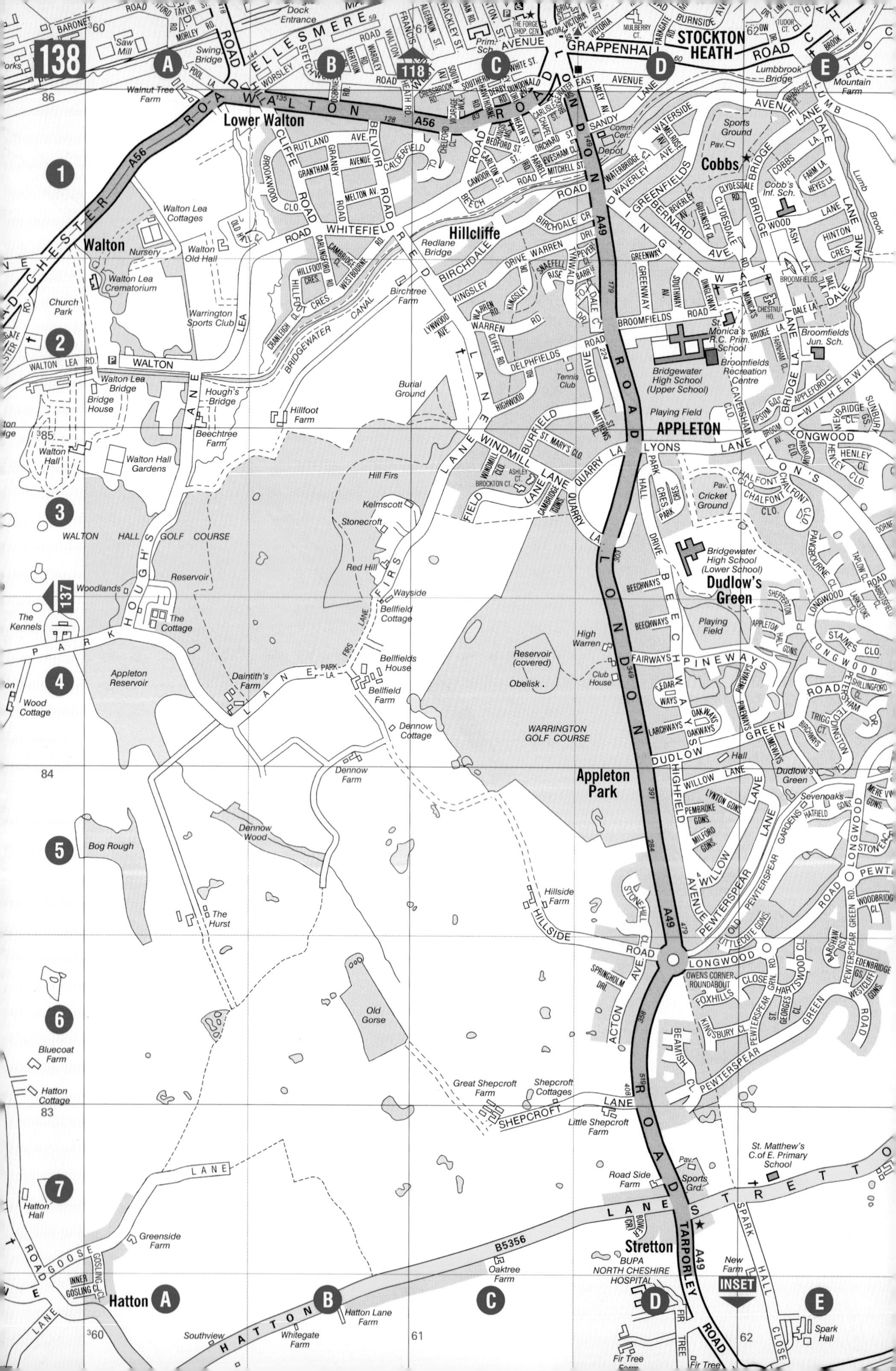

138
A
B
C
D
E
1
2
3
4
5
6
7
118
137
INSET
Hatton
Dock Entrance
Saw Mill
Swing Bridge
ELLESMERE
BARONET
MORLEY RD.
WORSLEY
STOCKTON HEATH
GRAPPENHALL ROAD
BURNSIDE
MULBERRY CT.
PARKGATE
VICTORIA
THE FORGE SHOP. CEN.
Prim. Sch.
AVENUE
EAST AVENUE
ARLEY AV.
SANDY LANE
Lumbbrook Bridge
Mountain Farm
LUMB BROOK ROAD
Walnut Tree Farm
Lower Walton
WALTON ROAD
A56
CHESTER ROAD
CLIFFE ROAD
RUTLAND AVE.
GRANTHAM AVENUE
GRANBY ROAD
MELTON AV.
BELVOIR ROAD
CALDERFIELD CL.
BROOKWOOD CLO.
WHITEFIELD ROAD
BEDFORD ST.
CARLTON ST.
CAWDOR ST.
ORCHARD ST.
EVESHAM CL.
FARRELL RD.
MITCHELL ST.
Comm. Cen.
Depot
WATERBRIDGE CT.
WATERSIDE AVE.
MELROSE AV.
WAVERLEY
GREENFIELDS
Sports Ground
Pav.
Cobbs
Cobb's Inf. Sch.
BRIDGE LANE
COBBS LA.
FARM LA.
HEYES LA.
DALE LANE
Lumb Brook
CLYDESDALE RD.
BERNARD AVE.
BEVERLEY AV.
GUERNSEY CL.
WOOD ASH LANE
HINTON CRES.
BROOMFIELDS
Walton Lea Cottages
Walton
Nursery
Walton Old Hall
Walton Lea Crematorium
Church Park
Warrington Sports Club
WALTON LEA RD.
WALTON
Walton Lea Bridge
Bridge House
Hough's Bridge
LEA
Beechtree Farm
Walton Hall
Walton Hall Gardens
Hillcliffe
Redlane Bridge
BIRCHDALE ROAD
BIRCHDALE CR.
WARREN DRIVE
KINGSLEY
SNAEFELL RISE
TYNWALD
HILLFOOT CRES.
CARLINGFORD RD.
CAMBRIDGE CL.
WESTBOURNE RD.
CRANLEIGH CL.
BRIDGEWATER CANAL
Birchtree Farm
LYNWOOD AVE.
RED LANE
WARREN RD.
CLIFFE RD.
DELPHFIELDS ROAD
HIGHWOOD
Tennis Club
DRIVE
A49
LONDON ROAD
GREENWAY
SOUTHWAY AV.
DINGLEWAY
ST. MONICA'S CL.
CHESTNUT HO.
BROOMFIELDS ROAD
St. Monica's R.C. Prim. School
Bridgewater High School (Upper School)
Broomfields Recreation Centre
Broomfields Jun. Sch.
BRIDGE LA.
FARNHAM CL.
WITHERWIN
APPLEFORD CL.
EPSOM GDS.
CAVERSHAM CLO.
Playing Field
APPLETON
LYONS LANE
LONGWOOD
HENLEY CLO.
SUNBURY
WEYBRIDGE CL.
Burial Ground
Hillfoot Farm
BURFIELD
ST. MARY'S CLO.
ST. MATTHEWS CL.
WINDMILL LANE
QUARRY LA.
ASHLEY CT.
BROCKTON CT.
CAMBRIDGE GDNS.
FIELD LANE
Hill Firs
Kelmscott
Stonecroft
Red Hill
FIRS
Wayside
Bellfield Cottage
PARK CRES.
HALL
Pav.
Cricket Ground
CHALFONT CLO.
Bridgewater High School (Lower School)
Dudlow's Green
BEECHWAYS
Playing Field
PANGBOURNE CL.
SHEPPERTON
APPLETON HALL GDNS.
STAINES CLO.
WALTON HALL GOLF COURSE
HOUGH'S LANE
Reservoir
Woodlands
The Kennels
The Cottage
PARK LANE
Appleton Reservoir
Wood Cottage
Daintith's Farm
Bellfields House
Bellfield Farm
Dennow Cottage
Reservoir (covered)
Obelisk
High Warren
Club House
FAIRWAYS
PINEWAYS
CEDAR WAYS
OAKWAYS
LARCHWAYS
WARRINGTON GOLF COURSE
DUDLOW GREEN
ROAD
PETERSHAM DR.
TRIGG CT.
TEDDINGTON
SHILLINGFORD
Hall
Dudlow's Green
HIGHFIELD
WILLOW LANE
LYNTON GDNS.
PEMBROKE GDNS.
MILFORD GDNS.
WILLOW AVENUE
Sevenoaks
HATFIELD
GARDENS
MERE VIEW
Dennow Farm
Appleton Park
Dennow Wood
Bog Rough
The Hurst
Hillside Farm
HILLSIDE ROAD
STONEHILL CL.
PEWTERSPEAR LANE
PEWTERSPEAR
OLD PEWTERSPEAR
LITTLECOTE GDNS.
WOODBRIDGE CL.
EDENBRIDGE GDS.
WESTCLIFF GDNS.
SPRINGHOLM DRI.
ACTON AVE.
LONGWOOD
OWENS CORNER ROUNDABOUT
CLOSE
FOXHILLS
HARTSWOOD CL.
ST. GEORGES CL.
KINGSBURY CL.
PEWTERSPEAR GRN. RD.
BEAMISH CL.
Old Gorse
Bluecoat Farm
Hatton Cottage
Great Shepcroft Farm
Shepcroft Cottages
SHEPCROFT LANE
Little Shepcroft Farm
St. Matthew's C.of E. Primary School
Pav.
Sports Grd.
Road Side Farm
STRETTON
LANE
Hatton Hall
Greenside Farm
GOOSE LANE
INNER
GOSLING CL.
GOSLING CL.
B5356
Oaktree Farm
Stretton
BOWES CR.
BUPA NORTH CHESHIRE HOSPITAL
TARPORLEY ROAD
New Farm
SPARK HALL CLOSE
Spark Hall
HATTON LANE
Hatton Lane Farm
Southview
Whitegate Farm
FIR TREE
Fir Tree Farm
Fir Tree
60
61
62
86
85
84
83

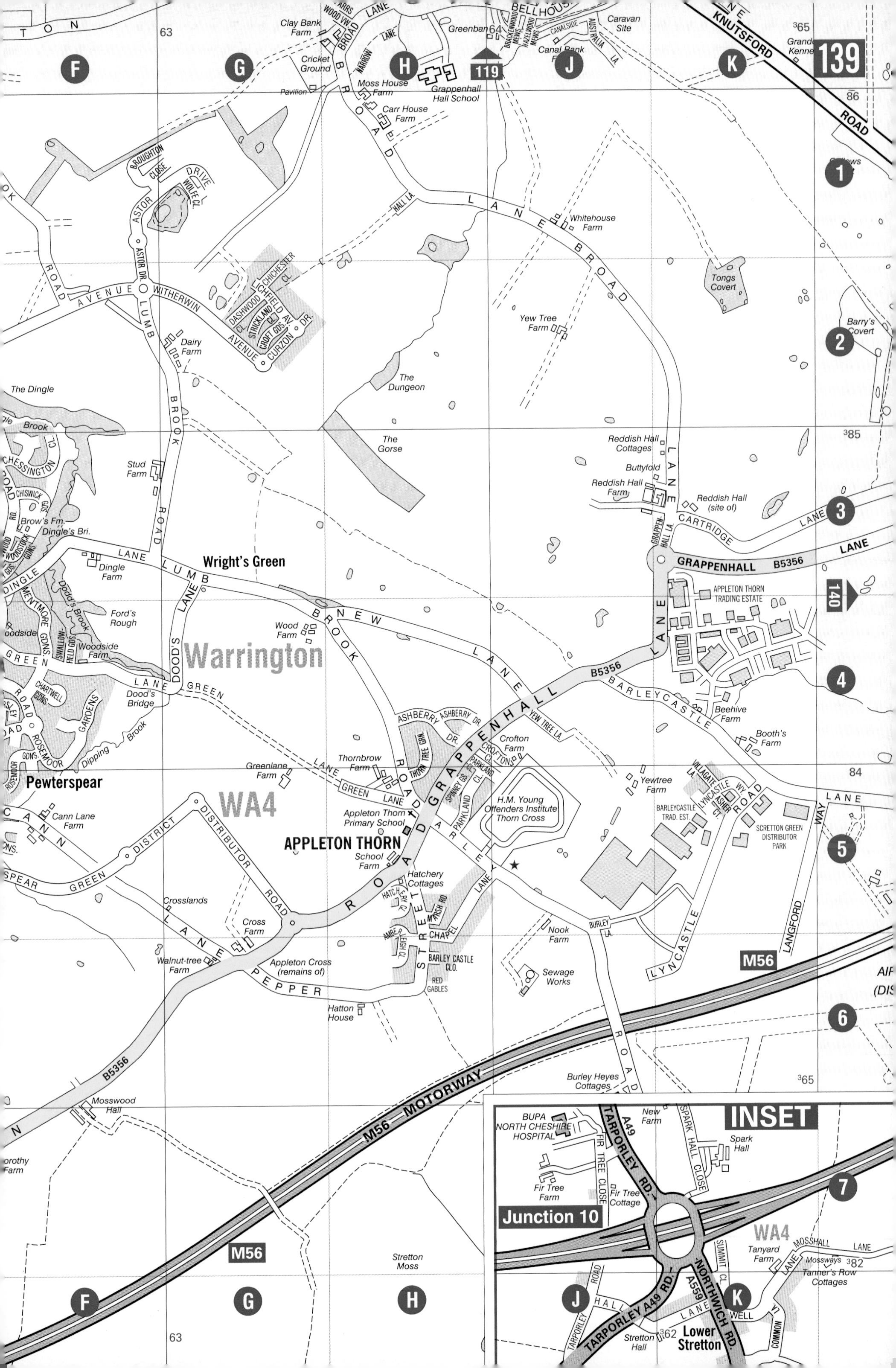

139
119
140
INSET
Junction 10
F
G
H
J
K
1
2
3
4
5
6
7
63
^{3}65
86
^{3}85
84
^{3}62
82
Clay Bank Farm
Cricket Ground
Pavilion
Moss House Farm
Carr House Farm
Grappenhall Hall School
Greenbank
Caravan Site
Canal Bank Farm
BELLHOUSE
BRACKENWOOD MEWS
HAZELWOOD MEWS
CANALSIDE
AUSTRALIA LA.
KNUTSFORD ROAD
WOOD VW.
BROAD LANE
NARROW LANE
BROAD ROAD
HALL LA.
LANE
BROAD
BROUGHTON CLOSE
DRIVE
WOLFE CL.
ASTOR DR.
ASTOR
Whitehouse Farm
Tongs Covert
Barry's Covert
AVENUE
WITHERWIN
LUMB
ROAD
CHICHESTER CL.
LICHFIELD AV.
DASHWOOD CL.
STRICKLAND CL.
CROFT GDS.
CURZON DR.
AVENUE
Dairy Farm
Yew Tree Farm
The Dingle
The Dungeon
The Gorse
Brook
CHESSINGTON CL.
CHISWICK GDS.
Brow's Fm.
Dingle's Bri.
WOODSTOCK GDNS.
Stud Farm
BROOK
ROAD
Reddish Hall Cottages
Buttyfold
Reddish Hall Farm
Reddish Hall (site of)
CARTRIDGE LANE
GRAPPENHALL LA.
GRAPPENHALL B5356 LANE
LANE
Wright's Green
DINGLE
LANE
Dingle Farm
LUMB
BROOK
NEW
LANE
MENTMORE GDNS.
Dodd's Brook
Ford's Rough
Woodside
SWALLOW-FIELD GDS.
Woodside Farm
Wood Farm
DOOD'S LANE
Warrington
APPLETON THORN TRADING ESTATE
GREEN
LANE
GREEN
Dood's Bridge
B5356
BARLEYCASTLE
Beehive Farm
Booth's Farm
CHARTWELL GDNS.
ROAD
ROSEMOOR
GARDENS
Dipping Brook
ASHBERRY
ASHBERRY DR.
DR.
GRAPPENHALL
YEW TREE LA.
Crofton Farm
CROFTON CL.
PARKLAND CL.
THORN TREE GRN.
SPINNEY GS.
Thornbrow Farm
Greenlane Farm
LANE
GREEN LANE
Pewterspear
ROSEMOOR GDNS.
Cann Lane Farm
CANN LANE
WA4
DISTRIBUTOR
DISTRICT
Appleton Thorn Primary School
APPLETON THORN
H.M. Young Offenders Institute Thorn Cross
Yewtree Farm
VILLAGATE LA.
LYNCASTLE WY.
ASHER CT.
ROAD
BARLEYCASTLE TRAD. EST.
SCRETTON GREEN DISTRIBUTOR PARK
LANE
WAY
School Farm
Hatchery Cottages
SPEAR GREEN
Crosslands
LANE
ROAD
Cross Farm
Walnut-tree Farm
HATCHERY CL.
MARSH RD
STREET
CHAPEL
AMBERLEIGH CL.
BARLEY CASTLE CLO.
RED GABLES
Appleton Cross (remains of)
PEPPER
Hatton House
Nook Farm
BURLEY LA.
Sewage Works
LYNCASTLE
LANGFORD
M56
AIR
(DIS
B5356
M56 MOTORWAY
ROAD
Burley Heyes Cottages
Mosswood Hall
Dorothy Farm
M56
Stretton Moss
BUPA NORTH CHESHIRE HOSPITAL
New Farm
A49
TARPORLEY RD.
FIR TREE CLOSE
SPARK HALL CLOSE
Spark Hall
Fir Tree Farm
Fir Tree Cottage
WA4
SUMMIT CL.
Tanyard Farm
MOSSHALL LANE
LANE
Mossways
Tanner's Row Cottages
NORTHWICH RD.
A559
TARPORLEY A49 RD.
HALL LANE
WELL
ROAD
TARPORLEY
COMMON LA.
Stretton Hall
Lower Stretton

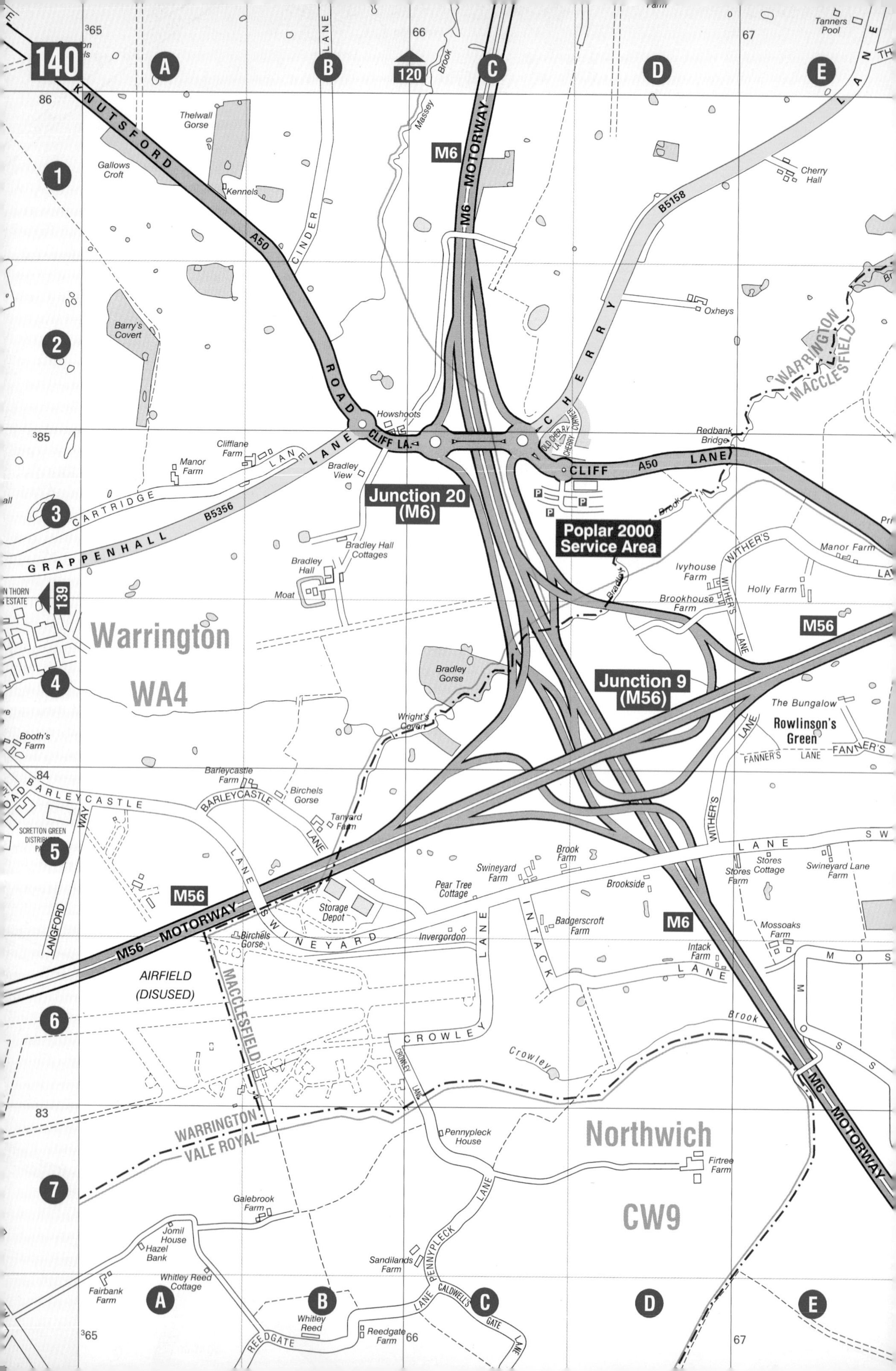

A B ▲ **120** C D E

³65 ¹ls 66 Massey Brook 67 Tanners Pool LANE TH

1
KNUTSFORD
Gallows Croft
Thelwall Gorse
Kennels
A50
M6 MOTORWAY
B5158
Cherry Hall

2
Barry's Covert
CINDER
ROAD
Oxheys
WARRINGTON MACCLESFIELD

3
³85
CARTRIDGE
GRAPPENHALL B5356
Manor Farm
Clifflane Farm
Bradley View
LANE
CLIFF LA.
Howshoots
CLIFF A50 LANE
Redbank Bridge
Junction 20 (M6)
CHERRY
P
P
P
Poplar 2000 Service Area
WITHER'S
Ivyhouse Farm
Holly Farm
Manor Farm
Brookhouse Farm
LANE

4
▲ **139**
N THORN ESTATE
Warrington WA4
Bradley Hall Cottages
Bradley Hall
Moat
Bradley Gorse
Wright's Covert
Junction 9 (M56)
M56
The Bungalow
Rowlinson's Green
LANE
FANNER'S LANE
FANNER'S

5
Booth's Farm
ROAD
⁸4
BARLEYCASTLE
LANGFORD WAY
SCRETTON GREEN DISTRIBUTION P
Barleycastle Farm
BARLEYCASTLE LANE
Birchels Gorse
Tanyard Farm
Pear Tree Cottage
Swineyard Farm
Brook Farm
Brookside
Badgerscroft Farm
Stores Farm
Stores Cottage
Swineyard Lane Farm
LANE SW
WITHER'S LANE
Intack Farm
M6
Mossoaks Farm
LANE
M
O
S

6
M56 MOTORWAY
Storage Depot
Birchels Gorse
SWINEYARD LANE
Invergordon
MACCLESFIELD ROAD
CROWLEY
INTACK LANE
Crowley
Brook
M6 MOTORWAY
LANE

7
³83
AIRFIELD (DISUSED)
WARRINGTON VALE ROYAL
CROWLEY LANE
Pennypleck House
Northwich
Firtree Farm
PENNYPLECK LANE
CW9
Galebrook Farm
Jomil House
Hazel Bank
Fairbank Farm
Whitley Reed Cottage
Sandilands Farm
Reedgate Farm
REEDGATE LANE
CALDWELL'S GATE LANE
Whitley Reed

A B C D E
³65 66 67

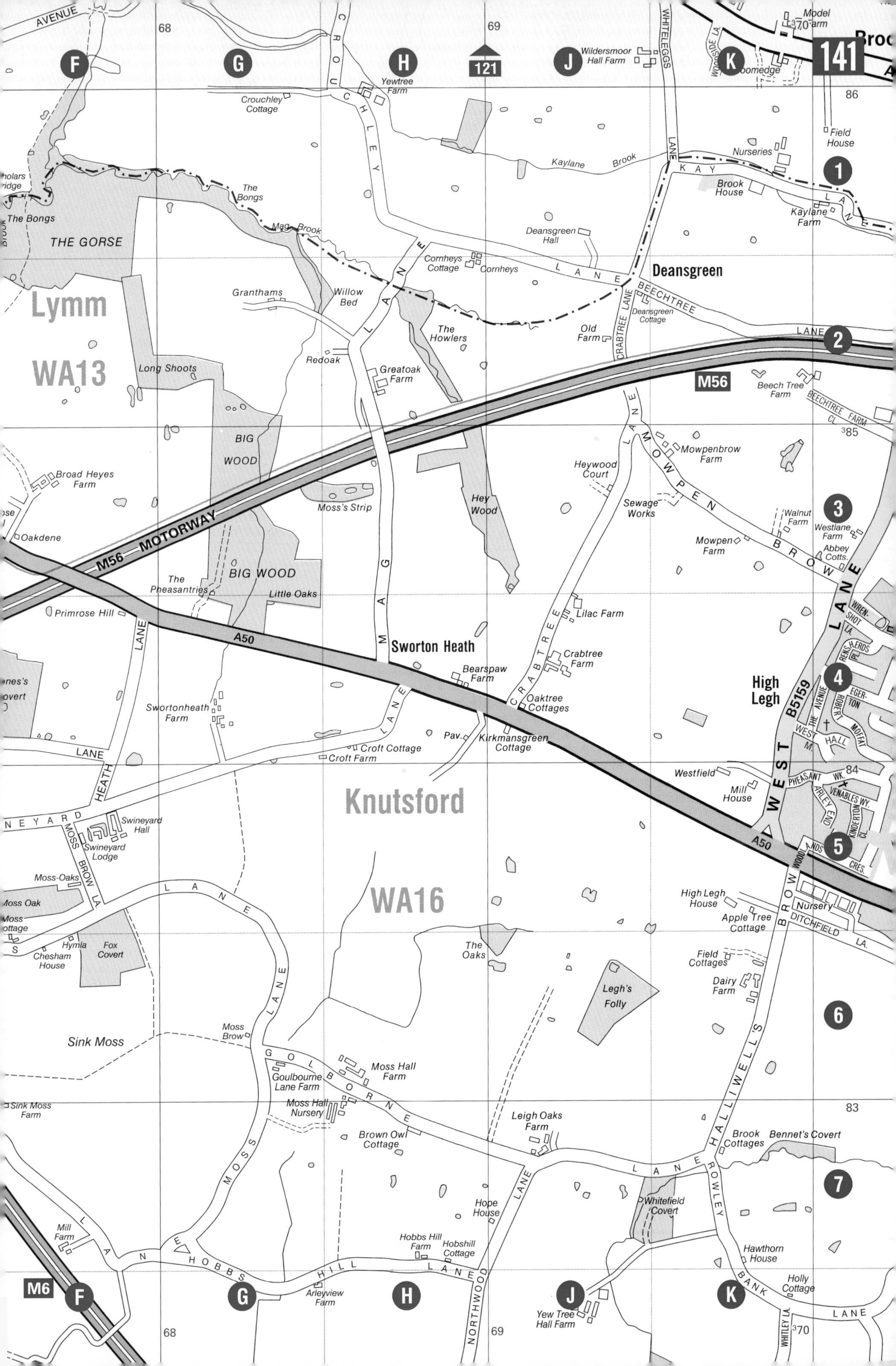

AVENUE

68

69

F

G

CROUCHLEY LANE

H

WHITELEGGS LANE

WOODSIDE LA.

Model Farm

Brook

K

141

86

Crouchley Cottage

Yewtree Farm

121

Wildersmoor Hall Farm

oomedge

1

Nurseries

Field House

Kaylane Brook

KAY LANE

Brook House

Kaylane Farm

Scholars Bridge

The Bongs

THE GORSE

Mag Brook

Cornheys Cottage

Cornheys

Deansgreen Hall

Deansgreen

The Bongs

Lymm

WA13

Granthams

Willow Bed

The Howlers

Old Farm

Deansgreen Cottage

BEECHTREE LANE

CRABTREE LANE

LANE

2

M56

Beech Tree Farm

BEECHTREE FARM CL.

385

Long Shoots

Redoak

Greatoak Farm

Mowpenbrow Farm

3

Broad Heyes Farm

Heywood Court

MOWPEN BROW LANE

Walnut Farm

Westlane Farm

BIG WOOD

Moss's Strip

Hey Wood

Sewage Works

Abbey Cotts.

Oakdene

MOTORWAY

M56

Mowpen Farm

WREN. SHOT LA.

ose

BIG WOOD

Little Oaks

CRABTREE LANE

Lilac Farm

RENSH-FERD S

Primrose Hill

The Pheasantries

Crabtree Farm

High Legh

EGER- TON

LANE

A50

Sworton Heath

Bearspaw Farm

Oaktree Cottages

B5159

THE AVENUE

WEST HALL

ROBERT

MOFFAT

4

Swortonheath Farm

MAG LANE

Pav.

Kirkmansgreen Cottage

Westfield

ARLEY END

KINDERTON

VENABLES WY.

84

nes's overt

LANE

HEATH LANE

Croft Cottage

Croft Farm

Knutsford

Mill House

WEST LANE

Pheasant WK.

CRES.

5

NEYARD

MOSS BROW LA.

Swineyard Hall

Swineyard Lodge

WA16

High Legh House

A50

WOOD BROW LANE

Nursery

DITCHFIELD LA.

Moss-Oaks

Moss Oak

Moss Cottage

Hyrnla Chesham House

Fox Covert

The Oaks

Apple Tree Cottage

Field Cottages

Dairy Farm

6

Sink Moss

Moss Brow

Legh's Folly

HALLIWELL'S LANE

GOLBORNE LANE

Moss Hall Farm

Goulbourne Lane Farm

Moss Hall Nursery

83

Sink Moss Farm

Brown Owl Cottage

Leigh Oaks Farm

Brook Cottages

Bennet's Covert

7

MOSS LANE

Hope House

Whitefield Covert

ROWLEY LANE

Mill Farm

HOBBS LANE

HILL LANE

Arleyview Farm

Hobbs Hill Farm

Hobshill Cottage

NORTHWOOD LANE

Hawthorn House

Holly Cottage

M6

F

68

G

H

Yew Tree Hall Farm

69

J

WHITLEY LA.

70

BANK LANE

K

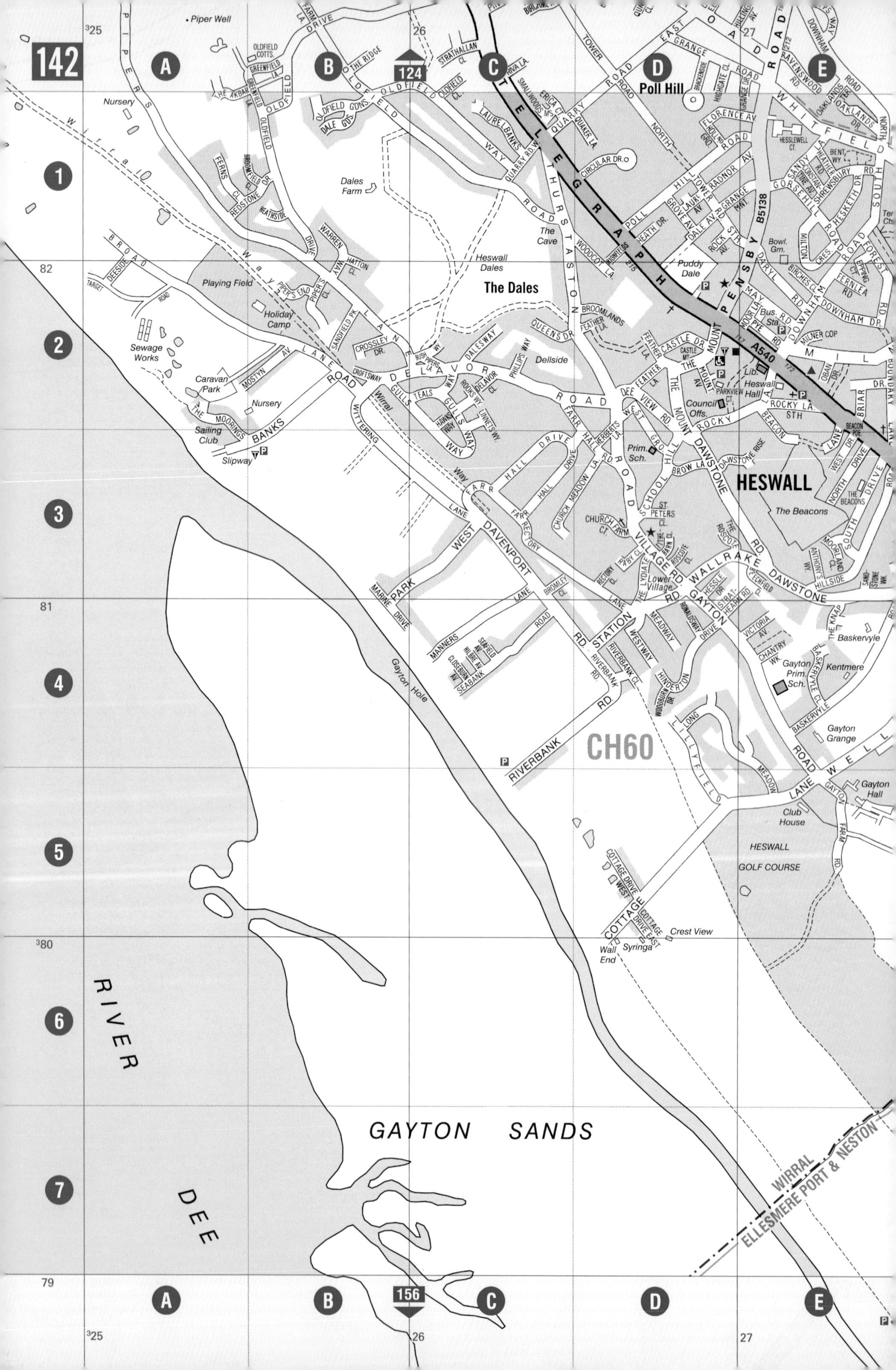

124
156
HESWALL
CH60
The Dales
Poll Hill
GAYTON SANDS
RIVER DEE
Gayton Hole
Heswall Dales
Dales Farm
The Cave
Dellside
Playing Field
Holiday Camp
Sewage Works
Caravan Park
Nursery
Sailing Club
Slipway
Piper Well
Puddy Dale
Lib.
Heswall Hall
Council Offs.
Prim. Sch.
Lower Village
The Beacons
Baskervyle
Kentmere
Gayton Prim. Sch.
Gayton Grange
Gayton Hall
Club House
HESWALL GOLF COURSE
Crest View
Syringa
Wall End
Bowl. Grn.
Bus. Sta.
TELEGRAPH RD.
PENSBY ROAD
A540
B5138
WIRRAL
ELLESMERE PORT & NESTON

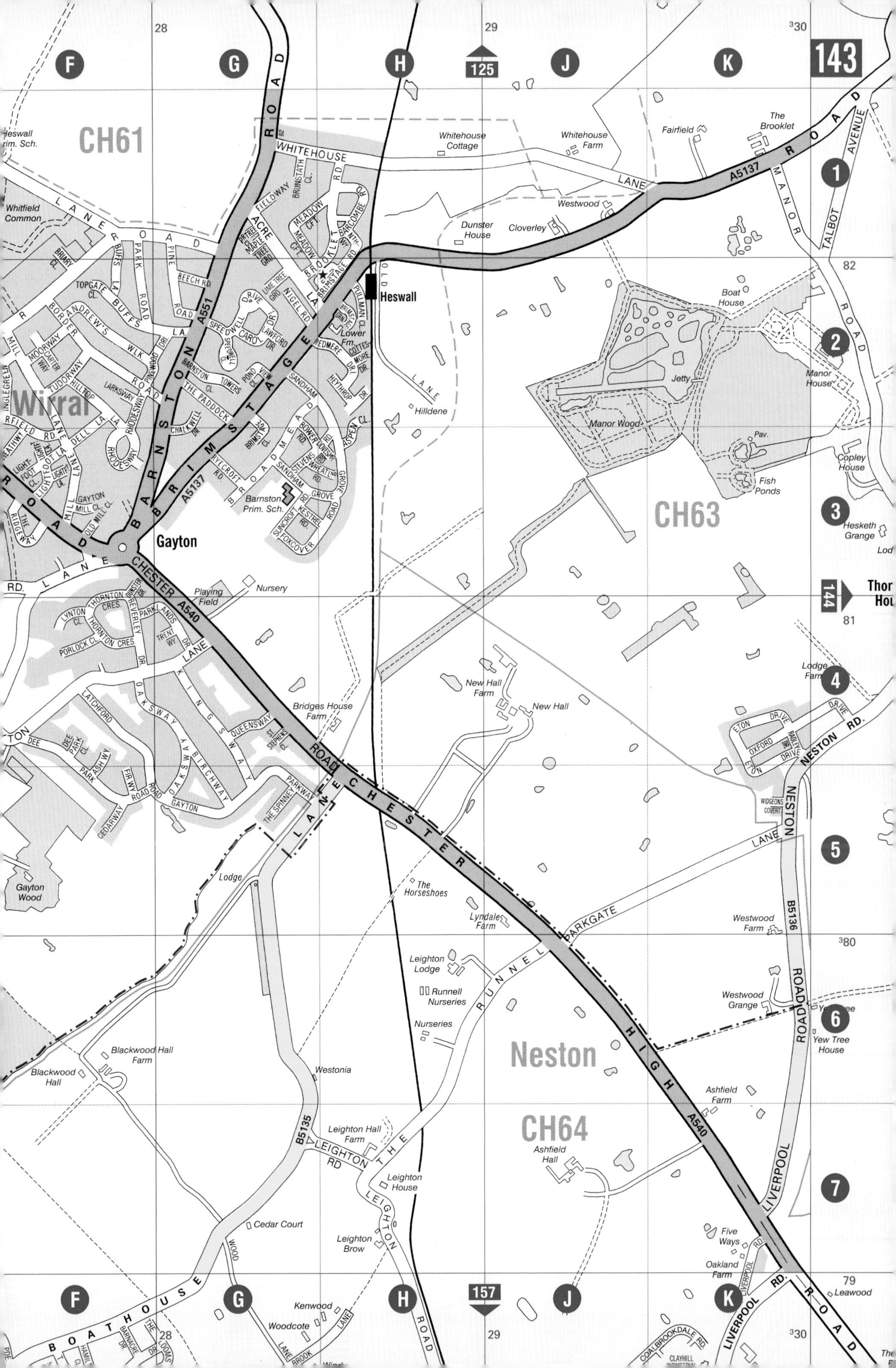
143
125
157
144
F
G
H
J
K
1
2
3
4
5
6
7
28
29
330
82
81
380
79
CH61
CH63
CH64
Wirral
Neston
Heswall
Gayton
Heswall Prim. Sch.
Whitfield Common
Whitehouse Cottage
Whitehouse Farm
Fairfield
The Brooklet
Westwood
Dunster House
Cloverley
Boat House
Manor House
Jetty
Manor Wood
Pav.
Copley House
Fish Ponds
Hesketh Grange
Lodge Farm
Lower Fm.
Hilldene
Barnston Prim. Sch.
Playing Field
Nursery
Bridges House Farm
New Hall Farm
New Hall
Widgeons Covert
Gayton Wood
Lodge
The Horseshoes
Lyndale Farm
Westwood Farm
Leighton Lodge
Runnell Nurseries
Nurseries
Westwood Grange
Yew Tree House
Blackwood Hall Farm
Blackwood Hall
Westonia
Ashfield Farm
Ashfield Hall
Leighton Hall Farm
Leighton House
Cedar Court
Leighton Brow
Five Ways
Oakland Farm
Leawood
Kenwood
Woodcote
Barnston Road A551
Brimstage Road A5137
Whitehouse Lane
Lane A5137
Manor Road
Talbot Avenue
Chester Road A540
Gayton Lane
Old Lane
Parkgate Lane
Neston Rd.
Neston Road B5136
Liverpool Road
High Road A540
The Runnell
Leighton Rd B5135
The Leighton Road
Wood Lane
Boathouse Lane
Brook Lane
Liverpool Rd.
Coalbrookdale Rd.
Eton Drive
Oxford Drive
Radley Dr
Chester Road
Lane
Kingsway
Oaksway
Birchway
Queensway
The Spinney
Parkway
St. Stephens Cl.
Gayton Road
Latchford
Dee Park Cl.
Park Road
Pash Wy.
Fir Wy
Cedarway
Dee
Lynton Cl.
Thornton Cres.
Porlock Cl.
Dunster Dr.
Beverley Dr.
Parklands Dr.
Trent Wy
Ridgeway
Mill Lane
Gayton Mill Cl.
Old Mill Cl.
Lightfoot La.
Heathway
Dell La.
Hilltop
Tudorway
Moorway
Carter Way
Border Rd.
Andrew's Wlk
Topgate Cl.
Buffs La.
Park Road
Pine Road
Beech Rd
Larksway
Rhodesway
Pinewood Dr.
Speedwell Dr.
Caro
Lawford Dr.
Barnston Towers Cl.
The Paddock
Chalkwell Dr.
Pond View Cl.
Lime Tree Gro.
Nigel Rd.
Fieldway
Acre
Brunstath Cl.
Meadow Cft.
Brooklet Rd.
Barcombe Rd.
Sandham
Redmere Dr.
Cottesmore Dr.
Heythrop Dr.
Aspen Cl.
Pullman Cl.
Broadmead
Bower Rd.
Stevens Rd.
Wheatland Rd.
Grove Road
Kestrel Rd.
Suncroft Rd.
Foxcover
Ryecroft Rd.
Brimstage Cl.
Thor Hou

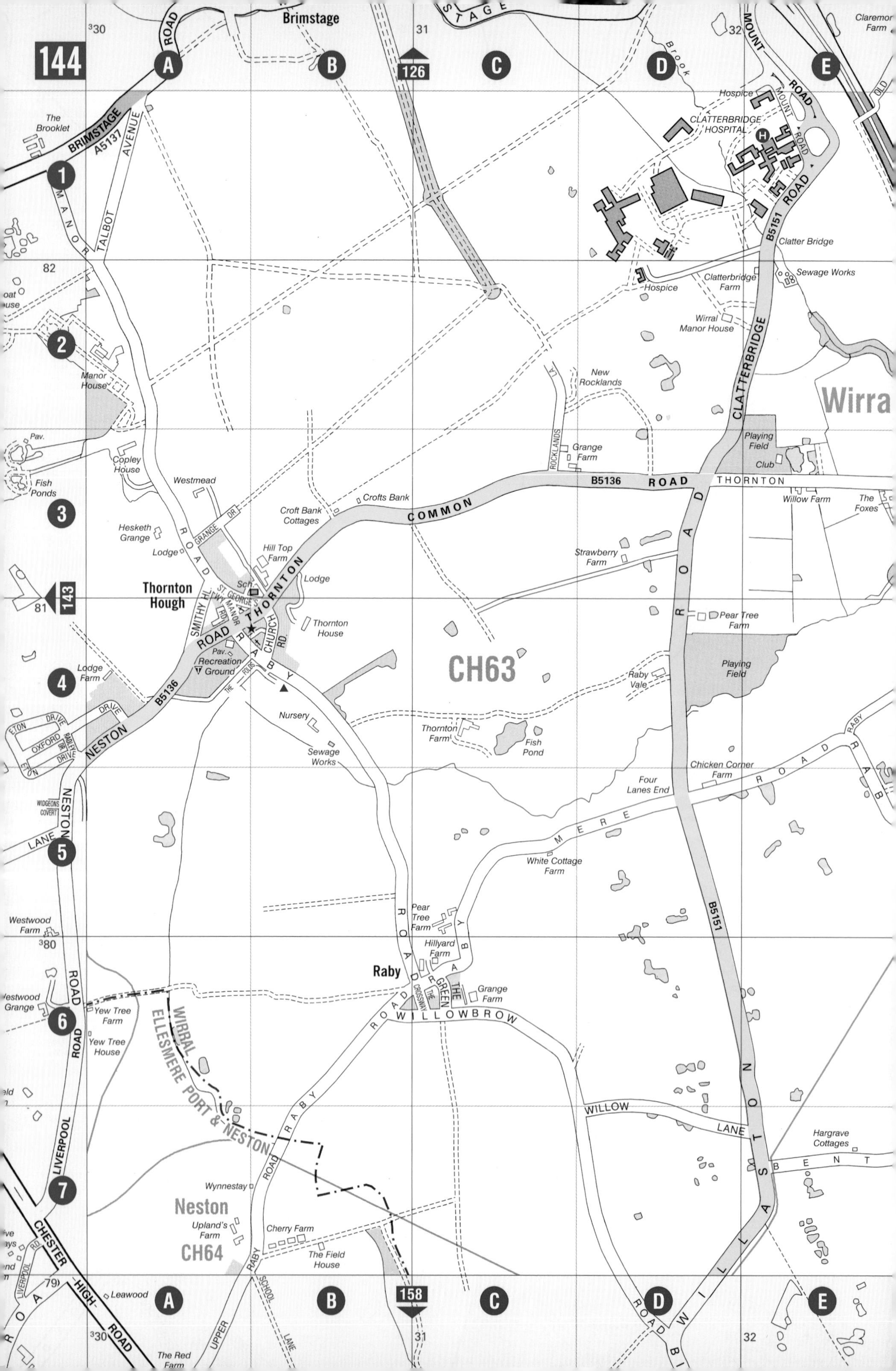

A **B** 126 **C** **D** **E**

Brimstage

The Brooklet

Brimstage A5137

MANOR ROAD

TALBOT AVENUE

1

82

2

Manor House

Pav.

Copley House

Fish Ponds

Westmead

3

Hesketh Grange

Lodge

GRANGE DR.

THORNTON

ROAD

Croft Bank Cottages

Crofts Bank

COMMON

Hill Top Farm

St. George's

Lodge

143

81

Thornton Hough

SMITHY HILL

Sch.

CHURCH RD.

NEW MANOR

Thornton House

Pav.

Recreation Ground

ROAD

THE HOUGH

4

Lodge Farm

B5136

NESTON

DRIVE

ELTON DRIVE

OXFORD

RAMBLE DRIVE

Nursery

Sewage Works

Thornton Farm

Fish Pond

CH63

5

NESTON LANE

WIDGEONS COVERT

Westwood Farm

80

ROAD

Westwood Grange

6

Yew Tree Farm

Yew Tree House

WIRRAL — ELLESMERE PORT & NESTON

RABY ROAD

Pear Tree Farm

Hillyard Farm

Raby

CROSSWAY

THE GREEN

WILLOWBROW

ROAD

Grange Farm

7

LIVERPOOL ROAD

Wynnestay

Neston CH64

Upland's Farm

Cherry Farm

The Field House

SCHOOL LANE

Leawood

CHESTER HIGH ROAD

UPPER

Liverpool

A **B** 158 **C** **D** **E**

79

330

31

32

The Red Farm

CLATTERBRIDGE HOSPITAL

Hospice

MOUNT ROAD

Claremor Farm

H

B5151 ROAD

Clatter Bridge

Hospice

Clatterbridge Farm

Sewage Works

Wirral Manor House

New Rocklands

ROCKLANDS

Grange Farm

B5136 ROAD THORNTON

ROAD

Playing Field

Club

Wirra

Willow Farm

The Foxes

Strawberry Farm

Pear Tree Farm

Raby Vale

Playing Field

Chicken Corner Farm

Four Lanes End

MERE LANE

RABY ROAD

B5151

White Cottage Farm

Pear Tree Farm

Hargrave Cottages

WILLOW LANE

WILLASTON ROAD

BENT

Hargrave Cottages

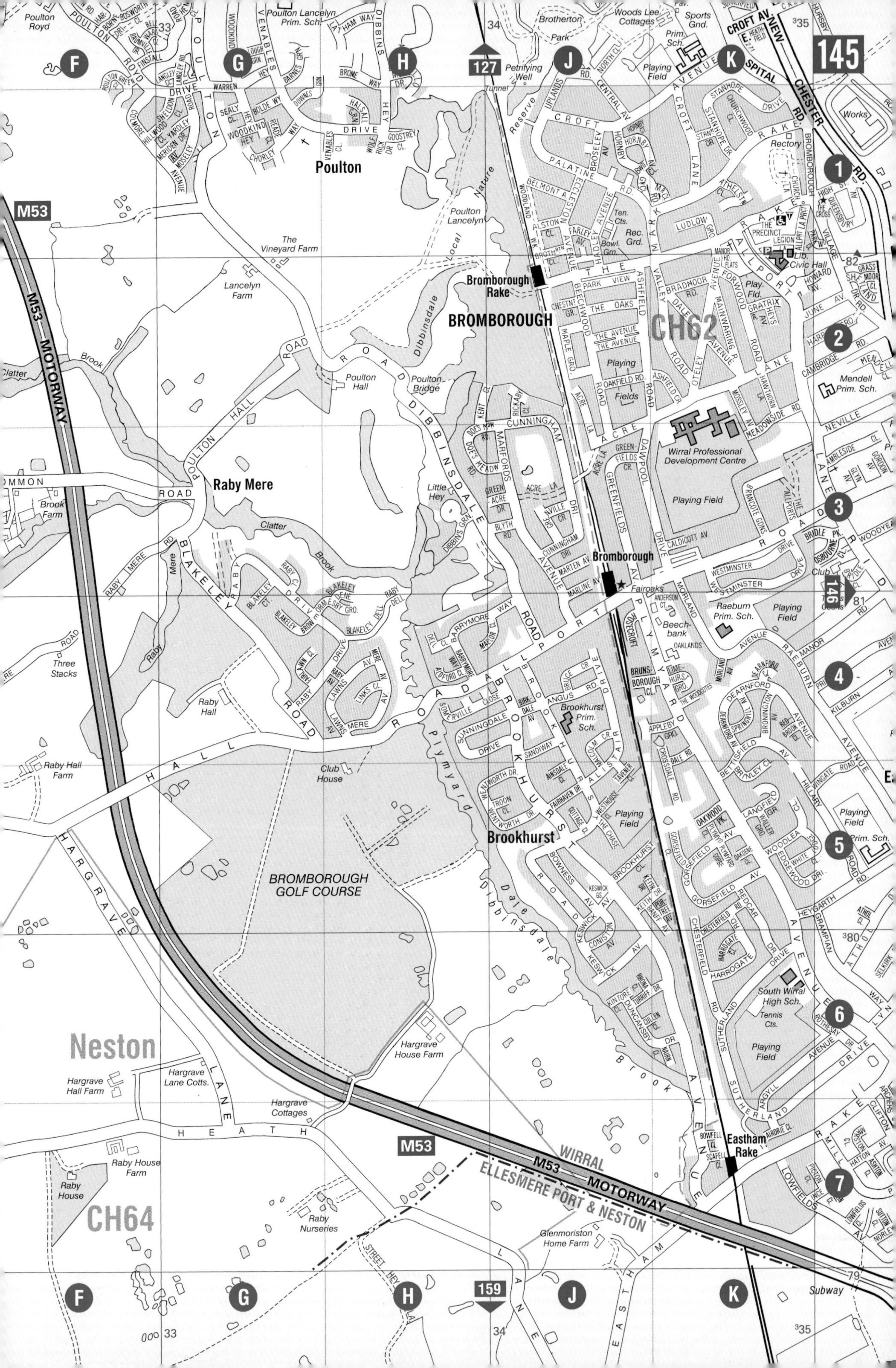
145
127
146
159
M53
M53 MOTORWAY
WIRRAL
ELLESMERE PORT & NESTON
CH62
CH64
Neston
BROMBOROUGH
Poulton
Poulton Royd
Poulton Lancelyn Prim. Sch.
Brotherton Park
Woods Lee Cottages
Sports Gnd.
Prim. Sch.
Playing Field
Petrifying Well
Tunnel
Poulton Lancelyn
The Vineyard Farm
Lancelyn Farm
Dibbinsdale
Local Nature Reserve
Poulton Hall
Poulton Bridge
Bromborough Rake
Raby Mere
Brook Farm
Clatter Brook
Little Hey
Three Stacks
Raby Hall
Raby Hall Farm
Club House
BROMBOROUGH GOLF COURSE
Hargrave House Farm
Hargrave Hall Farm
Hargrave Lane Cotts.
Hargrave Cottages
Raby House Farm
Raby House
Raby Nurseries
Glenmoriston Home Farm
Brookhurst
Brookhurst Prim. Sch.
Bromborough
Fairoaks
Raeburn Prim. Sch.
Beechbank
Wirral Professional Development Centre
Playing Field
Mendell Prim. Sch.
Civic Hall
Lib.
The Precinct
Legion
Rectory
The Cross
Works
Ten. Cts.
Rec. Grd.
Bowl. Grn.
Play. Fld.
Playing Fields
South Wirral High Sch.
Tennis Cts.
Eastham Rake
Subway
POULTON HALL ROAD
RABY MERE ROAD
BLAKELEY ROAD
BLAKELEY DRIVE
HALL ROAD
DIBBINSDALE ROAD
ALLPORT ROAD
ALLPORT LANE
PLYMYARD AVENUE
BROOKHURST ROAD
THE RAKE
SPITAL ROAD
NEW CHESTER RD.
CROFT AV.
CROFT LANE
HEATH LANE
HARGRAVE LANE
STREET HEY LANE
EASTHAM RAKE
RAEBURN AVENUE
MILL PARK
F
G
H
J
K
1
2
3
4
5
6
7
33
34
35
79
80
81
82

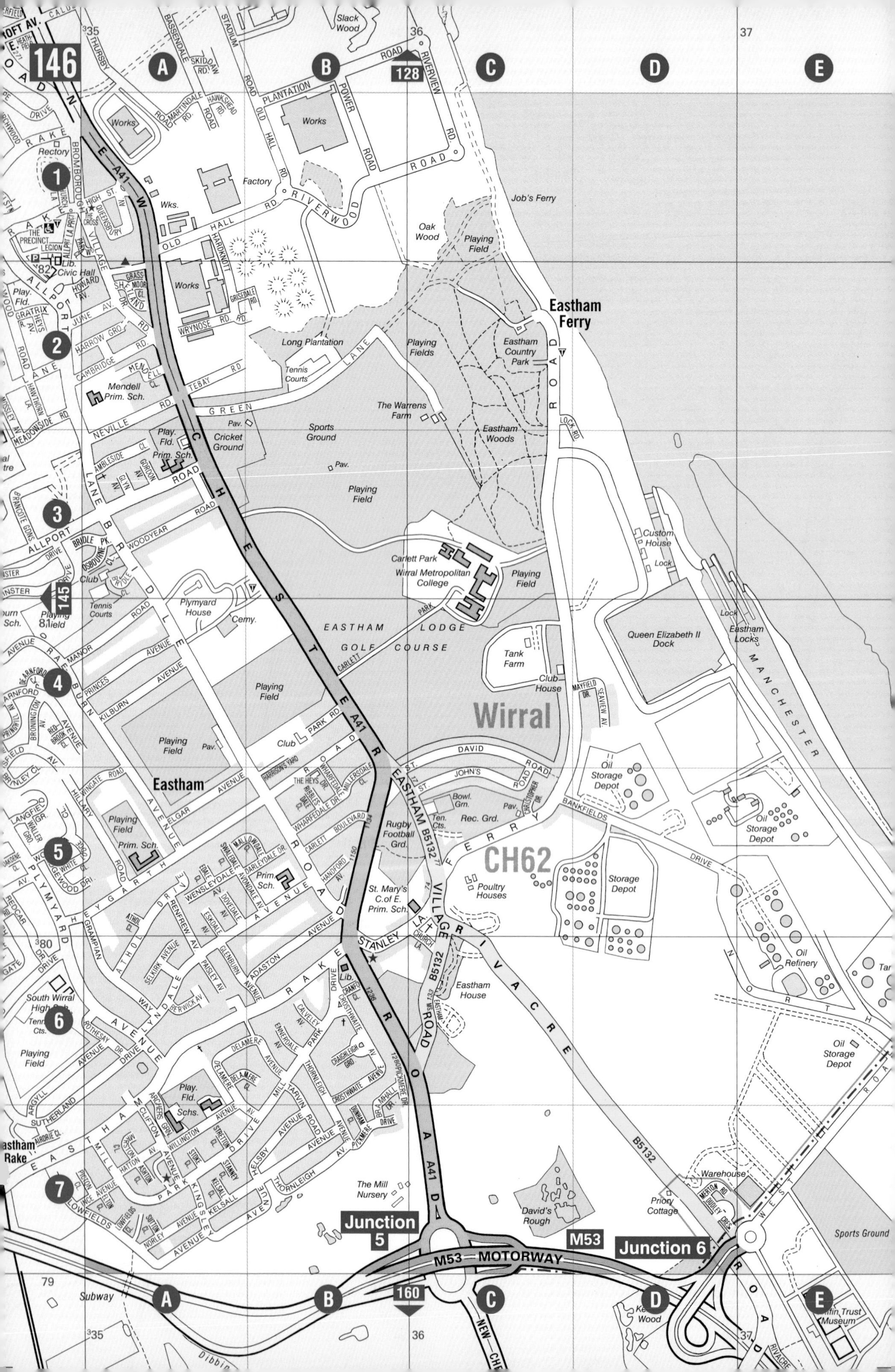
A
B
C
D
E
1
2
3
4
5
6
7
35
36
37
79
80
81
82
128
145
160
Slack Wood
Works
Factory
Wks.
Rectory
THE PRECINCT
Lib.
Civic Hall
Play. Fld.
Mendell Prim. Sch.
Long Plantation
Tennis Courts
Oak Wood
Playing Field
Job's Ferry
Eastham Ferry
Eastham Country Park
Playing Fields
The Warrens Farm
Eastham Woods
Sports Ground
Pav.
Cricket Ground
Prim. Sch.
Custom House
Lock
Carlett Park
Wirral Metropolitan College
Plymyard House
Cemy.
Club
EASTHAM LODGE GOLF COURSE
Queen Elizabeth II Dock
Eastham Locks
MANCHESTER
Tank Farm
Club House
Wirral
Eastham
Oil Storage Depot
Bowl. Grn.
Ten. Cts.
Rec. Grd.
Rugby Football Grd.
St. Mary's C.of E. Prim. Sch.
CH62
Poultry Houses
Storage Depot
Oil Refinery
Eastham House
South Wirral High Sch.
Playing Field
Play. Fld.
Schs.
The Mill Nursery
David's Rough
Priory Cottage
Warehouse
Sports Ground
Junction 5
Junction 6
M53
M53 MOTORWAY
Subway
Eastham Rake
A41
B5132
CHESTER ROAD
NEW CHESTER ROAD
EASTHAM VILLAGE ROAD
FERRY ROAD
RIVACRE
BANKFIELDS DRIVE
PLANTATION ROAD
POWER ROAD
RIVERVIEW RD.
RIVERWOOD ROAD
OLD HALL RD.
WRYNOSE RD.
HARDKNOTT
GRISEDALE RD.
TEBAY RD.
GREEN LANE
NEVILLE RD.
BROMBOROUGH VILLAGE
ALLPORT LANE
HOWARD AV.
JUNE AV.
HARROW GRO.
CAMBRIDGE RD.
MEADOWSIDE RD.
AMBLESIDE CL.
BRIDLE RD.
WOODYEAR ROAD
ALLPORT DRIVE
OSBOURNE CL.
BRIDLE PK.
MANOR AVENUE
PRINCES AVENUE
KILBURN AVENUE
RAEBURN AVENUE
HILLARY RD.
ELGAR AVENUE
PLYMYARD AVENUE
HEYGARTH ROAD
RENFREW AV.
GRAMPIAN
WENSLEYDALE AV.
DOVEDALE
ESKDALE
CARLETT BOULEVARD
HANDFORD AV.
STANLEY LA.
CHURCH LA.
ADASTON AVENUE
GLENBURN AVENUE
SELKIRK AVENUE
PAISLEY AV.
WAYNDALE
BERWICK AV.
ROTHESAY DR.
DELAMERE AVENUE
CALVELEY AV.
ENNERDALE AV.
CROSTHWAITE AVENUE
THORNLEIGH
TARVIN ROAD
HELSBY AVENUE
PICKMERE DR.
STRETTON
STOKE
KELSALL
KINGSLEY
NORLEY AVENUE
LOWFIELDS AVENUE
SUTHERLAND
ARGYLL AVENUE
MILL PARK
CLIFTON AVENUE
EASTHAM MILL
DAVID ROAD
ST. JOHN'S ROAD
CHRISTOPHER DR.
MAYFIELD DR.
SEAVIEW AV.
LOCK RD.
MERTON RD.
DUDLEY CRES.
WHARFEDALE DR.
MILLERSDALE CL.
RIBBLESDALE
THE HEYS
HARRISON'S YARD
CARLETT PARK
PARK RD.
Dibbin

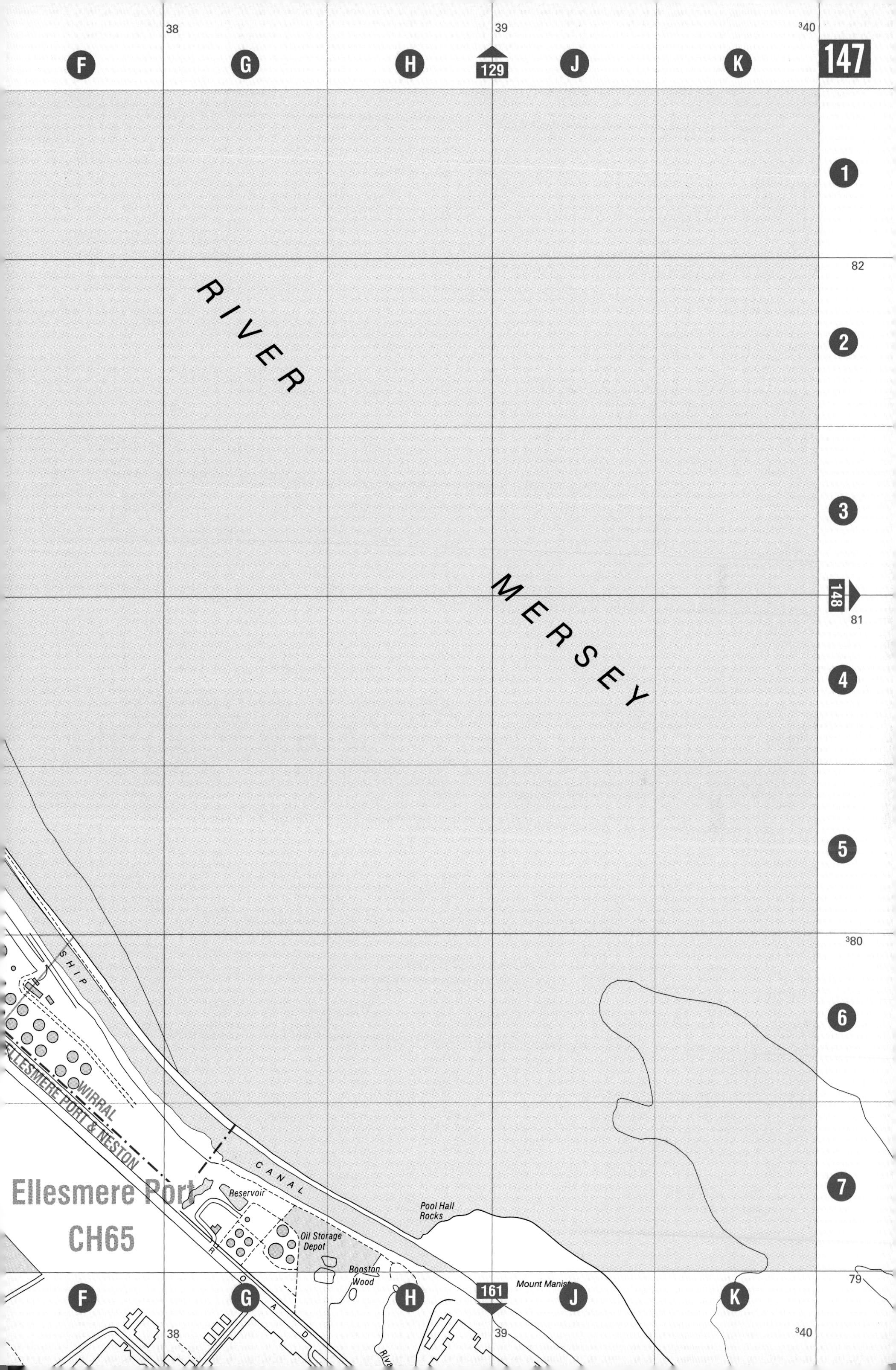

1
82
2
3
148
81
4
5
80
6
7
79

R I V E R

M E R S E Y

SHIP

WIRRAL

ELLESMERE PORT & WESTON

CANAL

Ellesmere Port
CH65

Reservoir

Oil Storage
Depot

Booston
Wood

Pool Hall
Rocks

Mount Manisty

A   B   130   C   D   E

³40   41   42

Speke
Hall

The
Clough

Speke
Home Farm

Home Farm
Cottages

P

1

82

2

3

147

81

4

R I V E R

5

³80

6

7

79

A   B   162   C   D   E

³40   41   42

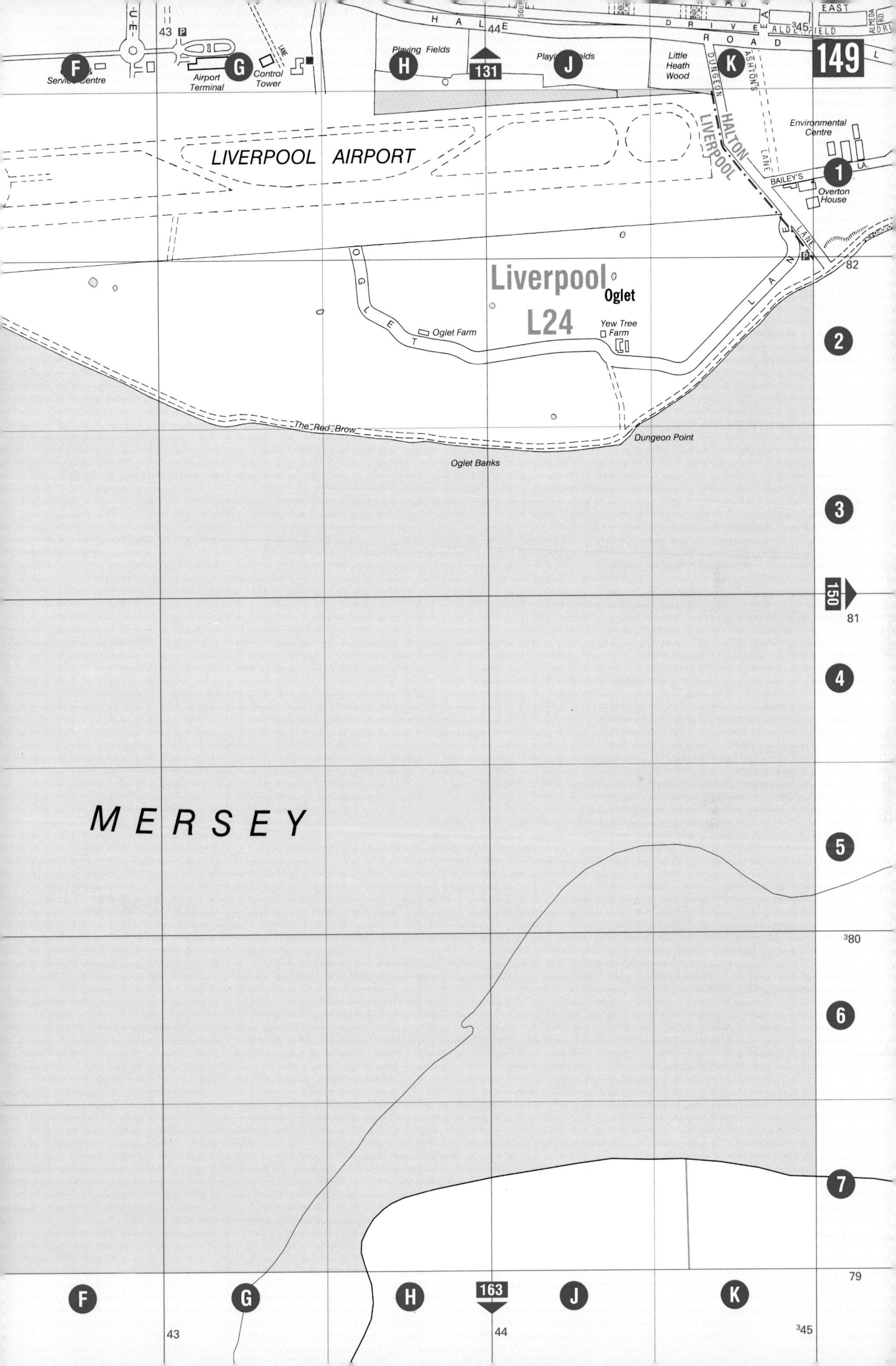
LIVERPOOL AIRPORT
Airport Terminal
Control Tower
Playing Fields
Little Heath Wood
HALE
DRIVE
ROAD
EAST
ALDFIELD
ALMEDA RD.
DUNGEON
ASHTONS
LANE
HALTON
LIVERPOOL
Environmental Centre
BAILEY'S LA.
Overton House
OGLET
Oglet Farm
Liverpool
Oglet
L24
Yew Tree Farm
The Red Brow
Dungeon Point
Oglet Banks
MERSEY
131
150
163
F
G
H
J
K
1
2
3
4
5
6
7
43
44
345
82
81
380
79

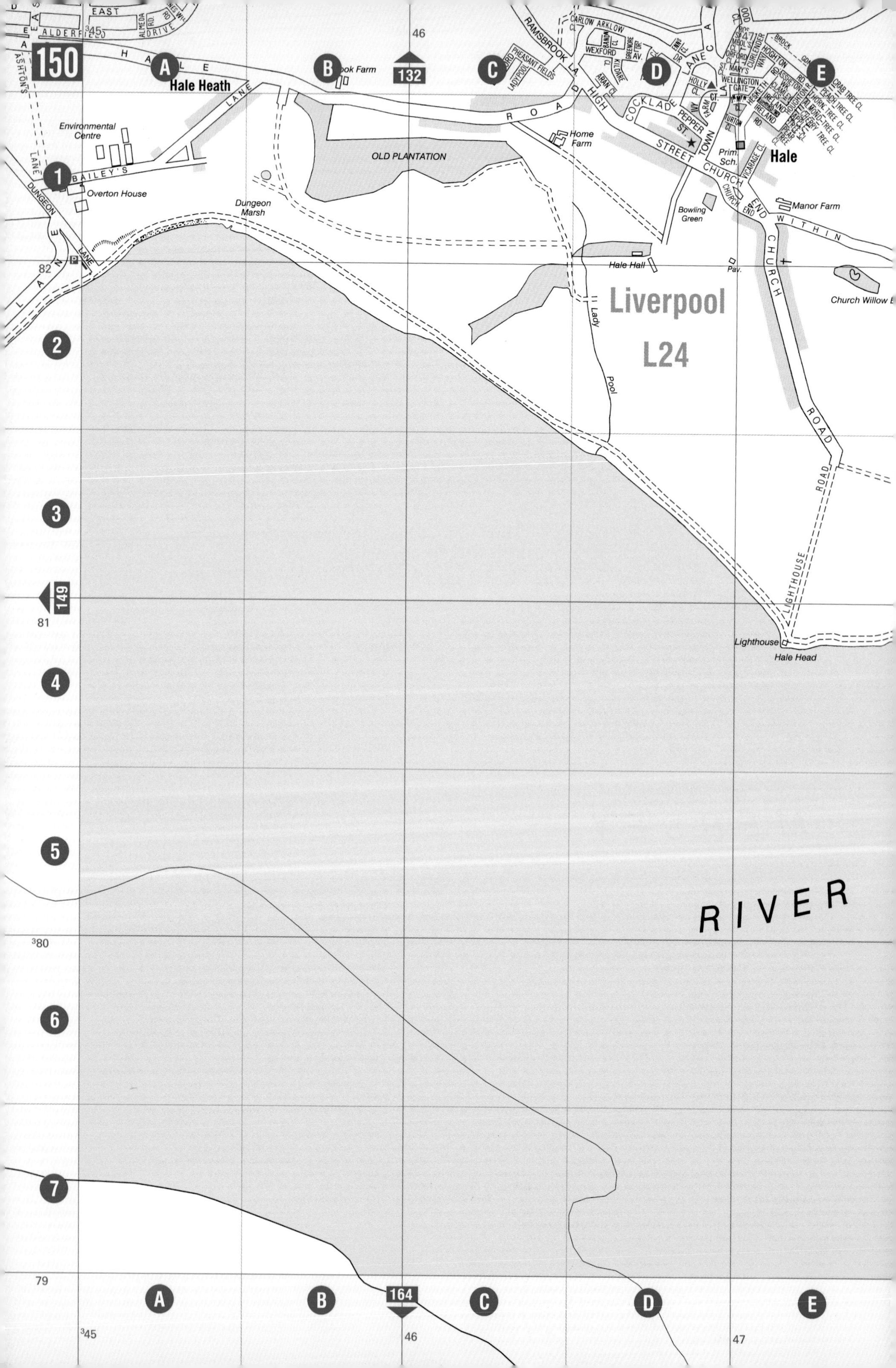

Hale Heath
HALE ROAD
Environmental Centre
BAILEY'S LANE
Overton House
DUNGEON LANE
Dungeon Marsh
OLD PLANTATION
Home Farm
HIGH STREET
COCKLADE
PEPPER ST.
TOWN LANE
CHURCH END
Prim. Sch.
Hale
Bowling Green
Manor Farm
WITHIN
Hale Hall
Pav.
Church Willow
Liverpool
L24
Lady Pool
CHURCH ROAD
LIGHTHOUSE ROAD
Lighthouse
Hale Head
RIVER
RAMSBROOK LA.
CARLOW
ARKLOW
WEXFORD
KILDARE
GREENORE AV.
ARAN CL.
PHEASANT FIELDS
LADYPOOL
HOLLY CL.
ST. MARY'S
WELLINGTON GATE
HESKETH
IRELAND RD
HOGHTON RD
BROCK
CRAB TREE CL.
ALDERFIELD DRIVE
EAST
ALMEDA RD.
ASHTON'S LANE
132
149
164
46
47
345
81
82
380
79

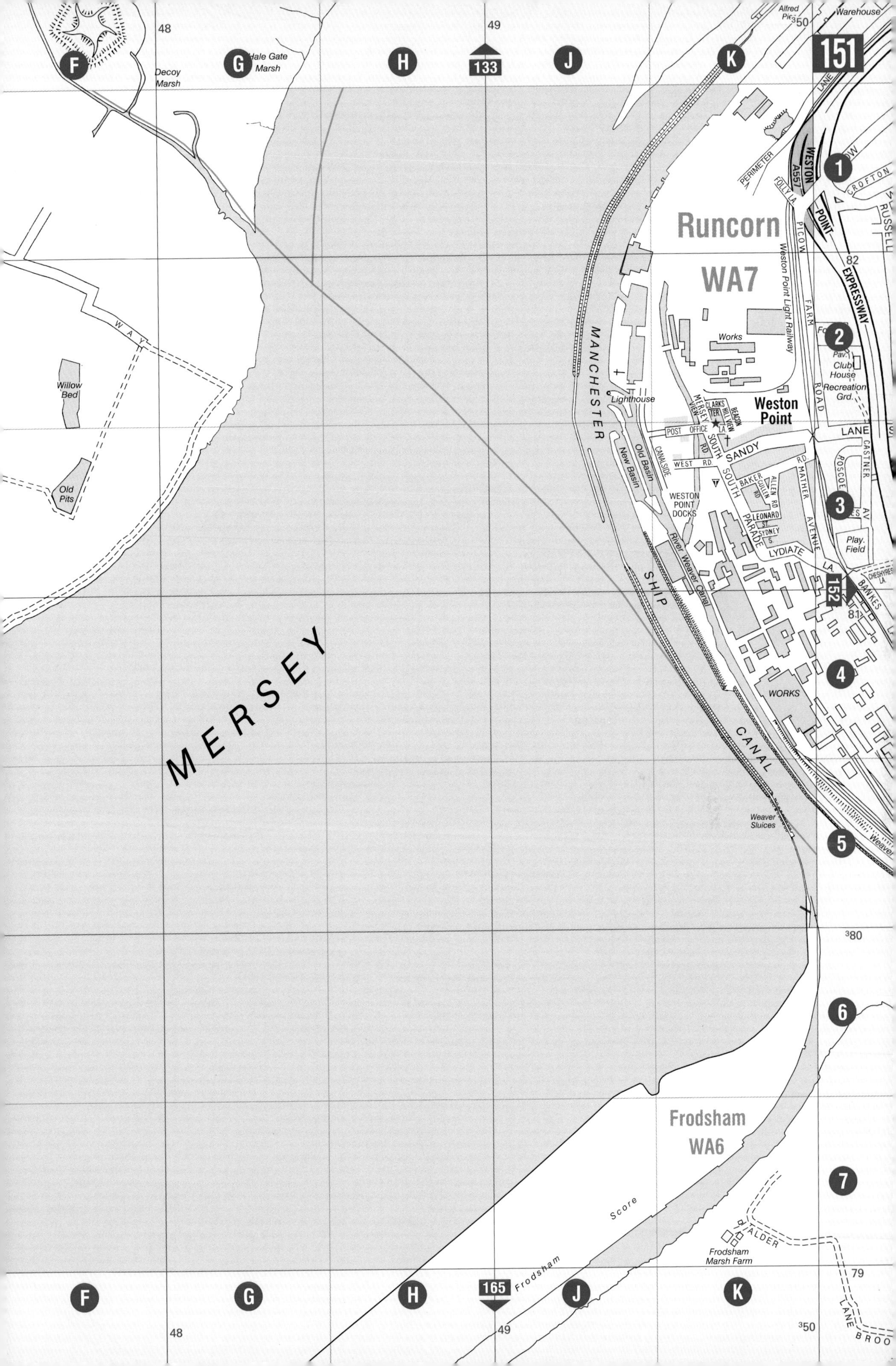

F G Hale Gate Marsh H 133 J K

Warehouse
Alfred Pier 50

1

Runcorn
WA7

Weston Point Light Railway
Works
PERIMETER WESTON A557 POINT FOLLY LA PICOW FARM RD CROFTON RUSSELL 82 EXPRESSWAY

2
Pav.
Club House
Recreation Grd.

Lighthouse
New Basin
Old Basin
MANCHESTER
CANALSIDE
CLARKS TER MERSEY HILL VIEW BEACON SOUTH RD SANDY WEST RD SOUTH RD MATHER AVENUE ROSCOE CASTNER LANE

POST OFFICE
Weston Point

3
WESTON POINT DOCKS
BAKER GREEN RD ALLEN RD RD Play Field
P LEONARD ST SYDNEY S PARADE LYDIATE LA 152 81 CHESHYRES LA
River Weaver Canal

4
WORKS

SHIP
CANAL

Weaver Sluices
5 Weaver

80

6

Frodsham
WA6

7

Score
Frodsham Marsh Farm
ALDER

M E R S E Y

Willow Bed
Decoy Marsh
Old Pits
W A Y
48 49

F 48 G 48 H 165 Frodsham J 49 K 350 79 LANE BROOK

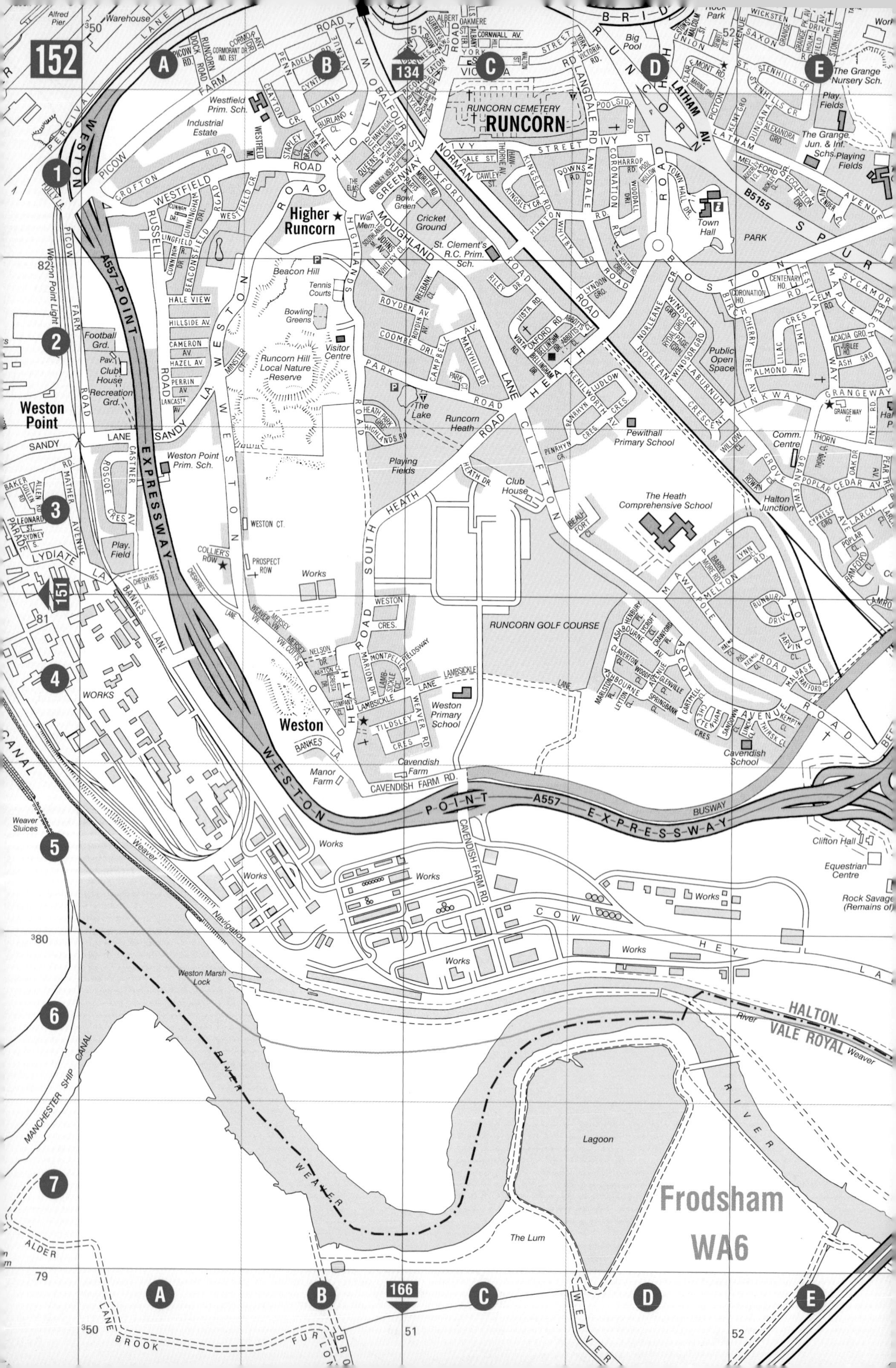

RUNCORN
Higher Runcorn
Weston
Weston Point
Frodsham
WA6
RUNCORN CEMETERY
Runcorn Hill Local Nature Reserve
Beacon Hill
Visitor Centre
Tennis Courts
Bowling Greens
The Lake
Runcorn Heath
Playing Fields
Cricket Ground
Bowl. Green
War Mem.
Westfield Prim. Sch.
Industrial Estate
St. Clement's R.C. Prim. Sch.
Pewithall Primary School
The Heath Comprehensive School
RUNCORN GOLF COURSE
Club House
Weston Primary School
Weston Point Prim. Sch.
Cavendish School
Cavendish Farm
Manor Farm
Football Grd.
Club House
Recreation Grd.
Play. Field
Town Hall
PARK
Public Open Space
Comm. Centre
Halton Junction
The Grange Nursery Sch.
The Grange Jun. & Inf. Schs.
Playing Fields
Play. Fields
Big Pool
Works
Lagoon
The Lum
Weston Marsh Lock
Weaver Sluices
Clifton Hall
Equestrian Centre
Rock Savage (Remains of)
Alfred Pier
Warehouse
A557 WESTON POINT EXPRESSWAY
B5155
BUSWAY
MANCHESTER SHIP CANAL
Weaver Navigation
RIVER WEAVER
HALTON
VALE ROYAL
River Weaver
COW HEY LANE
CAVENDISH FARM RD.
HEATH ROAD SOUTH
HEATH ROAD
WESTON ROAD
MOUGHLAND LANE
GREENWAY
HIGHLANDS ROAD
PARK ROAD
ASCOT AVENUE
MALPAS ROAD
WALPOLE
BOSTON AVENUE
LANGDALE RD
IVY STREET
NORMAN ROAD
OXFORD ROAD
RUNCORN RD
LATHAM AV.
SPUR
LINKWAY
GRANGEWAY
PICOW FARM ROAD
WESTFIELD ROAD
SANDY LANE
LYDIATE LA.
BANKES LANE
ALDER LANE
BROOK FURLONG
134
151
166
A B C D E
1 2 3 4 5 6 7
350 51 52
82 81 380 79

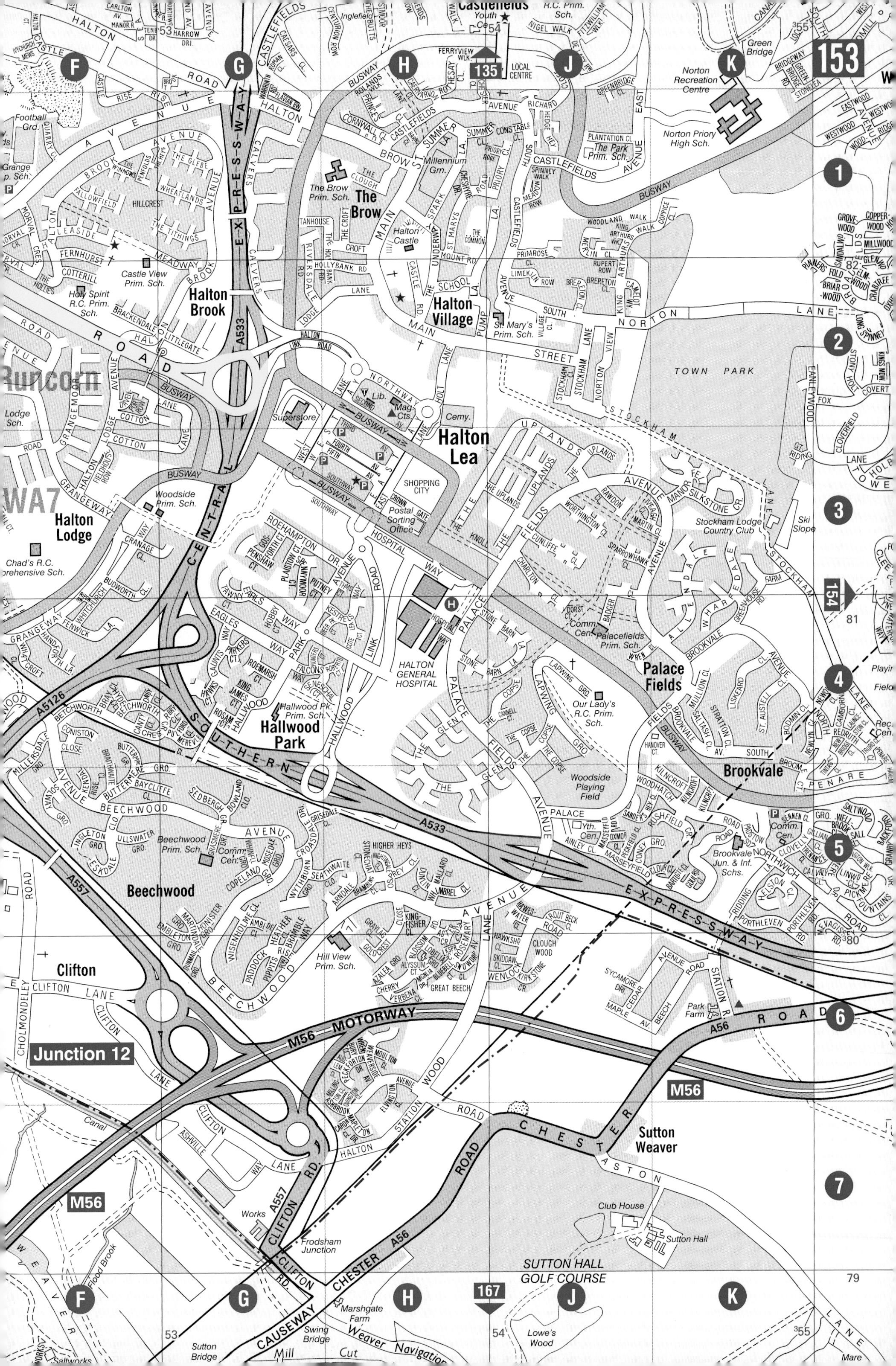
Runcorn
WA7
Halton Lodge
Halton Brook
The Brow
Halton Village
Halton Lea
Palace Fields
Brookvale
Hallwood Park
Beechwood
Clifton
Sutton Weaver
Junction 12
M56 MOTORWAY
EXPRESSWAY
CENTRAL EXPRESSWAY
SOUTHERN EXPRESSWAY
A533
A557
A56
A5126
TOWN PARK
SHOPPING CITY
HALTON GENERAL HOSPITAL
Norton Recreation Centre
Norton Priory High Sch.
The Park Prim. Sch.
The Brow Prim. Sch.
Halton Castle
Millennium Grn.
St. Mary's Prim. Sch.
Castle View Prim. Sch.
Holy Spirit R.C. Prim. Sch.
Woodside Prim. Sch.
Chad's R.C. Comprehensive Sch.
Lodge Sch.
Superstore
Lib.
Mag. Cts.
Cemy.
Postal Sorting Office
Stockham Lodge Country Club
Ski Slope
Palacefields Prim. Sch.
Our Lady's R.C. Prim. Sch.
Hallwood Pk. Prim. Sch.
Woodside Playing Field
Brookvale Jun. & Inf. Schs.
Beechwood Prim. Sch.
Hill View Prim. Sch.
Park Farm
Club House
Sutton Hall
SUTTON HALL GOLF COURSE
Frodsham Junction
Works
Marshgate Farm
Swing Bridge
Sutton Bridge
Weaver Navigation
Lowe's Wood
Green Bridge
Football Grd.
Castlefields
Youth Ce.
LOCAL CENTRE
135
154
167
F
G
H
J
K
1
2
3
4
5
6
7
53
54
55
79
80
81
82

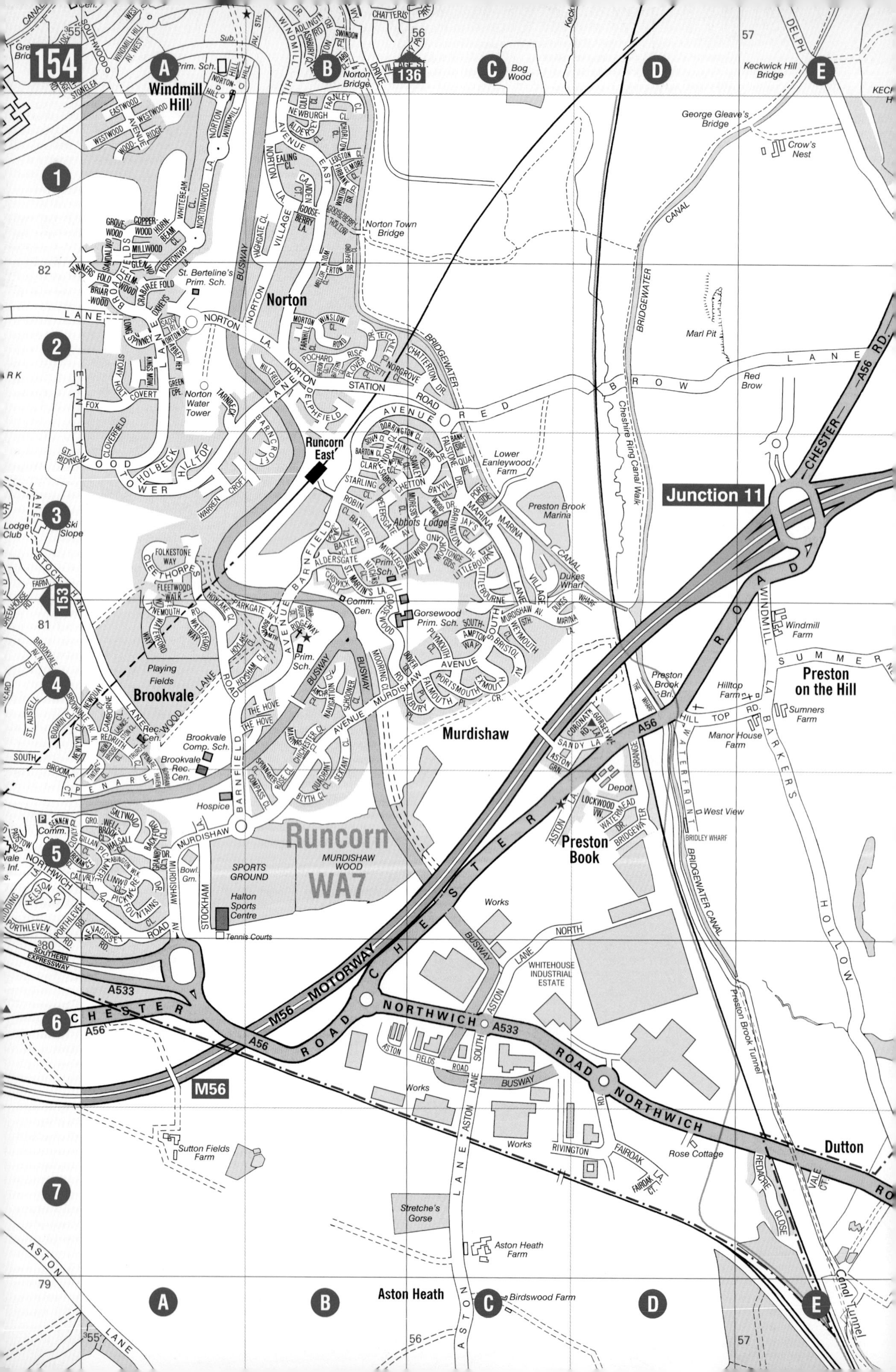

154
Windmill Hill
Norton
Norton Bridge
Bog Wood
Keckwick Hill Bridge
George Gleave's Bridge
Crow's Nest
Norton Town Bridge
St. Berteline's Prim. Sch.
Norton Water Tower
Runcorn East
Marl Pit
Red Brow
Lower Eanleywood Farm
Preston Brook Marina
Dukes Wharf
Junction 11
Cheshire Ring Canal Walk
Abbots Lodge
Gorsewood Prim. Sch.
Comm. Cen.
Lodge Club
Ski Slope
Playing Fields
Brookvale
Brookvale Comp. Sch.
Brookvale Rec. Cen.
Hospice
Murdishaw
Windmill Farm
Preston on the Hill
Hilltop Farm
Sumners Farm
Manor House Farm
Preston Brook Bri.
Depot
West View
Bridley Wharf
Preston Book
Runcorn
MURDISHAW WOOD
WA7
SPORTS GROUND
Halton Sports Centre
Tennis Courts
Bowl. Grn.
Works
WHITEHOUSE INDUSTRIAL ESTATE
Preston Brook Tunnel
M56 MOTORWAY
CHESTER ROAD
NORTHWICH ROAD
A56
A533
M56
SOUTHERN EXPRESSWAY
Sutton Fields Farm
Rose Cottage
Dutton
Stretche's Gorse
Aston Heath Farm
Aston Heath
Birdswood Farm
Canal Tunnel
BRIDGEWATER CANAL
153
136

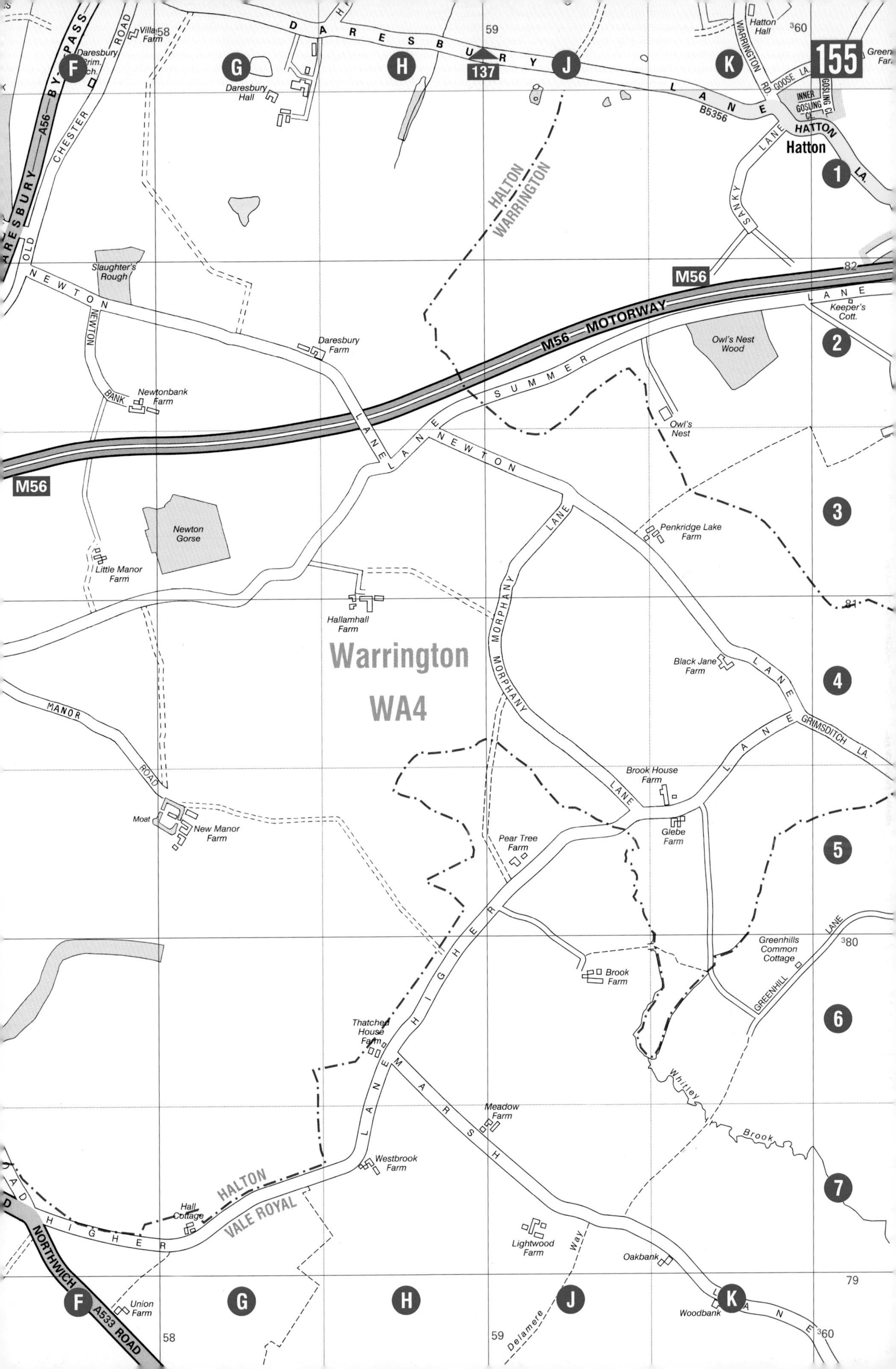

DARESBURY LANE
B5356
137
Villa Farm
Daresbury Prim. Sch.
A56
DARESBURY BY-PASS
OLD CHESTER ROAD
Daresbury Hall
Hatton Hall
WARRINGTON RD.
GOOSE LA.
INNER GOSLING CL.
GOSLING CL.
HATTON LA.
Hatton
SANKY LANE
HALTON
WARRINGTON
Slaughter's Rough
M56
M56 MOTORWAY
NEWTON LANE
NEWTON BANK
Daresbury Farm
Newtonbank Farm
SUMMER LANE
Keeper's Cott.
Owl's Nest Wood
Owl's Nest
NEWTON LANE
Newton Gorse
Little Manor Farm
Penkridge Lake Farm
MORPHANY LANE
Hallamhall Farm
Warrington
WA4
Black Jane Farm
MANOR ROAD
GRIMSDITCH LA.
Brook House Farm
Moat
New Manor Farm
Glebe Farm
Pear Tree Farm
HIGHER LANE
Greenhills Common Cottage
GREENHILL LANE
Brook Farm
Thatched House Farm
MARSH LANE
Whitley Brook
Meadow Farm
Westbrook Farm
HALTON
VALE ROYAL
Hall Cottage
HIGHER ROAD
Lightwood Farm
Delamere Way
Oakbank
Woodbank
NORTHWICH ROAD
A533
Union Farm
F
G
H
J
K
1
2
3
4
5
6
7
58
59
360
380
82
81
79

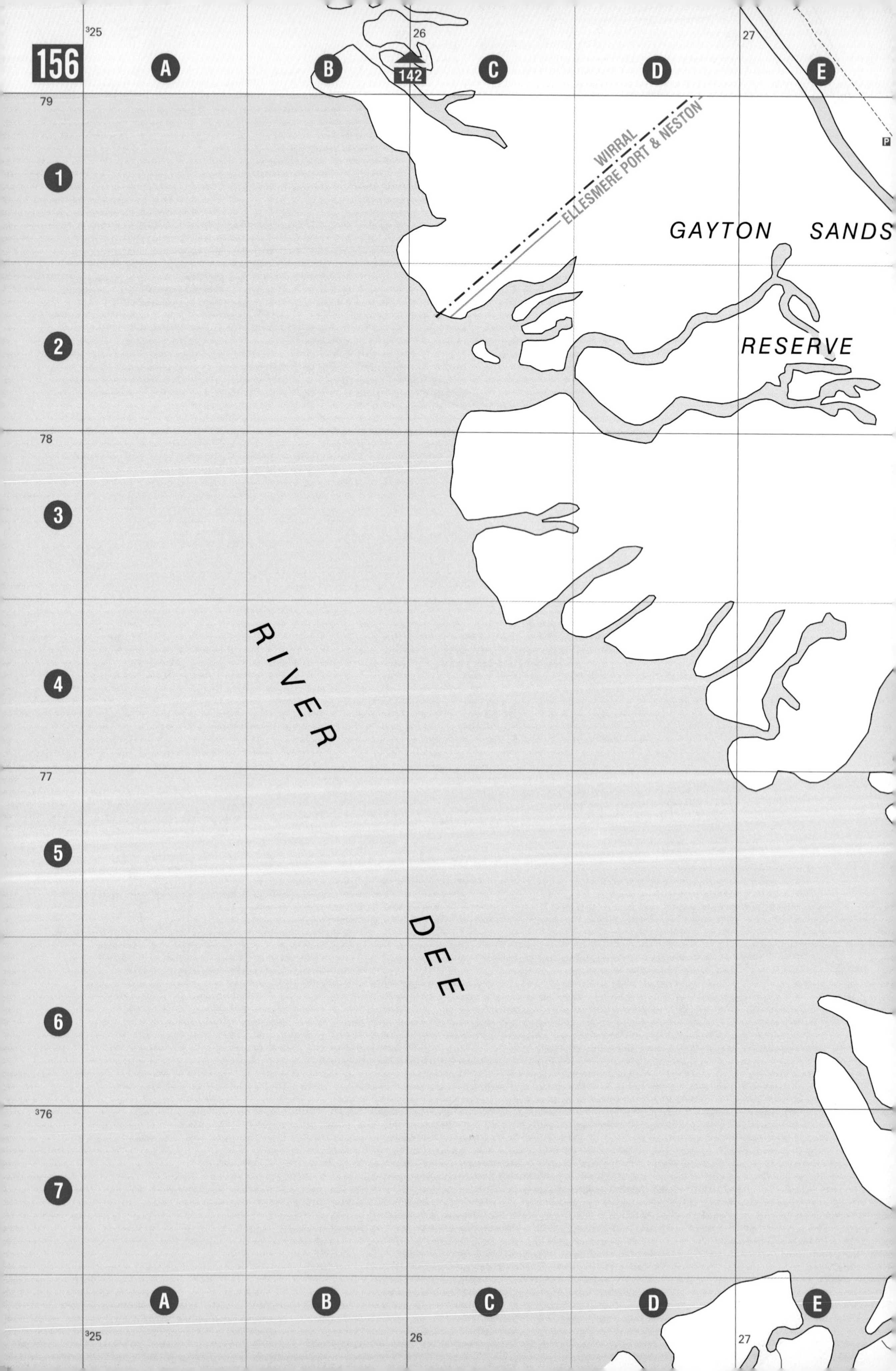

³25

26

27

79

1

WIRRAL
ELLESMERE PORT & NESTON

GAYTON   SANDS

2

RESERVE

78

3

R

4

I

V

E

R

77

5

D

6

E

E

³76

7

A B C D E

³25

26

27

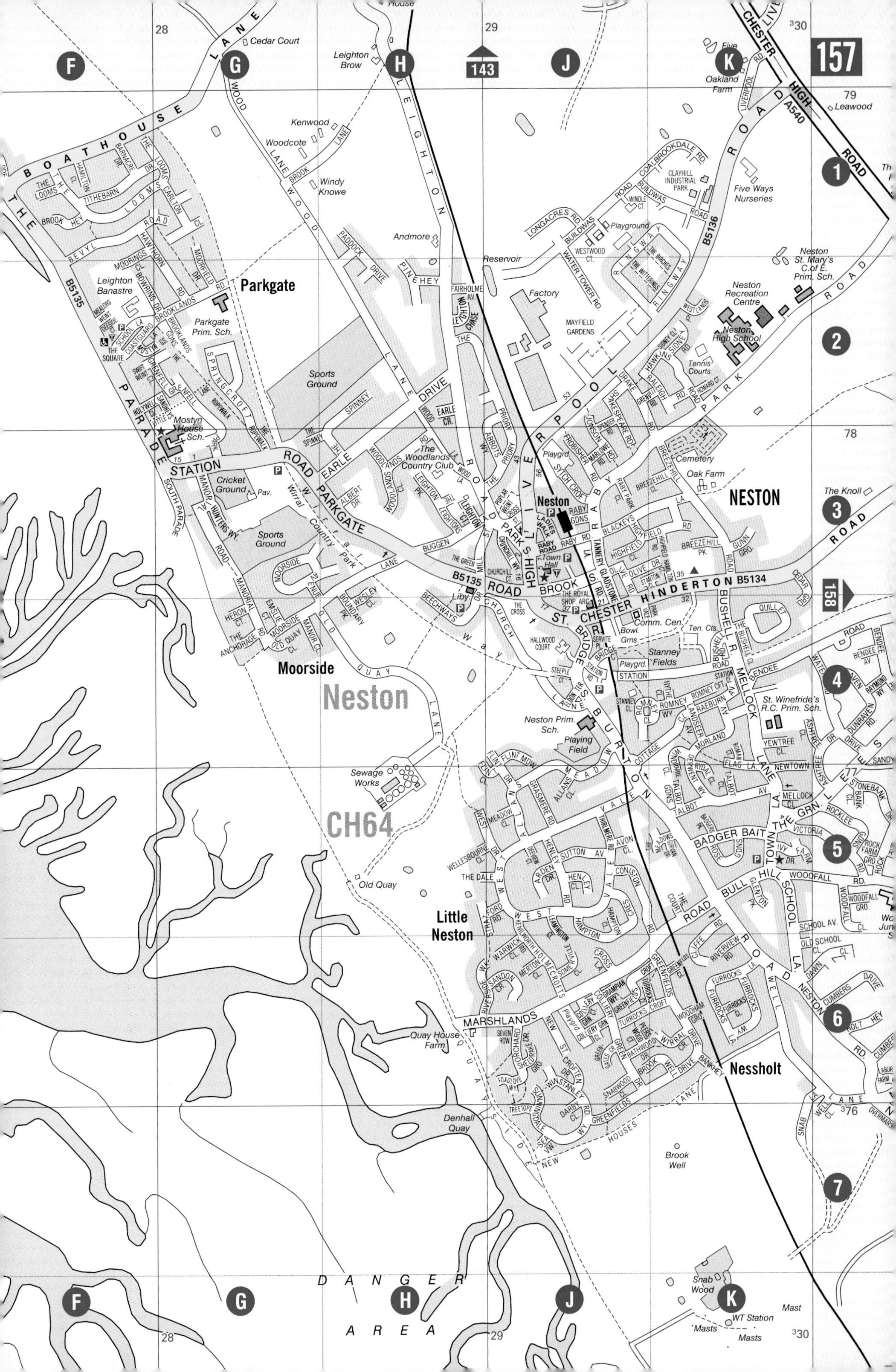
Parkgate
Neston
NESTON
Moorside
Little Neston
Nessholt
CH64
Leighton Banastre
Leighton Brow
Cedar Court
Kenwood
Woodcote
Windy Knowe
Andmore
Reservoir
Factory
MAYFIELD GARDENS
CLAYHILL INDUSTRIAL PARK
Five Ways Nurseries
Oakland Farm
Leawood
Neston St. Mary's C.of E. Prim. Sch.
Neston Recreation Centre
Neston High School
Tennis Courts
Cemetery
Oak Farm
The Knoll
Parkgate Prim. Sch.
Sports Ground
Mostyn House Sch.
Cricket Ground
The Woodlands Country Club
Wirral Country Park
Town Hall
Comm. Cen.
Bowl. Grns.
Stanney Fields
St. Winefride's R.C. Prim. Sch.
Neston Prim. Sch.
Playing Field
Sewage Works
Old Quay
Quay House Farm
Denhall Quay
Brook Well
Snab Wood
WT Station
Mast
Masts
DANGER AREA
THE PARADE
BOATHOUSE LANE
STATION ROAD
PARKGATE ROAD
LEIGHTON ROAD
LIVERPOOL ROAD
HIGH ST.
RABY PARK ROAD
CHESTER HIGH ROAD
HINDERTON ROAD
BROOK ST.
BRIDGE ST.
BURTON ROAD
BUSHELL RD.
MELLOCK LANE
BULL HILL
NESTON ROAD
MARSHLANDS
HOUSES LANE
QUAYSIDE
B5135
B5136
B5134
A540
143
158
F G H J K
1 2 3 4 5 6 7
28 29 330
79 78 77 376

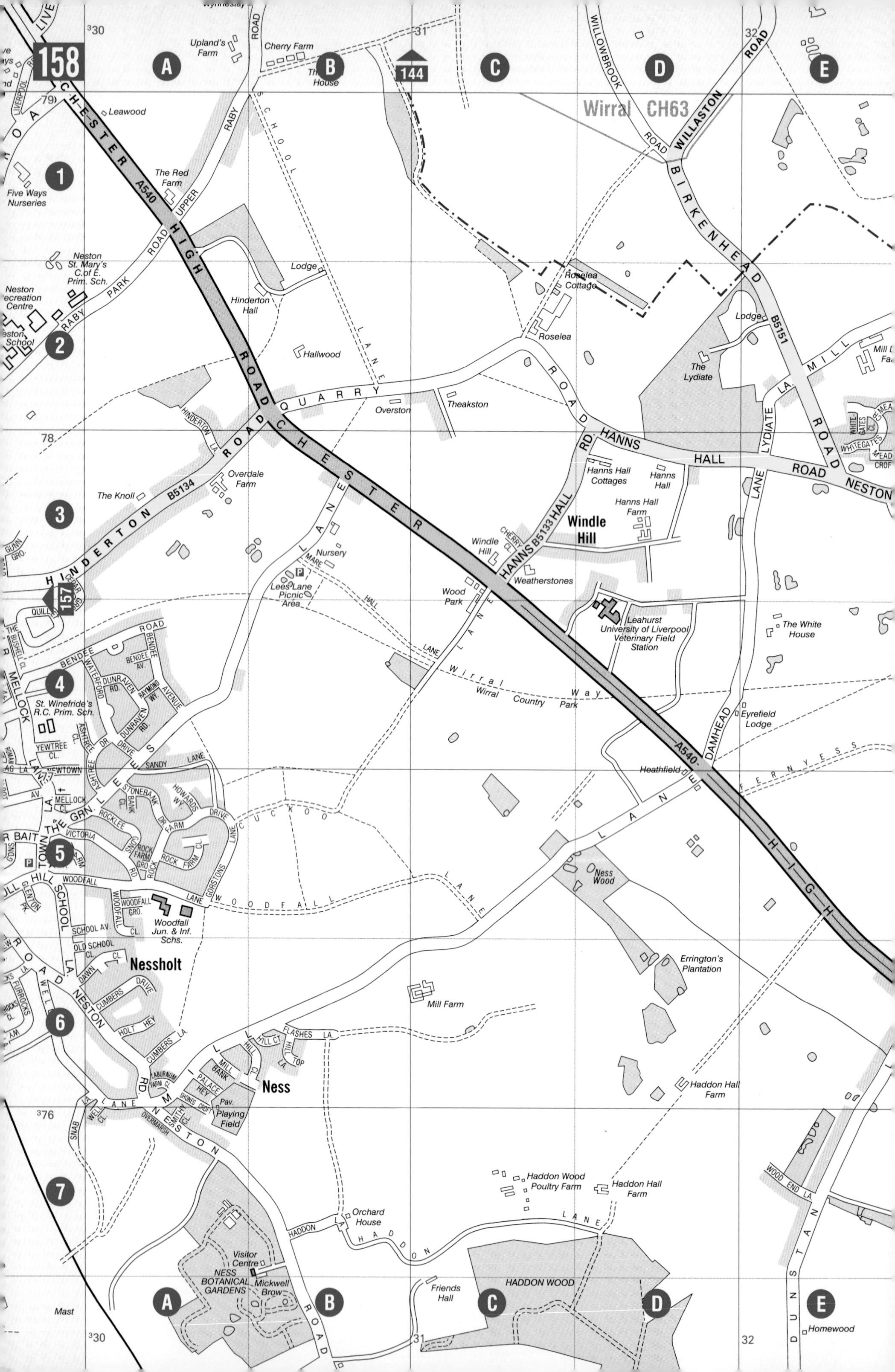

A   B   144   C   D   E

Wirral CH63

1

Five Ways
Nurseries

Leawood

Upland's
Farm

Cherry Farm

The
House

CHESTER

WILLOWBROOK ROAD

BIRKENHEAD

WILLASTON ROAD

The Red
Farm

Neston
St. Mary's
C.of E.
Prim. Sch.

Neston
Recreation
Centre

Neston
School

UPPER

RABY
PARK
ROAD

RABY

2

SCHOOL LANE

HIGH

A540

Lodge

Hinderton
Hall

Hallwood

QUARRY

Overston

Theakston

Lodge

Roselea
Cottage

Roselea

The
Lydiate

LYDIATE LA.

MILL ROAD

B5151

Mill La.
Fac

WHITEGATES

WHITE GATES
MEA
CROF

78

The Knoll

HINDERTON

Overdale
Farm

ROAD

B5134

HINDERTON LA.

CHESTER

ROAD

Windle
Hill

Cherry
Cl.

Weatherstones

Hanns Hall
Cottages

Hanns
Hall

Hanns Hall
Farm

HANNS HALL

Windle
Hill

ROAD

NESTON

3

157

THE BUSHELL CL.

QUILL

Nursery

J. MARE

Lees Lane
Picnic
Area

HANNS LANE

HALL LANE

Wood
Park

Leahurst
University of Liverpool
Veterinary Field
Station

The White
House

4

St. Winefride's
R.C. Prim. Sch.

YEWTREE
CL.

BENDEE
ROAD

WATERFORD

DUNRAVEN
RD.

RAYMOND
WY.

BENDEE
AV.

DUNRAVEN RD.

ASHREL
DR.

DRIVE

AVENUE

Wirral

Wirral

Way

Country

Park

Eyrefield
Lodge

DAMHEAD

FERNYESS

A540

HIGH

Heathfield

MELLOCK LANE

NEWTOWN

MELLOCK
CL.

AV.

LA.

THE GRN.

VICTORIA

BAIT

SNDS.

HILL

SCHOOL

GLENTON PK.

TOWN

5

Sandy Lane

STONEBANK
DR.

ROCKLEE

ROCK
FARM
CRO.

ROCK FARM
CL.

HOWARDS
WY.

DRIVE

CUCKOO

GORSTONS
LANE

LANE

WOODFALL

LANE

Ness
Wood

Errington's
Plantation

SCHOOL AV.

OLD SCHOOL
CL.

DXWN

CL.

NESTON

Nessholt

CUMBERS

DRIVE

HEY

HOLT HEY

CUMBERS LA.

WOODFALL

CL.

WOODFALL
GRO.

Woodfall
Jun. & Inf.
Schs.

Mill Farm

6

ROAD

WELL

FURROWS

ROOKS

SNAB

OVERMARSH

LANE

NESTON

MILL
BANK

PALACE
HEY

SKONES CROFT

LEY
MILL CL.

LABURNUM
FARM CL.

RD.

HILL

FLASHES LA.

HILL CT.

HILL
TOP

Pav.
Playing
Field

Ness

Haddon Hall
Farm

376

Mast

7

ROAD

HADDON

HADDON

Orchard
House

LANE

Haddon Wood
Poultry Farm

Haddon Hall
Farm

WOOD END LA.

DUNSTAN

Homewood

A   Visitor
Centre   NESS
BOTANICAL
GARDENS   Mickwell
Brow   B   Friends
Hall   C   HADDON WOOD   D   E

30   31   32

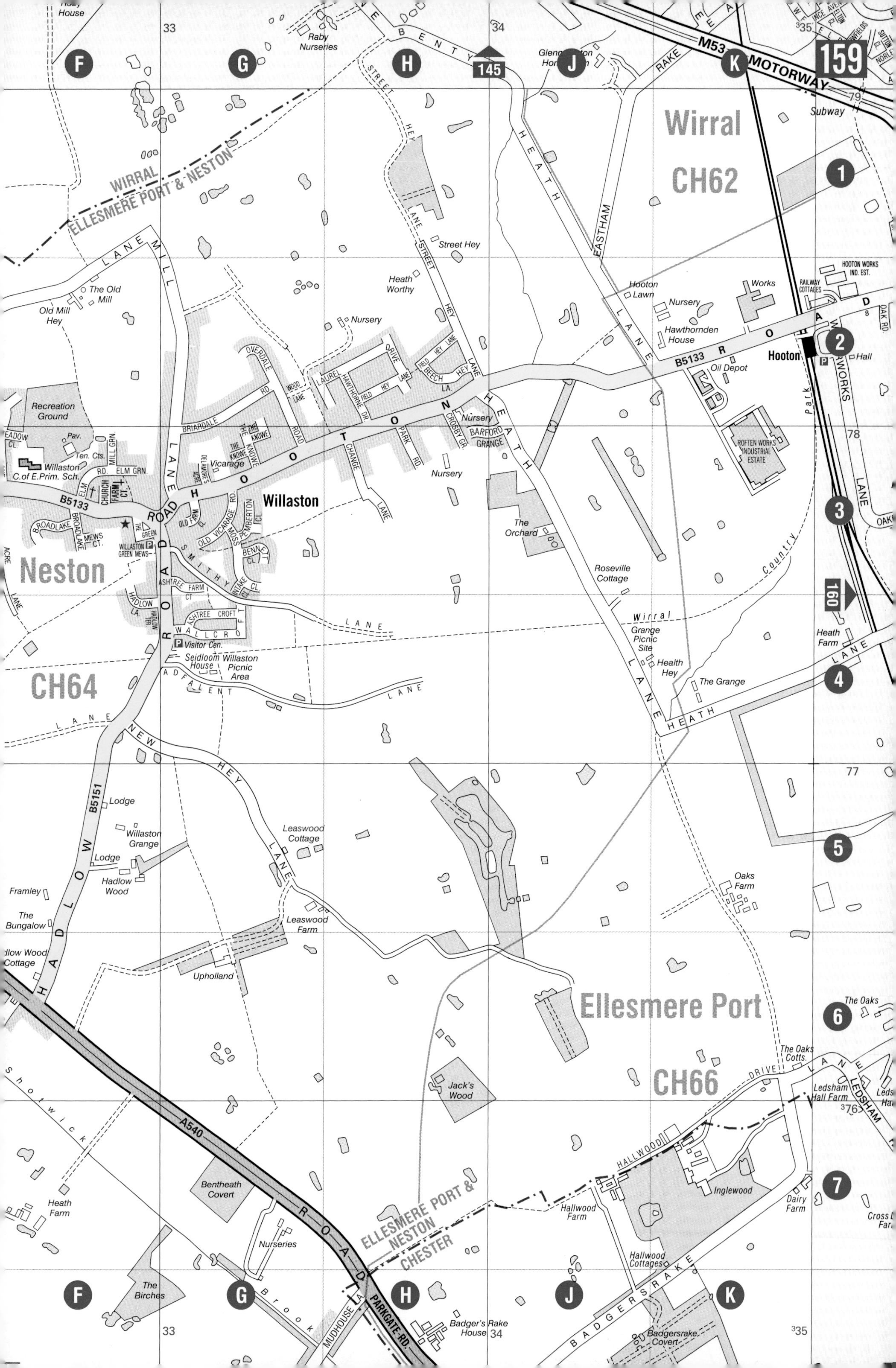

F G H 145 J K

M53 MOTORWAY

Wirral

CH62

Subway

1

2

Hooton

3

160

4

77

5

Ellesmere Port

6

CH66

7

Neston

CH64

Willaston

Raby Nurseries

The Old Mill

Old Mill Hey

Recreation Ground

Willaston C. of E. Prim. Sch.

Vicarage

Street Hey

Heath Worthy

Nursery

Nursery

Nursery

Barford Grange

The Orchard

Roseville Cottage

Wirral Country Park

Grange Picnic Site

Heath Hey

The Grange

Heath Farm

Hooton Lawn

Hawthornden House

Nursery

Works

Roften Works Industrial Estate

Oil Depot

Hooton Hall

Railway Cottages

Hooton Works Ind. Est.

Glennoton House

Seidloom House

Visitor Cen.

Willaston Picnic Area

Lodge

Willaston Grange

Lodge

Hadlow Wood

Framley

The Bungalow

Hadlow Wood Cottage

Leaswood Cottage

Leaswood Farm

Upholland

Jack's Wood

Oaks Farm

The Oaks

The Oaks Cotts.

Ledsham Hall Farm

Inglewood

Dairy Farm

Hallwood Farm

Hallwood Cottages

Heath Farm

Bentheath Covert

Nurseries

The Birches

Badger's Rake House

Badgersrake Covert

ELLESMERE PORT & NESTON CHESTER

A540 ROAD

B5151

B5133

B5133

F G H J K

33 34 35

79

78

376

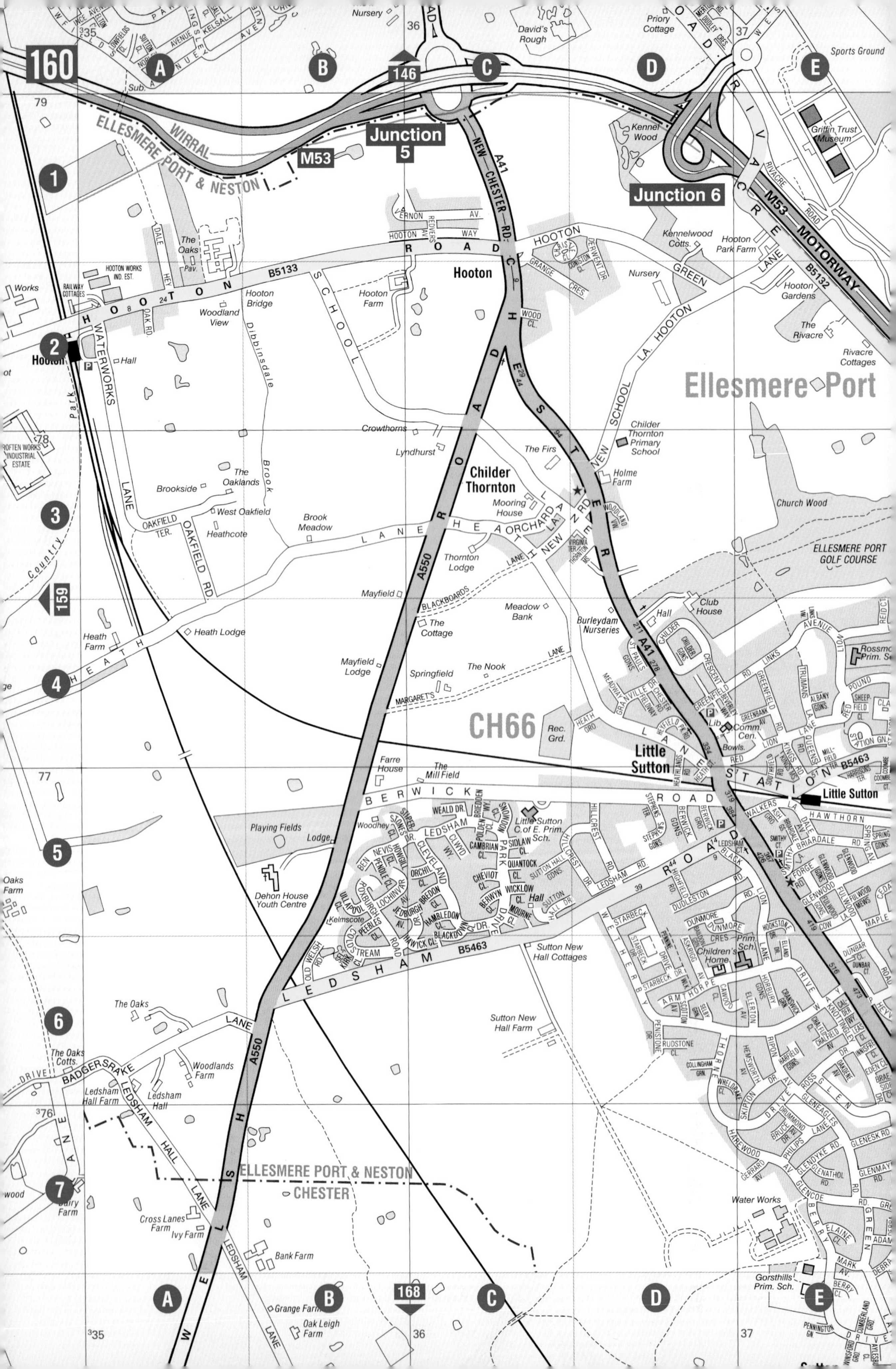

160
146
168
159
Junction 5
Junction 6
M53
M53 MOTORWAY
WIRRAL
ELLESMERE PORT & NESTON
CHESTER
Ellesmere Port
CH66
Hooton
Childer Thornton
Little Sutton
Nursery
David's Rough
Priory Cottage
Sports Ground
Griffin Trust Museum
Kennel Wood
Kennelwood Cotts.
Hooton Park Farm
Hooton Gardens
The Rivacre
Rivacre Cottages
RIVACRE RD.
RIVACRE ROAD
HOOTON GREEN
B5132
B5133
HOOTON ROAD
HOOTON WAY
VERNON AV.
NEW CHESTER RD.
A41
A550
CHESTER RD.
SCHOOL LANE
HOOTON WORKS IND. EST.
RAILWAY COTTAGES
Works
The Oaks
Hooton Bridge
Woodland View
Hooton Farm
WATERWORKS LANE
Hall
Dibbinsdale Brook
NEW SCHOOL LA.
Childer Thornton Primary School
Crowthorns
Lyndhurst
The Firs
Holme Farm
Church Wood
ELLESMERE PORT GOLF COURSE
ROFTEN WORKS INDUSTRIAL ESTATE
The Oaklands
Brookside
West Oakfield
Heathcote
OAKFIELD TER.
OAKFIELD RD
Brook Meadow
HEATH LANE
Mooring House
ORCHARD LA.
NEW RD
Thornton Lodge
Mayfield
BLACKBOARDS
Meadow Bank
Burleydam Nurseries
Club House
Heath Farm
Heath Lodge
The Cottage
Mayfield Lodge
Springfield
The Nook
MARGARET'S
Rec. Grd.
Country Park
Farre House
The Mill Field
BERWICK ROAD
STATION RD
B5463
Little Sutton
Lib.
Comm. Cen.
Bowls.
Playing Fields
Lodge
Little Sutton C. of E. Prim. Sch.
Dehon House Youth Centre
Kelmscote
LEDSHAM ROAD
LEDSHAM RD.
Sutton New Hall Cottages
Sutton New Hall Farm
Children's Home
Prim. Sch.
The Oaks
The Oaks Cotts.
Woodlands Farm
BADGERSRAKE LANE
DRIVE
Ledsham Hall Farm
Ledsham Hall
LEDSHAM HALL LANE
WELSH ROAD
Oaks Farm
Dairy Farm
Cross Lanes Farm
Ivy Farm
Bank Farm
Grange Farm
Oak Leigh Farm
LEDSHAM LANE
Water Works
Gorsthills Prim. Sch.
A
B
C
D
E
1
2
3
4
5
6
7
35
36
37
76
77
78
79

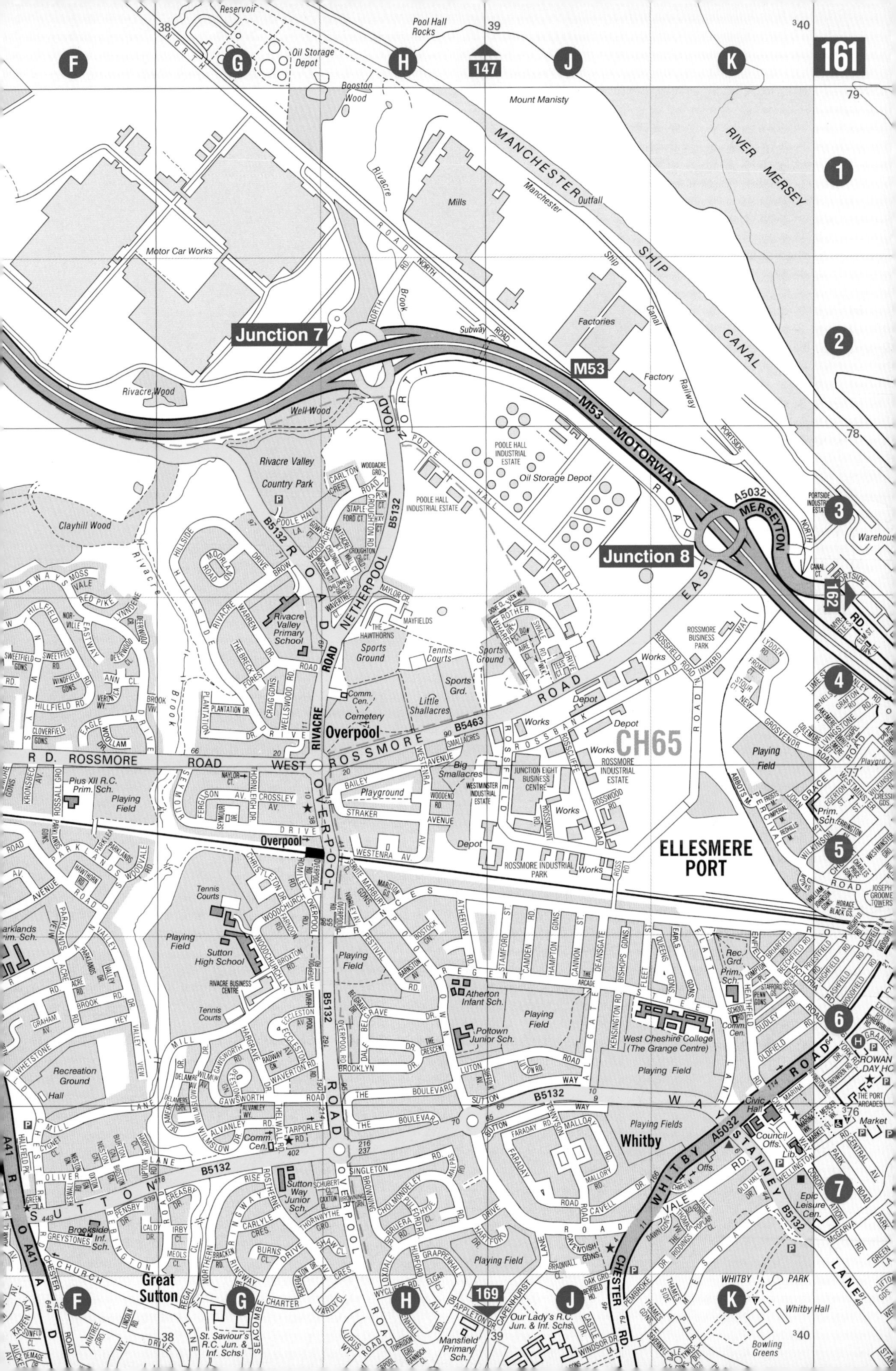
161
F
G
H
J
K
147
169
162
38
39
340
79
78
77
76
1
2
3
4
5
6
7
Reservoir
Pool Hall Rocks
Oil Storage Depot
Booston Wood
Mount Manisty
RIVER MERSEY
MANCHESTER SHIP CANAL
Manchester Outfall
Mills
Motor Car Works
NORTH ROAD
Rivacre Brook
Factories
Factory
Railway
Subway
Junction 7
M53
M53 MOTORWAY
Rivacre Wood
Well Wood
Rivacre Valley Country Park
Clayhill Wood
POOLE HALL INDUSTRIAL ESTATE
Oil Storage Depot
POOLE HALL ROAD
A5032
MERSEYTON
Junction 8
PORTSIDE INDUSTRIAL ESTATE
Warehouse
PORTSIDE
Rivacre Valley Primary School
NETHERPOOL ROAD
B5132
RIVACRE ROAD
THE HAWTHORNS
MAYFIELDS
Sports Ground
Tennis Courts
Little Shallacres
Sports Grd.
Comm. Cen.
Cemetery
Overpool
B5463
ROSSMORE ROAD
WEST ROSSMORE ROAD
EAST
ROSSMORE BUSINESS PARK
Works
Depot
CH65
ROSSMORE INDUSTRIAL ESTATE
JUNCTION EIGHT BUSINESS CENTRE
WESTMINSTER INDUSTRIAL ESTATE
Big Smallacres
Playground
ROSSMORE INDUSTRIAL PARK
ELLESMERE PORT
Pius XII R.C. Prim. Sch.
Playing Field
Overpool
OVERPOOL ROAD
Sutton High School
Tennis Courts
RIVACRE BUSINESS CENTRE
Parklands Prim. Sch.
Recreation Ground
Hall
Atherton Infant Sch.
Poltown Junior Sch.
West Cheshire College (The Grange Centre)
Rec. Grd.
Grange Prim. Sch.
Comm. Cen.
Playing Field
Playing Fields
Whitby
WHITBY ROAD
STANNEY LANE
Civic Hall
Council Offs.
Lib.
Market
ROWAN DAY HOSP.
THE PORT ARCADES
Epic Leisure Cen.
Offs.
Sutton Way Junior Sch.
Brookside Inf. Sch.
Comm. Cen.
SUTTON WAY
THE BOULEVARD
B5132
A41
CHESTER ROAD
Great Sutton
St. Saviour's R.C. Jun. & Inf. Schs.
Mansfield Primary Sch.
Our Lady's R.C. Jun. & Inf. Schs.
WHITBY PARK
Whitby Hall
Bowling Greens
Playing Field
Prim. Sch.
JOSEPH GROOME TOWERS

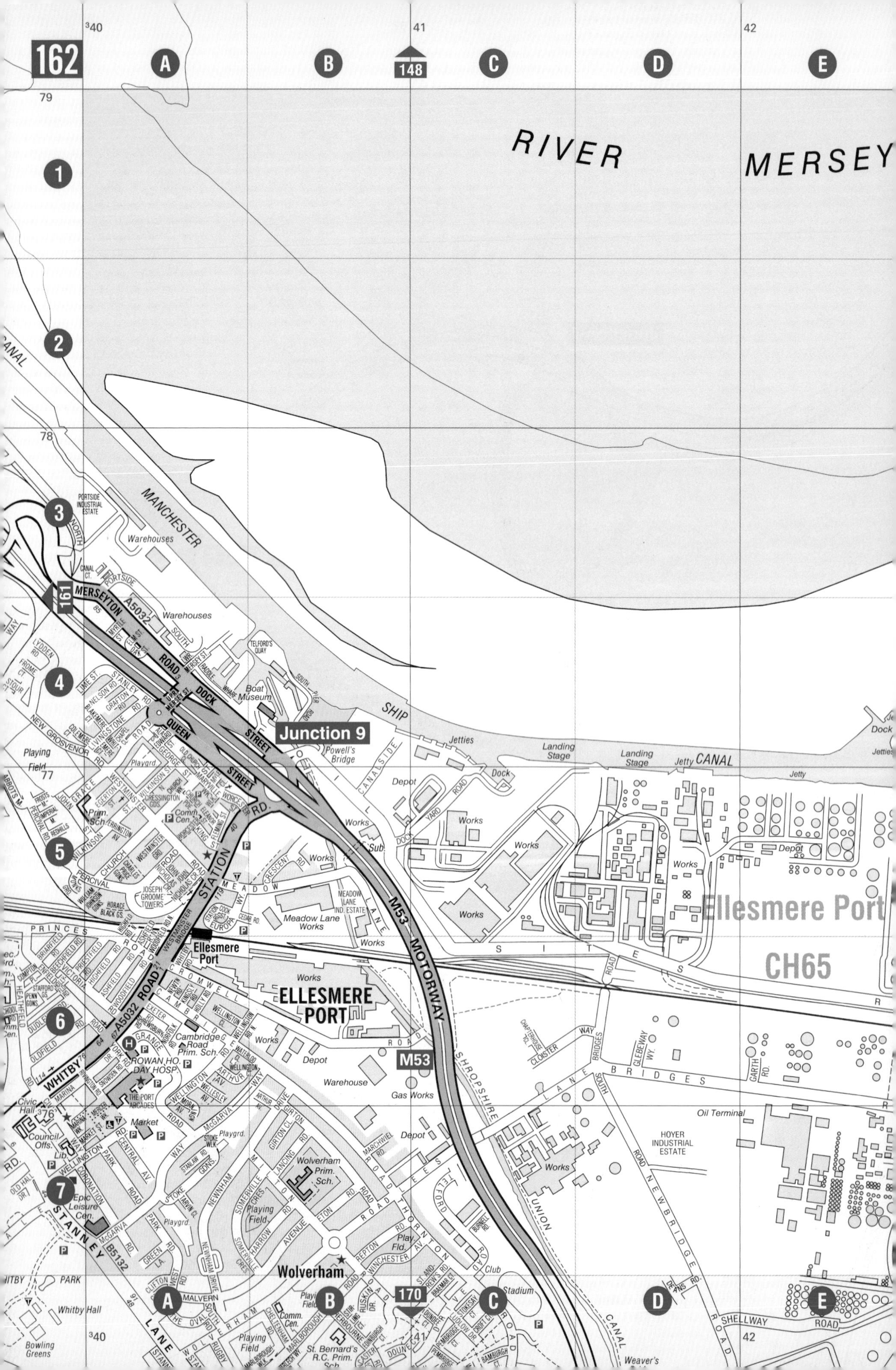

RIVER MERSEY
MANCHESTER SHIP CANAL
Junction 9
M53 MOTORWAY
ELLESMERE PORT
Ellesmere Port
CH65
Ellesmere Port
Wolverham
Warehouses
Boat Museum
Telford's Quay
Powell's Bridge
Jetties
Landing Stage
Works
Depot
Meadow Lane Works
Meadow Lane Ind. Estate
Portside Industrial Estate
Hoyer Industrial Estate
Oil Terminal
Gas Works
Warehouse
Cambridge Road Prim. Sch.
Rowan Ho. Day Hosp.
The Port Arcades
Market
Civic Hall
Council Offs.
Lib.
Epic Leisure Cen.
Wolverham Prim. Sch.
St. Bernard's R.C. Prim. Sch.
Joseph Groome Towers
Playing Field
Whitby Park
Whitby Hall
Bowling Greens
Stadium
Club
A5032
B5132
M53
148
161
170

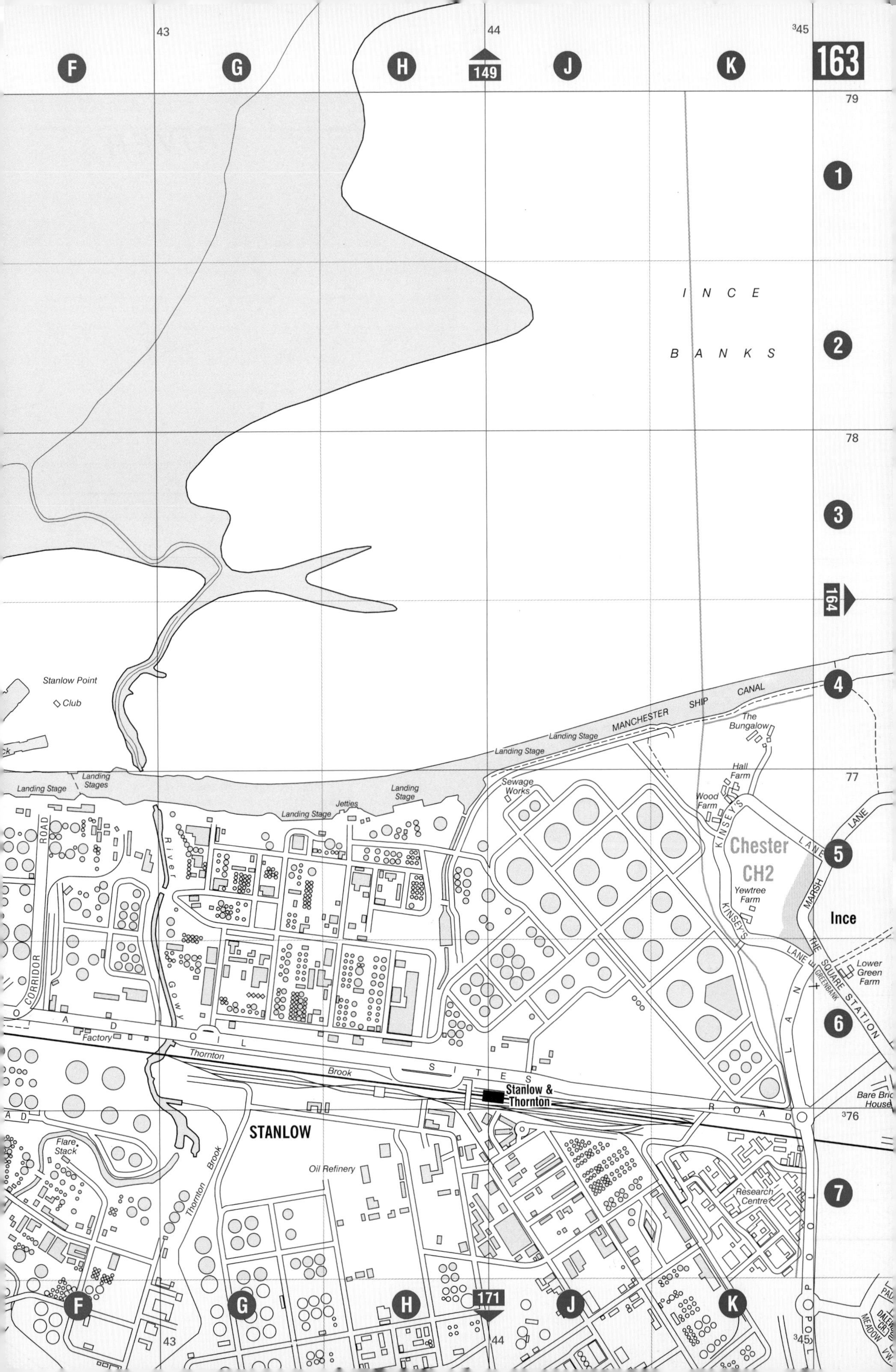

1

2

3

164

4

I N C E

B A N K S

78

77

Stanlow Point

Club

Landing Stage

MANCHESTER SHIP CANAL

The Bungalow

Hall Farm

Wood Farm

Landing Stage

Landing Stages

Landing Stage

Sewage Works

Chester CH2

Kinsey's Lane

Yewtree Farm

5

Ince

Landing Stage

Jetties

Landing Stage

River Gowy

ROAD

CORRIDOR

Marsh Lane

The Square

Greenbank Station

Lower Green Farm

6

A D

Factory

OIL

Thornton Brook

SITES

Stanlow & Thornton

376

Bare Bric House

ROAD

Flare Stack

STANLOW

Oil Refinery

Research Centre

7

Thornton Brook

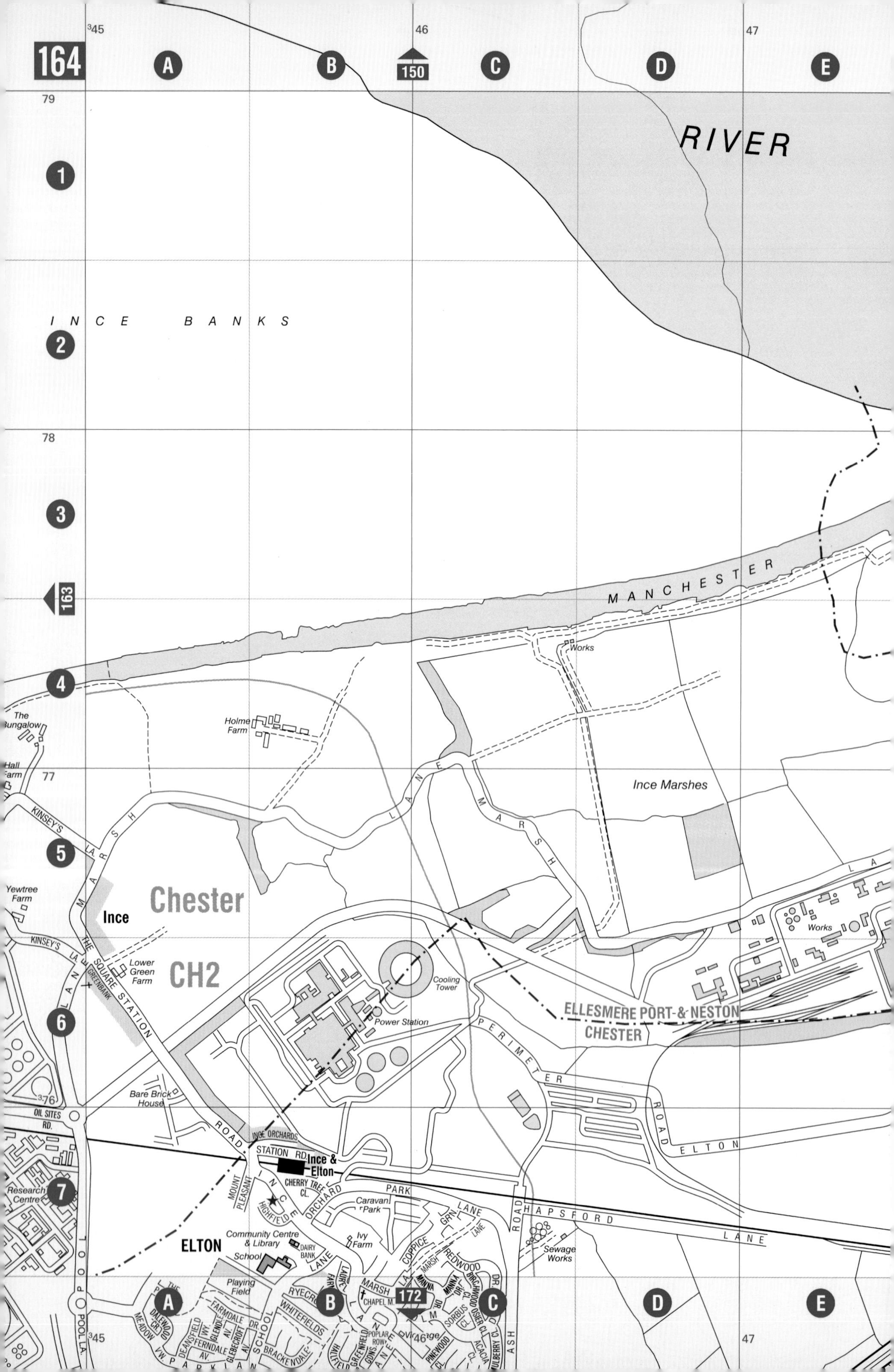

164

345
46
47

A B 150 C D E

79

1

I N C E   B A N K S

2

78

3

◄ 163

R I V E R

M A N C H E S T E R

Works

4

The Bungalow

Holme Farm

Hall Farm

77

Ince Marshes

L A N E   M A R S H

5

Kinsey's Lane

Chester

Ince

Yewtree Farm

Kinsey's Lane

Lower Green Farm

CH2

THE SQUARE

GREENBANK

STATION

Cooling Tower

Works

6

Power Station

ELLESMERE PORT- & NESTON
CHESTER

PERIMETER

Bare Brick House

ROAD

OIL SITES RD.

INCE ORCHARDS

STATION RD. Ince & Elton

Research Centre

7

Mount Pleasant

CHERRY TREE CL.

INCE LANE

HIGHFIELD

ORCHARD

PARK LANE

Caravan Park

ELTON ROAD

HAPSFORD LANE

Sewage Works

COPPICE

MARSH LANE

REDWOOD

ORCHARD

ROSIER CL.

ELTON

ELM

Community Centre & Library

DAIRY BANK

School

Ivy Farm

POPLAR ROW

A B 172 C D E

ELTON

Playing Field

THE

DALEWOOD CH.

MEADOW VW.

POOL LA.

PARKLAND

DEANSFIELD

FERNDALE DR.

GLENDALE

GLEBECROFT

BRACKENDALE

SCHOOL LANE

RYECROFT

WHITEFIELDS

GREENFIELD

IVY

CHAPEL M.

MARSH LANE

PINEWOOD

SORBUS CL.

ACACIA

MULBERRY CL.

ASH

345
46 rge
47

MERSEY

FRODSHAM

MARSH

F r o d s h a m

Frodsham
Marsh Farm

Jetty

Jetty

C A N A L

S H I P

LANE

TADGERS LANE

MOORDITCH

CROSS LANE

Frodsham

WA6

Lordship Marsh

LANE

HARE'S LA.

166

STRAIGHT LENGTH

ELTON LORDSHIP LANE

GRASSY LANE

S H I P

L O R D S H I P

B R O O K E

Hill View
Farm

M56 — MOTORWAY

M56

Spring
Farm

Helsby Marsh

LANE

Tennis
Courts

Playin'

Helsby High Sch.

Tennis
Courts

Caravan
Site

HOOLPOOL LANE

VALE ROYAL
CHESTER

SMITHY

HELSBY

A56

PROFITS LA.

ROAD

Cemy.

HOLLY CT.

PLOVE

ORCHARD PL.

MARK FIELDS

STONE

CROI

GRO

PYRUS LANE

GROVE TER

School

HUNTERS CT.

LAND

SCAPE

DENE

FOXHILL

GRO.

Firs
View

Meadow
Farm

Helsby
Junction

Helsby

LODGE HOLLOW

PRIESTNER DR.

STATIONARY

RAKE LANE

BRIDGE

VALE GDNS.

SUR DR.

BALMORAL

MOUNTAIN VIEW

THE BEECHES

HALLASTONE

BROOK HAM CL.

BANK HO.

LA. RD.

BANK MEWS

BANK RD.

Depot

THE HEIGHTS

RED STONE HILL

RAKE

HANK STONE GRO.

VICARAGE
HILL

VICARAGE

BANK

GROVE
TER

CONERY PL.

PORTLAND

HALE VIEW RD.

CAMBRIDGE GDNS.

HILLSIDE CL.

C H E S T E R

KINGS

QUEENS

MOUNTAIN DRIVE

MOUNTAIN DRIVE

PARKFIELD DR.

SANDRINGHAM AV.

SPPINS CL.

OLD CHESTER

CRESCENT

173

LEY CL.

Hels'
Fort

J

Oak Mount
Farm

NORTH LA.

Harmers Lake
Farm

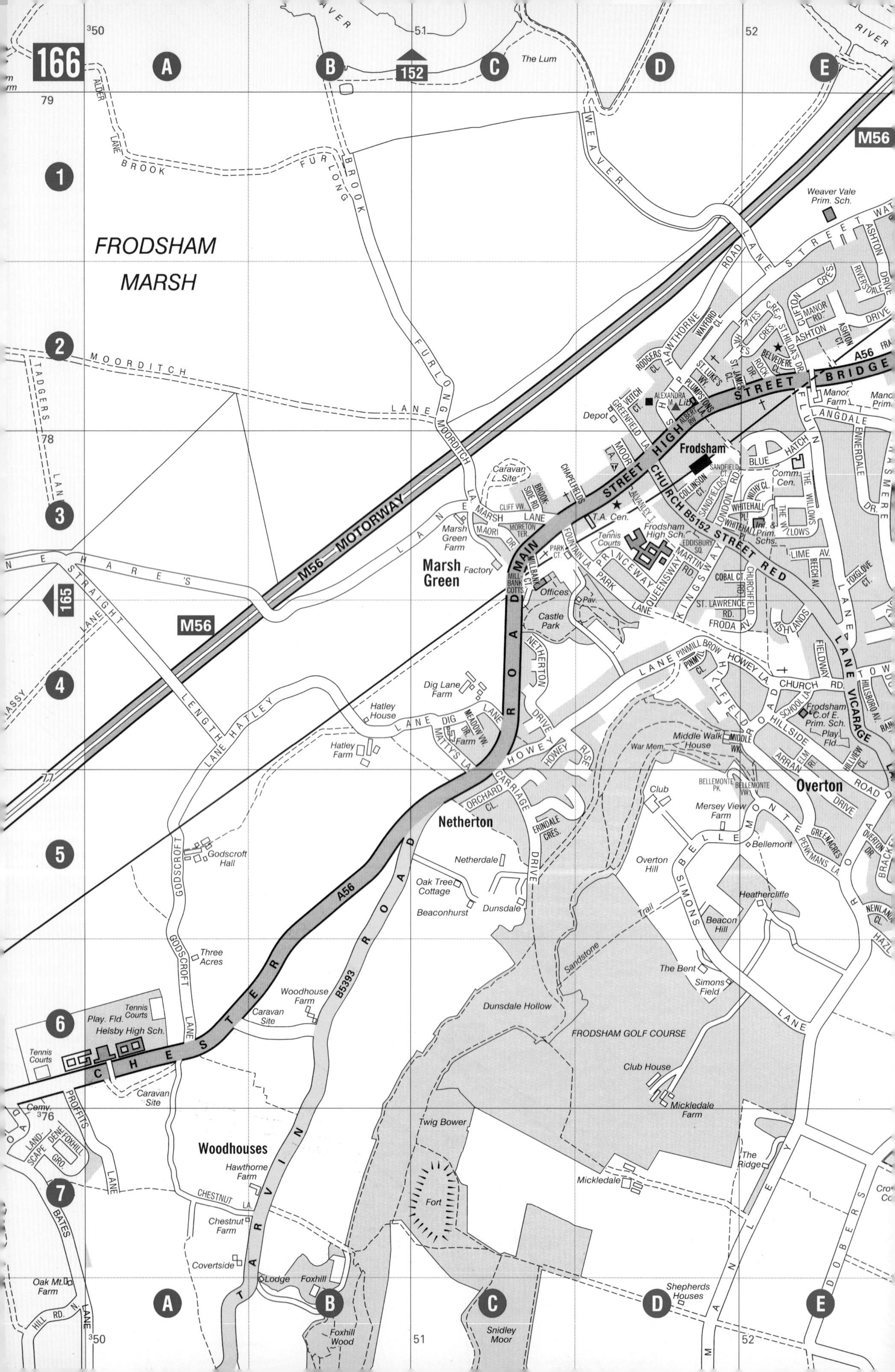

FRODSHAM MARSH
Frodsham
Marsh Green
Netherton
Overton
Woodhouses
M56 MOTORWAY
M56
A56
B5152
B5393
152
165
The Lum
ALDER LANE
BROOK FURLONG
BROOK FURLONG
MOORDITCH LANE
TADGERS LANE
SHARE'S LANE
STRAIGHT LENGTH
HATLEY LANE
MARSH LANE
MAIN ROAD
HIGH STREET
CHURCH STREET
BRIDGE
WEAVER LANE
CHESTER ROAD
TARVIN ROAD
GODSCROFT LANE
CHESTNUT LA.
PROFFITS LANE
BATES
HILL RD. N.
HOWEY LANE
HOWEY RISE
CARRIAGE DRIVE
ORCHARD CL.
ERINDALE CRES.
PRINCEWAY
QUEENSWAY
KINGSWAY
PARK LANE
FOUNTAIN LA.
CHAPELFIELDS
PINMILL BROW
HILLFIELD RD.
HILLSIDE RD.
CHURCH RD.
BELLEMONTE RD.
SIMONS LANE
MANLEY
DOBERS
VICARAGE LANE
FLUIN LANE
LANGDALE
BLUE HATCH
THE WILLOWS
LIME AV.
FOXGLOVE CT.
ASHLANDS
FIELDWAY
OVERTON DR.
PENKMANS LA.
GREENACRES
ARRAN DRIVE
HILLVIEW CL.
NEWLANDS CL.
ASHTON DRIVE
CLIFTON CRES.
MANOR RD.
HAWTHORNE
ROGERS CL.
WAYFORD CL.
ST. LUKE'S WY.
BELVEDERE CL.
Fradsham
Weaver Vale Prim. Sch.
Manor Farm
Depot
Caravan Site
Marsh Green Farm
Factory
Offices
Castle Park
Tennis Courts
Frodsham High Sch.
T.A. Cen.
Comm. Cen.
Inf. & Prim. Schs.
Frodsham C.of E. Prim. Sch.
Play. Fld.
Dig Lane Farm
Hatley House
Hatley Farm
Farm
War Mem.
Middle Walk House
Club
Mersey View Farm
Bellemont
Overton Hill
Heathercliffe
Beacon Hill
The Bent
Simons Field
Godscroft Hall
Netherdale
Oak Tree Cottage
Beaconhurst
Dunsdale
Three Acres
Woodhouse Farm
Caravan Site
Sandstone Trail
Dunsdale Hollow
FRODSHAM GOLF COURSE
Club House
Mickledale Farm
Mickledale
The Ridge
Twig Bower
Fort
Hawthorne Farm
Chestnut Farm
Covertside
Lodge
Foxhill
Foxhill Wood
Snidley Moor
Shepherds Houses
Oak Mt. Farm
Play. Fld.
Tennis Courts
Helsby High Sch.
Cemy.
LANDSCAPE GRO.
DENE
FOXHILL
A B C D E
1 2 3 4 5 6 7
350
51
52
79
78
77
376

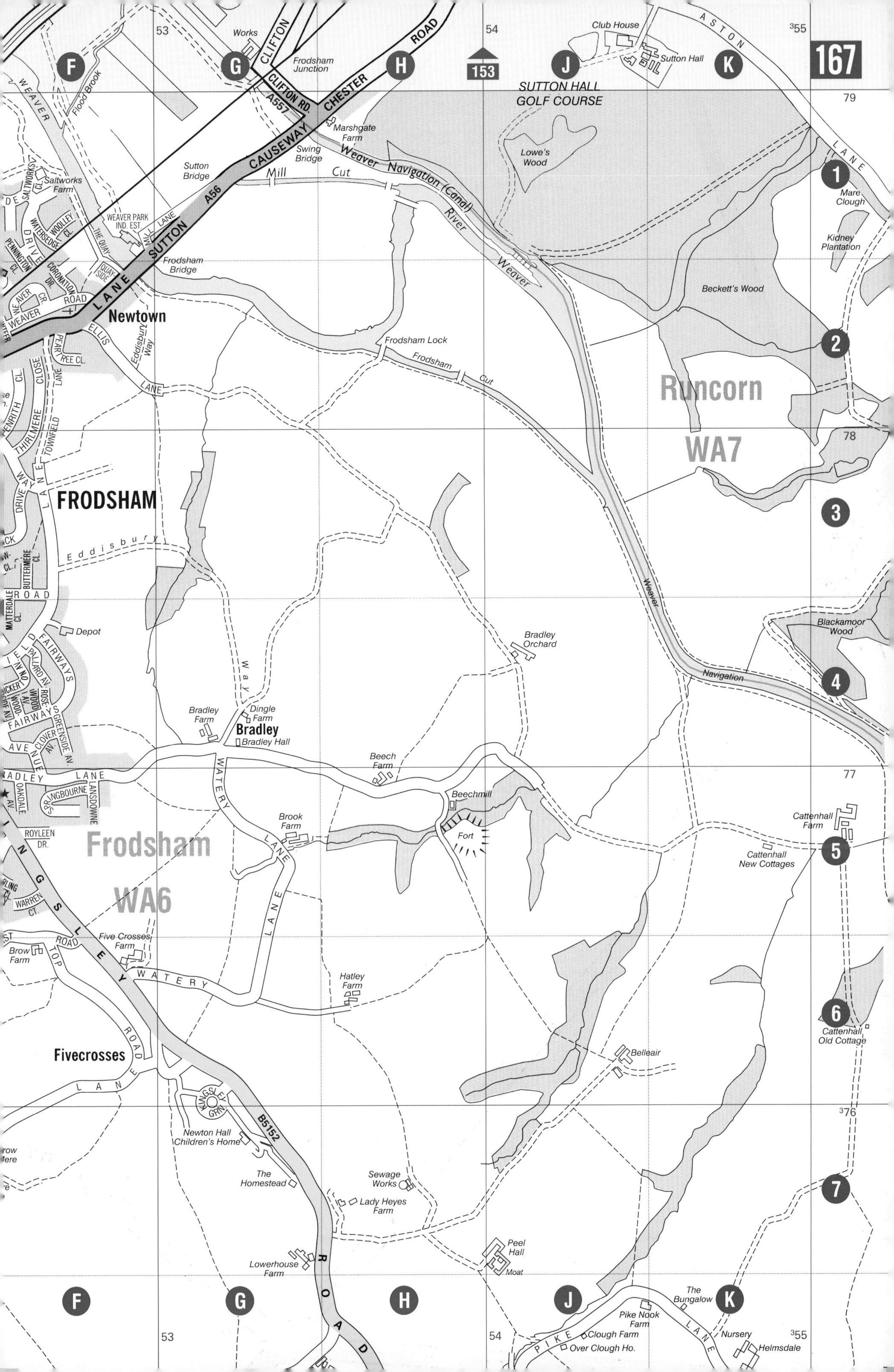

SUTTON HALL GOLF COURSE
Club House
Sutton Hall
ASTON LANE
Works
CLIFTON
CLIFTON RD.
Frodsham Junction
CHESTER ROAD
A557
CAUSEWAY
SUTTON LANE
A56
Marshgate Farm
Swing Bridge
Weaver Navigation (Canal)
Mill Cut
Sutton Bridge
Lowe's Wood
Mare Clough
Kidney Plantation
Beckett's Wood
River Weaver
WEAVER PARK IND. EST.
MILL LANE
THE QUAY
QUAY SIDE
Frodsham Bridge
Saltworks Farm
SALTWORKS CL.
WATERSEDGE
WOOLLEY CL.
PENNINGTON CL.
CORONATION DR.
WEAVER ROAD
Flood Brook
Newtown
ELLIS LANE
Eddisbury Way
PEAR TREE CL.
Frodsham Lock
Frodsham Cut
Runcorn
WA7
THIRLMERE
CLOSE
TOWNFIELD LANE
FRODSHAM
Eddisbury
BUTTERMERE CL.
MATTERDALE CL.
ROAD
Depot
FAIRWAYS
PALLARD AV.
ROSEWOOD AV.
GREENSIDE AV.
CLOVER AV.
AVENUE
Blackamoor Wood
Navigation
Weaver
Bradley Orchard
Dingle Farm
Bradley Farm
Bradley
Bradley Hall
Beech Farm
Beechmill
Fort
WATERY LANE
BRADLEY LANE
SPRINGBOURNE
LANSDOWNE
OAKDALE AV.
ROYLEEN DR.
Brook Farm
Frodsham
WA6
Cattenhall Farm
Cattenhall New Cottages
WARREN CT.
KINGSLEY ROAD
Five Crosses Farm
Brow Farm
TOP ROAD
WATERY LANE
Hatley Farm
Cattenhall Old Cottage
Fivecrosses
LANE
Belleair
KINGSLEY GRN.
B5152
Newton Hall Children's Home
The Homestead
Sewage Works
Lady Heyes Farm
Peel Hall
Moat
Lowerhouse Farm
ROAD
The Bungalow
Pike Nook Farm
Clough Farm
Over Clough Ho.
PIKE LANE
Nursery
Helmsdale
153
53
54
355
79
78
77
376
F
G
H
J
K
1
2
3
4
5
6
7

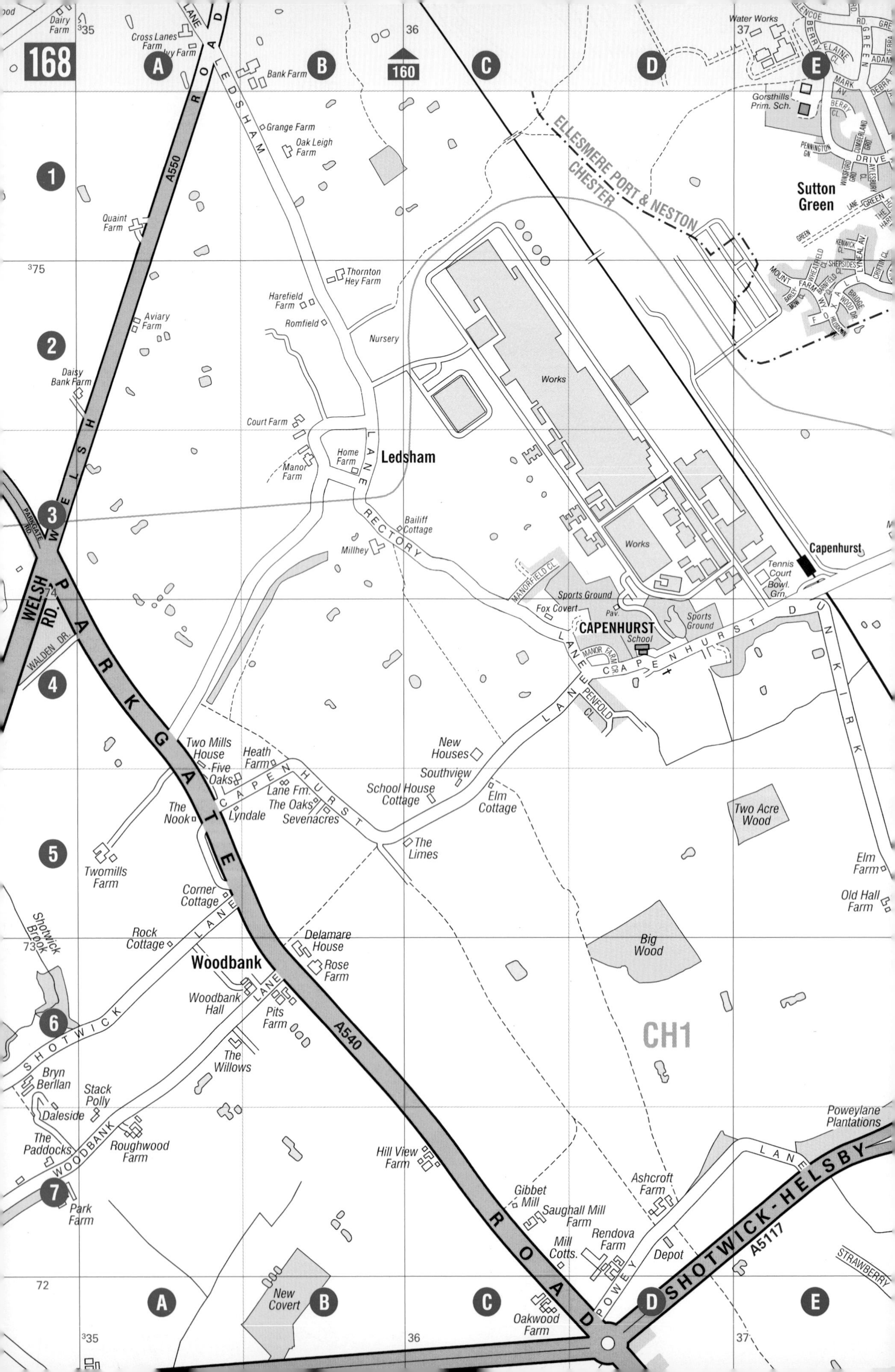

A · B · C · D · E

160

Sutton Green

Water Works

Gorsthills Prim. Sch.

Dairy Farm

335

Cross Lanes Farm

Ivy Farm

Bank Farm

Grange Farm

Oak Leigh Farm

Quaint Farm

1

375

Thornton Hey Farm

Harefield Farm

Romfield

Nursery

Aviary Farm

2

Daisy Bank Farm

ELLESMERE PORT & NESTON

CHESTER

Works

Court Farm

Ledsham

Home Farm

Manor Farm

WELSH

3

74

Bailiff Cottage

Millhey

RECTORY LANE

Works

Capenhurst

Tennis Court Bowl. Grn.

Sports Ground

Fox Covert

Pav.

PARKGATE

WALDEN DR.

CAPENHURST School

MANOR FARM CR.

PENFOLD CL.

4

Two Mills House

Five Oaks

Heath Farm

New Houses

Southview

School House Cottage

Elm Cottage

Two Acre Wood

Lane Fm.

The Oaks

Sevenacres

Lyndale

The Nook

CAPENHURST LANE

The Limes

Elm Farm

5

Twomills Farm

Corner Cottage

Rock Cottage

Delamare House

Rose Farm

Big Wood

Old Hall Farm

Shotwick Brook

73

Woodbank

Woodbank Hall

Pits Farm

LANE

A540

CH1

6

SHOTWICK

The Willows

Bryn Berllan

Stack Polly

Daleside

The Paddocks

WOODBANK

Roughwood Farm

Hill View Farm

Gibbet Mill

Saughall Mill Farm

Ashcroft Farm

Poweylane Plantations

SHOTWICK-HELSBY

7

Park Farm

ROAD

Mill Cotts.

Rendova Farm

Depot

POWEY

A5117

STRAWBERRY

72

A · B · C · D · E

New Covert

Oakwood Farm

335

36

37

DUNKIRK

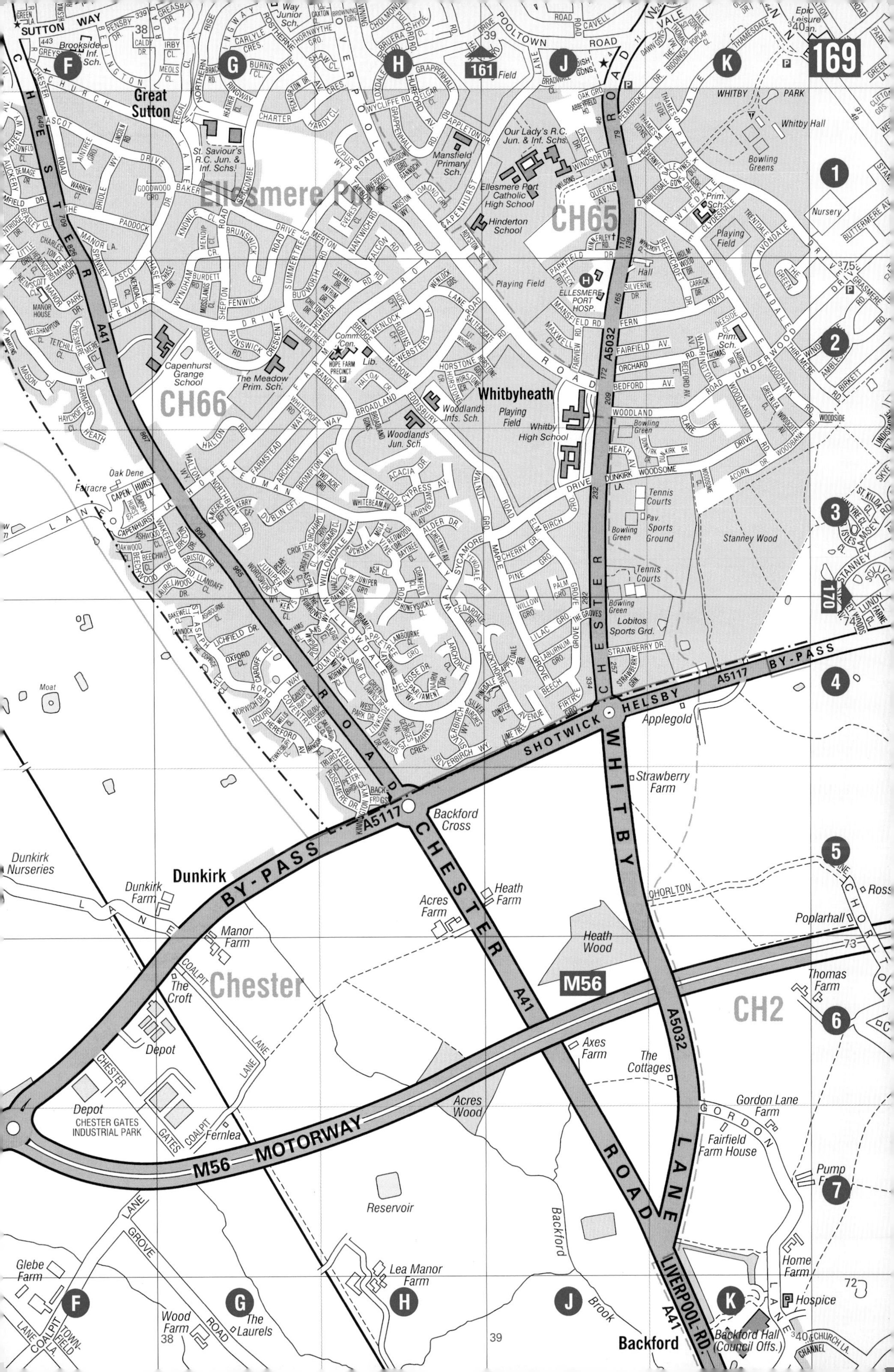
169
Great Sutton
Ellesmere Port
CH65
CH66
CH2
Whitbyheath
Dunkirk
Chester
Backford
Whitby Park
Whitby Hall
Stanney Wood
Heath Wood
Acres Wood
Reservoir
Backford Cross
Strawberry Farm
Applegold
Heath Farm
Acres Farm
Manor Farm
Dunkirk Farm
Dunkirk Nurseries
Axes Farm
The Cottages
Gordon Lane Farm
Fairfield Farm House
Home Farm
Hospice
Backford Hall (Council Offs.)
Lea Manor Farm
Glebe Farm
Wood Farm
The Laurels
Thomas Farm
Poplarhall
Fernlea
The Croft
Depot
CHESTER GATES INDUSTRIAL PARK
Capenhurst Grange School
The Meadow Prim. Sch.
Woodlands Infs. Sch.
Woodlands Jun. Sch.
Whitby High School
Ellesmere Port Catholic High School
Hinderton School
Mansfield Primary Sch.
Our Lady's R.C. Jun. & Inf. Schs.
St. Saviour's R.C. Jun. & Inf. Schs.
Brookside Inf. Sch.
Ellesmere Port Hosp.
Tennis Courts
Sports Ground
Lobitos Sports Grd.
Bowling Green
Playing Field
CHESTER ROAD
WHITBY ROAD
CHESTER ROAD
SHOTWICK HELSBY BY-PASS
BY-PASS
M56 MOTORWAY
M56
A41
A5032
A5117
LIVERPOOL RD.
GORDON LANE
SUTTON WAY
POOLTOWN ROAD
161
170

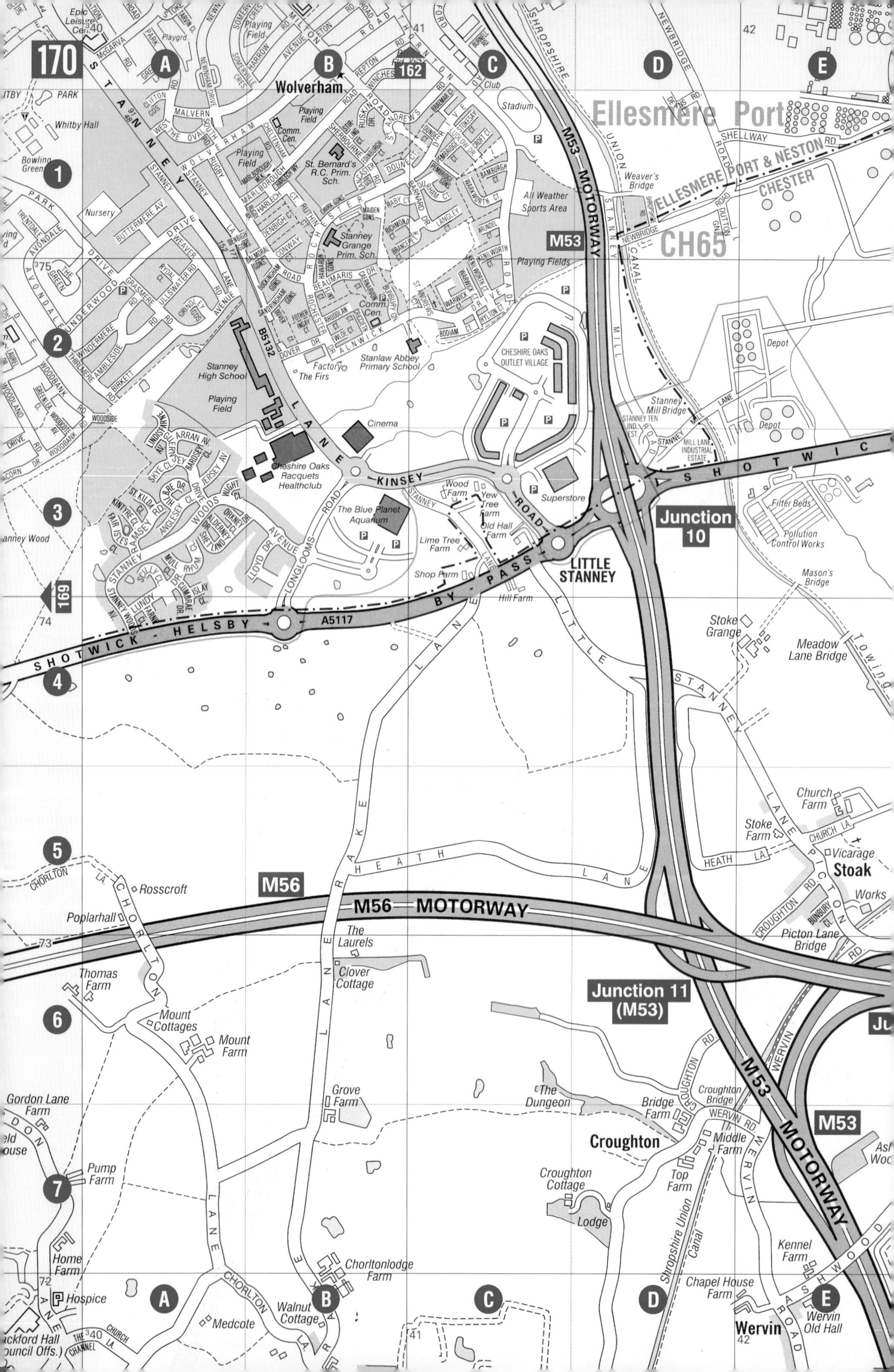
170
162
169
A
B
C
D
E
1
2
3
4
5
6
7
40
41
42
72
73
74
75
Wolverham
Ellesmere Port
CH65
Epic Leisure Cen.
Playgrd.
Playing Field
Whitby Hall
Bowling Green
Nursery
Comm. Cen.
St. Bernard's R.C. Prim. Sch.
Stanney Grange Prim. Sch.
Club
Stadium
All Weather Sports Area
Playing Fields
M53
M53 MOTORWAY
STANNEY LANE
B5132
Stanney High School
Factory
The Firs
Stanlaw Abbey Primary School
CHESHIRE OAKS OUTLET VILLAGE
Cinema
Cheshire Oaks Racquets Healthclub
KINSEY ROAD
The Blue Planet Aquarium
Wood Farm
Yew Tree Farm
Old Hall Farm
Lime Tree Farm
Shop Farm
Superstore
LITTLE STANNEY
Hill Farm
SHOTWICK - HELSBY BY - PASS
A5117
LONGLOOMS ROAD
Junction 10
Weaver's Bridge
SHELLWAY RD.
ELLESMERE PORT & NESTON
CHESTER
NEWBRIDGE RD
SHROPSHIRE UNION CANAL
Depot
Stanney Mill Bridge
STANNEY TEN IND. EST.
MILL LANE INDUSTRIAL ESTATE
Filter Beds
Pollution Control Works
Mason's Bridge
Stoke Grange
Meadow Lane Bridge
Towing
Church Farm
Stoke Farm
CHURCH LA.
Vicarage
Stoak
Works
HEATH LA.
PICTON LANE
CROUGHTON RD
BUNBURY CL.
Picton Lane Bridge
HEATH LANE
RAKE LANE
M56
M56 MOTORWAY
Junction 11 (M53)
CHORLTON LA.
Rosscroft
Poplarhall
Thomas Farm
Mount Cottages
Mount Farm
The Laurels
Clover Cottage
Grove Farm
The Dungeon
Bridge Farm
Croughton Bridge
Croughton
Middle Farm
Top Farm
WERVIN RD
Croughton Cottage
Lodge
Shropshire Union Canal
Kennel Farm
Chapel House Farm
Wervin
Wervin Old Hall
ASHWOOD ROAD
Gordon Lane Farm
Pump Farm
Home Farm
Hospice
Medcote
Chorltonlodge Farm
Walnut Cottage
CHORLTON LANE
CHURCH LA
THE CHANNEL
Stanney Wood
WOODSIDE
UNDERWOOD DRIVE
AVONDALE
WINDERMERE
AMBLESIDE
BIRKETT
GRASMERE RD.
ULLSWATER RD.
BUTTERMERE AV.
WEAVER DRIVE
RYDAL CL.
DENBIGH
DOVER DR.
ALNWICK
ROCHESTER
BEAUMARIS DR.
CONWAY
HARLECH
MARLBOROUGH
MALVERN
SHERBOURNE
RUSKIN ROAD
ST. ANDREWS
BAMBURGH
KENILWORTH
WARWICK
BODIAM CT.
ARRAN AV.
JERSEY AV.
SKYE CL.
ANGLESEY CL.
WOODS AVENUE
LLOYD DR.
STANNEY WOODS AV.
HYLTON CT.
FAIR ISLES CL.

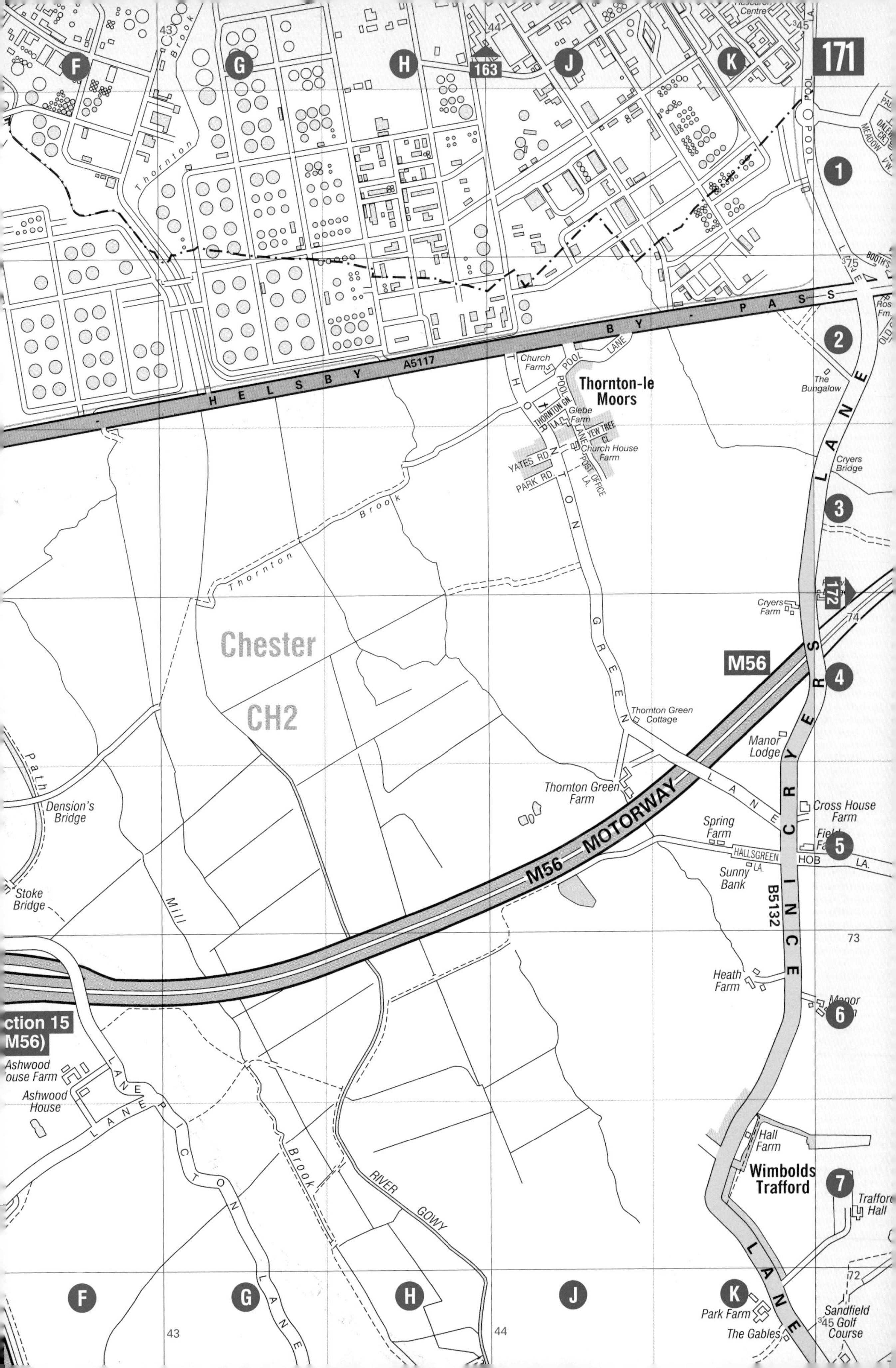

F

G

H

163

J

K

1

2

3

172

M56

4

5

6

7

BOOTH'S LA.

Ros Fm.

POOL LANE

Research Centre

345

DALE CR.
MEADOW VW.

OLD POOL LANE

CRYERS LANE

The Bungalow

Cryers Bridge

74

Cryers Farm

Thornton Brook

HELSBY BY-PASS A5117

Church Farm

POOL LANE

Thornton-le Moors

THORNTON GN.

Glebe Farm

YEW TREE CL.

Church House Farm

POST OFFICE LA.

YATES RD.

PARK RD.

LANE

THORNTON

GREEN

LANE

Thornton Green Cottage

Thornton Green Farm

Manor Lodge

Cross House Farm

Field Fa.

Spring Farm

HALLSGREEN LA.

Sunny Bank

HOB LA.

B5132

73

Heath Farm

Manor

Chester

CH2

Thornton Brook

Path

M56 — MOTORWAY

M56

LANE

CRYERS LANE

Dension's Bridge

Stoke Bridge

Mill

ction 15 (M56)

Ashwood ouse Farm

Ashwood House

LANE

LANE

PICTON

LANE

Brook

RIVER GOWY

Hall Farm

Wimbolds Trafford

Trafford Hall

LANE

72

F

43

G

H

44

J

K

Park Farm

The Gables

345

Sandfield Golf Course

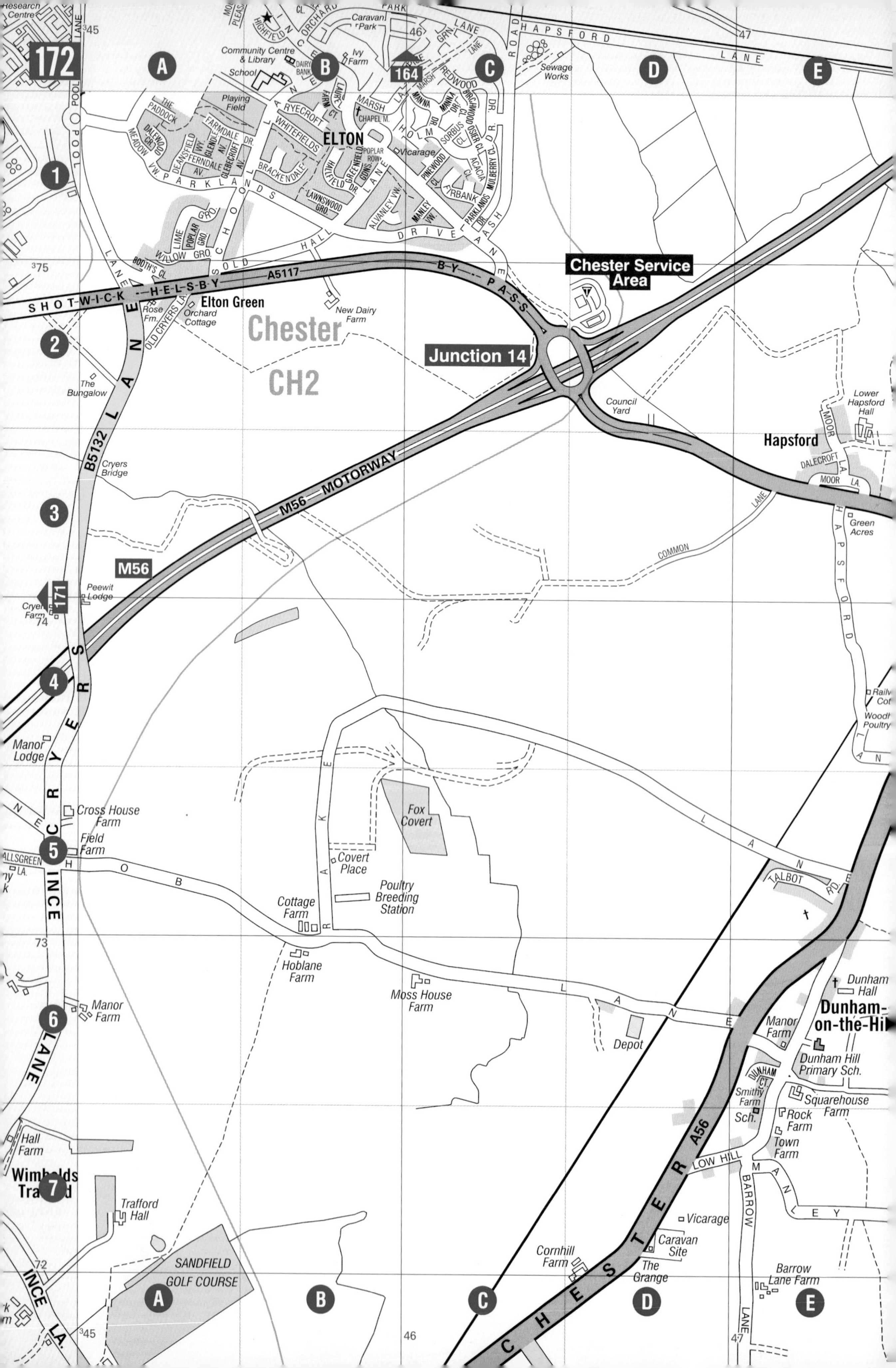

ELTON
Elton Green
Chester
CH2
Chester Service Area
Junction 14
M56 MOTORWAY
M56
SHOTWICK-HELSBY BY-PASS
A5117
B5132
CRYERS LANE
INCE LANE
HOB LANE
COMMON LANE
HAPSFORD LANE
HAPSFORD LANE
Hapsford
Lower Hapsford Hall
CHESTER RD. A56
Dunham-on-the-Hill
Dunham Hall
Dunham Hill Primary Sch.
Squarehouse Farm
Rock Farm
Town Farm
Manor Farm
Smithy Farm
Barrow Lane Farm
BARROW LANE
MANLEY LANE
LOW HILL
Vicarage
Caravan Site
The Grange
Cornhill Farm
Depot
Moss House Farm
Hoblane Farm
Cottage Farm
Poultry Breeding Station
Covert Place
Fox Covert
OAKS LANE
TALBOT RD.
Council Yard
Green Acres
New Dairy Farm
Orchard Cottage
Rose Fm.
The Bungalow
Cryers Bridge
Peewit Lodge
Cryers Farm
Manor Lodge
Cross House Farm
Field Farm
Manor Farm
Hall Farm
Wimbolds Trafford
Trafford Hall
SANDFIELD GOLF COURSE
Sewage Works
Community Centre & Library
School
Playing Field
Ivy Farm
Caravan Park
HAPSFORD LANE
171
164

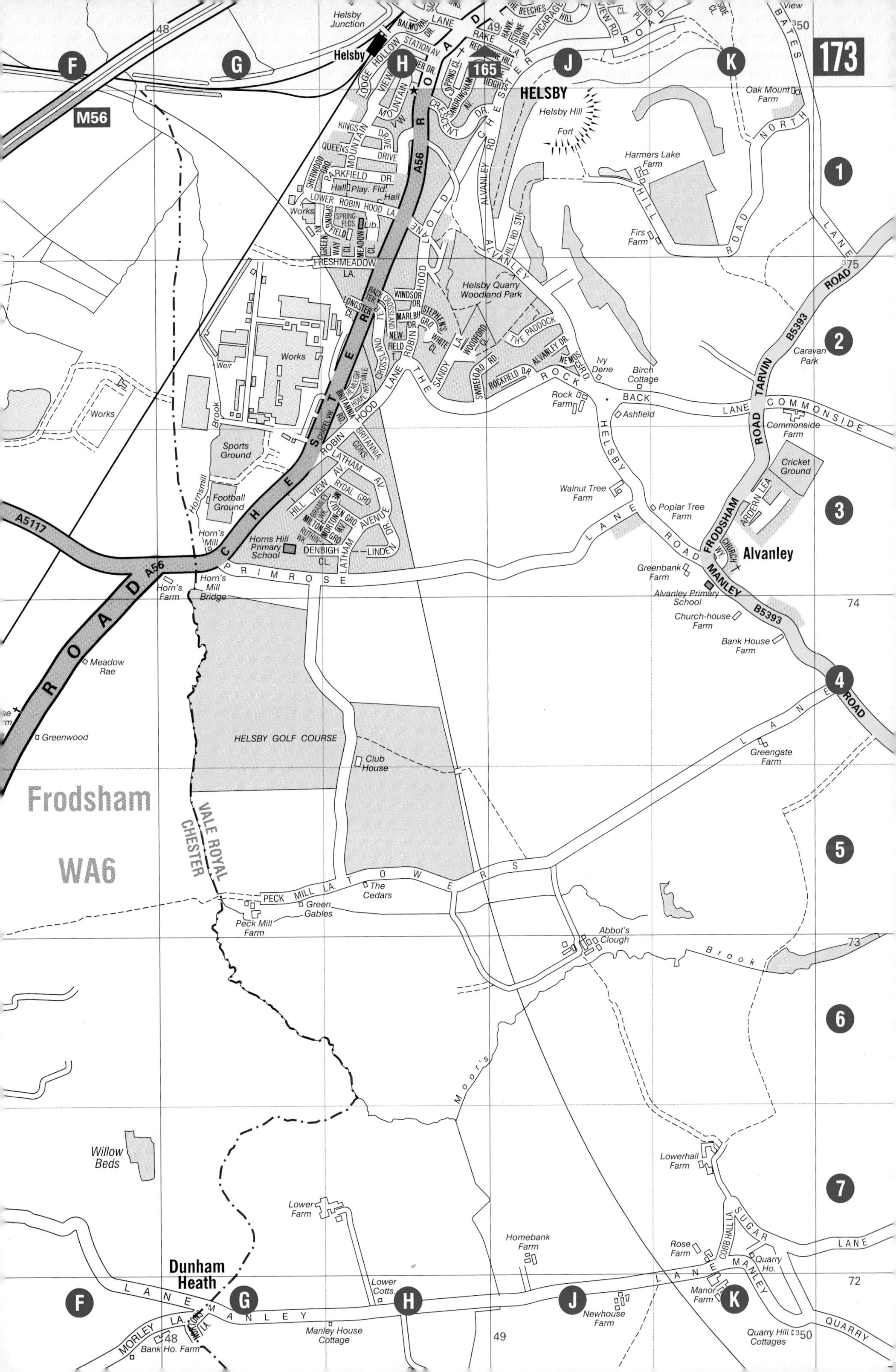

F **G** **H** **J** **K**

M56

Helsby
Junction

Helsby

HELSBY

Helsby Hill
Fort

Oak Mount
Farm

Harmers Lake
Farm

Firs
Farm

Hill

North

Road

B5393

Road

Caravan
Park

Commonside
Farm

Commonside

Cricket
Ground

Tarvin

Alvanley

Ardern Lea

Frodsham

B5393

Manley

Helsby Quarry
Woodland Park

The Paddock

Alvanley Dr.

Rockfield Dr.

Ivy
Dene

Birch
Cottage

Rock
Farm

Ashfield

Back

Lane

Walnut Tree
Farm

Poplar Tree
Farm

Greenbank
Farm

Alvanley Primary
School

Church-house
Farm

Bank House
Farm

Helsby

Lane

Road

A5117

A56

Brook

Works

Sports
Ground

Football
Ground

Hornsmill

Horn's Mill

Horn's
Farm

Horn's Mill
Bridge

Primrose

Horns Hill
Primary School

Denbigh Cl.

Linden

Latham

Avenue

Chester

Street

Meadow
Rae

Greenwood

HELSBY GOLF COURSE

Club
House

Vale Royal
Chester

Peck Mill La.

The Cedars

Green
Gables

Peck Mill
Farm

Towers

Abbot's
Clough

Brook

Frodsham

WA6

Moors

Willow
Beds

Lower
Farm

Lowerhall
Farm

Dunham
Heath

Lower
Cotts

Homebank
Farm

Rose
Farm

Quarry
Ho.

Manor
Farm

Cobb Hall La.

Sugar

Manley

Lane

Quarry

Lane

F **G** **H** **J** **K**

Morley La.

Bank Ho. Farm

Manley House
Cottage

Newhouse
Farm

Quarry Hill
Cottages

1
2
3
4
5
6
7

INDEX

Including Streets, Places & Areas, Industrial Estates, Selected Subsidiary Addresses
and Selected Places of Interest.

HOW TO USE THIS INDEX

1. Each street name is followed by its Posttown or Postal Locality and then by its map reference; e.g. Abberley Rd. *Liv* —2G **131** is in the Liverpool Posttown is to be found in square 2G on page **131**. The page number being shown in bold type.
   A strict alphabetical order is followed in which Av., Rd., St., etc. (though abbreviated) are read in full and as part of the street name; e.g. Alderbank Rd. appears after Alder Av. but before Alder Clo.

2. Streets and a selection of Subsidiary names not shown on the Maps, appear in the index in *Italics* with the thoroughfare to which it is connected shown in brackets; e.g. *Alexander Way. Liv —4B* **108** *(off Pk. Hill Rd.)*

3. The page references shown in brackets indicate those streets that appear on the large scale map pages 4 & 5; e.g. Abercromby Sq. *Liv* —6B **88** (8L **5**) appears in square 6B on page **88** also appears in the enlarged section in square 8L on page **5**.

3. Places and areas are shown in the index in **bold type**, the map reference referring to the actual map square in which the town or area is located and not to the place name; e.g. **Aigburth.** —1G **129**

4. An example of a selected place of interest is **Academy, The.** —3E **56** (Liverpool F.C.)

GENERAL ABBREVIATIONS

All : Alley	Cir : Circus	Gt : Great	M : Mews	Sq : Square
App : Approach	Clo : Close	Grn : Green	Mt : Mount	Sta : Station
Arc : Arcade	Comn : Common	Gro : Grove	Mus : Museum	St : Street
Av : Avenue	Cotts : Cottages	Ho : House	N : North	Ter : Terrace
Bk : Back	Ct : Court	Ind : Industrial	Pal : Palace	Trad : Trading
Boulevd : Boulevard	Cres : Crescent	Info : Information	Pde : Parade	Up : Upper
Bri : Bridge	Cft : Croft	Junct : Junction	Pk : Park	Va : Vale
B'way : Broadway	Dri : Drive	La : Lane	Pas : Passage	Vw : View
Bldgs : Buildings	E : East	Lit : Little	Pl : Place	Vs : Villas
Bus : Business	Embkmt : Embankment	Lwr : Lower	Quad : Quadrant	Vis : Visitors
Cvn : Caravan	Est : Estate	Mc : Mac	Res : Residential	Wlk : Walk
Cen : Centre	Fld : Field	Mnr : Manor	Ri : Rise	W : West
Chu : Church	Gdns : Gardens	Mans : Mansions	Rd : Road	Yd : Yard
Chyd : Churchyard	Gth : Garth	Mkt : Market	Shop : Shopping	
Circ : Circle	Ga : Gate	Mdw : Meadow	S : South	

POSTTOWN AND POSTAL LOCALITY ABBREVIATIONS

Aig : Aigburth	*Croft* : Croft	*Hap* : Hapsford	*N'ley* : Netherley	*Speke* : Speke
Ain : Aintree	*Croft B* : Croft Bus. Pk.	*Has* : Haskayne	*N'ton* : Netherton	*Spit* : Spital
Ain R : Aintree Racecourse Retail &	*Cron* : Cronton	*Hat* : Hatton	*Ness* : Ness	*Stan* : Stanley
Bus. Pk.	*Cros* : Crosby	*Hay* : Haydock	*Nest* : Neston	*Stan I* : Stanley Ind. Est.
Ains : Ainsdale	*Crow* : Crowley	*Hay I* : Haydock Ind. Est.	*New F* : New Ferry	*Stoak* : Stoak
Aller : Allerton	*Crox* : Croxteth	*Hel* : Helsby	*Newb* : Newburgh	*Stock H* : Stockton Heath
Alv : Alvanley	*Cuer* : Cuerdley	*Hes* : Heswall	*Newt W* : Newton-le-Willows	*Stock V* : Stockbridge Village
Anf : Anfield	*Cul* : Culcheth	*High* : Hightown	*Nor C* : North Cheshire Trad. Est.	*Ston* : Stoneycroft
App : Appleton	*Dal* : Dalton	*High B* : Higher Bebington	*Nor G* : Norris Green	*Stre* : Stretton
App T : Appleton Thorn	*Dar* : Daresbury	*Hoot* : Hooton	*Norl* : Norley	*Sut L* : Sutton Leach
Ash M : Ashton-in-Makerfield	*Dent G* : Dentons Green	*Hoy* : Hoylake	*Nort* : Norton	*Sut M* : Sutton Manor
Ast : Astmoor	*Ding* : Dingle	*Hunts X* : Hunts Cross	*Old B* : Old Boston Trad. Est.	*Sut W* : Sutton Weaver
Ast I : Astmoor Ind. Est.	*Dove* : Dovecot	*Huy* : Huyton	*Old H* : Old Hall	*Tarb* : Tarbock
Aston : Aston	*Down* : Downholland	*Inc* : Ince (Chester)	*Old I* : Old Hall Ind. Est.	*Tarb G* : Tarbock Green
Augh : Aughton	*Dun H* : Dunham Hill	*Ince* : Ince (Wigan)	*Old R* : Old Roan	*Tarr I* : Tarran Ind. Est.
B Vale : Belle Vale	*Dunk* : Dunkirk	*Ince B* : Ince Blundell	*Old S* : Old Swan	*Tay B* : Taylor Bus. Pk.
B'grn : Broadgreen	*Dut* : Dutton	*Irby* : Irby	*Orm* : Ormskirk	*That H* : Thatto Heath
Back : Backford	*East* : Eastham	*Irl* : Irlam	*Orr* : Orrell	*Thel* : Thelwall
Bam : Bamfurlong	*Ecc* : Eccleston	*K Ash* : Knotty Ash	*Orr P* : Orrell Park	*Thing* : Thingwall
Banks : Banks	*Ecc L* : Eccleston Lane Ends	*K'ley* : Kingsley	*Pad* : Padgate	*Thor* : Thornton
Bar : Barton	*Ecc P* : Eccleston Park	*Ken* : Kenyon	*Padd* : Paddington	*Thor H* : Thornton Hough
Bchwd : Birchwood	*Edg H* : Edge Hill	*Kens* : Kensington	*Padd M* : Paddock Moor	*Thor M* : Thornton-le-Moors
Beb : Bebington	*Ell P* : Ellesmere Port	*King M* : Kings Moss	*Page M* : Page Moss	*Thur* : Thurstaston
Beech : Beechwood	*Elton* : Elton	*Kirk* : Kirkdale	*Pal* : Palacefields	*Tox* : Toxteth
Bew : Bewsey	*Ersk* : Erskine Ind. Est.	*Kirkby* : Kirkby	*Parb* : Parbold	*Tran* : Tranmere
Bic : Bickerstaffe	*Eve* : Everton	*Know* : Knowsley	*Park* : Parkgate	*Tue* : Tuebrook
Bil : Billinge	*Fair* : Fairfield	*Know B* : Knowsley Bus. Pk.	*Parr* : Parr	*Uph* : Upholland
Birk : Birkenhead	*Faz* : Fazakerley	*Know I* : Knowsley Ind. Pk.	*Parr I* : Parr Ind. Est.	*Upt* : Upton
Bkdle : Birkdale	*Fearn* : Fearnhead	*Know N* : Knowsley Ind. Pk. N.	*Pem* : Pemberton	*Wall* : Wallasey
Bold : Bold	*Ford* : Ford	*Know P* : Knowsley Park	*Penk* : Penketh	*Walt* : Walton (Liverpool)
Bold H : Bold Heath	*Form* : Formby	*Knut* : Knutsford	*Pens* : Pensby	*W'ton* : Walton (Warrington)
Boot : Bootle	*Fran* : Frankby	*L Cro* : Little Crosby Village	*Pic* : Picton	*Warr* : Warrington
Bow P : Bowring Park	*Frod* : Frodsham	*L Nes* : Little Neston	*Plat B* : Platt Bridge	*Wat* : Waterloo
Bri T : Bridge Trafford	*G Grn* : Goose Green	*L Stan* : Little Stanney	*Port S* : Port Sunlight	*W'tree* : Wavertree
Brim : Brimstage	*G'brk* : Glazebrook	*L Sut* : Little Sutton	*Pren* : Prenton	*Wer* : Wervin
Brom : Bromborough	*G'bry* : Glazebury	*Laird I* : Lairdside Technology Pk.	*Pres B* : Preston Brook	*W'brk* : Westbrook
Brom P : Bromborough Pool	*Gars* : Garston	*Latch* : Latchford	*Pres H* : Preston on the Hill	*W Der* : West Derby
Brook : Brookvale	*Gate* : Gateacre	*Lath* : Lathom	*Prin P* : Princes Park	*W'head* : Westhead
Brun B : Brunswick Bus. Pk.	*Gil I* : Gilmoss Ind. Est.	*Led* : Ledsham	*Prsct* : Prescot	*W Kir* : West Kirby
Btnwd : Burtonwood	*Golb* : Golborne	*Lith* : Litherland	*Raby M* : Raby Mere	*West* : Weston
Burs : Burscough	*Golb D* : Golborne Dale	*Liv* : Liverpool	*Rain* : Rainhill	*West P* : Weston Point
Burt : Burton	*Grapp* : Grappenhall	*Liv A* : Liverpool Airport	*Rainf* : Rainford	*Whis* : Whiston
C Grn : Collins Green	*Grass P* : Grassendale Park	*Low H* : Low Hill	*Reg I* : Reginald Road Ind. Est.	*Whitby* : Whitby
C Hills : Clieves Hills	*Grea* : Greasby	*Lwr S* : Lower Stretton	*Risl* : Risley	*White I* : Whitehouse Ind. Est.
C'twn : Churchtown	*Gt Alt* : Great Altcar	*Lwr W* : Lower Whitley	*Rix* : Rixton	*Wid* : Widnes
Cad : Cadishead	*Gt Cro* : Great Crosby	*Lwtn* : Lowton	*Roby* : Roby	*Wig* : Wigan
Cald : Caldy	*Gt San* : Great Sankey	*Lyd* : Lydiate	*Roby M* : Roby Mill	*Will* : Willaston
Call : Callands	*Gt Sut* : Great Sutton	*Lymm* : Lymm	*Run* : Runcorn	*Wim T* : Wimbolds Trafford
Cap : Capenhurst	*H Grn* : Houghton Green	*Mag* : Maghull	*St H* : St Helens	*Win* : Winwick
Cas : Castlefields	*H Legh* : High Legh	*Manl* : Manley	*Sand P* : Sandfield Park	*Win Q* : Winwick Quay
Chap H : Chapel House	*H Walt* : Higher Walton	*Mell* : Melling	*Scar* : Scarisbrick	*Wind* : Windle
Ches : Chester	*H Whit* : Higher Whitley	*Meol* : Meols	*S'frth* : Seaforth	*Wind H* : Windmill Hill
Chil T : Childer Thornton	*Hale V* : Hale Village	*Mere* : Mere	*Seft* : Sefton	*Wins* : Winstanley
Child : Childwall	*Haleb* : Halebank	*Mil B* : Millers Bridge Ind. Est.	*Seft P* : Sefton Park	*Wir* : Wirral
Chor B : Chorlton-by-Backford	*Halew* : Halewood	*Mnr P* : Manor Park	*Sher I* : Sherdley Road Ind. Est.	*W'chu* : Woodchurch
Clay L : Clayhill Light Ind. Pk.	*Hall P* : Hallwood Park	*Moll* : Mollington	*Shir H* : Shirdley Hill	*Wltn* : Woolton
Clftn : Clifton	*Hals* : Halsall	*Moore* : Moore	*S'way* : Southway	*Wolv* : Wolverham
Clo F : Clock Face	*Hals P* : Halsnead Park	*More* : Moreton	*S'wck* : Shotwick	*Wood* : Woodbank
Club : Clubmoor	*Halt* : Halton	*Mos* : Moston	*Sim* : Simonswood	*Wool* : Woolston
Crank : Crank	*Halt B* : Halton Brook	*Moss H* : Mossley Hill	*Skel* : Skelmersdale	
Cress : Cressington	*Halt L* : Halton Lodge	*Murd* : Murdishaw	*South* : Southport	

INDEX

Bk. Sandon St.—Beattock Clo.

Bk. Sandon St. Liv —1B 108 (10L 5)
Bk. Sandown La. Liv —7H 89
Bk. School La. Chap H & Uph —4E 38
Bk. Sea Vw. Wir —1D 102
Bk. Seel St. Liv —7K 87 (8G 4)
Bk. Sir Howard St. Liv —7B 88 (9L 5)
Bk. South Rd. Liv —4E 52
Bk. Stanley Rd. Boot —3J 67
Bk. Towerlands St. Liv —6D 88 (6P 5)
Bk. Virginia St. South —2J 11
Bk. Wellesley Rd. Liv —4C 108
Bk. West Hyde. Lymm —5E 120
Bk. Westminster Rd. Liv —6A 68
Bk. Windsor Vw. Liv —1D 108
Bk. Winstanley Rd. Liv —3E 52
Bk. York Ter. Liv —1A 88
Badbury Clo. Hay —6B 62
Badby Wood. Liv —1D 56
Baden Rd. Liv —4K 89
Bader Clo. Wir —6D 124
Badger Bait. L Nes —5K 157
Badger Clo. Pal —4J 153
Badgers Clo. Gt Sut —4H 169
Badgers Pk. L Nes —5K 157
Badgers Rake. Liv —5G 19
Badgersrake La. L Sut & Led —7J 159
Badger's Set. Wir —3F 123
Badger Way. Pren —1J 125
Badminton St. Liv —5B 108
Baffin Clo. Wir —3E 84
Bagnall Clo. Gt San —3G 117
Bagnall St. Liv —7B 68
Bagot Av. Warr —7K 97
Bagot St. Liv —1F 109
Baguley Av. Wid —4G 133
Bahama Clo. Hay —5B 62
Bahama Rd. Hay —5B 62
Baildon Grn. L Sut —5D 160
Bailey Av. Ell P —5H 161
Bailey Ct. Boot —6A 54
Bailey Dri. Boot —7A 54
Baileys Clo. Wid —3C 114
Bailey's La. Hale V —1K 149
Bailey's La. Halew —1A 132
(in two parts)
Bailey's La. Speke —6E 130
Bailey St. Liv —7K 87 (9H 5)
Bainton Clo. Liv —6E 56
Bainton Rd. Liv —6E 56
Baird Av. Boot —1G 67
Baird St. Warr —2K 117
Baker Dri. Gt Sut —1G 169
Baker Rd. West P —3K 151
Bakers Grn. Rd. Liv —3J 91
Bakers La. South —4B 8
Baker St. Liv —4C 88 (2N 5)
(L6)
Baker St. Liv —5A 92
(L36)
Baker St. St H —3E 74
Baker Way. Liv —4C 88 (3N 5)
Bakewell Clo. Gt Sut —4G 169
Bakewell Gro. Liv —6D 54
Bakewell Rd. Btnwd —7D 76
Bala Clo. Call —5J 97
Bala Gro. Wall —4A 86
Bala St. Liv —1D 88
Balcarres Av. Liv —3H 109
Baldock Clo. Thel —5J 119
Baldwin Av. Liv —7C 90
Baldwin St. Orr —5K 39
Baldwin St. St H —2C 74
Bales, The. Boot —1C 54
Balfe St. Liv —7G 53
Balfour Av. Boot —1H 67
Balfour Rd. Boot —1H 67
Balfour Rd. Pren —3B 106
Balfour Rd. South —3A 12
Balfour Rd. Wall —4A 86
Balfour St. Liv —7B 68
Balfour St. Run —1B 152
Balfour St. St H —3K 73
Balham Clo. Wid —4C 114
Balharry Av. Hay —6D 62
Balker Dri. St H —1B 74
Ballantrae Rd. Liv —5K 109
Ballantyne Dri. Pren —6G 85
Ballantyne Gro. Boot —7A 54
Ballantyne Gro. Liv —7G 69
Ballantyne Pl. Liv —1G 89
Ballantyne Rd. Liv —1G 89
Ballantyne Wlk. Pren —6G 85
Ballard Rd. Wir —5H 103
Ballater Dri. Warr —3E 98
Ball Av. Wall —6A 66
Balliol Clo. Pren —6G 85
Balliol Ct. Boot —4J 67
Balliol Gro. Liv —3B 52
Balliol Rd. Boot —4J 67
Balliol Rd. E. Boot —4K 67
Balliol Way. Ash M —1D 62
Ball o' Ditton. —7K 113
Ball Path. Wid —7B 114
Ball Path Way. Wid —7A 114
Balls Cotts. Ince —1K 51
Ball's Pl. South —1H 11
Ball's Rd. Pren —4B 106
Balls Rd. E. Birk —3C 106
Ball St. St H —2F 75
Balmer St. That H —6K 73
Balmoral Av. Liv —2E 52
Balmoral Av. St H —7E 74
Balmoral Clo. Liv —7C 44
Balmoral Clo. South —4D 8
Balmoral Ct. Liv —2G 89
Balmoral Dri. Hel —7H 165
Balmoral Dri. Liv —2J 29
Balmoral Dri. South —5C 8
Balmoral Gdns. Ell P —1B 170
Balmoral Gdns. Pren —7K 105
Balmoral Rd. Ash M —1E 62
Balmoral Rd. Fair —3E 88
Balmoral Rd. Grapp —6F 119
Balmoral Rd. Wall —5B 66
Balmoral Rd. Walt —7C 54
Balmoral Rd. Wid —4C 114
Balm St. Liv —5D 88
Balniel St. Clo F —4F 95
Balsham Clo. Liv —2G 131
Baltic Rd. Boot —3H 67
Baltic St. Liv —7B 68
Baltimore St. Liv —7A 88 (8J 5)
Bamber Gdns. South —7C 8
Bamboo Clo. Liv —2J 111
Bamburgh Ct. Ell P —1C 170
Bamburgh Pl. Ash M —7E 50
Bamford Clo. Run —3E 152
Bamfurlong. —5K 51
Bampton Av. St H —4D 60
Bampton Rd. Liv —7B 90
Banastre Dri. Newt W —3K 77
Banastre Rd. South —3G 11
Banbury Av. Liv —6G 111
Banbury Dri. Gt San —4G 117
Banbury Rd. Bil —2F 49
Banbury Way. Pren —6J 105
Bancroft Clo. Liv —1G 131
Bancroft Rd. Wid —6F 115
Bandon Clo. Hale V —7D 132
Banff Av. Wir —5K 145
Bangor Clo. Gt Sut —4G 169
Bangor Rd. Wall —1H 85
Bangor's Green. —3F 23
Bangor St. Liv —2J 87
Banham Av. Wig —1A 50
Bank Av. Orr —6F 39
Bankburn Rd. Liv —1G 89
Bank Clo. L Nes —5A 158
Bank Dene. Birk —1G 127
Bankes Av. Orr —5J 39
Bankes La. West & West P —4A 152
(in two parts)
Bankfield. Skel —4J 37
Bankfield Ct. Liv —2H 89
Bankfield La. South —5D 8
Bankfield Rd. Liv —1H 89
Bankfield Rd. Wid —7H 113
Bankfields Dri. Wir —5D 146
Bankfield St. Liv —6H 67
Bank Gdns. Penk —4C 116
Bankhall La. Liv —6J 67
Bankhall St. Liv —6J 67
Bank Heath. —5K 63
Bankhey. L Nes —6K 157
Bank Ho. La. Hel —7J 165
Bankland Rd. Liv —2H 89
Bank La. Mell & Liv —5A 44
Bank M. Hel —7J 165
Bank Nook. South —4A 8
Bank Pace. South —1F 9
Bank Pk. —3A 118
Bank Quay. —4K 117
Bank Quay. Warr —3A 118
Bank Quay Trad. Est. Warr —4K 117
Bank Rd. Boot —3H 67
Banks. —1J 9
Bank's Av. Wir —7F 83
Banksbarn. Skel —4J 37
Banks Cres. Warr —4F 119
Bankside. Liv —6F 29
Bankside. Parb —1H 27
Bankside. Pres B —3C 154
Bankside Av. Ash M —4E 50
Bankside Rd. Birk —1F 127
Bank's La. Gars —5B 130
Banks La. Speke —7D 130
Bank Sq. South —7H 7
Banks Rd. Banks & South —2F 9
Banks Rd. Hes —3B 142
Bank's Rd. Liv —4A 130
Banks Rd. W Kir —6C 102
Banks, The. Wall —7J 65
Bank St. Birk —2E 106
Bank St. G'brk & Golb —2J 101
Bank St. Golb —4K 63
Bank St. Newt W —3D 76
Bank St. St H —3A 74
Bank St. Warr —3B 118
(in two parts)
Bank St. Wid —5C 134
Bank's Way. Liv —5B 130
Bankville Rd. Birk —5D 106
Banner Hey. Whis —6D 92
Bannerman St. Liv —7E 88
Banner St. Liv —1F 109
Banner St. St H —3B 74
Banner Wlk. St H —3A 74
(off Banner St.)
Banning Clo. Birk —1D 106
Banstead Gro. Liv —1K 109
Barbara Av. Liv —6J 55
Barbara St. Clo F —4G 95
Barbauld St. Warr —3B 118
Barberry Clo. Wir —7K 83
Barberry Cres. Boot —1C 54
Barber St. St H —2E 74
Barbondale Clo. Gt San —1D 116
Barbor Grn. Gt San —3E 116
Barbour Dri. Boot —7A 54
Barbrook Way. Liv —3D 68
Barchester Dri. Liv —7E 108
Barclay St. Liv —4B 108
Barcombe Rd. Wir —1H 143
Bardale Gro. Ash M —2E 62
Bardley Cres. Tarb G —1A 112
Bardney Av. Golb —3K 63
Bardon Clo. Liv —3G 111
Bardsay Rd. Liv —5B 68
Bardsey Clo. Ell P —3A 170
Bardsley Av. Warr —5K 97
Bardsley Clo. Uph —4C 38
Barford Clo. Gt San —6F 97
Barford Clo. Pren —2F 105
Barford Clo. Skel —4C 38
Barford Clo. South —3A 14
Barford Grange. Will —3H 159
Barford Rd. Hunts X —3F 131
Barford Rd. Huy —1K 91
Barham Ct. Bchwd —3K 99
Barington Dri. Murd —3C 154
Barkbeth Rd. Liv —2G 91
Barkbeth Wlk. Liv —2G 91
Barkeley Dri. Liv —7F 53
Barker Clo. Liv —7K 91
Barker La. Wir —6A 104
(in three parts)
Barker Rd. Wir —3D 124
Barker's Hollow Rd. Dut & Pres H —4E 154
Barkerville Clo. Liv —7F 69
Barker Way. Liv —2D 88
Barkfield Av. Liv —6J 19
Barkfield La. Liv —6H 19
Barkhill Rd. Liv —7H 109
Barkin Cen., The. Wid —1E 134
Barkis Clo. Liv —3B 108
Bark Rd. Liv —4J 53
Barley Castle Clo. App T —6H 139
Barleycastle La. App —4J 139
Barleycastle Trad. Est. App —5K 139
Barleyfield. Wir —5D 124
Barleymow Clo. Gt Sut —2E 168
Barley Rd. Grapp & Thel —5J 119
Barlow Av. Wir —3G 127
Barlow Gro. St H —4J 75
Barlow La. Liv —6A 68
Barlow's Clo. Liv —5F 55
Barlow's La. Hals —4K 15
Barlow's La. Liv —5F 55
Barlow St. Liv —6A 68
Barmouth Clo. Call —5J 97
Barmouth Rd. Wall —1H 85
Barmouth Way. Liv —1J 87
Barnack Clo. Pad —7G 99
Barnacre Dri. Park —1F 157
Barnacre La. Wir —2A 104
Barnard Dri. Ell P —1C 170
Barnard Rd. Pren —3B 106
Barnard St. Warr —5H 117
Barn Clo. Boot —1C 54
Barn Cft. Hel —7J 165
Barncroft. Nort —2B 154
Barncroft Pl. Liv —6E 40
Barn Cft. Rd. Liv —2A 132
Barncroft, The. Wir —4B 104
Barndale Rd. Liv —4H 109
Barnes Av. Fearn —5H 99
Barnes Clo. Gt San —3E 116
Barnes Clo. Wid —6F 115
Barnes Dri. Liv —7E 32
Barnes Grn. Wir —7G 127
Barnes Rd. Augh —7C 24
Barnes Rd. Skel —2E 36
Barnes Rd. Wid —6E 114
Barnes St. Liv —2C 88
Barneston Rd. Wid —5G 115
Barnet Clo. Liv —7E 88
Barnett Av. Newt W —3C 76
Barnfield Av. Murd —5A 154
Barnfield Clo. Boot —3A 54
Barnfield Clo. Gt Sut —2E 168
Barnfield Clo. Liv —1K 89
Barnfield Clo. Wir —6G 83
Barnfield Dri. Liv —1K 89
Barnfield Dri. Skel —4A 38
Barnfield Rd. Wool —1J 119
Barngill Gro. Wig —1C 50
Barnham Clo. Liv —5F 131
Barnham Dri. Liv —1C 110
Barn Hey. Wir —3C 102
Barn Hey Cres. Wir —7H 83
Barn Hey Grn. Liv —1K 89
Barn Hey Rd. Liv —3E 56
Barnhill Rd. Liv —2J 109
Barnhurst Clo. Liv —1C 110
Barnhurst Rd. Liv —1C 110
Barn La. Btnwd —2D 96
Barn La. Golb —6K 63
Barnmeadow Rd. Liv —3E 110
Barnsbury Rd. Liv —4D 68
Barnsdale Av. Wir —4F 125
Barnside Ct. Liv —1C 110
Barnstaple Way. Penk —4C 116
Barnston. —5G 125
Barnston Av. Ell P —6H 161
Barnston La. Wir —6C 84
Barnston Rd. Hes & Thing —2F 125
Barnston Rd. Liv —6C 54
Barnston Towers Clo. Wir —2G 143
Barnstream Clo. Liv —2G 111
Barn St. Wid —3C 134
Barnswood Clo. Grapp —7J 119
Barn Way. Newt W —3F 77
Barnwell Av. Cul —2K 79
Barnwell Av. Wall —2B 86
Barnwood Rd. Liv —3F 91
Baron Clo. Wool —1K 119
Baroncroft Rd. Liv —4D 110
Baronet Rd. Warr —7K 117
Barons Clo. Cas —1H 153
Barons Clo. Wid —1J 133
Barons Hey. Liv —6D 70
Barracks, The. Hals —1E 22
Barren Gro. Pren —4B 106
Barrett Av. South —6G 11
Barrett Rd. South —6G 11
Barrington Clo. Wins —2B 50
Barrington Dri. South —4B 14
Barrington Rd. Liv —2G 109
Barrington Rd. Wall —4C 86
Barrow Av. Warr —5E 98
Barrow Clo. Liv —5A 70
Barrowfield Rd. Ecc —1G 73
Barrow Hall La. Gt San —1C 116
Barrow La. Golb —4B 78
Barrow La. Hel —7E 172
Barrow Nook. —2J 45
Barrow Nook La. Bic —1J 45
Barrows Cotts. Whis —4E 92
Barrow's Green. —4G 115
Barrows Grn. La. Wid —6G 115
Barrow's Row. Wid —4D 114
Barrow St. Ash M —7H 51
Barrow St. St H —3C 74
Barr St. Liv —6J 67
Barrule Clo. App —2D 138
Barrymore Av. Warr —4F 119
Barrymore Ct. Grapp —7G 119
Barrymore Rd. Grapp —7G 119
Barrymore Rd. Liv —4H 89
Barrymore Rd. Run —3D 152
Barrymore Way. Wir —4H 145
Barry St. Warr —4C 118
Barsbank Clo. Lymm —5E 120
Barsbank La. Lymm —5E 120
Barshaw Gdns. App —6E 138
Bartholomew Clo. Rain —6A 94
Bartlegate Clo. Brook —5K 153
Bartlett St. Liv —1F 109
Barton. —3A 22
Barton Av. Grapp —6G 119
Barton Clo. Liv —3G 53
Barton Clo. Murd —3B 154
Barton Clo. St H —2B 74
Barton Clo. Wir —2B 102
Barton Clough. Bil —7G 49
Barton Hey Dri. Wir —3E 122
Barton Heys Rd. Liv —2H 29
Barton Rd. Liv —2B 68
Barton Rd. Wir —2B 102
Bartons Clo. South —2F 9
Barton St. Pem —6K 39
Barwell Av. St H —7E 60
Basil Clo. Liv —7B 90
Basildon Clo. St H —7A 74
Basil Rd. Liv —7B 90
Basing St. Liv —2A 130
Baskervyle Clo. Wir —4E 142
Baskervyle Rd. Wir —4E 142
Basnett St. Liv —6K 87 (6F 4)
Bassendale Rd. Croft B —7A 128
Bassenthwaite Av. Liv —1B 56
Bassenthwaite Av. Pren —3H 105
Bassenthwaite Av. St H —5C 60
Bassett Gro. Wig —2A 50
Batchelor St. Liv —5J 87 (5E 4)
Bates Cres. St H —6K 73
Bates La. Hel —7K 165
Batey Av. Rain —3H 93
Batherton Clo. Wid —2D 134
Bathgate Way. Liv —6B 44
Bath Springs. Orm —5D 24
Bath Springs Ct. Orm —5D 24
Bath St. Liv —5H 87 (3B 4)
Bath St. St H —3B 74
Bath St. South —7H 7
Bath St. Warr —3A 118
Bath St. Wat —5D 52
Bath St. Wir —4H 127
Bath St. N. South —7H 7
Bathurst Rd. Liv —2K 129
Bathwood Dri. L Nes —6J 157
Batley St. Liv —4J 89
Battenberg St. Liv —5C 88 (5N 5)
Battersby La. Warr —2C 118
Battersea Ct. Wid —5A 114
Battery Clo. Liv —6E 108
Battery La. Wool —2B 120
Battle Way. Liv —1B 30
Baucher Dri. Boot —6A 54
Baumville Dri. Wir —7F 127
Bawtry Ct. Pad —6E 98
Baxter Clo. Murd —3B 154
(in two parts)
Baxters La. St H —6F 75
Baxters La. Ind. Est. St H —6F 75
Baxter St. Warr —3J 117
Baycliffe. Lymm —6G 121
Baycliffe Clo. Beech —5F 153
Baycliff Rd. Liv —6C 70
Bayfield Rd. Liv —2J 129
Bayhorse La. Liv —5B 88 (4K 5)
Baysdale Clo. Liv —4B 108
Bayswater Clo. Run —5D 136
Bayswater Ct. Wall —1H 85
Bayswater Gdns. Wall —7H 65
Bayswater Rd. Wall —1H 85
Baythorne Rd. Liv —4E 68
Baytree Clo. Gt Sut —3H 169
Baytree Clo. South —2F 9
Baytree Rd. Birk —5E 106
Baytree Rd. Wir —6H 103
Bay Vw. Dri. Wall —7H 65
Bayvil Clo. Murd —3C 154
Beacham Rd. South —1A 12
Beach Bank. Liv —3C 52
Beachcroft Rd. Wir —6G 83
Beach Gro. Wall —7C 66
Beach Lawn. Liv —4C 52
Beach M. South —2F 11
Beach Priory Gdns. South —2F 11
Beach Rd. Liv —5G 53
(in two parts)
Beach Rd. South —2F 11
Beach Rd. Wir —2B 102
Beach Wlk. Wir —1D 122
Beacon Ct. Liv —1B 88
Beacon Dri. Wir —6E 102
Beacon Gro. St H —7F 61
Beacon Heights. Uph —3C 38
Beacon Hill Vw. West P —2K 151
Beacon Ho. Liv —3A 88
Beacon La. Dal —4G 27
Beacon La. Liv —1B 88
Beacon La. Wir —2E 142
Beacon Pde. Wir —2E 142
Beacon Pk. —6K 27
Beacon Pk. Public Golf Course. —7K 27
Beacon Rd. Bil —5F 49
Beaconsfield. Prsct —1D 92
Beaconsfield Clo. Birk —5E 106
Beaconsfield Cres. Wid —4C 114
Beaconsfield Gro. Wid —4D 114
Beaconsfield Rd. Dent G —1J 73
Beaconsfield Rd. Run —2A 152
Beaconsfield Rd. S'frth —6F 53
Beaconsfield Rd. South —2B 12
Beaconsfield Rd. Wid —5D 114
Beaconsfield Rd. Wir —2H 127
Beaconsfield Rd. Wltn —5C 110
Beaconsfield St. Liv —2C 108
Beacons, The. Form —7K 19
(off School La.)
Beacons, The. Wir —3E 142
Beacon Vw. Dri. Uph —4D 38
Beadnell Dri. Penk —5C 116
Beaford Clo. Wig —6K 39
Beal Dri. Plat B —2K 51
Beames Clo. Liv —6E 88
Beamish Clo. App —6D 138
Beamont St. Wid —5C 134
Bearncroft. Skel —5J 37
Beasley Clo. Gt Sut —1F 169
Beatles Story, The. —7J 87 (9D 4)
Beatrice Av. Wir —2E 126
Beatrice St. Boot —5K 67
Beatrice St. Warr —5D 118
Beattock Clo. Liv —6B 44

Beatty Av.—Bibby Rd.

Beatty Av. Warr —6C 98
Beatty Clo. Whis —5D 92
Beatty Clo. Wir —3E 122
Beatty Rd. Liv —4J 89
Beatty Rd. South —3A 12
Beauclair Dri. Liv —1K 109
Beaufort. Liv —1A 30
Beaufort Clo. Augh —2J 33
Beaufort Clo. Gt San —3E 116
Beaufort Clo. Run —3D 152
Beaufort Clo. Wid —1G 133
Beaufort Dri. Wall —2J 85
Beaufort Rd. Birk —6K 85
Beaufort St. Liv —2A 108
(Hill St.)
Beaufort St. Liv —3A 108
(Northumberland St.)
Beaufort St. Liv —2A 108
(Stanhope St.)
Beaufort St. St H —5E 74
Beaufort St. Warr —4J 117
Beau La. Liv —3A 88 (2H 5)
Beaumaris Ct. Pren —3B 106
Beaumaris Dri. Ell P —2B 170
Beaumaris Dri. Hes —3F 125
Beaumaris Rd. Wall —1H 85
Beaumaris St. Liv —6H 67
(in two parts)
Beaumont Av. St H —2J 73
Beaumont Cres. Augh —1B 34
Beaumont Dri. Liv —4G 55
Beaumont Gro. Orr —3K 39
Beaumont St. Liv —1D 108 (10P 5)
Beau St. Liv —3A 88 (1H 5)
Beauworth Av. Wir —5A 104
Beaverbrook Av. Cul —2D 80
Beaver Ct. Ash M —6G 51
Beaver Gro. Liv —7C 54
Beavers La. Skel —5K 37
Beavers Way. Skel —5K 37
Bebington. —2H 127
Bebington Rd. Beb —3G 127
Bebington Rd. Birk —6D 106
Bebington Rd. Gt Sut —7F 161
Bebington Rd. New F & Port S —2G 127
(in two parts)
Bebles Rd. Orm —7A 24
Bechers. Wid —5H 113
Bechers Dri. Ain R —3D 54
Bechers Row. Liv —7B 54
Beck Clo. Liv —6K 55
Beckenham Av. Liv —3H 109
Beckenham Rd. Wall —5B 66
Becket St. Liv —6K 67
(in two parts)
Beckett Clo. Liv —5G 57
Beckett Dri. Lymm —7K 101
Beckett Gro. Wir —2D 126
Beck Gro. St H —5D 60
Beck Rd. Boot —1J 67
Beckwith St. Birk —7B 86
Beckwith St. Liv —7J 87 (9F 4)
Beckwith St. E. Birk —1D 106
Becky St. Liv —2D 88
Becontree Rd. Liv —3B 90
Bective St. Liv —7E 88
Bedale Wlk. Liv —1D 56
Bedburn Dri. Liv —4E 90
Bede Clo. Liv —6C 44
Bedford Av. Birk —7E 106
Bedford Av. Liv —6G 43
Bedford Av. Whitby —2J 169
Bedford Av. E. Whitby —2K 169
Bedford Clo. Edg H —7B 88 (9L 5)
Bedford Clo. Huy —4A 92
Bedford Ct. Birk —6F 107
Bedford Dri. Birk —7D 106
Bedford Gro. Cad —1K 101
Bedford Pk. —6H 11
Bedford Pl. Ash M —7E 50
Bedford Pl. Birk —6G 107
Bedford Pl. Boot —5H 67
Bedford Pl. Liv —6F 53
Bedford Rd. Birk —6F 107
Bedford Rd. Boot & Liv —5J 67
Bedford Rd. South —6G 11
Bedford Rd. Wall —1B 86
Bedford Rd. E. Birk —6G 107
Bedford St. Parr I & St H —4F 75
Bedford St. Stock H & Warr —1C 138
Bedford St. N. Liv —6B 88 (7L 5)
Bedford St. S. Liv —7B 88 (10L 5)
(in two parts)
Bedford Wlk. Liv —7B 88 (9L 5)
Beecham Clo. Liv —6H 91
Beech Av. Aig —6C 108
Beech Av. Clo F —3E 94
Beech Av. Cros —6G 41
Beech Av. Cul —3C 80
Beech Av. Ecc P —7F 73
Beech Av. Frod —3E 166
Beech Av. Hay —6D 62
Beech Av. Hes —5E 124
Beech Av. Mell —2J 55
Beech Av. Parb —1J 27
Beech Av. Penk —5A 116
Beech Av. Thel —5K 119
Beech Av. Upt —2B 104
Beechbank Rd. Liv —3G 109
Beechburn Cres. Liv —4F 91
Beechburn Rd. Liv —4E 90
Beech Clo. Kirkby —2A 56
Beech Clo. Newt W —4G 77
Beech Clo. Skel —2E 36
Beech Clo. W Der —3B 70
Beech Ct. Birk —4D 106
Beech Ct. Cul —5B 80
Beech Ct. Liv —5A 110
Beechcroft. Liv —3E 42
Beechcroft Dri. Whitby —1K 169
Beechcroft Rd. Wall —5C 86
Beechdale Rd. Liv —4J 109
Beechdene Rd. Liv —7D 68
Beech Dri. Liv —6H 19
Beeches, The. Birk —7F 107
Beeches, The. Hel —7J 165
Beeches, The. Liv —3B 110
Beeches, The. Wir —4C 84
Beechfield. Liv —3G 43
Beechfield Clo. Wir —3E 142
Beechfield Gdns. South —2F 11
Beechfield M. South —1H 11
Beechfield Rd. Ell P —6K 161
Beechfield Rd. Grapp —6G 119
Beechfield Rd. Liv —4B 110
Beech Gdns. Rainf —5E 46
Beech Grn. Liv —6J 69
Beech Gro. Boot —3C 54
Beech Gro. Lymm —6D 120
Beech Gro. Padd —1G 119
Beech Gro. S'frth —7F 53
Beech Gro. South —1A 12
Beech Gro. Walt —7D 54
Beech Gro. Warr —5D 118
Beech Gro. Whitby —4J 169
Beech Hey La. Will —2H 159
Beechill Clo. Liv —4G 111
Beech La. Liv —3A 110
Beech Lawn. Liv —2H 129
Beech Lodge. Pren —3H 105
Beech Mdw. Orm —6E 24
Beech Meadows. Prsct —2A 92
Beechmill Dri. Cul —3K 79
Beechmore. Moore —4F 137
Beech Mt. Liv —5E 88
Beech Pk. Cros —6F 41
Beech Pk. W Der —1J 89
Beech Rd. Augh —5J 33
Beech Rd. Beb —2F 127
Beech Rd. Birk —4C 106
Beech Rd. Hes —2G 143
Beech Rd. Huy —6J 91
Beech Rd. Run —2E 152
Beech Rd. Stock H —1C 138
Beech Rd. Sut W —6K 153
Beech Rd. Walt —4C 68
Beech St. Ash M —6E 50
Beech St. Boot —2J 67
Beech St. Liv —5E 88
Beech St. St H —6K 73
Beech Ter. Liv —5E 88
Beech Ter. Wid —5C 134
Beechtree Farm Clo. Knut —2K 141
Beech Tree Houses. Bam —6J 51
Beechtree La. Lymm —2K 141
Beechtree Rd. Liv —6K 89
Beechtrees. Skel —4J 37
Beechurst Clo. Liv —3F 111
Beechurst Rd. Liv —3F 111
Beech Wlk. Wins —2A 50
Beechwalk, The. Liv —3K 89
Beechway. Liv —2K 43
Beechway. Wir —6F 127
Beechway Av. Liv —2K 43
Beechways. App —3D 138
Beechways Dri. Nest —4H 157
Beechwood. —5F 153
(nr. Runcorn)
Beechwood. —7G 85
(nr. Wallasey)
Beechwood. Skel —7J 27
Beechwood Av. Ash M —3E 62
Beechwood Av. Beech —4E 152
Beechwood Av. Gt San —3D 116
Beechwood Av. Liv —2J 131
Beechwood Av. Newt W —2H 77
Beechwood Av. Pad —1E 118
Beechwood Av. Wall —2J 85
Beechwood Clo. Clo F —3E 94
Beechwood Clo. Liv —2H 129
Beechwood Ct. Liv —3G 43
Beechwood Ct. Skel —5K 37
Beechwood Ct. Wir —7F 105
Beechwood Cres. Orr —5G 39
Beechwood Dri. Gt Sut —3F 169
Beechwood Dri. Liv —2G 29
Beechwood Dri. Orm —5B 24
Beechwood Dri. Pren —1G 105
Beechwood Gdns. Liv —2H 129
Beechwood Grn. Liv —2J 129
Beechwood Gro. Prsct —3E 92
Beechwood La. Cul —2K 79
Beechwood Rd. Cress —2H 129
Beechwood Rd. Lith —7H 53
Beechwood Rd. Wir —2J 145
Beecroft Clo. Old H —6H 97
Beesands Clo. Liv —4K 111
Beesley Rd. Prsct —1C 92
Beeston Clo. Bchwd —3K 99
Beeston Clo. Pren —2G 105
Beeston Ct. Mnr P —5A 136
Beeston Dri. Boot —7D 42
Beeston Dri. Wir —5D 124
Beeston Grn. Gt Sut —6G 161
Beeston Gro. Liv —2J 129
Beeston St. Liv —5A 68
Begonia Gdns. St H —7J 75
Beilby Rd. Hay —6D 62
Beldale Pk. Liv —1K 55
Beldon Cres. Liv —4F 91
Belem Clo. Liv —3E 108
Belem Tower. Liv —3D 108
Belfast Rd. Liv —4K 89
Belfield. Skel —5K 37
Belfield Cres. Liv —6J 91
Belfield Dri. Pren —5B 106
Belford Dri. Wir —7K 83
Belfort Rd. Liv —4F 111
Belfry Clo. Liv —1C 90
Belfry Clo. Wir —6K 83
Belgrave Av. Pad —7F 99
Belgrave Av. Wall —3C 86
Belgrave Clo. Wid —5G 115
Belgrave Clo. Wig —1B 50
Belgrave Dri. Ell P —6H 161
Belgrave Pl. South —5F 11
Belgrave Rd. Aig —5D 108
Belgrave Rd. S'frth —6F 53
Belgrave Rd. South —5F 11
Belgrave St. Wall —2B 86
Belgravia Ct. Wid —5B 114
Belhaven Rd. Liv —3H 109
Bellair Av. Liv —1G 53
Bellairs Rd. Liv —6G 69
Bellamy Rd. Liv —4A 68
Bell Clo. Liv —7K 91
Belldene Gro. Wir —7D 124
Bellefield Av. Liv —1K 89
Bellemonte Pk. Frod —5D 166
Bellemonte Rd. Frod —5D 166
Bellemonte Vw. Frod —5E 166
Belle Va. Rd. Liv —4F 111
Belle Va. Shop. Cen. Liv —2F 111
Belle Vale Swimming Pool. —3G 111
Belle Vw. Rd. Wall —5D 86
Belle Vue Rd. Liv —4F 111
Bellew Rd. Liv —7H 69
Bellfield Cres. Wall —6A 66
Bellgreen Rd. Liv —4J 69
Bellhouse La. Grapp —7J 119
Bellhouse La. H Walt —2H 137
Bell Ho. Rd. Wid —7E 114
Bellingham Dri. Run —2C 152
Bellini Clo. Liv —7G 53
Bellis Av. South —5B 8
Bellis Gro. Liv —7B 44
Bell La. Orr —3K 39
Bell La. Rain & Sut M —5C 94
Bell La. Thel —4A 120
Bellmore St. Liv —2K 129
Bell Rd. Wall —4D 86
Bell's Clo. Liv —7D 32
Bellsfield Clo. Lymm —4J 121
(Bucklow Gdns.)
Bellsfield Clo. Lymm —6H 121
(Higher La.)
Bells La. Liv —1C 42
Bell St. Liv —4J 89
Bell, The. —4K 39
Bellward Clo. Wir —7F 127
Belmont. Birk —3C 106
Belmont Av. Bil —1F 49
Belmont Av. Warr —5F 119
Belmont Av. Wir —1J 145
Belmont Cres. Gt San —2D 116
Belmont Dri. Liv —2E 88
Belmont Dri. Wir —6E 124
Belmont Gro. Liv —2D 88
Belmont Gro. Pren —3C 106
Belmont Pl. Liv —3A 130
Belmont Rd. Liv —2D 88
Belmont Rd. Wall —5B 66
Belmont Rd. Wid —6F 115
Belmont Rd. Wir —5D 102
Belmont St. Orr —5K 39
Belmont St. St H —3K 73
Belmont St. South —2G 11
Belmont Vw. Liv —2E 88
(off Bk. Belmont Rd.)
Beloe St. Liv —4B 108
Belper St. Liv —3K 129
Belsford Way. Liv —5F 131
Belston Rd. Liv —7A 90
Belton Rd. Liv —1H 91
(in two parts)
Belvedere Av. Sut L —1F 95
Belvedere Clo. Frod —2E 166
Belvedere Clo. Prsct —7E 72
Belvedere Ct. Wir —7E 104
(off Childwall Grn.)
Belvedere Dri. Liv —2K 29
Belvedere Pk. Augh —4A 34
Belvedere Rd. Ash M —1G 63
Belvedere Rd. Newt W —2F 77
Belvedere Rd. South —4C 14
Belvidere Pk. Liv —2E 52
Belvidere Rd. Cros —2D 52
Belvidere Rd. Prin P —3C 108
Belvidere Rd. Wall —1K 85
Belvoir Rd. Liv —1A 130
Belvoir Rd. W'ton —1B 138
Belvoir Rd. Wid —7D 114
Bembridge Clo. Gt San —1A 116
Bembridge Clo. Wid —4B 114
Bembridge Ct. Wins —2C 50
Bempton Rd. Liv —6D 108
Benbow St. Boot —4H 67
Bendee Av. L Nes —4A 158
Bendee Rd. L Nes —4K 157
Benedict Ct. Boot —5K 67
Benedict St. Boot —5K 67
Bengarth Rd. South —7B 8
Bengel St. Liv —5C 88 (5M 5)
Benjamin Fold. Ash M —7F 51
Ben La. Bic —3K 45
Benledi St. Liv —2K 87
Benmore Rd. Liv —6J 109
Bennet's La. Wir —5G 83
Bennett Av. Warr —2E 118
Bennett Clo. Will —3G 159
Bennett Dri. Orr —7F 39
Bennetts Hill. Pren —4B 106
Bennetts La. Wid —7G 115
Bennett St. Liv —3A 130
Bennett St. Warr —3B 118
Bennett Wlk. Wir —6D 124
Ben Nevis Dri. L Sut —5B 160
Ben Nevis Rd. Birk —6D 106
Bennison Dri. Liv —2J 129
Benson Clo. Wir —4D 104
Benson Rd. Bchwd —4K 99
Benson St. Liv —6A 88 (7H 5)
Bentfield. Liv —1G 129
Bentfield Clo. Wir —2D 126
Bentfield Gdns. Wir —2D 126
Bentham Av. Warr —4C 98
Bentham Clo. Pren —5J 105
Bentham Dri. Liv —7B 90
Bentham Rd. Cul —4C 80
Bentham St. South —3H 11
Bentham's Way. South —6H 11
Bentinck Clo. Birk —2C 106
Bentinck Pl. Birk —2C 106
Bentinck St. Birk —2C 106
Bentinck St. Liv —2H 87
Bentinck St. Run —6B 134
Bentinck St. St H —5F 75
Bentinck St. Wig —1C 50
Bent La. Cul —4C 80
Bentley Rd. Liv —2D 108
Bentley Rd. Pren —4B 106
Bentley Rd. Wir —4D 124
Bentley St. Clo F —3E 94
Benton Clo. Liv —1K 87
Bent Way. Wir —1E 142
Benty Clo. Wir —5E 126
Benty Farm Gro. Wir —4E 124
Benty Heath La. Will —7E 144
Benwick Rd. Liv —3K 55
Berbice Rd. Liv —2J 109
Beresford Av. Wir —2G 127
Beresford Clo. Pren —3A 106
Beresford Dri. South —6B 8
Beresford Gdns. South —5B 8
Beresford Rd. Liv —4B 108
Beresford Rd. Pren —3K 105
Beresford Rd. Wall —7K 65
Beresford St. Boot —5H 67
Beresford St. Liv —3A 88 (1J 5)
Beresford St. St H —7A 74
Beresford St. Warr —1E 118
Bergen Clo. Boot —4A 68
Berkeley Av. Pren —7K 105
Berkeley Av. Wig —2B 50
Berkeley Ct. Mnr P —5B 136
Berkeley Ct. Wir —7E 104
(off Childwall Grn.)
Berkeley Dri. Wall —7C 66
Berkeley Rd. Cros —7C 40
Berkeswell Rd. Liv —5J 69
Berkley Av. W Der —6B 70
Berkley St. Liv —1B 108 (10K 5)
Berkshire Dri. Wool —1K 119
Berkshire Gdns. St H —4A 74
Bermuda Rd. Wir —6A 84
Bernard Av. App —1D 138
Bernard Av. Wall —7C 66
Bernard Wood Ct. Bil —1F 49
Berner's Rd. Liv —2K 129
Berner St. Birk —7D 86
Berrington Av. Liv —6D 110
Berrington Gro. Ash M —2E 62
Berringtons La. Rainf —3H 59
Berry Clo. Gt Sut —1E 168
Berry Clo. Skel —1F 37
Berry Dri. Gt Sut —7E 160
Berry Hill Av. Know —3G 71
Berrylands Clo. Wir —6B 84
Berrylands Rd. Wir —5B 84
Berry Rd. Wid —7K 113
Berrys La. St H —5H 75
Berry St. Boot —3H 67
Berry St. Liv —7A 88 (9H 5)
Berry St. Skel —1F 37
Berry St. Ind. Est. Boot —3H 67
Berrywood Dri. Whis —5F 93
Bertha Gdns. Birk —7K 85
Bertha St. Birk —7K 85
Bertram Dri. Wir —7E 82
Bertram Dri. N. Wir —7F 83
Bertram Rd. Liv —4E 108
Bertram St. Newt W —3E 76
Berwick Av. South —3C 14
Berwick Av. Wir —6A 146
Berwick Clo. Liv —3D 88
Berwick Clo. Pren —2G 105
Berwick Clo. Wir —7K 83
Berwick Clo. Wool —2A 120
Berwick Dri. Liv —7C 40
Berwick Gdns. L Sut —5D 160
Berwick Gro. L Sut —5D 160
Berwick Rd. L Sut —5B 160
Berwick St. Liv —3D 88
Berwyn Av. Hoy —1E 102
Berwyn Av. Thing —3E 124
Berwyn Boulevd. Wir —1E 126
Berwyn Clo. L Sut —5C 160
Berwyn Ct. South —4K 11
Berwyn Dri. Wir —7E 124
Berwyn Gro. St H —3H 75
Berwyn Rd. Liv —6E 68
Berwyn Rd. Wall —2C 86
Beryl Rd. Pren —3G 105
Beryl St. Liv —6J 89
Beryl Wlk. Liv —6K 55
Bescar. —2J 17
Bescar Brow La. Scar —2G 17
Bescar La. Scar —2J 17
Besford Ho. Liv —3F 111
Besford Rd. Liv —3F 111
Bessborough Rd. Pren —4B 106
Bessbrook Rd. Liv —6F 109
Bessemer St. Liv —4B 108
Beta Clo. Wir —2G 127
Betchworth Cres. Beech —4F 153
Bethany Clo. Hay —6J 61
Bethany Cres. Wir —4F 127
Betjeman Clo. Warr —4F 119
Betjeman Gro. Liv —7C 90
Betony Clo. Liv —7J 111
Betsyfield Dri. Croft —7G 79
Bettisfield Av. Wir —5K 145
Betula Clo. Liv —2D 68
Beulah Av. Bil —1F 61
Bevan Clo. Gt San —2H 117
Bevan Clo. That H —1K 93
Bevan's La. Liv —7A 70
Beverley Av. App —1D 138
Beverley Av. Bil —3G 49
Beverley Clo. South —2E 8
Beverley Dri. Wir —4F 143
Beverley Gdns. Wir —3F 125
Beverley Rd. Gt San —2G 117
Beverley Rd. Liv —2J 109
Beverley Rd. Wall —1K 85
Beverley Rd. Wig —3K 39
Beverley Rd. Wir —1H 127
Beverley Way. L Sut —4D 160
Beversbrook Rd. Liv —4K 69
Bevin Av. Cul —2D 80
Bevington Bush. Liv —4K 87 (2F 4)
Bevington Hill. Liv —3K 87 (1F 4)
Bevington St. Ash M —7D 50
Bevington St. Liv —3K 87 (1F 4)
Bevyl Rd. Park —1F 157
Bewcastle Dri. W'head —7F 25
Bewey Clo. Liv —4A 108
Bewley Dri. Liv —4B 56
Bewsey. —1K 117
Bewsey Farm Clo. Bew —7H 97
Bewsey Ind. Est. Warr —1A 118
Bewsey Old Hall. —7J 97
Bewsey Pk. Clo. Warr —1K 117
Bewsey Recreation Cen. —1J 117
Bewsey Rd. Warr —1K 117
Bewsey St. St H —5K 73
Bewsey St. Warr —2A 118
Bexhill Av. Warr —3B 98
(in two parts)
Bexhill Clo. Speke —5F 131
Bianca St. Boot —5J 67
Bibby Av. Warr —2E 118
Bibby Rd. South —5C 8

Boston Av.—Bristol Av.

Boston Av. Run —2D 152
Boston Clo. Cul —2B 80
Boswell Av. Warr —6B 118
Boswell Pl. Wig —1D 50
Boswell Rd. Pren —7K 105
Boswell St. Boot —1G 67
Boswell St. Liv —1D 108
Bosworth Clo. Wir —7F 127
Bosworth Dri. South —5B 14
Bosworth Rd. St H —7E 60
Botanic Gardens & Mus. —5D 8 (Churchtown)
Botanic Gro. Liv —6E 88
Botanic Pl. Liv —5E 88
Botanic Rd. Liv —5E 88
Botanic Rd. South —6C 8
Botany Rd. Liv —4G 131
Boteler Av. Warr —1K 117
Botley Clo. Wir —3B 104
Boulevard. Liv —3E 88
Boulevard, The. Gt Sut —6H 161
Boulevard, The. Liv —2C 108 (L8)
Boulevard, The. Liv —6K 69 (L12)
Boulting Av. Warr —5K 97
Boulton Av. New F —1H 127
Boulton Av. W Kir —4D 102
Boundary Dri. Cros —6D 40
Boundary Dri. Hunts X —2H 131
Boundary Farm Rd. Liv —3H 131
Boundary La. Eve —3C 88 (1P 5)
Boundary La. Kirkby —3J 57
Boundary La. Wir —2E 142
Boundary Pk. Park —4H 157
Boundary Rd. Huy —7A 92
Boundary Rd. Lith —3K 53 (in two parts)
Boundary Rd. Port S —2H 127
Boundary Rd. Pren —6H 85
Boundary Rd. St H —3A 74
Boundary Rd. W Kir —1F 123
Boundary St. Liv —1H 87
Boundary St. South —4H 11
Boundary St. Warr —1E 118
Boundary St. E. Liv —1K 87
Boundary Wlk. Liv —7A 92
Bourne Gdns. St H —5E 74
Bournemouth Clo. Murd —4B 154
Bourne St. Liv —4D 88 (2P 5)
Bourton Rd. Liv —2F 131
Bousfield St. Liv —7A 68
Boverton Clo. Call —6J 97
Bowden Clo. Cul —2B 80
Bowden Clo. Liv —4C 70
Bowden Rd. Liv —3K 129
Bowden St. Liv —7H 53
Bowdon Clo. Ecc —4H 73
Bowdon Clo. Pad —7F 99
Bowdon Rd. Wall —1A 86
Bowen Clo. Wid —4K 113
Bower Cres. Stre —7D 138
Bower Gro. Liv —6F 53
Bower Ho. Wir —1D 104
Bower Rd. Huy —3J 91
Bower Rd. Wir —3G 143
Bower Rd. Wltn —4E 110
Bowers Bus. Pk. Wid —2D 134
Bowers Pk. Ind. Est. Wid —2E 134
Bower St. Wid —7E 114
Bowfell Clo. Wir —7K 145
Bowfield Rd. Liv —2K 129
Bowgreen Clo. Pren —1G 105
Bowker's Green. —6B 34
Bowker's Grn. La. Augh & Bic —6B 34
Bowland Av. Ash M —1F 63
Bowland Av. Liv —6B 90
Bowland Av. Sut M —4D 94
Bowland Clo. Beech —5G 153
Bowland Clo. Bchwd —2D 100
Bowland Clo. Wir —1J 145
Bowland Ct. South —7J 7 (off Gordon St.)
Bowland Dri. Liv —1H 53
Bowles St. Boot —7G 53
Bowley Rd. Liv —2H 89
Bowling Grn. Clo. South —3B 12
Bowman Av. Warr —3G 119
Bowness Av. Pren —6A 106
Bowness Av. St H —5D 60
Bowness Av. South —6C 14
Bowness Av. Warr —5C 98
Bowness Av. Wir —5J 145
Bowood Ct. Win Q —3A 98
Bowood St. Liv —5B 108
Bowring Dri. Park —2F 157
Bowring Golf Course. —6F 91
Bowring Park. —6E 90
Bowring Pk. Av. Liv —6E 90
Bowring Pk. Rd. Liv —6C 90
Bowring St. Liv —4B 108
Bowscale Clo. Wir —3C 104
Bowscale Rd. Liv —5J 69
Boxdale Ct. Liv —4J 109
Boxdale Rd. Liv —4J 109
Boxgrove Clo. Wid —5D 114
Boxmoor Rd. Liv —6J 109
Boxtree Clo. Liv —2D 70
Boxwood Clo. Liv —5G 91
Boycott St. Liv —1C 88
Boyd Clo. Wir —4F 85
Boydell Av. Grapp —6H 119
Boydell Av. Warr —4F 119
Boydell Clo. Liv —7F 71
Boyer Av. Liv —5F 43
Boyes Brow. Liv —1B 56
Boyle Av. Warr —6E 98
Boyton Ct. Liv —7E 88
Brabant Rd. Liv —7G 109
Braby Rd. Liv —7J 53
Bracebridge Dri. South —6B 12
Bracewell Clo. St H —1E 94
Bracken Clo. Bchwd —2J 99
Bracken Ct. Clo F —3E 94
Brackendale. Elton —1B 172
Brackendale. Halt B —2F 153
Brackendale. Wir —5G 105
Brackendale Av. Liv —6D 54
Bracken Dri. Wir —6G 103
Brackenhurst Dri. Wall —7C 66
Brackenhurst Grn. Liv —3C 56
Bracken La. Wir —4D 126
Bracken Rd. Gt Sut —7G 161
Brackenside. Wir —7D 124
Brackenway. Form —4A 20
Bracken Way. Frod —5E 166
Bracken Way. W Der —2J 89
Bracken Wood. Liv —2C 70
Brackenwood Golf Course. —5D 126
Brackenwood Gro. Whis —4F 93
Brackenwood M. Grapp —7J 119
Brackenwood Rd. Wir —6E 126
Brackley Av. Boot —2H 67
Brackley Clo. Boot —2H 67
Brackley Clo. Run —6B 134
Brackley Clo. Wall —4A 86
Brackley St. Run —6B 134
Brackley St. Stock H —7C 118
Bracknell Av. Liv —4B 56
Bracknell Clo. Liv —4B 56
Bracknell Way. Augh —2J 33
Bradbourne Clo. Liv —3C 70
Bradda Clo. Wir —1D 104
Braddan Av. Liv —2G 89
Bradden Clo. Wir —7H 127
Brade St. South —3E 8
Bradewell Clo. Liv —6A 68
Bradewell St. Liv —6A 68
Bradfield Av. Liv —2E 54
Bradfield St. Liv —5E 88
Bradgate Clo. Wir —6K 83
Bradkirk Ct. Boot —7K 41
Bradlegh Rd. Newt W —5F 77
Bradley. —4G 167
Bradley Boulevd. Gt San —2F 117
Bradley Fold. Liv —7B 92
Bradley La. Frod —5F 167
Bradley La. Newt W —4D 76
Bradley Rd. Liv —4H 53
Bradley St. South —7J 7
Bradley Way. Wid —7D 114
Bradman Rd. Know I —2G 57
Bradman Rd. Wir —6A 84
Bradmoor Rd. Wir —2K 145
Bradshaw Clo. St H —2K 73
Bradshaw La. Grapp —5H 119
Bradshaw La. Parb —1J 27
Bradshaw Pl. Liv —4C 88 (3M 5)
Bradshaw's La. South —3D 14
Bradshaw St. Orr —5J 39
Bradshaw St. Wid —6C 114
Bradshaw Wlk. Boot —2H 67
Bradstone Clo. Liv —7K 55
Bradville Rd. Liv —6E 54
Bradwall Clo. Whitby —7J 161
Bradwell Clo. Wir —6F 103
Braehaven Rd. Wall —7C 66
Braemar Av. South —5B 8
Braemar Clo. Fearn —4G 99
Braemar Clo. Whis —4F 93
Braemar Ct. Ell P —1C 170
Braemar St. Liv —5K 67
Braemore Clo. Wig —2A 50
Braemore Rd. Wall —3K 85
Braeside Clo. Gt Sut —6E 160
Braeside Cres. Bil —7F 49
Braeside Gdns. Wir —3D 104
Brae St. Liv —5D 88
Brahms Clo. Liv —2D 108
Braid St. Birk —7D 86
Brainerd St. Liv —2G 89
Braithwaite Clo. Beech —4F 153
Braithwaite Clo. Rain —4J 93
Bramberton Pl. Liv —5E 68
Bramberton Rd. Liv —5E 68
Bramble Av. Birk —7K 85
Bramble Clo. Penk —5C 116
Brambles, The. Ash M —7B 50
Bramble Way. Padd M —6G 153
Bramble Way. Parb —1J 27
Bramble Way. Wir —5B 84
Bramblewood Clo. N'ley —3J 111
Bramblewood Clo. Pren —4H 105
Brambling Clo. Beech —5H 153
Brambling Pk. Liv —7J 111
Bramcote Av. St H —7E 60
Bramcote Clo. Liv —1E 56
Bramcote Rd. Liv —1D 56
Bramcote Wlk. Liv —1D 56
Bramerton Ct. Wir —5C 102
Bramford Clo. Wir —3C 104
Bramhall Clo. Wir —7F 103
Bramhall Dri. Wir —7B 146
Bramhall Rd. Liv —5E 52
Bramhall Rd. Skel —1F 37
Bramhall St. Warr —4J 117
Bramhill Clo. Liv —7J 131
Bramley Av. Wir —2E 126
Bramley Clo. Gt Sut —4H 169
Bramley Clo. Liv —3H 111
Bramleys, The. Liv —5E 42
Bramley Wlk. Hel —3G 173
Bramley Wlk. Liv —7H 131
Bramley Way. Liv —2A 56
Brampton Clo. Plat B —3K 51
Brampton Ct. St H —3K 75
Brampton Dri. Liv —7C 88 (9M 5)
Bramshill Clo. Bchwd —1C 100
Bramwell Av. Pren —7A 106
Bramwell St. St H —2G 75
Brancepeth Ct. Ell P —1B 170
Branch Way. Hay —7B 62
Brancker Av. Rain —3H 93
Brancote Ct. Pren —2J 105
Brancote Gdns. Wir —3K 145
Brancote Mt. Pren —2K 105
Brancote Rd. Pren —2K 105
Brandearth Hey. Liv —7F 71
Brandon. Wid —6G 113
Brandon Clo. Uph —4C 38
Brandon St. Birk —2F 107
Brandreth Clo. Rain —4J 93
Brandwood Av. Warr —5B 98
Brandwood Ho. Warr —3C 118
Branfield Clo. Liv —2C 70
Bransdale Clo. Gt San —1C 116
Bransdale Dri. Ash M —2H 63
Bransfield Clo. Wig —1E 50
Bransford Clo. Ash M —3G 63
Branstree Av. Liv —4H 69
Bran St. Liv —3A 108
Brantfield Ct. Warr —5E 98
Branthwaite Clo. Liv —5J 69
Branthwaite Cres. Liv —4J 69
Branthwaite Gro. Liv —5J 69
Brasenose Rd. Boot & Liv —4H 67
Brassey St. Birk —7A 86
Brassey St. Liv —2A 108
Brathay Clo. Warr —4B 98
Brattan Rd. Birk —4C 106
Bratton Clo. Wig —3A 50
Braunton Rd. Liv —7G 109
Braunton Rd. Wall —1A 86
Braybrooke Rd. Liv —3H 69
Bray Clo. Beech —4F 153
Braydon Clo. Liv —3G 131
Brayfield Rd. Liv —5F 69
Bray Rd. Liv —5F 131
Bray St. Birk —7B 86
Brechin Rd. Liv —3D 56
Breckfield Pl. Liv —2B 88
Breckfield Rd. N. Liv —1B 88
Breckfield Rd. S. Liv —2C 88
Breck Pl. Wall —4A 86
Breck Rd. Eve & Anf —3B 88 (1L 5)
Breck Rd. Wall —3K 85
Breck Rd. Wid —7D 114
Breckside Av. Wall —3J 85
Breckside Pk. Liv —1E 88
Breck, The. Ell P —4G 161
Brecon Av. Boot —4B 54
Brecon Ct. Call —5J 97
Brecon Dri. Gt Sut —3G 169
Brecon Rd. Birk —7C 106
Brecon Wlk. Boot —4C 54
Bredon Clo. L Sut —5C 160
Bredon Ct. Liv —6J 19
Breeze Clo. Liv —3B 68
Breeze Hill. Boot & Liv —3K 67
Breezehill Clo. Nest —3J 157
Breezehill Pk. Nest —3K 157
Breezehill Rd. Nest —3K 157
Breeze La. Liv —3B 68
Breeze Rd. South —6E 10
Brelade Rd. Liv —3H 89
Bremhill Rd. Liv —3H 69
Bremner Clo. Liv —6E 88
Brenda Cres. Thor —5G 41
Brendale Av. Liv —4E 42
Brendan's Way. Boot —2A 54
Brendon Av. Liv —4G 53
Brendon Av. Warr —4A 98
Brendon Gro. St H —2J 75
Brendor Rd. Liv —7F 111
Brenig St. Birk —6K 85
Brenka Av. Liv —4D 54
Brentfield. Wid —6K 113
Brentnall Clo. Gt San —3G 117
Brent Way. Liv —3K 131 (in two parts)
Brentwood Av. Aig —5E 108
Brentwood Av. Cros —7F 41
Brentwood Clo. Ecc —3H 73
Brentwood Clo. Liv —7F 29
Brentwood Ct. South —7K 7
Brentwood Ct. Wir —6E 104 (off Childwall Grn.)
Brentwood St. Wall —4C 86
Brereton Av. Liv —1J 109
Brereton Av. Wir —3G 127
Brereton Clo. Cas —2J 153 (in two parts)
Bretherton Pl. Rain —3J 93
Bretherton Rd. Prsct —1E 92
Bretlands Rd. Liv —6H 41
Bretton Fold. South —3B 12
Brett St. Birk —7B 86
Brewery La. Form —4K 19
Brewery La. Mell —1G 55
Brewster St. Liv & Boot —5A 68
Brian Av. Stock H —7E 118
Brian Av. Warr —7D 98
Brian Av. Wir —3D 124
Brian Cummings Ct. Liv —7H 53
Briar Av. Rix —5K 101
Briar Clo. Ash M —1E 62
Briardale Gdns. L Sut —5E 160
Briardale Rd. Beb —2F 127
Briardale Rd. Birk —4C 106
Briardale Rd. L Sut —5E 160
Briardale Rd. Liv —3H 109
Briardale Rd. Wall —5E 86
Briardale Rd. Will —2G 159
Briar Dri. Liv —5H 91
Briar Dri. Wir —2E 142
Briarfield Av. Wid —7G 113
Briarfield Rd. Ell P —6K 161
Briarfield Rd. Hes —2F 143
Briar Rd. South —5D 14
Briars Clo. Rain —6K 93
Briars Grn. St H —1B 74
Briars Grn. Skel —6H 27
Briars La. Liv —3G 43
Briars, The. South —7F 11
Briar St. Liv —7K 67
Briarswood Clo. Birk —1F 127
Briarswood Clo. Whis —4F 93
Briarwood. Nort —2A 154
Briarwood Av. Warr —1E 118
Briarwood Rd. Liv —5G 109
Briary Clo. Wir —1F 143
Briary Cft. Liv —6F 29
Brickcroft. Wig —5K 39
Brickfields. Liv —6A 92
Brickhurst Way. Wool —7H 99
Brickmakers Arms Yd. Orm —4B 24 (off Asmall La.)
Brick St. Liv —1K 107 (10G 4)
Brick St. Newt W —3D 76
Brick St. Warr —3C 118
Brickwall Grn. Liv —5B 42
Brickwall La. Liv —7K 41
Bride St. Liv —4B 68
Bridge Av. Orm —5C 24
Bridge Av. Warr —4F 119
Bridge Av. E. Warr —3F 119
Bridge Clo. Lymm —5K 121
Bridge Ct. Boot —1K 53
Bridge Ct. Nest —4J 157
Bridge Ct. Wir —5C 102
Bridge Cft. Liv —2J 53
Bridgecroft Rd. Wall —1B 86
Bridge Farm Clo. Wir —4F 105
Bridge Farm Dri. Liv —2H 43
Bridgefield Clo. Liv —1F 111
Bridgefield Forum Leisure Cen. —6A 112
Bridge Foot. Warr —4B 118
Bridgeford Av. Liv —7J 69
Bridge Gdns. Liv —6D 70
Bridge Gro. South —2H 11
Bridgehall Dri. Uph —4D 38
Bridge Ind. Est. Liv —4F 131
Bridge La. App —1E 138
Bridge La. Boot —2A 54
Bridge La. Frod —2E 166
Bridge La. Wool —2J 119
Bridgeman St. St H —3K 73 (in two parts)
Bridgeman St. Warr —4H 117
Bridge Mdw. Gt Sut —2H 169
Bridgend Clo. Wid —5K 113
Bridgend Dri. South —5B 14
Bridgenorth Rd. Wir —5C 124
Bridge Rd. Clo F —5F 95
Bridge Rd. Cros —2C 52
Bridge Rd. Edg H —7E 88
Bridge Rd. Huy —5G 91
Bridge Rd. Lith —6H 53
Bridge Rd. Mag —5F 43
Bridge Rd. Moss H —5J 109
Bridge Rd. Prsct —2D 92
Bridge Rd. Wir —5C 102
Bridge Rd. Wool —1J 119
Bridgeside Dri. Hel —7H 165
Bridges La. Liv —5B 42
Bridges Rd. Ell P —6D 162
Bridge St. Birk —1E 106 (in two parts)
Bridge St. Boot —4H 67
Bridge St. Nest —4J 157
Bridge St. Newt W —3F 77
Bridge St. Orm —6C 24
Bridge St. Port S —4H 127 (in two parts)
Bridge St. Run —6D 134
Bridge St. St H —3C 74
Bridge St. South —2H 11
Bridge St. Warr —3B 118
Bridge Vw. Clo. Wid —5C 134
Bridgeview Dri. Liv —1D 56
Bridgewater Av. Warr —4F 119
Bridgewater Clo. Liv —3G 53
Bridgewater Expressway. Run —7D 134
Bri. Water Grange. Pres B —5D 154
Bridgewater M. Stock H —1C 138
Bridgewater St. Liv —1K 107 (10F 4)
Bridgewater St. Lymm —5G 121
Bridgewater St. Run —6C 134
Bridgewater Way. Liv —7A 92
Bridgeway. Liv —5G 69
Bridgeway E. Wind H —7A 136
Bridgeway W. Wind H —7K 135
Bridgewills La. South —2E 8
Bridge Wood Dri. Gt Sut —2E 168
Bridle Av. Wall —5E 86
Bridle Clo. Pren —2F 105
Bridle Clo. Wir —3A 146
Bridle Ct. St H —6E 74
Bridlemere Ct. Pad —7E 98
Bridle Pk. Brom —3K 145
Bridle Rd. Boot —5A 54
Bridle Rd. Brom & East —3A 146
Bridle Rd. Wall —5E 86
Bridle Rd. Ind. Est. Boot —5B 54
Bridle Way. Boot —5B 54
Bridle Way. Gt Sut —1F 169
Bridley Wharf. Pres H —5D 154
Bridport St. Liv —5A 88 (5H 5)
Briedden Way. L Sut —5C 160
Brierfield. Skel —5K 37
Brierfield Rd. Liv —2H 109
Brierley Clo. Boot —1D 54
Briers Clo. Fearn —4F 99
Briery Hey Av. Liv —3D 56
Brighouse Clo. Orm —5B 24
Brightgate Clo. Liv —7D 88 (8P 5)
Brighton le Sands. —3B 52
Brighton Rd. Huy —4B 92
Brighton Rd. South —5G 11
Brighton Rd. Wat —4D 52
Brighton St. Wall —3D 86
Brighton St. Warr —2J 117
Brighton Va. Liv —3C 52
Brightstone Clo. Banks —2K 9
Bright St. Birk —2C 106 (in two parts)
Bright St. Liv —4B 88 (2M 5)
Bright St. South —1B 12
Bright Ter. Liv —5B 108
Brightwell Clo. Wir —4D 104
Brill St. Birk —7B 86
Brimelow Cres. Penk —5C 116
Brimstage. —7B 126
Brimstage Av. Wir —1D 126
Brimstage Clo. Wir —3G 143
Brimstage Grn. Wir —2H 143
Brimstage La. Wir —5B 126
Brimstage Rd. Beb & High B —7E 126
Brimstage Rd. Hes & Brim (in two parts) —3G 143
Brimstage Rd. Liv —4A 68
Brimstage St. Birk —3C 106
Brindley Av. Warr —4F 119
Brindley Clo. Liv —3G 53
Brindley Rd. Ast I —6H 135
Brindley Rd. Liv —3A 56
Brindley Rd. Reg I —1G 95
Brindley St. Liv —2K 107
Brindley St. Run —6B 134
Brinklow Clo. South —4A 14
Brinley Clo. Wir —5K 145
Brinton Clo. Wid —1K 133
Brisbane Av. Wall —6A 66
Brisbane St. That H —7K 73
Briscoe Av. Wir —1C 104
Briscoe Dri. Wir —1C 104
Bristol Av. Murd —4C 154
Bristol Av. Wall —3C 86

Bristol Dri.—Burleigh Rd. N.

Bristol Dri. Gt Sut —3G 169
Bristol Rd. Liv —2J 109
Bristow Clo. Gt San —7F 97
Britannia Av. Liv —1E 108
Britannia Cres. Liv —5B 108
Britannia Gdns. Hel —3H 173
Britannia Pavilion. Liv —7J 87 (9D 4)
Britannia Rd. Hel —2H 173
Britannia Rd. Wall —2A 86
Britannia Rd. Wig —3K 39
British Lawnmower Mus. —3H 11
Britonside Av. Liv —5D 56
Brittarge Brow. Liv —4J 111
Britten Clo. Liv —2D 108
Broadacre Clo. Liv —3A 110
Broadbelt St. Liv —4B 68
Broadbent Av. Warr —4F 119
Broadbent Ho. Liv —5F 43 (off Boyer Av.)
Broadfield Av. Pren —1G 105
Broadfield Clo. Pren —1G 105
Broadfields. Run —2A 154
Broadgate Av. St H —6E 74
Broad Green. —6B 90
Broad Grn. Rd. Liv —4J 89
Broadheath Av. Pren —1G 105
Broadheath Ter. Wid —7K 113
Broad Hey. Boot —2K 53
Broad Hey Clo. Liv —5F 111
Broadhurst Av. Cul —4B 80
Broadhurst Av. Warr —4H 117
Broadhurst St. Liv —5D 108
Broadlake. Will —3F 159
Broadland Gdns. Gt Sut —2H 169
Broadland Rd. Gt Sut —2H 169
Broadlands. Prsct —2E 92
Broadlands. South —5E 10
Broad La. Augh —1D 32
Broad La. Btnwd & C Grn —5K 75
Broad La. Form —3B 20
Broad La. Grapp —7H 119
Broad La. Hes —1A 142
Broad La. Kirkby —5D 56
Broad La. Liv —1E 30
Broad La. Nor G —5F 69
Broad La. St H —3D 60
Broad La. Thor —3J 41
Broad La. Precinct. Liv —5H 69
Broadmead. Liv —2B 130
Broadmead. Parb —1J 27
Broadmead. Wir —3G 143
Broad Oak. —3G 75
Broad Oak Av. Hay —7K 61
Broad Oak Av. Penk —4C 116
Broadoak Rd. Liv —4D 90 (L14)
Broadoak Rd. Liv —3G 43 (L31)
Broad Oak Rd. St H —3G 75
Broad Pl. Liv —6H 69
Broad Sq. Liv —6H 69
Broadstone Dri. Wir —7F 127
Broad Vw. Liv —6H 69
Broadway. Beb —2D 126
Broadway. Ecc —2G 73
Broadway. Faz —6G 55
Broadway. Grea —3C 104
Broadway. Liv —5G 69
Broadway. St H —6J 73
Broadway. Wall —2K 85
Broadway. Wid —7G 113
Broadway Av. Wall —2K 85
Broadway Clo. South —4B 14
Broadway Community Leisure Cen. —6J 73
Broadway Mkt. Liv —5G 69
Broadwood Av. Liv —5E 42
Broadwood St. Liv —1G 109
Brock Av. Liv —2G 43
Brockenhurst Rd. Liv —1C 68
Brock Gdns. Hale V —7E 132
Brock Hall Clo. Clo F —3E 94
Brockhall Clo. Whis —1G 93
Brockholme Rd. Liv —7J 109
Brocklebank La. Liv —1B 130
Brocklebank Rd. South —6A 8
Brockley Av. Wall —5B 66
Brockmoor Tower. Liv —6K 67
Brock Pl. Plat B —2K 51
Brock Rd. Bchwd —4K 99
Brock St. Liv —6A 68
Brockton Ct. App —3C 138
Brocstedes Av. Ash M —6C 50
Brocstedes Rd. Ash M —4B 50 (in two parts)
Brodie Av. Liv —5J 109
Brogden Av. Cul —2A 80
Bromborough. —1A 146
Bromborough Dock Est. Wir —3J 127
Bromborough Golf Course. —5G 145
Bromborough Pool. —4K 127
Bromborough Port. —5B 128
Bromborough Rd. Wir —4G 127
Bromborough Village Rd. Wir —1K 145
Brome Way. Wir —7H 127
Bromilow Rd. St H —4H 75
Bromilow Rd. Skel —2C 36
Bromley Av. Liv —3H 109
Bromley Clo. Fearn —4F 99
Bromley Clo. Wir —3C 142
Bromley Rd. Wall —7A 66
Brompton Av. Cros —2C 52
Brompton Av. Kirkby —7D 44
Brompton Av. Seft P —2E 108
Brompton Av. Wall —3C 86
Brompton Gdns. Bew —1J 117
Brompton Ho. Liv —3E 108
Brompton Rd. South —1A 12
Brompton Way. Gt Sut —3G 169
Bromsgrove Rd. Wir —4A 104
Bromyard Clo. Boot —2H 67
Bronington Av. Wir —4K 145
Bronshill Ct. Liv —1A 52
Bronte Clo. Liv —1B 52
Bronte Clo. Win —1A 98
Bronte St. Liv —5A 88 (5J 5)
Bronte St. St H —2K 73
Brook Av. Stock H —7E 118
Brook Av. Warr —3F 119
Brookbank Ct. Liv —6K 55
Brookbridge Rd. Liv —1G 89
Brook Clo. Orm —3D 24
Brook Clo. Wall —2C 86
Brook Clo. Wid —2J 113
Brookdale. Wid —5G 113
Brookdale Av. N. Wir —4C 104
Brookdale Av. S. Wir —4C 104
Brookdale Clo. Wir —4C 104
Brookdale Rd. Liv —2G 109
Brook Dri. Gt San —3E 116
Brooke Clo. South —1D 12
Brook End. St H —5J 75
Brooke Rd. E. Liv —3D 52
Brooke Rd. W. Liv —3C 52
Brook Farm Clo. Orm —6C 24
Brookfield. Parb —1J 27
Brookfield Av. Cros —2D 52
Brookfield Av. Rain —2J 93
Brookfield Av. Run —7F 135
Brookfield Av. Wat —5F 53
Brookfield Clo. Lymm —5F 121
Brookfield Cotts. Lymm —5F 121
Brookfield Dri. Liv —1E 68
Brookfield Gdns. Wir —6D 102
Brookfield La. Augh —7J 33
Brookfield Pk. Grapp —6G 119
Brookfield Rd. Cul —2K 79
Brookfield Rd. Lymm —5F 121
Brookfield Rd. Uph —4D 38
Brookfield Rd. Wir —6D 102
Brookfields Green. —6J 33
Brookfield St. Newt W —3F 77
Brook Furlong. Frod —1A 166
Brook Hey. Park —1F 157
Brook Hey Dri. Liv —1D 56
Brook Hey Wlk. Liv —2E 56
Brookhill Clo. Boot —3K 67
Brookhill Rd. Boot —2K 67
Brook Ho. South —3J 11
Brookhouse Gro. Ecc —3F 73
Brookhouse Rd. Orm —4B 24
Brookhurst. —5J 145
Brookhurst Av. Wir —4J 145
Brookhurst Clo. Wir —5J 145
Brookhurst Rd. Wir —4J 145
Brookland La. St H —4J 75
Brookland Rd. Birk —3D 106
Brookland Rd. E. Liv —4J 89
Brookland Rd. W. Liv —4J 89
Brooklands. Birk —1D 106
Brooklands. Orm —4E 24
Brooklands Av. Ash M —3H 63
Brooklands Av. Liv —5E 52
Brooklands Dri. Liv —4F 43
Brooklands Dri. Orr —6F 39
Brooklands Gdns. Park —2G 157
Brooklands Rd. Ecc —2G 73
Brooklands Rd. Park —2G 157
Brooklands Rd. Uph —4E 38
Brooklands, The. Liv —6J 91
Brookland St. Warr —1E 118
Brook La. King M —5B 48
Brook La. Orm —6C 24
Brook La. Orr & Wins —6J 39
Brook La. Park —1G 157
Brook La. Rix —7C 100
Brook Lea Ho. Liv —2J 53
Brooklet Rd. Wir —2G 143
Brooklyn Cvn. Pk. South —3J 9
Brooklyn Dri. Gt Sut —6H 161
Brooklyn Dri. Lymm —4G 121
Brook Mdw. Wir —2C 124
Brook Pk. Liv —5E 42
Brook Pl. Warr —5E 118
Brook Rd. Boot —3H 67
Brook Rd. Gt Sut —6F 161
Brook Rd. Liv —4G 43
Brook Rd. Lymm —4F 121
Brook Rd. Thor —6G 41
Brook Rd. Walt —2C 68
Brooks All. Liv —6K 87 (7F 4)
Brookside. K Ash —3B 90
Brookside. Mag —3G 43
Brookside. W Der —6D 70
Brookside Av. Ash M —4D 50
Brookside Av. Ecc —1H 73
Brookside Av. Gt San —4E 116
Brookside Av. K Ash —4B 90
Brookside Av. Lymm —4E 120
Brookside Av. Rainf —5E 46
Brookside Av. Stock H —7D 118
Brookside Av. Wat —5F 53
Brookside Clo. Bil —7G 49
Brookside Clo. Hay —6K 61
Brookside Clo. Prsct —3E 92
Brookside Ct. Liv —1E 52
Brookside Cres. Wir —3B 104
Brookside Dri. Wir —3C 104
Brookside Rd. Frod —3C 166
Brookside Rd. Prsct —3E 92
Brookside Rd. South —7J 11
Brookside Vw. Hay —6K 61
Brookside Way. Hay —6K 61
Brooks Rd. Liv —1H 29
Brooks, The. St H —6C 60
Brook St. Ash M —3G 63
Brook St. Birk —7C 86
Brook St. G Grn —1D 50
Brook St. Liv —5H 87 (4C 4)
Brook St. Nest —3J 157
Brook St. Pem —5K 39
Brook St. Run —6C 134
Brook St. St H —3C 74
Brook St. South —3F 9
Brook St. Whis —2F 93
Brook St. Wir —3G 127
Brook St. E. Birk —1E 106
Brooks Way. Liv —1H 29
Brook Ter. Run —7G 135
Brook Ter. Wir —6D 102
Brookthorpe Clo. Wall —1B 86
Brookvale. —4K 153
Brook Va. Liv —5F 53
Brookvale Av. N. Run —4K 153
Brookvale Av. S. Brook —4K 153
Brookvale Clo. Btnwd —1D 96
Brookvale Recreation Cen. —5A 154
Brook Wlk. Wir —2B 124
Brook Way. Gt San —3E 116
Brookway. Nor C —7J 105
Brookway. Wall —2A 86
Brookway. Wir —3C 104
Brookway La. St H —5H 75
Brook Well. L Nes —6J 157
Brookwood Clo. W'ton —1B 138
Brookwood Rd. Liv —3J 91
Broom Av. App —3E 138
Broom Clo. Ecc P —1F 93
Broome Ct. Brook —4K 153
Broome Rd. South —5H 11
Broomfield Clo. Wir —1B 142
Broomfield Gdns. Liv —1B 68
Broomfield Rd. Liv —1B 68
Broomfields. App —2E 138
Broomfields Recreation Cen. —2D 138
Broomfields Rd. App —2D 138
Broom Hill. Pren —1K 105
Broomhill Clo. Liv —2G 111
Broomlands. Wir —2D 142
Broomleigh Clo. Wir —4D 126
Broom Rd. St H —6H 73
Brooms Gro. Liv —3G 55
Broom Way. Liv —2J 131
Broseley Av. Cul —2K 79
Broseley Av. Wir —1J 145
Broseley La. Cul & Ken —1K 79
Broseley Pl. Cul —1J 79
Broster Av. Wir —7A 84
Broster Clo. Wir —7A 84
Brosters La. Wir —6G 83
Brotherton Clo. Wir —1J 145
Brotherton Pk. —7J 127
Brotherton Rd. Wall —5E 86
Brotherton Way. Newt W —2F 77
Brougham Av. Birk —4F 107
Brougham Rd. Wall —4D 86
Brougham Ter. Liv —4C 88 (3M 5)
Broughton Av. South —4K 11
Broughton Av. Wir —5C 102
Broughton Clo. Grapp —1F 139
Broughton Dri. Liv —2J 129
Broughton Hall Rd. Liv —2C 90
Broughton Rd. Wall —4B 86
Broughton Way. Wid —4H 133
Brow La. Wir —3D 142
Browmere Dri. Croft —7G 79
Brownbill Bank. Liv —3J 111
Brown Edge. —6C 12 (nr. High Cross)
Brown Edge. —7K 73 (nr. Rainhill)
Brown Edge Clo. South —6C 12
Brownheath Av. Bil —2F 61
Brownhill Dri. Pad —7F 99
Browning Av. Birk —7F 107
Browning Av. Wid —1B 134
Browning Av. Wig —1D 50
Browning Clo. Liv —6K 91
Browning Dri. Gt Sut —7H 161
Browning Grn. Gt Sut —7H 161
Browning Rd. Wall —2H 85
Browning Rd. Wat —3D 52
Browning Rd. W Der —1H 89
Browning St. Boot —2G 67
Brownlow. —3E 48
Brownlow Arc. St H —3C 74
Brownlow Hill. Liv —6A 88 (6H 5)
Brownlow La. Bil —3E 48
Brownlow Rd. Wir —2H 127
Brownlow St. Liv —6B 88 (6K 5)
Brownmoor Clo. Liv —1G 53
Brownmoor La. Liv —2F 53
Brownmoor Pk. Liv —2F 53
Brown's La. Boot —2B 54
Brown St. Wid —2F 135
Brownville Rd. Liv —7F 69
Brow Rd. Pren —6H 85
Brows Clo. Form —1J 29
Brow Side. Liv —3B 88 (1K 5)
Brows La. Liv —1J 29
Brow, The. —1H 153
Broxholme Way. Liv —5F 43
Broxton Av. Orr —4H 39
Broxton Av. Pren —6K 105
Broxton Av. Wir —5E 102
Broxton Clo. Wid —5J 113
Broxton Rd. Ell P —6G 161
Broxton Rd. Wall —1K 85
Broxton St. Liv —7G 89
Bruce Av. Warr —6D 98
Bruce Cres. Wir —4J 145
Bruce Dri. Gt Sut —7E 160
Bruce St. Liv —3C 108
Bruce St. St H —2A 74
Bruche. —1F 119
Bruche Av. N. Pad —7F 99
Bruche Av. S. Padd —1F 119
Bruche Dri. Pad —7F 99
Bruche Heath Gdns. Pad —7G 99
Bruen Clo. Liv —2H 111
Bruera Rd. Gt Sut —7H 161
Brunel Dri. Liv —3G 53
Brunner Rd. Wid —1C 134
Brunsborough Clo. Wir —4J 145
Brunsfield Clo. Wir —1A 104
Brunstath Clo. Wir —1G 143
Brunswick. Run —6C 134
Brunswick Bus. Pk. Brun B —4A 108
Brunswick Clo. Liv —6A 68
Brunswick Cres. Gt Sut —1G 169
Brunswick M. Birk —1E 106
Brunswick M. Liv —5E 52
Brunswick Pde. Liv —5D 52
Brunswick Pl. Liv —6H 67
Brunswick Rd. Liv —4B 88 (3L 5)
Brunswick Rd. Newt W —2D 76
Brunswick St. Gars —6A 130
Brunswick St. Liv —6H 87 (7C 4)
Brunswick St. St H —3J 75
Brunswick Way. Brun B —3K 107
Brunt La. Liv —2C 130
Bruntleigh Av. Warr —5G 119
Brushford Clo. Liv —4K 69
Bruton Rd. Liv —1H 91
Bryanston Rd. Birk —6A 106
Bryanston Rd. Liv —5D 108
Bryant Av. Warr —3F 119
Bryant Rd. Liv —7H 53
Bryceway, The. Liv —3B 90
Brydges St. Liv —6C 88 (7N 5)
Bryer Rd. Prsct —3D 92
Bryn. —6E 50
Bryn Bank. Wall —3C 86
Bryn Gates. —5J 51
Bryn Gates La. Bam —4G 51
Brynmor Rd. Liv —7J 109
Brynmoss Av. Wall —3K 85
Brynn St. St H —2C 74
Brynn St. Wid —1D 134
Bryn Rd. Ash M —6E 50
Bryn Rd. S. Ash M —1G 63
Bryn St. Ash M —2F 63
Bryn St. Bam —5K 51
Bryony Clo. Wig —6F 39
Bryony Way. Birk —1F 127
Brythen St. Liv —6K 87 (6G 4)
Buccleuch St. Birk —6K 85
Buccleuch Way. Birk —6K 85
Buchanan Rd. Liv —3B 68
Buchanan Rd. Wall —4D 86
Buchan Clo. Gt San —7F 97
Buckfast Av. Hay —6E 62
Buckfast Clo. Boot —1B 54
Buckfast Clo. Penk —5C 116
Buckfast Ct. Run —6C 136
Buckfast Dri. Liv —1B 30
Buckingham Av. Liv —2F 109
Buckingham Av. Pren —1K 105
Buckingham Av. Wid —4C 114
Buckingham Av. Wir —2E 126
Buckingham Clo. Boot —2J 53
Buckingham Clo. St H —4A 74
Buckingham Ct. Liv —1D 56
Buckingham Dri. Gt San —4G 117
Buckingham Dri. St H —6C 60
Buckingham Gdns. Ell P —2B 170
Buckingham Gro. Liv —2J 29
Buckingham Ho. Liv —3F 109
Buckingham Rd. Mag —3E 42
Buckingham Rd. Tue —1F 89
Buckingham Rd. Wall —3K 85
Buckingham Rd. Walt —7C 54
Buckingham St. Liv —2A 88
Buckland Clo. Wid —2J 133
Buckland Dri. Wig —2K 39
Buckland Dri. Wir —7F 127
Buckland St. Liv —5D 108
Buckley Hill La. Liv —1K 53
Buckley St. Warr —2A 118
Buckley Wlk. Liv —7H 131
Buckley Way. Boot —7K 41
Bucklow Gdns. Lymm —4J 121
Buckthorn Clo. Liv —7F 71
Buckthorn Gdns. St H —1J 93
Buckton St. Warr —1D 118
Bude Clo. Pren —2G 105
Bude Rd. Wid —6A 114
Budworth Av. Sut M —4D 94
Budworth Av. Warr —4F 119
Budworth Av. Wid —6K 113
Budworth Clo. Halt L —3F 153
Budworth Clo. Pren —4J 105
Budworth Ct. Pren —3K 105
Budworth Dri. Liv —6G 111
Budworth Rd. Gt Sut —2G 169
Budworth Rd. Pren —4J 105
Buer Av. Wig —1D 50
Buerton Clo. Pren —4J 105
Buffs La. Wir —1F 143
Buggen La. Nest —3H 157
Buildwas Rd. Clay L —1J 157
Bulford Rd. Liv —2F 69
Bulkeley Rd. Wall —4D 86
Bull Bri. La. Liv —3G 55
Bull Cop. Form —7A 20
Bullens La. Scar —2F 17
Bullens Rd. Kirkby —4D 56
Bullens Rd. Walt —6B 68
Bullfinch Ct. Liv —7J 111
Bull Hill. L Nes —5K 157
Bull La. Liv —6C 54 (Caldy Rd.)
Bull La. Liv —7B 54 (Orrell La.)
Bullrush Dri. Wir —5E 84
Bulrushes, The. Liv —5B 108
Bulwer St. Birk —6F 107
Bulwer St. Boot —1G 67
Bulwer St. Liv —2C 88
Bunbury Clo. Stoak —5E 170
Bunbury Dri. Run —4E 152
Bunbury Grn. Ell P —2B 170
Bundoran Rd. Liv —6F 109
Bungalow Rd. Newt W —5J 77
Bungalows, The. Ash M —5D 50
Bungalows, The. Thor H —4B 144 (off Raby Rd.)
Bunter Rd. Liv —6D 56
Bunting Ct. Liv —6H 111
Buntingford Rd. Thel —5J 119
Burbo Bank Rd. Liv —1A 52
Burbo Bank Rd. N. Liv —7A 40
Burbo Bank Rd. S. Liv —2B 52
Burbo Cres. Liv —2B 52
Burbo Mans. Liv —2B 52
Burbo Way. Wall —6J 65
Burden Rd. Wir —7A 84
Burdett Av. Wir —7F 127
Burdett Clo. Wir —7G 127
Burdett Rd. Gt Sut —2G 169
Burdett Rd. Liv —3D 52
Burdett Rd. Wall —2H 85
Burdett St. Liv —5D 108
Burdon Clo. Wid —5K 113
Burfield Dri. App —3C 138
Burford Av. Wall —4K 85
Burford Rd. Liv —6A 90
Burgess Av. Warr —5B 118
Burgess Gdns. Liv —2E 42
Burgess' La. Form —2F 31
Burgess St. Liv —5A 88 (4J 5)
Burghill Rd. Liv —2D 70
Burgundy Clo. Liv —6E 108
Burkhardt Dri. Newt W —3J 77
Burland Clo. Run —1B 152
Burland Rd. Liv —3A 132
Burleigh M. Liv —7B 68
Burleigh Rd. N. Liv —7B 68

Carlow Clo.—Charlecote St.

Carlow Clo. Hale V—7D 132
Carlow St. St H—5K 73
Carl's Way. Liv—6E 44
Carlton Av. Liv—3J 109
Carlton Av. Run—7F 135
Carlton Av. Uph—4C 38
Carlton Clo. Ash M—1E 62
Carlton Clo. Park—1G 157
Carlton Cres. Ell P—3H 161
Carlton La. Liv—3J 89
Carlton La. Wir—7E 82
Carlton Mt. Birk—5E 106
Carlton Rd. Birk—4C 106
Carlton Rd. Lymm—3K 121
Carlton Rd. South—3C 14
Carlton Rd. Wall—6B 66
Carlton Rd. Wir—5H 127
Carlton St. Liv—3H 87 (1B 4)
Carlton St. Prsct—7E 72
Carlton St. St H—3A 74
Carlton St. Stock H—1C 138
Carlton St. Wid—1C 134
Carlton Ter. Cros—1D 52
Carlton Ter. Wir—7E 82
Carlton Way. G'brk—2K 101
Carlyle Cres. Gt Sut—7G 161
Carlyon Way. Liv—7J 111
Carmarthen Clo. Call—5H 97
Carmarthen Cres. Liv—2K 107
Carmel Clo. Augh—1B 34
Carmel Clo. Call—5J 97
Carmel Clo. Wall—6B 66
Carmel Ct. Wid—5D 114
Carmelite Cres. Ecc—1G 73
Carmel St. Liv—1A 88
Carmichael Av. Wir—6B 104
Carnaby Clo. Liv—7A 92
Carnarvon Ct. Liv—3B 68
Carnarvon Rd. Liv—3B 68
Carnarvon Rd. South—7F 11
Carnarvon St. That H—7K 73
Carnatic Clo. Liv—5G 109
Carnatic Rd. Liv—5G 109
Carnation Rd. Liv—2D 68
Carneghie Ct. South—4F 11
Carnegie Av. Liv—2D 52
Carnegie Cres. St H—6G 75
Carnegie Dri. Ash M—7E 50
Carnegie Rd. Liv—3G 89
Carnegie Wlk. St H—6H 75
Carnforth Av. Liv—4D 56
Carnforth Clo. Birk—3C 106
Carnforth Clo. Liv—5K 69
Carnforth Rd. Liv—6A 110
Carno St. Liv—7G 89
Carnoustie Clo. Liv—1D 90
Carnoustie Clo. Wir—6K 83
Carnoustie Gro. Hay—1K 75
Carnsdale Rd. Wir—7D 84
Carol Dri. Wir—2G 143
Carole Clo. Sut L—1G 95
Carolina St. Boot—3H 67
Caroline Pl. Pren—3B 106
Carol St. Warr—4D 118
Caronia St. Liv—5A 130
Carpathia St. Liv—5A 130
Carpenter Gro. Pad—6G 99
Carpenter's La. Wir—6D 102
Carpenters Row. Liv—7J 87 (9E 4)
Carraway Rd. Gil I—7K 55
Carr Bri. Rd. Wir—4F 105
Carr Clo. Liv—4K 69
Carr Cft. Liv—2H 53
Carr Cross. —1F 17
Carrfield Av. Liv—2G 53
Carrfield Wlk. Liv—3K 69
Carr Ga. Wir—1K 103
Carr Hey. Wir—7K 83
Carr Hey Clo. Wir—6G 105
Carr Ho. La. Liv—7E 30
Carr Ho. La. Wir—7K 83
Carr Houses. —7F 31
Carriage Dri. Frod—5C 166
Carrick Ct. Liv—2G 53
Carrick Dri. Whitby—2K 169
Carrickmore Av. Liv—6J 109
Carrington Clo. Bchwd—3J 99
Carrington Rd. Wall—1B 86
Carrington St. Birk—7A 86
Carr La. Hoy—2D 102
Carr La. Huy—5G 91
Carr La. Mag—6B 32
Carr La. Meol & More—6J 83
Carr La. Prsct—2B 92
Carr La. South—2F 15
(in two parts)
Carr La. W Der—4H 69
Carr La. W Kir—3F 103
Carr La. Wid & Hale V—4E 132
Carr La. Wig—1E 50
Carr La. E. Liv—4K 69
Carr La. Ind. Est. Hoy—2E 102
Carr Mdw. Hey. Boot—3J 53
Carr Mill. —5E 60
Carr Mill Cres. Bil—1G 61
Carr Mill Rd. Bil—1F 61
(in two parts)
Carr Mill Rd. St H—6E 60
Carr Moss La. Hals—5G 15
Carrock Rd. Croft B—7A 128
Carroll Cres. Orm—3D 24
Carrow Clo. Wir—1K 103
Carr Rd. Boot—6K 53
Carr's Cres. Liv—2J 29
Carr's Cres. W. Liv—2H 29
Carr Side La. Liv—1G 41
Carrs Ter. Whis—4D 92
Carr St. Dent G—1K 73
Carruthers St. Liv—4J 87 (2D 4)
Carrville Way. Liv—4E 70
Carrwood Clo. Hay—7J 61
Carrwood Pk. South—5H 11
Carsdale Rd. Liv—3J 109
Carsgoe Rd. Hoy—2E 102
Carsington Rd. Liv—4J 69
Carstairs Rd. Liv—3E 88
Carsthorne Rd. Hoy—2E 102
Cartbridge La. Liv—7K 111
Carter Av. Rainf—7G 47
Carters, The. Boot—1C 54
Carters, The. Wir—4A 104
Carter St. Liv—1B 108 (10L 5)
Carterton Rd. Hoy—2E 102
Cartier Clo. Old H—7G 97
Cartmel Av. Liv—2G 43
Cartmel Av. St H—6A 60
Cartmel Av. Warr—4C 98
Cartmel Clo. Birk—3C 106
Cartmel Clo. South—5B 12
Cartmel Dri. Form—1B 30
Cartmel Dri. Gt Sut—2H 169
Cartmel Dri. Rain—3G 93
Cartmel Dri. W Der—5A 70
Cartmel Dri. Wir—1C 104
Cartmell Clo. Run—4D 152
Cartmel Rd. Liv—2G 91
Cartmel Ter. Liv—3K 69
Cartmel Way. Liv—3G 91
Cartridge La. Grapp—3K 139
Cartwright Clo. Rainf—6F 47
Cartwright St. Run—7E 134
Cartwright St. Warr—2J 117
Carver St. Liv—4B 88 (3K 5)
Caryl Gro. Liv—4A 108
Caryl St. Liv—3A 108
(Park St.)
Caryl St. Liv—2K 107
(Stanhope St.)
Caryl St. Liv—3K 107
(Warwick St.)
Case Gro. Prsct—2E 92
Case Rd. Hay—7B 62
Cases St. Liv—6K 87 (6G 4)
Cashel Rd. Birk—5B 86
Caspian Pl. Boot—3J 67
Caspian Rd. Liv—4E 68
Cassia Clo. Liv—2D 68
Cassino Rd. Liv—4H 91
Cassio St. Boot—4A 68
Cassley Rd. Liv—6A 132
Cassville Rd. Liv—2J 109
Castell Gro. St H—3B 74
Castle Av. St H—3G 75
Castle Clo. Wir—4E 84
Castle Dri. Hes—2D 142
Castle Dri. Liv—2K 29
Castle Dri. Whitby—1J 169
Castlefield Clo. Liv—7J 69
Castlefield Rd. Liv—7J 69
Castlefields. —7J 135
Castlefields Av. E. Cas & Run—1J 153
Castlefields Av. N. Cas—7G 135
Castlefields Av. S. Cas—1H 153
Castle Fields Est. Wir—3D 84
Castleford Ri. Wir—4C 84
Castleford St. Liv—1J 109
Castlegate Gro. Liv—7J 69
Castlegrange Clo. Wir—3C 84
Castle Grn. W'brk—5F 97
Castleheath Clo. Wir—4C 84
Castlehey. Skel—5A 38
Castle Hill. Liv—6D 4
Castle Hill. Newt W—2J 77
Castle Keep. Liv—7K 69
Castle La. Lath & W'head—4H 25
Castle Mt. Hes—2D 142
Castle Pk. —4C 166
Castle Ri. Run—7F 135
Castle Rd. Halt—2H 153
Castle Rd. Wall—1A 86
Castlesite Rd. Liv—7K 69
Castle St. Birk—2F 107
Castle St. Liv—6J 87 (6D 4)
Castle St. South—7H 7
Castle St. Wid—7F 115
Castle St. Wltn—6D 110
Castleton Dri. Boot—1D 54
Castleton Way. Wig—2A 50
Castletown Clo. Liv—7C 90
Castleview Rd. Liv—7K 69
Castle Wlk. South—2G 11
Castleway N. Wir—3E 84
Castleway S. Wir—4E 84
Castlewell. Whis—3F 93
Castlewood Rd. Liv—2D 88
Castner Av. West P—3A 152
Castor St. Liv—2D 88
Catalyst Mus., The. —4C 134
Catchdale Moss La. St H—2E 72
Catford Clo. Wid—6J 113
Catford Grn. Liv—6K 131
Catfoss Clo. Pad—6E 98
Catharine's La. Augh—1D 34
Catharine St. Liv—1B 108 (10K 5)
Cathcart St. Birk—1D 106
Cathedral Clo. Liv—1A 108 (10J 5)
Cathedral Ga. Liv—7A 88 (9J 5)
Cathedral Rd. Liv—1E 88
Cathedral Wlk. Liv—6A 88 (7J 5)
Catherine Ct. Liv—7H 53
(off Linacre Rd.)
Catherine St. Birk—2D 106
Catherine St. Liv—7H 53
Catherine St. Warr—1K 117
(in two parts)
Catherine St. Wid—2C 134
Catherine Way. Hay—7H 61
Catherine Way. Newt W—4F 77
Catkin Rd. Liv—6H 111
Caton Clo. South—3B 8
Catonfield Rd. Liv—3B 110
Cat Tail La. South—7G 13
Cattan Grn. Liv—7B 20
Catterall Av. St H—1F 95
Catterall Av. Warr—5D 98
Catterick Clo. Liv—1K 131
Catterick Fold. South—5B 12
Caulfield Dri. Wir—5C 104
Caunce Av. Golb—6K 63
Caunce Av. Hay—7K 61
Caunce Av. Newt W—5G 77
Caunce Av. South—1J 9
Caunce's Rd. South—4K 13
Causeway Av. Warr—5C 118
Causeway Clo. Wir—3H 127
Causeway La. Liv—2G 31
Causeway, The. Liv—3B 90
Causeway, The. South—2E 8
Causeway, The. Wir—4H 127
(in two parts)
Cavan Rd. Liv—6G 69
Cavell Clo. Liv—7E 110
Cavell Dri. Whitby—7J 161
Cavendish Av. Risl—2A 100
Cavendish Clo. Old H—1H 117
Cavendish Ct. Liv—5A 110
(Allerton Rd.)
Cavendish Ct. Liv—5A 68
(Rumney Rd.)
Cavendish Ct. South—6A 8
Cavendish Dri. Birk—7D 106
Cavendish Dri. Liv—3C 68
Cavendish Dri. Wig—2B 50
Cavendish Farm Rd. West—5B 152
Cavendish Gdns. Liv—3C 108
Cavendish Gdns. Whitby—7J 161
Cavendish Rd. Birk—1B 106
Cavendish Rd. Cros—2C 52
Cavendish Rd. South—5F 11
Cavendish Rd. Wall—5B 66
Cavendish St. Birk—7B 86
Cavendish St. Run—7B 134
(in two parts)
Cavern Ct. Liv—3P 5
Cavern Quarter. —6J 87 (6E 4)
Cavern Walks. Liv—6J 87 (6E 4)
Caversham Clo. App—2D 138
Cawdor St. Liv—2C 108
Cawdor St. Run—6B 134
Cawdor St. Stock H—1C 138
Cawfield Av. Wid—7K 113
Cawley Av. Cul—2A 80
Cawley St. Run—1C 152
Cawood Clo. L Sut—6D 160
Cawthorne Av. Grapp—6G 119
Cawthorne Av. Liv—5C 56
Cawthorne Clo. Liv—5C 56
Cawthorne Wlk. Liv—5C 56
Caxton Clo. Gt Sut—7H 161
Caxton Clo. Pren—2G 105
Caxton Clo. Wid—5J 113
Caxton Clo. Wig—2D 50
Caxton Rd. Rain—6A 94
Cazneau St. Liv—3K 87 (1G 4)
C Court. Ash M—3F 63
Cearns Rd. Pren—3A 106
Cecil Dri. Ecc—1G 73
Cecil Rd. Birk—6B 106
Cecil Rd. Liv—7F 53
Cecil Rd. Wall—3A 86
Cecil Rd. Wir—1H 127
Cecil St. Ince—1J 51
Cecil St. Liv—7F 89
Cecil St. St H—7H 75
Cedab Rd. Ell P—5A 162
Cedar Av. Beb—5E 126
Cedar Av. L Sut—5E 160
Cedar Av. Run—3E 152
Cedar Av. Sut W—6J 153
Cedar Av. Wid—6D 114
Cedar Clo. Liv—5B 110
Cedar Clo. Whis—3E 92
Cedar Ct. Risl—5B 80
Cedar Cres. Liv—6H 91
Cedar Cres. Newt W—4H 77
Cedar Cres. Orm—6B 24
Cedardale Dri. Whitby—4H 169
Cedar Dale Pk. Wid—4G 115
Cedardale Rd. Liv—2C 68
Cedar Dri. Liv—2G 29
Cedarfield. Lymm—4K 121
Cedarfield Rd. Lymm—3K 121
Cedar Gro. Ash M—7B 50
Cedar Gro. Hay—6C 62
Cedar Gro. Mag—6F 43
Cedar Gro. Nest—3K 157
Cedar Gro. Orr—5H 39
Cedar Gro. Padd—1G 119
Cedar Gro. Skel—2E 36
Cedar Gro. Tox—2D 108
Cedar Gro. Warr—5D 118
Cedar Gro. Wat—3D 52
Cedar Rd. Gt San—2D 116
Cedar Rd. Liv—7D 54
Cedar Rd. Whis—4D 92
Cedars, The. Liv—3D 70
Cedars, The. Wir—1A 104
Cedar St. Birk—3D 106
Cedar St. Boot—2J 67
Cedar St. Newt W—4G 77
Cedar St. St H—4K 73
Cedar St. South—4J 11
Cedar Ter. Liv—2D 108
Cedar Towers. Liv—2D 56
Cedarway. Wir—5F 143
Cedarways. App—4D 138
Cedarwood Clo. Wir—4A 104
Cedarwood Ct. Liv—7J 91
Celandine Wlk. Wig—7K 39
Celandine Way. St H—7K 75
Celebration Dri. Liv—2E 88
Celendine Clo. Liv—7G 89
Celia St. Liv—5K 67
Celtic Rd. Wir—6G 83
Celtic St. Liv—2C 108
Celt St. Liv—3D 88
Cemeas Clo. Liv—2J 87
Cemetery Rd. South—4H 11
Centenary Clo. Liv—6E 68
Centenary Ho. Run—2E 152
Central Av. Ecc P—7F 73
Central Av. Ell P—7A 162
Central Av. Liv—6G 131
Central Av. Prsct—1C 92
Central Av. South—1F 15
Central Av. Warr—7C 98
(WA2)
Central Av. Warr—5B 118
(WA4)
Central Av. Wir—1J 145
Central Dri. Hay—7K 61
Central Dri. Liv—2K 89
Central Dri. Rainf—5F 47
Central Dri. Sand P—2J 89
Central Expressway. Halt L—3G 153
Central Library. —5K 87 (4G 4)
Central Pde. Liv—6J 131
Central Pk. —4B 86
Central Pk. Av. Wall—3C 86
Central Rd. Port S—5H 127
Central Rd. Warr—5B 118
Central Rd. Wir—2H 127
Central Shop. Cen. Liv—6K 87 (7G 4)
Central Sq. Liv—2F 43
Central St. St H—2C 74
Central Way. Liv—6J 131
Central Way. Newt W—4J 77
Centre Pk. Warr—5A 118
Centre Pk. Sq. Warr—4A 118
Centre 21. Warr—2J 119
Centreville Rd. Liv—2J 109
Centre Way. Huy—5J 91
Centurion Clo. Bchwd—2K 99
Centurion Clo. Wir—6G 83
Centurion Dri. Wir—6G 83
Centurion Row. Cas—7H 135
Century Rd. Liv—1D 52
Ceres Ct. Pren—1G 105
Ceres St. Liv—5J 67
Cestrian Dri. Wir—4E 124
Chadlow Rd. Liv—6D 56
Chadwell Rd. Liv—1D 56
Chadwick Av. Croft—7H 79
Chadwick Av. Stock H—7E 118
Chadwick Green. —2F 61
Chadwick Pl. Bchwd—2A 100
Chadwick Rd. Ast I—6G 135
Chadwick Rd. St H—6E 60
Chadwick St. Liv—3H 87 (2C 4)
Chadwick St. Wir—7C 84
Chaffinch Clo. Bchwd—4B 100
Chaffinch Clo. Liv—5D 70
Chaffinch Glade. Liv—7J 111
Chainhurst Clo. Liv—3H 111
Chain La. St H—6F 61
Chain Wlk. Ecc—3J 73
Chalel House. —1D 36
Chalfield Av. Gt Sut—6E 160
Chalfield Clo. Gt Sut—6E 160
Chalfont Clo. App—3E 138
Chalfont Rd. Liv—7B 110
Chalfont Way. Liv—7F 71
Chalgrave Clo. Wid—5G 115
Chalkwell Dri. Wir—3G 143
Challis St. Birk—6J 85
Challoner Clo. Liv—7K 91
Chaloner Gro. Liv—2H 129
Chaloner St. Liv—1K 107 (10F 4)
Chalon Way. St H—3C 74
Chalon Way W. St H—3B 74
Chamberlain Dri. Liv—7D 44
Chamberlain St. Birk—4E 106
Chamberlain St. St H—3K 73
Chamberlain St. Wall—5A 86
Chambres Rd. South—3K 11
Chambres Rd. N. South—2K 11
Chancellor Rd. Mnr P—4B 136
Chancel St. Liv—7K 67
Chancery La. St H—3G 75
Chandley Clo. South—4A 14
Chandos St. Liv—6D 88 (7P 5)
Change La. Will—3H 159
Changford Grn. Liv—2E 56
Changford Rd. Liv—2E 56
Channell Rd. Fair—4E 88
Channel Reach. Liv—2B 52
Channel Rd. Cros—2B 52
Channel, The. Back—7K 169
Channel, The. Wall—7J 65
Chantler Av. Warr—4E 118
Chantrell Rd. Wir—6G 103
Chantry Clo. Pren—2G 105
Chantry Wlk. Ash M—7D 50
Chantry Wlk. Wir—4E 142
Chapel Av. Liv—7C 54
Chapel Clo. Ell P—4A 162
Chapel Ct. Orm—6C 24
Chapel Ct. St H—5K 73
Chapelcross Rd. Fearn—5G 99
Chapelfields. Frod—3C 166
Chapel Gdns. Liv—2K 87
Chapelhill Rd. Wir—7D 84
Chapel Ho. Wlk. Liv—7A 20
Chapel La. App T—5H 139
Chapel La. Banks—1K 9
Chapel La. Boot—7B 42
Chapel La. Btnwd—1C 96
Chapel La. Cron & Wid—3J 113
Chapel La. Ecc—2H 73
Chapel La. Form—7K 19
Chapel La. Mell—1J 55
Chapel La. Parb—1K 27
Chapel La. Rain—6A 94
Chapel La. Rix—6H 101
Chapel La. Stock H—1C 138
Chapel M. Elton—1B 172
Chapel M. Orm—6D 24
Chapel M. Whitby—7K 161
Chapel Moss. Orm—6C 24
Chapel Pl. Ash M—2F 63
Chapel Pl. Gars—3A 130
Chapel Pl. Liv—6E 110
Chapel Rd. Anf—1E 88
Chapel Rd. Gars—3A 130
Chapel Rd. Penk—5C 116
Chapel Rd. Wir—7E 82
Chapel St. Ash M—2F 63
Chapel St. Hay—7C 62
Chapel St. Liv—5H 87 (5C 4)
Chapel St. Newt W—3F 77
Chapel St. Orm—6D 24
Chapel St. Orr—5K 39
Chapel St. Pem—6K 39
Chapel St. Prsct—1D 92
Chapel St. Run—7C 134
Chapel St. St H—1B 74
Chapel St. South—1H 11
Chapel St. Wid—2C 134
Chapel Ter. Boot—3H 67
Chapel Vw. Crank—1B 60
Chapel Vw. Hel—3H 173
Chapel Walks. Liv—5C 4
Chapel Yd. Warr—2A 118
Chapman Clo. Liv—3A 108
Chapman Clo. Wid—4K 113
Chapman Gro. Prsct—7E 72
Chapterhouse Clo. Ell P—6C 162
Chardstock Dri. Liv—4G 111
Charing Cross. Birk—2C 106
Charity La. W'head—7J 25
Charlcombe St. Birk—4D 106
Charlecote St. Liv—5B 108

Church Rd.—Columbus Quay

Church Rd. Wltn —4D 110
Church Rd. N. Liv —1J 109
Church Rd. Roby. Roby —5G 91
Church Rd. S. Liv —6E 110
Church Rd. W. Liv —4B 68
Church Sq. St H —3C 74
Church St. Birk —2F 107
(in two parts)
Church St. Boot —3G 67
Church St. Ell P —5A 162
Church St. Frod —3D 166
Church St. Liv —6K 87 (6F 4)
Church St. Newt W —2J 77
Church St. Orm —5C 24
Church St. Orr —6F 39
Church St. Prsct —1D 92
Church St. Run —6C 134
Church St. St H —3C 74
Church St. South —1J 11
Church St. Uph —4E 38
Church St. Wall —3D 86
Church St. Warr —3C 118
Church St. Wid —4C 134
Church St. Wig —5K 39
Church St. Ind. Est. Warr —3C 118
Church Ter. Ash M —3F 63
Church Ter. Birk —5D 106
Churchtown. —6C 8
Churchtown Ct. South —5C 8
Church Vw. Augh —4J 33
Church Vw. Boot —3H 67
Church Vw. Lymm —4K 121
Church Vw. Ct. Orm —5C 24
(off Burscough St.)
Churchview Rd. Birk —7B 86
Church Wlk. Boot —3H 67
Church Wlk. Ecc —2G 73
Church Wlk. Ell P —5A 162
Church Wlk. Win —1A 98
Church Wlk. Wir —7D 102
Church Walks. Orm —5C 24
Church Way. Boot —1K 53
Church Way. Form —1G 29
Church Way. Hel —3K 173
Church Way. Kirkby —2C 56
Churchway Rd. Liv —7A 132
Churchwood Clo. Wir —1K 145
Churchwood Ct. Wir —7F 105
Church Wood Vw. Lymm —5H 121
Churnet St. Liv —6A 68
Churn Way. Wir —4B 104
Churston Rd. Liv —3C 110
Churton Av. Pren —5K 105
Churton Ct. Liv —4B 88 (2M 5)
Ciaran Clo. Liv —6B 70
Cicely St. Liv —6D 88 (6P 5)
Cinder La. Boot —6K 53
Cinder La. Liv —3A 110
Cinder La. Thel —6B 120
Cinnamon Brow. —3F 99
Cinnamon Brow. Uph —5E 38
Cinnamon La. Fearn —4F 99
Cinnamon La. N. Fearn —3F 99
Circular Dri. Grea —5B 104
Circular Dri. Hes —1D 142
Circular Dri. Port S —2H 127
Circular Rd. Birk —3D 106
Circular Rd. E. Liv —6H 69
Circular Rd. W. Liv —6H 69
Cirencester Av. Wir —4A 104
Cirrus Dri. Augh —2J 33
Citrine Rd. Wall —5D 86
Citron Clo. Liv —2D 68
City Gdns. St H —6B 60
City Rd. Liv —5B 68
City Rd. St H —7B 60
City Rd. Wig —3K 39
City Vw. St H —4C 60
Civic Way. Beb —4G 127
Civic Way. Ell P —7K 161
Civic Way. Liv —5J 91
Clairville. South —3F 11
Clairville Clo. Boot —3J 67
Clairville Ct. Boot —3J 67
Clairville Way. Liv —2G 89
Clamley Ct. Liv —6A 132
Clamley Gdns. Hale V —7E 132
Clandon Rd. Liv —7A 110
Clanfield Av. Wid —5J 113
Clanfield Rd. Liv —4J 69
Clanwood Clo. Wig —2C 50
Clapgate Cres. Wid —4H 133
Clap Ga. La. Wig —1C 50
Clap Gates Cres. Warr —1J 117
Clap Gates Rd. Warr —1J 117
Clapham Rd. Liv —1D 88
Clare Clo. St H —7A 74
Clare Cres. Wall —2K 85
Clare Dri. Whitby —2K 169
Claremont Av. Liv —4D 42
Claremont Av. South —4G 11
Claremont Av. Wid —4E 114
Claremont Clo. S'frth —6F 53
Claremont Dri. Augh —7B 24
Claremont Dri. Wid —4D 114
Claremont Rd. Bil —7G 49
Claremont Rd. Cros —1E 52
Claremont Rd. Cul —2K 79
Claremont Rd. Run —7D 134
Claremont Rd. S'frth —6F 53
Claremont Rd. South —4G 11
Claremont Rd. W'tree —2G 109
Claremont Rd. Wir —5D 102
Claremont Way. Wir —1D 126
Claremount Dri. Wir —5F 127
Claremount Rd. Wall —7K 65
Clarence Av. Gt San —2B 116
Clarence Av. Wid —4C 114
Clarence Clo. St H —4E 74
Clarence Rd. Birk —5C 106
Clarence Rd. Grapp —6H 119
Clarence Rd. South —4G 11
Clarence Rd. Wall —5D 86
Clarence St. Ash M —1D 62
Clarence St. Golb —4K 63
Clarence St. Liv —6A 88 (6J 5)
Clarence St. Newt W —2D 76
Clarence St. Run —6B 134
Clarence St. Warr —1E 118
Clarence Ter. Run —6C 134
Clarendon Clo. Murd —3B 154
Clarendon Clo. Pren —3C 106
Clarendon Ct. Win Q —3K 97
Clarendon Gro. Liv —6E 32
Clarendon Rd. Anf —1E 88
Clarendon Rd. Gars —3A 130
Clarendon Rd. S'frth —7F 53
Clarendon Rd. Wall —4D 86
Clare Rd. Boot —4K 67
Clares Farm Clo. Wool —1B 120
Claret Clo. Liv —7E 108
Clare Wlk. Liv —6K 55
Clare Way. Wall —2K 85
Claribel St. Liv —2C 108
Clarke Av. Birk —6E 106
Clarke Av. Cul —2B 80
Clarke Av. Warr —6D 118
(in two parts)
Clarke Gdns. Wid —2D 134
Clarke's Cres. Ecc —2H 73
Clark Rd. Stock H —7E 118
Clarks Ter. West P —2K 151
Classic Rd. Liv —3J 89
Clatterbridge Rd. Wir —2D 144
(in two parts)
Claude Rd. Liv —1E 88
Claude St. Warr —2C 118
Claughton Clo. Liv —6E 88
Claughton Dri. Wall —4B 86
Claughton Firs. Pren —4B 106
Claughton Grn. Pren —3A 106
Claughton Pl. Birk —2C 106
Claughton Rd. Birk —2C 106
Claughton St. St H —2C 74
Clavell Rd. Liv —1B 130
Claverton Clo. Run —4D 152
Claybridge Clo. Wig —2K 39
Clay Brow Rd. Uph —5A 38
Clay Cross Rd. Liv —6D 110
Claydon Ct. Liv —7A 112
Claydon Gdns. Rix —6H 101
Clayfield Clo. Boot —3K 67
Clayford Cres. Liv —3K 89
Clayford Pl. Liv —3K 89
Clayford Rd. Liv —3K 89
Clayford Way. Liv —3A 90
Clayhill Grn. L Sut —4E 160
Clayhill Ind. Pk. Clay L —1K 157
Clay La. Btnwd —1C 96
Clay La. St H —3D 72
Claypole Clo. Liv —7E 88
Clay St. Liv —3H 87 (1C 4)
Clayton Cres. Run —1B 152
Clayton Cres. Wid —7B 114
Clayton La. Wall —5A 86
Clayton M. Skel —2D 36
Clayton Pl. Birk —3C 106
Clayton Rd. Bchwd & Warr —1B 100
Clayton Sq. Liv —6K 87 (6G 4)
Clayton St. Birk —3C 106
Clayton St. Skel —2D 36
Cleadon Clo. Liv —6E 56
Cleadon Rd. Liv —6D 56
Clearwater Clo. Liv —5D 88 (4P 5)
Cleary St. Boot —2H 67
Clee Hill Rd. Birk —7C 106
Cleethorpes Rd. Murd —3A 154
Cleeves Clo. Warr —3C 118
Clegge St. Warr —1B 118
Clegg St. Liv —3A 88 (1H 5)
Clegg St. Skel —2D 36
Clelland St. Warr —5C 118
Clematis Rd. Liv —2J 111
Clement Gdns. Liv —3J 87 (1E 4)
Clementina Rd. Liv —1B 52
Clemmey Dri. Boot —7A 54
Clenger's Brow. South —5B 8
Clent Av. Liv —1E 42
Clent Gdns. Liv —1E 42
Clent Rd. Liv —1E 42
Cleopas St. Liv —4B 108
Clevedon Dri. Wig —1A 50
Clevedon St. Liv —3C 108
Cleveland Av. Wig —2A 50
Cleveland Clo. Liv —1A 56
Cleveland Dri. Ash M —1G 63
Cleveland Dri. L Sut —5C 160
Cleveland Rd. Warr —4B 98
Cleveland Sq. Liv —7K 87 (8F 4)
Cleveland St. Birk —7B 86
Cleveland St. St H —5E 74
Cleveley Pk. Liv —7B 110
Cleveley Rd. Liv —7A 110
Cleveley Rd. Wir —7G 83
Cleveleys Av. South —3C 8
Cleveleys Av. Wid —6F 115
Cleveleys Rd. Gt San —4F 117
Cleveleys Rd. South —4C 8
Cleves, The. Liv —1G 43
Cleve Way. Liv —1B 30
Clieves Hills. —7H 23
Clieves Hills La. Augh —1G 33
Clieves Rd. Liv —4D 56
Clifden Ct. Form —7K 19
Cliff Dri. Wall —2D 86
Cliffe Rd. App —2C 138
Cliffe Rd. L Nes —6K 157
Cliffe St. Warr —3K 117
Cliffe St. Wid —7E 114
Cliff La. Grapp & Lymm —3B 140
Cliff La. Thel —6J 119
(in two parts)
Clifford Rd. Penk —4E 116
Clifford Rd. South —7G 11
Clifford Rd. Wall —4B 86
Clifford St. Birk —7A 86
Clifford St. Liv —5A 88 (4J 5)
Cliff Rd. South —5K 7
Cliff Rd. Wall —4K 85
Cliff St. Liv —5E 88
Cliff, The. Wall —5K 65
Cliff Vw. Frod —3C 166
Clifton. —6F 153
Clifton Av. Cul —3K 79
Clifton Av. Liv —7J 111
Clifton Av. Wir —7A 146
Clifton Clo. Wool —1K 119
Clifton Ct. Birk —3D 106
Clifton Ct. Liv —1A 130
Clifton Cres. Birk —2E 106
Clifton Cres. Frod —2E 166
Clifton Cres. St H —4K 73
Clifton Dri. Liv —3F 55
Clifton Gdns. Ell P —1A 170
Clifton Gro. Liv —3A 88 (1J 5)
Clifton Gro. Wall —3C 86
Clifton La. Clftn —6F 153
Cliftonmill Meadows. Golb —5K 63
Clifton Rd. Anf —2F 89
Clifton Rd. Ash M —6D 50
Clifton Rd. Bil —1F 61
Clifton Rd. Birk —3D 106
Clifton Rd. Form —5A 20
Clifton Rd. Run —3C 152
Clifton Rd. South —2B 12
Clifton Rd. Sut W —7G 153
Clifton Rd. E. Liv —2F 89
Clifton St. Liv —3A 130
Clifton St. St H —2C 74
Clifton St. Warr —4C 118
Clifton Ter. St H —4K 73
Cliftonville Rd. Prsct —1E 92
Cliftonville Rd. Wool —1J 119
Clincton Clo. Wid —1G 133
Clincton Vw. Wid —1G 133
Clinkham Wood. —5C 60
Clinning Rd. South —6G 11
Clinton Pl. Liv —7H 69
Clinton Rd. Liv —7H 69
Clint Rd. Liv —6E 88
(in two parts)
Clint Way. Liv —6E 88
Clipper Vw. Wir —1H 127
Clipsley Brook Vw. Hay —7H 61
Clipsley Cres. Hay —6J 61
Clipsley La. Hay —7K 61
Clive Av. Warr —6C 98
Clive Lodge. South —6F 11
Clive Rd. Pren —4B 106
Clive Rd. South —6F 11
Clock Face. —4F 95
Clock Face Rd. Clo F & Wid —2E 94
Clock La. Wid —5H 115
Cloister Grn. Liv —1B 30
Cloisters, The. Cros —2D 52
Cloisters, The. Ecc —2H 73
Cloisters, The. Form —7K 19
Cloister Way. Ell P —6C 162
Clorain Clo. Liv —2E 56
Clorain Rd. Liv —2E 56
Closeburn Av. Wir —4C 142
Close St. St H —7A 74
Close, The. Beb —7D 106
Close, The. Cros —2D 52
Close, The. Ecc —1G 73
Close, The. Grea —6B 104
Close, The. Hay —1H 75
Close, The. Irby —3B 124
Close, The. Liv —7G 71
Close, The. Newt W —5J 77
Close, The. South —2J 9
Close, The. Walt —2B 68
Cloudberry Clo. Liv —2J 111
Clough Av. Warr —5B 98
Clough Gro. Ash M —7D 50
Clough Rd. Liv —5H 131
Clough, The. Ash M —1B 62
Clough, The. Halt —1H 153
Clough Wood. Beech —6J 153
Clovelly Av. Gt San —1C 116
Clovelly Av. St H —1F 95
Clovelly Dri. Newb —1G 27
Clovelly Dri. South —1E 14
Clovelly Gro. Brook —5K 153
Clovelly Rd. Liv —1D 88
Clover Av. Frod —4F 167
Clover Av. Liv —6H 111
Clover Ct. Brook —5K 153
Cloverdale Dri. Ash M —3G 63
Cloverdale Rd. Liv —1E 110
Clover Dri. Birk —6J 85
Cloverfield. Nort —3A 154
Cloverfield Gdns. L Sut —4F 161
Clover Hey. St H —6D 60
Clubmoor. —7G 69
Club St. St H —4C 60
Clucas Gdns. Orm —4C 24
Clwyd Gro. Liv —6K 69
Clwyd St. Birk —2D 106
(in two parts)
Clwyd St. Wall —7A 66
Clwyd Way. L Sut —5C 160
Clyde Rd. Liv —5G 89
Clydesdale. Whitby —1K 169
Clydesdale Rd. App —1D 138
Clydesdale Rd. Wall —2D 86
Clydesdale Rd. Wir —7D 82
Clyde St. Birk —6F 107
Clyde St. Boot —6J 67
Clyffes Farm Clo. Scar —2J 17
Coach Ho. Ct. Seft —6A 42
Coachmans Dri. Liv —5C 70
Coach Rd. Bic & Rainf —2K 45
Coach Rd. Liv —6B 58
Coalbrookdale Rd. Clay L —1J 157
Coalgate La. Whis —5C 92
Coal Pit La. Bic —7C 36
Coalpit La. Dunk —6G 169
Coalpit La. Moll —7F 169
Coalport Wlk. St H —1J 93
Coal St. Liv —5A 88 (5H 5)
Coalville Rd. St H —7F 61
Coastal Dri. Wall —6H 65
Coastal Rd. Ains —3A 14
Coastguard La. Park —2F 157
Cobal Ct. Frod —3D 166
Cobb Av. Liv —7H 53
Cobb Hall La. Manl —7K 173
Cobbles, The. Liv —6H 111
Cobblestone Corner. Liv —2J 129
Cobbs. —1E 138
Cobb's Brow La. Newb & Lath —2G 27
Cobb's Clough Rd. Lath —5F 27
Cobbs La. App —1E 138
Cobden Av. Birk —5F 107
Cobden Ct. Birk —5E 106
Cobden Pl. Birk —5F 107
Cobden Pl. Liv —6D 110
Cobden Rd. South —2B 12
(in two parts)
Cobden St. Liv —4B 88 (2L 5)
Cobden St. Newt W —2H 77
Cobden St. Warr —2B 118
Cobden St. Wltn —6D 110
Cobden Vw. Liv —6D 110
Cobham Av. Liv —7B 54
Cobham Rd. Wir —1B 104
Cobham Wlk. Boot —1K 53
Cob Moor Av. Bil —3F 49
Cob Moor Rd. Bil —3F 49
Coburg Dock Marina. —2K 107
Coburg St. Birk —2D 106
Coburg Wharf. Liv —2J 107
Cochrane St. Liv —2B 88
Cockburn St. Liv —4B 108
Cockerell Clo. Liv —7B 68
Cockerham Way. Liv —1K 69
Cock Glade. Hals P —6D 92
(in two parts)
Cockhedge Cen. Warr —3B 118
Cockhedge Grn. Warr —2C 118
Cockhedge La. Warr —3C 118
Cockhedge Way. Warr —3B 118
Cocklade La. Hale V —1D 150
Cock La. Ends. Wid —5H 133
Cockle Dick's La. South —5A 8
Cockshead Rd. Liv —2F 111
Cockshead Way. Liv —2F 111
Cockspur St. Liv —5J 87 (4E 4)
Cockspur St. W. Liv —5J 87 (4D 4)
Coerton Rd. Liv —6D 54
Coffin La. Ince —6H 51
Cokers, The. Birk —1E 126
Colbern Clo. Liv —3G 43
Colburn Clo. Wig —2E 50
Colby Clo. Liv —7C 90
Colby Rd. Wig —1F 51
Colchester Rd. South —6B 12
Coldstone Dri. Ash M —2B 62
Coldstream Clo. Warr —3E 98
Coldstream Dri. L Sut —6B 160
Cole Av. Newt W —2G 77
Colebrooke Clo. Bchwd —3C 100
Colebrooke Rd. Liv —5C 108
Coleclough Pl. Cul —2B 80
Cole Cres. Augh —3A 34
Coleman Dri. Wir —5A 104
Colemere Clo. Pad —7G 99
Colemere Ct. Ell P —4K 161
Colemere Dri. Wir —3F 125
Coleridge Av. Dent G —2K 73
Coleridge Av. Orr —5J 39
Coleridge Dri. Wir —2G 127
Coleridge Gro. Wid —1A 134
Coleridge Pl. Wig —1D 50
Coleridge Rd. Bil —3F 49
Coleridge St. Boot —2G 67
Coleridge St. Liv —4D 88
Colerne Way. Wig —2B 50
Colesborne Rd. Liv —4J 69
Coles Cres. Liv —6H 41
Coleshill Ri. Wig —2A 50
Coleshill Rd. Liv —3G 69
Cole St. Pren —2C 106
Colette Rd. Liv —6K 55
Coleus Clo. Liv —2D 68
Colin Clo. Liv —5G 91
Colindale Rd. Liv —1C 110
Colin Dri. Liv —2J 87
Colinmander Gdns. Orm —7A 24
Colinton. Skel —4A 38
Colinton St. Liv —7G 89
College Av. Cros —2D 52
College Av. Form —5J 19
College Clo. Fearn —5H 99
College Clo. Liv —6H 19
College Clo. Pren —2F 105
College Clo. South —5G 11
College Clo. Wall —1J 85
College Clo. Warr —3D 118
College Ct. Liv —2J 89
College Dri. Wir —2G 127
College Fields. Liv —6J 91
College Grn. Flats. Liv —2D 52
College La. Liv —6K 87 (7F 4)
College Path. Liv —5H 19
College Pl. Fearn —5H 99
College Rd. Liv —1C 52
College Rd. Uph —2D 38
College Rd. N. Liv —7C 40
College St. St H —2C 74
(in two parts)
College St. N. Liv —4B 88 (3K 5)
College St. S. Liv —4B 88 (3L 5)
College Vw. Boot —4J 67
College Vw. Liv —5J 91
Collier's Row. Run —3A 152
Collier St. Run —6B 134
Colliery Grn. Clo. L Nes —6J 157
Colliery Grn. Ct. L Nes —6J 157
Colliery Grn. Dri. L Nes —6J 157
Collingham Grn. L Sut —6D 160
Collingwood Rd. Newt W —3F 77
Collingwood Rd. Wir —5H 127
Collin Rd. Pren —7J 85
Collins Clo. Boot —1G 67
Collins Green. —5B 76
Collins Green La. C Grn —5C 76
Collins Ind. Est. St H —1E 74
Collinson Ct. Frod —3D 166
Collin St. Warr —3J 117
Collisdene Rd. Orr —5F 39
Colmoor Clo. Liv —6D 44
Colmore Av. Wir —1F 145
Colmore Rd. Liv —4G 69
Colne Dri. St H —7F 75
Colne Rd. Btnwd —1D 96
Colonel's La. Newt W —7K 63
Colorado Clo. Old H —1G 117
Colquitt St. Liv —7A 88 (8H 5)
Coltart Rd. Liv —2D 108
Colton Rd. Liv —1D 110
Colton Wlk. Liv —1D 110
Columban Clo. Boot —2A 54
Columbia La. Pren —4B 106
Columbia Rd. Liv —4C 68
Columbia Rd. Pren —4B 106
Columbia Rd. Prsct —1E 92
Columbine Clo. Wid —4H 113
Columbine Way. St H —7K 75
Columbus Dri. Wir —6C 124
Columbus Quay. Liv —5A 108

Columbus St.—Crescent Rd.

Columbus St. Ash M —7D 50
(off Priory Rd.)
Columbus Way. Liv —6H 53
Column Rd. Wir —6E 102
Colville Ct. Win Q —4A 98
Colville Rd. Wall —3A 86
Colville St. Liv —7G 89
Colwall Clo. Liv —3E 56
Colwall Rd. Liv —3E 56
Colwall Wlk. Liv —3E 56
Colwell Clo. Liv —7E 70
Colwell Ct. Liv —7E 70
Colwell Rd. Liv —1E 90
Colworth Rd. Liv —5F 131
Colwyn Clo. Call —5J 97
Colwyn Rd. Liv —5H 89
Colwyn St. Birk —7A 86
Colyton Av. Sut L —2F 95
Combermere St. Liv —2A 108
(L8)
Combermere St. Liv —7F 89
(L15)
Comely Av. Wall —3C 86
Comely Bank Rd. Wall —3D 86
Comer Gdns. Liv —1E 42
Comfrey Gro. Liv —6J 111
Commercial Rd. Liv —1J 87
Commercial Rd. Wir —6A 128
Common Fld. Rd. Wir —7F 105
Common La. Cul —2K 79
Common La. Hap —3D 172
Common La. Lwr S —7K 139
Common La. South —5K 9
Common La. Warr —6E 118
Common Rd. Newt W —4C 76
Commonside. Hel —2K 173
Common St. Newt W —3C 76
Common St. St H —7K 73
Common, The. Halt —1H 153
Commonwealth Pavilion. Liv
—7J 87 (9D 4)
Commutation Row. Liv
—5K 87 (4H 5)
Company's Clo. West —4B 152
Compass Clo. Murd —5B 154
Compass Ct. Wall —6K 65
Compton Clo. Hay —6A 62
Compton Pl. Ell P —6K 161
Compton Rd. Birk —6H 85
Compton Rd. Liv —3C 88 (1N 5)
Compton Rd. South —5H 11
Compton Wlk. Boot —2H 67
Compton Way. Wltn —3J 131
Comus St. Liv —4K 87 (2G 4)
Concert Sq. Liv —7G 4
Concert St. Liv —6K 87 (8G 4)
Concorde Av. Wig —1F 51
Concordia Av. Wir —3E 104
Concord Pl. Warr —5D 98
Concourse Ho. Liv —5K 87 (5H 5)
Concourse Shop. Cen. Uph —2H 37
Concourse, The. Wir —5C 102
Concourse Way. St H —4H 75
Condor Clo. Liv —3A 130
Condron Rd. N. Liv —4J 53
Condron Rd. S. Liv —4J 53
Conery Clo. Hel —7J 165
Coney Cres. Cros —7H 41
Coney Gro. Brook —5J 153
Coney La. Tarb G —1K 111
Coney Wlk. Wir —2B 104
Conifer Clo. Kirkby —7C 44
Conifer Clo. Walt —2D 68
Conifer Clo. Whitby —4J 169
Conifer Gro. Gt San —1D 116
Conifers, The. Liv —1E 42
Coningsby Dri. Wall —3A 86
Coningsby Rd. Liv —7C 68
Coniston Av. Ash M —1F 63
Coniston Av. Orr —4H 39
Coniston Av. Penk —4B 116
Coniston Av. Pren —3G 105
Coniston Av. Prsct —1F 93
Coniston Av. Wall —7J 65
Coniston Av. Wir —6J 145
Coniston Clo. Beech —4F 153
Coniston Clo. Chil T —2D 160
Coniston Clo. Kirkby —1B 56
Coniston Clo. Walt —6D 54
Coniston Ct. South —6C 14
Coniston Dri. Frod —3E 166
Coniston Gro. St H —6C 60
Coniston Rd. Form —1H 29
Coniston Rd. Irby —3B 124
Coniston Rd. Mag —2F 43
Coniston Rd. Nest —5J 157
Coniston St. Liv —1C 88
Coniston Way. Rainf —2F 47
Conleach Rd. Liv —7H 131
Connaught Av. Warr —1E 118
Connaught Clo. Birk —7A 86
Connaught Dri. Newt W —4G 77
Connaught Rd. Liv —5C 88 (5N 5)
Connaught Way. Birk —7K 85
Connolly Av. Boot —1A 68
Conroy Way. Newt W —5G 77
Conservation Cen., The.
—5K 87 (5F 4)
Consett Rd. St H —1K 93
Constables Clo. Cas —1J 153
Constance St. Liv —5B 88 (4K 5)
Constance St. St H —4K 73
Constance Way. Wid —3C 134
Constantia St. Ince —1K 51
Constantine Av. Wir —1E 142
Convent Clo. Augh —1C 34
Convent Clo. Birk —4D 106
Convent Clo. Liv —2J 129
Conville Boulevd. Wir —1D 126
Conway Av. Warr —5K 97
Conway Clo. Gt San —2D 116
Conway Clo. Liv —7B 44
Conway Clo. Wir —4D 126
Conway Ct. Beb —5F 127
Conway Ct. Ell P —1B 170
Conway Cres. Bil —6G 49
Conway Dri. Bil —7H 49
Conway Dri. Newt W —3J 77
Conway Pl. Birk —2D 106
Conway Rd. Ash M —7J 51
Conway St. Birk —1C 106
(in two parts)
Conway St. Liv —2A 88
Conway St. St H —4K 73
Conwy Dri. Liv —2D 88 (1P 5)
Conyers Av. South —5F 11
Coogee Av. Gt San —1C 116
Cook Av. Hay —6C 62
Cooke St. Wig —6D 50
Cook Pl. Frod —2D 166
Cook Rd. Wir —3F 85
Cookson Rd. Liv —7G 53
Cookson St. Liv —1A 108 (10H 5)
Cooks Rd. Liv —7D 40
Cook St. Birk —3C 106
Cook St. Ell P —5A 162
Cook St. Liv —6J 87 (6E 4)
Cook St. Prsct —1D 92
Cook St. Whis —3F 93
Coombe Dri. Run —2B 152
Coombe Pk. L Sut —5E 160
Coombe Pk. Ct. L Sut —5E 160
Coombe Rd. Wir —2C 124
Cooperage Clo. Liv —4A 108
Cooper Av. Newt W —3D 76
Cooper Av. Warr —5B 98
Cooper Av. N. Liv —7J 109
Cooper Av. S. Liv —7J 109
Cooper Clo. Liv —1J 129
Cooper La. Hay —1K 75
Cooper's La. Know I —7H 57
Coopers Row. Wat —5E 52
Cooper St. Run —6C 134
Cooper St. St H —2B 74
Cooper St. Wid —7D 114
Copeland Clo. Wir —5C 124
Copeland Gro. Beech —5G 153
Copeland Rd. Warr —6B 118
Copperas Hill. Liv —6A 88 (6H 5)
Copperas St. St H —3B 74
Copperfield Clo. Bchwd —2J 99
Copperfield Clo. Liv —3B 108
Copperwood. Run —1A 154
Copperwood Dri. Whis —5E 92
Coppice Clo. Cas —1K 153
Coppice Clo. Pren —2F 105
Coppice Cres. Liv —3K 91
Coppice Dri. Bil —2F 49
Coppice Dri. Wig —1D 50
Coppice Grange. Wir —1A 104
Coppice Grn. Elton —7B 164
Coppice Grn. W'brk —6E 96
Coppice Gro. Wir —6A 104
Coppice La. Tarb G —1B 112
Coppice Leys. Liv —7J 19
Coppice, The. Gt Sut —4G 169
Coppice, The. Know —3H 71
Coppice, The. Liv —1E 88
Coppice, The. Wall —7A 66
Coppins Clo. Hel —7H 165
Coppins, The. Warr —5C 98
Copple Ho. La. Liv —6J 55
Coppull Rd. Liv —7E 32
Copse Gro. Wir —2C 124
Copse, The. Liv —3B 110
Copse, The. Newt W —2E 76
Copse, The. Pal —4J 153
(in two parts)
Copthorne Rd. Liv —3K 55
Copthorne Wlk. Liv —3K 55
Copy Clo. Boot —7B 42
Copy La. Boot —7B 42
Copy Way. Boot —7B 42
Coral Av. Liv —4H 91
Coral Av. That H —7B 74
Coral Dri. Boot —3J 67
Coralin Way. Ash M —5D 50
Coral Ridge. Pren —2H 105
Coral St. Liv —6J 89
Corbet Av. Warr —7B 98
Corbet Clo. Liv —3A 56
Corbet St. Warr —7B 98
Corbet Wlk. Liv —3A 56
Corbridge Rd. Liv —1A 110
Corbyn St. Wall —5E 86
Corfu St. Birk —2C 106
Corinthian Av. Liv —3J 89
Corinthian St. Birk —6F 107
Corinthian St. Liv —6F 53
Corinth Tower. Liv —1A 88
Corinto St. Liv —1A 108
Cormorant Ct. Wall —6J 65
Cormorant Dri. Run —7A 134
Cormorant Ind. Est. Run —7A 134
Cornbrook. Skel —4A 38
Corncroft Rd. Know —3H 71
Corndale Rd. Liv —4J 109
Cornelian Gro. Ash M —7D 50
Cornelius Dri. Wir —4D 124
Cornel Way. Liv —7K 91
Corner Brook. Liv —7D 70
Cornerhouse La. Wid —5K 113
Cornett Rd. Liv —6D 54
Corney St. Liv —1E 108
Cornfield Clo. Gt Sut —3H 169
Cornfields Clo. Liv —3K 129
Cornflower Way. Wir —5E 84
Cornforth Way. Wid —6A 114
Corn Hill. Liv —7J 87 (9F 4)
Cornice Rd. Liv —3J 89
Corniche Rd. Wir —3H 127
Corn Mill Clo. Ash M —1B 62
Cornmill Lodge. Liv —2E 42
Corn St. Liv —3A 108
Cornubia Rd. Wid —2E 134
Cornwall Av. Run —7C 134
Cornwall Clo. Cas —1H 153
Cornwall Clo. Wir —1H 127
Cornwall Ct. Wir —5F 127
Cornwall Dri. Pren —7A 106
Cornwallis St. Liv —7K 87 (10G 4)
(in two parts)
Cornwall Rd. Wid —5D 114
Cornwall St. Parr I —4F 75
Cornwall St. Warr —1E 118
Cornwall Way. South —6B 14
Cornwood Clo. Liv —1F 111
Corona Av. Liv —6E 32
Corona Rd. Old S —3J 89
Corona Rd. Wat —4D 52
Corona Rd. Wir —3J 127
Coronation Av. Form —1A 30
Coronation Av. Grapp —6J 119
Coronation Av. K Ash —4C 90
Coronation Av. Wall —7B 66
Coronation Bldgs. Wall —3A 86
Coronation Bldgs. Wir —4E 102
Coronation Ct. Liv —2H 69
(off Ternhall Rd.)
Coronation Dri. Cros —2D 52
Coronation Dri. Frod —2F 167
Coronation Dri. Hay —6E 62
Coronation Dri. K Ash —4C 90
Coronation Dri. Newt W —5J 77
Coronation Dri. Penk —4D 116
Coronation Dri. Prsct —3C 92
Coronation Dri. Wid —1H 133
Coronation Dri. Wir —6K 127
Coronation Ho. Run —2E 152
Coronation Pk. —5C 24
Coronation Rd. Cros —2D 52
Coronation Rd. Ell P —7K 161
Coronation Rd. Hoy —2B 102
Coronation Rd. Lyd —1E 42
Coronation Rd. Pres B —4D 154
Coronation Rd. Run —1D 152
Coronation Rd. Wind —7J 59
Coronation St. Ash M —6B 50
Coronation St. Ince —1K 51
Coronation Wlk. Bil —1F 61
Coronation Wlk. South —1G 11
Coroner's La. Wid —3C 114
Coronet Rd. Liv —3A 70
Coronet Way. Wid —1H 133
Corporation Rd. Birk —7K 85
Corporation St. St H —2C 74
(in two parts)
Corporation St. South —1H 11
Corridor Rd. Ell P —6F 163
Corrie Dri. Wir —5F 127
Corsewall St. Liv —7F 89
Corsham Rd. Liv —3J 131
Corsican Gdns. St H —1J 93
Cortsway. Wir —3C 104
Cortsway W. Wir —3B 104
Corwen Clo. Call —6J 97
Corwen Clo. Pren —2F 105
Corwen Clo. Wir —1D 104
Corwen Cres. Liv —5D 90
Corwen Dri. Boot —1C 54
Corwen Rd. Liv —6E 68
Corwen Rd. Wir —1E 102
Cosgate Clo. Orr —6G 39
Cosgrove Clo. Liv —7F 69
Cossack Av. Warr —6B 98
Costain St. Liv —6J 67
Costessey Way. Wig —1A 50
Cote Lea Ct. Hall P —4H 153
Cotham St. St H —3C 74
Coton Way. Liv —2A 56
Cotsford Clo. Liv —3G 91
Cotsford Pl. Liv —3G 91
Cotsford Rd. Liv —3G 91
Cotsford Way. Liv —3G 91
Cotswold Av. Wig —6K 39
Cotswold Gro. St H —3J 75
Cotswold Pl. Warr —3B 98
Cotswold Rd. Birk —7C 106
Cotswold Rd. Warr —3B 98
Cotswolds Cres. Liv —2J 131
Cotswold St. Liv —5D 88
Cottage Clo. Brom —5J 145
Cottage Clo. L Nes —4J 157
Cottage Clo. Liv —6C 56
Cottage Clo. Orm —6B 24
Cottage Dri. E. Wir —5D 142
Cottage Dri. W. Wir —5D 142
Cottage La. Orm —4B 24
Cottage La. Wir —5D 142
Cottage M. Orm —5B 24
Cottage Pl. Clo F —3E 94
Cottage St. Birk —1D 106
Cottenham St. Liv —4D 88 (3P 5)
Cotterdale Clo. Gt San —1D 116
Cotterdale Clo. St H —1E 94
Cotterill. Halt B —2F 153
Cotterill Dri. Wool —1J 119
Cottesbrook Clo. Liv —3H 69
Cottesbrook Pl. Liv —3H 69
Cottesbrook Rd. Liv —3H 69
Cottesmore Dri. Wir —2H 143
Cottham Dri. Fearn —4G 99
Cotton Dri. Orm —4B 24
Cotton La. Halt L —2F 153
Cotton St. Liv —3H 87 (1B 4)
Cottonwood. Liv —5B 108
Cottrell Clo. Liv —5A 130
Cottys Brow. South —4B 8
Coudray Rd. South —6A 8
Coulport Clo. Liv —2E 90
Coulsdon Pl. Liv —4C 108
Coulthard Rd. Birk —1G 127
Coulton Rd. Wid —5G 115
Coultshead Av. Bil —6G 49
Council Av. Ash M —2F 63
Council St. Rain —2G 93
Countess Pk. Liv —4A 70
Countisbury Dri. Liv —2C 110
County Dri. St H —4A 74
County Rd. Kirkby —1C 56
County Rd. Orm —6B 24
County Rd. Walt —5B 68
Course La. Newb —1C 26
Court Av. Liv —7A 112
Courtenay Av. Liv —3C 52
Courtenay Rd. Wat —3C 52
Courtenay Rd. Wir —1C 102
Courtenay Rd. Wltn —4D 110
Courtfield. Orm —3B 24
Court Grn. Orm —3B 24
Court Hey. —6D 90
Court Hey. Mag —3G 43
Ct. Hey Av. Liv —5E 90
Ct. Hey Dri. Liv —6D 90
Court Hey Pk. —6D 90
Ct. Hey Rd. Liv —6D 90
Courthope Rd. Liv —4D 68
Courtland Rd. Liv —3K 109
Courtney Av. Wall —4A 86
Courtney Rd. Birk —1G 127
Court Rd. South —7J 7
Court, The. L Nes —5K 157
Court, The. Liv —7G 71
Court, The. Wir —4G 127
Courtyard, The. Liv —5H 109
Covent Garden. Liv —5H 87 (5D 4)
Coventry Av. Boot —4B 54
Coventry Av. Gt Sut —4G 169
Coventry Rd. Liv —2J 109
Coventry St. Birk —2D 106
Coverdale Av. Rain —4K 93
Coverdale Clo. Gt San —1D 116
Covertside. Wir —6F 103
Cowan Dri. Liv —3C 88 (1M 5)
Cowan Way. Wid —4B 114
Cowdell St. Warr —1B 118
Cowdrey Av. Pren —6G 85
Cow Hey La. Run —5C 152
Cow La. L Sut —5E 160
Cowley Clo. Wir —3B 104
Cowley Hill. —1B 74
Cowley Hill La. St H —1A 74
Cowley Rd. Liv —5B 68
Cowley St. St H —1C 74
Cowper Rd. Liv —4K 89
Cowper St. Boot —1G 67
Cowper St. St H —5E 74
Cowper Way. Liv —6A 92
Coyford Dri. South —3C 8
Coylton Av. Rain —5K 93
Crab La. Fearn —4G 99
Crab St. St H —2B 74
Crab Tree Clo. Hale V —7E 132
Crabtree Clo. N'ley —3H 111
Crabtree Clo. Newt W —3J 77
Crabtree Fold. Nort —2A 154
Crabtree La. H Legh —4J 141
Cradley. Wid —6J 113
Crag Gro. St H —4D 60
Craigburn Rd. Liv —1G 89
Craig Gdns. Ell P —4G 161
Craighurst Rd. Liv —1E 110
Craigleigh Gro. Wir —6B 146
Craigmore Rd. Liv —7J 109
Craigside Av. Liv —7J 69
Craigs Rd. Liv —1G 89
Craigwood Way. Liv —4F 91
Craine Clo. Liv —6D 68
Cramond Av. Liv —3H 109
Cramond Clo. Wig —1B 50
Cranage Clo. Halt L —3F 153
Cranberry Clo. Liv —2J 111
Cranberry Clo. St H —1B 74
Cranborne Av. Warr —7A 118
Cranborne Av. Wir —6G 83
Cranborne Rd. Liv —1E 108
Cranbourne Av. Birk —1A 106
Cranbourne Av. More —1B 104
Cranbrook Av. Ash M —1E 62
Cranbrook St. St H —4D 74
Crane Av. St H —1F 95
Cranehurst Rd. Liv —4D 68
Cranes La. Lath —3H 25
Cranfield Rd. Liv —7G 41
Cranfield Rd. Wig —1E 50
Cranford Clo. Clo F —4G 95
Cranford Clo. Wir —6B 146
Cranford Ct. Warr —7A 100
Cranford Rd. Liv —1K 129
Cranford St. Wall —5C 86
Crank. —1A 60
Crank Hill. Crank —1A 60
Crank Rd. Bil —3E 48
Crank Rd. Crank —6B 48
Crank Rd. Wind —6J 59
Cranleigh Clo. Stock H —2B 138
Cranleigh Gdns. Liv —1D 52
Cranleigh Pl. Liv —2E 110
Cranleigh Rd. Liv —2E 110
Cranmer St. Liv —2J 87
Cranmore Av. Liv —3E 52
Cranshaw Av. Clo F —4F 95
Cranshaw La. Wid —3D 114
Cranstock Gro. Wind —7J 59
Cranston Clo. St H —1J 73
Cranston Rd. Know I —3G 57
Cranswick Grn. L Sut —6E 160
Crantock Clo. Halew —1K 131
Crantock Clo. W Der —2A 70
Cranwell Av. Cul —2B 80
Cranwell Clo. Liv —3E 54
Cranwell Rd. Liv —1E 110
Cranwell Rd. Wir —5K 103
Cranwell Wlk. Liv —1E 110
Crask Wlk. Liv —1D 56
Craven Clo. Birk —2D 106
Craven Ct. Win Q —3K 97
Craven Lea. Liv —3C 70
Craven Pl. Birk —1C 106
Craven Rd. Liv —1A 90
Craven Rd. Rain —4J 93
Craven St. Birk —2C 106
Craven St. Liv —5A 88 (4J 5)
Cravenwood Rd. Liv —2K 131
Crawford. —2K 47
Crawford Av. Mag —1D 42
Crawford Av. Moss H —3H 109
Crawford Av. Wid —7H 113
Crawford Clo. Clo F —3F 95
Crawford Clo. Liv —7B 70
Crawford Dri. Liv —6J 89
Crawford Pk. Liv —5H 109
Crawford Pl. Run —4D 152
Crawford Rd. Uph —3J 47
Crawford St. Clo F —3G 95
Crawford Way. Liv —5G 89
Crawley Av. Warr —4A 98
Crawley Clo. Liv —1H 131
Crawshaw Ct. Liv —3F 91
Crediton Av. South —2D 8
Crediton Clo. Liv —1A 70
Crediton Dri. Plat B —3K 51
Creek, The. Wall —6J 65
Creer St. Liv —3A 88 (1H 5)
Cremona Corner. Liv —4E 52
Cremorne Hey. Liv —7F 71
Crescent Av. Ash M —1E 62
Crescent Av. Liv —2J 29
Crescent Ct. Liv —7G 53
Crescent Dri. Hel —1H 173
Crescent Grn. Augh —2K 33
Crescent Rd. Cros —7B 40
Crescent Rd. Ell P —5B 162
Crescent Rd. S'frth —7G 53
Crescent Rd. South —5F 11

Crescent Rd.—Dalton

Crescent Rd. Wall —3C 86
Crescent Rd. Walt —2D 68
Crescents, The. Rain —3G 93
Crescent, The. Beb —4E 126
Crescent, The. Boot —7A 54
Crescent, The. Grea —5B 104
Crescent, The. Gt Sut —6H 161
Crescent, The. Huy —5A 92
Crescent, The. Lymm —6H 121
Crescent, The. Mag —5E 42
Crescent, The. Pens —3D 124
Crescent, The. South —4E 8
Crescent, The. Speke —5G 131
Crescent, The. Thor —6G 41
Crescent, The. Wat —4E 52
Crescent, The. W Kir —6C 102
Crescent, The. Whis —3F 93
Cresington Gdns. Ell P —5A 162
Cressbrook Rd. Stock H —1C 138
Cressida Av. Wir —2E 126
Cressingham Rd. Wall —6B 66
Cressington Av. Birk —7D 106
Cressington Esplanade. Liv —3H 129
Cressington Park. —3J 129
Cresson Ct. Pren —3K 105
Cresswell Clo. Call —4H 97
Cresswell Clo. Liv —7A 112
Cresswell St. Liv —3B 88 (1L 5)
Cresta Dri. West —4B 152
Cresttor Rd. Liv —5D 110
Crestwood Av. Wig —1C 50
Creswell St. St H —3A 74
Cretan Rd. Liv —1F 109
Crete Towers. Liv —1A 88
Crewe Grn. Wir —6E 104
Criccieth Ct. Ell P —2B 170
Cricket Path. Liv —5K 19
Cricket Path. South —5F 11
Cricklade Clo. Boot —2H 67
Criftin Clo. Gt Sut —2E 168
Cringles Dri. Tarb G —1A 112
Crisp Delf. —1B 38
Crispin Rd. Liv —3J 111
Crispin St. St H —3A 74
Critchley Rd. Liv —7A 132
Critchley Way. Liv —1D 56
Croal Av. Plat B —2K 51
Croasdale Dri. Beech —5G 153
Crockett's Wlk. Ecc —1H 73
Crockleford Av. South —5A 12
Crocus Av. Birk —7K 85
Crocus Gdns. St H —7J 75
Crocus St. Liv —7K 67
Croesmere Dri. Gt Sut —2F 169
Croft. —6G 79
Croft Av. Orr —6F 39
Croft Av. Wir —1J 145
Croft Av. E. Wir —7K 127
Croft Bus. Cen. Croft B —7K 127
Croft Clo. Pren —4J 105
Croft Cotts. Chil T —3C 160
(off School La.)
Croft Ct. Ell P —1C 170
Croft Dri. Cald —2E 122
Croft Dri. More —1D 104
Croft Dri. E. Wir —2F 123
Croft Dri. W. Wir —2E 122
Croft Edge. Pren —5B 106
Croft End. St H —5H 75
Croften Dri. Nest —6J 157
Crofters Clo. Gt Sut —3G 169
Crofters Heath. Gt Sut —3G 169
Crofters La. Liv —7E 44
Crofters, The. Wir —4B 104
Croftfield. Liv —3G 43
Croft Gdns. Grapp —2G 139
Croft Grn. Wir —6K 127
Croft Heath. —6G 79
Cft. Heath Gdns. Croft —6G 79
Croft Heys. Augh —2K 33
Croft Ho. Golb —7G 79
Croftlands. Orr —7F 39
Croft La. Liv —6F 55
Croft La. Wir —1K 145
Crofton Clo. App T —4J 139
Crofton Cres. Liv —4K 89
Crofton Gdns. Cul —3A 80
Crofton Rd. Birk —5E 106
Crofton Rd. Liv —4K 89
Crofton Rd. Run —1A 152
Croft Shop. Cen., The. Stock V —6E 70
Croftside. Wool —1B 120
Croftson Av. Orm —4D 24
Croft St. Golb —5K 63
Croft St. Wid —3C 134
Croftsway. Wir —2B 142
Croft, The. Bil —7F 39
Croft, The. Halt —1H 153
Croft, The. Kirkby —6D 56
Croft, The. Mag —6D 32
Croft, The. W Der —7K 69
Croft, The. Wir —6B 104
Croft Way. Liv —6H 41
Croftwood Gro. Whis —5E 92
Croft Youth Activety Leisure Cen. —7G 79
Cromarty Rd. Liv —5H 89
Cromarty Rd. Wall —3K 85
Cromdale Gro. St H —4G 75
Cromdale Way. Gt San —2C 116
Cromer Dri. Wall —2A 86
Cromer Rd. Liv —7G 109
Cromer Rd. South —6E 10
Cromer Rd. Wig —1C 50
Cromer Rd. Wir —1C 102
Cromer Way. Liv —3K 131
Cromfield. Augh —1A 34
Cromford Dri. Wig —6K 39
Cromford Rd. Liv —2J 91
Crompton Ct. Moss H —3B 110
Crompton Dri. Liv —3C 70
Cromptons La. Liv —4A 110
Crompton St. Ince —1K 51
Crompton St. Liv —2K 87
Cromwell Av. Gt San —5G 97
Cromwell Av. S. Gt San —4G 117
Cromwell Clo. Augh —1A 34
Cromwell Clo. Newt W —2E 76
Cromwell Ct. Warr —3A 118
(off Arpley St.)
Cromwell Rd. Ell P —6A 162
Cromwell Rd. Liv —4A 68
Cromwell St. Wid —3C 134
Crondall Gro. Liv —1K 109
Cronton. —3J 113
Cronton Av. Whis —6C 92
Cronton Av. Wir —4D 84
Cronton La. Cron —6H 93
Cronton La. Wid —3A 114
Cronton Pk. Av. Wid —2J 113
Cronton Pk. Clo. Wid —2J 113
Cronton Rd. Liv —3J 109
Cronton Rd. Tarb —1B 112
Cronton Rd. Wid —3H 113
Cronulla Dri. Gt San —1B 116
Crookall St. Ash M —1G 63
Crookhurst Av. Bil —6F 49
Croome Dri. Wir —6E 102
Croppers Hill Ct. St H —3A 74
Cropper's La. Bic —2D 34
Croppers Rd. Fearn —4F 99
Cropper St. Liv —6K 87 (7H 5)
Cropton Rd. Liv —7K 19
Crosby Av. Warr —7K 97
Crosby Clo. Wir —2D 104
Crosby Grn. Liv —7J 69
Crosby Gro. St H —5K 73
Crosby Gro. Will —2H 159
Crosby Rd. South —5F 11
Crosby Rd. N. Liv —3E 52
Crosby Rd. S. Liv —5E 52
Crosender Rd. Liv —2C 52
Crosfield Clo. Liv —6E 88
Crosfield Rd. Liv —6E 88
Crosfield Rd. Prsct —3F 93
Crosfield Rd. Wall —4C 86
Crosfield St. Warr —3A 118
Crosfield Wlk. Liv —6E 88
Crosgrove Rd. Liv —5D 68
Crosland Rd. Liv —4E 56
Cross Acre Rd. Liv —1F 111
Cross Barn La. Liv —2E 40
Crossdale Rd. Liv —2C 52
Crossdale Rd. Wir —4K 145
Crossdale Way. St H —4D 60
Crossens. —3F 9
Crossens Cricket Club Ground. —4F 9
Crossens Way. South —1E 8
Cross Farm Rd. St H —5E 74
Crossfield Av. Cul —4B 80
Crossfield Av. Lymm —5H 121
Crossfield Rd. Skel —3J 37
Crossfield St. St H —3D 74
Crossford Clo. Wig —1B 50
Crossford Rd. Liv —1E 90
Cross Gates. Wid —5H 115
Cross Grn. Liv —1A 30
Cross Grn. Clo. Liv —1A 30
Crosshall Brow. Orm & W'head —6F 25
Crosshall St. Liv —5K 87 (5F 4)
Cross Hey. Ford —3H 53
Cross Hey. Liv —5G 43
Cross Hey Av. Pren —3H 105
Cross Hillocks La. Wid —6E 112
Crossings, The. Newt W —3F 77
Crossland Ter. Hel —2H 173
Cross La. Bil —1F 49
Cross La. Bchwd & Croft —7J 79
Cross La. Frod —3H 165
Cross La. Grapp —6G 119
Cross La. Hals —7D 16
Cross La. L Nes —6J 157
Cross La. Newt W —3F 77
Cross La. Prsct & Whis —3D 92
Cross La. Wall —2H 85
Cross La. Wir —5F 127
Cross La. S. Risl —1K 99
Crossley Av. Ell P —5G 161
Crossley Dri. Liv —7J 89
Crossley Dri. Wir —2B 142
Crossley Rd. St H —6K 73
Crossley St. Warr —2C 118
Cross Mdw. Ct. St H —5E 74
(off Appleton Rd.)
Cross Pit La. St H —6F 47
Cross St. Birk —2F 107
Cross St. Ince & Wig —1J 51
Cross St. Liv —4D 52
Cross St. Nest —3J 157
Cross St. Orr —5K 39
Cross St. Pem —5K 39
Cross St. Port S —4H 127
Cross St. Prsct —7D 72
Cross St. Run —6C 134
Cross St. St H —3B 74
Cross St. South —2H 11
Cross St. Warr —1B 118
Cross St. Wid —7E 114
Cross, The. Brom —1A 146
Cross, The. Liv —1E 40
Cross, The. Lymm —5G 121
Cross, The. Nest —4J 157
Crossvale Rd. Liv —6J 91
Crossway. Pren —7J 85
Crossway. Wid —7K 113
Crossway Clo. Ash M —7J 51
Crossways. Liv —2D 110
Crossways. Wir —6K 127
Crossway, The. Wir —6C 144
Crosswood Cres. Liv —4G 91
Crosthwaite Av. Wir —6B 146
Croston Av. Rain —2H 93
Croston Clo. Wid —5J 113
Croston Ct. Liv —5J 87 (5E 4)
Croston's Brow. South —4B 8
Crotft Av. Golb —3K 63
Crouchley Hall M. Lymm —7H 121
Crouchley La. Lymm —6G 121
Crouch St. Liv —1C 88
Crouch St. St H —6F 75
Croughton. —7D 170
Croughton Ct. Ell P —3H 161
Croughton Rd. Ell P —3H 161
Croughton Rd. Stoak —6D 170
(in two parts)
Crowe Av. Warr —5B 98
Crowland Clo. South —2C 12
Crowland St. South —2C 12
(in two parts)
Crowland Way. Liv —1B 30
Crow La. Dal —1B 38
Crow La. E. Newt W —2F 77
Crow La. W. Newt W —2D 76
Crowley La. Knut —6C 140
Crowmarsh Clo. Wir —4D 104
Crownacres Rd. Liv —1G 131
Crown Av. Wid —1H 133
Crown Clo. Liv —1A 30
Crown Fields Clo. Newt W —1F 77
Crown Gdns. Newt W —2F 77
Crown Ga. Run —3H 153
Crown Grn. Lymm —4K 121
Crown Pk. Dri. Newt W —1F 77
Crown Rd. Liv —7A 70
Crown St. Liv —5B 88 (5L 5)
(in two parts)
Crown St. Newt W —3E 76
Crown St. That H —7K 73
Crown St. Warr —3B 118
Crownway. Liv —3H 91
Crow St. Liv —2K 107
Crowther St. St H —3K 73
Crow Wood. —6F 115
Crow Wood La. Wid —6F 115
Crow Wood Pl. Wid —5F 115
Croxdale Rd. Liv —7E 70
Croxdale Rd. W. Liv —7D 70
Croxeth Ga. Liv —3E 108
Croxteth. —1B 70
Croxteth Av. Liv —6G 53
Croxteth Av. Wall —3B 86
Croxteth Clo. Liv —1G 43
Croxteth Country Pk. —5A 70
Croxteth Dri. Liv —3E 108
Croxteth Dri. Rainf —5F 47
Croxteth Gro. Liv —2D 108
Croxteth Hall. —5B 70
Croxteth Hall La. Crox & W Der —3A 70
Croxteth La. Know —5F 71
Croxteth Park. —3E 70
Croxteth Rd. Boot —1H 67
Croxteth Rd. Liv —2D 108
Croxteth Sports Cen. —2A 70
Croxteth Vw. Liv —6D 56
(in two parts)
Croyde Clo. South —2D 8
Croyde Pl. Sut L —3E 94
Croyde Rd. Liv —6A 132
Croydon Av. Liv —3H 109
Croylands St. Liv —6A 68
Crucian Way. Liv —3B 70
Crummock Dri. Wig —1D 50
Crump St. Liv —1A 108 (10H 5)
Crutchley Av. Birk —7B 86
Cryers La. Thor M —5K 171
Cubbin Cres. Liv —1K 87
Cubert Rd. Liv —2A 70
Cuckoo Clo. Liv —4E 110
Cuckoo La. L Nes —5B 158
Cuckoo La. Liv —3E 110
Cuckoo Way. Liv —4E 110
Cuerden St. Liv —5K 87 (4G 4)
Cuerdley Cross. —6J 115
Cuerdley Grn. Cuer —6J 115
Cuerdley Rd. Penk —5A 116
Cuerdon Dri. Thel —7K 119
Culbin Clo. Bchwd —1C 100
Culcheth. —3A 80
Culcheth Hall Dri. Cul —2B 80
Culcheth Linear Pk. Cul —4K 79
Culcross Av. Wig —1A 50
Culford Clo. Wind H —1B 154
Cullen Av. Boot —1K 67
Cullen Clo. Wir —6J 145
Cullen Rd. West P —3K 151
Cullen St. Liv —1E 108
Culme Rd. Liv —7H 69
Culshaw Way. Scar —2H 17
Culzean Clo. Liv —3C 70
Cumberbatch Pl. Ince —1K 51
Cumberland Av. Boot —2J 53
Cumberland Av. Liv —2F 109
Cumberland Av. Pren —6A 106
Cumberland Av. St H —6H 73
Cumberland Clo. Liv —1F 89
Cumberland Cres. Hay —7J 61
Cumberland Ga. Boot —1C 54
Cumberland Gro. Gt Sut —1E 168
Cumberland Rd. South —3K 11
Cumberland Rd. Wall —7C 66
Cumberland St. Liv —5J 87 (5E 4)
Cumberland St. Warr —5C 118
Cumber La. Whis —3F 93
Cumbers Dri. Ness —6A 158
Cumbers La. Ness —6A 158
Cumbrae Dri. Ell P —3A 170
Cumbria Way. Liv —5A 70
Cummings St. Liv —7A 88 (9H 5)
Cummins Av. Liv —5J 19
Cumpsty Rd. Liv —4J 53
Cunard Av. Wall —2D 86
Cunard Building. —6H 87 (6C 4)
Cunard Clo. Pren —2G 105
Cunard Rd. Liv —6H 53
Cunliffe Av. Newt W —1F 77
Cunliffe Clo. Pal —3J 153
Cunliffe St. Liv —5J 87 (4E 4)
Cunningham Clo. Gt San —3D 116
Cunningham Clo. Pren —1J 125
Cunningham Clo. Wir —3E 122
Cunningham Dri. Run —2A 152
Cunningham Dri. Wir —2J 145
Cunningham Rd. Liv —5J 89
Cunningham Rd. Wid —1K 133
Cunscough La. Liv —2B 44
Cuper Cres. Liv —3H 91
Curate Rd. Liv —7E 68
Curlender Clo. Birk —6J 85
Curlender Way. Hale V —7E 132
Curlew Av. Upt —2B 104
Curlew Clo. Upt —2B 104
Curlew Ct. Wir —6A 84
Curlew Gro. Bchwd —4A 100
Curlew Gro. Liv —7J 111
Curlew Way. Wir —6A 84
Currans Rd. Warr —5B 98
Curtana Cres. Liv —3A 70
Curtis Rd. Liv —5E 68
Curwell Clo. Wir —6H 127
Curzon Av. Birk —1B 106
Curzon Av. Wall —6B 66
Curzon Dri. Grapp —2G 139
Curzon Rd. Birk —6B 106
Curzon Rd. Liv —4E 52
Curzon Rd. South —3K 11
Curzon Rd. Wir —1C 102
Curzon St. Run —1B 152
Cusson Rd. Know I —5G 57
(Gale Rd.)
Cusson Rd. Know I —4F 57
(Lees Rd.)
Custley Hey. Liv —6F 71
Custom Ho. La. Liv —6J 87 (7E 4)
Cut La. Hals —2H 23
Cut La. Liv —6J 57
Cygnet Clo. Augh —1A 34
Cygnet Clo. Gt Sut —7F 161
Cygnet Ct. Liv —3E 56
Cygnet Ct. Warr —5B 118
Cynthia Av. Wool —1H 119
Cynthia Rd. Run —7B 134
Cypress Av. Gt Sut —3H 169
Cypress Av. Wid —5D 114
Cypress Clo. Liv —2J 55
Cypress Clo. Wool —1A 120
Cypress Cft. Wir —6H 127
Cypress Gdns. St H —1J 93
Cypress Gro. Run —3E 152
Cypress Rd. Liv —7H 91
Cypress Rd. South —2A 12
Cyprian's Way. Boot —2A 54
Cyprus Gro. Liv —4C 108
Cyprus St. Prsct —1D 92
Cyprus Ter. Wall —7B 66
Cyril Bell Clo. Lymm —5H 121
Cyril Gro. Liv —6G 109
Cyril St. Warr —1B 118

Dacre Hill. —7F 107
Dacres Bri. La. Tarb G —1C 112
Dacre's Bri. La. Tarb G —1D 112
Dacre St. Birk —2E 106
Dacre St. Boot —5H 67
Dacy Rd. Liv —1C 88
Daffodil Clo. Wid —4G 115
Daffodil Gdns. St H —7J 75
Daffodil Rd. Birk —1K 105
Daffodil Rd. Liv —1K 109
Dagnall Av. Warr —5K 97
Dagnall Rd. Liv —4A 56
Dahlia Clo. Liv —2D 68
Dahlia Clo. St H —7J 75
Dailton Rd. Uph —4C 38
Dairy Bank. Elton —7B 164
Dairy Farm Clo. Lymm —5H 121
Dairy Farm Rd. Rainf —6B 46
Daisy Av. Newt W —4G 77
Daisy Bank Mill Clo. Cul —3A 80
Daisy Bank Rd. Lymm —5E 120
Daisybank Rd. Penk —4D 116
Daisy Gro. Liv —6D 88 (6P 5)
Daisy Mt. Liv —4G 43
Daisy St. Liv —7K 67
Daisy Wlk. South —1A 12
(off Beacham Rd.)
Dakin Wlk. Liv —3D 56
Dalby Clo. Bchwd —2D 100
Dalby Clo. St H —1E 74
Dale Acre Dri. Boot —2J 53
Dale Av. Brom —2K 145
Dale Av. Hes —1D 142
Dale Av. L Sut —5E 160
Dalebrook Clo. Liv —1F 111
Dale Clo. Liv —2E 42
Dale Clo. Warr —4J 117
Dale Clo. Wid —1G 133
Dale Cres. St H —1F 95
Dalecrest. Bil —3F 49
Dalecroft. Hap —3E 172
Dale Dri. Gt Sut —6H 161
Dale End Rd. Wir —5G 125
Dale Gdns. Whitby —1K 169
Dale Gdns. Wir —1B 142
Dalegarth Av. Liv —5D 70
Dale Hall. Liv —6H 109
Dalehead Pl. St H —4D 60
Dale Hey. Hoot —1A 160
Dale Hey. Wall —4B 86
Dalehurst Clo. Wall —3D 86
Dale La. App —1E 138
(in three parts)
Dale La. Liv —7E 44
Dalemeadow Rd. Liv —4B 90
Dale M. Liv —4F 111
Dale Rd. Golb —6K 63
Dale Rd. Wir —4K 145
Daleside Av. Ash M —4E 50
Daleside Clo. Wir —3D 124
Daleside Rd. Liv —2D 56
Daleside Wlk. Liv —2D 56
Dales Row. Whis —5B 92
Dales, The. —2C 142
Dale St. Gars —4A 130
Dale St. Ince —1K 51
Dale St. Liv —5J 87 (6D 4)
Dale St. Run —1C 152
Dales Wlk. Liv —4A 20
Dalesway. Wir —2C 142
Dale, The. Gt San & Penk —3D 116
Dale, The. Nest —5H 157
Dale Vw. Newt W —2J 77
Dale Vw. Clo. Hes —5E 124
Dalewood. W Der —3C 70
Dalewood Cres. Elton —1A 172
Dalewood Gdns. Whis —5F 93
Daley Pl. Boot —6A 54
Daley Rd. Liv —4J 53
Dallam. —6K 97
Dallam La. Warr —1A 118
Dallas Gro. Liv —7C 54
Dallinton Ct. Liv —5K 89
Dalmeny St. Liv —5D 108
Dalmorton Rd. Wall —6B 66
Dalry Cres. Liv —6D 56
Dalrymple St. Liv —2K 87
Dalry Wlk. Liv —6D 56
Dalston Dri. St H —4D 60
Dalston Gro. Wig —1B 50
Dalton. —5K 27

Dalton Av.—Dewhurst Rd.

Dalton Av. Warr —1K 117
Dalton Bank. Warr —2C 118
Dalton Clo. Liv —4A 70
Dalton Clo. Orr —4K 39
Dalton Ct. Ast I —6G 135
Dalton Dri. Wig —1C 50
Dalton Gro. Ash M —1E 62
Dalton Rd. Wall —7C 66
Dalton St. Run —7F 135
Daltry Clo. Liv —7J 69
Dalwood Clo. Murd —3C 154
Damerham Cft. Liv —1E 110
Damerham M. Liv —1E 110
Damfield La. Liv —3F 43
Dam Head La. G'brk & Rix —3H 101
Damhead La. Will —4D 158
Damian Dri. Newt W —1E 76
Dam La. Ash M —2K 63
Dam La. Croft —7F 79
Dam La. Rix —2G 101
Dam La. Scar —3K 17
Dam La. Wool —1K 119
Dam Row. St H —4A 74
Damson Rd. Liv —2J 111
Dam Wood La. Scar —4K 17
Dam Wood Rd. Liv —7G 131
Danbers. Uph —5B 38
Danby Clo. Beech —4F 153
Danby Clo. Bew —1J 117
Danby Clo. Liv —2B 88
Danby Fold. Rain —4H 93
Dane Bank Rd. Lymm —5G 121
Dane Bank Rd. E. Lymm —4G 121
Dane Clo. Wir —3D 124
Dane Ct. Rain —4J 93
Danefield Pl. Liv —1B 130
Danefield Rd. Liv —1B 130
Danefield Rd. Wir —6A 104
Danefield Ter. Liv —1B 130
Danehurst Rd. Liv —6D 54
Danehurst Rd. Wall —7K 65
Danesbury Clo. Bil —1G 61
Danes Ct. South —7K 7
Danescourt Rd. Birk —7A 86
Danescourt Rd. Liv —2A 90
Danescroft. Wid —5H 113
Dane St. Liv —5B 68
Daneswell Dri. Wir —6D 84
Danes Well Rd. Liv —7A 132
Daneville Rd. Liv —4F 69
Daneway. South —3B 14
Danger La. Wir —5D 84
Daniel Clo. Bchwd —3C 100
Daniel Clo. Boot —7G 53
Daniel Davies Dri. Liv —1C 108
Daniel Ho. Boot —4J 67
Daniels La. Skel —4J 37
Dannette Hey. Liv —1G 91
Dansie St. Liv —5A 88 (6K 5)
Dan's Rd. Wid —6G 115
Dante Clo. Liv —5E 54
Danube St. Liv —1D 108
Daphne Clo. Liv —6K 55
Darby Clo. L Nes —7J 157
Darby Gro. Liv —3K 129
Darby Rd. Liv —1J 129
D'Arcy Cotts. Wir —4B 144 (off Raby Rd.)
Darent Rd. Hay —6K 61
Daresbury. —7G 137
Daresbury Av. South —4A 14
Daresbury By-Pass. Dar —1F 155
Daresbury Clo. Liv —3A 56
Daresbury Ct. Wid —5F 115
Daresbury Expressway. Cas —7H 135
Daresbury Firs Walks. —7F 137
Daresbury La. Dar —7G 137
Daresbury Rd. Ecc —2H 73
Daresbury Rd. Wall —3A 86
Darfield. Uph —4B 38
Dark Entry. Know P —5J 71
Dark La. Lath —4F 25
Dark La. Liv —3F 43
Darley Av. Warr —4E 98
Darley Clo. Wid —5H 113
Darleydale Dri. Wir —5B 146
Darley Dri. Liv —1A 90
Darley Rd. Wig —1F 51
Darlington Clo. Wall —3D 86
Darlington Ct. Wid —2C 134
Darlington St. Wall —3D 86
Darmond Rd. Liv —2E 56
Darmond's Grn. Wir —5D 102
Darmonds Grn. Av. Liv —7E 68
Darnaway Clo. Bchwd —1D 100
Darnhall St. Ince —1K 51
Darnley St. Liv —3A 108
Darran Av. Wig —1D 50
Darrel Dri. Liv —1E 108
Darsefield Rd. Liv —1B 110
Dartington Rd. Liv —7A 90
Dartmouth Av. Liv —3E 54
Dartmouth Dri. Boot —1J 53
Darvel Av. Ash M —1A 62
Darwall Rd. Liv —1B 130
Darwen Dri. Plat B —2K 51
Darwen Gdns. Warr —6E 98
Darwen St. Liv —2H 87
Darwick Dri. Liv —7K 91
Darwin Gro. That H —7A 74
Daryl Rd. Wir —1E 142
Dashwood Clo. Grapp —2G 139
Daten Av. Risl —1A 100
Daulby St. Liv —5B 88 (5K 5)
Dauntsey Brow. Liv —1F 111
Dauntsey M. Liv —1F 111
Davenham Av. Pad —7E 98
Davenham Av. Pren —5K 105
Davenham Clo. Pren —6K 105
Davenham Rd. Liv —6K 19
Davenhill Pk. Liv —3E 54
Davenport Av. Warr —3F 119
Davenport Clo. Wir —3F 123
Davenport Gro. Liv —1C 56
Davenport Rd. Wir —3C 142
Davenport Row. Halt L —2F 153
Daventree Rd. Wall —2B 86
Daventry Rd. Liv —6G 109
David Rd. Lymm —5E 120
David's Av. Gt San —3F 117
Davidson Rd. Liv —4H 89
David St. Liv —4B 108
Davids Wlk. Liv —5G 111
Davies Av. Newt W —1G 77
Davies Av. Warr —4F 119
Davies Clo. Wid —5C 134
Davies St. Boot —2K 67
Davies St. Liv —5J 87 (5E 4)
Davies St. St H —2E 74
Davies Way. Lymm —5G 121
Davis Rd. Wir —4F 85
Davy Clo. Ecc —1H 73
Davy Rd. Ast I —6G 135
Davy St. Liv —1C 88
Davy St. Risl —2A 100
Dawber Clo. Liv —3C 88 (1N 5)
Dawber St. Ash M —1H 63
Dawley Clo. Ash M —2E 62
Dawlish Clo. Liv —1G 131
Dawlish Clo. Rix —4K 101
Dawlish Dri. South —2C 8
Dawlish Rd. Wall —3K 85
Dawlish Rd. Wir —4A 124
Dawlish Way. Golb —4K 63
Dawn Clo. Ness —6A 158
Dawn Clo. St H —7A 74
Dawn Gdns. Whitby —7K 161
Dawn Wlk. Liv —6K 55
Dawpool Cotts. Wir —3J 123
Dawpool Dri. Brom —3J 145
Dawpool Dri. More —7C 84
Dawson Av. Birk —7B 86
Dawson Av. St H —7F 75
Dawson Av. South —2E 8
Dawson Gdns. Liv —2E 42
Dawson Ho. Gt San —2A 116
Dawson Rd. Orm —3D 24
Dawson St. Liv —5K 87 (6F 4)
Dawson Way. Liv —6G 4
Dawstone Ri. Wir —3D 142
Dawstone Rd. Wir —3D 142
Daybrook. Uph —4B 38
Dayfield. Uph —4C 38
Days Mdw. Wir —5A 104
Day St. Liv —4H 89
Deacon Clo. Liv —5D 52
Deacon Ct. Wat —5D 52
Deacon Ct. Wltn —6F 111
Deacon Ind. Est. Newt W —4D 76
Deacon Rd. Wid —7D 114
Deacons Clo. Croft —6G 79
Deakin St. Birk —7K 85
Dealcroft. Liv —6D 110
Dean Av. Wall —1J 85
Dean Clo. Bil —2F 61
Dean Clo. Uph —4E 38
Dean Clo. Wid —1D 134
Dean Ct. Golb —6K 63
Dean Cres. Orr —3K 39
Dean Cres. Warr —5B 98
Dean Dillistone Ct. Liv —1A 108 (10H 5)
Deane Rd. Liv —5E 88
Dean Mdw. Newt W —2G 77
Dean Patey Ct. Liv —7A 88 (9J 5)
Deansburn Rd. Liv —1G 89
Deanscales Rd. Liv —4H 69
Deans Ct. Liv —5K 19
Deansfield Way. Elton —1A 172
Deansgate. Ell P —6J 161
Deansgate La. Liv —5B 20
Deansgate La. N. Liv —4A 20
Deansgreen. —2J 141
Deans La. Thel —5B 120
Deans Rd. Ell P —1D 170
Dean St. Liv —5D 52
Dean St. Wid —1D 134
Deans Way. Birk —7K 85
Deansway. Wid —1J 133
Deanwater Clo. Bchwd —3K 99
Dean Way. Sut M —5D 94
Dean Wood Av. Orr —3G 39
Deanwood Clo. Whis —5F 93
Dean Wood Golf Course. —2F 39
Deardon Ct. Uph —4C 38
Dearham Av. St H —6C 60
Dearne Clo. Liv —2C 90
Dearnford Av. Wir —4K 145
Dearnford Clo. Wir —4K 145
Dearnley Av. St H —1G 75
Deauville Rd. Liv —6E 54
Debra Clo. Gt Sut —7E 160
Debra Clo. Liv —1K 55
Debra Rd. Gt Sut —7E 160
Dee Clo. Liv —6D 44
Dee Ct. Liv —5G 111
Dee Ho. Liv —5G 111
Deelands Pk. Wir —6A 84
Dee La. Wir —6C 102
Deeley Clo. Liv —6E 88
Dee Pk. Clo. Wir —4F 143
Dee Pk. Rd. Wir —4F 143
Deepdale. Wid —5J 113
Deepdale Av. Boot —1G 67
Deepdale Av. St H —4E 60
Deepdale Clo. Gt San —1D 116
Deepdale Clo. Pren —2G 105
Deepdale Dri. Rain —4K 93
Deepdale Rd. Liv —1E 110
Deepfield Dri. Liv —7K 91
Deepfield Rd. Liv —2H 109
Deepwood Gro. Whis —5E 92
Deerbarn Dri. Boot —1D 54
Deerbolt Clo. Liv —2A 56
Deerbolt Cres. Liv —2A 56
Deerbolt Way. Liv —2A 56
Deerbourne Clo. Liv —6D 110
Dee Rd. Rain —4H 93
Deer Pk. Ct. Hall P —4H 153
Deerwood Clo. Ell P —4F 161
Deerwood Cres. Ell P —4F 161
Deeside. Hes —2A 142
Deeside. Whitby —1K 169
Deeside Clo. Pren —2F 105
Deeside Clo. Whitby —2K 169
Deeside Ct. Park —2F 157
Deeview Ct. Nest —5J 157
Dee Vw. Rd. Wir —2D 142
De Grouchy St. Wir —5D 102
Deirdre Av. Wid —7C 114
Delabole Rd. Liv —1B 70
De Lacy Row. Cas —7J 135
Delafield Clo. Fearn —4F 99
Delagoa Rd. Liv —7H 55
Delamain Rd. Liv —1G 89
Delamere Av. East —6A 146
Delamere Av. Gt Sut —6G 161
Delamere Av. Lwtn —1E 78
Delamere Av. Sut M —4C 94
Delamere Av. Wid —7J 113
Delamere Clo. Liv —3B 70
Delamere Clo. Pren —2G 105
Delamere Clo. Wir —6A 146
Delamere Dri. Gt Sut —7G 161
Delamere Grn. Gt Sut —6G 161
Delamere Gro. Wall —4E 86
Delamere Rd. Skel —1F 37
Delamere Rd. South —4B 14
Delamere St. Warr —3J 117
Delamere Way. Uph —4C 38
Delamore Pl. Liv —5A 68
Delamore's Acre. Will —3G 159
Delamore St. Liv —5A 68
Delavor Clo. Wir —2C 142
Delavor Rd. Wir —2C 142
Delaware Cres. Liv —2A 56
Delenty Dri. Bchwd —3K 99
Delery Dri. Pad —7E 98
Delfby Cres. Liv —4E 56
Delf Ho. Uph —2J 37
Delf La. Down —5C 22
Delf La. Liv —4F 131
Delf La. Walt —4C 68
Dell Clo. Wir —4H 145
Dell Ct. Pren —7K 105
Dell Dri. Fearn —5G 99
Dellfield La. Liv —3G 43
Dell Gro. Birk —1G 127
Dell La. Wir —3F 143
Dellside Clo. Ash M —6B 50
Dellside Gro. St H —6E 74
Dell St. Liv —5E 88
Dell, The. Birk —7G 107
Dell, The. Liv —6C 70
Dell, The. Uph —4D 38
Delph Clo. Augh —2A 34
Delph Comn. Rd. Augh —2K 33
Delph Ct. Liv —5G 53
Delphfield. Nort —2B 154
Delphfields Rd. App —2C 138
Delph La. Augh —2A 34
Delph La. Dar —6E 136
Delph La. H Grn —3K 97
Delph La. Liv —7G 19
Delph La. Whis —2F 93
Delph La. Win —7D 78
Delph Mdw. Gdns. Bil —1E 60
Delph Pk. Av. Augh —2K 33
Delph Rd. Liv —4D 40
Delphside Clo. Orr —6F 39
Delphside Rd. Orr —6F 39
Delph Top. Orm —4E 24
Delphwood Dri. Sher I —5D 74
Delta Cres. W'brk —5F 97
Delta Dri. Liv —6C 70
Delta Rd. Liv —6H 53
Delta Rd. St H —2H 75
Delta Rd. E. Birk —7H 107
Delta Rd. W. Birk —7H 107
Deltic Way. Kirkby —5F 57
Deltic Way. N'ton —5D 54
Delves Av. Warr —1K 117
Delves Av. Wir —6F 127
Delyn Clo. Birk —7E 106
Demage Dri. Gt Sut —1F 169
Demesne St. Wall —4E 86
Denbigh Av. St H —7E 74
Denbigh Av. South —4B 8
Denbigh Clo. Hel —3G 173
Denbigh Ct. Ell P —1B 170
Denbigh Gdns. Ell P —1A 170
Denbigh Rd. Liv —3B 68
Denbigh Rd. Wall —4C 86
Denbigh St. Liv —2H 87
Denbury Av. Stock H —6F 119
Dencourt Rd. Liv —5K 69
Deneacres. Liv —6E 110
Dene Av. Newt W —2D 76
Denebank Rd. Liv —7D 68
Denecliff. Liv —6G 71
Denehurst Clo. Penk —4D 116
Deneshey Rd. Wir —7E 82
Denes Way. Liv —7E 70
Denford Clo. Wig —1D 50
Denford Rd. Liv —2D 90
Denham Av. Gt San —3F 117
Denham Clo. Liv —3D 70
Denham Dri. Wig —1E 50
Denholme. Skel —4B 38 (in two parts)
Denise Av. Penk —3C 116
Denise Rd. Liv —6K 55
Denison Gro. That H —7A 74
Denman Dri. Liv —3E 88
Denman Gro. Wall —4E 86
Denman Rd. Liv —3E 88
Denman St. Liv —4D 88
Denmark Rd. South —5C 8
Denmark St. Liv —4D 52
Dennett Clo. Liv —5F 43
Dennett Clo. Wool —2A 120
Dennett Rd. Prsct —3C 92
Denning Dri. Wir —2B 124
Dennis Av. St H —7J 73
Dennis Rd. Wid —2E 134
Denny Clo. Wir —4D 104
Densham Av. Warr —6B 98
Denshaw. Skel —4B 38
Denston Clo. Pren —1F 105
Denstone Av. Liv —3F 55
Denstone Clo. Liv —3F 91 (L14)
Denstone Clo. Liv —1F 131 (L25)
Dentdale Dri. Liv —3A 88 (1J 5)
Denton Dri. Wall —1C 86
Denton Gro. Liv —2E 88
Denton Gro. Orr —3K 39
Denton's Green. —1K 73
Dentons Grn. La. Dent G —1K 73
Denton St. Liv —4B 108
Denton St. Wid —7E 114
Dentwood St. Liv —4C 108
Denver Rd. Liv —4A 56
Denver Rd. Warr —5G 119
Depot Rd. Liv —1G 57
Derby & Rathbone Hall. Liv —4G 109
Derby Bldgs. Liv —6C 88 (6P 5)
Derby Clo. Newt W —3F 77
Derby Ct. Liv —5J 19
Derby Dri. Rainf —6G 47
Derby Dri. Warr —1E 118
Derby Gro. Mag —6F 43
Derby Hill Cres. Orm —5E 24
Derby Hill Rd. Orm —5E 24
Derby La. Liv —3J 89
Derby Rd. Birk —5D 106
Derby Rd. Boot & Kirk —3H 67
Derby Rd. Form —5J 19
Derby Rd. Huy —4J 91
Derby Rd. Liv —1H 87
Derby Rd. Skel —3C 36
Derby Rd. South —1J 11
Derby Rd. Stock H —1C 138
Derby Rd. Wall —1A 86
Derby Rd. Wid —5C 114
Derby Row. Newt W —6H 77
Derbyshire Hill. —4H 75
Derbyshire Hill Rd. St H —3H 75
Derby Sq. Liv —6J 87 (7D 4)
Derby Sq. Prsct —1E 92
Derby St. Gars —5A 130
Derby St. Huy —5A 92
Derby St. Ince —1K 51
Derby St. Newt W —3F 77
Derby St. Orm —5D 24
Derby St. Prsct —1C 92
Derby St. W. Orm —5C 24
Derby Ter. Liv —4J 91
Dereham Av. Wir —1E 104
Dereham Cres. Liv —6H 55
Dereham Way. Wig —1B 50
Derek Av. Warr —6D 98
Derna Rd. Liv —3H 91
Derringstone Clo. St H —5K 73
Derwent Av. Liv —1H 29
Derwent Av. Prsct —1F 93
Derwent Av. South —6B 8
Derwent Clo. Cul —4C 80
Derwent Clo. Kirkby —1B 56
Derwent Clo. Mag —2H 43
Derwent Clo. Rain —4H 93
Derwent Clo. Wir —4D 126
Derwent Ct. Liv —3B 110
Derwent Dri. Chil T —1D 160
Derwent Dri. Hes —5D 124
Derwent Dri. Liv —5K 53
Derwent Dri. Wall —1A 86
Derwent Rd. Ash M —7J 51
Derwent Rd. Beb —4D 126
Derwent Rd. Cros —2F 53
Derwent Rd. Meol —7G 83
Derwent Rd. Orr —3H 39
Derwent Rd. Pren —4B 106
Derwent Rd. St H —6D 60
Derwent Rd. Warr —6A 118
Derwent Rd. Wid —7J 113
Derwent Rd. E. Liv —3J 89
Derwent Rd. W. Liv —3H 89
Derwent Sq. Liv —3H 89
Derwent Way. L Nes —5K 157
Desborough Cres. Liv —7J 69
Desford Av. St H —7F 61
Desford Clo. Wir —6K 83
Desford Rd. Liv —1G 129
De Silva St. Liv —5A 92
Desmond Clo. Pren —1G 105
Desmond Gro. Liv —2F 53
Desoto Rd. Wid —4K 133
Desoto Rd. E. Wid —3B 134 (in two parts)
Desoto Rd. W. Wid —3B 134
Deva Clo. Liv —5C 44
Deva Rd. Wir —6C 102
Deveraux Dri. Wall —4B 86
Deverell Gro. Liv —6K 89
Deverell Rd. Liv —7J 89
Deverill Rd. Birk —7E 106
Devilla Clo. Liv —1E 90
De Villiers Av. Liv —7E 40
Devisdale Gro. Pren —1G 105
Devizes Dri. Wir —2B 124
Devoke Av. St H —4C 60
Devon Av. Wall —2C 86
Devon Clo. Liv —2A 52
Devon Ct. Liv —2C 88
Devondale Rd. Liv —3J 109
Devon Dri. Wir —5C 124
Devon Farm Way. Liv —7B 20
Devonfield Rd. Liv —1B 68
Devon Gdns. Birk —7E 106
Devon Gdns. Liv —3C 110
Devon Pl. Wid —5C 114
Devonport St. Liv —3B 108
Devonshire Clo. Pren —3B 106
Devonshire Gdns. Newt W —4G 77
Devonshire Pl. Liv —1A 88 (in two parts)
Devonshire Pl. Pren —3A 106
Devonshire Pl. Run —6C 134
Devonshire Rd. Dent G —1K 73
Devonshire Rd. Hes —5C 124
Devonshire Rd. Liv & Prin P —3C 108
Devonshire Rd. Pad —7F 99
Devonshire Rd. Pren —3B 106
Devonshire Rd. South —7C 8
Devonshire Rd. Upt —3C 104
Devonshire Rd. Wall —3B 86
Devonshire Rd. Wat —3C 52
Devonshire Rd. W Kir —7E 102
Devonshire Rd. W. Liv —3C 108
Devon St. Liv —5A 88 (4J 5)
Devon St. St H —2K 73
Devonwall Gdns. Liv —3D 108
Devon Way. Child —2C 110
Devon Way. Huy —3A 92 (in two parts)
Dewar Ct. Ast I —6G 135
Dewar St. Risl —2A 100
Dewberry Clo. Birk —4D 106
Dewey Av. Liv —5D 54
Dewhurst Rd. Bchwd —4K 99

Dewlands Rd.—Dunster Clo.

Dewlands Rd. Liv —5F 53
Dewsbury Rd. Liv —1D 88
Dexter St. Liv —2A 108
Deycroft Av. Liv —1D 56
Deycroft Wlk. Liv —1E 56
Deyes End. Liv —3F 43
Deyes La. Liv —3F 43
Deysbrook La. Liv —1A 90
(in two parts)
Deysbrook Side. Liv —1A 90
Deysbrook Way. Liv —6B 70
Dial Rd. Birk —5D 106
Dial St. Liv —5E 88
Dial St. Warr —3C 118
Diamond St. Liv —3K 87 (1F 4)
Diana Rd. Boot —6K 53
Diana St. Liv —6B 68
Diane Rd. Ash M —7H 51
Dibbinsdale Local Nature Reserve. —2H 145
Dibbinsdale Rd. Wir —2H 145
Dibbins Grn. Wir —3H 145
Dibbins Hey. Wir —7G 127
Dibbinview Gro. Wir —7H 127
Dibb La. Cros —5C 40
Dicconson's La. Hals —7E 22
Dicconson St. St H —2C 74
Dicconson Way. Orm —6E 24
Dickens Av. Pren —7K 105
Dickens Clo. Pren —7K 105
Dickensons St. Liv —9F 4
Dickenson St. Warr —1C 118
Dickens Pl. Wig —1D 50
Dickens Rd. St H —6J 73
Dickens St. Liv —2B 108
Dicket's La. Skel —7K 25
Dickinson Clo. Hay —7J 61
Dickinson Clo. Liv —1K 29
Dickinson Rd. Liv —1K 29
Dick's La. W'head —6J 25
Dickson Clo. Wid —1D 134
Dickson St. Liv —3H 87 (1B 4)
Dickson St. Wid —1C 134
(in two parts)
Didcot Clo. Liv —1H 131
Didsbury Clo. Liv —3D 56
Digg La. Wir —6B 84
Dig La. Croft —3H 99
Dig La. Frod —4C 166
Digmoor. —4K 37
Digmoor Dri. Skel —4H 37
Digmoor Rd. Liv —6D 56
Digmoor Rd. Skel —4J 37
Digmoor Wlk. Liv —6D 56
Dignum Mead. Liv —3J 111
Dilloway St. St H —2K 73
Dinas La. Liv —3E 90
Dinas La. Pde. Liv —3E 90
Dinesen Rd. Liv —2A 130
Dingle. —5C 108
Dingle Av. Newt W —4D 76
Dingle Av. Uph —3D 38
Dingle Bank Clo. Lymm —5G 121
Dingle Brow. Liv —5C 108
Dingle Clo. Augh —2A 34
Dingle Grange. Liv —5C 108
Dingle Gro. Liv —4C 108
Dingle La. App —3F 139
Dingle La. Liv —5C 108
Dingle Mt. Liv —5C 108
Dingle Rd. Birk —4C 106
Dingle Rd. Liv —5B 108
Dingle Rd. Uph —3D 38
Dingle Ter. Liv —4C 108
Dingle Va. Liv —5C 108
Dingleway. App —1D 138
Dingley Av. Liv —7B 54
Dingwall Dri. Wir —5C 104
Dinmore Rd. Wall —3B 86
Dinorben Av. St H —7E 74
Dinorwic Rd. Liv —1C 88
Dinorwic Rd. South —5G 11
Dinsdale Rd. Croft B —7A 128
Ditchfield. Liv —1A 30
Ditchfield La. H Legh —5K 141
Ditchfield Pl. Wid —1H 133
Ditchfield Rd. Penk —5C 116
Ditchfield Rd. Wid —1G 133
Ditton. —1H 133
Ditton La. Wir —4B 84
Ditton Rd. Wid —3J 133
Dixon Av. Newt W —1G 77
Dixon Clo. Hay —5E 62
Dixon Rd. Know I —5F 57
Dixon St. Warr —3A 118
Dobbs Dri. Liv —6A 20
Dobers La. Frod —7E 166
Dobsons La. St H —6B 74
Dobson St. Liv —3B 88 (1M 5)
Dobson Wlk. Liv —3C 88 (1M 5)
Dock Rd. Birk —5A 86
Dock Rd. Liv —4K 129
Dock Rd. Wid —4B 134
Dock Rd. N. Wir —3J 127
Dock Rd. S. Wir —5K 127
Docks Link. Wall —4K 85
Dock St. Ell P —4A 162
Dock St. Wid —4C 134
Dock Yd. Rd. Ell P —5B 162
Doctor's La. Liv —2E 30
Dodd Av. St H —2J 73
Dodd Av. Wir —5B 104
Doddridge Rd. Liv —3A 108
Dodds La. Liv —2E 42
Dodleston Clo. Pren —4H 105
Dodman Rd. Liv —1B 70
Dodworth Av. South —3A 12
Doeford Clo. Cul —1K 79
Doe Green. —5A 116
Doe Mdw. Newb —1G 27
(in two parts)
Doe Pk. Courtyard. Liv —1E 130
Doe's Mdw. Rd. Wir —3H 145
Dog & Gun. —3K 69
Dolley Grn. Liv —6H 41
Dolly's La. South —7F 9
Dolmans La. Warr —3B 118
Dolphin Cres. Gt Sut —2G 169
Domar Clo. Liv —4C 56
Dombey Pl. Liv —2B 108
Dombey St. Liv —2B 108
Domingo Dri. Liv —7B 44
Dominic Clo. Liv —7C 90
Dominic Rd. Liv —7C 90
Dominion St. Liv —2E 88
Domville. Whis —5E 92
Domville Clo. Lymm —5G 121
Domville Dri. Wir —5E 104
Domville Rd. Liv —6J 89
Donaldson Ct. Liv —1C 88
Donaldson St. Liv —1C 88
Donalds Way. Liv —7G 109
Doncaster Dri. Wir —2D 104
Donegal Rd. Liv —4K 89
Donne Av. Wir —6F 127
Donne Clo. Wir —6G 127
Donnington Clo. Liv —7H 91
Donnington Lodge. South —2F 11
Donsby Rd. Liv —7D 54
Don Wlk. Ell P —4J 161
Dood's La. App —4G 139
Dooley Dri. Boot —1D 54
Doon Clo. Liv —6A 68
Dorans La. Liv —6J 87 (6E 4)
Dorbett Dri. Liv —3F 53
Dorchester Clo. Wir —4D 104
Dorchester Dri. Liv —7D 44
Dorchester Pk. Run —6B 136
Dorchester Rd. Gt San —3F 117
Dorchester Rd. Liv —2F 111
Dorchester Rd. Uph —4C 38
Dorchester Way. Btnwd —1D 96
Doreen Av. Wir —7B 84
Dorgan Clo. Rain —3H 93
Doric Av. Frod —4E 166
Doric Grn. Bil —1F 49
Doric Rd. Liv —3J 89
Doric St. Birk —6F 107
Doric St. Liv —6F 53
Dorien Rd. Liv —5H 89
Dorin Ct. Pren —4A 106
Dorking Gro. Liv —2K 109
Dorney Clo. App —3E 138
Dorothea St. Warr —1C 118
Dorothy St. Liv —6D 88 (6P 5)
Dorothy St. St H & That H —7A 74
Dorothy Wlk. Bam —4K 51
Dorrington Clo. Murd —2B 154
Dorrit St. Liv —2B 108
Dorset Av. Liv —1E 108
Dorset Av. South —7C 14
Dorset Clo. Boot —3K 67
Dorset Ct. Liv —2F 111
Dorset Ct. Pal —4J 153
Dorset Dri. Wir —5C 124
Dorset Gdns. Birk —7E 106
Dorset Rd. Anf —1F 89
Dorset Rd. Huy —4A 92
Dorset Rd. St H —5K 73
Dorset Rd. Wall —7A 66
Dorset Rd. Wir —5E 102
Dorset Way. Wool —7H 99
Dotterel Clo. Newt W —2G 77
Douglas Arc. Birk —2E 106
(off Douglas St.)
Douglas Av. Bil —2F 61
Douglas Av. Bold —1K 95
Douglas Av. Uph —4D 38
Douglas Clo. Liv —3H 89
Douglas Clo. Wid —5G 115
Douglas Dri. Liv —2H 43
Douglas Dri. Orm —3B 24
Douglas Dri. Orr —4H 39
Douglas Dri. Wir —7B 84
Douglas Pl. Boot —4H 67
Douglas Rd. Liv —1D 88
Douglas Rd. South —3E 8
Douglas Rd. Wir —5F 103
Douglas St. Birk —2E 106
Douglas St. St H —3K 73
Douglas Way. Liv —6D 44
Douglas Way. Plat B —2K 51
Doulton Clo. Pren —1F 105
Doulton Pl. Whis —4C 92
Doulton St. St H —3K 73
Doune Ct. Ell P —1B 170
Dounrey Clo. Fearn —5G 99
Douro Pl. Liv —5H 89
Douro St. Liv —3A 88 (1H 5)
Dove Clo. Bchwd —3B 100
Dove Clo. Ell P —4J 161
Dove Clo. Hel —6J 165
Dovecot. —4E 90
Dovecot Av. Liv —4D 90
Dovecote Grn. W'brk —5E 96
Dovecot Pl. Liv —3D 90
Dove Ct. Liv —5E 110
Dovedale Av. Liv —2E 42
Dovedale Av. Wir —5A 146
Dovedale Clo. Pren —6K 105
Dovedale Clo. Warr —4E 98
(in two parts)
Dovedale Ct. Wid —5H 113
Dovedale Cres. Ash M —4E 50
Dovedale Rd. Ash M —5D 50
Dovedale Rd. Liv —3H 109
Dovedale Rd. Wall —7A 66
Dovedale Rd. Wir —7D 82
Dovepoint Rd. Wir —6G 83
Dovercliffe Rd. Liv —4K 89
Dover Clo. Birk —1D 106
Dover Clo. Murd —4C 154
Dover Ct. Ell P —2B 170
Dovercroft. Liv —6D 110
Dover Dri. Ell P —2B 170
Dover Gro. Liv —7D 90
Dove Rd. Liv —7B 54
Dover Rd. Liv —6E 42
Dover Rd. South —6E 10
Dover Rd. Warr —5G 119
Dover St. Run —6D 134
Dovesmead Rd. Wir —3H 143
Dovestone Clo. Liv —7D 88 (8P 5)
Dove St. Liv —1D 108 (10P 5)
Dovey St. Liv —3B 108
Doward St. Wid —6E 114
Dowhills Dri. Liv —7B 40
Dowhills Pk. Liv —6B 40
Dowhills Rd. Liv —6B 40
Downall Green. —7B 50
Downall Grn. Ash M —7B 50
Downall Grn. Rd. Ash M —7C 50
Downbrook Way. Ash M —7H 51
(off North St.)
Downes Grn. Wir —1G 145
Downham Av. Cul —4B 80
Downham Clo. Liv —3D 110
Downham Dri. Wir —2E 142
Downham Grn. Liv —3D 110
Downham Rd. Birk —5D 106
Downham Rd. N. Wir —7E 124
Downham Rd. S. Wir —2E 142
Downham Wlk. Bil —3F 49
Downham Way. Liv —3D 110
Downholland. —1A 32
Downholland Cross. —1D 32
Downholland Moss La. Liv —6B 20
Downing Clo. Plat B —2K 51
Downing Clo. Pren —5B 106
Downing Rd. Boot —4K 67
Downing St. Liv —2C 88
Downland Way. St H —5H 75
Downside. Wid —5H 113
Downside Clo. Boot —1A 54
Downside Dri. Liv —4H 55
Downs Rd. Run —1C 152
Downs Rd. St H —4K 73
Downs, The. Liv —2B 52
Downs, The. Wig —7K 39
Downway La. St H —5J 75
Dowsefield La. Liv —5C 110
Dragon Clo. Liv —2A 70
Dragon Cres. Whis —3F 93
Dragon Dri. Whis —4E 92
Dragon La. Whis —5D 92
Dragon Wlk. Liv —2A 70
Dragon Yd. Wid —4D 114
Drake Clo. Augh —1A 34
Drake Clo. Liv —6J 55
Drake Clo. Old H —6H 97
Drake Clo. Whis —5E 92
Drake Cres. Liv —6H 55
Drakefield Rd. Liv —3F 69
Drake Gdns. St H —1A 94
Drake Pl. Liv —6H 55
Drake Rd. Liv —6H 55
Drake Rd. More —3F 85
Drake Rd. Nest —2J 157
Drake St. St H —2K 73
Drake Way. Liv —6J 55
Draw Well Rd. Know I —3H 57
Draycott St. Liv —5B 108
Drayton Clo. Run —1B 152
Drayton Clo. Wir —4B 124
Drayton Cres. St H —7F 61
Drayton Rd. Liv —4C 68
Drayton Rd. Wall —4C 86
Drayton St. St H —3J 75
Drennan Rd. Liv —1C 130
Drewell Rd. Liv —4H 109
Drewitt Cres. South —3F 9
Driffield Rd. Prsct —1C 92
Drinkwater Gdns. Liv —4A 88 (2H 5)
Drive, The. Liv —2K 89
Driveway. Whis —5F 93
(Cumber La.)
Driveway. Whis —5E 92
(Lickers La.)
Droitwich Av. Wir —4A 104
Dromore Av. Liv —5H 109
Dronfield Way. Liv —1D 110
(in two parts)
Druids' Cross Gdns. Liv —4B 110
Druids' Cross Rd. Liv —4B 110
Druids Pk. Liv —4C 110
Druid St. Ash M —3G 63
Druidsville Rd. Liv —4B 110
Druids Way. Wir —6E 104
Drum Clo. Liv —2E 90
Drummersdale. —2K 17
Drummersdale La. Scar —7K 13
Drummer's La. Ash M —5B 50
Drummond Av. Gt Sut —7E 160
Drummond Ct. Wid —6F 115
Drummond Rd. Cros —7H 41
Drummond Rd. Walt —5E 68
Drummond Rd. Wir —3C 102
Drummoyne Ct. Liv —7A 40
Druridge Dri. Penk —4D 116
Drury La. Liv —6J 87 (6D 4)
Drybeck Gro. St H —1F 95
Dryburgh Way. Liv —6A 68
Dryden Av. Ash M —5D 50
Dryden Clo. Pren —1G 105
Dryden Clo. Whis —4E 92
Dryden Gro. Liv —6K 91
Dryden Pl. Warr —5C 98
Dryden Rd. Liv —6G 89
Dryden St. Boot —1G 67
Dryden St. Liv —3K 87
Dryfield Clo. Wir —4B 104
Dublin Cft. Gt Sut —3G 169
Dublin St. Liv —3H 87 (1B 4)
Duchess Way. Liv —4G 89
Ducie St. Liv —2C 108
Duckinfield St. Liv —6B 88 (6K 5)
Duck Pond La. Birk —6A 106
Duckworth Gro. Pad —6G 99
Duddingston Av. Cros —3E 52
Duddingston Av. Moss H —3H 109
Duddon Av. Liv —2H 43
Duddon Clo. Pren —5K 105
Dudleston Rd. L Sut —5D 160
Dudley Av. Run —7F 135
Dudley Clo. Pren —4B 106
Dudley Cres. Hoot —7D 146
Dudley Gro. Liv —3E 52
Dudley Pl. St H —3E 74
Dudley Rd. Ell P —6K 161
Dudley Rd. Liv —3H 109
Dudley Rd. Wall —6A 66
Dudley St. Ash M —7E 50
Dudley St. St H —3E 74
Dudley St. Warr —1B 118
Dudlow Ct. Liv —3A 110
Dudlow Dri. Liv —3A 110
Dudlow Gdns. Liv —2A 110
Dudlow Grn. Rd. App —4D 138
Dudlow La. Liv —2K 109
Dudlow Nook Rd. Liv —2A 110
Dudlow's Green. —3D 138
Dugdale Clo. Liv —2J 129
Duke Av. South —4J 11
Duke Clo. Run —6B 134
Duke of York Cotts. Wir —3G 127
Dukes Rd. Liv —1A 88
Duke St. Ash M —2G 63
Duke St. Birk —6C 86
Duke St. Form —1J 29
Duke St. Gars —3A 130
Duke St. Golb —4K 63
Duke St. G Grn —1D 50
Duke St. Liv —7K 87 (8F 4)
Duke St. Newt W —3F 77
Duke St. Prsct —7D 72
Duke St. St H —2B 74
Duke St. South —2G 11
(in two parts)
Duke St. Wall —6B 66
Duke St. Wat —5D 52
Duke St. Bri. Birk —6C 86
Duke St. La. Liv —7K 87 (8F 4)
Dukes Way. Liv —1K 29
Dukes Wharf. Pres B —4C 154
Duke's Wood La. Uph —1K 47
Dulas Grn. Liv —4E 56
Dulas Rd. Kirkby —4E 56
Dulas Rd. W'tree —2K 109
Dulverton Rd. Liv —1G 129
Dumbarton St. Liv —5A 68
Dumbrees Gdns. Liv —6C 70
Dumbrees Rd. Liv —6C 70
Dumbreeze Gro. Know —1H 71
Dumfries Way. Liv —6B 44
Dunacre Way. Liv —2K 131
Dunbabin Rd. Liv —2K 109
Dunbar Clo. L Sut —6E 160
Dunbar Ct. L Sut —6E 160
Dunbar Cres. South —1F 15
Dunbar Rd. South —6E 10
(in two parts)
Dunbar St. Liv —4B 68
Dunbeath Av. Prsct & Rain —6K 93
Dunbeath Clo. Rain —6K 93
Dunblane Clo. Ash M —1A 62
Duncan Av. Newt W —1G 77
Duncan Av. Run —1E 152
Duncan Clo. St H —4A 74
Duncan Dri. Wir —4B 104
Duncansby Cres. Gt San —2C 116
Duncansby Dri. Wir —6J 145
Duncan St. Birk —2F 107
Duncan St. Liv —1A 108 (10H 5)
Duncan St. St H —3A 74
Duncan St. Warr —1C 118
Dunchurch Rd. Liv —2D 90
Duncombe Rd. N. Liv —2K 129
Duncombe Rd. S. Liv —2K 129
Duncote Clo. Pren —4A 106
Duncote Clo. Whis —2G 93
Dundale Rd. Liv —4K 89
Dundalk La. Wid —1K 133
Dundalk Rd. Wid —1K 133
Dundas St. Boot —5H 67
Dundee Clo. Fearn —3E 98
Dundee Ct. Ell P —1C 170
Dundee Gro. Wall —4A 86
Dundonald Av. Stock H —7C 118
Dundonald Rd. Liv —7G 109
Dundonald St. Birk —7A 86
Dunedin St. That H —7A 74
Dunes Dri. Liv —6G 19
Dunfold Clo. Liv —4D 56
Dungeon La. Dal —3J 27
Dungeon La. Hale V —7K 131
Dunham Av. Golb —4K 63
Dunham Clo. Wir —7B 146
Dunham Ct. Dun H —6E 172
Dunham Heath. —7G 173
Dunham-on-the-Hill. —6E 172
Dunham Rd. Liv —6J 89
Dunkeld Clo. Liv —4C 88 (2N 5)
Dunkeld St. Liv —4C 88 (2N 5)
Dunkerron Clo. Liv —1G 111
Dunkirk. —5G 169
Dunkirk Cres. Whitby —3J 169
Dunkirk Dri. Whitby —3K 169
Dunkirk La. Dunk —4E 168
Dunkirk La. Whitby —3J 169
Dunkirk Rd. South —6F 11
Dunley Clo. Bchwd —1C 100
Dunlin Av. Newt W —2G 77
Dunlin Clo. Beech —5H 153
Dunlin Clo. Liv —4J 111
Dunlin Clo. Warr —4E 98
Dunlin Ct. Liv —3E 110
Dunlins Ct. Wall —6J 65
Dunlop Av. South —7C 14
Dunlop Dri. Liv —1K 55
Dunlop Rd. Liv —7G 131
Dunlop St. Warr —5B 118
Dunluce St. Liv —5A 68
Dunmail Av. St H —4E 60
Dunmail Gro. Beech —6G 153
Dunmore Cres. L Sut —5D 160
Dunmore Rd. L Sut —5D 160
Dunmore Rd. Liv —4G 89
Dunmow Rd. Thel —5J 119
Dunmow Way. Liv —1G 131
Dunnerdale Rd. Liv —4J 69
Dunnett St. Liv —5H 67
Dunning Clo. Wir —3C 104
Dunnings Bri. Rd. Boot —4A 54
Dunnings Wlk. Boot —1C 54
Dunnock Clo. Liv —3E 110
Dunnock Clo. Warr —4E 98
Dunnock Gro. Bchwd —3A 100
Dunraven Rd. L Nes —4A 158
Dunraven Rd. W Kir —6C 102
Dunriding La. St H —3K 73
Dunscar Clo. Bchwd —2K 99
Dunscore Rd. Wig —1C 50
Dunscroft. St H —7F 75
Dunsdale Dri. Ash M —2G 63
Dunsdon Clo. Liv —4C 110
Dunsdon Rd. Liv —3C 110
Dunsford. Wid —5H 113
Dunsmore Clo. Hay —6A 62
Dunsop Av. Clo F —3F 95
Dunstall Clo. Wir —4C 84
Dunstan La. Burt —7E 158
Dunstan La. Liv —7E 88
Dunstan St. Liv —7G 89
Dunster Clo. Plat B —3K 51

Dunster Gro.—Elmar Rd.

Dunster Gro. Sut L —3F 95
Dunster Gro. Wir —3F 143
Dunster Rd. South —1E 14
Durants Cotts. Liv —5G 43
Durban Av. Liv —7E 40
Durban Rd. Liv —5K 89
Durban Rd. Wall —1B 86
Durden St. Liv —1E 108
Durham Av. Boot —4B 54
Durham Clo. Wool —1A 120
Durham Ct. Ell P —1C 170
Durham Gro. Cad —1K 101
Durham M. E. Boot —4C 54
Durham M. W. Boot —4B 54
Durham Rd. Liv —6E 52
Durham Rd. Wid —5D 114
Durham St. Liv —5B 130
Durham St. Skel —1D 36
Durham Way. Boot —4C 54
Durham Way. Liv —4A 92
Durley Dri. Pren —7J 105
Durley Rd. Liv —7D 54
Durlston Clo. Wid —6J 113
Durning Rd. Liv —6D 88
Durrant Rd. Liv —6G 69
Dursley. Whis —5F 93
Dursley Dri. Ash M —1H 63
Durston Rd. Liv —7B 90
Dutton. —7E 154
Dutton Dri. Wir —7F 127
Dutton Grn. L Stan —1D 170
Duxbury Clo. Liv —1G 43
Duxbury Clo. Rainf —5G 47
Duxford Ct. Pad —6E 98
Dwerryhouse La. Liv —4K 69
Dwerryhouse St. Liv —2K 107
Dyers Clo. Lymm —4J 121
Dyers La. Lymm —4J 121
Dyers La. Orm —6C 24
Dyer St. Golb —4K 63
Dyke St. Liv —3C 88
Dykin Clo. Wid —5G 115
Dykin Rd. Wid —5F 115
Dymchurch Rd. Liv —5F 131
Dymoke Rd. Liv —3A 70
Dymoke Wlk. Liv —3A 70
Dyson Hall Dri. Liv —1F 69
Dyson St. Liv —5B 68

Eager La. Liv —3D 32
Eagle Brow. Lymm —5F 121
Eagle Cres. Rainf —6G 47
Eagle Dene. Liv —7J 55
Eaglehall Rd. Liv —2H 69
Eaglehurst Rd. Liv —4F 111
Eagle La. L Sut —4F 161
Eaglemount. Warr —6C 118
Eagles Ct. Liv —3C 56
Eaglesfield Clo. St H —7F 75
Eagles Way. Hall P —4G 153
Ealing Clo. Nort —1B 154
Ealing Rd. Gt San —3E 116
Ealing Rd. Liv —6D 54
Eamont Av. South —2D 8
Eanleywood La. Nort —2K 153
Eardisley Rd. Liv —2J 109
Earle Clo. Newt W —3D 76
Earle Cres. Nest —2H 157
Earle Dri. Park —3H 157
Earle Ho. Wir —1H 127
Earle Rd. Liv —7E 88
Earle Rd. Wid —2E 134
Earlestown. —3F 77
Earle St. Liv —5J 87 (4C 4)
(in two parts)
Earle St. Newt W —4D 76
Earl Rd. Boot —2K 67
Earl's Clo. Liv —2D 52
Earlsfield Rd. Liv —2H 109
Earls Gdns. Ell P —6K 161
Earlston Rd. Wall —1A 86
Earl St. St H —2E 74
Earl St. Warr —1B 118
Earl St. Wir —1H 127
Earls Way. Hall P —3G 153
Earlswood. Skel —2A 38
Earlswood Clo. Wir —7K 83
Earlwood Gdns. Whis —5E 92
Earp St. Liv —3A 130
Easby Clo. Liv —1A 30
Easby Rd. Liv —7K 67
(in two parts)
Easby Wlk. Liv —7K 67
Easedale Dri. South —5B 14
Easedale Wlk. Liv —1B 56
Easenhall Clo. Wid —4D 114
Easington Rd. St H —1K 93
E. Albert Rd. Liv —4D 108
East Av. Gt San —4E 116
East Av. Stock H —7D 118
East Av. Warr —7C 98
East Bank. Birk —5C 106
Eastbank Ho. South —2H 11
Eastbank St. South —1H 11
Eastbank St. Sq. South —1H 11
Eastbourne M. Liv —6D 54
Eastbourne Rd. Birk —2C 106
Eastbourne Rd. South —5G 11
Eastbourne Rd. Walt —6D 54
Eastbourne Rd. Wat —3B 52
Eastbourne Wlk. Liv —3B 88 (1K 5)
E. Brook St. Liv —1C 88
Eastbury Clo. Wid —3E 114
Eastcliffe Rd. Liv —4K 89
East Clo. Ecc P —7G 73
Eastcote Rd. Liv —1K 129
Eastcott Clo. Wir —5A 104
Eastcroft Rd. Wall —4C 86
Eastdale Rd. Liv —7H 89
Eastdale Rd. Padd —1G 119
E. Dam Wood Rd. Liv —7A 132
Eastdene. Parb —1H 27
Easter Ct. W'brk —5F 97
Eastern Av. Liv —7K 131
Eastern Av. Wir —5K 127
Eastern Dri. Liv —2J 129
Eastern Expressway. Run —5D 136
E. Farm M. Cald —1H 123
Eastfield Dri. Liv —5E 108
Eastfield Wlk. Liv —4K 55
Eastford Rd. Warr —7K 117
East Front. Hals P —6E 92
Eastgate Rd. Port S —4H 127
Eastgate Way. Mnr P —5B 136
East Gillibrands. —3G 37
Eastham. —5B 146
Eastham Clo. Liv —6D 90
Eastham Country Pk. —2C 146
Eastham Cres. Clo F —3D 94
Eastham Ferry. —2C 146
Eastham Grn. Liv —5J 131
Eastham Lodge Golf Course. —4B 146
Eastham M. East —6C 146
Eastham Rake. Wir —1J 159
Eastham Village Rd. Wir —5B 146
Eastlake Av. Liv —2B 88
E. Lancashire Rd. Hay & Newt W —5G 61
E. Lancashire Rd. Know & Liv —7D 56
E. Lancashire Rd. Liv —3G 69
E. Lancashire Rd. Lwtn & G'bry —6K 63
E. Lancashire Rd. St H & Wind —6E 58
East La. Liv —2H 41
East La. Run —3H 153
Eastleigh. Skel —2K 37
Eastleigh Dri. Wir —2B 124
East Mains. Liv —6A 132
Eastman Rd. Liv —7G 69
East Mead. Augh —2K 33
East Meade. Liv —2E 42
E. Millwood Rd. Liv —5K 131
East Mt. Orr —5H 39
Easton Clo. Wig —2E 50
Easton Rd. Liv —4E 90
Easton Rd. Wir —1H 127
E. Orchard La. Liv —6F 55
Eastpark Ct. Wall —4E 86
East Pimbo. —7B 38
E. Prescot Rd. Liv —4A 90
East Rd. Liv —5A 90
(L14)
East Rd. Liv —4A 132
(L24)
East Rd. Liv —3H 43
(L31)
East Side. St H —4E 74
Eastside Ind. Est. St H —4E 74
East St. Ash M —1H 63
East St. Birk —5E 86
East St. Liv —5H 87 (4D 4)
East St. South —1K 11
East St. Wat —4D 52
East St. Wid —7F 115
East Vw. Grapp —6H 119
Eastview Clo. Pren —4H 105
Eastway. Ell P —4F 161
Eastway. Grea —4C 104
Eastway. Liv —2F 43
(in three parts)
East Way. More —6C 84
Eastway. Run —3H 153
Eastway. Wid —7K 113
Eastwell Rd. Ash M —2E 62
Eastwood. Liv —5C 108
Eastwood. Wind H —1A 154
Eastwood Av. Newt W —2K 77
Eastwood Rd. Btnwd —7D 76
Eaton Av. Boot —7K 53
Eaton Av. Liv —6H 53
Eaton Av. Wall —3C 86
Eaton Clo. Huy —5G 91
Eaton Clo. W Der —7J 69
Eaton Gdns. Liv —3B 90
Eaton Grange. Liv —2A 90
Eaton Rd. Cress —3J 129
Eaton Rd. Dent G —7K 59
Eaton Rd. Mag —6F 43
Eaton Rd. Pren —3B 106
Eaton Rd. W Der —7K 69
(in two parts)
Eaton Rd. Wir —7C 102
Eaton Rd. N. Liv —7H 69
Eaton St. Liv —4J 87 (2D 4)
Eaton St. Prsct —7D 72
Eaton St. Run —7C 134
Eaton St. Wall —2B 86
Eaves Brow Rd. Croft —7H 79
Eavesdale. Skel —3A 38
Eaves La. St H —1D 94
Ebenezer Howard Rd. Liv —3J 53
Ebenezer Pl. Warr —3A 118
Ebenezer Rd. Liv —5E 88
Ebenezer St. Birk —6G 107
Ebenezer St. Hay —7H 61
Eberle St. Liv —5J 87 (5E 4)
Ebony Clo. Wir —7K 83
Ebony Way. Kirkby & Liv —7C 44
Ebor La. Liv —3A 88 (1H 5)
Ebrington St. Liv —2A 130
Ecclesall Av. Liv —5K 53
Eccles Dri. Liv —1F 111
Ecclesfield Rd. Ecc —7G 59
Eccles Gro. Clo F —4G 95
Eccleshall Rd. Wir —3J 127
Eccleshill Rd. Liv —2J 89
Eccles Rd. Liv —2H 29
Eccles Rd. Orr —2K 39
Eccleston. —1H 73
Eccleston Av. Brom —1J 145
Eccleston Av. Ell P —6G 161
Eccleston Clo. Bchwd —2J 99
Eccleston Clo. Pren —5K 105
Eccleston Dri. Run —1E 152
Eccleston Gdns. St H —5G 73
(in two parts)
Eccleston Park. —1G 93
Eccleston Pk. Trad. Cen. Ecc —6H 73
Eccleston Rd. Liv —7B 54
Eccleston St. Prsct —1D 92
Eccleston St. St H —3A 74
Echo La. Wir —7E 102
Edale Clo. Wir —5A 146
Edale Rd. Liv —4J 109
Eddarbridge Est. Wid —4B 134
Eddisbury Rd. Wall —2C 86
Eddisbury Rd. W Kir —4C 102
Eddisbury Rd. Whitby —2H 169
Eddisbury Sq. Frod —3D 166
Eddisbury Way. Liv —7J 69
Eddisford Dri. Cul —1K 79
Eddison Rd. Ast I —6F 135
Eddleston St. Ash M —6D 50
Edelsten St. Warr —3K 117
Eden Av. Cul —2E 80
Eden Av. Rainf —5E 46
Eden Av. South —4B 8
Edenbridge Gdns. App —6E 138
Eden Clo. Gt Sut —6E 160
Eden Clo. Liv —6D 44
Eden Clo. Rain —5H 93
Edendale. Wid —6H 113
Eden Dri. N. Liv —1G 53
Eden Dri. S. Liv —2G 53
Edenfield Clo. South —5A 12
Edenfield Cres. Liv —3K 91
Edenfield Rd. Liv —2H 109
Edenhall Dri. Liv —5G 111
Edenhurst Av. Liv —7E 90
Edenhurst Av. Wall —2C 86
Edenhurst Clo. Liv —1G 29
Edenhurst Dri. Liv —7G 19
Edenpark Rd. Birk —5C 106
Eden St. Liv —1D 108
Eden Va. Boot —1A 54
Edgar Ct. Birk —1D 106
Edgars Dri. Fearn —6G 99
Edgar St. Birk —1D 106
Edgar St. Liv —4K 87 (2F 4)
Edgbaston Clo. Liv —6G 91
Edgbaston Way. Pren —7G 85
Edgefield Clo. Pren —4H 105
Edgefold Rd. Liv —4D 56
Edge Green. —2K 63
Edge Grn. La. Golb —3K 63
Edge Grn. Rd. Ash M —2K 63
Edge Grn. St. Ash M —1H 63
Edge Gro. Liv —5F 89
Edge Hall Rd. Orr —7G 39
(in two parts)
Edge Hill. —6D 88 (7P 5)
Edgehill Rd. Wir —7A 84
Edge La. Cros & Thor —6G 41
Edge La. Edg H & Fair —6D 88 (6P 5)
Edge La. Old S —5G 89
Edge La. Dri. Liv —5J 89
Edge La. Retail Pk. Liv —5H 89
(in two parts)
Edgeley Gdns. Liv —7B 54
Edgemoor Clo. Cros —7H 41
Edgemoor Clo. Pren —1F 105
Edgemoor Clo. W Der —2B 90
Edgemoor Dri. Cros —6G 41
Edgemoor Dri. Faz —6J 55
Edgemoor Dri. Wir —2A 124
Edgemoor Rd. Liv —2B 90
Edgerley Pl. Ash M —2E 62
Edge St. St H —1J 93
Edgeware Gro. Wig —1B 50
Edgeway Rd. Wig —3E 50
Edgewood Dri. Wir —5K 145
Edgewood Rd. Meol —6F 83
Edgewood Rd. Upt —2D 104
Edgeworth Clo. St H —6G 75
Edgeworth Rd. Golb —4K 63
Edgeworth St. St H —7G 75
Edgeworth St. Warr —2A 118
Edgley Dri. Orm —5E 24
Edgworth Rd. Liv —1D 88
Edinburgh Clo. Boot —5C 54
Edinburgh Ct. Ell P —1B 170
Edinburgh Dri. Liv —6A 92
Edinburgh Dri. Pren —7A 106
Edinburgh Rd. Form —2J 29
Edinburgh Rd. Kens —5C 88 (4N 5)
Edinburgh Rd. Wall —2B 86
Edinburgh Rd. Wid —1G 133
Edinburgh Tower. Liv —2A 88
Edington St. Liv —7G 89
Edith Rd. Boot —7K 53
Edith Rd. Liv —1C 88
Edith Rd. Wall —4D 86
Edith St. Run —6B 134
Edith St. St H —7H 75
Edmondson St. St H —3H 75
Edmonton Clo. Liv —1K 87
Edmund St. Liv —5H 87 (5D 4)
Edna Av. Liv —6J 55
Edrich Av. Pren —7G 85
Edward Dri. Ash M —1F 63
Edward Gdns. Wool —2B 120
Edward Jenner Av. Boot —2B 54
Edward Pavilion. Liv —7J 87 (8D 4)
Edward Rd. Gt San —2B 116
Edward Rd. Whis —2F 93
Edward Rd. Wir —2E 102
Edward's La. Liv —3F 131
Edward's La. Ind. Est. Liv —3F 131
Edward St. Ell P —4A 162
Edward St. Hay —7J 61
Edward St. Liv —6A 88 (6J 5)
Edward St. St H —5F 75
Edward St. Wid —7F 115
Edwards Way. Wid —1J 133
Edwin St. Wid —7E 114
Effingham St. Boot —4H 67
Egan Rd. Pren —7J 85
Egbert Rd. Wir —7E 82
Egdon Clo. Wid —6G 115
Egerton. H Legh —4K 141
Egerton. Skel —3K 37
Egerton Av. Lymm —7K 101
Egerton Av. Warr —1E 118
(in two parts)
Egerton Dri. Wir —6D 102
Egerton Gdns. Birk —7E 106
Egerton Gro. Wall —2B 86
Egerton Pk. Birk —7E 106
Egerton Pk. Clo. Birk —7E 106
Egerton Rd. Liv —1F 109
Egerton Rd. Lymm —6E 120
Egerton Rd. Pren —2A 106
Egerton Rd. Prsct —7C 72
Egerton Rd. Wir —2H 127
Egerton St. Ell P —5A 162
Egerton St. Liv —1B 108 (10L 5)
Egerton St. Run —6B 134
Egerton St. St H —5F 75
Egerton St. Stock H —7C 118
Egerton St. Wall —6B 66
Egerton St. Warr —3D 118
Egerton Wharf. Birk —1E 106
Eglington Av. Whis —4D 92
Egremont. —2D 86
Egremont Clo. Liv —4A 112
Egremont Lawn. Liv —4A 112
Egremont Promenade. Wall —1D 86
Egremont Rd. Liv —4A 112
Egypt St. Warr —3B 118
Egypt St. Wid —2B 134
Eight Acre La. Liv —4A 20
(in two parts)
Eighth Av. Faz —6F 55
Eilian Gro. Liv —5B 90
Eisenhower Clo. Gt San —2F 117
Elaine Clo. Ash M —7H 51
Elaine Clo. Gt Sut —7E 160
Elaine Clo. Wid —6E 114
Elaine St. Liv —2B 108
Elaine St. Warr —1D 118
Elbow La. Liv —7K 19
Elderberry Clo. Liv —4A 70
Elderdale Rd. Liv —7D 68
Elder Gdns. Liv —1K 129
Elder Gro. Wir —6D 102
Eldersfield Rd. Liv —4K 69
Elderswood. Rain —3J 93
Elderwood Rd. Birk —5E 106
Eldon Clo. St H —4A 74
Eldon Gdns. Ash M —6E 50
Eldon Gro. Liv —3K 87 (1F 4)
Eldonian Way. Liv —3J 87 (1D 4)
Eldon Pl. Birk —2D 106
Eldon Pl. Liv —3J 87 (1E 4)
Eldon Rd. Birk —6F 107
Eldon Rd. Wall —3B 86
Eldons Cft. Ains —4D 14
Eldon St. Liv —3J 87 (1E 4)
Eldon St. St H —4A 74
Eldon St. Warr —3C 118
Eldon Ter. Nest —4J 157
Eldred Rd. Liv —2A 110
Eleanor Rd. Boot —7K 53
Eleanor Rd. Pren —6H 85
Eleanor Rd. Wir —6B 84
Eleanor St. Ell P —5A 162
Eleanor St. Liv —5H 67
Eleanor St. Wid —2C 134
Elephant La. St H & That H —7K 73
Elfet St. Birk —7K 85
Elgar Av. Wir —5A 146
Elgar Clo. Gt Sut —1H 169
Elgar Rd. Liv —2D 90
Elgin Av. Ash M —1B 62
Elgin Av. Warr —6A 118
Elgin Dri. Wall —1C 86
Elgin Way. Birk —1E 106
Eliot Clo. Wir —2G 127
Eliot St. Boot —1H 67
Elizabethan Dri. Ince —1J 51
Elizabethan Wlk. Plat B —1K 51
Elizabeth Av. South —3E 14
Elizabeth Ct. Wid —2D 134
Elizabeth Dri. Pad —7G 99
Elizabeth Rd. Boot —7K 53
Elizabeth Rd. Faz —6K 55
Elizabeth Rd. Hay —6C 62
Elizabeth Rd. Huy —7K 91
Elizabeth St. Clo F —4G 95
Elizabeth St. Liv —5B 88 (5L 5)
Elizabeth St. St H —6G 75
Elizabeth Ter. Wid —7K 113
Eliza St. St H —7H 75
Elkan Clo. Wid —6G 115
Elkan Rd. Wid —6F 115
Elkstone Clo. Wig —2A 50
Elkstone Rd. Liv —5K 69
Ellaby Rd. Rain —3J 93
Ellams Bri. Rd. St H —6G 75
Elland Dri. L Sut —6E 160
Ellel Gro. Liv —2E 88
Ellen Gdns. St H —7G 75
Ellens Clo. Liv —5C 88 (4M 5)
Ellen's La. Wir —4G 127
Ellen St. St H —7G 75
Ellen St. Warr —1K 117
Elleray Pk. Rd. Wall —7A 66
Ellerbrook Way. Orm —4C 24
Ellerby Clo. Murd —3C 154
Ellergreen Rd. Liv —4H 69
Ellerman Rd. Liv —5A 108
Ellerslie Av. Rain —2J 93
Ellerslie Rd. Liv —1F 89
Ellerton Av. L Sut —6E 160
Ellerton Clo. Wid —5J 113
Ellerton Way. Liv —3C 70
Ellesmere Dri. Liv —3E 54
Ellesmere Gro. Wall —1B 86
Ellesmere Port. —5A 162
Ellesmere Port Golf Course. —3E 160
Ellesmere Rd. Ash M —7D 50
Ellesmere Rd. Cul —2A 80
Ellesmere Rd. Stock H & W'ton —7B 118
Ellesmere St. Run —7D 134
Ellesmere St. Warr —3C 118
Ellesworth Clo. Old H —7G 97
Elliot St. Liv —6K 87 (6G 4)
Elliot St. St H —3A 74
Elliot St. Wid —1D 134
Elliott Av. Warr —1E 118
Ellis Ashton St. Liv —5A 92
(in two parts)
Ellis La. Frod —2F 167
Ellison Dri. St H —2J 73
Ellison Gro. Liv —5J 91
Ellison St. Liv —3H 89
Ellison St. Stock H —7D 118
Ellison St. Warr —3C 118
Ellison Tower. Liv —2A 88
Ellis Pl. Liv —3B 108
Ellis Rd. Bil —1F 61
Ellis St. Wid —2C 134
Ellon Av. Rain —5K 93
Elloway Rd. Liv —6A 132
Elmar Rd. Liv —6G 109
(in two parts)

Fairoak Ct.—Fletcher St.

Fairoak Ct. White I —7D 154
Fairoak La. White I —7D 154
Fairoak M. Pren —1G 105
Fairstead. Skel —7J 27
Fairthorn Wlk. Liv —2E 56
Fair Vw. Bil —7F 49
Fair Vw. Birk —4E 106
Fair Vw. Av. Bil —7F 49
Fairview Av. Wall —2A 86
Fairview Clo. Ash M —1F 63
Fairview Clo. Pren —5B 106
Fair Vw. Pl. Liv —3C 108
Fairview Rd. Pren —6B 106
Fairview Rd. Whitby —2J 169
Fairview Way. Wir —6D 124
Fairway. Huy —3A 92
Fairway. South —5J 7
Fair Way. Wind —1J 73
Fairway Cres. Wir —5K 127
Fairway N. Wir —5K 127
Fairways. App —4D 138
Fairways. Cros —7D 40
Fairways. Frod —4F 167
Fairways Clo. Liv —1F 131
Fairways Ct. Liv —5G 19
Fairways Dri. Ell P —3F 161
Fairway S. Wir —6K 127
Fairways, The. Ash M —3B 62
Fairways, The. Skel —7K 27
Fairways, The. Wir —3F 123
Fairways, The. Wltn —1H 131
Fairway, The. K Ash —3B 90
Falcon Cres. Liv —4K 111
Falcondale Rd. Win —1B 98
Falconers Grn. W'brk —5F 97
Falconer St. Boot —7G 53
Falcongate Ind. Est. Wall —6C 86
(off Old Gorsey La.)
Falconhall Rd. Liv —2H 69
Falcon Hey. Liv —7J 55
Falcon Rd. Birk —4C 106
Falcon Rd. Gt Sut —1H 169
Falcons Way. Hall P —4G 153
Falkirk Gro. Wig —3K 39
Falkland. Skel —7J 27
Falkland Dri. Ash M —1A 62
Falkland Rd. South —4K 11
Falkland Rd. Wall —3D 86
Falklands App. Liv —4G 69
Falkland St. Birk —7A 86
Falkland St. Liv —5B 88 (4K 5)
(in two parts)
Falkner Sq. Liv —7B 88 (9M 5)
Falkner St. Liv —7B 88 (9K 5)
(in two parts)
Fallbrook Dri. Liv —6K 69
(in two parts)
Fallow Clo. Clo F —3E 94
Fallowfield. Halt B —1F 153
Fallowfield. Liv —1C 56
Fallowfield Gro. Pad —6H 99
Fallowfield Rd. Liv —2H 109
Fallowfield Rd. Wir —7E 84
Fallows Way. Whis —6C 92
Falls La. Liv —6J 111
Falmouth Dri. Penk —5C 116
Falmouth Pl. Murd —4C 154
Falmouth Rd. Liv —1A 70
Falstaff St. Boot —5J 67
Falstone Clo. Bchwd —1D 100
Falstone Clo. Wig —2C 50
Falstone Dri. Pres B —3C 154
Fanner's La. H Legh —4E 140
(in two parts)
Faraday Rd. Ast I —6F 135
Faraday Rd. Know I —6F 57
Faraday Rd. W'tree —6G 89
Faraday Rd. Whitby —7J 161
Faraday St. Liv —2C 88
Faraday St. Risl —2A 100
Fardon Clo. Wig —1D 50
Farefield Av. Golb —3K 63
Fareham Clo. Wir —2C 104
Fareham Dri. Banks —2J 9
Fareham Rd. Liv —5E 88
Faringdon Clo. Liv —3F 131
Farley Av. Wir —1J 145
Farlow Rd. Birk —7F 107
Farmbrook Rd. Liv —1F 111
Farm Clo. C'twn —7C 8
Farm Clo. Clo F —4F 95
Farm Clo. Wir —4A 104
Farmdale Clo. Liv —5K 109
Farmdale Dri. Elton —1A 172
Farmdale Dri. Liv —3G 43
Far Mdw. La. Wir —3A 124
Farmer Pl. Boot —6A 54
Farmers Heath. Gt Sut —2F 169
Farmer's La. Btnwd —1E 96
Farmfield Dri. Pren —1G 105
Farm La. App —1E 138
Farmleigh Gdns. Gt San —2G 117
Farm Mdw. Rd. Orr —6G 39
Far Moor. —7F 39
Far Moss Rd. Liv —6B 40
Farm Rd. Clo F —4F 95
Farmside. Wir —4D 84
Farmside Clo. Bew —1J 117
Farmstead Way. Gt Sut —3G 169
Farm Vw. Liv —3H 53
Farmview Clo. Liv —1G 111
Farm Way. Newt W —5J 77
Farnborough Gro. Liv —7K 111
Farnborough Rd. South —1F 15
Farndale. Wid —3C 114
Farndale Clo. Gt San —1D 116
Farndale Gro. Ash M —3G 63
Farndon Av. Sut M —3D 94
Farndon Av. Wall —1J 85
Farndon Dri. Wir —5G 103
Farndon Rd. Ell P —5G 161
Farndon Way. Pren —4K 105
Farne Clo. Ell P —4A 170
Farnham Clo. App —2E 138
Farnhill Clo. Wind H —2B 154
Farnley Clo. Wind H —1B 154
Farnworth Av. Wir —3D 84
Farnworth Clo. Wid —4D 114
Farnworth Gro. Liv —7C 44
Farnworth Rd. Penk —4G 115
Farnworth St. Liv —4D 88 (2P 5)
Farnworth St. St H —2E 74
Farnworth St. Wid —4D 114
Farrant St. Wid —1D 134
Farrar St. Liv —7F 69
Farrell Clo. Liv —1K 55
Farrell Rd. Stock H —1C 138
Farrell St. Warr —3C 118
Farr Hall Dri. Wir —3C 142
Farr Hall Rd. Wir —2C 142
Farrier Rd. Liv —3E 56
Farriers Wlk. Clo F —3E 94
Farriers Way. Boot —5B 54
Farriers Way. Wir —6K 103
Farringdon Clo. St H —2B 94
Farringdon Rd. Win —1B 98
Farrington Dri. Orm —4C 24
Farthing Clo. Liv —2E 130
Farthingstone Clo. Whis —1G 93
Fatherside Dri. Boot —2J 53
Faulkner Clo. South —3C 14
Faulkner Gdns. South —3C 14
Faversham Rd. Liv —3G 69
Fawcett. Skel —7H 27
Fawcett Rd. Liv —1F 43
Fawley Rd. Liv —6A 110
Fawley Rd. Rain —6A 94
Fazakerley. —2F 69
Fazakerley Bri. Liv —5H 87 (5C 4)
(off Fazakerley St.)
Fazakerley Clo. Liv —2C 68
Fazakerley Rd. Liv —2C 68
Fazakerley Rd. Prsct —3E 92
Fazakerley Sports Cen. —5H 55
Fazakerley St. Liv —5H 87 (5C 4)
Fearnhead. —5G 99
Fearnhead Cross. Fearn —5F 99
Fearnhead La. Fearn —5G 99
Fearnley Hall. Birk —3D 106
Fearnley Rd. Birk —3D 106
Fearnley Way. Newt W —5G 77
Fearnside St. Liv —7E 88
Feather La. Wir —2D 142
(in two parts)
Feeny St. Sut M —5D 94
Feilden Rd. Wir —5G 127
Felicity Gro. Wir —6B 84
Fell Gro. St H —5C 60
Fell St. Liv —5D 88
Fell St. Wall —5E 86
Felltor Clo. Liv —5D 110
Fell Vw. South —1F 9
Fellwood Gro. Whis —4E 92
Felmersham Av. Liv —3G 69
Felspar Rd. Liv —6C 56
Felstead. Skel —1H 37
Felsted Av. Liv —6G 111
Felsted Dri. Liv —4G 55
Felthorpe Clo. Upt —1F 105
Felton Clo. Wir —7A 84
Felton Gro. Liv —3H 89
Feltons. Skel —1H 37
Feltree Ho. Pren —1G 105
Feltwell Rd. Liv —1D 88
Feltwood Clo. Liv —7D 70
Feltwood Mnr. Liv —7D 70
Feltwood Rd. Liv —6D 70
Feltwood Wlk. Liv —7D 70
Fender Ct. Wir —7H 105
Fender La. Wir —6E 84
Fenderside Rd. Pren —7G 85
Fender Vw. Rd. Wir —7E 84
Fender Way. Pren —1F 105
(in two parts)
Fenderway. Wir —5E 124
Fenham Dri. Penk —4C 116
Fennel St. Warr —3C 118
Fenney Ct. Uph —2J 37
Fenton Clo. Boot —5D 54
Fenton Clo. Liv —6H 131
Fenton Clo. St H —2B 74
Fenton Clo. Wid —5H 113
Fenton Grn. Liv —7H 131
Fenwick La. Halt L —4F 153
Fenwick Rd. Gt Sut —2G 169
Fenwick St. Liv —6J 87 (6D 4)
Ferguson Av. Ell P —5G 161
Ferguson Av. Wir —5B 104
Ferguson Dri. Warr —6D 98
Ferguson Rd. Lith —4J 53
Ferguson Rd. W Der —6G 69
Fern Av. Newt W —4H 77
Fern Bank. Liv —3F 43
Fern Bank. Rainf —5E 46
Fernbank Av. Liv —5H 91
Fernbank Clo. Bchwd —3K 99
Fernbank Dri. Boot —1C 54
Fernbank La. Wir —1D 104
Fern Clo. Bchwd —3K 99
Fern Clo. Liv —4J 111
Fern Clo. Skel —2E 36
Ferndale. Skel —1H 37
Ferndale Av. Elton —1A 172
Ferndale Av. Wall —3C 86
Ferndale Av. Wir —7K 103
Ferndale Clo. Liv —6C 54
Ferndale Clo. Wid —1G 115
Ferndale Clo. Wool —1J 119
Ferndale Rd. Wat —3D 52
Ferndale Rd. W'tree —2G 109
Ferndale Rd. Wir —1D 102
Fern Gdns. Ecc L —7F 73
Fern Gro. Boot —2J 67
Fern Gro. Liv —2D 108
Fern Gro. Pren —3H 105
Fern Hey. Liv —7H 41
Fernhill. Wall —6B 66
Fernhill Av. Boot —3A 68
Fernhill Clo. Boot —3A 68
Fernhill Dri. Liv —2C 108
Fernhill Gdns. Boot —3A 68
Fernhill M. E. Boot —3A 68
Fernhill M. W. Boot —3A 68
Fernhill Rd. Boot —7K 53
Fernhill Sports Cen. —7K 53
Fernhill Wlk. Clo F —3E 94
Fernhill Way. Boot —3A 68
Fernhurst. Halt B —1F 153
Fernhurst Ga. Augh —1K 33
Fernhurst Rd. Liv —4A 56
Fernie Cres. Liv —3A 108
Fernlea Av. That H —7K 73
Fernlea Gro. Ash M —7B 50
Fernlea M. Pren —7G 85
Fernlea Rd. Wir —2E 142
Fernleigh. Pren —5B 106
Fernleigh Rd. Liv —4K 89
Fernley Rd. South —3G 11
Fern Lodge. Liv —2D 108
Fern Rd. Whitby —2J 169
Ferns Clo. Wir —1A 142
Fernside Gro. Wins —3B 50
Ferns Rd. Wir —4D 126
Fernwood Dri. Liv —1J 131
Fernwood Rd. Liv —5G 109
Ferny Brow Rd. Wir —5F 105
Fernyess La. Will —5E 158
Ferny Knoll Rd. Rainf —1E 46
Ferrer St. Ash M —6D 50
Ferrey Rd. Liv —6J 55
Ferries Clo. Birk —1G 127
Ferry La. Thel —4A 120
Ferry Rd. Wir —5C 146
Ferryside. Wall —5E 86
Ferry Side La. South —2E 8
Ferry Vw. Rd. Wall —5E 86
Ferryview Wlk. Cas —7H 135
Festival Av. Warr —5C 98
Festival Ct. Liv —3K 69
Festival Cres. Warr —5D 98
Festival Rd. Ell P —6H 161
Festival Rd. Rainf —7G 47
Festival Way. Run —2E 152
Ffrancon Dri. Wir —2F 127
Fiddler's Ferry. —6B 116
(nr. Great Sankey)
Fiddler's Ferry. —1F 9
(nr. Marshside)
Fiddlers Ferry Rd. Wid —1E 134
Fidler St. St H —5K 73
Field Av. Liv —5G 53
Field Clo. Clo F —4F 95
Field Clo. Wir —1H 127
Fieldfare Clo. Bchwd —3B 100
Fieldfare Clo. Liv —3E 110
Fieldgate. Wid —2H 133
Field Hey La. Will —2H 159
(in two parts)
Fieldhouse Row. Halt L —3F 153
Fieldings, The. Liv —7D 32
Fielding St. Liv —4C 88 (3N 5)
Fieldlands. South —6C 12
Field La. App —3C 138
Field La. Faz —7J 55
Field La. Lith —4G 53
Field Rd. Clo F —4F 95
Field Rd. Wall —7B 66
Fields End. Liv —7J 91
Fieldsend Clo. Liv —4J 111
Fieldside Rd. Birk —6E 106
Field St. Ince —1K 51
Field St. Liv —4A 88 (2J 5)
(in two parts)
Field St. Skel —1D 36
Fieldsway. West —4C 152
Fieldton Rd. Liv —4K 69
Field Vw. Liv —4G 53
Fieldview Dri. Warr —6C 98
Field Wlk. Liv —7H 41
Field Wlk. Orm —5F 25
Fieldway. Beb —1D 126
Fieldway. Frod —4E 166
Fieldway. Hes —1G 143
Fieldway. Huy —7K 91
Fieldway. L Sut —4D 160
Fieldway. Mag —5F 43
Fieldway. Meol —1H 103
Field Way. Rain —2J 93
Fieldway. Wall —2A 86
Fieldway. W'tree —7A 90
Fieldway. Wid —6F 115
Fieldway Ct. Birk —7C 86
Fife Rd. Warr —1E 118
Fifth Av. Faz —6G 55
Fifth Av. Liv —6F 55
Fifth Av. Pren —1F 105
Fifth Av. Run —3H 153
Filbert Clo. Liv —6D 44
Fildes Clo. Gt San —3G 117
Filton Rd. Liv —2F 91
Finborough Rd. Liv —4E 68
Fincham. —2F 91
Fincham Clo. Liv —2F 91
Fincham Grn. Liv —2F 91
Fincham Rd. Liv —2E 90
Fincham Sq. Liv —2E 90
Finch Av. Rainf —7G 47
Finch Clo. Clo F —4F 95
Finch Clo. Liv —1D 90
Finch Ct. Birk —1D 106
Finchdean Clo. Wir —5A 104
Finch Dene. Liv —1D 90
Finch La. Halew —3B 132
Finch La. K Ash —1D 90
Finch Lea Dri. Liv —2E 90
Finchley Dri. St H —6E 60
Finchley Rd. Liv —7D 68
Finch Mdw. Clo. Liv —2H 69
Finch Pl. Liv —5B 88 (4K 5)
Finch Rd. Liv —1E 90
Finch Way. Liv —2D 90
Findlay Clo. Newt W —4F 77
(in two parts)
Findley Dri. Wir —4D 84
Findon. Skel —1J 37
Findon Rd. Liv —5D 56
Fine Jane's Way. South —7D 8
Fingall Rd. Liv —2J 109
Finger Ho. La. Wid —6F 95
Fingland Rd. Liv —1G 109
Finlan Rd. Wid —2C 134
Finlay Av. Penk —5C 116
Finlay Ct. Boot —1B 54
Finlay St. Liv —4E 88
Finney Gro. Hay —7C 62
Finney, The. Cald —3F 123
Finningley Ct. Pad —6E 98
Finsbury Pk. Wid —3E 114
Finstall Rd. Wir —7F 127
Finvoy Rd. Liv —7G 69
Fiona Wlk. Liv —6A 56
Fir Av. Liv —1A 132
Firbank. Elton —1C 172
Firbank Clo. Wind H —1B 154
Firbank Rd. Wig —1F 51
Firbeck. Skel —2H 37
Firbrook Ct. Pren —6G 85
Fir Clo. Liv —1A 132
Fir Cotes. Liv —3G 43
Firdale Rd. Liv —2C 68
Firdene Cres. Pren —4J 105
Firecrest Ct. Warr —5A 118
Fire Sta. Rd. Whis —2F 93
Firethorne Rd. Liv —6H 111
Fir Gro. Padd —1F 119
Fir Gro. Walt —5E 54
Fir La. Liv —1J 109
Firman Clo. Gt San —6F 97
Fir Rd. Liv —3E 52
Firs Av. Wir —6F 127
Firs Clo. Liv —5H 19
Firscraig. Liv —7G 71
Firs Cres. Liv —5H 19
Firshaw Rd. Wir —6E 82
Firs La. App —4B 138
(in two parts)
Firs La. Augh —7G 23
(in two parts)
Firs Link. Liv —6H 19
First Av. Cros —1D 52
First Av. Faz —7G 55
First Av. Liv —6E 54
First Av. Pren —2G 105
First Av. Rain —3H 93
Firs, The. Pren —7J 85
Firstone Gro. Liv —5C 56
Fir St. Cad —1K 101
Fir St. St H —6K 73
Fir St. South —2A 12
Fir St. Wid —6E 114
First St. Ince —5J 51
Firswood Rd. Skel —1B 36
Firthland Way. St H —4H 75
Firtree Av. Pad —7G 99
Fir Tree Clo. King M —5B 48
Fir Tree Clo. Skel —4K 37
Fir Tree Clo. Stre —7J 139
Fir Tree Cres. Ince —1K 51
Firtree Dri. Ince —1K 51
Fir Tree Dri. N. Liv —3B 70
Fir Tree Dri. S. Liv —3B 70
Firtree Gro. Whitby —4J 169
Fir Tree La. Augh —6H 23
Fir Tree La. Btnwd —7E 76
Firtree St. Ince —1K 51
Fir Way. Wir —5F 143
Firwood. Skel —7K 27
Firwood Gro. Ash M —3D 62
Fisher Av. Warr —6B 98
Fisher Av. Whis —5D 92
Fisher Dri. Orr —4G 39
Fisher Dri. South —1B 12
Fisherfield Dri. Bchwd —2C 100
Fishermans Clo. Liv —4J 19
Fishermans Path. Liv —2G 19
Fisher Pl. Whis —5D 92
Fishers La. Wir —5C 124
Fisher St. Liv —2K 107
Fisher St. Run —6D 134
Fisher St. St H —6G 75
Fishguard Clo. Liv —3B 88 (1L 5)
Fishwicks Ind. Est. St H —6E 74
Fistral Clo. Liv —7K 55
Fistral Dri. Wind —7H 59
Fitzclarence Wlk. Liv —3B 88 (1K 5)
Fitzclarence Way. Liv —3B 88 (1L 5)
Fitzgerald Rd. Liv —4J 89
Fitzherbert St. Warr —1B 118
Fitzpatrick Ct. Liv —3J 87 (1D 4)
Fitzroy Way. Liv —4C 88 (3M 5)
Fitzwalter Rd. Wool —1K 119
Fitzwilliam Wlk. Cas —7J 135
Fivecrosses. —6F 167
Fiveways. Ecc —2G 73
Flag La. L Nes —4K 157
Flail Clo. Wir —4B 104
Flambards. Wir —5G 105
Flamstead. Skel —2J 37
Flander Clo. Wid —6J 113
Flashes La. Ness —6B 158
Flatfield Way. Liv —3G 43
Flatman's La. Down —2A 32
Flatt La. Ell P —6K 161
Flatt La. Pren —5K 105
Flavian Brow. Cas —1G 153
Flavian Ct. Run —7J 135
Flawn Rd. Liv —6G 69
Flaxfield Rd. Liv —7A 20
Flaxhill. Wir —6B 84
Flax La. Burs —1K 25
Flaxley Clo. Bchwd —2C 100
Flaxman St. Liv —5E 88
Flaxton. Skel —2J 37
Flaybrick Clo. Pren —7J 85
Fleck La. Wir —7F 103
Fleet Cft. Rd. Wir —6E 104
Fleet La. St H —3G 75
Fleet St. Ell P —6J 161
Fleet St. Liv —6K 87 (7G 4)
Fleet St. Orr & Wig —5K 39
Fleetwood Clo. Gt San —4F 117
Fleetwood Clo. South —4B 8
Fleetwood Cres. South —1J 9
Fleetwood Dri. Newt W —2F 77
Fleetwood Dri. South —1J 9
Fleetwood Gdns. Liv —7D 44
(in two parts)
Fleetwood Pl. Liv —6D 110
Fleetwood Rd. South —6J 7
(in two parts)
Fleetwoods La. Boot —1K 53
Fleetwood Wlk. Murd —3A 154
Fleming Ct. Liv —3J 87 (1D 4)
Fleming Ind. Est. Warr —3C 118
(off Fennel St.)
Fleming Rd. Liv —3G 131
Fleming St. Ell P —5A 162
Flemington Av. Liv —5F 69
Flers Av. Warr —5C 118
Fletcher Av. Birk —6E 106
Fletcher Av. Prsct —7E 72
Fletcher Clo. Wir —6E 104
Fletcher Dri. Liv —2J 129
Fletchers La. Lymm —4H 121
Fletcher St. Warr —5B 118

Garwood Clo.—Gorseyville Rd.

Garwood Clo. Gt San & Old H —6G 97
Gascoyne St. Liv —4J 87 (3D 4)
Gaskell Av. Warr —5G 119
Gaskell Ct. St H —3H 75
Gaskell Pk. —3G 75
Gaskell Rake. Boot —7K 41
Gaskell's Brow. Ash M —7C 50
Gaskell St. St H —5E 74
Gaskell St. Stock H —7C 118
Gaskill Rd. Liv —5H 131
Gas St. Run —7D 134
Gatclif Rd. Liv —6G 69
Gateacre. —3F 111
Gateacre Brow. Liv —4E 110
Gateacre Ct. Ell P —3H 161
Gateacre Pk. Dri. Liv —1D 110
Gateacre Ri. Liv —4E 110
Gateacre Shop. Cen. Gate —2E 110
Gateacre Va. Rd. Liv —5F 111
Categill Gro. Bil —1F 49
Gateside Clo. Liv —3J 111
Gates La. Liv —4H 41
Gatewarth St. Warr —4H 117
Gateworth Ind. Est. Warr —5H 117
Gathurst. —1J 39
Gathurst Ct. Wid —1K 133
Gathurst Rd. Orr —4G 39
Gatley Dri. Liv —5G 43
Gatley Wlk. Liv —5K 131
Gaunts Way. Hall P —4G 153
Gautby Rd. Birk —6J 85
Gavin Rd. Wid —2H 133
Gaw Hill La. Augh —7J 23
Gawsworth Clo. Ecc —3H 73
Gawsworth Clo. Pren —5K 105
Gawsworth Ct. Bchwd —1B 100
Gawsworth Rd. Golb —4K 63
Gawsworth Rd. Gt Sut —6G 161
Gayhurst Av. Fearn —5F 99
Gayhurst Cres. Liv —4J 69
Gaynor Av. Hay —6D 62
Gayton. —3F 143
Gayton Av. Wall —6B 66
Gayton Av. Wir —1C 126
Gayton Clo. Wig —1B 50
Gayton Farm Rd. Wir —5E 142
Gayton La. Wir —4F 143
Gayton Mill Clo. Wir —3F 143
Gayton Parkway. Wir —5G 143
Gayton Rd. Hes —4D 142
Gayton Sands Reserve. —1E 156
Gaytree Ct. Pren —1G 105
Gaywood Av. Liv —5D 56
Gaywood Clo. Liv —5D 56
Gaywood Clo. Pren —1G 105
Gaywood Grn. Liv —5D 56
Gellings Rd. Know B —1E 70
Gelling St. Liv —3A 108
Gemini Bus. Pk. Call —4G 97
Gemini Bus. Pk. W'brk —4J 97 (in two parts)
Gemini Clo. Boot —2H 67
Gemini Dri. Liv —3D 90
General St. Warr —3C 118
Genesis Cen., The. Bchwd —2A 100
Geneva Clo. Liv —3H 91
Geneva Rd. Liv —4E 88
Geneva Rd. Wall —5D 86
Genoa Clo. Liv —1F 111
Gentwood Pde. Liv —3H 91
Gentwood Rd. Liv —3G 91
George Dri. South —4E 14
George Hale Av. Know P —1J 91
George Harrison Clo. Liv —4D 88 (3P 5)
George Moore Ct. Liv —6J 41
George Rd. Gt San —4G 117
George Rd. Wir —2E 102
Georges Cres. Grapp —6H 119
George's Dock Gates. Liv —5H 87 (6C 4)
Georges Dockway. Liv —6H 87 (7C 4)
George's La. Banks —1J 9
George's Rd. Liv —2D 88
George's Ter. Orr —6F 39
George St. Ash M —1G 63
George St. Birk —1E 106
George St. Ell P —4A 162
George St. Liv —5J 87 (5D 4) (L3)
George St. Liv —3C 88 (1N 5) (L6)
George St. Newt W —2E 76
George St. St H —3C 74
Georgia Av. Liv —6B 44
Georgia Av. Wir —6A 128
Georgian Clo. Liv —3K 131
Georgian Clo. Prsct —1G 93
Georgian Pl. Liv —2J 29
Geraint St. Liv —2B 108
Gerald Rd. Pren —4A 106
Gerard Av. Wall —7A 66
Gerard Rd. Wall —1K 85
Gerard Rd. Wir —5D 102
Gerard's Bridge. —1C 74
Gerards Ct. St H —5E 60
Gerards La. St H & Sut L —7F 75
Gerard St. Ash M —2F 63
Gerard St. Liv —4K 87 (4G 4)
Germander Clo. Liv —7J 111
Gerneth Clo. Liv —5G 131
Gerneth Rd. Liv —5F 131
Gerosa Av. Win —6B 78
Gerrard Av. Gt Sut —7E 160
Gerrard Av. Warr —1K 117
Gerrard Pl. Skel —4F 37
Gerrard Rd. Bil —7G 49
Gerrard Rd. Croft —7G 79
Gerrard's La. Liv —6J 111
Gerrard St. Wid —1D 134
Gertrude Rd. Liv —1C 88
Gertrude St. Birk —2F 107
Gertrude St. St H —7J 73
Geves Gdns. Liv —4E 52
Ghyll Gro. St H —4D 60
Gibbons Av. St H —3J 73
Gibbon's Rd. Ash M —3B 62
Gibbs Ct. Wir —3E 124
Gibraltar Row. Liv —5H 87 (4C 4)
Gibson Clo. Wir —6D 124
Gibson St. Liv —1B 108
Gibson St. Stock H —7D 118
Gibson St. Warr —3C 118
Giddygate La. Liv —3K 43
Gidlow Rd. Liv —4H 89
Gidlow Rd. S. Liv —5H 89
Gigg La. Moore —4F 137
Gig La. Moore & Thel —5A 120
Gig La. Wool —7K 99
Gilbert Clo. Wir —7F 127
Gilbert Rd. Whis —2F 93
Gilbert St. Liv —7K 87 (8F 4)
Gildarts Gdns. Liv —3J 87 (1E 4)
Gildart St. Liv —5A 88 (4K 5)
Gilderdale Clo. Bchwd —2D 100
Gilead St. Liv —5D 88
Gilescroft Av. Liv —1E 56
Gilescroft Wlk. Liv —1E 56
Gillan Clo. Brook —5A 154
Gillar's Green. —4E 72
Gillars Grn. Dri. Ecc —3F 73
Gillar's La. St H —1D 72 (in two parts)
Gillbrook Sq. Birk —7K 85 (off Vaughan St., in two parts)
Gilleney Gro. Whis —2G 93
Gillibrands Rd. Skel —3F 37 (in two parts)
Gillmoss. —1A 70
Gillmoss Clo. Liv —2A 70
Gillmoss La. Liv —1A 70
Gillmoss La. Ind. Est. Liv —7K 55
Gills La. Wir —5E 124
Gill St. Liv —5A 88 (5K 5) (in two parts)
Gilman St. Liv —7C 68
Gilmour Mt. Pren —4B 106
Gilpin Av. Liv —2G 43
Gilpin Pl. Plat B —2K 51
Gilroy Nature Pk. —4E 102
Gilroy Rd. Liv —4D 88
Gilroy Rd. Wir —5E 102
Giltbrook Clo. Wid —5B 114
Gilwell Av. Wir —1C 104
Gilwell Clo. Grapp —6J 119
Gilwell Clo. Wir —1C 104
Ginnel, The. Wir —4H 127
Gipsy Gro. Liv —3C 110
Gipsy La. Liv —3C 110
Girton Av. Ash M —1D 62
Girton Av. Boot —4A 68
Girton Clo. Ell P —7B 162
Girton Rd. Ell P —7B 162
Girtrell Clo. Wir —3B 104
Girtrell Rd. Wir —3B 104
Girvan Cres. Ash M —1A 62
Girvan Dri. L Nes —5K 157
Gisburn Av. Golb —3K 63
Givenchy Clo. Liv —7C 90
Gladden Pl. Skel —3E 36
Glade Rd. Liv —3J 91
Gladeswood Rd. Know N —3F 57
Glade, The. Wir —6F 83
Gladeville Rd. Liv —5G 109
Gladica Clo. Liv —5B 92
Gladstone Av. Liv —7E 90 (L16)
Gladstone Av. Liv —6G 53 (L21)
Gladstone Clo. Birk —2C 106
Gladstone Ct. Liv —7G 53 (off Elm Rd.)
Gladstone Hall Rd. Wir —4H 127
Gladstone Rd. Edg H —6D 88 (6P 5)
Gladstone Rd. Gars —3A 130
Gladstone Rd. Nest —3J 157
Gladstone Rd. S'frth —6F 53
Gladstone Rd. South —2B 12
Gladstone Rd. Wall —4D 86
Gladstone Rd. Walt —3B 68
Gladstone St. Birk —2C 106
Gladstone St. Liv —4J 87 (3E 4)
Gladstone St. St H —3K 73
Gladstone St. Warr —2A 118
Gladstone St. Wid —1D 134
Gladstone St. Wltn —6D 110
Gladstone Ter. Will —3F 159 (off Neston Rd.)
Gladstone Way. Newt W —2F 77
Glaisdale Clo. Ash M —2G 63
Glaisdale Dri. South —5B 12
Glaisher St. Liv —1C 88
Glamis Dri. South —4D 8
Glamis Gro. St H —7E 74
Glamis Rd. Liv —1F 89
Glamorgan Clo. St H —4B 74
Glanaber Pk. Liv —6C 70
Glasgow St. Birk —6F 107
Glasier Rd. Wir —6A 84
Glaslyn Way. Liv —3C 68
Glassonby Cres. Liv —5J 69
Glassonby Way. Liv —5J 69
Glastonbury Clo. Liv —7F 69
Glastonbury Clo. Run —6D 136
Glastonbury M. Stock H —6E 118
Glasven Rd. Liv —2D 56
Glazebrook. —2K 101
Glazebrook La. G'brk —6H 81
Glazebrook St. Warr —2D 118
Glaziers La. Cul —4K 79
Gleadmere. Wid —6J 113
Gleaston Clo. Wir —1J 145
Gleave Clo. Btnwd —1D 96
Gleave Cres. Liv —3B 88 (1L 5)
Gleave St. St H —2C 74
Glebe Av. Ash M —3G 63
Glebe Av. Grapp —7J 119
Glebe Clo. Liv —3D 42
Glebecroft Av. Elton —1A 172
Glebe End. Liv —5A 42
Glebe Hey. Liv —3J 111
Glebe Hey Rd. Wir —5E 104
Glebeland. Cul —3A 80
Glebelands Rd. Wir —7C 84
Glebe La. South —1J 9
Glebe La. Wid —3C 114
Glebe Pl. South —1H 11
Glebe Rd. Skel —4G 37
Glebe Rd. Wall —1A 86
Glebe, The. Halt B —1G 153
Glebeway Way. Ell P —6D 162
Gleggside. Wir —6E 102
Glegg St. Liv —3H 87
Glegside Rd. Liv —3E 56
Glemsford Clo. Wig —1F 51
Glenacres. Liv —5E 110
Glenalmond Rd. Wall —3D 86
Glenathol Rd. Gt Sut —7E 160
Glenathol Rd. Liv —6A 110
Glenavon Rd. Liv —6A 90
Glenavon Rd. Pren —7A 106
Glenbank. Liv —3C 52
Glenbank Clo. Liv —1C 68
Glenburn Av. Wir —6A 146
Glenburn Rd. Skel —6E 26
Glenburn Rd. Wall —4D 86
Glenby Av. Liv —3F 53
Glencairn Rd. Liv —4H 89
Glen Clo. Rix —5K 101
Glencoe Rd. Gt Sut —7E 160
Glencoe Rd. Wall —1B 86
Glenconner Rd. Liv —6C 90
Glencourse Rd. Wid —3C 114
Glencoyne Dri. South —1D 8
Glencroft Clo. Liv —2G 91
Glendale Av. Ash M —1G 63
Glendale Av. Elton —1A 172
Glendale Clo. Liv —5B 108
Glendale Gro. Liv —7E 44 (off Dorchester Dri.)
Glendale Gro. Wir —7H 127
Glendale Rd. St H —6C 60
Glendale Way. Liv —1K 29
Glendevon Rd. Child —6A 90
Glendevon Rd. Huy —6J 91
Glendower Rd. Liv —4E 52
Glendower St. Boot —5J 67
Glendyke Rd. Gt Sut —7E 160
Glendyke Rd. Liv —6A 110
Gleneagles Clo. Liv —6B 44
Gleneagles Clo. Wir —6D 124
Gleneagles Dri. Hay —1J 75
Gleneagles Dri. South —6B 14
Gleneagles Dri. Wid —3C 114
Gleneagles Rd. Gt Sut —6E 160
Gleneagles Rd. Liv —6B 90
Glenesk Rd. Gt Sut —7E 160
Glenfield Clo. Pren —7G 85
Glenfield Clo. Wir —6K 83
Glenfield Rd. Liv —2H 109
Glengariff St. Liv —7F 69
Glenham Clo. Wir —7G 83
Glenhead Rd. Liv —1K 129
Glenholm Rd. Liv —5E 42
Glenista Clo. Liv —3C 68
Glenluce Rd. Liv —7J 109
Glenlyon Rd. Liv —7A 90
Glenmarsh Clo. Liv —1A 90
Glenmarsh Clo. Wir —4D 126
Glenmarsh Way. Liv —7B 20
Glenmaye Clo. Liv —4C 70
Glenmaye Rd. Gt Sut —7E 160
Glenmore Av. Liv —5H 109
Glenmore Rd. Pren —4A 106
Glenn Pl. Wid —7A 114
Glenpark Dri. South —3D 8
Glen Pk. Rd. Wall —7A 66
Glen Rd. Gt Sut —6E 160
Glen Rd. Liv —5K 89
Glen Ronald Dri. Wir —3B 104
Glenrose Rd. Liv —4E 110
Glenrose Ter. South —3G 11
Glenside. Liv —6A 110
Glen, The. Liv —5A 110
Glen, The. Pal —4H 153
Glen, The. Wir —6J 127
Glenton Pk. L Nes —5K 157
Glentree Clo. Wir —3B 104
Glentrees Rd. Liv —6K 69
Glentworth Clo. Liv —4F 43
Glenville Clo. Liv —4F 111
Glenville Clo. Run —4D 152
Glen Vine Clo. Liv —7C 90
Glen Way. Liv —6D 44
Glenway Clo. Liv —2D 70
Glenwood. Run —2A 154
Glenwood Clo. L Sut —5E 160
Glenwood Clo. Whis —5F 93
Glenwood Dri. Wir —2C 124
Glenwood Gdns. L Sut —5E 160
Glenwood Rd. L Sut —5E 160
Glenwyllin Rd. Liv —3E 52
Globe Rd. Boot —2H 67
Globe St. Liv —7A 68
Gloucester Clo. Gt Sut —4G 169
Gloucester Clo. Wool —1K 119
Gloucester Ct. Liv —4C 88 (3N 5)
Gloucester Pl. Liv —4C 88 (4M 5)
Gloucester Rd. Anf —2F 89
Gloucester Rd. Bkdle & South —3F 11
Gloucester Rd. Boot —2K 67
Gloucester Rd. Huy —4A 92
Gloucester Rd. Wall —1J 85
Gloucester Rd. Wid —5D 114
Gloucester Rd. N. Liv —1F 89
Gloucester St. Liv —5K 87 (5G 4)
Gloucester St. St H —4F 75
Glover Pl. Boot —2H 67
Glover Rd. Bchwd —3J 99
Glover's Brow. Liv —1A 56
Glover's La. Boot —1A 54
Glover St. Birk —4C 106
Glover St. Liv —2K 107
Glover St. Newt W —3G 77
Glover St. St H —4B 74
Glyn Av. Brom —3A 146
Glynne Gro. Liv —7E 90
Glynne St. Boot —7K 53
Glynn St. Liv —1H 109
Glyn Rd. Wall —2B 86
Goddard Rd. Ast I —6G 135
Godetia Clo. Liv —2H 69
Godfrey St. Warr —1D 118
Godscroft La. Frod —5A 166
Godshill Clo. Gt San —1B 116
Godstow. Run —5C 136
Golborne Dale Rd. Newt W —1A 78
Golborne La. H Legh —6G 141
Golborne Rd. Ash M —1H 63
Golborne Rd. Win —7A 78
Golborne St. Newt W —2J 77
Golborne St. Warr —3A 118
Goldcliff Clo. Call —5H 97
Goldcrest Clo. Beech —6H 153
Goldcrest Clo. Liv —2D 70
Goldcrest M. Liv —7J 111
Golden Gro. Liv —5C 68
Golden Sq. Shop. Cen. Warr —3B 118
Golden Triangle Ind. Est. Wid —4H 133
Goldfinch Clo. Liv —7J 111
Goldfinch Farm Rd. Liv —6G 131
Goldfinch La. Bchwd —3A 100
Goldie St. Liv —7B 68
Goldsmith Rd. Pren —7K 105
Goldsmith St. Boot —2G 67
Goldsmith St. Liv —4D 88 (2P 5)
Goldsmith Way. Pren —7K 105
Goldsworth Fold. Rain —4H 93
Golf Links Rd. Birk —7B 106
Golf Rd. Liv —5H 19 (in two parts)
Gondover Av. Liv —7B 54
Gonville Rd. Boot —4K 67
Gooch Dri. Newt W —4H 77
Goodacre Rd. Liv —6D 54
Goodakers Ct. Wir —6E 104 (off Goodakers Mdw.)
Goodakers Mdw. Wir —6E 104
Goodall Pl. Liv —5A 68
Goodall St. Liv —5A 68
Goodban St. St H —6G 75
Goodison Av. Liv —6B 68
Goodison Pk. —5B 68
Goodison Pl. Liv —5B 68
Goodison Rd. Liv —5B 68
Goodlass Rd. Liv —3E 130
Goodleigh Pl. Sut L —2E 94
Good Shepherd Clo. Liv —4K 69
Goodwood Clo. Liv —6H 91
Goodwood Ct. St H —1K 93
Goodwood Dri. Wir —4D 84
Goodwood Gro. Gt Sut —1F 169
Goodwood St. Liv —2K 87
Gooseberry Hollow. Wind H —1B 154
Gooseberry La. Nort —1B 154
Goose Green. —1D 50
Goose Grn., The. Wir —6F 83
Goose La. Hat —7K 137
Goostrey Clo. Wir —1H 145
Gordale Clo. Gt San —1D 116
Gordon Av. Ash M —1C 62
Gordon Av. Brom —3A 146
Gordon Av. Grea —5C 104
Gordon Av. Hay —6D 62
Gordon Av. Mag —1E 42
Gordon Av. South —6J 7
Gordon Av. Wat —3C 52
Gordon Av. Wool —1H 119
Gordon Ct. Wir —5C 104
Gordon Dri. Aig —2J 129
Gordon Dri. Dove —4C 90
Gordon La. Back —7K 169
Gordon M. South —6J 7
Gordon Pl. Liv —5J 109
Gordon Rd. Liv —7F 53
Gordon Rd. Wall —7B 66
Gordonstoun Cres. Orr —4H 39
Gordon St. Birk —2C 106
Gordon St. South —7H 7
Gordon St. W'tree —1G 109
Gordon Ter. Will —3F 159 (off Neston Rd.)
Gordon Way. South —7J 7 (off Gordon St.)
Gore Dri. Augh —7C 24
Goree. Liv —6H 87 (6C 4)
Gore's La. Crank —6B 48
Gores La. Form —5J 19
Gores Rd. Know I —4F 57
Gore St. Liv —2A 108
Gore St. Wig —5K 39
Gorran Haven. Brook —5A 154
Gorse Av. Liv —5K 69
Gorsebank Rd. Liv —3G 109
Gorsebank St. Wall —4C 86
Gorseburn Rd. Liv —1G 89
Gorse Covert. —1D 100
Gorse Covert Rd. Bchwd —2C 100
Gorse Cres. Wall —5C 86
Gorsedale Pk. Wall —5D 86
Gorsedale Rd. Liv —4J 109
Gorsedale Rd. Wall —5B 86
Gorsefield. Liv —4A 20
Gorsefield. St H —7K 73
Gorsefield Av. Liv —7H 41
Gorsefield Av. Wir —5K 145
Gorsefield Clo. Wir —5K 145
Gorsefield Rd. Birk —5C 106
Gorse Hey Ct. Liv —2J 89
Gorsehill Rd. Wall —7A 66
Gorsehill Rd. Wir —1E 142
Gorseland Ct. Liv —6F 109
Gorse La. Wir —7G 103
Gorse Rd. Wir —7F 83
Gorse Way. Liv —6G 19
Gorsewood Clo. Liv —3G 111
Gorsewood Gro. Liv —3F 111
Gorsewood Rd. Liv —3F 111
Gorsewood Rd. Murd —4B 154
Gorsey Av. Boot —2J 53
Gorsey Brow. Bil —7F 49
Gorsey Brow Clo. Bil —7F 49
Gorsey Cop Rd. Liv —2E 110
Gorsey Cop Way. Liv —2E 110
Gorsey Cft. Ecc P —7F 73
Gorsey La. Banks —1K 9
Gorsey La. Bar —3H 21
Gorsey La. Btnwd —1A 96
Gorsey La. Clo F & Bold —4F 95
Gorsey La. High —3A 40
Gorsey La. Liv —3H 53
Gorsey La. Wall —4B 86
Gorsey La. Warr —7D 98
Gorsey La. Wid —1G 135
Gorsey Pl. Skel —4G 37
Gorseyville Cres. Wir —4E 126
Gorseyville Rd. Wir —4E 126

Hammersley St.—Hazel Gro.

Hammersley St. Clo F —4E 94
Hammill St. Dent G —1K 73
(in two parts)
Hammond Rd. Know I —2G 57
Hammond St. St H —4F 75
Hamnett Ct. Bchwd —4A 100
Hamnett Rd. Prsct —7E 72
Hampden Gro. Birk —4D 106
Hampden Rd. Birk —4D 106
Hampden St. Liv —4B 68
Hampshire Av. Boot —2J 53
Hampshire Gdns. St H —4B 74
Hampson Av. Cul —3B 80
Hampson Clo. Ash M —3F 63
Hampson St. Liv —2E 88
Hampstead Rd. Liv —4E 88
Hampstead Rd. Wall —4C 86
Hampton Clo. Nest —5J 157
Hampton Clo. Wid —5G 115
Hampton Ct. Mnr P —5A 136
Hampton Ct. Rd. Liv —2A 90
Hampton Cres. Nest —5J 157
Hampton Dri. Gt San —4G 117
Hampton Dri. Wid —3J 113
Hampton Gdns. Ell P —6J 161
Hampton Pl. St H —7D 60
Hampton Rd. Liv —2J 29
Hampton Rd. South —4H 11
Hampton St. Liv —1B 108 (10K 5)
Hamsterley Clo. Bchwd —1D 100
Hanbury Rd. Liv —6F 69
Handel Ct. Liv —2D 108
Handel Rd. Liv —2G 111
Handfield Pl. Liv —2C 88
Handfield Rd. Liv —4D 52
Handfield St. Liv —2C 88
Handford Av. Wir —5B 146
Handforth Clo. Thel —4J 119
Handforth La. Halt L —4F 153
Handley Ct. Liv —1H 129
Handley St. Run —6B 134
Hands St. Liv —7H 53
Handsworth Wlk. South —5B 12
Hanford Av. Liv —7B 54
Hankey Dri. Boot —1A 68
Hankey St. Run —7B 134
Hankinson St. Liv —6H 89
Hankin St. Liv —1K 87
Hanley Clo. Wid —7J 113
Hanley Rd. Wid —7J 113
Hanlon Av. Boot —7K 53
Hanmer Rd. Liv —3K 55
Hannah Clo. Wir —6C 124
Hannan Rd. Liv —4D 88
Hanns Hall Rd. Nest & Will —3C 158
Hanover Clo. Pren —2K 105
Hanover Ct. Brook —4K 153
Hanover St. Liv —6J 87 (8F 4)
Hanover St. Warr —4A 118
Hanson Pk. Pren —3J 105
Hanson Rd. Liv —1E 68
Hans Rd. Liv —5C 68
Hanstock Clo. Orr —6G 39
Hants La. Orm —4C 24
Hanwell St. Liv —1D 88
Hanworth Clo. Liv —3C 70
Hapsford. —3E 172
Hapsford Clo. Bchwd —3J 99
Hapsford La. Elton —7C 164
Hapsford La. Hap & Hel —3E 172
Hapsford Rd. Liv —7H 53
Hapton St. Liv —1A 88
Harbern Clo. Liv —1A 90
Harbord Rd. Liv —4C 52
Harbord St. Liv —6D 88 (7P 5)
Harbord St. Warr —4C 118
Harbord Ter. Liv —4C 52
Harborne Dri. Wir —7F 127
Harbour Clo. Murd —4B 154
Harbury Av. South —5A 14
Harcourt Av. Wall —4E 86
Harcourt Clo. Bchwd —4A 100
Harcourt St. Birk —1C 106
Harcourt St. Liv —7K 67
Hardacre St. Orm —4D 24
Hardie Av. Wir —6A 84
Hardie Clo. Sut M —4C 94
Hardie Rd. Liv —4A 92
Harding Av. Warr —6E 98
Harding Av. Wir —5F 127
Harding Clo. Liv —2C 88
Hardinge Rd. Liv —1A 130
Harding St. Liv —1D 108 (10P 5)
Hardknott Rd. Old I —1A 146
Hard La. Dent G & St H —7K 59
Hardman Av. Warr —6K 97
Hardman St. Liv —7A 88 (8J 5)
Hardrow Clo. Wig —2F 51
Hardshaw Cen., The. St H —3C 74
Hardshaw St. St H —3C 74
Hardwick Grange. Wool —7K 99
Hardwick Rd. Ash M —7E 50
Hardwick Rd. Ast I —6F 135
Hardy Clo. Gt Sut —1H 169
Hardy Rd. Lymm —6E 120
Hardy St. Gars —5A 130
Hardy St. Liv —1K 107 (10G 4)
(in two parts)
Hardy St. Warr —2B 118
(in two parts)
Harebell Clo. Liv —2K 29
Harebell St. Liv —7K 67
Hare Cft. Liv —6D 70
Harefield Grn. Liv —6H 131
Harefield Rd. Liv —7H 131
Haresfinch. —7D 60
Haresfinch Rd. St H —7D 60
Haresfinch Vw. St H —7D 60
Hare's La. Frod —3A 166
Hares La. South —7E 12
(in two parts)
Harewell Rd. Liv —5J 69
Harewood Av. L Sut —7D 160
Harewood Av. South —3C 14
Harewood Clo. Liv —4J 91
Harewood Rd. Wall —7A 66
Harewood St. Liv —3C 88
Harfield Gdns. L Sut —6E 160
Hargate Rd. Liv —3D 56
Hargate Wlk. Liv —3D 56
Hargrave Av. Pren —5J 105
Hargrave Clo. Pren —5J 105
Hargrave Dri. Gt Sut —6G 161
Hargrave La. Will —5F 145
Hargreaves Ct. Wid —7F 115
Hargreaves Rd. Liv —5E 108
Hargreaves St. St H —2G 75
Hargreaves St. South —2J 11
Harington Clo. Liv —7H 19
Harington Grn. Liv —7G 19
Harington Rd. Form —5G 19
Harker St. Liv —4A 88 (3H 5)
Harke St. Liv —7D 88
Harland Dri. Ash M —2G 63
Harland Grn. Liv —6K 131
Harland Rd. Birk —4D 106
Harlech Clo. Call —5J 97
Harlech Ct. Ell P —1B 170
Harlech Ct. Wir —5F 127
Harlech Rd. Liv —2C 52
Harlech St. Ash M —7D 50
Harlech St. Liv —5A 68
Harlech St. Wall —5E 86
Harlech Way. Ell P —1B 170
Harleston Rd. Liv —2E 56
Harleston Wlk. Liv —2E 56
Harley Av. Wir —1C 126
Harley St. Liv —7C 54
Harlian Av. Wir —1B 104
Harlow Clo. St H —7B 74
Harlow Clo. Thel —5J 119
Harlow St. Liv —4A 108
Harlyn Clo. Liv —3J 131
Harlyn Gdns. Penk —5B 116
Harmony Way. Liv —6J 89
Harn, The. Gt Sut —1E 168
Harold Av. Ash M —7E 50
Haroldene Gro. Prsct —2K 91
Harold Rd. Hay —6D 62
Harper Rd. Liv —2C 68
Harpers Rd. Pad —6G 99
Harper St. Liv —5C 88 (4M 5)
Harps Cft. Boot —2J 53
Harptree Clo. Whis —4E 92
Harpur Clo. Gt Sut —7F 161
Harradon Rd. Liv —6D 54
Harridge La. Scar —2H 23
Harrier Dri. Liv —7J 111
Harringay Av. Liv —3H 109
Harrington Av. Wir —1E 102
Harrington Rd. Brun B —4K 108
Harrington Rd. Cros —1D 52
Harrington Rd. Huy —3F 91
Harrington Rd. Lith —4K 53
Harrington St. Liv —6J 87 (6E 4)
Harrington Vw. Wall —2D 86
Harris Clo. Wir —7G 127
Harris Dri. Boot —7J 53
Harris Gdns. St H —5D 74
Harrismith Rd. Liv —6G 55
Harrison Dri. Boot —3A 68
Harrison Dri. Hay —7J 61
Harrison Dri. Rainf —4F 47
Harrison Dri. Wall —7H 65
Harrison Hey. Liv —6J 91
Harrison Pk. —7J 65
Harrison Sq. Warr —6K 97
Harrisons Ter. L Sut —5E 160
Harrison St. St H —7F 75
Harrison St. Wid —3H 133
Harrison's Yd. Wir —5B 146
Harrison Way. Brun B —4K 107
Harrison Way. Newt W —2G 77
Harris St. St H —2A 74
Harris St. Wid —7E 114
Harrocks Clo. Boot —7K 41
Harrock Wood Clo. Wir —3C 124
Harrod Dri. South —5E 10
Harrogate Clo. Wir —6K 145
Harrogate Dri. Liv —2B 88
Harrogate Rd. Birk —7G 107
Harrogate Rd. Wir —6K 145
Harrogate Wlk. Birk —1G 127
Harrogate Way. South —1E 8
Harrop Rd. Run —1D 152
Harrops Cft. Boot —1A 54
Harrowby Clo. Liv —1C 108 (10N 5)
Harrowby Rd. Birk —4C 106
Harrowby Rd. Liv —6F 53
Harrowby Rd. Wall —3D 86
Harrowby Rd. S. Birk —4C 106
Harrowby St. Liv —1C 108 (10N 5)
(Granby St.)
Harrowby St. Liv —1B 108 (10M 5)
(Park Way)
Harrow Clo. App —3E 138
Harrow Clo. Boot —2B 54
Harrow Clo. Orr —3H 39
Harrow Clo. Wall —2K 85
Harrow Dri. Liv —3F 55
Harrow Dri. Run —7G 135
Harrowgate Clo. Gt San —6E 96
Harrow Gro. Wir —2A 146
Harrow Rd. Ell P —7B 162
Harrow Rd. Liv —1D 88
Harrow Rd. Wall —2K 85
Harsnips. Skel —1J 37
Hartdale Rd. Moss H —4J 109
Hartdale Rd. Thor —6G 41
Hartford Clo. Pren —5K 105
Hartford Dri. Whitby —7H 161
Harthill Av. Liv —4K 109
Harthill M. Pren —6G 85
Harthill Rd. Liv —3A 110
Hartington Av. Birk —1B 106
Hartington Rd. Dent G —1J 73
Hartington Rd. Gars —3A 130
Hartington Rd. Tox —2E 108
Hartington Rd. Wall —3B 86
Hartington Rd. W Der —1K 89
Hartismere Rd. Wall —4D 86
Hartland. Skel —1J 37
Hartland Av. South —2D 8
Hartland Clo. Wid —3C 114
Hartland Gdns. St H —1K 93
Hartland Rd. Liv —4G 69
Hartley Av. Liv —1D 68
Hartley Clo. Liv —7B 68
Hartley Clo. Lymm —5H 121
Hartley Cres. South —6F 11
Hartley Gro. Liv —7D 44
Hartley Gro. Orr —4K 39
Hartley Gro. St H —6J 73
Hartley Quay. Liv —7H 87 (8D 4)
Hartley Rd. South —6F 11
Hartley St. Run —6D 134
Hartley St. Wig —5K 39
Hartley's Village. —1D 68
Hartnup St. Liv —1B 88
(in two parts)
Hartopp Rd. Liv —1E 110
Hartopp Wlk. Liv —1E 110
Hartsbourne Av. Liv —7D 90
(in two parts)
Hartsbourne Clo. Liv —1D 110
Hartshead. Skel —1J 37
Hart's La. Uph —3B 38
(in two parts)
Hart St. Liv —5A 88 (5J 5)
Hart St. South —2K 11
Hartswell Clo. Golb —3K 63
Hartswood Clo. App —6E 138
Hartwell St. Liv —7H 53
Hartwood Clo. Liv —6D 56
Hartwood Rd. Liv —6D 56
Hartwood Rd. South —1K 11
Hartwood Sq. Liv —6D 56
Harty Rd. Hay —1H 75
Harvard Clo. Wind H —7B 136
Harvard Ct. Win Q —4A 98
Harvard Gro. Prsct —7E 72
Harvester Way. Boot —1C 54
Harvester Way. Wir —4A 104
Harvest La. Wir —6B 84
Harvest Way. Clo F —3E 94
Harvey Av. Newt W —3D 76
Harvey Av. Wir —5B 104
Harvey Ct. Warr —4B 98
Harvey La. Golb —4K 63
Harvey Rd. Wall —1A 86
Harvington Dri. South —4A 14
Harwich Gro. Liv —7D 90
Harwood Gdns. Grapp —6G 119
Harwood Rd. Liv —3B 130
Harygnton Av. Bew —1K 117
Haselbeech Clo. Liv —3H 69
Haselbeech Cres. Liv —3H 69
Haseldine St. Ash M —6D 50
Hasfield Rd. Liv —4K 69
Haskayne. —5B 22
Haslam Dri. Orm —3B 24
Haslemere. Whis —4F 93
Haslemere Dri. Penk —4B 116
Haslemere Ind. Est. Ash M —4E 50
Haslemere Rd. Liv —2E 110
Haslemere Way. Liv —2E 110
Haslingden Clo. Liv —5K 89
Haslington Gro. Liv —3A 132
Hassal Rd. Birk —1G 127
Hassnes Clo. Wig —2F 51
Hastings Av. Warr —3B 98
Hastings Dri. Liv —7A 92
Hastings Rd. Liv —3B 52
Hastings Rd. South —6E 10
Haswell Dri. Liv —6E 70
Haswell St. St H —2B 74
Hatchery Clo. App —5H 139
Hatchings, The. Lymm —6H 121
Hatchmere Clo. Pren —5K 105
Hatchmere Clo. Warr —2J 117
Hatfield Clo. Liv —3D 70
Hatfield Clo. St H —7B 74
Hatfield Gdns. App —5E 138
Hatfield Gdns. Liv —6K 91
Hatfield Rd. Boot —3A 68
Hatfield Rd. South —3C 14
Hathaway. Liv —5D 42
Hathaway Clo. Liv —2E 110
Hathaway Rd. Liv —2E 110
Hatherley Av. Liv —3E 52
Hatherley Clo. Liv —1C 108
(in two parts)
Hatherley St. Liv —1C 108
Hatherley St. Wall —5E 86
Hathersage Rd. Liv —2J 91
Hatherton Gro. Liv —3A 132
Hatley La. Frod —4A 166
Hatters Row. Warr —3B 118
(off Horsemarket St.)
Hatton. —1K 155
Hatton Av. Wir —7A 146
Hatton Clo. Wir —1B 142
Hatton Garden. Liv —5J 87 (4E 4)
Hatton Garden Ind. Est. Liv
(off Johnson St.) —5J 87 (4E 4)
Hatton Hill Rd. Liv —4G 53
Hatton La. Hat & Stre —1K 155
Hatton's La. Liv —2A 110
Hauxwell Gro. St H —7D 60
Havannah La. St H —3K 75
Havelock Clo. St H —3B 74
Haven Brow. Augh —3A 34
Haven Rd. Liv —5H 55
Haven Wlk. Liv —7E 32
Havercroft Clo. Wig —1C 50
Havergal St. Run —1B 152
Haverstock Rd. Liv —4F 89
Haverton Wlk. Liv —3C 70
Haverty Precinct. Newt W —5F 77
Havisham Clo. Bchwd —2K 99
Hawarde Clo. Newt W —2E 76
Hawarden Av. Liv —2F 109
Hawarden Av. Pren —2B 106
Hawarden Av. Wall —3C 86
Hawarden Ct. Wir —5F 127
Hawarden Gdns. Ell P —2B 170
Hawarden Gro. Liv —7G 53
Hawdon Ct. Liv —7E 88
Hawes Av. St H —5E 60
Hawes Cres. Ash M —7F 51
Hawesside St. South —1J 11
Haweswater Av. Hay —7J 61
Haweswater Clo. Beech —5J 153
Haweswater Clo. Liv —7B 44
Haweswater Gro. Liv —2H 43
Hawgreen Rd. Liv —4K 55
Hawick Clo. L Sut —6C 160
Hawick Clo. Liv —6B 44
Hawke Grn. Tarb G —1A 112
Hawke St. Liv —6A 88 (6H 5)
Hawkesworth St. Liv —1C 88
Hawkhurst Clo. Liv —4B 108
Hawkins Rd. Nest —2K 157
Hawkins St. Liv —4D 88
Hawkley. —1F 51
Hawkley Av. Wig —2D 50
Hawkley Brook Ct. Wig —2D 50
Hawksclough. Skel —1J 37
Hawks Ct. Hall P —4G 153
Hawkshaw Clo. Bchwd —3J 99
Hawkshead Av. Liv —5A 70
Hawkshead Clo. Beech —6J 153
Hawkshead Clo. Liv —2G 43
Hawkshead Dri. Liv —5K 53
Hawkshead Rd. Btnwd —1C 96
Hawkshead Rd. Croft B —1A 146
Hawkshead St. South —7J 7
Hawksmoor Clo. Liv —6J 55
Hawksmoor Rd. Liv —7H 55
Hawksmore Clo. Wir —2B 104
Hawkstone Gro. Hel —7J 165
Hawkstone St. Liv —3C 108
(Clevedon St.)
Hawkstone St. Liv —4C 108
(Peel St.)
Hawkstone Wlk. Liv —4C 108
Hawks Way. Wir —2C 142
Hawksworth Clo. Liv —4A 20
Hawksworth Dri. Liv —4A 20
Hawley's Clo. Warr —6K 97
Hawleys La. Warr —6K 97
Haworth Dri. Boot —6K 53
Hawthorn Av. Ash M —7A 50
Hawthorn Av. Newt W —3H 77
Hawthorn Av. Orr —5H 39
Hawthorn Av. Run —1C 152
Hawthorn Av. Wid —6D 114
Hawthorn Clo. Bil —7F 49
Hawthorn Clo. Hay —1J 75
Hawthorn Cres. Skel —2E 36
Hawthorn Dri. Ecc —2H 73
Hawthorn Dri. Hes —7D 124
Hawthorn Dri. W Kir —6G 103
Hawthorne Av. Cul —2E 80
Hawthorne Av. Gt San —2D 116
Hawthorne Av. Liv —3J 131
Hawthorne Av. Wool —1H 119
Hawthorne Ct. Liv —5H 53
Hawthorne Cres. Form —1A 30
Hawthorne Dri. Will —2H 159
Hawthorne Gro. Padd —1F 119
Hawthorne Gro. South —1B 12
Hawthorne Gro. Stock H & Warr —7D 118
Hawthorne Gro. Wall —5E 86
Hawthorne Rd. Birk —5D 106
Hawthorne Rd. Frod —2D 166
Hawthorne Rd. Lith & Boot —5H 53
Hawthorne Rd. Lymm —5F 121
Hawthorne Rd. Stock H —1C 138
Hawthorne Rd. Sut L —1F 95
Hawthorne St. Warr —7A 98
Hawthorn Gro. Liv —6D 88 (6P 5)
Hawthorn Gro. Warr —5D 118
Hawthorn Gro. W Der —1K 89
Hawthorn La. Wir —2K 145
Hawthorn Rd. Huy —5G 91
Hawthorn Rd. L Sut —5E 160
Hawthorn Rd. Park —1F 157
Hawthorn Rd. Prsct —1E 92
Hawthorns, The. Ell P —4H 161
Hawthorns, The. Newb —1G 27
Haxted Gdns. Liv —3B 130
Haycroft Clo. Gt Sut —2F 169
Haydn Rd. Liv —1D 90
Haydock. —7A 62
Haydock Community Leisure Cen. —7K 61
Haydock La. Hay —7A 62
Haydock La. Hay I —5B 62
Haydock La. Ind. Est. Hay I —5C 62
Haydock Pk. —5G 63
Haydock Pk. Gdns. Newt W —4F 63
Haydock Pk. Golf Course. —7K 63
Haydock Pk. Race Course. —4H 63
Haydock Pk. Rd. Liv —2G 55
Haydock Rd. Wall —7C 66
Haydock St. Ash M —3F 63
Haydock St. Newt W —2E 76
Haydock St. St H —3C 74
Haydock St. Warr —2B 118
Hayes Av. Prsct —2E 92
Hayes Cres. Frod —2E 166
Hayes Dri. Liv —2J 55
Hayes St. St H —6J 73
Hayfell Rd. Wig —3E 50
Hayfield Clo. Liv —7A 112
Hayfield Pl. Wir —7E 84
Hayfield Rd. Orm —3C 24
Hayfield Rd. Wool —1J 119
Hayfield St. Liv —7B 68
Hayfield Way. Clo F —3E 94
Haylemere Ct. South —3E 10
(off Oxford Rd.)
Hayles Clo. Liv —2E 110
Hayles Grn. Liv —2E 110
Hayles Gro. Liv —2E 110
Haylock Clo. Liv —4B 108
Hayman's Clo. Liv —7J 69
Haymans Grn. Mag —3G 43
Hayman's Grn. W Der —7J 69
Hayman's Gro. Liv —7J 69
Hay M. Rain —5H 93
Hayscastle Clo. Call —6J 97
Haywood Cres. Wind H —7B 136
Haywood Gdns. St H —4K 73
Hazel Av. Liv —2A 56
Hazel Av. Run —2A 152
Hazel Av. Whis —4E 92
Hazelbank Gdns. Form —5J 19
Hazelborough Clo. Bchwd —2D 100
Hazel Clo. Gt Sut —3H 169
Hazel Ct. Liv —4C 108
(off Byles St.)
Hazeldale Rd. Liv —2C 68
Hazeldene Av. Wall —2A 86
Hazeldene Av. Wir —3F 125
Hazeldene Way. Wir —3F 125
Hazel Dri. Lymm —6H 121
Hazelfield Ct. Clo F —3E 94
Hazel Gro. Beb —5E 126
Hazel Gro. Cros —2F 53

Hazel Gro.—Hilbre Clo.

Hazel Gro. Irby —2B 124
Hazel Gro. Padd —7G 99
Hazel Gro. St H —3J 73
Hazel Gro. South —1A 12
Hazel Gro. Walt —7D 54
Hazelhurst Clo. Liv —1G 29
Hazelhurst Gro. Ash M —1G 63
Hazelhurst Rd. Liv —7D 68
Hazel La. Skel —5H 27
Hazel M. Liv —2K 55
Hazel Rd. Birk —3D 106
Hazel Rd. Liv —2K 91
Hazel Rd. Wir —1E 102
Hazelslack Rd. Liv —4J 69
Hazel St. Warr —1D 118
Hazelwood. Wir —3B 104
Hazelwood Clo. Sut M —4D 94
Hazelwood Gro. Liv —6H 111
Hazelwood M. Grapp —7J 119
Hazlehurst Rd. Frod —6E 166
Hazleton Rd. Liv —4A 90
Headbolt La. Kirkby —1C 56
Headbolt La. South —3G 15
(in two parts)
Headbourne Clo. Liv —1D 110
Headen Av. Wig —6K 39
Headingley Clo. Liv —6G 91
Headingley Clo. St H —1E 94
Headington Rd. Wir —3B 104
Headland Clo. Lwtn —1E 78
Headland Clo. Wir —1D 122
Headley Clo. St H —3B 74
Head St. Liv —2A 108
Heald St. Liv —3A 130
Heald St. Newt W —3D 76
Healy Clo. Liv —4A 112
Heanor Dri. South —5B 12
Hearne Rd. St H —2K 73
Heartwood Clo. Liv —6C 54
Heath Av. Whitby —3J 169
Heathbank Av. Wall —4A 86
Heathbank Av. Wir —2A 124
Heathbank Rd. Birk —5D 106
Heathcliff Ho. Liv —5D 68
Heath Clo. Ecc P —7F 73
Heath Clo. Liv —3D 110
Heath Clo. Wir —1D 122
Heathcote Clo. Liv —7D 88
Heathcote Gdns. Wir —4F 127
Heathcote Rd. Liv —4B 68
Heath Ct. L Sut —5D 160
Heath Dale. Wir —6F 127
Heath Dri. Hes —1D 142
Heath Dri. Upt —3E 104
Heath Dri. West —3C 152
Heather Bank. Wir —3D 126
Heather Brae. Newt W —2E 76
Heather Brae. Prsct —2A 92
Heather Brow. Pren —1K 105
Heather Clo. Bchwd —2K 99
Heather Clo. Form —5B 20
Heather Clo. Gt Sut —1G 169
Heather Clo. Kirkby —1C 56
Heather Clo. Kirk —6B 68
Heather Clo. Padd M —5G 153
Heather Clo. South —7D 14
Heather Ct. Liv —6B 68
Heatherdale Clo. Birk —5B 106
Heatherdale Rd. Liv —4J 109
Heather Dene. Wir —6K 127
Heatherdene Rd. Wir —5D 102
Heather Gro. Ash M —1J 63
Heatherland. Wir —4F 105
Heatherlea Clo. Uph —4E 38
Heatherleigh. St H —1K 93
Heatherleigh. Wir —3G 123
Heatherleigh Clo. Liv —6C 54
Heather Rd. Beb —5D 126
Heather Rd. Hes —1E 142
Heathers Cft. Boot —2A 54
Heather Way. Liv —6J 41
Heatherways. Liv —4A 20
(in two parts)
Heathey La. South —1C 16
Heathfield. Wir —7K 127
Heathfield Av. St H —6A 74
Heathfield Clo. Form —4A 20
Heathfield Clo. Lith —7J 53
Heathfield Dri. Liv —1C 56
Heathfield Ho. Wir —3E 124
Heathfield Pk. Grapp —6G 119
Heathfield Pk. Wid —5K 113
Heathfield Rd. Beb —4F 127
Heathfield Rd. Ell P —6K 161
Heathfield Rd. Mag —5H 43
Heathfield Rd. Pren —4C 106
Heathfield Rd. South —3E 14
Heathfield Rd. Wat —3C 52
Heathfield Rd. W'tree —2J 109
Heathfield St. Liv —6A 88 (7H 5)
Heathgate. Skel —1J 37
Heathgate Av. Liv —7K 131
Heath Gro. L Sut —4D 160
Heath Hey. Liv —3D 110
Heathland Rd. Clo F —3E 94
Heathlands Rd. L Sut —5D 160
Heathlands, The. Wir —4C 84
Heath La. Croft —4G 79
Heath La. H Legh —5F 141
Heath La. Lwtn —1D 78
Heath La. Stoak —5B 170
(in two parts)
Heath La. Will —2J 159
Heath Moor Rd. Wir —6B 84
Heath Pk. Gro. Run —2B 152
Heath Rd. Ash M —3F 63
Heath Rd. Liv —1A 130
(L19)
Heath Rd. Liv —2F 91
(L36)
Heath Rd. Penk —3D 116
Heath Rd. Run —3B 152
Heath Rd. Wid —6K 113
Heath Rd. Wir —4E 126
Heath Rd. Cres. Run —2D 152
Heath Rd. S. West —4B 152
Heathside. Wir —1B 142
Heath St. Ash M —3G 63
Heath St. St H —7K 73
Heath St. Stock H —1C 138
Heath Vw. Liv —2H 53
Heathview Clo. Wid —4G 133
Heathview Rd. Wid —4G 133
Heathwaite Cres. Liv —5J 69
Heathway. Wir —3F 143
Heathwood. Liv —2K 89
Heathwood Gro. Padd —1H 119
Heathy La. Hals —2G 21
Heatley. —2K 121
Heatley Clo. Lymm —4K 121
Heatley Clo. Pren —1G 105
Heaton Clo. Liv —6K 131
Heaton Clo. Uph —4C 38
Heaton Ct. Bchwd —1B 100
Heatwaves Leisure Cen. —6F 71 (Stockbridge)
Hebburn Way. Liv —3E 70
Hebden Av. Cul —1D 80
Hebden Pde. Liv —3A 70
Hebden Rd. Liv —3K 69
Hebdon Clo. Ash M —7E 50
Hector Pl. Liv —5K 67
Hedgebank Clo. Liv —5F 55
Hedgecote. Liv —6C 56
Hedgecroft. Liv —6J 41
Hedgefield Rd. Liv —2F 111
Hedge Hey. Cas —1J 153
Hedges Cres. Liv —7G 69
Hedingham Clo. Liv —7A 112
Hedworth Gdns. St H —1K 93
Heights, The. Hel —7J 165
Helena Rd. St H —7H 75
Helena St. Birk —3E 106
Helena St. Liv —6D 88 (7P 5)
Helena St. Walt —3B 68
Helenbank Dri. Rainf —4F 47
Helen St. Ash M —1E 62
Helen St. Golb —3K 63
Helford Clo. Whis —1G 93
Helford Rd. Liv —1B 70
Heliers Rd. Liv —5K 89
Hell Nook. Golb —4J 63
Helmdon Clo. Liv —5J 69
Helmingham Gro. Birk —4E 106
Helmsdale. Skel —7J 27
Helmsdale La. Gt San —2G 117
Helmsley Clo. Bew —1J 117
Helmsley Rd. Liv —2K 131
Helsby. —7H 165
Helsby Av. Wir —7B 146
Helsby Golf Course. —4G 173
Helsby Marsh. —6G 165
Helsby Quarry Woodland Pk. —2H 173
Helsby Rd. Alv —3J 173
Helsby Rd. Liv —6D 54
Helsby St. Liv —6C 88 (7N 5)
Helsby St. St H —5F 75
Helsby St. Warr —2D 118
Helsby Way. Wig —2A 50
Helston Av. Liv —7K 111
Helston Av. St H —6F 61
Helston Clo. Brook —5K 153
Helston Clo. Penk —3C 116
Helston Clo. South —2D 8
Helston Grn. Liv —4B 92
Helston Rd. Liv —1B 70
Helton Clo. Pren —5J 105
Helvellyn Rd. Wig —5K 39
Hemans St. Boot —2G 67
Hemer Ter. Boot —1G 67
Hemingford Clo. Gt Sut —1F 169
Hemingford St. Birk —2D 106
Hemlegh Va. Hel —2H 173
Hemlock Clo. Liv —3B 70
Hempstead Clo. St H —7B 74
Hemsworth Av. L Sut —6E 160
Henbury Pl. Run —4D 152
Henderson Clo. Gt San —2B 116
Henderson Clo. Wir —2B 104
Henderson Dri. Rainf —4G 47
Henderson Rd. Liv —4A 92
Henderson Rd. Wid —1B 134
Hendon Rd. Liv —3F 89
Hendon Wlk. Wir —5A 104
Hengest Clo. Liv —6C 44
Henglers Clo. Liv —4B 88 (3M 5)
Henley Av. Liv —5G 53
Henley Clo. App —3E 138
Henley Clo. Nest —5J 157
Henley Clo. Wir —7G 127
Henley Ct. Run —7F 135
Henley Ct. St H —5K 73
Henley Dri. South —6B 8
Henley Rd. Liv —3K 109
Henley Rd. Nest —5J 157
Henllan Gdns. St H —7H 75
Henlow Av. Liv —5D 56
Hennawood Clo. Liv —2D 88
Henry Edward St. Liv —4K 87 (3F 4)
Henry Hickman Clo. Boot —1B 54
Henry St. Birk —2E 106
Henry St. Liv —7K 87 (8F 4)
(L1)
Henry St. Liv —5G 89
(L13)
Henry St. Lymm —5G 121
Henry St. St H —2B 74
Henry St. Warr —3A 118
Henry St. Wid —7E 114
Henshall Av. Warr —4F 119
Henthorne Rd. Wir —1H 127
Henthorne St. Pren —3C 106
Hepherd St. Warr —4H 117
Hepworth Clo. Golb —3K 63
Herald Clo. Liv —3A 70
Heralds Clo. Wid —1H 133
Heralds Grn. W'brk —5E 96
Herbarth Clo. Liv —3B 68
Herberts La. Wir —3D 142
Herbert St. Btnwd —1C 96
Herbert St. St H —7G 75
Herbert Taylor Clo. Liv —2E 88
Herculaneum Ct. Liv —5B 108
Herculaneum Rd. Liv —4A 108
Herdman Clo. Liv —3F 111
Hereford Av. Gt Sut —4G 169
Hereford Av. Wir —2D 104
Hereford Clo. Ash M —3H 63
Hereford Clo. St H —4B 74
Hereford Clo. Wool —1K 119
Hereford Dri. Boot —4B 54
Hereford Rd. S'frth —6E 52
Hereford Rd. South —1B 12
Hereford Rd. W'tree —2J 109
Heriot St. Liv —1K 87
Heriot Wlk. Liv —1K 87
Hermes Clo. Boot —5A 54
Hermes Rd. Gil I —7K 55
Hermitage Green. —6B 78
Hermitage Grn. La. Win —5K 77
Hermitage Gro. Boot —6K 53
Herm Rd. Liv —2J 87
Heron Clo. Nort —2B 154
Heron Ct. Liv —7J 111
Heron Ct. Park —4G 157
Herondale Rd. Liv —4H 109
Heron Dri. Wig —2C 50
Heron Gro. Rainf —7H 47
Heronhall Rd. Liv —2H 69
Heronpark Way. Wir —7H 127
Heron Pl. Wig —3K 39
Heron Rd. Meol & W Kir —1H 103
Herons Ct. Liv —7D 32
Herons Way. Run —5D 136
Hero St. Boot —4K 67
Herrick St. Liv —4H 89
Herschell St. Liv —1B 88
Hertford Clo. Liv —2K 131
Hertford Clo. Warr —1A 120
Hertford Dri. Wall —1C 86
Hertford Gro. Cad —1K 101
Hertford Rd. Boot —4J 67
Hertford St. St H —4F 75
Hesketh Av. Birk —7D 106
Hesketh Av. South —1J 9
Hesketh Clo. Penk —4D 116
Hesketh Dri. Liv —3H 43
Hesketh Dri. South —5A 8
Hesketh Dri. Wir —1E 142
Hesketh Golf Course. —4A 8
Hesketh Links Ct. South —5A 8
Hesketh Mnr. South —5A 8
Hesketh Pk. —6K 7
Hesketh Rd. Hale V —7E 132
Hesketh Rd. South —4K 7
Hesketh St. Liv —4E 108
Hesketh St. Warr —4H 117
Hesketh St. N. Warr —4H 117
Hesketh Vw. South —6A 8
Heskin Clo. Kirkby —6C 56
Heskin Clo. Lyd —7F 33
Heskin Clo. Rain —4H 93
Heskin La. Scar —2B 24
Heskin Rd. Liv —6C 56
Heskin Wlk. Liv —6C 56
Hessle Dri. Wir —3D 142
Hesslewell Ct. Wir —1E 142
Hester Clo. Liv —7K 29
Heswall. —2D 142
Heswall Av. Clo F —3D 94
Heswall Av. Cul —2A 80
Heswall Av. Wir —1C 126
Heswall Golf Course. —5E 142
Heswall Mt. Wir —4E 124
Heswall Rd. Gt Sut —7F 161
Heswall Rd. Liv —6D 54
Hetherlow Towers. Liv —3C 68
Hever Dri. Liv —7K 111
Heversham. Skel —1J 37
Heward Av. St H —1E 94
Hewitson Av. Liv —1H 89
Hewitson Rd. Liv —1H 89
Hewitt Av. St H —2J 73
Hewitt's La. Know & Liv —7H 57
Hewitts Pl. Liv —5J 87 (5E 4)
Hewitt St. Warr —5C 118
Hexagon, The. Boot —3J 67
Hexham Av. Wig —1D 50
Hexham Clo. St H —1K 93
Heyburn Rd. Liv —1G 89
Heydale Rd. Liv —4J 109
Heydean Rd. Liv —7A 110
Heydean Wlk. Liv —7A 110
Heydon Clo. Liv —2H 29
Heyes Av. Hay & Rainf —6G 47
Heyescroft. Bic —4H 35
Heyes Dri. Lymm —6E 120
Heyes Dri. Wall —3G 85
Heyes Gro. Rainf —6G 47
Heyes La. App —1E 138
Heyes Mt. Rain —5J 93
Heyes Rd. Orr —5G 39
Heyes Rd. Wid —1J 133
Heyes St. Liv —2C 88
Heyes, The. Halt B —1G 153
Heyes, The. Liv —6F 111
Heyfield Pk. Rd. L Sut —4D 160
Heygarth Dri. Wir —4B 104
Heygarth Rd. Wir —5A 146
Hey Grn. Rd. Liv —7G 89
Hey Lock Clo. Newt W —6G 77
Hey Pk. Liv —5K 91
Hey Rd. Liv —5K 91
Heys Av. Wir —2K 145
Heyscroft Rd. Liv —6F 111
Heysham Clo. Murd —4A 154
Heysham Lawn. Liv —4A 112
Heysham Rd. Boot —3C 54
Heysham Rd. Liv —4A 112
Heysham Rd. Orr —4K 39
Heysham Rd. South —1B 12
Hey Shoot La. Cul —1E 80
(in two parts)
Heysmoor Heights. Liv —2D 108
Heysome Clo. Crank —1A 60
Heys, The. Wir —5B 146
Hey St. Ince —1K 51
Heythrop Dri. Wir —2H 143
Heyville Rd. Wir —3E 126
Heywood Boulevd. Wir —3E 124
Heywood Clo. Liv —7J 19
Hey Wood Clo. Newt W —6G 77
Heywood Clo. Wir —3E 124
Heywood Ct. Liv —6A 90
Heywood Gdns. Whis —5E 92
Heywood Rd. Gt Sut —6E 160
Heywood Rd. Liv —7A 90
Heyworth St. Liv —2B 88 (1K 5)
Hibbert St. Wid —1D 134
Hickmans Rd. Birk —6B 86
Hickory Clo. Wool —1A 120
Hickory Gro. Liv —3J 55
Hickson Av. Liv —1E 42
Hicks Rd. S'frth —6G 53
Hicks Rd. Wat —3E 52
Highacre Rd. Wall —7A 66
Higham Av. Ecc —3F 73
Higham Av. Warr —6K 97
Higham Sq. Liv —3A 88 (1J 5)
High Bank Clo. Pren —3H 105
Highbank Dri. Liv —3B 130
Highbanks. Liv —1E 42
High Beeches. Liv —6D 90
High Beeches Cres. Ash M —6E 50
High Carrs. Liv —5F 91
High Clere Cres. Liv —2J 91
Highcroft Av. Wir —4F 127
Highcroft Grn. Wir —4G 127
Highcroft, The. Wir —4F 127
Higher Ashton. Wid —5B 114
Higher Bebington Rd. Wir —3D 126
Higher End. —1F 49
Higher End Pk. Boot —7A 42
Higher Heys. Beech —5H 153
Higher Knutsford Rd. Stock H —5F 119
Higher La. Crank & Rainf —4G 47
Higher La. Dut & Lwr W —7F 155
Higher La. Liv —6E 54
Higher La. Lymm —6G 121
Higher La. Parb —1H 27
Higher La. Uph —4E 38
Higher Moss La. Form —7G 21
Higher Parr St. St H —3E 74
Higher Rd. Halew & Wid —3B 132
Higher Rd. Liv —2H 131
Higher Runcorn. —1B 152
Higher Walton. —2K 137
High Farm La. Bic —3G 35
Highfield. —7K 39
Highfield. Elton —7B 164
Highfield. Liv —6D 44
Highfield Av. App —5D 138
Highfield Av. Golb —5K 63
Highfield Av. Gt San —3E 116
Highfield Clo. Nest —3J 157
Highfield Clo. Wall —3A 86
Highfield Ct. Birk —7F 107
Highfield Cres. Birk —7F 107
Highfield Cres. Wid —6C 114
Highfield Dri. Crank —1A 60
Highfield Dri. Lymm —6E 120
Highfield Dri. Wir —4B 104
Highfield Grange Av. Wig —2B 50
Highfield Gro. Birk —7F 107
Highfield Gro. Liv —7F 41
Highfield La. Lwtn —1C 78
Highfield La. Win —6C 78
Highfield Pk. Liv —3H 43
Highfield Pl. Prsct —1D 92
Highfield Rd. Birk —6F 107
Highfield Rd. Ell P —6A 162
Highfield Rd. Lith —5G 53
Highfield Rd. L Sut —5D 160
Highfield Rd. Lymm —5E 120
Highfield Rd. Nest —3J 157
Highfield Rd. Old S —3J 89
Highfield Rd. Orm —3C 24
Highfield Rd. South —4D 8
Highfield Rd. Walt —2B 68
Highfield Rd. Wid —7B 114
Highfield Rd. N. Ell P —5A 162
Highfields. Hes —1D 142
Highfields. Prsct —1C 92
Highfield S. Birk —1F 127
Highfield Sq. Liv —3H 89
Highfield St. Liv —4J 87 (3D 4)
(in two parts)
Highfield St. St H —6F 75
Highfield Vw. Liv —3H 89
Highgate Clo. Nort —1B 154
Highgate Clo. Wir —7D 124
Highgate Ct. Liv —6C 88 (7P 5)
Highgate Rd. Liv —1F 43
Highgate Rd. Uph —4D 38
High Gates Clo. Bew —1J 117
Highgate St. Liv —6C 88 (6N 5)
Highgreen Rd. Birk —5C 106
Highgrove Pk. Liv —1J 129
Highlands Rd. Run —1B 152
High La. Bic —4F 35
High La. Burs —3E 24
High Legh. —4K 141
Highmarsh Cres. Newt W —1F 77
High Moss. Orm —7B 24
Highoaks Rd. Liv —7F 111
High Park. —7C 8
High Pk. Pl. South —7C 8
Highpark Rd. Birk —5C 106
High Pk. Rd. South —7C 8
High Pk. St. Liv —3B 108
Highsted Gro. Liv —7D 44
High St. Brom —1A 146
High St. Frod & Norl —3D 166
High St. Hale V —1D 150
High St. Liv —5J 87 (5D 4)
High St. Nest —3J 157
High St. Newt W —2H 77
High St. Prsct —1D 92
High St. Run —7C 134
High St. Skel —3D 36
High St. W'tree —7H 89
High St. Wltn —6E 110
Hightor Rd. Liv —5D 110
Hightown. —7K 29
High Vw. Hel —7J 165
Highville Rd. Liv —2B 110
Highwood Ct. Liv —1D 56
Highwood Rd. App —2C 138
Highwoods Clo. Ash M —7E 50
Hignett Av. St H —4J 75
Higson Ct. Liv —5C 108
Hilary Av. Liv —5C 90
Hilary Clo. Gt San —2B 116
Hilary Clo. Liv —6E 68
Hilary Clo. Prsct —7E 72
Hilary Clo. Wid —5G 115
Hilary Dri. Wir —2E 104
Hilary Rd. Liv —6E 68
Hilberry Av. Liv —2G 89
Hilbre Av. Wall —3A 86
Hilbre Av. Wir —4C 142
Hilbre Clo. South —6B 8

Hoscote Pk. Wir —6C 102
Hose Side Rd. Wall —7K 65
Hospital Rd. Wir —3H 127
Hospital St. St H —2C 74
Hospital Way. Run —3H 153
(in two parts)
Hosta Clo. Liv —7B 44
Hostock Clo. Whis —5D 92
Hotel St. Newt W —3F 77
Hotham St. Liv —5A 88 (5H 5)
Hothfield Rd. Wall —4D 86
Hotspur St. Boot —5J 67
Hough Green. —7G 113
Hough Green Pk. —7H 113
Hough Grn. Rd. Wid —6G 113
Hough's La. H Walt —4A 138
Houghton Clo. Newt W —3F 77
Houghton Clo. Wid —6E 114
Houghton Cft. Wid —3J 113
Houghton Green. —3E 98
Houghton La. Liv —6K 87 (6G 4)
Houghton Rd. Hale V —1E 150
Houghton Rd. Wir —4F 105
Houghton's La. Ecc & St H —6F 59
Houghton's La. Uph —2J 37
(in two parts)
Houghtons Rd. Uph —7G 27
Houghton St. Liv —6K 87 (6G 4)
Houghton St. Newt W —3F 77
Houghton St. Prsct —1D 92
Houghton St. Rain —4J 93
Houghton St. Warr —2B 118
Houghton St. Wid —6F 115
Houghton Way. Liv —6G 4
Houghwood Grange. Ash M —2D 62
Hougoumont Av. Liv —4E 52
Hougoumont Gro. Liv —4E 52
Houlding St. Liv —1C 88
Houlgrave Rd. Liv —2J 87
Houlston Rd. Liv —3K 55
Houlston Wlk. Liv —3K 55
Houlton St. Liv —5D 88
Hourd Way. Gt Sut —4G 169
House La. Wid —2B 134
Hove, The. Murd —4B 154
(in two parts)
Howard Av. Lymm —4J 121
Howard Av. Wir —2K 145
Howard Clo. Mag —3H 43
Howard Clo. S'frth —3J 53
Howard Ct. Mnr P —5A 136
Howard Ct. Nest —2K 157
Howard Ct. South —6K 7
Howard Dri. Liv —2J 129
Howard Florey Av. Boot —1B 54
Howard Rd. Cul —4C 80
Howard's La. Ecc & St H —2E 72
Howard's La. Orr —4H 39
Howards Rd. Wir —3F 125
Howard St. St H —6J 73
Howard St. Wig —6K 39
Howards Way. L Nes —5A 158
Howarth Ct. Run —7D 134
Howbeck Clo. Pren —3K 105
Howbeck Ct. Pren —2K 105
Howbeck Dri. Pren —2K 105
Howbeck Rd. Pren —3K 105
Howden Dri. Liv —4E 90
Howden Dri. Wig —1E 50
Howell Dri. Wir —6B 104
Howell Rd. Wir —2G 127
Howells Av. Gt Sut —1E 168
Howells Clo. Liv —2F 43
Howe St. Boot —5H 67
Howey La. Frod —4C 166
(in two parts)
Howey Ri. Frod —4C 166
Howgill Clo. L Sut —5B 160
Howley. —3C 118
Howley La. Warr —3D 118
Howley Quay. Warr —3D 118
Howson Rd. Warr —5C 98
Howson St. Birk —6F 107
Hoyer Ind. Est. Ell P —7D 162
Hoylake. —2D 102
Hoylake Clo. Murd —3A 154
(in two parts)
Hoylake Gro. Clo F —3E 94
Hoylake Municipal Golf Course. —3D 102
Hoylake Rd. Birk —5H 85
Hoylake Rd. Wir —1K 103
Hoyle Rd. Wir —7D 82
Hoyle St. Warr —1K 117
Huddleston Clo. Wir —5G 105
Hudleston Rd. Liv —6K 89
Hudson Clo. Old H —7H 97
Hudson Rd. Liv —5F 43
Hudson Rd. Wir —3E 84
Hudson St. St H —3E 74
Hudswell Clo. Boot —4D 54
Hughenden Rd. Liv —2H 89
Hughes Av. Prsct —3D 92
Hughes Av. Warr —5D 98
Hughes Clo. Liv —6E 88
Hughes Dri. Boot —7A 54
Hughes La. Pren —5B 106
Hughes Pl. Warr —5D 98
Hughes St. Eve —3C 88 (1N 5)
(in two parts)
Hughes St. Gars —4A 130
Hughes St. St H —6F 75
Hughes St. Warr —5C 118
Hughestead Gro. Liv —3K 129
Hughson St. Liv —3A 108
Hulme. —4B 98
Hulme St. South —1G 11
Hulmewood. Wir —2G 127
Hulton Av. Whis —3F 93
Humber Clo. Liv —6A 68
Humber Clo. Wid —5H 115
Humber Cres. St H —1E 94
Humber Rd. Gt Sut —2H 169
Humber Rd. Warr —5E 98
Humber St. Birk —6K 85
Hume Ct. Wir —7E 82
Hume St. Warr —2C 118
Humphrey's Clo. Murd —3B 154
Humphreys Hey. Liv —7H 41
Humphrey St. Boot —7K 53
Huncote Av. St H —7F 61
Hunslet Rd. Liv —7D 54
Hunstanton Clo. Wir —1E 104
Hunt Clo. Gt San —7F 97
Hunter Av. Warr —5B 98
Hunter Ct. Prsct —1E 92
Hunters Chase Comn. Bil —3G 49
Hunters Ct. Hall P —4G 153
Hunters Ct. Hel —7K 165
Hunters La. Liv —1J 109
Hunter St. Liv —5K 87 (4G 4)
Hunter St. St H —4E 74
Hunters Way. Park —3G 157
Huntingdon Clo. Wir —7K 83
Huntingdon Gro. Liv —7E 32
Huntley Av. St H —7E 74
Huntley Gro. St H —7E 74
Huntley St. Gt San —4G 117
Huntly Rd. Liv —4E 88
Hunt Rd. Hay —7C 62
Hunt Rd. Liv —2F 43
Hunt's Cross. —2G 131
Hunts Cross Av. Liv —5F 111
(in two parts)
Hunts Cross Shop. Pk. Liv —3E 130
Hunts La. Stock H —6F 119
Huntsman Wood. Liv —6C 70
Hurford Av. Gt Sut —7H 161
Hurley Clo. Gt San —3G 117
Hurlingham Rd. Liv —4E 68
Hurlston. —7K 17
Hurlston Av. Skel —3J 37
Hurlston Dri. Orm —3C 24
Hurlston Green. —5K 17
Hurlston Hall Golf Club. —7K 17
Hurlston La. Scar —1K 23
Hurrell Rd. Birk —6H 85
Hursley Rd. Liv —2G 69
Hurst Bank. Birk —1F 127
Hurst Gdns. Liv —5J 89
Hurstlyn Rd. Liv —7A 110
Hurst Pk. Clo. Liv —3A 92
Hurst Pk. Dri. Liv —3A 92
Hurst Rd. Liv —5G 43
Hurst's La. Bic —2E 44
Hurst St. Liv —7J 87 (9E 4)
(L1, in two parts)
Hurst St. Liv —5J 89
(L13)
Hurst St. Wid —5C 134
Huskisson St. Liv —1B 108 (10K 5)
Huskisson Way. Newt W —2F 77
Hutchinson St. Liv —4C 88 (3N 5)
Hutchinson St. Wid —3B 134
Hutchinson Wlk. Liv —4C 88 (3N 5)
Hutton Clo. Cul —1A 80
Hutton Ct. Skel —2D 36
Hutton Rd. Skel —2D 36
Hutton Way. Orm —5C 24
Huxley Clo. Wir —7K 83
Huxley Ct. Ell P —3H 161
Huxley St. Liv —7F 69
Huyton. —5J 91
Huyton & Prescot Golf Course. —3B 92
Huyton Av. St H —7A 60
Huyton Brook. Liv —7K 91
Huyton Bus. Pk. Huy —6A 92
Huyton Chu. Rd. Liv —5J 91
Huyton Hall Cres. Liv —5J 91
Huyton Hey Rd. Liv —5J 91
Huyton Ho. Clo. Liv —3F 91
Huyton Ho. Rd. Liv —3F 91
Huyton La. Liv & Prsct —4J 91
Huyton Leisure Cen. —6H 91
Huyton-with-Roby. —4G 91
Hyacinth Av. Liv —7B 44
Hyacinth Clo. Hay —7D 62
Hyacinth Gro. Wir —5F 85
Hyde Clo. Beech —4F 153
Hyde Clo. Gt Sut —7H 161
Hyde Rd. Liv —4D 52
Hyde's Brow. Rainf —4G 47
Hydrangea Way. St H —7J 75
Hydro Av. Wir —7D 102
Hygeia St. Liv —3C 88 (1N 5)
Hylton Av. Wall —3A 86
Hylton Ct. Ell P —2C 170
Hylton Rd. Liv —1B 130
Hyslop St. Liv —2A 108
Hythe Av. Liv —5J 53
Hythe Clo. South —5A 12
Hythedale Clo. Liv —6E 108

Ibbotson's La. Liv —4G 109
Iberis Gdns. St H —7J 75
Ibstock Rd. Boot —1H 67
Iffley Clo. Wir —3B 104
Ikin Clo. Pren —6G 85
Ilchester Rd. Birk —6K 85
Ilchester Rd. Liv —6C 90
Ilchester Rd. Wall —4D 86
Ilex Av. Win —1B 98
Ilford Av. Liv —7D 40
Ilford Av. Wall —4B 86
Ilford St. Liv —5A 88 (4K 5)
Ilfracombe Rd. Sut L —2E 94
Iliad St. Liv —3A 88 (1H 5)
Ilkley Av. South —1E 8
Ilkley Wlk. Liv —5H 131
Ilsley Clo. Wir —4D 104
Imber Rd. Liv —5D 56
Imison St. Liv —3A 68
Imison Way. Liv —3A 68
Imperial Av. Wall —1C 86
Imperial Bldgs. Liv —5D 4
Imperial M. Ell P —5K 161
Imrie St. Liv —4B 68
Ince. —6A 164
Ince Av. Anf —6D 68
Ince Av. Cros —7C 40
Ince Av. Lith —6H 53
Ince Av. Wir —7A 146
Ince Blundell. —1E 40
Ince Blundell Pk. —2G 41
Ince Clo. Pren —4K 105
Ince Cres. Liv —7H 19
Ince Gro. Pren —5K 105
Ince La. Elton —7B 164
Ince La. Liv —3F 41
Ince La. Wim T —5K 171
Incemore Rd. Liv —7J 109
Ince Orchards. Elton —7B 164
Ince Rd. Liv —5G 41
Inchcape Rd. Liv —6C 90
Inchcape Rd. Wall —2H 85
Inchfield. Uph —1H 37
Index St. Liv —5B 68
Indoor Karting Circuit. —4K 117
Ingestre Rd. Pren —5A 106
Ingham Av. Newt W —5G 77
Ingham Rd. Wid —4B 114
Ingham's Rd. Croft —5G 79
Ingleborough Rd. Birk —6D 106
Ingleby Rd. Wall —4A 86
Ingleby Rd. Wir —1H 127
Ingledene Rd. Liv —3B 110
Ingle Grn. Liv —7A 40
Inglegreen. Wir —2F 143
Ingleholme Gdns. Ecc P —7G 73
Ingleholme Rd. Liv —7J 109
Inglemere Rd. Birk —6E 106
Inglemoss Dri. Rainf —4H 59
Inglenook Rd. Penk —4D 116
Ingleside Ct. Cros —2C 52
Inglestone Clo. Newt W —2F 77
Ingleton Clo. Wir —4B 104
Ingleton Dri. St H —4D 60
Ingleton Grn. Liv —5D 56
Ingleton Gro. Beech —5F 153
Ingleton Rd. Kirkby —5D 56
Ingleton Rd. Moss H —3H 109
Ingleton Rd. South —5A 12
Inglewhite. Skel —1G 37
Inglewood. Liv —3E 70
Inglewood. Wir —1B 104
Inglewood Av. Wir —1B 104
Inglewood Clo. Bchwd —1D 100
Inglewood Rd. Rainf —4J 59
Inglis Rd. Liv —6D 54
Ingoe Clo. Liv —4K 55
Ingoe La. Liv —5K 55
Ingram. Skel —2H 37
Ingrave Rd. Liv —4E 68
Ingrow Rd. Liv —4D 88 (3P 5)
Inigo Rd. Liv —3J 89
Inley Clo. Wir —7G 127
Inley Rd. Wir —7F 127
Inman Av. St H —4K 75
Inman Rd. Liv —6H 53
Inman Rd. Wir —2C 104
Inner Central Rd. Liv —4K 131
Inner Forum. Liv —4G 69
Inner Gosling Clo. Hat —1K 155
Inner S. Rd. Liv —5J 131
Inner W. Rd. Liv —4J 131
Innisfree Clo. Gt Sut —6E 160
Insall Rd. Fearn & Pad —5F 99
Insall Rd. Liv —6K 89
Inskip. Skel —1G 37
Inskip Ct. Skel —1H 37
Inskip Rd. South —3C 8
Intack La. H Legh —5C 140
Intake Clo. Will —3G 159
Intake La. Bic —6K 35
Interchange Motorway Ind. Est. Liv —6A 92
Inveresk Ct. Pren —2J 105
Invincible Clo. Boot —5A 54
Invincible Way. Gil I —7A 56
Inward Way. Ell P —4K 161
Inwood Rd. Liv —2A 130
Iona Clo. Liv —3E 70
Ionic Rd. Liv —3J 89
Ionic St. Birk —6F 107
Ionic St. Liv —6F 53
Irby. —3B 124
Irby Av. Wall —3A 86
Irby Clo. Gt Sut —7G 161
Irby Cricket Club Ground. —1A 124
Irby Heath. —3A 124
Irby Hill. —1A 124
Irbymill Hill. —7A 104
Irby Rd. Liv —6D 68
Irby Rd. Wir —4B 124
Irbyside Rd. Wir —7K 103
Ireland Rd. Hale V —1E 150
Ireland Rd. Hay —7A 62
Ireland St. Warr —7B 98
Ireland St. Wid —6F 115
Irene Av. St H —6E 60
Irene Rd. Liv —2A 110
Ireton St. Liv —4B 68
Iris Av. Birk —7K 85
Iris Clo. Wid —6J 113
Iris Gro. Liv —7B 44
Irlam Dri. Liv —3C 56
Irlam Pl. Boot —2H 67
Irlam Rd. Boot —2H 67
Ironbridge Vw. Liv —4A 108
Ironside Rd. Liv —3H 91
Irton Rd. South —7A 8
Irvin Av. South —2E 8
Irvine Rd. Birk —6D 106
Irvine St. Liv —6C 88 (6N 5)
Irvine Ter. Wir —1H 127
Irving Clo. Liv —5E 54
Irving St. South —6H 7
Irwell. Skel —7G 27
Irwell Chambers. Liv —5D 4
Irwell Clo. Liv —5G 109
Irwell Ho. Liv —5G 109
Irwell La. Liv —5G 109
Irwell La. Run —6D 134
Irwell Pl. Plat B —2K 51
Irwell Rd. Orr —4H 39
Irwell Rd. Warr —6B 118
Irwell St. Liv —6H 87 (7D 4)
Irwell St. Wid —5C 134
Irwin Rd. St H —7E 74
Isaac St. Liv —4B 108
Isabel Gro. Liv —7G 69
Isherwood Clo. Fearn —4F 99
Island Pl. Liv —3A 130
Island Rd. Liv —3A 130
Island Rd. S. Liv —3B 130
Islands Brow. St H —7D 60
Islay Clo. Ell P —3A 170
Isleham Clo. Liv —1A 130
Islington. Cros —7D 40
Islington. Liv —5A 88 (4H 5)
Islington Sq. Liv —4B 88 (4K 5)
Islip Clo. Wir —2B 124
Ismay Dri. Wall —2D 86
Ismay Rd. Liv —6H 53
Ismay St. Liv —5B 68
Ivanhoe Rd. Aig —4E 108
Ivanhoe Rd. Cros —1C 52
Ivanhoe St. Boot —3H 67
Iveagh Clo. Pal —3J 153
Iver Clo. Cron —2J 113
Ivernia Rd. Liv —4D 68
Ivor Rd. Wall —2C 86
Ivory Dri. Liv —7C 44
Ivy Av. Liv —2J 129
Ivy Av. Newt W —4G 77
Ivy Av. Whis —3G 93
Ivy Av. Wir —4E 126
Ivybridge. Skel —1H 37
Ivychurch M. Run —7F 135
Ivydale. Skel —1H 37
Ivydale Rd. Birk —5E 106
Ivydale Rd. Liv —4H 109
Ivydale Rd. Walt —2D 68
Ivy Farm Ct. Hale V —1D 150
Ivy Farm Dri. L Nes —5K 157
Ivy Farm Gdns. Cul —2K 79
Ivyfarm Rd. Rain —3H 93
Ivyhurst Clo. Liv —1H 129
Ivy La. Wir —5C 84
Ivy Leigh. Liv —2G 89
Ivy Rd. Wool —1A 120
Ivy St. Ash M —2F 63
Ivy St. Birk —2F 107
Ivy St. Run —1C 152
Ivy St. South —2K 11

Jackies La. Lymm —4H 121
(in two parts)
Jack McBain Ct. Liv —3J 87 (1D 4)
Jack's Brow. Know P —4J 71
Jacksfield Way. Liv —2H 129
Jacksmere La. Scar —1C 16
Jackson Av. Cul —3A 80
Jackson Av. Padd —1F 119
Jackson Clo. Has —5B 22
Jackson Clo. Rain —6K 93
Jackson Clo. Wir —1F 127
Jackson's Comn. La. Scar —1J 23
Jacksons Pond Dri. Liv —1D 110
Jackson St. Birk —3E 106
Jackson St. Btnwd —1C 96
Jackson St. Hay —6J 61
Jackson St. Liv —3A 130
Jackson St. St H —3E 74
Jacobs Clo. Liv —7H 53
Jacob St. Liv —4B 108
Jacqueline Ct. Liv —5G 91
Jacqueline Dri. Liv —3A 92
Jade Clo. Liv —2D 56
Jade Rd. Liv —3D 88 (1P 5)
Jamaica St. Liv —1K 107 (10G 4)
James Av. Gt Sut —1E 168
Jamesbrook Clo. Birk —7A 86
James Clarke St. Liv —3J 87 (1E 4)
James Clo. Wid —5C 134
James Ct. Liv —6F 111
James Ct. Apartments. Liv —6E 110
James Gro. St H —4A 74
James Holt Av. Liv —4A 56
James Hopkins Way. Liv —7K 67
James Horrigan Ct. Boot —2J 53
James Larkin Way. Liv —7K 67
James Rd. Hay —6D 62
James Rd. Liv —6F 111
James Simpson Way. Boot —1B 54
James St. Bam —5J 51
James St. Clo F —4F 95
James St. Gars —3A 130
James St. Liv —6J 87 (7D 4)
James St. Pren —4C 106
James St. Wall —5E 86
James St. Warr —3B 118
Jamieson Av. Liv —1G 53
Jamieson Rd. Liv —1G 109
Jane's Brook Rd. South —4K 11
Jane St. St H —7H 75
Janet St. Liv —6D 88 (6P 5)
Japonica Gdns. St H —7J 75
Jarrett Rd. Liv —1E 56
Jarrett Wlk. Liv —1E 56
Jarrow Clo. Pren —4B 106
Jasmine Clo. Liv —2B 88
Jasmine Clo. Wir —1B 104
Jasmine Ct. Liv —2K 91
Jasmine Gdns. St H —7J 75
Jasmine Gro. Wid —1K 133
Jasmine M. Liv —5C 108
Jason St. Liv —1A 88
Jason Wlk. Liv —1A 88
Java Rd. Liv —4F 69
Jay Clo. Bchwd —3C 100
Jay's Clo. Murd —3C 154
Jean Wlk. Liv —7K 55
Jedburgh Av. L Sut —5B 160
Jedburgh Dri. Liv —6B 44
Jeffereys Cres. Liv —5F 91
Jeffreys Dri. Liv —4E 90
Jeffreys Dri. Wir —3B 104
Jellicoe Clo. Wir —3F 123
Jenkinson St. Liv —4A 88 (2J 5)
Jennet Hey. Ash M —6D 50
Jensen Ct. Ast I —6E 134
Jericho Clo. Liv —6F 109
Jericho Ct. Liv —6F 109
Jericho Farm Clo. Liv —7F 109
Jericho Farm Wlk. Liv —7F 109
Jericho La. Liv —7F 109
Jermyn St. Liv —2C 108
Jerningham Rd. Liv —3F 69
Jersey Av. Ell P —3A 170
Jersey Av. Liv —4H 53
Jersey Clo. Boot —3J 67
Jersey St. Boot —3J 67
Jersey St. Clo F —4E 94
Jervis Clo. Fearn —4G 99
Jesmond St. Liv —7F 89
Jessamine Rd. Birk —5E 106
Jessica Ho. Liv —5K 67
Jet Clo. Liv —3D 88

Jeudwine Clo.—Kingsmead Rd.

Jeudwine Clo. Liv —7F 111
Joan Av. Grea —4C 104
Joan Av. More —7B 84
Jocelyn Clo. Wir —6G 127
Jockey St. Warr —1B 118
John Bagot Clo. Liv —2A 88
John F. Kennedy Heights. Liv —3A 88 (2J 5)
John Hunter Way. Boot —2B 54
John Lennon Dri. Liv —4D 88 (3P 5)
John Middleton Clo. Hale V —1D 150
John Moores Clo. Liv —7C 88 (8M 5)
John Nicholas Cres. Ell P —5A 162
John Rd. Lymm —5E 120
Johns Av. Hay —6C 62
Johns Av. Run —1B 152
Johnson Av. Newt W —1F 77
Johnson Av. Prsct —3D 92
Johnson Gro. Liv —2C 90
Johnson Rd. Pren —7K 105
Johnson's La. Wid —7G 115
Johnson St. Liv —5J 87 (4F 4)
Johnson St. Pem —5K 39
Johnson St. St H —2E 74
Johnson St. South —7H 7
Johnson Wlk. Liv —6E 88
(off Deeley Clo.)
Johnston Av. Boot —7A 54
John St. Ash M —7H 51
John St. Birk —1F 107
John St. Ell P —5K 161
John St. Liv —4A 88 (2J 5)
John St. Warr —2B 118
John Willis Ho. Birk —6G 107
Jones Farm Rd. Liv —3G 111
Jones St. Liv —6A 88 (6J 5)
Jonson Rd. Nest —2J 157
Jonville Rd. Liv —6E 54
Jordan St. Liv —1K 107 (10G 4)
Joseph Gardner Way. Boot —1H 67
Joseph Groome Towers. Ell P —5A 162
Joseph Lister Clo. Boot —2B 54
Joseph Morgan Heights. Liv —5J 55
Joseph St. St H —7G 75
Joseph St. Wid —6E 114
Joshua Clo. Liv —1A 88
Joule St. Bchwd —2B 100
Joyce Wlk. Liv —6A 56
Joy La. Btnwd —3B 96
(in two parts)
Joy La. Clo F —5G 95
Joy Wlk. Clo F —4G 95
Jubilee Av. Liv —6B 90
Jubilee Av. Orm —4D 24
Jubilee Av. Orr —7F 39
Jubilee Av. Pad —7F 99
Jubilee Av. Penk —4C 116
Jubilee Ct. Hay —6K 61
Jubilee Ct. South —7C 8
Jubilee Cres. Hay —6D 62
Jubilee Cres. Wir —4H 127
Jubilee Dri. Boot —4C 54
Jubilee Dri. Liv —5D 88 (5P 5)
Jubilee Dri. Uph —3E 36
Jubilee Dri. Whis —5D 92
Jubilee Dri. Wir —4D 102
Jubilee Gro. Lymm —4E 120
Jubilee Ho. Form —1C 30
Jubilee Ho. Run —2E 152
Jubilee Pk. —3G 91
Jubilee Rd. Cros —2C 52
Jubilee Rd. Form —1H 29
Jubilee Rd. Liv —6H 53
Jubilee Way. Wid —7A 114
Jubits La. Sut M —7C 94
Juddfield St. Hay —7J 61
Judges Dri. Liv —3E 88
Judges Way. Liv —3E 88
Julian Way. Wid —4B 114
Julie Gro. Liv —2C 90
Juliet Av. Wir —2E 126
Juliet Gdns. Wir —2E 126
July Rd. Liv —2E 88
July St. Boot —1J 67
Junct. Eight Bus. Cen. Ell P —5J 161
Junction La. Newt W —3F 77
Junction La. St H —7G 75
Junct. One Retail Pk. Wall —4H 85
Junction Rd. Rainf —4E 46
June Av. Wir —2A 146
June Rd. Liv —2F 89
June St. Boot —2J 67
Juniper Clo. Liv —6F 71
Juniper Clo. St H —2K 73
Juniper Clo. Wir —6A 104
Juniper Cres. Liv —5D 70
Juniper Dri. Gt Sut —3G 169
Juniper Gdns. Liv —6H 41
Juniper Gro. Gt Sut —3H 169
Juniper La. Wool —7C 100
Juniper St. Liv —6J 67
Jupiter Gro. Wig —2C 50
Jurby Ct. Pad —6F 99
Justan Way. Rain —2H 93
Juvenal Pl. Liv —3A 88 (1H 5)
Juvenal St. Liv —3K 87 (1G 4)

Kaigh Av. Liv —7D 40
Kale Clo. Wir —7D 102
Kale Gro. Liv —7E 44
Kara Clo. Boot —3J 67
Karan Way. Liv —2J 55
Karen Clo. Btnwd —1D 96
Karen Way. Gt Sut —1F 169
Karonga Rd. Liv —6G 55
Karonga Way. Liv —6H 55
Karslake Rd. Liv —3H 109
Karslake Rd. Wall —4D 86
Katherine Wlk. Liv —6A 56
Kaye Av. Cul —3B 80
Kay La. Lymm —1K 141
Kearsley Clo. Liv —7A 68
Kearsley St. Liv —7A 68
Keats Av. Bil —3F 49
Keats Av. Whis —4F 93
Keats Clo. Gt Sut —4G 169
Keats Clo. Wid —1B 134
Keats Gro. Liv —6K 91
Keats Gro. Warr —5C 98
Keats St. St H —6H 75
Keats Ter. South —2B 12
Keble Dri. Liv —2E 54
Keble Dri. Wall —1H 85
Keble Rd. Boot —5J 67
Keble St. Liv —4C 88 (3N 5)
Keble St. Wid —2D 134
Keckwick. —5D 136
Keckwick La. Dar —5D 136
Kedleston St. Liv —4C 108
Keegan Dri. Wall —5E 86
Keele Clo. Pren —5G 85
Keenan Dri. Boot —1A 68
Keene Ct. Boot —1K 53
Keepers La. Wir —4B 126
Keepers Wlk. Cas —7H 135
Keighley Av. Wall —2J 85
Keightley St. Birk —1C 106
Keir Hardie Av. Boot —1A 68
Keith Av. Gt San —2B 116
Keith Av. Liv —5B 68
Keith Dri. Wir —5J 145
Keithley Wlk. Liv —5J 131
Kelbrook Clo. St H —1F 95
Kelburn Ct. Bchwd —1B 100
Kelby Clo. Liv —4C 108
Kelday Clo. Liv —3C 56
Kelkbeck Clo. Liv —2H 43
Kellbank Rd. Wig —1C 50
Kellet's Pl. Birk —5F 107
Kellett Rd. Wir —4F 85
Kellitt Rd. Liv —1G 109
Kelly Dri. Boot —1A 68
Kelly St. Prsct —1E 92
Kelmscott Clo. Gt Sut —2F 169
Kelmscott Dri. Wall —3J 85
Kelsall Av. Sut M —3D 94
Kelsall Av. Wir —7A 146
Kelsall Clo. Bchwd —4J 99
Kelsall Clo. Pren —5K 105
Kelsall Clo. Wid —6K 113
Kelsall Clo. Wir —7A 146
Kelsey Clo. St H —2K 73
Kelso Clo. Liv —6B 44
Kelso Rd. Liv —4E 88
Kelton Gro. Liv —6G 109
Kelvin Clo. Ash M —1B 62
Kelvin Clo. Bchwd —1K 99
Kelvin Gro. Liv —2C 108
Kelvin Gro. Wig —2C 50
(in two parts)
Kelvin Pk. Wall —6D 86
Kelvin Rd. Birk —4E 106
Kelvin Rd. Wall —6E 86
Kelvinside. Liv —3F 53
Kelvinside. Wall —6D 86
Kelvin St. Bchwd —1A 100
Kemberton Dri. Wid —3C 114
Kemble St. Liv —4D 88 (3P 5)
Kemble St. Prsct —1D 92
Kemmel Av. Warr —6C 118
Kempsell Wlk. Liv —2A 132
Kempsell Way. Liv —2A 132
Kempsey Gro. That H —7A 74
Kempson Ter. Wir —5F 127
Kempston St. Liv —5A 88 (4J 5)
Kempton Clo. Liv —6G 91
Kempton Clo. Newt W —1H 77
Kempton Clo. Run —4E 152
Kempton Pk. Fold. South —5B 12
Kempton Pk. Rd. Liv —2G 55
Kempton Rd. Liv —7F 89
Kempton Rd. Wir —1H 127
Kemsley Rd. Liv —4D 90
Kenbury Clo. Liv —1E 56
Kenbury Rd. Liv —1E 56
Kendal Av. Warr —5C 98
Kendal Clo. Beb —3F 127
Kendal Clo. Gt Sut —2F 169
Kendal Clo. Rainf —2F 47
Kendal Dri. Gt Sut —2F 169
Kendal Dri. Liv —2F 43
Kendal Dri. Rainf —2E 46
Kendal Dri. Rain —3G 93
Kendal Dri. St H —5D 60
Kendal Gro. Ash M —1F 63
Kendal Pk. Liv —1B 90
Kendal Ri. Beech —5F 153
Kendal Rd. Liv —1C 110
Kendal Rd. Wall —5A 86
Kendal Rd. Wid —7J 113
Kendal St. Birk —2E 106
Kendal Way. South —6B 14
Kendricks Fold. Rain —4H 93
Kendrick St. Warr —3A 118
Kenford Dri. Wins —2C 50
Kenilworth Av. Run —2D 152
Kenilworth Clo. Liv —5C 110
Kenilworth Ct. Ell P —1C 170
(in two parts)
Kenilworth Dri. Pad —7F 99
Kenilworth Dri. Wir —4D 124
Kenilworth Gdns. Newt W —4G 77
Kenilworth Gdns. Wir —2C 104
Kenilworth Rd. Child —1B 110
Kenilworth Rd. Cros —1C 52
Kenilworth Rd. Nest —5J 157
Kenilworth Rd. South —4B 14
Kenilworth Rd. Wall —4D 86
Kenilworth St. Boot —3H 67
Kenilworth Way. Liv —5C 110
Kenley Av. Wid —3K 113
Kenmare Rd. Liv —2G 109
Kenmay Wlk. Liv —2E 56
Kenmore Gro. Ash M —1B 62
Kenmore Rd. Pren —7J 105
Kennelwood Av. Liv —2D 56
Kennessee Clo. Liv —4G 43
Kennessee Green. —4F 43
Kenneth Clo. Boot —2A 54
Kenneth Rd. Wid —1J 133
Kennet Rd. Hay —7A 62
Kennet Rd. Wir —4D 126
Kennford Rd. Liv —1A 70
Kensington. —5D 88 (5P 5)
Kensington. Liv —5C 88 (4M 5)
Kensington Av. Grapp —6J 119
Kensington Av. St H —7E 74
Kensington Dri. Prsct —2A 92
Kensington Gdns. Wir —7D 84
Kensington Ind. Est. South —2J 11
Kensington Rd. Ell P —6J 161
Kensington Rd. Liv —2J 29
Kensington Rd. South —1J 11
Kensington St. Liv —4C 88 (3N 5)
Kent Av. Form —2A 30
Kent Av. Lith —5J 53
Kent Av. Plat B —2K 51
Kent Clo. Boot —2K 67
Kent Clo. Wir —2H 145
Kent Gdns. Liv —7K 87 (9G 4)
Kent Gro. Run —1D 152
Kentmere Av. St H —5E 60
Kentmere Dri. Wir —6D 124
Kentmere Pl. Warr —4A 98
Kent M. Pren —4A 106
Kenton Clo. B Vale —1F 111
Kenton Clo. Form —4K 19
Kenton Rd. Liv —2K 131
Kent Pl. Birk —2D 106
Kentridge Dri. Gt Sut —1F 169
Kent Rd. Gt San —4G 117
Kent Rd. Liv —2K 29
Kent Rd. St H —6E 74
Kent Rd. South —4G 11
Kent Rd. Wall —4A 86
Kents Bank. Liv —5A 70
Kent St. Liv —7K 87 (9G 4)
(in two parts)
Kent St. Pren —4A 106
Kent St. Warr —4C 118
Kent St. Wid —7D 114
Kent Way. Newt W —5G 77
Kenview Clo. Wid —4G 133
Kenway. Rainf —6G 47
Kenwick Clo. Gt Sut —1E 168
Kenwood Clo. Liv —3K 111
Kenworthy's Flats. South —7H 7
Kenwright Cres. St H —6E 74
Kenwyn Rd. Wall —2B 86
Kenyon. —2F 79
Kenyon Av. Penk —3C 116
Kenyon Clo. Liv —6D 44
Kenyon La. Croft & Ken —4F 79
Kenyon La. Lwtn & Cul —1E 78
Kenyon Rd. Liv —3J 109
Kenyons La. Form —7A 20
Kenyons La. Lyd & Mag —7F 33
Kenyons La. N. Hay —5D 62
Kenyons La. S. Hay —6D 62
Kenyon's Lodge. Liv —1G 43
Kenyon Ter. Pren —3B 106
Kepler St. Liv —7G 53
Keppel St. Boot —5H 67
Kerfoot Bus. Pk. Warr —7A 98
(Kerfoot St.)
Kerfoot Bus. Pk. Warr —1A 118
(Winwick Rd.)
Kerfoots La. Skel —3C 36
Kerfoot St. Warr —1A 118
Kerr Gro. St H —3G 75
Kerris Clo. Liv —6D 108
Kerry Cft. Gt Sut —3G 169
Kerrysdale Clo. St H —7F 75
Kersey Rd. Liv —5D 56
Kersey Wlk. Liv —5D 56
Kershaw Av. Liv —2F 53
Kershaw St. Orr —5K 39
Kershaw St. Wid —7K 113
Kershaw Way. Newt W —1G 77
Kerslake Way. Liv —7K 29
Kerswell Clo. St H —1F 95
Kerton Row. South —4F 11
Keston Wlk. Liv —3K 131
Kestrel Av. Wir —2B 104
Kestrel Clo. St H —7D 60
Kestrel Clo. Wir —2B 104
Kestrel Ct. South —1K 11
Kestrel Dene. Liv —7J 55
Kestrel Dri. Ash M —6G 51
Kestrel Gro. Liv —7H 111
Kestrel La. Bchwd —3A 100
Kestrel M. Skel —6J 27
Kestrel Pk. Skel —6J 27
Kestrel Rd. Hes —3G 143
Kestrel Rd. More —7A 84
Kestrels Way. Hall P —4H 153
Keswick Av. Warr —5C 98
Keswick Av. Wir —6J 145
Keswick Clo. Liv —2G 43
Keswick Clo. South —6C 14
Keswick Clo. Wid —7J 113
Keswick Cres. Warr —5C 98
Keswick Dri. Frod —3E 166
Keswick Dri. Liv —5K 53
Keswick Gdns. Wir —5J 145
Keswick Pl. Pren —6H 85
Keswick Rd. Liv —6A 110
Keswick Rd. St H —1A 74
Keswick Rd. Wall —7K 65
Keswick Way. Liv —7E 90
Keswick Way. Rainf —2F 47
Kettering Rd. South —4B 14
Kevelioc Clo. Wir —6F 127
Kew Rd. Liv —2H 29
Kew Rd. South —5G 11
Kew St. Liv —2K 87
Keybank Rd. Liv —6J 69
Keyes Clo. Bchwd —3B 100
Keyes Gdns. Bchwd —3B 100
Kiddman St. Liv —3B 68
Kidstone Clo. St H —7F 75
Kilbuck La. Hay —5D 62
(in two parts)
Kilburn Av. Ash M —1H 63
Kilburn Av. Wir —4A 146
Kilburn Gro. St H —7A 74
Kilburn Gro. Wig —1B 50
Kilburn Rd. Orr —6E 38
Kilburn St. Liv —7H 53
Kildale Clo. Liv —2E 42
Kildare Clo. Hale V —7D 132
Kildonan Rd. Grapp —6G 119
Kildonan Rd. Liv —6F 109
Kilford Clo. Call —5J 97
Kilgraston Gdns. Liv —7G 109
Killarney Gro. Wall —4A 86
Killarney Rd. Liv —4J 89
Killester Rd. Liv —4F 111
Killington Clo. Wig —2F 51
Killington Way. Liv —6A 68
Killingworth La. Bchwd —2C 100
Kilmalcolm Clo. Pren —4K 105
Kilmore Clo. Liv —5E 54
Kilmory Av. Liv —6G 111
Kiln Clo. Ecc —1J 73
Kilncroft. Brook —5K 153
(in two parts)
Kiln La. Dent G & Ecc —1H 73
Kiln La. Skel —1E 36
Kiln Rd. Wir —5E 104
Kilnyard Rd. Liv —1D 52
Kilrea Clo. Liv —6H 69
Kilrea Rd. Liv —6G 69
(Ferguson Rd.)
Kilrea Rd. Liv —6H 69
(Muirhead Av.)
Kilsail Rd. Liv —6E 56
Kilsby Dri. Wid —6G 115
Kilshaw Rd. Btnwd —1D 96
Kilshaw St. Liv —3C 88 (1N 5)
(in two parts)
Kilsyth Clo. Fearn —3F 99
Kimberley Av. Liv —2D 52
Kimberley Av. That H —7A 74
Kimberley Clo. Liv —1C 108 (10M 5)
Kimberley Dri. Liv —1D 52
Kimberley Dri. Stock H —7C 118
Kimberley Pl. Ash M —2G 63
Kimberley Rd. Wall —1B 86
Kimberley St. Pren —7K 85
Kimberley St. Warr —3J 117
Kindale Rd. Pren —7J 105
Kinder Gro. Ash M —6D 50
Kinder St. Liv —4B 88 (3L 5)
Kinderton Clo. H Legh —5K 141
King Arthurs Wlk. Cas —2J 153
King Av. Boot —7A 54
King Edward Clo. Rain —3H 93
King Edward Dri. Wir —3H 127
King Edward Rd. Dent G —7K 59
King Edward Rd. Rain —3H 93
King Edward St. Liv —5H 87 (4C 4)
King Edward St. Warr —1E 118
Kingfield Rd. Liv —1B 68
Kingfisher Bus. Pk. Boot —6J 53
Kingfisher Clo. Beech —5H 153
Kingfisher Clo. Bchwd —3B 100
Kingfisher Clo. Kirkby —5C 44
Kingfisher Clo. N'ley —3K 111
Kingfisher Ct. Ash M —6F 51
Kingfisher Ct. South —7K 7
Kingfisher Dri. St H —7D 60
Kingfisher Gro. Liv —5D 70
Kingfisher Pk. Skel —6J 27
Kingfisher Way. Wir —2B 104
King George Clo. Ash M —2F 63
King George Cres. Warr —1E 118
King George Dri. Wall —1C 86
King George Rd. Hay —6E 62
King George's Dri. Wir —3H 127
King George's Way. Pren —1J 105
Kingham Clo. Liv —6G 111
Kingham Clo. Wid —7F 115
King James Ct. Hall P —4G 153
Kinglake Rd. Wall —2D 86
Kinglake St. Liv —6C 88 (6P 5)
Kinglass Rd. Wir —6H 127
King's Av. Wir —7F 83
Kingsbrook Way. Wir —1D 126
King's Brow. Wir —3D 126
Kingsbury. Wir —6F 103
Kingsbury Clo. App —6D 138
Kingsbury Clo. South —5B 14
Kingsbury Ct. Skel —6J 27
Kings Clo. Aig —5E 108
Kings Clo. Form —1J 29
Kings Clo. Wir —2D 126
Kings Ct. Hoy —1C 102
Kings Ct. Run —5B 136
Kings Ct. S'frth —6F 53
Kings Ct. Wir —3D 126
Kingscourt Rd. Liv —2A 90
Kingsdale Av. Birk —6D 106
Kingsdale Av. Rain —4K 93
Kingsdale Rd. Gt San —7D 96
Kingsdale Rd. Liv —3J 109
Kings Dock Rd. Liv —1K 107 (10F 4)
Kingsdown Rd. Liv —5J 69
Kingsdown St. Birk —4E 106
King's Dri. Cald —2E 122
Kings Dri. Hel —1H 173
Kings Dri. Liv —4G 111
King's Dri. Thing —4D 124
Kings Dri. Wltn —6F 111
King's Dri. N. Wir —7G 103
Kingsfield Rd. Liv —5E 42
King's Gap, The. Wir —1C 102
King's Gardens. —1G 11
Kingshead Clo. Cas —7J 135
Kingsheath Av. Liv —3C 90
Kings Hey Dri. South —6B 8
Kingsland Cres. Liv —3G 69
Kingsland Grange. Wool —6J 99
Kingsland Rd. Birk —4C 106
Kingsland Rd. Liv —3F 69
King's La. Wir —2D 126
Kingsley Av. Wig —1D 50
Kingsley Av. Wir —7A 146
Kingsley Clo. Liv —6E 32
Kingsley Clo. Wir —6E 124
Kingsley Cres. Run —1C 152
Kingsley Dri. App —2C 138
Kingsley Grn. Frod —6G 167
Kingsley Rd. Dent G —7K 59
Kingsley Rd. Ell P —6A 162
Kingsley Rd. Frod —5F 167
Kingsley Rd. Liv —1C 108 (10P 5)
Kingsley Rd. Run —1C 152
Kingsley Rd. Wall —4B 86
Kingsley St. Birk —7A 86
Kingsmead Ct. Croft —6G 79
Kingsmead Dri. Liv —2F 131
Kingsmead Gro. Pren —3K 105
Kings Mdw. Ains —6D 14
Kings Mdw. Nort —2A 154
Kingsmead Rd. Pren —3K 105

Lincoln Ho.—Loughrigg Av.

Lincoln Ho. St H —2C 74
Lincoln Rd. Gt Sut —1F 169
Lincoln Rd. St H —4K 73
Lincoln Rd. South —7G 11
Lincoln Sq. Wid —6D 114
Lincoln St. Birk —6A 86
Lincoln St. Liv —5A 130
Lincoln Way. Liv —4B 92
Lincoln Way. Rain —6K 93
Lincombe Rd. Liv —3F 91
Lindale Dri. Clo F —3E 94
Lindale Rd. Liv —4G 89
Lindby Clo. Liv —5E 56
Lindby Rd. Liv —5E 56
Linden Av. Ash M —7D 50
Linden Av. Boot —3B 54
Linden Av. Liv —1C 52
Linden Av. Orr —5G 39
Linden Clo. Gt Sut —4H 169
Linden Clo. Lymm —4H 121
Linden Clo. Wool —1K 119
Linden Ct. Orr —5G 39 (off Linden Gro.)
Linden Ct. Wid —4B 114
Linden Dri. Hel —3H 173
Linden Dri. Liv —6J 91
Linden Dri. Pren —7J 105
Linden Gro. Bil —2E 60
Linden Gro. Orr —5G 39 (in two parts)
Linden Gro. Wall —7B 66
Linden Rd. Liv —3J 111
Lindens. Skel —7H 27
Lindens, The. Liv —5E 42
Lindens, The. Pren —3C 106
Linden Wlk. Orr —5G 39
Linden Way. Ecc —2H 73
Linden Way. Wid —4B 114
Lindenwood. Liv —5D 56
Lindeth Av. Wall —4B 86
Lindfield Clo. Liv —4A 108
Lindfield Clo. Moore —4E 136
Lindholme. Skel —7J 27
Lindi Av. Grapp —6J 119
Lindisfarne Av. Ell P —3A 170
Lindisfarne Dri. Liv —3D 70
Lindley Av. Orr —6E 38
Lindley Av. Warr —4F 119
Lindley Clo. Liv —7E 88
Lindley St. Liv —7E 88
Lindrick Clo. Rain —3G 93
Lindsay Rd. Liv —6F 69
Lindsay St. Clo F —4F 95
Lind St. Liv —5B 68
Lindsworth Clo. Gt San —2G 117
Lindwall Clo. Pren —6G 85
Linear Pk. Wir —6A 84
Linear Vw. Newt W —6G 77
Lineside Clo. Liv —3F 111
Linford Gro. St H —1E 74
Lingdale Av. Pren —2K 105
Lingdale Ct. Pren —1K 105
Lingdale Rd. Pren —1K 105
Lingdale Rd. Wir —5C 102
Lingdale Rd. N. Birk —1K 105
Lingdales. Liv —4B 20
Lingfield Clo. Liv —6G 91
Lingfield Gro. Liv —5A 90
Lingfield Rd. Liv —5A 90
Lingfield Rd. Run —1A 152
Lingford Clo. Liv —4K 111
Lingham Clo. Wir —6B 84
Lingham La. Wir —4A 84
Lingham Pk. —7A 84
Lingholme Rd. St H —2A 74
Lingley Green. —1B 116
Lingley Grn. Av. Gt San & Warr —2A 116
Lingley Rd. Gt San —2B 116
Lingmell Av. St H —4D 60
Lingmell Rd. Liv —6K 69
Lingmoor Clo. Wig —3E 50
Ling St. Liv —5D 88
Lingtree Rd. Liv —3K 55
Lingwell Av. Wid —6K 113
Lingwood Rd. Gt San —2C 116
Linhope Way. Liv —5D 108
Link Av. Liv —7G 41
Link Av. St H —7G 61
Linkfield Clo. Liv —2G 111
Link Rd. Huy —6B 92
Links Av. L Sut —4E 160
Links Av. South —5A 8
Links Clo. Wall —7K 65
Links Clo. Wir —4H 145
Links Hey Rd. Wir —3G 123
Linkside. Wir —2D 126
Linkside Av. Win —1B 98
Linkside Ct. Liv —7A 40
Linkside Rd. Liv —7G 111
Linkside Way. Gt Sut —4H 169
Links Rd. Kirkby —4E 56
Linkstor Rd. Liv —5D 110
Links Vw. L Sut —4E 160
Links Vw. Pren —3J 105
Links Vw. Wall —6K 65
Linksview Clo. Liv —5D 110
Links Vw. Tower. Liv —6D 110
Linksway. Wall —7K 65
Linkway. Ash M —7J 51
Linkway. Run —2E 152
Link Way. St H —7H 59
Linkway E. St H —4D 74
Linkway W. St H —3B 74
Linner Rd. Liv —7G 131
Linnet Clo. Liv —3E 108
Linnet Clo. Newt W —3G 77
Linnet Clo. Warr —4D 98
Linnet Gro. Bchwd —4A 100
Linnet Ho. Liv —3D 108
Linnet La. Liv —3D 108
Linnets Way. Wir —2C 142
Linnet Way. Liv —5C 44
Linslade Clo. Liv —1D 56
Linslade Cres. Liv —1D 56
Linton Av. Golb —3K 63
Linton St. Liv —5B 68
Linum Gdns. St H —7K 75
Linville Av. Liv —1B 52
Linwood Clo. Brook —5A 154
Linwood Gro. Whis —5E 92
Linwood Rd. Birk —5E 106
Lionel St. St H —7H 75
Lions Clo. Pren —2K 105
Lipton Clo. Boot —4H 67
Lisburn La. Liv —7G 69
Lisburn La. Tue —1G 89
Lisburn Rd. Liv —6F 109
Liscard. —2B 86
Liscard Cres. Wall —2B 86
Liscard Gro. Wall —3A 86
Liscard Ho. Wall —3B 86
Liscard Rd. Liv —1F 109
Liscard Rd. Wall —3B 86
Liscard Village. Wall —2B 86
Liscard Way. Wall —3B 86
Liskeard Clo. Brook —4K 153
Lisleholme Clo. Liv —1A 90
Lisleholme Cres. Liv —1A 90
Lisleholme Rd. Liv —1A 90
Lismore Ct. Cros —1C 52
Lismore Rd. Liv —6J 109
Lister Cres. Liv —5E 88
Lister Dri. Liv —3G 89
Lister Rd. Ast —6E 134
Lister Rd. Liv —4E 88
Liston St. Liv —4B 68
Litcham Clo. Wir —1F 105
Litchborough Gro. Whis —1G 93
Litherland. —6H 53
Litherland Av. Wir —6B 84
Litherland Cres. St H —6E 60
Litherland Pk. Liv —5H 53
Litherland Rd. Boot —7J 53
Lithou Clo. Liv —2J 87
Lit. Acre. Liv —4G 43
Little Altcar. —2A 30
Lit. Barn Hey. Boot —7K 41
Little Bongs. —3B 90
Lit. Bongs. Liv —3B 90
Littlebourne. Murd —3C 154
Lit. Brewery La. Liv —4K 19
Lit. Brook La. Liv —5B 56
Lit. Canning St. Liv —1B 108 (10K 5)
Lit. Catharine St. Liv —1B 108 (10K 5)
Lit. Church St. Wig —5K 39
Littlecote Clo. Clo F —3E 94
Littlecote Gdns. App —6D 138
Little Ct. Liv —3J 87 (1D 4)
Little Cft. Whis —4D 92
Little Crosby. —4D 40
Lit. Crosby Rd. Cros & L Cro —4D 40
Littledale. Liv —4B 90
Littledale Rd. Gt San —1D 116
Littledale Rd. Wall —4D 86
Lit. Delph. Hay —6A 62
Littlegate. Halt B —2G 153
Little Grn. Gt Sut —1F 169
Lit. Hardman St. Liv —7A 88 (8J 5)
Lit. Heath Rd. Liv —5J 131
Lit. Heyes St. Liv —1C 88
Lit. Hey La. Liv —6B 20
Lit. Heys La. Liv —4F 41
Lit. Howard St. Liv —3H 87 (1C 4)
Lit. Huskisson St. Liv —1B 108 (10L 5)
Little La. Banks —5D 8
Little La. Park —2G 157
Littlemore Clo. Wir —3B 104
Lit. Moss Hey. Liv —7F 71
Little Neston. —5J 157
Lit. Parkfield Rd. Liv —4D 108
Littler Rd. Hay —1H 75
Lit. St Bride St. Liv —7B 88 (9K 5)
Little Stanney. —3C 170
Lit. Stanney La. Stoak —4C 170
Littlestone Clo. Wid —4C 114
Lit. Storeton La. Wir —3A 126
Little St. St H —5G 75
Little Sutton. —5E 160
Littleton Clo. Gt San —4H 117
Littleton Clo. Pren —4J 105
Little Town. —5J 79
Lit. Whissage. Gt Sut —2H 169
Littlewood Clo. Whis —4E 92
Lit. Woolton St. Liv —6B 88 (6M 5)
Littondale Av. Rain —5K 93
Liver Ind. Est. Liv —2E 68
Livermore Ct. Liv —2E 108
Liverpool. —5K 87
Liverpool Airport. —1G 149
Liverpool Anglican Cathedral. —1A 108 (10J 5)
Liverpool Av. South —4D 14
Liverpool Cricket Club Ground. —1H 129
Liverpool Empire Theatre. —5A 88 (5H 5)
Liverpool F.C. —7C 68
Liverpool F.C. Visitor Cen. & Mus. (off Anfield Ground) —7C 68
Liverpool Institute for the Performing Arts. —7A 88 (9J 5)
Liverpool Metropolitan Cathedral (R.C.). —6B 88 (7K 5)
Liverpool Municipal Golf Course. —4J 55
Liverpool Mus. —5K 87 (4G 4)
Liverpool Parish Church. —6H 87 (6C 4)
Liverpool Pl. Wid —7J 113
Liverpool Rd. Ains —7C 14
Liverpool Rd. Ash M —3C 62
Liverpool Rd. Augh —1K 33
Liverpool Rd. Bic —7D 34
Liverpool Rd. Cad —4K 101
Liverpool Rd. Cros & Gt Cro —7D 40
Liverpool Rd. Form —1A 30
Liverpool Rd. Gt San —2A 116
Liverpool Rd. Hay —6J 61
Liverpool Rd. Huy & Page M —3F 91
Liverpool Rd. Lyd —1E 42
Liverpool Rd. Mos —7K 169
Liverpool Rd. Nest —3J 157 (in two parts)
Liverpool Rd. Prsct —1B 92
Liverpool Rd. St H —3B 74
Liverpool Rd. Skel —3C 36 (in two parts)
Liverpool Rd. South —4G 11
Liverpool Rd. Warr —3K 117
Liverpool Rd. Wid —7H 113
Liverpool Rd. N. Liv —1E 42
Liverpool Rd. S. Burs —1F 25
Liverpool Rd. S. Liv —3E 42
Liverpool Row. Newt W —6H 77
Liverpool St. St H —3B 74
Liverpool Town Hall. —6J 87 (6D 4)
Liverpool Watersports Cen. —1K 107 (10F 4)
Liverpool Way, The. Liv —4E 56
Liversidge Rd. Birk —4D 106
Liver St. Liv —7J 87 (9E 4)
Livesleys La. Form —1F 31
Livingston Av. Liv —4E 108
Livingston Ct. Liv —4E 108
Livingston Dri. Liv —5E 108
Livingston Dri. N. Liv —5E 108
Livingston Dri. S. Liv —5E 108
Livingstone Clo. Old H —1H 117
Livingstone Gdns. Birk —1C 106
Livingstone Rd. Ell P —4A 162
Livingstone Rd. Wir —3E 84
Livingstone St. Ash M —7E 50
Livingstone St. Birk —1C 106
Llandaff Clo. Gt Sut —3G 169
Llanrwst Clo. Liv —3A 108
Lloyd Av. Birk —1B 106
Lloyd Clo. Liv —3B 88 (1L 5)
Lloyd Cres. Newt W —3D 76
Lloyd Dri. Ell P —3B 170
Lloyd Dri. Wir —5A 104
Lloyd Rd. Prsct —7E 72
Lloyd St. Hay —7H 61
Lobelia Av. Liv —2D 68
Lobelia Gro. Beech —6H 153
Local Centre. —7J 135
Lochinvar St. Liv —3B 68
Lochinver Av. L Sut —5B 160
Lochmore Rd. Liv —7J 109
Lochryan Rd. Liv —1K 129
Loch St. Orr —5K 39
Loch St. Run —6C 134 (in two parts)
Locker Av. Warr —5B 98
Lockerbie Clo. Warr —4E 98
Lockerbie Pl. Wig —2C 50
Lockerby Rd. Liv —4F 89
Locker La. Ash M —1K 63
Locker Pk. Wir —4A 104
Locke St. Gars —5A 130
Lockett Rd. Ash M —6F 51
Lockett Rd. Wid —5C 114
Lockett St. Warr —5F 119
Lockfields Vw. Liv —2J 87
Lockgate E. Wind H —7A 136
Lockgate W. Wind H —7K 135
Locking Stumps. —3K 99
Locking Stumps Cen. Bchwd —3K 99
Locking Stumps La. Bchwd —4H 99
Lockington Clo. Liv —4B 108
Lock Rd. Padd —2F 119
Lock Rd. Wir —2C 146
Lock St. St H —1E 74
Lockton La. Bew & Warr —1J 117
Lockton Rd. Know —1F 71
Lockwood Vw. Pres B —5D 154
Loddon Clo. Wir —1F 105
Lodge Clo. Lymm —4K 121
Lodge Dri. Cul —3B 80
Lodge Hollow. Hel —7H 165
Lodge La. Halt —2G 153
Lodge La. Liv —1D 108
Lodge La. Newt W —4F 63 (in two parts)
Lodge La. Warr —1J 117
Lodge La. Wid —4G 113
Lodge La. Wir —3H 127
Lodge Rd. Orr —7G 39
Lodge Rd. Wid —1H 133
Lodwick St. Liv —5H 67
Lofthouse Ga. Wid —5A 114
Logan Rd. Birk —6B 86
Logan Towers. Liv —2J 87
Logfield Dri. Liv —4B 130
Lognor Rd. Liv —3A 56
Lognor Wlk. Liv —3A 56
Logwood Rd. Liv —7A 92
Lois Ct. Wall —1C 86
Lombard Rd. Wir —5D 84
Lombardy Av. Wir —6K 103
Lomond Gro. Gt Sut —1H 169
Lomond Gro. Wir —7D 84
Lomond Rd. Liv —5G 89
Londonderry Rd. Liv —7F 69
London Fields. Bil —7G 49
London La. South —2J 15
London Rd. Frod —3D 166
London Rd. Liv —5A 88 (5H 5) (in two parts)
London Rd. Stock H & App —7C 118
London Rd. Stre —6D 138
London Row. Newt W —6H 77
London Sq. South —1H 11
London St. South —1H 11
Longacre. South —4B 8
Longacre Clo. Wall —2H 85
Long Acres. Wir —3B 104
Longacres Rd. Clay L —1J 157
Long Av. Liv —7D 54
Longbarn Boulevd. Bchwd —5J 99
Long Barn La. Fearn —5H 99 (in three parts)
Long Barn La. Wool —6K 99
Longbenton Way. Mnr P —5K 135
Longborough Rd. Know —3G 71
Longbutt La. Lymm —5H 121 (in three parts)
Longcliffe Dri. South —5B 14
Longcroft Av. Liv —2B 130
Longcroft Sq. Liv —2B 130
Longdale La. Liv —5K 41
Longden Rd. Ash M —2E 62
Longdin St. Warr —5E 118
Longdown Rd. Liv —7J 55
Longfellow Dri. Wir —2G 127
Longfellow St. Boot —1G 67
Longfellow St. Liv —1D 108
Longfield. Liv —5B 20
Longfield Av. Liv —6E 40
Longfield Clo. Wir —4B 104
Longfield Pk. Clo F —3F 95
Longfield Rd. Liv —7H 53
Longfield Rd. Warr —6C 98
Longfield Wlk. Liv —6E 40
Longfold. Liv —3G 43
Longford. —6B 98
Longford Rd. South —6G 11
Longford St. Liv —5C 108
Longford St. Warr —1B 118
Longhey. Skel —6J 27
Long Hey. Whis —5D 92
Long Hey Rd. Wir —2G 123
Longland Rd. Wall —1B 86
Long La. Augh & Bic —7A 24
Long La. Form —6J 19
Long La. Gars —2A 130
Long La. South —1K 9
Long La. Thor —4G 41
Long La. Uph —1A 48
Long La. Walt —7D 54
Long La. Warr —6B 98
Long La. W'tree —7G 89
Longlooms Rd. Ell P —3B 170
Longmead Av. Ash M —1G 63
Long Mdw. Ecc —2H 73
Long Mdw. Wir —4D 142
Longmeadow Rd. Know —2H 71
Long Meanygate. South —7H 9
Longmoor Clo. Liv —6G 55
Longmoor Gro. Liv —7D 54
Longmoor La. Liv —7D 54
Long Moss. Boot —3J 53
Longreach Rd. Liv —3D 90
Longridge Av. St H —1F 75
Longridge Av. Wir —2C 104
Longridge Wlk. Liv —6A 68
Longshaw Av. Bil —3G 49
Longshaw Bottom. —3G 49
Longshaw Clo. Bil —3G 49
Longshaw Common. —4G 49
Longshaw Comn. Bil —4G 49 (in three parts)
Longshaw Old Rd. Bil —3G 49
Longshaw St. Bew & Warr —5K 97
Longsight Clo. Pren —2J 125
Long Spinney. Nort —2A 154
Longster Clo. Hel —2H 173
Longstone Wlk. Liv —7D 88 (8P 5)
Longton Ct. South —7K 7
Longton Dri. Liv —4A 20
Longton La. Rain —2G 93
Longview. —2K 91
Long Vw. Av. Rain —3G 93
Longview Av. Wall —2A 86
Longview Cres. Liv —4K 91
Longview Dri. Liv —3K 91
Longview La. Liv —2K 91
Longview Rd. Liv —3K 91
Long Vw. Rd. Rain —3G 93
Longville St. Liv —3A 108
Longwood Clo. Rainf —4H 59
Longwood Rd. App —3E 138
Longworth Way. Liv —5E 110
Lonie Gro. St H —6J 73
Lonmore Clo. Banks —2J 9
Lonsborough Rd. Wall —4C 86
Lonsdale Av. Orm —3D 24
Lonsdale Av. St H —7H 73
Lonsdale Av. Wall —1A 86
Lonsdale Clo. Ford —3H 53
Lonsdale Clo. Wid —7J 113
Lonsdale M. Ford —3H 53
Lonsdale Rd. Ford —3H 53
Lonsdale Rd. Form —7J 19
Lonsdale Rd. Halew —3J 131
Lonsdale Rd. South —4K 11
Lonsdale Wlk. Orr —3K 39
Looe Clo. Wid —6A 114
Looe Rd. Liv —1B 70
Looms, The. Park —1F 157
Loomsway. Wir —3B 124
Loraine St. Liv —1B 88
Lordens Clo. Liv —2E 90
Lordens Rd. Liv —2E 90
Lord Nelson St. Liv —5K 87 (5H 5)
Lord Nelson St. Warr —3C 118
Lords Av. Pren —7G 85
Lord Sefton Way. Liv —1D 30
Lords Fold. Rainf —5E 46
Lordship La. Dun H —5F 165
Lords La. Bchwd —3H 99
Lords St. Cad —1K 101
Lord St. Ash M —1H 63
Lord St. Birk —1E 106
Lord St. Croft —6G 79
Lord St. Gars —4A 130
Lord St. Liv —6J 87 (6E 4)
Lord St. Newt W —3E 76
Lord St. Run —6B 134
Lord St. St H —1B 74 (in two parts)
Lord St. South —2G 11 (in two parts)
Lord St. Warr —4B 118
Lord St. W. South —2G 11
Loreburn Rd. Liv —2J 109
Lorenzo Dri. Liv —5G 69
Loretto Dri. Wir —2E 104
Loretto Rd. Wall —2K 85
Lorne Ct. Pren —4B 106
Lorne Rd. Liv —4D 52
Lorne Rd. Pren —4A 106
Lorne St. Liv —4G 89
Lorn St. Birk —2E 106
Lorton Av. St H —4C 60
Lorton St. Liv —1D 108 (10P 5)
Lostock Av. Warr —7K 97
Lostock Clo. Bil —7G 49
Lothair Rd. Liv —7C 68
Lothian St. Liv —2C 108
Lotus Gdns. St H —7J 75
Loudon Gro. Liv —2C 108
Lough Grn. Wir —7G 127
Loughlin Dri. Liv —7D 44
Loughrigg Av. St H —4D 60

Louis Braille Clo.—Manley Rd.

Louis Braille Clo. Boot —1B 54
Louis Pasteur Av. Boot —1B 54
Loushers La. Warr —6C 118
Lovage Clo. Pad —5J 99
Lovatt Ct. Lymm —4K 121
Lovelace Rd. Liv —2K 129
Love La. Liv —3H 87 (1C 4)
Love La. Wall —4A 86
Lovel Rd. Liv —7H 131
Lovel Ter. Wid —4H 133
Lovel Way. Liv —6H 131
Lovely La. Warr —2J 117
Loves Cotts. Orm —4B 24
Lovett Dri. Prsct —2E 92
Low Bank Rd. Ash M —1D 62
Lowcroft. Skel —7J 27
Lowden Av. Liv —3H 53
Lowe Av. Warr —4F 119
Lowell St. Liv —5B 68
Lwr. Alt Rd. Liv —7K 29
Lwr. Appleton Rd. Wid —7D 114
Lwr. Bank Vw. Liv —5H 67
Lwr. Beacon La. Dal —5G 27
Lower Bebington. —4G 127
Lwr. Breck Rd. Liv —1E 88
Lwr. Carr La. Liv —4H 31
(in two parts)
Lwr. Castle St. Liv —6J 87 (6D 4)
Lwr. Church St. Wid —4C 134
Lower Clo. Liv —1A 132
Lwr. Farm Rd. Liv —1D 110
Lwr. Flaybrick Rd. Pren —7J 85
Lower Grn. Wir —5E 104
Lower Hey. Liv —7H 41
Lwr. Hill Top Rd. Stock H —6F 119
Lwr. House La. Liv —2H 69
Lwr. House La. Wid —2B 134
Lower La. Liv —6G 55
Lwr. Mersey St. Ell P —4A 162
Lwr. Mersey Vw. Liv —5H 67
Lwr. Milk St. Liv —5J 87 (4E 4)
Lwr. Promenade. South —1G 11
(in two parts)
Lwr. Rake La. Hel —7H 165
Lower Rd. Liv & Wid —1B 132
Lower Rd. Wir —3H 127
Lwr. Robin Hood La. Hel —1G 173
Lwr. Sandfield Rd. Liv —4F 111
Lowerson Cres. Liv —6G 69
Lowerson Rd. Liv —6G 69
Lower Stretton. —7K 139
Lwr. Thingwall La. Wir —3G 125
Lower Walton. —1B 138
Lwr. Wash La. Warr —5E 118
Lowes Grn. Liv —7B 20
Lowe's La. Uph —2E 26
Lowe St. St H —2B 74
Lowe St. S. St H —3B 74
Loweswater. Hay —7J 61
Loweswater Clo. Warr —4B 98
Loweswater Cres. Hay —7J 61
Loweswater Way. Liv —1B 56
Lowfield La. St H —1B 94
Lowfield Rd. Liv —4A 90
Lowfield Rd. Ind. Est. St H —2A 94
Lowfields Av. Wir —7K 145
Lowfields Clo. Wir —7A 146
Low Hill. Dun H & Hel —7D 172
Low Hill. Liv —4C 88 (3M 5)
Lowlands Rd. Run —7B 134
Lowndes Rd. Liv —1F 89
Lowry Bank. Wall —4E 86
Lowry Clo. Gt San —2H 117
Lowry Hill La. Lath —1B 26
Lowther Av. Ain —3F 55
Lowther Av. Cul —2B 80
Lowther Av. Mag —2G 43
Lowther Cres. St H —6H 73
Lowther Dri. Rain —4H 93
Lowther St. Liv —1C 108 (10M 5)
Lowton Gdns. Lwtn —1B 78
Lowton Heath. —1C 78
Lowwood Gro. Birk —3D 106
Low Wood Gro. Wir —5G 125
Lowwood Rd. Birk —3D 106
Low Wood St. Liv —4C 88 (4M 5)
Loxdale Clo. Liv —4B 108
Loxdale Dri. Gt Sut —1H 169
Loxley Clo. Gt San —7E 96
Loxley Rd. South —4K 11
Loxton Cres. Wig —1F 51
Loxwood Clo. Liv —1F 111
Loyola Hey. Rain —7A 94
Lucania St. Liv —4A 130
Lucan Rd. Liv —6F 109
Lucerne Rd. Wall —5D 86
Lucerne St. Liv —5E 108
Lucius Clo. Liv —6B 54
Luck St. Liv —4E 108
Ludlow. Skel —6J 27
Ludlow Ct. Wir —7D 102
Ludlow Cres. Run —2D 152
Ludlow Dri. Ell P —1C 170
Ludlow Dri. Orm —3B 24
Ludlow Dri. W Kir —7D 102
Ludlow Gro. Wir —1K 145
Ludlow St. Liv —5B 68
Ludwig Rd. Liv —1D 88
Lugard Rd. Liv —6G 109
Lugsdale. —2E 134
Lugsdale Rd. Wid —2D 134
Lugsmore La. St H —5J 73
Luke St. Ash M —7H 51
Luke St. Liv —2B 108
Luke St. Wall —5E 86
Lully St. Liv —7C 88 (8M 5)
Lulworth. Skel —6H 27
Lulworth Av. Liv —3C 52
Lulworth Rd. Liv —3G 111
Lulworth Rd. South —4F 11
Lulworth Vw. South —4E 10
Lumb Brook Rd. App —7E 118
Lumb Brook Rd. Grapp —2F 139
Lumber La. Btnwd —6C 76
Lumby Av. Huy —4J 91
Lumley Rd. Wall —4D 86
Lumley St. Liv —2K 129
Lumley Wlk. Hale V —1E 150
Lunar Dri. Boot —7B 42
Lunar Rd. Liv —7D 54
Lundy Dri. Ell P —4A 170
Lune Av. Liv —2G 43
Lune Rd. Plat B —2K 51
Lunesdale Av. Liv —6D 54
Lune St. Liv —1E 52
Luneway. Wid —7J 113
Lunsford Rd. Liv —3D 90
Lunt. —4K 41
Lunt Av. Boot —3C 54
Lunt Av. Whis —4E 92
Lunt La. Liv —4K 41
Lunt Rd. Boot —7J 53
Lunt Rd. Liv —3J 41
Lunts Heath. —4D 114
Lunt's Heath Rd. Wid —3C 114
Lunt's La. Liv —2A 30
Lunts Wood Gro. Newt W —2E 76
Lupin Dri. Hay —7D 62
Lupin Way. Liv —2E 90
Lupton Dri. Liv —1G 53
Lupus Way. Gt Sut —1H 169
Luscombe Clo. Liv —1A 132
Lusitania Rd. Liv —4C 68
Luther Gro. St H —4K 75
Luton Gro. Liv —6A 68
Luton Rd. Ell P —6H 161
Luton St. Liv —1H 87
Luton St. Wid —2C 134
Lutyens Clo. Liv —6B 68
Luxmore Rd. Liv —5C 68
Lycett Rd. Liv —7D 68
Lycett Rd. Wall —2J 85
Lyceum Pl. Liv —6K 87 (7G 4)
Lychgate. H Walt —2K 137
Lycroft Clo. Run —4D 152
Lydbrook Clo. Birk —5F 107
Lydbury Clo. Call —5H 97
Lydbury Cres. Liv —5D 56
Lydden Rd. Ell P —4K 161
Lydford Rd. Liv —6K 69
Lydia Ann St. Liv —7K 87 (8F 4)
Lydiate. —6D 32
Lydiate La. Thor & Liv —6H 41
Lydiate La. West P —3K 151
Lydiate La. Will —3E 158
Lydiate La. Wltn & Halew —6G 111
Lydiate Pk. Liv —6H 41
Lydiate Rd. Boot —1J 67
Lydiate Sta. Rd. Lyd —7J 31
(in two parts)
Lydiate, The. Wir —3D 142
Lydia Wlk. Liv —6K 55
Lydieth Lea. Liv —2J 111
Lydney Rd. Liv —3F 91
Lydstep Ct. Call —5J 97
Lyelake Clo. Liv —4D 56
Lyelake La. W'head & Bic —2K 35
Lyelake Rd. Liv —4D 56
Lyle St. Liv —2J 87
Lyme Clo. Liv —1K 91
Lymecroft. Liv —6D 110
Lyme Cross Rd. Liv —1J 91
Lyme Gro. Liv —2K 91
Lyme Gro. Lymm —6E 120
Lyme Rd. St H —5J 73
Lyme St. Hay —7C 62
Lyme St. Newt W —2C 76
Lyme St. Warr —3B 118
Lyme Tree Ct. Wid —2J 113
Lymewood Ct. Hay —6B 62
Lymington Gro. Boot —2B 54
Lymington Rd. Wall —3K 85
Lymm. —5G 121
Lymm Golf Course. —3F 121
Lymmhay La. Lymm —4G 121
Lymmington Av. Lymm —5E 120
Lymm Rd. Pren —1G 105
Lymm Rd. Thel —5A 120
Lymm Rugby Football Ground. —7G 121
Lynas Gdns. Liv —1K 129
Lynas St. Birk —7D 86
Lynbridge Clo. Orr —6G 39
Lyncastle Rd. App —6K 139
Lyncastle Way. App —5K 139
Lyncot Rd. Liv —5D 54
Lyncroft Rd. Wall —5C 86
Lyndale. Skel —6H 27
Lyndale Av. Fearn —5F 99
Lyndale Av. Warr —7D 98
Lyndale Av. Wir —6A 146
Lyndene Rd. Liv —1E 110
Lyndhurst. Liv —3F 43
Lyndhurst. Skel —6H 27
Lyndhurst. Wir —5C 102
Lyndhurst Av. Liv —5H 109
Lyndhurst Av. Wir —6E 124
Lyndhurst Clo. Wir —4E 124
Lyndhurst Rd. Cros —1G 53
Lyndhurst Rd. Hes —4A 124
Lyndhurst Rd. Hoy —6H 83
Lyndhurst Rd. Moss H —4H 109
Lyndhurst Rd. South —6G 11
Lyndhurst Rd. Wall —1K 85
Lyndon Dri. Liv —4K 109
Lyndon Gro. Run —2D 152
Lyndor Clo. Liv —7F 111
Lyndor Rd. Liv —7F 111
Lyneal Av. Gt Sut —2E 168
Lyneham. Whis —5F 93
Lynham Av. Gt San —3F 117
Lynholme Rd. Liv —7D 68
Lynmouth Rd. Liv —1G 129
Lynnbank. Pren —4B 106
Lynnbank Rd. Liv —3B 110
Lynn Clo. Run —3E 152
Lynn Clo. St H —2J 73
Lynndene. Ell P —4F 161
Lynscot Pl. Liv —7B 90
Lynsted Rd. Liv —4D 90
Lynton Clo. Liv —1K 129
Lynton Clo. Penk —4C 116
Lynton Clo. Wir —4F 143
Lynton Ct. Liv —1B 52
Lynton Cres. Wid —6A 114
Lynton Dri. South —7E 10
Lynton Dri. Wir —6G 127
Lynton Gdns. App —5D 138
Lynton Grn. Liv —4D 110
Lynton Gro. Sut L —2E 94
Lynton Rd. Liv —4B 92
Lynton Rd. South —1E 14
Lynton Rd. Wall —1J 85
Lynton Way. Wind —7H 59
Lynwood Av. App —2C 138
Lynwood Av. Augh —7A 24
Lynwood Av. Wall —4A 86
Lynwood Clo. Skel —4K 37
Lynwood Dri. Wir —3C 124
Lynwood End. Augh —7A 24
Lynwood Gdns. Liv —1B 68
Lynwood Rd. Liv —1B 68
Lynxway, The. Liv —3B 90
Lyon Clo. St H —3B 74
Lyon Rd. Liv —1D 88
Lyons Clo. Wir —6C 84
Lyons La. App —3D 138
Lyons Rd. Penk —4D 116
Lyons Rd. South —3G 11
Lyons Rd. Wir —6C 84
Lyon St. Ash M —5D 50
Lyon St. Liv —5A 130
Lyon St. St H —3A 74
Lyon St. Warr —5F 119
Lyra Rd. Liv —4D 52
Lyster Clo. Bchwd —4B 100
Lyster Rd. Boot —3G 67
Lytham Clo. Liv —4H 55
(L10)
Lytham Clo. Liv —1C 90
(L12)
Lytham Ct. Liv —1A 56
Lytham Rd. Ash M —7D 50
Lytham Rd. South —3C 8
(in two parts)
Lytham Rd. Wid —6D 114
Lythgoes La. Warr —2B 118
Lytles Clo. Liv —1A 30
Lyttelton Rd. Liv —6G 109
Lytton Av. Birk —7F 107
Lytton Gro. Liv —7G 53
Lytton St. Liv —4B 88 (2L 5)

Mab La. Liv —6D 70
MacAlpine Clo. Wir —2E 104
Macarthur Rd. Gt San —2F 117
Macauley Pl. Wig —1D 50
Macbeth St. Liv —5J 67
McBride St. Liv —3A 130
McCarthy Clo. Bchwd —4C 100
McClellan Pl. Wid —7D 114
McCormack Av. St H —2G 75
McCulloch St. St H —3E 74
Macdermot Rd. Wid —4B 134
MacDona Dri. Wir —1D 122
Macdonald Av. St H —1G 75
Macdonald Av. Wig —1E 50
Macdonald Dri. Wir —5B 104
Macdonald Rd. Wir —7A 84
MacDonald St. Liv —7G 89
Macdonald St. Orr —5K 39
Mace Rd. Liv —3A 70
McFarlane Av. St H —2J 73
Macfarren St. Liv —4J 89
McGarva Way. Ell P —7A 162
McGoldrick Pk. —6K 91
McGough Clo. Sut M —4C 94
McGregor St. Liv —2A 88
McKee Av. Warr —5B 98
Mackenzie Av. Wig —1E 50
MacKenzie Rd. Wir —4F 85
McKeown Clo. Liv —2K 87
Mackets Clo. Liv —7G 111
Macket's La. Liv —6G 111
Mack Gro. Boot —3K 53
McMinnis Av. St H —4J 75
McNair Hall. Liv —5H 109
MacQueen St. Liv —5J 89
McVinnie Rd. Prsct —1F 93
Maddock Rd. Wall —2D 86
Maddocks St. Liv —5J 89
Maddock St. Birk —7C 86
Maddrell St. Liv —3H 87
Madeira Dri. Liv —2F 111
Madelaine St. Liv —2C 108
Madeleine McKenna Ct. Wid —5H 113
Madeley Clo. Wig —1C 50
Madeley Clo. Wir —7D 102
Madeley Dri. Wir —7D 102
Madeley St. Liv —3E 88
Madingley Ct. South —5B 8
Madryn Av. Liv —3E 56
Madryn St. Liv —3C 108
Maelor Clo. Wir —4J 145
Maesbrook Clo. Banks —2K 9
Mafeking Clo. Liv —7H 89
Mafeking Pl. Ash M —2G 63
Magazine Av. Wall —7B 66
Magazine Brow. Wall —7C 66
Magazine La. Wall —7B 66
Magazine Rd. Wir —6K 127
Magazines Promenade. Wall —6C 66
Magdala St. Liv —1D 108
Magdalen Dri. Ash M —1D 62
Magdalen Ho. Boot —4J 67
Magdalen Sq. Boot —1B 54
Maggotts Nook Rd. Rainf —3G 47
Maghull. —2F 43
Maghull Hey Cop. Liv —6G 31
Maghull La. Liv —3K 43
(in two parts)
Maghull Smallholdings Est. Liv —1J 43
Maghull St. Liv —9E 4
Mag La. Lymm —4H 141
Magnolia Clo. Gt Sut —3H 169
Magnolia Clo. Hay —1H 75
Magnolia Clo. Liv —6H 111
Magnolia Clo. Wool —1A 120
Magnolia Dri. Beech —6H 153
Magnolia Wlk. Wir —6A 104
Magnum St. Liv —2B 88
Maguire Av. Boot —2A 68
Mahon Av. Boot —7K 53
Mahon Ct. Liv —1B 108 (10K 5)
Maiden Gdns. Ell P —1B 170
Maiden La. Liv —7F 69
Maidford Rd. Liv —2C 90
Main Av. St H —6J 73
Main Clo. Hay —7J 61
Main Dri. Hals P —6D 92
Main Front. Hals P —6E 92
Main La. Croft & Cul —3E 78
Main Rd. Wir —5H 127
Mains Av. Bam —5K 51
Mainside Rd. Liv —4D 56
Main St. Bil —1F 61
Main St. Frod —3C 166
Main St. Halt —1H 153
Maintree Cres. Liv —5A 132
Mainwaring Rd. Wall —4D 86
Mainwaring Rd. Wir —2K 145
Mairesfield Av. Grapp —6H 119
Mairscough La. Down & Liv —3C 32
Maitland Clo. Liv —1D 108 (10P 5)
Maitland Rd. Wall —6C 66
Maitland St. Liv —1D 108
Major Cross St. Wid —2C 134
Major St. Liv —1K 87
Major St. Wig —5K 39
Makepeace Wlk. Liv —2B 108
Makerfield Dri. Newt W —1E 76
Makin St. Liv —4B 68
Malcolm Av. Warr —6D 98
Malcolm Cres. Wir —4J 145
Malcolm Gro. Liv —5K 67
Malcolm Pl. Liv —6H 89
Malcolm St. Run —7D 134
Malden Rd. Liv —4D 88
Maldon Clo. Liv —3K 131
Maldwyn Rd. Wall —2B 86
Maley Clo. Liv —4C 108
Malham Av. Wig —2E 50
Malham Clo. South —5A 12
Malhamdale Av. Rain —5K 93
Malin Clo. Hale V —7D 132
Maliston Rd. Gt San —3F 117
Mallaby St. Birk —7A 86
Mallard Clo. Augh —1A 34
Mallard Clo. Beech —5H 153
Mallard Clo. Halew —7J 111
Mallard Clo. Warr —4D 98
Mallard Clo. W Der —3D 70
Mallard Gdns. St H —1A 94
Mallard Ho. Liv —7D 32
Mallard La. Bchwd —4B 100
Mallard Way. St H —7D 60
Mallard Way. Wir —6A 84
Mallee Av. South —4C 8
Mallee Cres. South —4C 8
Malleson Rd. Liv —7G 69
Mallins Clo. Liv —4C 108
Mallory Av. Liv —7D 32
Mallory Gro. St H —7F 61
Mallory Rd. Birk —6C 106
Mallory Rd. Whitby —7J 161
Mallowdale Clo. Wir —5A 146
Mallow Rd. Liv —4E 88
Mallow Way. Liv —7K 91
Mall, The. Liv —2C 88
Mall, The. Orm —5D 24
Mall, The. Warr —3B 118
Malmesbury Clo. Wir —4A 104
Malmesbury Pk. Run —7B 136
Malmesbury Rd. Liv —4F 69
Malpas Av. Pren —6A 106
Malpas Dri. Gt San —3G 117
Malpas Dri. Wir —2E 126
Malpas Gro. Wall —1A 86
Malpas Rd. Gt Sut —7H 161
Malpas Rd. Liv —1B 70
Malpas Rd. Run —3D 152
Malpas Rd. Wall —1K 85
Malpas Way. Gt San —4G 117
Malta Clo. Liv —4H 91
Malta St. Liv —3B 108
Malta Wlk. Liv —3B 108
Malt Ho. Ct. Wind —7J 59
Maltkiln La. Augh —2B 34
Maltmans Rd. Lymm —5F 121
Malton Clo. Wid —3J 113
Malton Rd. Liv —7F 111
Malt St. Liv —7D 88 (9P 5)
Malvern Av. Ell P —1A 170
Malvern Av. Liv —5D 90
Malvern Clo. Ash M —1F 63
Malvern Clo. Gt San —7E 96
Malvern Clo. Kirkby —1A 56
Malvern Clo. Liv —7F 69
Malvern Clo. Wig —1A 50
Malvern Ct. South —2G 11
Malvern Cres. Liv —5D 90
Malvern Gdns. South —2G 11
Malvern Gro. Birk —6D 106
Malvern Gro. Liv —3E 54
Malvern Rd. Boot —1J 67
Malvern Rd. Liv —4E 88
Malvern Rd. St H —3H 75
Malvern Rd. Wall —2H 85
Malwood St. Liv —4B 108
Manchester Rd. Padd & Warr —2D 118
Manchester Rd. Prsct —1C 92
Manchester Rd. Rix & Wool —1D 120
Manchester Rd. South —7J 7
Manchester Rd. Wool —1K 119
Manchester Row. Newt W —6H 77
Manchester Row. Win —7H 77
Manchester St. Liv —5K 87 (5F 4)
Mancroft Clo. Wool —1A 120
Mandela Ct. Liv —3D 108
Manderville Clo. Wig —2B 50
Mandeville Rd. South —4B 14
(in two parts)
Mandeville St. Liv —4B 68
Manesty's La. Liv —6K 87 (7F 4)
Manfield. Skel —7G 27
Manfred St. Ersk —5B 88 (4M 5)
Manhattan Sq. Liv —5D 54
Manica Cres. Liv —6H 55
Manion Av. Liv —6D 32
Manion Clo. Liv —6D 32
Manley Av. Golb —3K 63
Manley Clo. Pren —5K 105
Manley Gdns. Warr —3K 117
Manley La. Manl —7E 172
Manley Pl. St H —7A 74
Manley Quarry. Manl —7K 173
Manley Rd. Alv —3K 173
Manley Rd. Frod —7D 166

Manley Rd.—Maybrook Pl.

Manley Rd. Huy —7A 92
Manley Rd. Wat —3C 52
Manley Vw. Elton —1C 172
Manna Dri. Elton —1C 172
Mannering Ct. Liv —4E 108
Mannering Rd. Liv —4D 108
Manners La. Wir —4C 142
Manningham Rd. Liv —1D 88
Manning Rd. South —2A 12
Manning St. St H —3B 74
Mannington Clo. Wir —7G 83
Mann Island. Liv —6H 87 (7C 4)
Mann St. Liv —2K 107
Manor Av. Burs —1H 25
Manor Av. Liv —7D 40
Manor Av. Newt W —2D 76
Manor Av. Rain —5J 93
Manorbier Cres. Liv —3C 68
Manor Clo. Ash M —2A 62
Manor Clo. Boot —4A 68
Manor Clo. Liv —3B 70
Manor Clo. Lymm —6G 121
Manor Clo. Park —4G 157
Manor Clo. Wool —1K 119
Manor Ct. South —5C 8
Manor Ct. Sut L —3F 95
Manor Cres. Liv —7F 111
Manor Dri. Boot —2D 54
Manor Dri. Burs —1H 25
Manor Dri. Gt Sut —2F 169
Manor Dri. Liv —7D 40
Manor Dri. Wir —1D 104
Mnr. Farm Cres. Cap —4D 168
Mnr. Farm Rd. Liv —6K 91
Mnr. Farm Rd. Run —5B 136
Manor Fell. Run —3K 153
Manorfield Clo. Cap —3C 168
Manor Gdns. Burs —1H 25
Manor Green. —1G 105
Manor Gro. Liv —3K 55
Manor Gro. Orr —3K 39
Manor Gro. Skel —2F 37
Manor Hill. Pren —2A 106
Manor Ho. Gt Sut —2F 169
Manor Ho. Liv —5D 108
Manor Ho. Clo. Liv —3E 42
Manor Ho. Clo. St H —4C 60
Manor Ho. Dri. Skel —1A 48
Manor Ho. Flats. Wir —1K 145
Manor Ho., The. Wir —1D 104
Manorial Rd. Park —3G 157
Manor Ind. Est. Warr —5E 118
Manor La. Birk —6G 107
Manor La. Gt Sut —1F 169
Manor La. Wall —2C 86
Manor Lock. Warr —4E 118
Manor Lodge. Liv —6J 19
Manor M. Wall —2C 86
Mnr. Park Av. Mnr P —5A 136
Manor Pk. Bus. Pk. Mnr P —5K 135
Manor Pk. Dri. Gt Sut —2F 169
Manor Pl. Wid —7H 113
Manor Pl. Wir —4K 127
Manor Rd. Burs —1H 25
Manor Rd. Cros —6C 40
Manor Rd. East —4K 145
Manor Rd. Frod —2E 166
Manor Rd. Hay —6D 62
Manor Rd. Hoy —7E 82
Manor Rd. Irby —3B 124
Manor Rd. Lymm —6G 121
(in two parts)
Manor Rd. Run —7F 135
Manor Rd. South —5C 8
Manor Rd. Thor H —1K 143
Manor Rd. Wall —2B 86
Manor Rd. Wid —7H 113
Manor Rd. Wltn —7F 111
Manorside Clo. Wir —2D 104
Manor St. St H —4E 74
Manor Vw. Liv —5D 70
Manor Way. Liv —7F 111
Manor Way. Pren —1G 105
Manorwood Dri. Whis —5E 92
Mansart Clo. Ash M —2H 63
Manse Gdns. Newt W —2H 77
Mansell Clo. Wid —3D 114
Mansell Dri. Liv —3J 131
Mansell Rd. Liv —4D 88
Mansfield Clo. Bchwd —3C 100
Mansfield Rd. Whitby —2J 169
Mansfield St. Golb —4K 63
Mansfield St. Liv —4A 88 (3H 5)
Mansion Dri. Liv —2K 69
Manston Rd. Penk —5D 116
Manton Rd. Liv —4E 88
Manuel Perez Rd. Gt San —2F 117
Manvers Rd. Liv —7C 90
Manville Rd. Wall —7B 66
Manville St. St H —5E 74
Manx Jane's La. South —3C 8
Manx Rd. Warr —5B 118
Maori Dri. Frod —3C 166
Maple Av. Hay —6K 61
Maple Av. L Sut —5E 160
Maple Av. Newt W —4H 77
Maple Av. Run —2E 152
Maple Av. Sut W —6J 153
Maple Av. Wid —7D 114
Maple Clo. Bil —7F 49
Maple Clo. Form —2G 29
Maple Clo. S'frth —7G 53
Maple Clo. W Der —3B 70
Maple Clo. Whis —4E 92
Maple Cres. Liv —5H 91
Maple Cres. Penk —4D 116
Mapledale Rd. Liv —3J 109
Maple Gro. Brom —2J 145
Maple Gro. Liv —2E 108
Maple Gro. Prsct —2E 92
Maple Gro. St H —3J 73
Maple Gro. Warr —5D 118
Maple Gro. Whitby —3J 169
Maple Rd. Win —1B 98
Maple Rd. Wool —1A 120
Maples Ct. Pren —5A 106
Maple St. Ash M —6E 50
Maple St. Birk —3D 106
Maple St. South —2A 12
Mapleton Clo. Pren —7J 105
Mapleton Dri. Sut W —7H 153
Maple Towers. Liv —2D 56
Maple Tree Gro. Wir —1G 143
Maplewood. Liv —5D 56
Maplewood. Skel —6G 27
Maplewood. South —5B 8
Maplewood Clo. N'ley —3J 111
Maplewood Gro. Pren —7J 85
Mapplewell Cres. Gt San —2E 116
Marathon Clo. Liv —3B 88 (1L 5)
Marble Clo. Boot —4J 67
Marble Pl. Shop. Cen. South —1H 11
Marbury Gdns. Ell P —5H 161
Marbury Rd. Liv —3A 56
Marbury St. Warr —5C 118
Marc Av. Liv —1K 55
Marcham Way. Liv —5K 69
Marchbank Rd. Skel —2D 36
Marchfield Rd. Liv —1B 68
March Rd. Liv —2F 89
Marchwiel Rd. Ell P —7B 162
Marchwood Way. Liv —1E 110
Marcien Way. Wid —5A 114
Marcot Rd. Liv —3F 89
Marcross Clo. Call —6J 97
Marcus Ct. Liv —3A 92
Marcus St. Birk —1D 106
Mardale Av. St H —5D 60
Mardale Av. Warr —4B 98
Mardale Clo. Liv —4A 112
Mardale Clo. South —5B 14
Mardale Cres. Lymm —5H 121
Mardale Lawn. Liv —5A 112
Mardale Rd. Huy —2G 91
Mardale Rd. Liv —5A 112
Mardale Wlk. Huy —2G 91
Mardale Wlk. N'ley —4A 112
Mare Hall La. Nest —3B 158
Mareth Clo. Liv —6J 109
Marford Rd. Liv —7K 69
Marfords Av. Wir —3J 145
Margaret Av. Boot —7J 53
Margaret Av. St H —7E 74
Margaret Av. Wool —1H 119
Margaret Ct. St H —5K 73
Margaret Ct. Wid —2D 134
Margaret Rd. Cros —7A 40
Margaret Rd. Walt —4A 68
Margaret's La. Chil T —4B 160
Margaret St. Clo F —4G 95
Margaret St. Liv —3C 88 (1M 5)
Margery Rd. St H —5J 73
Marian Av. Newt W —3D 76
Marian Clo. Rain —5J 93
Marian Clo., The. Boot —1A 54
Marian Dri. Rain —5H 93
Marian Dri. Wir —7C 84
Marian Rd. Hay —6C 62
Marians Dri. Orm —2C 24
Marian Sq. Boot —2B 54
Marian Way, The. Boot —1A 54
Maria Rd. Liv —3B 68
Marie Curie Av. Boot —1B 54
(in two parts)
Marie Dri. Thel —6K 119
Marigold Way. St H —7J 75
Marina. —5C 52
Marina Av. Gt San —4F 117
Marina Av. Liv —6H 53
Marina Av. St H —7E 74
Marina Cres. Boot —4C 54
Marina Cres. Liv —6H 91
Marina Dri. Ell P —6K 161
(in two parts)
Marina Dri. Warr —6C 98
Marina Gro. Run —7D 134
Marina La. Pres B —3C 154
(in two parts)
Marina Rd. Liv —2K 29
Marina Village. Pres B —3C 154
Marina Wlk. Ell P —7K 161
Marine Cres. Liv —4D 52
Marine Dri. South —1F 11
Marine Dri. Wir —3B 142
Marine Ga. Mans. South —7H 7
Marine Lake. —5B 66
Marine Pde. South —7G 7
Marine Pk. Wir —4D 102
Marine Pk. Mans. Wall —5B 66
Marine Promenade. Wall —5B 66
Marine Rd. Wir —1C 102
Mariners Clo. Murd —4B 154
Mariners Pde. Liv —6J 87 (8E 4)
Mariners Pk. Wall —2D 86
(off Cunard Av.)
Mariners Rd. Liv —3B 52
Mariners Rd. Wall —7C 66
Mariners Wharf. Liv —2J 107
Marines Way. Boot —2J 67
Marine Ter. Liv —5D 52
Marine Ter. Wall —7C 66
Marion Dri. West —4B 152
Marion Gro. Liv —6K 109
Marion Pl. Plat B —4K 51
Marion Rd. Boot —7K 53
Marion St. Birk —2E 106
Maritime Clo. Newt W —1G 77
Maritime Ct. Boot —7B 42
Maritime Ct. Liv —6J 69
Maritime Ct. South —1H 11
Maritime Ct. Wir —7F 105
Maritime Enterprise Cen. Boot —2H 67
Maritime Grange. Wall —5E 86
Maritime Gro. Pren —3B 106
Maritime Pk. Pren —3C 106
Maritime Pl. Liv —4A 88 (3J 5)
Maritime Vw. Birk —5D 106
Maritime Way. Liv —7K 87 (8F 4)
Marius Clo. Liv —6B 68
Mark Av. Gt Sut —7E 160
Market App. Ash M —2F 63
Market Ga. Warr —3B 118
Market Pl. Newt W —3E 76
Market Pl. Prsct —1D 92
Market Pl. Wid —2C 134
Market Pl. S. Birk —2E 106
Market Sq. Liv —6G 4
Market Sq. Liv —3C 56
(off St Chads Pde.)
Market St. Birk —2E 106
Market St. Ell P —7A 162
Market St. Newt W —2E 76
Market St. St H —3C 74
Market St. South —1G 11
Market St. Wid —2C 134
Market St. Wir —2D 102
Market Way. Liv —6G 4
Market Way. Orm —5C 24
Markfield Cres. Liv —7G 111
Markfield Cres. St H —1E 74
Markfield Rd. Boot —1H 67
Markham Dri. South —6A 12
Mark Rake. Brom & Wir —1K 145
Mark Rd. Liv —7K 29
Mark St. Liv —7A 68
Mark St. Wall —5E 86
Marksway. Wir —5E 124
Marland. Skel —6G 27
Marlborough. Skel —6G 27
Marlborough Av. Boot —3C 54
Marlborough Av. Liv —1F 43
Marlborough Ct. Skel —6G 27
Marlborough Ct. South —1J 11
Marlborough Cres. Stock H —6F 119
Marlborough Cres. Wid —3C 114
Marlborough Dri. Hel —2H 173
Marlborough Gdns. Skel —6G 27
Marlborough Gdns. South —7J 7
Marlborough Gro. Pren —4B 106
Marlborough Pl. Liv —4J 87 (3E 4)
Marlborough Rd. Cros —2D 52
Marlborough Rd. Ell P —1B 170
Marlborough Rd. Prsct —7E 72
Marlborough Rd. South —1J 11
Marlborough Rd. Tue —1F 89
Marlborough Rd. Wall —7B 66
Marlborough Rd. Wat —5E 52
Marlborough St. Liv —4J 87 (3E 4)
Marlborough Ter. South —1J 11
(off Marlborough Rd.)
Marlborough Wlk. Ell P —1B 170
Marlbrook Rd. Liv —2F 111
Marldon Av. Liv —3E 52
Marldon Rd. Liv —6J 69
Marled Hey. Liv —6E 70
Marley Clo. Rain —6A 94
Marlfield La. Wir —5E 124
Marlfield Rd. Grapp —6G 119
Marlfield Rd. Liv —1K 89
Marl Gro. Orr —7F 39
Marline Av. Wir —3J 145
Marling Clo. Frod —5F 167
Marling Pk. Wid —7H 113
Marlow Clo. Bchwd —2J 99
Marlowe Clo. Liv —4A 130
Marlowe Clo. Wid —7B 114
Marlowe Dri. Liv —1H 89
Marlowe Rd. Nest —3J 157
Marlowe Rd. Wall —3A 86
Marl Rd. Boot —2D 54
Marl Rd. Know I —2G 57
Marlsford St. Liv —4E 88
Marlston Av. Wir —4D 124
Marlston Pl. Run —4D 152
Marlwood Av. Wall —2J 85
Marmaduke St. Liv —6D 88 (6P 5)
Marmion Av. Boot —6A 54
Marmion Rd. Liv —4D 108
Marmion Rd. Wir —1D 102
Marmonde St. Liv —6A 68
Marnwood Rd. Liv —4A 56
Marnwood Wlk. Liv —4A 56
Marple Clo. Pren —5J 105
Marquis Ho. Wir —1H 127
Marquis St. Birk —4E 106
Marquis St. Liv —5A 88 (5J 5)
Marquis St. Wir —1H 127
Marram Clo. Wir —6E 84
Marrick Clo. Wig —2E 50
Marron Av. Warr —5B 98
Marsden Av. St H —2J 73
Marsden Av. Warr —4G 119
Marsden Clo. Wall —2D 86
Marsden Rd. Liv —3K 131
Marsden Rd. South —1A 12
Marsden St. Ince —1K 51
Marsden St. Liv —4C 88 (3M 5)
Marsden Way. Liv —4C 88 (3M 5)
Marshall Av. St H —6E 74
Marshall Av. Warr —5K 97
Marshall Clo. Kirkby —7D 44
Marshall Pl. Liv —7K 87 (1F 4)
Marshall Rd. Wool —1K 119
Marshallsay. Liv —1A 30
Marshall's Clo. Lyd —7E 32
Marshall's Cross. —1D 94
Marshall's Cross Rd. St H —1D 94
Marshall St. Birk —7C 86
Marsham Clo. Wir —1E 104
Marsham Rd. Liv —3G 111
Marsh Av. Boot —7A 54
Marsh Brows. Liv —1J 29
Marshfield Clo. Liv —4K 91
Marshfield Ct. Wir —4C 84
Marshfield Rd. Liv —5K 69
Marshgate. Wid —2H 133
Marshgate Pl. Frod —1E 166
Marshgate Rd. Liv —4K 69
Marsh Green. —3C 166
Marsh Hall Pad. Wid —4D 114
Marsh Hall Rd. Wid —4D 114
Marsh Ho. La. Warr —1C 118
Marshlands Rd. L Nes —6H 157
Marshlands Rd. Wall —1J 85
Marsh La. Ast —6H 135
Marsh La. Boot —2G 67
Marsh La. Cuer —6A 116
Marsh La. Elton —1B 172
(in two parts)
Marsh La. Frod —3C 166
Marsh La. Inc —5K 163
Marsh La. Liv —5C 30
Marsh La. Lwr W —6H 155
Marsh La. Scar —2B 24
Marsh La. Wir —2C 126
Marsh Rd. App T —5H 139
Marshside. —4C 8
Marshside Clo. Liv —3B 108
Marshside Rd. South —2A 8
Marsh St. Kirk —5K 67
Marsh St. St H —2E 74
Marsh St. Warr —1D 118
Marsh St. Wid —3C 134
Marsh, The. —4A 134
Marshway Dri. Newt W —2F 77
Marsland Gro. St H —6G 75
Marson St. Warr —2A 118
Marston Clo. Pren —5K 105
Marston Clo. Wir —7A 146
Marston Cres. Liv —2A 40
Marston Gdns. Ell P —5H 161
Marten Av. Wir —3J 145
Martensen St. Liv —6D 88 (6P 5)
Martham Clo. Grapp —5G 119
Martin Av. Newt W —1F 77
Martin Av. St H —7B 60
Martin Av. Warr —6E 98
Martin Clo. Liv —7J 109
Martin Clo. Pal —3J 153
Martin Clo. Rain —3G 93
Martin Clo. Wir —3A 124
Martindale Gro. Beech —5G 153
Martindale Rd. Croft B —1A 146
Martindale Rd. Liv —3B 110
Martindale Rd. St H —3D 60
Martine Clo. Liv —1K 55
Martin Gro. Prsct —2E 92
Martinhall Rd. Liv —2H 69
Martin Rd. Frod —3D 166
Martin Rd. Liv —7J 109
Martinscroft. —1B 120
Martinscroft Grn. Wool —1B 120
Martins La. Skel —4K 37
Martin's La. Wall —3C 86
Martland Av. Liv —2G 55
Martland Rd. Liv —4G 111
Martlesham Cres. Wir —5K 103
Martlett Rd. Liv —2B 90
Martock. Whis —5F 93
Marton Clo. Cul —2A 80
Marton Clo. Liv —7H 131
Marton Grn. Liv —7H 131
Marton Rd. Liv —1J 91
Marus Av. Wig —1D 50
Marus Bri. Retail Pk. Wig —2D 50
Marvin St. Liv —4C 88 (3N 5)
Marwood Tower. Liv —1K 87
Mary Av. South —3E 14
Marybone. Liv —4J 87 (4E 4)
Maryfield Clo. Golb —6K 63
Maryfields. Liv —1E 52
Maryhill Rd. Run —2C 152
Maryland La. Wir —6B 84
Maryland St. Liv —7A 88 (8J 5)
(in two parts)
Marylebone Av. St H —1B 94
Mary Rd. Boot —7K 53
Mary St. Clo F —4G 95
Mary St. Wid —2F 135
Maryton Grange. Liv —6B 110
Maryville Clo. Ell P —5A 162
Maryville Rd. Prsct —1E 92
Marywell Clo. St H —7F 75
Masefield Av. Orr —5J 39
Masefield Av. Wid —1B 134
Masefield Clo. Wir —2G 127
Masefield Cres. Boot —5K 53
Masefield Gro. Dent G —1K 73
Masefield Gro. Liv —7C 90
Masefield Pl. Boot —5K 53
Masefield Rd. Liv —6J 41
Maskell Rd. Liv —4H 89
Mason Av. Pad —7E 98
Mason Av. Wid —4C 114
Mason Clo. Ash M —1H 63
Mason Clo. Gt Sut —2F 169
Mason St. Edg H —6C 88 (6N 5)
Mason St. Run —6E 134
Mason St. Wall —6B 66
Mason St. Warr —3C 118
Mason St. Wat —4D 52
Mason St. Wltn —6E 110
Massam's La. Liv —4J 19
Massey Av. Lymm —6C 120
Massey Av. Warr —5K 97
Massey Brook La. Lymm —6C 120
Masseyfield Rd. Brook —5J 153
Massey Pk. Wall —2A 86
Massey St. Birk —7D 86
Massey St. St H —6E 74
Master's Way. Liv —5B 130
Mather Av. Liv —4K 109
Mather Av. St H —3G 75
Mather Av. West P —3K 151
Mather Rd. Pren —3B 106
Mathers Clo. Fearn —3G 99
Mathew St. Liv —6J 87 (6E 4)
Mathieson Rd. Wid —4A 134
Matlock Av. Liv —7C 54
Matlock Av. South —4H 11
Matlock Clo. Gt San —7E 96
Matlock Clo. South —4H 11
Matlock Cres. South —4H 11
Matlock Rd. South —5H 11
Matterdale Clo. Frod —4F 167
Matthew Clo. Wall —5E 86
Matthews St. Warr —1D 118
Matthew St. Wall —5E 86
Matty's La. Frod —4C 166
Maud St. Liv —2B 108
Maunders Ct. Liv —7G 41
Maureen Wlk. Liv —6K 55
Mauretania Rd. Liv —4C 68
Maurice Jones Ct. Wir —6C 84
Mavis Dri. Wir —5E 104
Mawdsley Av. Wool —1A 120
Mawdsley Clo. Liv —7B 20
Mawdsley Ter. Orm —2D 24
Mawson Clo. Old H —7H 97
Max Rd. Liv —2D 90
Maxton Rd. Liv —4E 88
Maxwell Clo. Whitby —2J 169
Maxwell Clo. Wir —2E 104
Maxwell Pl. Liv —1H 89
Maxwell Rd. Liv —1H 89
Maxwell St. St H —3A 74
May Av. Wall —4D 86
Maybank Clo. South —6C 8
Maybank Gro. Liv —7H 109
Maybank Rd. Birk —4D 106
Mayberry Gro. Pad —6G 99
Maybrook Pl. Warr —5F 119

Miller's La.—Mossfield Rd.

Miller's La. Plat B & Wig —2K 51
Miller St. Warr —4C 118
Millers Way. Wir —7A 84
Millervale Ho. Plat B —3K 51
(off Miller's La.)
Mill Farm Clo. Warr —4E 98
Millfield. Parb —1J 27
Millfield Clo. Liv —2J 89
Millfield Clo. Wir —4D 126
Millfield La. Ash M —3C 62
Millfield Rd. Wid —6E 114
Millfields. Ecc —3G 73
Millfield Ter. L Sut —4E 160
Mill Gdns. Orm —5D 24
Mill Grn. Will —3F 159
Millgreen Clo. Liv —3C 70
Mill Grn. La. Wid —3F 115
Mill Gro. Liv —5H 53
Mill Hey. Rain —6A 94
Mill Hey Rd. Wir —3F 123
Mill Hill. Pren —5A 106
Mill Hill Rd. Wir —1A 124
Millhouse Av. Stock H —7D 118
Millhouse Clo. Wir —6K 83
Mill Ho. La. Croft —1G 99
Millhouse La. Wir —6K 83
Mill House Lodge. South —4D 14
Mill Ho. Vw. Uph —4E 38
Millingford Av. Golb —3K 63
Millingford Gro. Ash M —2F 63
Millington Clo. Pren —7J 105
Millington Clo. Sut W —6H 153
Millington Clo. Wid —1B 134
Mill La. Augh —2H 33
Mill La. Boot —3K 67
Mill La. Cron —3K 113
Mill La. Dal & Uph —2C 38
Mill La. Ell P & Gt Sut —7F 161
Mill La. Frod & K'ley —1F 167
Mill La. Grea —5A 104
Mill La. Hes —2F 143
Mill La. H Walt —2J 137
Mill La. H Grn —3E 98
Mill La. Kirkby —2A 56
Mill La. Know —1H 71
Mill La. Liv —5K 87 (4G 4)
(in two parts)
Mill La. Ness —6A 158
Mill La. Newt W —3J 77
Mill La. Old S & W'tree —5J 89
Mill La. Parb —1J 27
Mill La. Rainf —2H 59
Mill La. Rain —5J 93
Mill La. St H —2E 94
Mill La. South —6C 8
(in three parts)
Mill La. Stock H —7D 118
(in three parts)
Mill La. Wall —4A 86
Mill La. Warr —3J 117
Mill La. W Der —1J 89
Mill La. Wid —4E 114
Mill La. Will —2E 158
Mill La. Win —2J 97
Mill La. Cres. C'twn & South —6C 8
Mill La. Ind. Est. Ell P —3D 170
Mill Leat Clo. Parb —1J 27
Mill Leat M. Parb —1J 27
Mill Mdw. Newt W —3J 77
Millom Av. Rain —3H 93
Millom Gro. Liv —5A 70
Millom Gro. St H —6J 73
Mill Pk. Dri. Wir —7A 146
Mill Rd. Brom —6K 127
Mill Rd. High B —2D 126
Mill Rd. Liv —3B 88 (1L 5)
(in two parts)
Mill Rd. Orr —6F 39
Mill Rd. South —4D 14
Mill Rd. Thing —3F 125
Millrose Clo. Skel —1F 37
Mill Spring Ct. Boot —3K 67
Mill Sq. Liv —3G 55
Millstead Rd. Liv —7J 89
Millstead Wlk. Liv —7J 89
Mill Stile. Liv —6D 110
Mill St. Ash M —3G 63
Mill St. Birk —4D 106
Mill St. Liv —2A 108
(L8)
Mill St. Liv —6E 110
(L25)
Mill St. Nest —3H 157
Mill St. Orm —6D 24
Mill St. Prsct —1D 92
Mill St. St H —2B 74
Mill St. South —2J 11
Mill Ter. Wir —4D 126
Millthwaite Ct. Wall —3K 85
Millthwaite Rd. Wall —3K 85
Millvale St. Liv —4D 88
Mill Vw. Kirkby —1A 56
Mill Vw. Liv —3A 108
Mill Vw. Ct. Bic —5H 35
Mill Vw. Dri. Wir —3C 126
Millway Rd. Liv —5A 132
Millwood. Run —1A 154
Millwood. Wir —3D 126
Millwood Av. Ecc —3F 73
Millwood Clo. Ash M —7E 50
Millwood Est. Liv —6A 132
Millwood Gdns. Whis —5F 93
Millwood Rd. Liv —5J 131
Mill Yard. —2B 90
Milman Clo. Orm —7B 24
Milman Clo. Wir —3D 104
Milman Ct. Liv —5C 110
Milman Rd. Liv —5B 68
Milner Cop. Wir —2E 142
Milne Rd. Liv —6G 69
Milner Rd. Liv —7G 109
Milner Rd. Wir —2E 142
Milner St. Birk —7A 86
Milner St. Liv —7D 88 (9P 5)
Milner St. Warr —3K 117
Milnthorpe Clo. Liv —6A 68
Milnthorpe Rd. Btnwd —1C 96
Milnthorpe St. Liv —3A 130
Milroy St. Liv —6D 88
Milton Av. Liv —5D 90
Milton Av. Newt W —3F 77
Milton Av. Whis —4E 92
Milton Av. Wid —1B 134
Milton Clo. Whis —4E 92
Milton Cres. Wir —1E 142
Milton Dri. Orm —6E 24
Milton Grn. Wir —3F 125
Milton Gro. Bil —3F 49
Milton Gro. Hel —3G 173
Milton Gro. Orr —5J 39
Milton Gro. Warr —5D 118
Milton Pavement. Birk —2D 106
Milton Rd. Birk —4C 106
Milton Rd. Ell P —7B 162
Milton Rd. Liv —5G 89
Milton Rd. Walt —4A 68
Milton Rd. Wat —3E 52
Milton Rd. W Kir —5C 102
Milton Rd. Wid —1B 134
Milton Rd. E. Birk —4D 106
Milton St. Boot —2H 67
Milton St. South —1B 12
Milton St. Sut M —5C 94
Milton St. Wid —4C 134
Milton Way. Liv —2D 42
Milvain Dri. Warr —6C 98
Milverney Way. St H —4C 74
Milverton St. Liv —3E 88
Milwood Ct. Liv —5A 132
Mimosa Rd. Liv —1J 109
Mindale Rd. Liv —7H 89
Minehead Gro. Sut L —2F 95
Minehead Rd. Liv —7G 109
Miners Way. Liv —6A 132
Miners Way. Wid —2C 134
Minerva Clo. Warr —6D 118
Mines Av. Liv —2H 129
Mine's Av. Prsct —1E 92
Mine Way. Hay —6D 62
Miniature Railway. —1G 11
Minshull St. Liv —6C 88 (6M 5)
Minstead Av. Liv —3D 56
Minster Ct. Liv —7C 88 (8M 5)
Minster Ct. Run —2A 152
Minto Clo. Liv —5D 88
Minton Clo. Liv —3D 70
Minton Way. Wid —3D 114
Mintor Rd. Liv —3E 56
Minto St. Liv —5D 88
Minver Rd. Liv —7B 70
Miranda Av. Wir —2E 126
Miranda Pl. Liv —5K 67
Miranda Rd. Boot & Liv —4K 67
Mirfield Clo. Liv —3K 131
Mirfield St. Liv —4D 88
Miriam Pl. Birk —7K 85
Miriam Rd. Liv —1C 88
Miskelly St. Liv —6J 67
Missouri Rd. Liv —7F 69
Mistle Thrush Way. Liv —2D 70
Miston St. Liv —6J 67
Misty Clo. Wid —6J 113
Mitchell Av. Btnwd —2C 96
Mitchell Cres. Liv —4H 53
Mitchell Rd. Bil —7G 49
Mitchell Rd. Prsct —1C 92
Mitchell Rd. St H —5J 73
Mitchell St. Ash M —3G 63
Mitchell St. Golb —5K 63
Mitchell St. Stock H —1C 138
Mithril Clo. Wid —5G 115
Mitre Clo. Whis —6D 92
Mitten's La. Liv —6A 20
(in two parts)
Mitton Clo. Cul —1K 79
Mitylene St. Liv —1A 88
Moat La. Rix —5G 101
Mobberley Clo. Thel —5K 119
Mobberley Way. Wir —6G 127
Mockbeggar Dri. Wall —7J 65
Mockbeggar Wharf. Wall —7J 65
Modred St. Liv —3B 108
Moel Famau Vw. Liv —6D 108
Moffatdale Rd. Liv —6E 68
Moffatt Rd. Liv —6D 54
Moira St. Liv —5B 88 (4L 5)
Molesworth Gro. Liv —6C 90
Molineux Av. Liv —6B 90
Molland Clo. Liv —6B 70
Mollington Av. Liv —4H 69
Mollington Rd. Liv —3A 56
Mollington Rd. Wall —4C 86
Mollington St. Birk —3E 106
Molly Pitcher Way. Gt San —3F 117
Molly's La. Know —6H 57
Molton Rd. Liv —7A 90
Molyneux Av. Warr —7K 97
Molyneux Clo. Liv —5K 91
Molyneux Clo. Prsct —3D 92
Molyneux Clo. Wir —3D 104
Molyneux Ct. B'grn —6B 90
Molyneux Ct. Liv —3K 69
Molyneux Dri. Prsct —3D 92
Molyneux Dri. Wall —6B 66
Molyneux Rd. Augh —4A 34
Molyneux Rd. Kens —4D 88 (3P 5)
Molyneux Rd. Mag —5H 43
Molyneux Rd. Moss H —4H 109
Molyneux Rd. Wat —3E 52
Molyneux Way. Liv —2E 54
Monaghan Clo. Liv —6C 54
Monash Clo. Liv —6C 44
Monash Rd. Liv —6G 69
Monastery La. St H —7F 75
Monastery Rd. Liv —1E 88
Monastery Rd. St H —7G 75
Mona St. Birk —1K 105
Mona St. Boot —7K 53
Mona St. St H —3K 73
Mond Rd. Liv —6H 55
Mond Rd. Wid —1C 134
Monfa Rd. Boot —7K 53
Monica Dri. Wid —3C 114
Monica Rd. Liv —7F 111
Monica Ter. Ash M —3F 63
Monkfield Way. Liv —5B 130
Monk Rd. Wall —3B 86
Monks Carr La. Liv —5G 31
Monks Clo. Liv —2A 30
Monksdown Rd. Liv —5J 69
Monks Dri. Liv —2A 30
Monks Ferry. Birk —2F 107
Monksferry Wlk. Liv —2H 129
Monks Gro. Ell P —5K 161
Monks St. Warr —2J 117
Monk St. Birk —2F 107
Monk St. Liv —1B 88
Monks Way. Beb —5F 127
Monks Way. Liv —6F 111
Monks Way. W Kir —6E 102
Monkswell Dri. Liv —7J 89
Monkswell St. Liv —5C 108
Monkswood Clo. Call —5J 97
Monmouth Clo. Wool —1A 120
Monmouth Cres. Ash M —3G 63
Monmouth Dri. Liv —4H 55
Monmouth Gro. St H —4F 75
Monmouth Rd. Wall —3K 85
Monro Clo. Liv —4B 108
Monroe Clo. Wig —1E 50
Monroe Clo. Wool —1H 119
Monro St. Liv —4B 108
Mons Sq. Boot —3J 67
Montague Rd. Old S —5J 89
Montagu M. Form —5J 19
Montagu Rd. Form —4J 19
Montclair Dri. Liv —2K 109
Montclare Cres. Stock H —6E 118
Montcliffe Clo. Bchwd —2J 99
Monterey Rd. Liv —5K 89
Montfort Dri. Liv —2J 129
Montgomery Av. South —2C 12
Montgomery Clo. Whis —5D 92
Montgomery Hill. Wir —1H 123
Montgomery Rd. Huy —3H 91
Montgomery Rd. Walt —6C 54
Montgomery Rd. Wid —1K 133
Montgomery Way. Liv —3D 88
Montpelier Av. West —4B 152
Montpellier Cres. Wall —6A 66
Montpellier Ho. Wall —6A 66
Montrey Cres. Ash M —2A 62
Montrose Av. Wall —6E 86
Montrose Av. Wig —3K 39
Montrose Bus. Pk. Liv —5G 89
Montrose Clo. Fearn —3F 99
Montrose Ct. Liv —7D 70
Montrose Ct. Wir —2D 102
Montrose Dri. South —6B 8
Montrose Pl. Liv —3K 131
Montrose Rd. Liv —1F 89
Montrose Way. Liv —5H 89
Montrovia Cres. Liv —6H 55
Monument Pl. Liv —5A 88 (5J 5)
Monville Rd. Liv —6E 54
Moorbridge Clo. Boot —1C 54
Moor Clo. Liv —7F 41
Moor Clo. South —7C 14
Moor Coppice. Liv —7F 41
Moor Ct. Liv —6J 55
Moorcroft Rd. Liv —7A 110
Moorcroft Rd. Wall —2H 85
Moorditch La. Frod —2H 165
Moor Dri. Liv —7E 40
Moor Dri. Skel —4K 37
Moore. —4F 137
Moore Av. Birk —6E 106
Moore Av. St H —3J 75
Moore Av. Thel —5K 119
Moore Clo. Wid —6F 115
Moore Dri. Hay —6D 62
Moore Gro. Lymm —3K 121
Moore La. Moore —2F 137
Moore St. Boot —1H 67
Mooreway. Rain —6A 94
Moorfield. Liv —7D 44
Moorfield Dri. Park —1G 157
Moorfield La. Scar —6K 17
Moorfield Rd. Dent G —1J 73
Moorfield Rd. Liv —7G 41
Moorfield Rd. Wid —4F 115
Moorfields. Liv —5J 87 (5E 4)
Moorfields Av. Pren —4H 105
Moorfield Shop. Cen. Liv —6D 44
Moorfoot Rd. St H —3H 75
Moorfoot Rd. Ind. Est. St H —2H 75
Moorfoot Way. Liv —6B 44
Moorgate. Orm —6C 24
Moorgate Av. Liv —2F 53
Moorgate La. Liv —5E 56
Moorgate Rd. Know I —7D 56
Moorgate Rd. S. Know —7D 56
Moorgate St. Liv —6D 88
Moorhey Rd. Liv —6E 42
Moor Ho. Liv —7E 40
Moorhouses. Liv —6F 29
Mooring Clo. Murd —4B 154
Moorings Clo. Park —2F 157
Moorings, The. Birk —3D 106
Moorings, The. Liv —7D 32
Moorings, The. Wir —2A 142
Moorland Av. Liv —7E 40
Moorland Clo. Wir —3E 142
Moorland Dri. Murd —3C 154
Moorland Pk. Wir —3E 142
Moorland Rd. Ash M —1J 63
Moorland Rd. Birk —5E 106
Moorland Rd. Ell P —3G 161
Moorland Rd. Liv —6E 42
Moorlands Rd. Liv —6H 41
Moor La. Cros —7E 40
Moor La. Faz —5K 55
Moor La. Frod —3D 166
Moor La. Hap —2E 172
Moor La. Ince B —7D 30
(in two parts)
Moor La. Liv —4K 41
Moor La. South —7C 14
Moor La. Walt —3B 68
Moor La. Wid —2B 134
(in two parts)
Moor La. Wir —2E 142
Moor La. Ind. Est. Wid —2C 134
Moor La. S. Wid —2B 134
Moor Park. —6E 40
Moor Pl. Liv —5A 88 (5J 5)
Moor Rd. Orr —6F 39
Moorside. —4G 157
Moorside Av. Park —3G 157
Moorside Clo. Liv —1F 53
Moorside Ct. Wid —2B 134
Moorside La. Park —4G 157
Moorside Rd. Liv —1F 53
Moorside Wlk. Orr —3K 39
Moor St. Liv —6J 87 (7D 4)
Moor St. Orm —5C 24
(in two parts)
Moorway. Wir —2F 143
Moorwood Cres. Clo F —3E 94
Moray Clo. St H —1A 74
Morcroft Rd. Liv —2J 91
Morden Av. Ash M —1E 62
Morden St. Liv —3E 88
Morecambe St. Liv —2E 88
Morecroft Rd. Birk —6G 107
Morella Rd. Liv —6E 68
Morello Clo. St H —1B 74
Morello Dri. Wir —7H 127
Moresby Clo. Murd —3C 154
Moret Clo. Liv —7G 41
Moreton. —6B 84
Moreton Av. Clo F —3E 94
Moreton Clo. Golb —4K 63
Moreton Common. —3B 84
Moreton Gro. Wall —1J 85
Moreton Rd. Wir —1D 104
Moreton Ter. Frod —3C 166
Morgan Av. Warr —5C 98
Morgan M. Boot —2K 53
Morgan St. St H —4F 75
Morland Av. Brom —4K 145
Morland Av. L Nes —4K 157
Morley Av. Birk —7B 86
Morley Ct. Liv —3C 90
Morley La. Hel —7F 173
Morley La. Liv —7A 68
Morley Rd. Run —1C 152
Morley Rd. South —6A 8
Morley Rd. Wall —4A 86
Morley Rd. Warr —7A 118
Morley St. Liv —7A 68
Morley St. St H —1B 74
(in two parts)
Morley St. Warr —2C 118
Morley Way. St H —2B 74
Morningside. Liv —2F 53
Morningside Pl. Liv —5H 69
Morningside Rd. Liv —5G 69
Morningside Vw. Liv —6H 69
Morningside Way. Liv —6H 69
Mornington Av. Ell P —6A 162
Mornington Av. Liv —3E 52
Mornington Rd. South —1J 11
Mornington Rd. Wall —7B 66
Mornington St. Liv —3A 108
Morpeth Clo. Wir —7K 83
Morpeth Rd. Wir —3C 102
Morpeth St. Liv —1B 108 (10K 5)
Morpeth Wharf. Birk —7E 86
Morphany La. Lwr W —4J 155
Morris Av. Warr —4F 119
Morris Clo. Hay —1H 75
Morris Ct. Pren —3K 105
Morris Hey. Hals —6F 17
Morris La. Hals —6F 17
Morrison Clo. Gt San —3E 116
Morris Rd. Uph —4C 38
Morrissey Clo. St H —2K 73
Morris St. St H —5G 75
Morston Av. Liv —5C 56
Morston Cres. Liv —5C 56
Morston Wlk. Liv —5C 56
Mort Av. Warr —4G 119
Mortimer Av. Warr —7B 98
Mortimer St. Birk —1F 107
Mortlake Clo. Wid —5J 113
Morton Av. Hel —3H 173
Morton Clo. Old H —7G 97
Morton Clo. Wig —2A 50
Morton Ho. Liv —5H 109
Morton Rd. Wind H —2B 154
Morton St. Liv —3B 108
(in two parts)
Mortuary Rd. Wall —1B 86
Morvah Clo. Liv —4A 70
Morval Cres. Liv —4A 68
Morval Cres. Run —1F 153
Morven Clo. Warr —4E 98
Morven Gro. South —1A 12
Morville Dri. Wig —1F 51
Moscow Dri. Liv —2H 89
Mosedale Av. St H —4D 60
Mosedale Gro. Beech —5G 153
Mosedale Rd. Croft B —7A 128
Mosedale Rd. Liv —1C 68
Moseley Av. Wall —3A 86
Moseley Av. Warr —4G 119
Moseley Rd. Wir —1G 145
Moses St. Liv —4B 108
Mosley St. South —4H 11
Moss Av. Bil —1F 49
Moss Bank. —4C 60
(nr. St Helens)
Moss Bank. —2F 135
(nr. Widnes)
Moss Bank. Augh —1B 34
Moss Bank. Rainf —5E 46
Moss Bank Ct. Augh —1B 34
(in two parts)
Moss Bank Pk. Liv —5G 53
Moss Bank Rd. St H —5B 60
Moss Bank Rd. Wid —2F 135
Mossborough Hall La. Rainf —3B 58
Mossborough Rd. Rainf —3D 58
Moss Bri. La. Lath —1C 26
Moss Brow. Rainf —6G 47
Moss Brow La. H Legh —5F 141
Mossbrow Rd. Liv —2J 91
Moss Clo. Stock H —6E 118
Moss Clo. Will —3G 159
Mosscraig. Liv —7G 71
Mosscroft Clo. Liv —3A 92
Mossdale Clo. Gt San —1E 116
Mossdale Dri. Rain —4K 93
Mossdale Rd. Ash M —4E 50
Mossdale Rd. Liv —7D 44
Moss Delph La. Augh —1K 33
Mossdene Rd. Wall —3K 85
Moss End Way. Know —2H 57
Mossfield Rd. Liv —7B 54

Newick Rd.—Oakland St.

Newick Rd. Liv —4A 56
Newington. Liv —6K 87 (7H 5)
Newington Way. Wid —5A 114
New Islington. Liv —4A 88 (4H 5)
Newland Clo. Wid —5J 113
Newland Ct. Liv —5E 108
Newland Dri. Wall —3A 86
Newland M. Cul —1A 80
Newlands Clo. Frod —5E 166
Newlands Rd. St H —6E 60
Newlands Rd. Stock H —6F 119
Newlands Rd. Wir —5H 127
New La. App —4H 139
New La. Augh —1C 34
New La. Croft —7G 79
New La. Down —6J 21
(in two parts)
New La. South —3E 8
New Lane End. —4F 79
New La. Pace. Banks —1K 9
Newling St. Birk —1C 106
Newlyn Av. Lith —4G 53
Newlyn Av. Mag —3G 43
Newlyn Clo. Brook —4K 153
Newlyn Clo. Wir —5G 83
Newlyn Dri. Ash M —3F 63
Newlyn Dri. Skel —4K 37
Newlyn Gdns. Penk —5B 116
Newlyn Gro. St H —6F 61
Newlyn Rd. Liv —1A 70
Newlyn Rd. Wir —6G 83
New Mnr. Rd. Pres H —4E 154
Newman St. Liv —6K 67
Newman St. Warr —4F 119
New Market Wlk. Warr —3B 118
New Mdw. La. Liv —3E 30
New Mill Stile. Liv —5E 110
Newmoore La. Run —6C 136
Newmorn Ct. Liv —6E 108
Newnham Dri. Ell P —7A 162
Newport Av. Wall —7H 65
Newport Clo. Pren —4G 105
Newport Ct. Liv —1J 87
New Quay. Liv —5H 87 (5C 4)
Newquay Clo. Brook —4A 154
Newquay Ter. Liv —5H 87 (5C 4)
New Red Rock Vw. Liv —3D 88 (1P 5)
New Rd. Chil T —3C 160
New Rd. Ecc L —7E 72
New Rd. Form —5A 20
New Rd. Lymm —5G 121
New Rd. Old S & Tue —2F 89
New Rd. Thel —5J 119
New Rd. Warr —4C 118
(in two parts)
New Rd. Ct. Liv —2G 89
New School La. Chil T —3D 160
Newsham Clo. Wid —4H 113
Newsham Dri. Liv —3E 88
Newsham Pk. —3F 89
Newsham Rd. Liv —7B 92
Newsham St. Liv —2K 87
Newsholme Clo. Cul —3B 80
News La. Rainf —1E 46
New Sta. Rd. Liv —5E 130
Newstead Av. Liv —2B 52
Newstead Dri. Skel —5H 27
Newstead Rd. Liv —1D 108
Newstead Rd. Wig —1C 50
Newstet Rd. Know I —3F 57
New St. Ash M —1G 63
New St. Hals —3D 22
New St. L Nes —6J 157
New St. Pem & Wig —6K 39
New St. Run —7C 134
New St. St H —2E 94
New St. Wall —5E 86
New St. Wid —1D 134
Newton. —6G 103
Newton Av. Bchwd —2A 100
Newton Bank. Dar —2F 155
Newton Clo. Liv —6K 69
Newton Common. —3C 76
Newton Ct. Liv —6G 89
Newton Cross La. Wir —6G 103
Newton Dri. Wir —6G 103
Newton Gro. Fearn —4F 99
Newton La. Dar & Lwr W —2F 155
Newton La. Newt W —7J 63
Newton-le-Willows. —3J 77
Newton Pk. Dri. Newt W —4K 77
Newton Pk. Rd. Wir —6G 103
Newton Rd. Bil —6G 49
Newton Rd. Ell P —6A 162
Newton Rd. Hoy —1E 102
Newton Rd. Liv —4G 89
Newton Rd. Lwtn —2A 78
Newton Rd. St H —3H 75
Newton Rd. Wall —3A 86
Newton Rd. Win —5K 77
Newton St. Birk —1C 106
Newton St. South —1B 12
Newton Wlk. Boot —2H 67
Newton Way. Liv —6B 88 (6K 5)
Newton Way. Wir —3D 104
New Tower Ct. Wall —6C 66
Newtown. —2F 167
Newtown. L Nes —5K 157
Newtown Gdns. Liv —3C 56
New Way. Bic —2F 45
New Way. Liv —2E 90
New Way Bus. Cen. Wall —5D 86
Nicander Rd. Liv —3H 109
Nicholas Rd. Liv —1B 52
Nicholas Rd. Wid —1J 133
Nicholas St. Liv —4K 87 (2F 4)
Nicholl Rd. Ecc —7G 59
Nicholls Dri. Wir —6D 124
Nicholls St. Grapp —6H 119
Nichol's Gro. Liv —6A 110
Nicholson St. Liv —1A 88
Nicholson St. St H —2G 75
Nicholson St. Warr —3K 117
Nickleby Clo. Liv —3B 108
Nickleby St. Liv —2B 108
Nicola Ct. Wall —1C 86
Nicol Av. Wool —7B 100
Nicol Mere Dri. Ash M —6E 50
Nicol Rd. Ash M —7E 50
Nidderdale Av. Rain —4K 93
Nigel Rd. Wir —2G 143
Nigel Wlk. Cas —7J 135
Nightingale Clo. Beech —5H 153
Nightingale Clo. Bchwd —3B 100
Nightingale Clo. Kirkby —2K 55
Nightingale Clo. N'ley —3K 111
Nightingale Rd. Liv —3D 70
Nimrod St. Liv —5B 68
Ninth Av. Faz —6F 55
Nipe La. Skel —6G 37
Nithsdale Rd. Liv —2G 109
Nixons La. Skel —4K 37
Nixon's La. South —2E 14
Nixon St. Liv —4B 68
Noble Clo. Bchwd —4A 100
Noctorum. —4H 105
Noctorum Av. Pren —3G 105
Noctorum Dell. Pren —4H 105
Noctorum La. Pren —2H 105
Noctorum Rd. Pren —3H 105
Noctorum Way. Pren —4H 105
Noel Ga. Augh —2K 33
Noel St. Liv —1D 108
Nolan St. South —3J 11
Nook La. Fearn —5H 99
Nook La. St H —5H 75
Nook La. Warr —5G 119
Nook Ri. Liv —7K 89
Nook, The. Augh —3A 34
Nook, The. Liv —5F 111
Nook, The. Pren —3B 106
Nook, The. Wind —7H 59
Nook, The. Wir —6K 103
Noon Ct. Newt W —5G 77
Nora St. Warr —3C 118
Norbreck Av. Liv —5C 90
Norbreck Clo. Gt San —5E 116
Norburn Cres. Liv —1K 29
Norbury Av. Bil —6F 49
Norbury Av. Liv —3H 109
Norbury Av. Warr —7D 98
Norbury Av. Wir —4E 126
Norbury Clo. Liv —3B 56
Norbury Clo. South —2E 8
Norbury Clo. Wid —7F 115
Norbury Clo. Wir —4F 127
Norbury Fold. Rain —6A 94
Norbury Gdns. Birk —4E 106
Norbury Rd. Liv —3B 56
Norbury Wlk. Liv —3B 56
Norcliffe Rd. Rain —3H 93
Norcott Av. Stock H —6D 118
Norcott Dri. Btnwd —1D 96
Norden Clo. Bchwd —2J 99
Norfield. Orm —5D 24
Norfolk Clo. Boot —2K 67
Norfolk Clo. Pren —4G 105
Norfolk Dri. Gt San —2C 116
Norfolk Dri. Wir —7E 102
Norfolk Gro. South —7F 11
Norfolk Pl. Liv —6G 53
Norfolk Pl. Wid —1J 133
Norfolk Rd. Bil —3G 49
Norfolk Rd. Ell P —6A 162
Norfolk Rd. Liv —5E 42
Norfolk Rd. St H —5K 73
Norfolk Rd. South —7F 11
Norfolk St. Liv —1K 107 (10F 4)
Norfolk St. Run —6D 134
Norgate St. Liv —7B 68
Norgrove Clo. Murd —2B 154
Norlands Ct. Birk —7E 106
Norland's La. Rain —7A 94
Norland's La. Wid —7A 94
Norlands, The. Wid —2B 114
Norland St. Wid —7F 115
Norleane Cres. Run —2D 152
Norley Av. East —7A 146
Norley Av. Ell P —5H 161
Norley Dri. Ecc —3G 73
Norley Pl. Liv —3J 131
Norley Rd. Wig —4K 39
Norman Av. Hay —6E 62
Norman Av. Newt W —3J 77
Normanby Clo. Bew —1J 117
Normanby St. Wig —5K 39
Norman Clo. Gt Sut —4H 169
Normandale Rd. Liv —5F 69
Normandy Rd. Liv —4H 91
Norman Hays. Burs —2D 24
Normanhurst. Orm —6E 24
Norman Rd. Boot —6J 53
Norman Rd. Liv —2D 52
Norman Rd. Run —1C 152
Norman Rd. Wall —5E 86
Norman Salisbury Ct. St H —2B 74
Normans Rd. St H —7H 75
Normanston Clo. Pren —4B 106
Normanston Rd. Pren —4B 106
Norman St. Birk —7K 85
Norman St. Liv —5B 88 (5K 5)
Norman St. Warr —2B 118
Normanton Av. Liv —5E 108
Norma Rd. Liv —4E 52
Normington Clo. Liv —7E 32
Norreys Av. Warr —7K 97
Norris Clo. Pren —4G 105
Norris Green. —4H 69
Norris Grn. Cres. Liv —5H 69
Norris Grn. Rd. Liv —1K 89
Norris Grn. Way. Liv —5J 69
Norris Ho. Dri. Augh —3A 34
Norris Rd. Prsct —1C 92
Norris St. Warr —7C 98
Norris Way. Form —7B 20
Norseman Clo. Liv —6K 69
Northam Clo. South —2C 8
North Ashton. —6C 50
N. Atlantic Clo. Liv —3H 91
North Av. Ain —3G 55
North Av. Liv —3E 130
North Av. Warr —7B 98
N. Barcombe Rd. Liv —1B 110
Northbrook Clo. Liv —1C 108 (10N 5)
Northbrooke Way. Wir —5E 104
Northbrook Rd. Wall —4D 86
Northbrook St. Liv (Granby St.) —1C 108 (10N 5)
Northbrook St. Liv —1B 108 (Park Way)
Northbury Rd. Gt Sut —3G 169
N. Cantril Av. Liv —6C 70
(in two parts)
N. Cheshire Trad. Est. Nor C —1J 125
North Clo. Wir —7J 127
Northcote Clo. Liv —3B 88
Northcote Rd. Wall —1H 85
Northdale Rd. Liv —7H 89
Northdale Rd. Padd —7G 99
Northdene. Parb —1H 27
N. Dingle. Liv —6K 67
North Dri. Sand P —2J 89
North Dri. Wall —6K 65
North Dri. W'tree —7H 89
North Dri. Wir —3E 142
N. Dunes. Liv —7K 29
North End. —5C 30
(nr. Lady Green)
North End. —5J 111
(nr. Woolton)
N. End La. Halew —5J 111
N. End La. High —5A 30
Northern La. Wid —5G 113
Northern Perimeter Rd. Boot —7A 42
Northern Ri. Gt Sut —7G 161
Northern Rd. Liv —5J 131
Northern Rd., The. Liv —7E 40
Northfield. Uph —6H 27
Northfield Clo. Clo F —4F 95
Northfield Clo. Liv —1E 56
Northfield Rd. Boot & Liv —7A 54
North Florida. —5B 62
N. Florida Rd. Hay —5B 62
North Front. Hals P —6E 92
Northgate Rd. Liv —2H 89
North Gro. Liv —7A 110
N. Hill St. Liv —3B 108
N. John St. Liv —5J 87 (5E 4)
N. John St. St H —3B 74
Northleach Dri. South —4A 14
N. Linkside Rd. Liv —7G 111
N. Manor Way. Liv —7G 111
North Meade. Liv —2D 42
Northmead Rd. Liv —2C 130
N. Mersey Bus. Cen. Know I —1G 57
North Moor. —7G 17
N. Moor La. Hals —7F 17
N. Moss La. Liv —4C 20
N. Mossley Hill Rd. Liv —4H 109
N. Mount Rd. Liv —1K 55
Northolt Ct. Pad —6E 98
Northop Rd. Wall —1K 85
North Pde. Hoy —1C 102
North Pde. Kirkby —3C 56
North Pde. Liv —6J 131
North Pde. Park —1E 156
N. Pk. Brook Rd. Call —5J 97
N. Park Ct. Wall —4E 86
N. Park Rd. Liv —1K 55
N. Parkside Wlk. Liv —6J 69
N. Perimeter Rd. Liv —1G 57
Northridge Rd. Wir —4E 124
North Rd. Birk —5C 106
North Rd. Ell P —6D 146
North Rd. Grass P —3H 129
North Rd. Liv —5A 90
(L14)
North Rd. Liv —4H 131
(L24)
North Rd. St H —1B 74
North Rd. South —3D 8
North Rd. W Kir —6C 102
North St. Ash M —1H 63
North St. Hay —7C 62
North St. Liv —5K 87 (4F 4)
North St. South —7J 7
N. Sudley Rd. Liv —6G 109
North Ter. Wir —6G 83
Northumberland Gro. Liv —3K 107
Northumberland St. Liv —3K 107
Northumberland Ter. Liv —1A 88
Northumberland Way. Boot —2J 53
North Vw. Edg H —6C 88 (6N 5)
North Vw. Gt San —1C 116
North Vw. Huy —5A 92
N. Wallasey App. Wall —2G 85
Northway. Lymm —4F 121
Northway. Mag & Augh —5E 42
(in three parts)
Northway. Run —2H 153
Northway. Skel —7H 27
Northway. Warr —6B 98
Northway. W'tree —6K 89
Northway. Wid —7K 113
Northway. Wir —1H 143
Northways. Wir —6K 127
Northwich Clo. Liv —6H 41
Northwich Rd. Brook —5K 153
Northwich Rd. Dut —7F 155
Northwich Rd. Lwr S —7K 139
Northwich Rd. White I —6B 154
N. William St. Wall —5E 86
Northwold Clo. Wig —1B 50
Northwood. —2D 56
Northwood Av. Newt W —2K 77
Northwood La. H Legh —7H 141
Northwood Rd. Liv —3K 91
Northwood Rd. Pren —6K 105
Northwood Rd. Run —7G 135
Norton. —2B 154
Norton Av. Penk —3C 116
Norton Dri. Wir —2A 124
Norton Ga. Nort —2A 154
Norton Gro. Liv —6F 43
Norton Gro. That H —7K 73
Norton Hill. Wind H —1A 154
Norton La. Halt —2J 153
(in two parts)
Norton La. Nort —1B 154
Norton Priory Mus. & Gardens. —6K 135
Norton Recreation Cen. —7K 135
Norton Rd. Wir —5C 102
Nortons La. Hel —7G 173
Norton Sta. Rd. Nort —2B 154
Norton St. Boot —1H 67
Norton St. Liv —5A 88 (4H 5)
Norton Vw. Halt —2J 153
Norton Village. Nort —2B 154
Nortonwood La. Wind H —2A 154
Norville. Ell P —4F 161
Norville Rd. Liv —5A 90
Norwich Av. Ash M —3H 63
Norwich Dri. Gt Sut —4G 169
Norwich Dri. Wir —1E 104
Norwich Rd. Liv —2J 109
Norwich Way. Kirkby —3C 56
Norwood Av. Ash M —6D 50
Norwood Av. Liv —4H 53
Norwood Av. South —7A 8
Norwood Ct. Wir —5B 104
Norwood Cres. South —1A 12
Norwood Gdns. South —1B 12
Norwood Gro. Liv —3D 88
Norwood Gro. Rainf —6G 47
Norwood Rd. South —1B 12
Norwood Rd. Wall —5B 86
Norwood Rd. Wir —4C 104
Norwyn Rd. Liv —4G 69
Nostell Rd. Ash M —7E 50
Nottingham Clo. Rain —2J 93
Nottingham Clo. Wool —2A 120
Nottingham Rd. Liv —6G 91
Nowshera Av. Wir —4D 124
Nuffield Clo. Wir —4D 104
Nun Clo. Pren —5B 106
Nunn St. St H —3F 75
Nunsford Clo. Liv —3K 53
Nunthorpe Av. Know —1F 71
Nurseries, The. Form —1A 30
Nurse Rd. Wir —3F 125
Nursery Av. Orm —4E 24
Nursery Clo. Liv —1G 131
Nursery Clo. Pren —5B 106
Nursery Clo. Wid —5F 115
Nursery Dri. Liv —1K 29
Nursery La. Liv —2A 130
Nursery Rd. Liv —7E 32
Nursery Rd. St H —7K 73
Nursery Rd. Warr —7F 99
Nursery St. Liv —1K 87
Nutfield Rd. Liv —5A 132
Nutgrove. —1J 93
Nutgrove Av. St H —7K 73
Nutgrove Hall Dri. St H —7K 73
Nutgrove Rd. St H —1J 93
Nuthall Rd. South —5B 12
Nut St. That H —7K 73
Nuttall Ct. Bchwd —3J 99
Nuttall St. Liv —6D 88
Nuttall St. St H —5B 74
Nye Bevan Pool. —2H 37
Nyland Rd. Liv —2H 91

Oak Av. Hay —6C 62
Oak Av. Liv —7D 54
Oak Av. Newt W —3G 77
Oak Av. Orm —6B 24
Oak Av. Wir —2B 104
Oak Bank. Birk —3C 106
Oak Bank. Wir —4G 127
Oakbank Rd. Liv —3G 109
Oakbank St. Wall —4C 86
Oakbourne Clo. Liv —6E 108
Oak Clo. Liv —5D 70
Oak Clo. Whis —4E 92
Oak Clo. Wir —1B 104
Oak Ct. Liv —4C 108
(off Weller Way)
Oak Cres. Skel —2D 36
Oakdale Av. Frod —5F 167
Oakdale Av. Stock H —7D 118
Oakdale Av. Wall —5D 86
Oakdale Dri. Wir —6A 104
Oakdale Rd. Moss H —3J 109
Oakdale Rd. Wall —5D 86
Oakdale Rd. Wat —3D 52
Oakdene Av. Gt Sut —6E 160
Oakdene Av. Wool —1J 119
Oakdene Clo. Wir —5K 145
Oakdene Ct. Rain —5J 93
Oakdene Rd. Birk —5C 106
Oakdene Rd. Liv —7D 68
Oak Dri. Run —3E 152
Oakenden Clo. Ash M —6E 50
Oakenholt Rd. Wir —6C 84
Oakes St. Liv —5B 88 (5K 5)
Oakfield. Liv —1D 88
Oakfield Av. Golb —4K 63
Oakfield Av. Liv —4E 110
Oakfield Clo. That H —7K 73
Oakfield Dri. Form —6H 19
Oakfield Dri. Huy —7K 91
Oakfield Dri. Wid —1G 133
Oakfield Gro. Liv —6K 91
Oakfield Rd. Brom —2J 145
Oakfield Rd. Chil T —3A 160
Oakfield Rd. Form —7F 29
Oakfield Rd. Walt —1C 88
Oakfields. Orm —5E 24
Oakfield Ter. Chil T —3A 160
Oakford Clo. Banks —2K 9
Oak Grn. Orm —5D 24
Oak Gro. Whitby —1J 169
Oakham Ct. South —7J 7
Oakham Dri. Liv —4H 55
Oakham Dri. Wir —6K 83
Oakham St. Liv —2K 107
Oakhill Clo. Mag —2F 43
Oakhill Clo. W Der —3B 70
Oakhill Cottage La. Liv —7F 33
Oakhill Dri. Liv —7F 33
Oak Hill Park. —5K 89
Oakhill Pk. Liv —5K 89
Oakhill Rd. Mag —2F 43
Oakhill Rd. Old S —5K 89
Oakhurst Clo. Liv —3F 111
Oakland Clo. Liv —7J 53
Oakland Dri. Wir —2E 104
Oakland Rd. Liv —1H 129
Oaklands. Rain —5J 93
Oaklands. Wir —4K 145
Oaklands Av. Liv —6D 40
Oaklands Ct. Clo F —3E 94
Oaklands Dri. Beb —3F 127
Oaklands Dri. Hes —1E 142
Oaklands Dri. Lymm —6F 121
Oaklands Ter. Wir —1E 142
Oakland St. Warr —1E 118

Oakland St.—Owen Rd.

Oakland St. Wid —5C 134
Oakland Va. Wall —6C 66
Oak La. Liv —5K 69
Oakleaf M. Pren —3H 105
Oaklea Rd. Wir —3D 124
Oaklee Gro. Liv —1E 56
Oak Leigh. Liv —2G 89
Oakleigh. Skel —2K 47
Oakleigh Gro. Wir —3F 127
Oakley Av. Bil —6G 49
Oakley Clo. Liv —3C 70
Oak Meadows. Rain —6A 94
Oakmere Clo. Liv —6C 54
Oakmere Clo. Wir —4C 84
Oakmere Dri. Gt Sut —3H 169
Oakmere Dri. Penk —5D 116
Oakmere Dri. Wir —4A 104
Oakmere St. Run —7C 134
Oakridge Clo. Wir —7J 127
Oakridge Rd. Wir —7J 127
Oak Rd. Beb —2F 127
Oak Rd. Hoot —2A 160
Oak Rd. Liv —6H 91
Oak Rd. Lymm —5E 120
Oak Rd. Penk —5D 116
Oak Rd. Whis —4E 92
Oaks Clo. Clo F —4F 95
Oaks La. Wir —5E 124
Oaksmeade Clo. Liv —4D 70
Oaks Pl. Wid —2C 134
Oaks, The. Liv —3D 70
Oaks, The. St H —3F 95
Oaks, The. Wir —2J 145
Oakston Av. Rain —5K 93
Oak St. Boot —2J 67
Oak St. Croft —7G 79
Oak St. Ell P —4A 162
Oak St. St H —6G 75
Oak St. South —2A 12
Oaksway. Hes —4F 143
Oak Ter. Liv —5E 88
Oakthorn Gro. Hay —7A 62
Oak Towers. Liv —2D 56
Oak Tree Ct. Skel —7K 27
Oaktree Pl. Birk —5F 107
Oaktree Rd. Ecc —1G 73
Oak Va. Liv —5K 89
Oak Vale Park. —5K 89
Oak Vw. Liv —6A 132
Oakways. App —4D 138
Oakwood. —4B 100
Oakwood. Skel —7K 27
Oakwood Av. Ash M —3E 62
Oakwood Av. South —3D 14
Oakwood Av. Warr —1D 118
Oakwood Clo. B Vale —3F 111
Oakwood Clo. Gt Sut —3F 169
Oakwood Dri. Liv —6K 91
Oakwood Dri. Pren —7J 85
Oakwood Dri. South —4E 14
Oakwood Ga. Bchwd —3K 99
Oakwood Mt. Bchwd —4B 100
Oakwood Pk. Wir —5K 145
Oakwood Rd. Liv —2J 131
Oakworth Clo. Liv —1C 56
Oakworth Dri. Tarb G —1A 112
Oakworth Dri. Wir —2J 127
Oarside Dri. Wall —1A 86
Oatfield La. Liv —3H 53
Oatlands Rd. Liv —3A 56
Oatlands, The. Wir —7E 102
Oban Dri. Ash M —1A 62
Oban Dri. Wir —2E 142
Oban Gro. Fearn —4G 99
Oban Rd. Liv —1D 88
Oberon St. Liv —5J 67
O'Brien Gro. St H —2G 75
Observatory Rd. Pren —7J 85
Oceanic Rd. Liv —5H 89
Ocean Rd. Liv —6H 53
O'Connell Clo. St H —7A 62
O'Connell Rd. Liv —3K 87 (1F 4)
Octavia Ct. Huy —6K 91
Octavia Hill Rd. Liv —4J 53
Odsey St. Liv —5E 88
Odyssey Cen. Birk —7C 86
Off Botanic Rd. South —6C 8
Ogden Clo. Liv —6H 69
Ogle Clo. Prsct —2E 92
Oglet. —2J 149
Oglet La. Hale V —2H 149
Oglet La. Liv —7G 131
Oil Sites Rd. Ell P —4B 162
Oil St. Liv —3H 87 (1B 4)
O'Keefe Rd. St H —2E 74
Okehampton Rd. Liv —7B 90
Okell Dri. Liv —6H 111
Okell St. Run —7C 134
Old Acre. Liv —6F 29
Old Albert Ter. Run —6D 134
(off Thomas St.)
Old Barn Rd. Liv —1D 88
Old Barn Rd. Wall —4A 86
Old Bidston Rd. Birk —7B 86
Old Boston. —6E 62
Old Boston. Hay —6E 62
Old Boston Trad. Est. Old B —5E 62
Old Boundary Way. Orm —4D 24
Oldbridge Rd. Liv —7K 131
Old Cherry La. Lymm —3C 140
Old Chester Rd. Birk & Beb —4E 106
Old Chester Rd. Dar —1F 155
Old Chester Rd. Gt Sut —6F 161
Old Chester Rd. Hel —1H 173
Old Chester Rd. H Walt —2K 137
Old Church Clo. Ell P —4A 162
Old Church Yd. Liv —5H 87 (6D 4)
Old Clatterbridge Rd. Wir —7E 126
Old Colliery Rd. Whis —4D 92
Old Colliery Yd. Ash M —2A 62
Old Cryers La. Elton —2A 172
Old Distillery Rd. Liv —4G 131
Old Dover Rd. Liv —7G 91
Old Eccleston La. St H —3J 73
Old Engine La. Skel —1C 36
Old Farm Clo. Will —3G 159
Old Farm Rd. Cros —7F 41
Old Farm Rd. Kirkby —7D 56
Old Field. Whis —3F 93
Oldfield Clo. Wir —7C 124
Oldfield Cotts. Wir —7B 124
Oldfield Dri. Hes —1B 142
Oldfield Farm La. Hes —7B 124
Oldfield Gdns. Wir —1B 142
Oldfield La. Wir —4J 103
Oldfield Rd. Ell P —6K 161
Oldfield Rd. Hes —7B 124
Oldfield Rd. Liv —1J 129
Oldfield Rd. Lymm —4D 120
(in two parts)
Oldfield Rd. Wall —1K 85
Oldfield St. St H —1B 74
Oldfield Way. Wir —7B 124
Old Fold. Wig —5K 39
Old Garswood Pk. —4J 61
Oldgate. Wid —2J 133
Old Gorsey La. Wall —5B 86
Old Greasby Rd. Wir —3D 104
Old Hall. —7H 97
Old Hall Clo. H Walt —1A 138
Old Hall Clo. Liv —5F 43
Old Hall Dri. Ash M —3E 62
Old Hall Dri. Whitby —7K 161
Old Hall Gdns. Rainf —5G 47
Old Hall La. Elton —2A 172
Old Hall La. Liv —3B 56
Old Hall Rd. Brom —1A 146
Old Hall Rd. Liv —5F 43
Old Hall Rd. Old H —7H 97
Old Hall St. Liv —5H 87 (4C 4)
Oldham Pl. Liv —6A 88 (7J 5)
Oldham St. Liv —6A 88 (8H 5)
Oldham St. Warr —5C 118
Old Haymarket. Liv —5K 87 (5G 4)
Old Hey Wlk. Newt W —5G 77
Old Higher Rd. Wid —4D 132
Old Hute La. Liv —4A 132
Old Kennel Clo. Liv —6D 70
Old La. Ecc P —7E 72
Old La. Form —4K 19
Old La. Has —6K 21
Old La. Hes —2H 143
Old La. Liv —7G 33
Old La. Rainf —5F 47
Old La. Rain —4H 93
Old Leeds St. Liv —5H 87 (4C 4)
Old Links Clo. South —7D 8
Old Liverpool Rd. Warr —4H 117
Old Market Pl. Warr —3B 118
(off Horsemarket St.)
Old Marylands La. Wir —6C 84
Old Mdw. Know —2H 71
Old Mdw. Rd. Wir —6C 124
Old Mill Av. St H —2F 95
Old Mill Clo. Liv —7J 89
Old Mill Clo. Wir —3F 143
Old Mill Hill. Orm —7B 24
Old Mill La. Form —6K 19
Old Mill La. Know —2J 71
Old Mill La. W'tree —7J 89
Old Moss La. Augh —5G 21
Old Moss La. G'bry —1F 81
Old Nook La. St H —7G 61
Old Orchard. Hals P —6E 92
Old Pk. La. South —1C 12
Old Penny La. Old B —5F 63
Old Pewterspear Gdns. App —5D 138
Old Post Office Pl. Liv —7F 4
Old Prescot Clo. Liv —2A 44
Old Pump La. Wir —5A 104
Old Quarry, The. Liv —6E 110
Old Quay Clo. Park —4G 157
Old Quay La. Park —4H 157
Old Quay St. Run —6D 134
Old Racecourse Rd. Liv —4D 42
Old Rectory Grn. Augh —4J 33
Old Rectory Grn. Liv —5A 42
Old Riding. Liv —2D 90
Old Rd. Ash M —1E 62
Old Rd. Warr —4B 118
Old Rockerrians R. F.C. Ground. —1K 125
Old Ropery. Liv —6J 87 (6D 4)
Old Rough La. Liv —2C 56
Old School Clo. Nest —6K 157
Old School Ho. La. Win —7A 78
Old School Pl. Ash M —2E 62
Old School Way. Birk —1J 105
Old Smithy La. Lymm —6E 120
Old Swan. —4J 89
Old Thomas La. Liv —6B 90
Old Town Ct. Liv —6J 19
Old Town La. Liv —6J 19
Old Upton La. Wid —4A 114
Old Vicarage Rd. Will —3G 159
Old Wargrave Rd. Newt W —3F 77
Old Welsh Rd. L Sut —6B 160
Old Whint Rd. Hay —7J 61
Old Wood La. Liv —4K 111
Old Wood Rd. Wir —5D 124
Oleander Dri. St H —2J 73
O'Leary St. Warr —1C 118
Olga Rd. St H —7E 74
Olinda St. Wir —2H 127
Olive Clo. Liv —3J 55
Olive Cres. Birk —4E 106
Olivedale Rd. Liv —3H 109
Olive Dri. Nest —3J 157
Olive Gro. Boot —4C 54
Olive Gro. Huy —5H 91
Olive Gro. Skel —2E 54
Olive Gro. South —1A 12
Olive Gro. W'tree —6J 89
Olive La. Liv —6J 89
Olive Mt. Birk —4E 106
Olive Mt. Heights. Liv —7K 89
Olive Mt. Rd. Liv —7J 89
Olive Mt. Vs. Liv —6J 89
Olive Mt. Wlk. Liv —7J 89
Oliver La. Gt Sut —7F 161
Oliver Lyme Ho. Prsct —1E 92
Oliver Lyme Rd. Prsct —1E 92
Olive Rd. Liv —5E 52
Olive Rd. Nest —3J 157
Oliver Rd. St H —5J 73
Oliver St. Birk —2D 106
Oliver St. Warr —2B 118
Oliver St. E. Birk —2E 106
Olivetree Rd. Liv —6K 89
Olive Va. Liv —7H 89
Olivia Clo. Pren —4G 105
Olivia M. Pren —4G 105
Olivia St. Boot —5K 67
Ollerton Clo. Grapp —5H 119
Ollerton Clo. Pren —4G 105
Ollery Grn. Boot —1D 54
Ollier St. Wid —2C 134
Olney St. Liv —4B 68
Olton St. Liv —7G 89
Olympia St. Liv —4C 88 (2N 5)
Olympic Way. Boot —5D 54
Omega Boulevd. Gt San —6B 96
O' Neill St. Boot —2H 67
(in two parts)
Onslow Cres. South —6G 11
Onslow Rd. Liv —4E 88
Onslow Rd. Wall —6B 66
Onslow Rd. Wir —7H 107
Opal Clo. Eve —3D 88 (1P 5)
Opal Clo. Liv —5J 53
Open Eye Gallery. —6K 87 (7G 4)
Openfields Clo. Liv —6J 111
Oppenheim Av. St H —6J 73
Orange Gro. Liv —2D 108
Orange Gro. Warr —5E 98
Orange Tree Clo. Liv —6F 71
Oran Way. Liv —4H 91
Orb Clo. Liv —2A 70
Orb Wlk. Liv —3A 70
Orchard Av. Liv —6B 90
Orchard Av. Lymm —5H 121
Orchard Brow. Rix —5J 101
Orchard Clo. Ecc P —7G 73
Orchard Clo. Frod —5C 166
Orchard Clo. Gt Sut —3H 169
Orchard Clo. Hals P —6E 92
Orchard Clo. St H —6F 61
Orchard Ct. Birk —5F 107
Orchard Ct. Golb —6G 79
Orchard Ct. Liv —3G 43
Orchard Dale. Liv —1F 53
Orchard Dene. Rain —4J 93
Orchard Dri. L Nes —6J 157
Orchard Gdns. Hals P —7E 92
Orchard Grange. Wir —1A 104
Orchard Haven. Gt Sut —3G 169
Orchard Hey. Boot —1D 54
Orchard Hey. Ecc —3G 73
Orchard Hey. Liv —4G 43
Orchard La. Ains & South —5D 14
Orchard La. Chil T —3C 160
Orchard Pk. La. Elton —7B 164
Orchard Pl. Hel —7J 165
Orchard Rd. Lymm —3K 121
Orchard Rd. Whitby —2J 169
Orchard Rd. Wir —6C 84
Orchard St. Ash M —2G 63
Orchard St. Fearn —5G 99
Orchard St. Stock H —1C 138
Orchard St. Warr —3C 118
Orchard, The. Huy —5J 91
Orchard, The. Liv —7H 109
Orchard, The. Orm —5B 24
Orchard, The. Rain —2J 93
Orchard, The. Wall —7A 66
Orchard Vw. Augh —2B 34
Orchard Way. Wid —5G 113
Orchard Way. Wir —3D 126
Orchid Gro. Liv —5B 108
Orchid Way. St H —7K 75
Orchil Clo. L Sut —5C 160
Ordnance Av. Bchwd —4A 100
O'Reilly Ct. Liv —3J 87 (1D 4)
Orford. —5D 98
Orford Av. Warr —1C 118
Orford Clo. Hale V —7D 132
Orford Grn. Warr —6D 98
Orford La. Warr —2B 118
Orford Pk. —6C 98
Orford Rd. Warr —7D 98
Orford St. Liv —7H 89
Orford St. Warr —3B 118
Oriel Clo. Liv —6H 87 (6D 4)
Oriel Clo. Old R —2F 55
Oriel Cres. Liv —5J 67
Oriel Dri. Liv —2E 54
Oriel Lodge. Boot —4J 67
Oriel Rd. Ash M —1D 62
Oriel Rd. Birk —5E 106
Oriel Rd. Boot —3H 67
Oriel Rd. Liv —5J 67
Oriel St. Liv —4J 87 (2E 4)
Orient Dri. Liv —5F 111
Origen Rd. Liv —6B 90
Oriole Clo. St H —7H 73
Orion Boulevd. Gt San —6C 96
Orith Av. Ecc —3F 73
Orkney Clo. Ell P —3A 170
Orkney Clo. St H —6F 61
Orkney Clo. Wid —5G 115
Orlando Clo. Pren —4G 105
Orlando St. Boot —5J 67
Orleans Rd. Liv —4J 89
Ormande St. Sher I —5D 74
Orme Ho. Orm —5E 24
Ormesby Gro. Wir —4H 145
Ormiston Rd. Wall —7B 66
Ormond Av. W'head —6J 25
Ormond Clo. Wid —6J 113
Ormonde Av. Liv —5E 42
Ormonde Cres. Liv —3E 56
Ormonde Dri. Liv —4E 42
Ormond M. Pren —4G 105
Ormond St. Liv —5J 87 (5D 4)
Ormond St. Wall —2B 86
Ormond Way. Pren —4G 105
Ormsby St. Liv —1G 109
Ormside Gro. St H —7F 75
Ormskirk. —5C 24
Ormskirk Bus. Pk. Orm —4D 24
Ormskirk Cricket Club Ground. —6D 24
Ormskirk Golf Course. —4J 25
Ormskirk Old Rd. Bic —4K 35
Ormskirk Rd. Augh —2F 35
Ormskirk Rd. Bic & Rainf —2D 46
Ormskirk Rd. Chap H —2C 36
Ormskirk Rd. Know —7H 57
Ormskirk Rd. Liv —5D 54
Ormskirk Rd. Skel —3H 37
Ormskirk Rd. Uph —4B 38
Ormskirk Rd. Wig —5K 39
Ormskirk St. St H —2B 74
Ormskirk Swimming Pool. —5C 24
Orms Way. Liv —7J 19
Orphan Dri. Liv —2F 89
Orphan St. Liv —7C 88 (8M 5)
Orpington St. Wig —5K 39
Orrell. —7K 53
(nr. Bootle)
Orrell. —6F 39
(nr. Up Holland)
Orrell Clo. Gt San —2E 116
Orrell Gdns. Orr —5H 39
Orrell Hall Clo. Orr —3K 39
Orrell Hey. Boot —6K 53
Orrell Hill La. Liv —7C 30
Orrell La. Boot & Liv —6A 54
Orrell Mt. Boot —6J 53
Orrell Mt. Ind. Est. Boot —6J 53
Orrell Rd. Liv & Boot —5J 53
Orrell Rd. Orr —4F 39
Orrell Rd. Wall —7C 66
Orrell R.U.F.C. Ground. —6G 39
Orrell St. St H —3E 74
Orrell Water Pk. —7G 39
Orrel Post. —5G 39
Orret's Mdw. Rd. Wir —5F 105
Orrysdale Rd. Wir —5C 102
Orry St. Liv —2K 87
Orsett Rd. Liv —5D 56
Orston Cres. Wir —7G 127
Ortega Clo. Wir —2J 127
Orthes St. Liv —6B 88 (7K 5)
Orton Rd. Liv —7A 90
Orton Way. Ash M —2D 62
Orville St. St H —7G 75
Orwell Clo. Liv —2H 29
Orwell Clo. Sut M —4C 94
Orwell Rd. Liv —6K 67
Osbert Rd. Liv —1B 52
Osborne Av. Wall —7B 66
Osborne Av. Warr —6D 98
Osborne Gro. Prsct —2A 92
Osborne Gro. Wall —1B 86
Osborne Rd. Ash M —1E 62
Osborne Rd. Ecc —1G 73
Osborne Rd. Form —2J 29
Osborne Rd. Lith —4J 53
Osborne Rd. Pren —3B 106
Osborne Rd. South —3B 14
Osborne Rd. Tue —1G 89
Osborne Rd. Wall —7C 66
Osborne Rd. W'ton —7B 118
Osborne Va. Wall —7B 66
Osborne Wood. Liv —7E 108
Osbourne Clo. Wir —3A 146
Osier Clo. Elton —1C 172
Osmaston Rd. Birk —6A 106
Osprey Clo. Beech —5H 153
Osprey Clo. Liv —3K 111
Osprey Clo. Warr —4E 98
Osprey's, The. Wig —1A 50
Ossett Clo. Nort —2B 154
Ossett Clo. Pren —4G 105
Osterley Gdns. Liv —7B 54
O'Sullivan Cres. St H —1G 75
Oswald Clo. Liv —6C 44
Oteley Av. Wir —2K 145
Othello Clo. Liv —5J 67
Otterburn Clo. Wir —7K 83
Otterspool. —7E 108
Otterspool Dri. Liv —1F 129
Otterspool Rd. Liv —7F 109
Otterton Rd. Liv —1A 70
Ottery Clo. South —2C 8
Ottley St. Liv —4E 88
Otway St. Liv —5A 130
Oughtrington. —4K 121
Oughtrington Cres. Lymm —4K 121
Oughtrington La. Lymm —7J 121
Oughtrington Vw. Lymm —4K 121
Oulton Clo. Liv —7D 32
Oulton Clo. Pren —5J 105
Oulton Ct. Grapp —6H 119
Oulton La. Liv —7H 91
Oulton Rd. Liv —2B 110
Oulton Way. Pren —6J 105
Oundle Dri. Liv —2E 54
Oundle Pl. Liv —2F 131
Oundle Rd. Wir —6C 84
Outer Central Rd. Liv —4J 131
Outer Forum. Liv —4G 69
Out La. Liv —6E 110
Outlet La. Liv & Bic —3C 44
Outlook, The. High —7K 29
Oval Sports Cen., The. —2F 127
Oval, The. Ell P —1A 170
Oval, The. Wall —1K 85
Overbrook La. Know B —1G 71
Overbury St. Liv —7D 88 (7P 5)
Overchurch Rd. Wir —2C 104
Overdale Av. Wir —4H 125
Overdale Rd. Will —2G 159
Overdene Wlk. Liv —4D 56
Overgreen Gro. Wir —6B 84
Overhill Way. Wig —1B 50
Overmarsh. Ness —7A 158
Overpool. —5G 161
Overpool Gdns. Gt Sut —1H 169
Overpool Rd. Ell P & Gt Sut —5G 161
(in six parts)
Overpool Rd. Whitby —2J 169
Overton. —5F 167
Overton Av. Liv —4H 53
Overton Clo. Liv —4B 56
Overton Clo. Pren —5K 105
Overton Dri. Frod —5E 166
Overton Grn. Liv —4B 56
Overton Rd. Wall —3B 86
Overton St. Liv —6D 88 (7P 5)
Overton Way. Pren —5K 105
Ovington Clo. Sut W —6H 153
Ovington Dri. South —5A 12
Ovolo Rd. Liv —3J 89
Owdale Rd. Liv —2C 68
Owen Av. Orm —4D 24
Owen Clo. St H —5K 73
Owen Dri. Liv —6F 131
Owen Rd. Kirk —6K 67
Owen Rd. Know I —6G 57
Owen Rd. Rain —5J 93

Peach Tree Clo.—Playhouse Theatre

Peach Tree Clo. Hale V —7E 132
Peacock Av. Warr —2E 118
Pearce Clo. Liv —2D 110
Pear Gro. Liv —4D 88 (2P 5)
Pearl Way. Liv —3D 88 (1P 5)
Pearson Av. Warr —6D 118
Pearson Dri. Boot —6A 54
Pearson Rd. Birk —4E 106
Pearson St. Liv —1H 109
Pear Tree Av. Liv —5D 70
Pear Tree Av. Run —3E 152
Peartree Clo. Frod —2F 167
Pear Tree Clo. Hale V —1E 150
Pear Tree Clo. Wir —1G 143
Pear Tree Pl. Warr —4C 118
Pear Tree Rd. Liv —7J 91
Peartree Way. Gt Sut —3G 169
Peasefield Rd. Liv —3E 90
Peasley Clo. Pad —6H 99
Peasley Cross. —5E 74
Peasley Cross La. St H —3D 74
Peatwood Av. Liv —6D 56
Peckers Hill Rd. St H —7G 75
Peckfield Clo. Brook —5J 153
Peckforton Dri. Gt Sut —1G 169
Peckforton Dri. Sut W —6H 153
Peckmill Grn. Liv —4K 111
Peck Mill La. Hel —5G 173
Pecksniff Clo. Liv —3B 108
Peebles Av. St H —6F 61
Peebles Clo. Ash M —1A 62
Peebles Clo. L Sut —5B 160
Peebles Clo. Liv —6B 44
Peel Av. Birk —5F 107
Peel Clo. Whis —4E 92
Peel Clo. Wool —2K 119
Peel Cottage. Liv —2D 42
Peel Ho. La. Wid —5D 114
Peel Pl. Liv —1B 108 (10K 5)
Peel Pl. St H —1C 74
Peel Rd. Boot —1G 67
Peel Rd. Skel —6K 37
Peel St. Liv —4C 108
Peel St. Newt W —3E 76
Peel St. Run —6B 134
Peel St. South —2B 12
Peel Wlk. Liv —2D 42
Peers Wood Ct. L Nes —6J 157
Peet Av. Ecc —2J 73
Peet Av. Orm —6B 24
Peets La. South —6C 8
Peet St. Liv —6D 88
Pelham Gro. Liv —4E 108
Pelham Rd. Thel —5J 119
Pelham Rd. Wall —4A 86
Pemberton Bus. Cen. Wig —5K 39
Pemberton Clo. Will —3G 159
Pemberton Rd. Liv —4J 89
Pemberton Rd. Wins —4J 49
Pemberton Rd. Wir —5F 105
Pemberton St. St H —3A 74
Pembrey Way. Liv —1H 131
Pembridge Ct. Ell P —1C 170
Pembridge Gdns. Ell P —1C 170
Pembroke Av. Wir —1C 104
Pembroke Clo. St H —4A 74
Pembroke Ct. Birk —4E 106
Pembroke Ct. Mnr P —4A 136
Pembroke Dri. Whitby —1J 169
Pembroke Gdns. App —5D 138
Pembroke Gdns. Liv —5B 88 (5K 5)
Pembroke Pl. Liv —5A 88 (5K 5)
Pembroke Rd. Boot & Liv —3J 67
Pembroke St. Liv —5B 88 (5K 5)
Pembury Clo. Liv —3C 70
Penare. Brook —5A 154
Penarth Clo. Liv —7D 88 (9P 5)
Pencombe Rd. Liv —3F 91
Penda Dri. Liv —6C 44
Pendennis Rd. Wall —4C 86
Pendennis St. Liv —2D 88
Pendine Clo. Call —5G 97
Pendine Clo. Liv —3E 88
Pendle Av. St H —1F 75
Pendlebury St. Clo F —3E 94
Pendlebury St. Warr —5G 119
Pendle Clo. L Sut —5B 160
Pendle Clo. Wir —2C 104
Pendle Dri. Liv —1J 53
Pendle Dri. Orm —4E 24
Pendle Gdns. Cul —3A 80
Pendle Pl. Skel —7K 37
Pendleton Grn. Liv —2J 131
(in two parts)
Pendleton Rd. Liv —4C 68
Pendle Vw. Liv —1J 53
Pendle Vs. Liv —2J 53
Penfold. Liv —3G 43
Penfold Clo. Cap —4D 168
Penfold Clo. Liv —3B 110
Penfolds. Halt B —1F 153
Pengwern Gro. Liv —7F 89
Pengwern St. Liv —3C 108
Pengwern Ter. Wall —7C 66
Penhale Clo. Liv —6D 108
Peninsula Clo. Wall —6J 65
Peninsula Ho. Warr —1C 118
Penistone Dri. L Sut —6D 160
Penketh. —4C 116
Penketh Av. Warr —7K 97
Penketh Bus. Pk. Gt San —4F 117
Penketh Ct. Run —6D 134
Penketh Grn. Liv —5J 131
Penketh Pl. Skel —6H 37
Penketh Rd. Gt San —4E 116
Penketh's La. Run —6C 134
Penkett Ct. Wall —1C 86
Penkett Gdns. Wall —1C 86
Penkett Gro. Wall —1C 86
Penkett Rd. Wall —1B 86
Penkford La. C Grn —5B 76
Penkford St. Newt W —3C 76
Penkmans La. Frod —5E 166
Penlake Ind. Est. St H —7G 75
Penlake La. St H —7G 75
Penley Cres. Liv —3K 55
Penlinken Dri. Liv —3D 88
Penmann Clo. Liv —1K 131
Penmann Cres. Liv —1K 131
Penmark Clo. Call —5G 97
Penmon Dri. Wir —6D 124
Pennant Av. Liv —5A 70
Pennant Clo. Bchwd —4C 100
Pennard Av. Liv —1H 91
Penn Gdns. Ell P —6K 161
Pennine Av. Wig —1A 50
Pennine Clo. St H —3G 75
Pennine Dri. St H —3H 75
Pennine Pl. Skel —5H 37
Pennine Rd. Birk —7C 106
Pennine Rd. Wall —3K 85
Pennine Rd. Warr —5E 98
Pennine Wlk. L Sut —6D 160
Pennine Way. Liv —1A 56
Pennington Av. Boot —6A 54
Pennington Av. Orm —4C 24
Pennington Clo. Frod —1F 167
Pennington Ct. Orm —4C 24
(in two parts)
Pennington Dri. Newt W —3J 77
Pennington Grn. Gt Sut —1E 168
Pennington La. St H —3K 75
Pennington Rd. Liv —7J 53
Pennington St. Liv —4B 68
Penn La. Run —7B 134
Pennsylvania Rd. Liv —7F 69
Pennylands. —2D 36
Penny La. C Grn —6B 76
Penny La. Hay —6D 62
Penny La. Liv —4H 109
Penny La. Wid —1F 113
Penny La. Neighbourhood Cen. Liv —2H 109
Pennypleck La. Crow —7C 140
Pennystone Clo. Wir —2B 104
Penpoll Ind. Est. Boot —7J 53
Penrhos Rd. Wir —2C 102
Penrhyd Rd. Wir —4B 124
Penrhyn Av. Liv —6H 53
Penrhyn Av. Wir —3E 124
Penrhyn Cres. Run —3C 152
Penrhyn Rd. Know B —1F 71
Penrhyn St. Liv —2K 87
Penrith Av. South —6C 14
Penrith Av. Warr —4C 98
Penrith Clo. Frod —2F 167
Penrith Cres. Ash M —1F 63
Penrith Cres. Liv —2G 43
Penrith Rd. St H —6H 73
Penrith St. Birk —3C 106
Penrose Av. E. Liv —5C 90
Penrose Av. W. Liv —5C 90
Penrose Gdns. Penk —5B 116
Penrose Pl. Skel —7A 38
Penrose St. Liv —1A 88
Penryn Av. St H —6F 61
Penryn Clo. Penk —5C 116
Pensall Dri. Wir —7D 124
Pensarn Gdns. Call —5H 97
Pensarn Rd. Liv —5H 89
Pensby. —5E 124
Pensby Clo. Wir —4E 124
Pensby Dri. Gt Sut —7F 161
Pensby Hall La. Wir —7D 124
Pensby Rd. Hes —2D 142
Pensby Rd. Thing —4E 124
Pensby St. Birk —7B 86
Penshaw Av. Wig —1F 51
Penshaw Ct. Run —3G 153
Pentire Av. Wind —7H 59
Pentire Clo. Liv —7K 55
Pentland Av. Liv —5C 68
Pentland Av. St H —3H 75
Pentland Av. Warr —4B 98
Pentland Pl. Warr —4B 98
Pentland Rd. Liv —1E 56
Penty Pl. South —2H 11
Penuel Rd. Liv —4B 68
Penvalley Cres. Liv —3E 88
Peony Gdns. St H —7K 75
Peover St. Liv —4K 87 (2G 4)
Peploe Rd. Walt —4F 69
Peplow Rd. Kirkby —3K 55
Peppers, The. Lymm —5H 121
Pepper St. App T —6G 139
Pepper St. Hale V —1D 150
Pepper St. Lymm —5G 121
Pepys Pl. Wig —1E 50
Pera Clo. Liv —4C 88 (3N 5)
Perch Pool La. South —5H 13
Perch Rock Fort. —4B 66
Percival Ct. South —2G 11
(off Lord St.)
Percival La. Run —7A 134
Percival Rd. Ell P —5K 161
Percival St. Warr —3C 118
Percival Way. St H —1J 73
Percy Rd. Wall —5D 86
Percy St. Boot —1H 67
Percy St. Liv —1B 108 (10K 5)
Percy St. St H —7H 75
Percy St. Warr —3J 117
(in two parts)
Peregrine Way. Liv —7J 111
Perimeter Rd. Elton —6C 164
Perimeter Rd. Know I & Liv —5H 57
Perriam Rd. Liv —1B 130
Perrin Av. Run —2A 152
Perrin Rd. Wall —2J 85
Perrins Rd. Btnwd —1D 96
Perrybrook Wlk. Ash M —1H 63
(off North St.)
Perrygate Clo. Liv —7D 88 (9P 5)
Perry St. Liv —2K 107
Perry St. Run —7D 134
Pershore Gro. South —5A 14
Pershore Rd. Liv —5C 56
Perth Av. That H —7A 74
Perth Clo. Fearn —4F 99
Perth Clo. Liv —6B 44
Perth St. Liv —4C 88 (2N 5)
Peterborough Clo. Gt Sut —5H 169
Peterborough Dri. Boot —1A 54
Peterborough Rd. Liv —2J 109
Peterhouse Wlk. Ash M —1D 62
Peterlee Clo. St H —7B 74
Peterlee Way. Boot —4C 54
Peter Lloyd Leisure Cen. —2H 89
Peter Mahon Way. Boot —2H 67
Peter Price's La. Wir —5E 126
Peter Rd. Liv —4A 68
(in two parts)
Peter Salem Dri. Gt San —2F 117
Petersfield Clo. Boot —4C 54
Petersfield Gdns. Cul —2A 80
Petersgate. Murd —3B 154
Petersham Dri. App —4E 138
Peter's La. Liv —6K 87 (7F 4)
Peterstone Clo. Call —4H 97
Peter St. Ash M —2G 63
Peter St. Golb —5K 63
Peter St. Liv —5K 87 (5F 4)
Peter St. Orr —3K 39
Peter St. St H —2A 74
Peter St. Wall —5E 86
Peterswood Ct. L Nes —6J 157
Peterwood. Birk —7G 107
Petham Ct. Wid —4A 114
Petherick Rd. Liv —1A 70
Petton St. Liv —1B 88
Petunia Clo. Liv —3E 90
Petunia Clo. St H —7J 75
Petworth Av. Warr —4B 98
Petworth Av. Wig —2A 50
Petworth Clo. Liv —5F 131
Petworth Rd. South —3B 14
Peveril Clo. App —1D 138
Peveril St. Liv —3B 68
Pewfall. —4A 62
Pewterspear. —5F 139
Pewterspear Grn. District Distributor Rd. App —5E 138
Pewterspear Grn. Rd. App —6D 138
Pewterspear La. App —5D 138
Pex Hill Country Pk. & Vis. Cen. —2A 114
Pharmacy Rd. Liv —5G 131
Pheasant Clo. Bchwd —3B 100
Pheasant Fields. Hale V —7C 132
Pheasant Gro. Liv —7J 111
Pheasant Wlk. H Legh —5K 141
Philbeach Rd. Liv —4F 69
Philharmonic Hall. —7B 88 (8K 5)
Philip Dri. South —3F 15
Philip Gro. St H —7E 74
Philip Rd. Wid —1H 133
Philips La. Gt Sut —7E 160
Phillimore Rd. Liv —4E 88
Phillip Gro. Liv —2C 90
Phillips Clo. Form —1K 29
Phillips Clo. Thor —6H 41
Phillips Dri. Gt San —2C 116
Phillip's La. Liv —1J 29
Phillips St. Liv —4J 87 (3E 4)
Phillips Way. Wir —2C 142
Phipp M. Newt W —3F 77
Phipps' La. Btnwd —6C 76
Phoenix Av. Warr —5K 97
Phoenix Dri. Liv —3E 90
Physics Rd. Liv —4G 131
Phythian Clo. Liv —4C 88 (3P 5)
Phythian Cres. Penk —4D 116
Phythian St. Hay —7H 61
Phythian St. Liv —4C 88 (3M 5)
Picadilly. Bil —7G 49
Pichael Nook. Warr —4G 119
Pickerill Rd. Wir —5B 104
Pickering Cres. Thel —5K 119
Pickering Rake. Boot —7K 41
Pickering Rd. Wall —6B 66
Pickerings Clo. Run —4E 152
Pickering's Pasture Local Nature Reserve. —5H 133
Pickerings Rd. Haleb —4H 133
Pickering St. Liv —2C 88
Pickmere Dri. Brook —5A 154
Pickmere Dri. Wir —7B 146
(in two parts)
Pickmere St. Warr —4J 117
Pickop St. Liv —4J 87 (3E 4)
Pickwick St. Liv —2B 108
Pickworth Way. Liv —3K 55
Picow Farm Rd. Run —1A 152
Picow Rd. Run —7A 134
Picow St. Run —7C 134
Picton Av. Run —1D 152
Picton Clo. Bchwd —3J 99
Picton Clo. Pren —4K 105
Picton Clo. Wir —7K 145
Picton Cres. Liv —7G 89
Picton Gro. Liv —7F 89
Picton La. Pic & Wer —5E 170
Picton Rd. Liv —2H 109
Picton Rd. Wat —4D 52
Picton Rd. W'tree —7F 89
Picton Sports Cen. —7H 89
Piele Rd. Hay —6B 62
Piercefield Rd. Liv —6K 19
Pierpoint St. Warr —1K 117
Pighue La. Liv —6G 89
Pigot Pl. Warr —3F 119
Pigot St. St H —3A 74
Pigot St. Wig —5K 39
Pigott's Rake. Boot —7K 41
Pike Ho. Rd. Ecc —1G 73
Pike La. K'ley —7J 167
Pikelaw Pl. Skel —6J 37
Pike Pl. Ecc —2H 73
Pikes Bri. Fold. Ecc —2G 73
Pikes Hey Rd. Wir —2H 123
Pike St. Stock H —7C 118
Pilchbank Rd. Liv —3C 90
Pilch La. Liv —3C 90
Pilch La. E. Liv —5E 90
Pilgrim Clo. Win —1A 98
Pilgrim St. Birk —2F 107
Pilgrim St. Liv —7A 88 (9J 5)
Pilgrims Way. Run —6B 136
Pilkington Glass Mus. —4H 73
Pilkington Rd. South —3K 11
Pilkington St. Rainf —6F 47
Pilling Clo. South —2B 8
Pilling La. Liv —6C 32
Pilling Pl. Skel —6J 37
Pilot Gro. Liv —7F 89
Pilsley Clo. Orr —2J 39
Pimblett Rd. Hay —6C 62
Pimbley Gro. E. Liv —6E 42
Pimbley Gro. W. Liv —6E 42
Pimbo Ind. Est. Uph —6J 37
Pimbo La. Uph —3B 48
Pimbo Rd. King M —5A 48
Pimbo Rd. Skel —6J 37
Pimhill Clo. Liv —2C 108
Pimpernel Way. St H —7J 75
Pincroft Way. St H —7K 67
Pine Av. Newt W —4G 77
Pine Av. Orm —3D 24
Pine Av. St H —7B 60
Pine Av. Wid —6D 114
Pine Av. Wir —6F 127
Pine Clo. Hay —7A 62
Pine Clo. Huy —3H 91
Pine Clo. Kirkby —2A 56
Pine Clo. Newb —1G 27
Pine Clo. Skel —2F 37
Pine Clo. Whis —4E 92
Pine Ct. Birk —2D 106
(off Byles St.)
Pine Ct. Liv —4C 108
(off Byles St.)
Pine Crest. Augh —1K 33
Pine Dale. Rainf —5E 46
Pinedale Clo. Pren —4H 105
Pinedale Clo. Whitby —4H 169
Pine Dri. Orm —4D 24
Pine Gro. Boot —2K 67
Pine Gro. Orm —3D 24
Pine Gro. Padd —1G 119
Pine Gro. South —1K 11
Pine Gro. Wat —3D 52
Pine Gro. Whitby —3J 169
Pinehey. Nest —2H 157
Pinehurst Av. Anf —7D 68
Pinehurst Av. Wat —2C 52
Pinehurst Rd. Liv —7D 68
Pinellas. Run —6D 134
Pinemore Rd. Liv —6J 109
Pineridge Clo. Wir —7J 127
Pine Rd. Run —3E 152
Pine Rd. Wir —1G 143
Pines, The. Liv —2D 70
Pines, The. Wir —6H 127
Pinetop Clo. Liv —3D 88
Pinetree Av. Pren —4G 105
Pinetree Clo. Boot —2B 54
Pine Tree Clo. Wir —7D 84
Pinetree Ct. Wall —2K 85
Pinetree Dri. Wir —7F 103
Pine Tree Gro. Wir —7D 84
Pinetree Rd. Liv —6H 91
Pine Vw. Wins —3K 49
Pine Vw. Dri. Wir —7E 124
Pine Views. Liv —1A 108 (10H 5)
Pine Walks. Birk —7B 106
Pine Way. Wir —7C 124
Pineways. App —4D 138
Pinewood. Ash M —3E 62
Pinewood. Skel —7K 27
Pinewood Av. Form —1H 29
Pinewood Av. Warr —1E 118
Pinewood Av. W Der —3B 70
Pinewood Clo. Elton —1C 172
Pinewood Clo. Form —1H 29
Pinewood Clo. N'ley —2J 111
Pinewood Clo. South —7E 12
Pinewood Cres. Orr —5G 39
Pinewood Dri. Wir —2F 143
Pinewood Gdns. Liv —7C 44
Pinewood Rd. Btnwd —7D 76
Pinfold. —6H 17
Pinfold Clo. Boot —7A 42
Pinfold Clo. South —6B 14
Pinfold Ct. Cros —7D 40
Pinfold Ct. Wir —4C 102
Pinfold Cres. Liv —5E 56
Pinfold Dri. Ecc —3G 73
Pinfold La. Know —3F 71
Pinfold La. Scar —7G 17
Pinfold La. South —6A 14
(in two parts)
Pinfold La. Wir —4C 102
Pinfold Pl. Skel —7K 37
Pinfold Rd. Liv —2G 131
Pingot Rd. Bil —7G 49
Pingwood La. Liv —6E 44
Pinmill Brow. Frod —4D 166
Pinmill Clo. Frod —4D 166
Pinners Brow. Warr —2B 118
Pinners Fold. Nort —2K 153
Pinnington Pl. Liv —5H 91
Pinnington Rd. Whis —4E 92
Pintail Clo. St H —7D 60
Piper's Clo. Wir —2B 142
Piper's End. Wir —2B 142
Pipers La. Hes —7A 124
(in two parts)
Pipit Av. Newt W —3G 77
Pipit Clo. Liv —6J 111
Pipit La. Bchwd —4A 100
Pippin St. Burs —1E 24
Pippits Row. Padd M —6G 153
Pirrie Rd. Liv —3F 69
Pitch Clo. Wir —4B 104
Pit Hey Pl. Skel —6J 37
Pit La. Wid —4C 114
Pit Pl. Liv —6E 110
Pitsmead Rd. Liv —4C 56
Pitts Heath La. Run —6B 136
Pitts Ho. La. South —7D 8
Pitt St. Liv —7K 87 (9G 4)
Pitt St. St H —3E 74
Pitt St. South —2B 12
Pitt St. Warr —2K 117
Pitt St. Wid —4C 134
Pitville Av. Liv —5J 109
Pitville Clo. Liv —6J 109
Pitville Gro. Liv —5J 109
Pitville Rd. Liv —5J 109
Pitville Ter. Wid —2J 133
Plaistow Ct. Run —3G 153
Plane Clo. Liv —3D 68
Plane Tree Gro. Hay —6E 62
Planetree Rd. Liv —7C 70
Plane Tree Rd. Wir —5E 126
Plantation Clo. Cas —1J 153
Plantation Dri. Ell P —4G 161
Plantation Rd. Brom —1B 146
Planters, The. Boot —1D 54
Planters, The. Wir —4A 104
Platt Gro. Birk —1G 127
Platts St. Hay —7J 61
Plattsville Rd. Liv —3J 109
Playfield Rd. Liv —7D 70
Playfield Wlk. Liv —7D 70
Playhouse Theatre. —6K 87 (6G 4)

Pleasance Way—Quail Clo.

Pleasance Way. Newt W—2G 77
Pleasant Hill St. Liv—2K 107
Pleasant St. Boot—4H 67
Pleasant St. Liv—6A 88 (7J 5)
Pleasant St. Wall—7B 66
Pleasant Vw. Boot—4H 67
Pleasant Vw. Liv—5G 89
Pleasington Clo. Pren—4J 105
Pleasington Dri. Pren—4J 105
Pleasureland. —1F 11
(Southport)
Pleck Rd. Whitby—2J 169
Plemont Rd. Liv—2H 89
Plemston Ct. Ell P—3H 161
Plex La. Hals—3C 22
Plex Moss La. Hals—1D 20
Plimsoll St. Liv—6D 88
Plinston Av. Warr—4F 119
Plough La. Lath—7K 25
Ploughmans Clo. Gt Sut—4G 169
Ploughmans Way. Gt Sut—4G 169
Plover Clo. Newt W—3G 77
Plover Dri. Nort—2B 154
Plovers La. Hel—6J 165
Pluckington Rd. Liv—4B 92
Plumbers Way. Liv—5K 91
Plumer St. Birk—7A 86
Plumer St. Liv—1G 109
Plumley Gdns. Wid—6G 113
Plumpstons La. Frod—2D 166
Plumpton La. Hals—1A 22
Plumpton St. Liv—3B 88 (1L 5)
Plumtree Av. Warr—7K 97
Plum Tree Clo. Prsct—1G 93
Plum Tree Clo. Stock V—6F 71
Plymouth Clo. Murd—4C 154
Plymyard Av. Brom & East—4J 145
Plymyard Clo. Wir—5K 145
Plymyard Copse. Wir—5K 145
Poachers La. Warr—5F 119
Pochard Ri. Nort—2B 154
Pocket Nook. —2E 74
Pocket Nook St. St H—2D 74
Pocklington Ct. Pad—6F 99
Podium Rd. Liv—3J 89
Poets Corner. Wir—4H 127
Poets Grn. Whis—4F 93
(in two parts)
Poke St. Wig—5K 39
Polden Clo. L Sut—5C 160
Poleacre Dri. Wid—6K 113
Pollard Rd. Liv—6J 89
Poll Hill. —1D 142
Poll Hill Rd. Wir—1D 142
Pollitt Cres. Clo F—3E 94
Pollitt Sq. Wir—1J 127
Pollitt St. Clo F—4E 94
Polperro Clo. Penk—5C 116
Pomfret St. Liv—2B 108
Pomona St. Liv—6A 88 (7J 5)
Pond Clo. Liv—3E 88
Pond Grn. Way. St H—5H 75
Pond Vw. Clo. Wir—2G 143
Pond Wlk. St H—5J 75
Ponsonby Rd. Wall—2J 85
Ponsonby St. Liv—2C 108
Pool Bank. Wir—2H 127
Poolbank Rd. Wir—2H 127
Poole Av. Warr—5B 98
Poole Cres. Warr—5B 98
Poole Hall Ind. Est. Ell P—3H 161
(in two parts)
Poole Hall La. Ell P—3G 161
Poole Hall Rd. Ell P—3H 161
Pool End. St H—4H 75
Poole Rd. Wall—2D 86
Poole Wlk. Liv—4C 108
Pool Hey. —5D 12
Pool Hey. Liv—6F 71
(in two parts)
Pool Hey La. South—6C 12
Pool Hollow. Run—1D 152
Pool La. Brom P—4J 127
Pool La. Elton—1K 171
Pool La. Lymm—4D 120
Pool La. Run—6D 134
Pool La. Thor M—2J 171
Pool La. Upt—6E 104
Pool La. W'ton—7A 118
Pool Rd. Rix—3J 101
Poolside Rd. Run—1D 152
Poolside Wlk. South—3E 8
Poolstock La. Wig—1D 50
Pool St. Birk—1D 106
Pool St. South—2E 8
Pool St. Wid—2D 134
Pooltown Rd. Ell P & Whitby—5H 161
Poolwood Rd. Wir—4F 105
Pope St. Boot—1G 67
Poplar Av. Ash M—7B 50
Poplar Av. Cul—3B 80
Poplar Av. Ecc—2G 73
Poplar Av. Liv—7F 41
Poplar Av. Newt W—3H 77
Poplar Av. Penk—4C 116
Poplar Av. Run—3E 152
Poplar Av. Wir—3D 104
Poplar Bank. Liv—5J 91
Poplar Clo. Run—3E 152
Poplar Clo. Whitby—7K 161
Poplar Ct. Liv—4C 108
(off Weller Way)
Poplar Dri. Eve—2C 88
Poplar Dri. Kirkby—2A 56
Poplar Dri. Skel—2F 37
Poplar Dri. Wir—5G 127
Poplar Farm Clo. Wir—2A 104
Poplar Gro. Birk—4D 106
Poplar Gro. Elton—1A 172
Poplar Gro. Hay—7A 62
Poplar Gro. Liv—7F 53
Poplar Gro. Prsct—2E 92
Poplar Gro. St H—3J 73
Poplar Rd. Hay—7A 62
Poplar Rd. Liv—5D 110
Poplar Rd. Pren—4B 106
Poplar Row. Elton—1B 172
Poplars Av. Warr—3A 98
Poplars Pl. Warr—5D 98
Poplars, The. Lymm—4F 121
Poplar St. South—2A 12
Poplar Ter. Wall—7B 66
Poplar Way. Liv—6K 67
Poplar Weint. Nest—3J 157
Poppleford Clo. Liv—3G 111
Poppy Clo. Wir—5E 84
Poppy La. Bic—2F 35
Porchester Rd. Liv—5H 69
Porchfield Clo. Liv—3K 69
Porlock Av. Liv—3C 110
Porlock Av. Sut L—2E 94
Porlock Clo. Penk—4C 116
Porlock Clo. Plat B—3K 51
Porlock Clo. Wir—4F 143
Portal M. Wir—6D 124
Portal Rd. Wir—6D 124
Port Arcades, The. Ell P—6A 162
Portbury Clo. Wir—3H 127
Portbury Wlk. Wir—3H 127
Portbury Way. Wir—3J 127
Port Causeway. Wir—5J 127
Portelet Rd. Liv—3H 89
Porter Av. Newt W—1G 77
Porter Clo. Rain—6A 94
Porter St. Liv—3H 87 (1B 4)
Porter St. Run—7E 134
Porters Wood Clo. Orr—4K 39
Portgate Clo. Liv—4A 70
Porthcawl Clo. Wid—5J 113
Porthleven Rd. Brook—5K 153
Portia Av. Wir—2E 126
Portia Gdns. Wir—2E 126
Portia St. Boot—5J 67
Portico. —7H 73
Portico Av. Prsct—1G 93
Portico Ct. Prsct—1G 93
Portico La. Prsct—1F 93
Portland Av. Liv—3C 52
Portland Clo. Plat B—3K 51
Portland Ct. Wall—5A 66
Portland Gdns. Liv—3J 87 (1E 4)
Portland Pl. Hel—7J 165
Portland Pl. Liv—3A 88 (1H 5)
Portland St. Birk—7A 86
Portland St. Liv—3J 87 (1E 4)
Portland St. Newt W—2D 76
Portland St. Run—6B 134
Portland St. South—1G 11
Portland St. Wall—5A 66
Portland Way. St H—5H 75
Portlemouth Rd. Liv—1A 70
Portloe Av. Liv—7K 111
Portman Rd. Liv—1F 109
Port of Liverpool Building. —6H 87 (7C 4)
Porto Hey Rd. Wir—4B 124
Portola Clo. Grapp—6J 119
Porton Rd. Liv—4A 56
Portreath Way. Wind—7H 59
Portree Av. Wir—5K 145
Portree Clo. Liv—2B 68
Portrush St. Liv—1G 89
Portside. Pres B—3C 154
Portside Ind. Est. Ell P—3A 162
Portside N. Ell P—3K 161
Portside S. Ell P—3A 162
Portsmouth Pl. Murd—4C 154
Port Sunlight. —4H 127
Port Sunlight Heritage Cen. —4H 127
Portway. Liv—2G 131
Portwood Clo. Liv—7D 88 (9P 5)
Post Office Av. South—1H 11
Post Office La. Thor M—3J 171
Post Office La. West P—3K 151
Potter Pl. Skel—6K 37
Potter's La. Wid—4F 133
(in two parts)
Pottery Clo. Whis—4C 92
Pottery Fields. Prsct—1E 92
Pottery La. Whis & Huy—4B 92
Poulsom Dri. Boot—3J 53
Poulter Rd. Liv—6D 54
Poulton. —1H 145
(nr. Bebington)
Poulton. —4A 86
(nr. Wallasey)
Poulton Bri. Rd. Birk—5A 86
Poulton Clo. Liv—3H 131
Poulton Ct. South—1B 12
Poulton Cres. Wool—7J 99
Poulton Dri. Ash M—7D 50
Poulton Dri. Wid—1J 133
Poulton Grn. Clo. Wir—7F 127
Poulton Hall Rd. Raby M—3G 145
Poulton Hall Rd. Wall—4A 86
Poulton Pk. Golf Course. —3H 99
Poulton Rd. South—1B 12
Poulton Rd. Wall—4A 86
Poulton Rd. Wir—6G 127
Poulton Royd Dri. Wir—7F 127
Poulton Va. Wall—5A 86
Pound Rd. L Sut—4E 160
Poverty La. Liv—4G 43
Povey Rd. Warr—6C 98
Powder Works La. Liv—1A 44
Powell Av. Bchwd—3A 100
Powell Dri. Bil—2F 61
Powell St. Pren—7K 85
Powell St. St H—7G 75
Powell St. Warr—5F 119
Power Rd. Birk—1G 127
Power Rd. Brom—1B 146
Powey La. Moll—7D 168
Powis St. Liv—3C 108
Pownall Sq. Liv—5J 87 (4E 4)
Pownall St. Liv—7J 87 (8E 4)
Powys St. Warr—3K 117
Poynter St. St H—7A 74
Poynton Clo. Grapp—5H 119
Pratt Rd. Prsct—1C 92
Precincts, The. Liv—1E 52
Precinct, The. Wir—1K 145
Preece Clo. Wid—5K 113
Preesall Clo. South—2B 8
Preesall Way. Liv—1A 70
(in two parts)
Prefect Pl. Wig—3K 39
Premier St. Liv—2B 88
Prentice Rd. Birk—7E 106
Prenton. —1K 125
Prenton Av. Clo F—3D 94
Prenton Dell Av. Pren—1A 126
Prenton Dell Rd. Pren—7J 105
Prenton Farm Rd. Pren—1A 126
Prenton Golf Course. —1B 126
Prenton Grn. Liv—6J 131
Prenton Hall Rd. Pren—7K 105
Prenton La. Birk—7B 106
Prenton Pk. —6C 106
Prenton Pk. Rd. Birk—5C 106
Prenton Rd. E. Birk—6C 106
Prenton Rd. W. Birk—6B 106
Prenton Village Rd. Pren—7K 105
Prenton Way. Nor C—7H 105
Prentonwood Ct. Birk—7C 106
Prescot. —1D 92
Prescot By-Pass. Prsct—1B 92
Prescot Cen. Prsct—1D 92
Prescot Dri. Liv—4F 89
Prescot F.C. Ground. —5C 92
Prescot Grn. Orm—7B 24
Prescot Leisure Cen. —2E 92
Prescot Mus. —1C 92
Prescot Rd. Augh—1A 44
Prescot Rd. Cron—4F 113
Prescot Rd. Fair & Old S—4E 88
Prescot Rd. Mag & Mell—1A 56
Prescot Rd. Orm—1B 34
Prescot Rd. St H—6H 73
Prescot Rd. Wid—5K 113
Prescot St. Liv—5B 88 (4L 5)
Prescot St. Wall—6A 66
Prescott Av. Golb—3K 63
Prescott La. Orr—3K 39
Prescott Rd. Skel—6B 38
Prescott St. Warr—5E 118
Preseland Rd. Liv—2E 52
Prestbury Av. Pren—6J 105
Prestbury Av. South—4B 14
Prestbury Av. Wig—1C 50
Prestbury Clo. Pren—6J 105
Prestbury Clo. Wid—1A 134
Prestbury Dri. Ecc—4H 73
Prestbury Dri. Thel—5K 119
Prestbury Rd. Liv—2H 69
Preston Av. Prsct—2C 92
Preston Book. —5D 154
Preston Brook Marina. —3C 154
Preston Gro. Liv—2E 88
Preston New Rd. South—5C 8
Preston on the Hill. —4E 154
Preston Rd. South—7A 8
Preston St. Liv—5K 87 (5F 4)
Preston St. Sut M—5C 94
Preston Way. Liv—1G 53
Prestwich Av. Cul—3A 80
Prestwick Dri. Liv—6C 40
Prestwood Ct. Bchwd—7D 80
Prestwood Cres. Liv—3D 90
Prestwood Pl. Skel—7B 38
Prestwood Rd. Liv—3D 90
Pretoria Rd. Ash M—1F 63
Pretoria Rd. Liv—7D 54
Price Gro. St H—4J 75
Price's La. Pren—4B 106
Price St. Birk—7B 86
Price St. Liv—7J 87 (8F 4)
Pride Clo. Newt W—4J 77
Priestfield Rd. Ell P—6K 161
Priesthouse Clo. Liv—7A 20
Priesthouse La. Liv—7A 20
Priestley Ind. Est. Warr—3K 117
Priestley St. Warr—3K 117
Priestner Dri. Hel—7H 165
Primrose Clo. Cas—1J 153
Primrose Clo. Liv—5B 20
Primrose Clo. South—1E 8
Primrose Clo. Warr—5D 98
Primrose Clo. Wid—7A 114
Primrose Ct. Wall—6B 66
Primrose Dri. Liv—2J 91
Primrose Gro. Hay—6C 62
Primrose Gro. Wall—5E 86
Primrose Hill. —2H 23
Primrose Hill. Liv—5K 87 (4F 4)
Primrose Hill. Wir—3G 127
Primrose La. Hel—3G 173
Primrose Pl. Ash M—3F 63
(off Violet St.)
Primrose Rd. Birk—1K 105
Primrose Rd. Liv—3A 110
Primrose St. Liv—6K 67
Primrose Vw. Ash M—3F 63
Primula Clo. St H—7J 75
Primula Dri. Liv—2D 68
Prince Albert M. Liv—1K 107 (10H 5)
Prince Alfred Rd. Liv—1H 109
Prince Andrew's Gro. Wind—7J 59
Prince Charles Gdns. South—3F 11
Prince Edward St. Birk—1C 106
Prince Edwin St. Liv—3A 88 (1H 5)
Prince Henry Sq. Warr—3B 118
Princes Av. Cros—1D 52
Princes Av. East—4A 146
Princes Av. Prin P—1B 108
Princes Av. W Kir—6D 102
Princes Boulevd. Wir—1D 126
Prince's Clo. Cas—1H 153
Princes Gdns. Liv—4J 87 (3D 4)
(in two parts)
Princes Ga. E. Liv—2D 108
Princes Ga. W. Liv—2C 108
Princes Pde. Liv—5G 87 (4B 4)
Princes Park. —2D 108
Princes Pk. —3D 108
(Liverpool)
Princes Pk. —7F 7
(Southport)
Princes Pk. Mans. Liv—3D 108
Princes Pavement. Birk—2E 106
Princes Pl. Birk—4E 106
Princes Pl. Wid—7A 114
Princes Rd. Ell P—5H 161
Princes Rd. Liv—1B 108 (10L 5)
Princes Rd. St H—5J 73
Princess Av. Ash M—2G 63
Princess Av. Gt San—1C 116
Princess Av. Hay—6E 62
Princess Av. Pad—7G 99
Princess Av. St H—1A 74
Princess Av. Warr—2F 119
Princess Cres. Warr—2F 119
Princess Dri. Liv—6C 70
Princess Rd. Ash M—2F 63
Princess Rd. Lymm—5E 120
Princess Rd. Wall—7B 66
Princess St. Run—6C 134
Princess St. Warr—4H 117
Princess Ter. Pren—3C 106
Princes St. Boot—5H 67
Princes St. Liv—5J 87 (5E 4)
Princes St. Newt W—3F 77
Princes St. South—2G 11
Princes St. Wid—1C 134
Princess Way. S'frth—7F 53
Prince St. Ash M—7E 50
Prince St. Liv—5E 52
Princes Way. St H—5C 60
Princesway. Wall—1A 86
Princeway. Frod—3D 166
Prince William St. Liv—2A 108
Priors Clo. Liv—6F 111
Priorsfield. Wir—7C 84
Priorsfield Rd. Liv—6F 111
Prior St. Boot—7G 53
Priorswood Pl. Skel—7B 38
Priory Clo. Aig—6D 108
Priory Clo. Form—1B 30
Priory Clo. Halt—1J 153
Priory Clo. Whis—6C 92
Priory Clo. Wig—6K 39
Priory Clo. Wir—6G 127
Priory Ct. Liv—5H 91
Priory Ct. South—2F 11
Priory Farm Clo. Liv—2J 129
Priory Gdns. St H—6B 60
Priory Gdns. South—4F 11
Priory Grange. South—4G 11
Priory Gro. Orm—6B 24
Priory M. South—2F 11
Priory Nook. Uph—4E 38
Priory Ridge. Cas—1J 153
Priory Rd. Ash M—7D 50
Priory Rd. Liv—6C 68
Priory Rd. Uph—4E 38
Priory Rd. Wall—4E 86
Priory Rd. Wind H—7A 136
Priory Rd. Wir—6E 102
Priory St. Birk—2F 107
Priory St. Liv—5B 130
Priory St. Warr—5B 118
Priory, The. Nest—2H 157
Priory, The. Rain—4J 93
Priory Way. Liv—6F 111
Priory Wharf. Birk—2F 107
Pritchard Av. Liv—6F 53
Pritt St. Liv—4A 88 (2H 5)
Private Dri. Wir—4H 125
Prizett Rd. Liv—2K 129
Probyn Rd. Wall—2J 85
Procter Rd. Birk—7G 107
Proctor Ct. Boot—1K 53
Proctor Rd. Liv—6G 19
Proctor Rd. Wir—2E 102
Proctors Clo. Wid—6E 114
Proffits La. Hel—6K 165
Progress Pl. Liv—5E 4
Promenade. Ains—3A 14
Promenade. South—1G 11
Promenade. Wir—7D 82
Promenade Gdns. Liv—5B 108
Promenade, The. Liv—1E 128
Prophet Wlk. Liv—3A 108
Prospect Ct. Liv—3F 89
Prospect La. Rix—4E 100
Prospect Pl. Skel—6B 38
Prospect Rd. Birk—7B 106
Prospect Rd. St H—2F 75
Prospect Row. Run—3B 152
Prospect St. Ersk—5B 88 (4M 5)
Prospect Va. Liv—3F 89
Prospect Va. Wall—2K 85
Prospect Way. Boot—2D 54
Providence Cres. Liv—2A 108
Provident St. St H—3J 75
Province Pl. Boot—7K 53
Province Rd. Boot—7K 53
Prussia St. Liv—4D 4
(Old Hall St.)
Prussia St. Liv—4D 4
(Pall Mall)
Public Hall St. Run—6C 134
Pudsey St. Liv—5A 88 (5H 5)
Pugin St. Liv—7A 68
Pulford Av. Pren—6A 106
Pulford Clo. Beech—4G 153
Pulford Rd. Beb—4F 127
Pulford Rd. Gt Sut—7H 161
Pulford St. Liv—7B 68
Pullman Clo. Wir—2H 143
Pumpfields Rd. Liv—4J 87 (2D 4)
Pump House Mus. —1F 107
Pump La. Halt—2H 153
Pump La. Wir—3K 103
Pump Rd. Birk—7E 86
Punnell's La. Liv—6B 32
Purbeck Dri. Wir—2B 124
Purdy Clo. Old H—6H 97
Purley Gro. Liv—6J 109
Purley Rd. Liv—3C 52
Purser Gro. Liv—7F 89
Putney Ct. Run—3G 153
Pye Clo. Hay—5F 63
Pyecroft Clo. Gt San—2B 116
Pyecroft Rd. Gt San—2B 116
Pye Rd. Wir—2E 142
Pyes Gdns. St H—6D 60
Pyes La. Liv—7G 71
Pye St. Liv—1H 109
Pye St. St H—7H 75
Pygon's Hill La. Liv—4F 33
Pym St. Liv—4B 68
Pyramids Shop. Cen., The. Birk—2D 106
Pyrus Gro. Hel—7J 165

Quadrangle, The. Liv—4K 109
Quadrant Clo. Murd—5B 154
Quadrant, The. Wir—2D 102
(off Station Rd.)
Quail Clo. Warr—4D 98

Roland Av.—Rydal Way

Roland Av. Run —1B 152
Roland Av. St H —6E 60
Roland Av. Wir —3D 126
Rolands Wlk. Cas —7H 135
Roleton Clo. Boot —1D 54
Rolleston Dri. Beb —5G 127
Rolleston Dri. Wall —7K 65
Rolleston St. Warr —2A 118
Rolling Mill La. St H —6H 75
Rollo St. Liv —7K 67
Roman Clo. Cas —7G 135
Roman Clo. Newt W —4G 77
Roman Clo. Wig —1D 50
Roman Ct. L Nes —4K 157
Roman Rd. Ash M —7E 50
Roman Rd. Meol —6F 83
Roman Rd. Pren —1A 126
(in two parts)
Roman Rd. Stock H —7C 118
Rome Clo. Liv —4H 91
Romer Rd. Liv —4E 88
Romford Way. Liv —3K 131
(in two parts)
Romiley Dri. Skel —1F 37
Romiley Rd. Ell P —5G 161
Romilly St. Birk —2D 106
Romilly St. Liv —4C 88 (3N 5)
Romley St. Liv —4B 68
Romney Clo. L Nes —4J 157
Romney Clo. Wid —6G 115
Romney Cft. L Nes —4K 157
Romney Way. L Nes —4K 157
Romsey Av. Liv —1B 30
Romsey Gro. Wig —2B 50
Romulus St. Liv —5F 89
Ronald Clo. Liv —4F 53
Ronald Dri. Fearn —5H 99
Ronald Rd. Liv —4F 53
Ronald Ross Av. Boot —2B 54
Ronaldshay. Wid —6G 115
Ronald St. Liv —4H 89
Ronaldsway. Cros —6G 41
Ronaldsway. Faz —6J 55
Ronaldsway. Halew —1A 132
Ronaldsway. Hes —4D 142
Ronaldsway. Upt —2D 104
Ronan Clo. Boot —2G 67
Ronan Rd. Wid —4K 133
Rone Clo. Wir —7B 84
Rookery Av. Ash M —3F 63
Rookery Dri. Rainf —6G 47
Rookery La. Rainf —7G 47
Rookery Rd. South —6A 8
Rookery, The. Newt W —2H 77
Rooks Way. Wir —2C 142
Rooley, The. Liv —6H 91
Roome St. Warr —1C 118
Roosevelt Dri. Liv —5D 54
Roper's Bri. Clo. Whis —4D 92
Roper St. Liv —3B 108
Roper St. St H —2E 74
Ropewalk, The. Park —2G 157
Rosalind Av. Wir —2E 126
Rosalind Way. Liv —5K 67
Rosam Ct. Hall P —4G 153
Rosclare Dri. Wall —1K 85
Roscoe & Gladstone Hall. Liv —4G 109
Roscoe Av. Newt W —3J 77
Roscoe Av. Warr —7D 98
Roscoe Clo. Tarb G —1A 112
Roscoe Cres. West P —3A 152
Roscoe La. Liv —7A 88 (8H 5)
Roscoe Pl. Liv —6A 88 (8H 5)
Roscoe St. Liv —7A 88 (9J 5)
Roscoe St. St H —4K 73
Roscommon St. Liv —3A 88 (1H 5)
(in two parts)
Roscote Clo. Wir —3D 142
Roscote, The. Wir —3D 142
Roseacre. Wir —5C 102
Roseate Ct. Wall —6J 65
Rose Av. Boot —6J 53
Rose Av. Hay —7C 62
Rose Av. St H —7E 74
Rose Bank. Lymm —5G 121
Rose Bank Rd. Child —1B 110
Rosebank Rd. Huy —1G 91
Rosebank Way. Liv —2G 91
Rosebay Clo. Liv —7A 20
Roseberry Av. Wall —3C 86
Roseberry Rd. Ash M —7E 50
Rosebery Av. Liv —3C 52
Rosebery Gro. Birk —6B 106
Rosebery Rd. Dent G —1K 73
Rosebery St. Liv —1C 108
Rosebery St. South —2C 12
Rosebourne Clo. Liv —6D 108
Rose Brae. Liv —4J 109
Rosebrae Ct. Birk —1F 107
Rose Brow. Liv —4E 110
Rose Clo. Murd —5B 154
Rose Ct. Birk —2D 106
Rose Ct. Liv —1G 109
Rose Cres. Skel —2E 36
Rose Cres. South —7C 14
Rose Cres. Wid —2B 134
Rosecroft. Wir —4J 145
Rosecroft Clo. Orm —4C 24
Rosecroft Ct. Wir —2C 102
Rosedale Av. Liv —1E 52
Rosedale Av. Wool —1J 119
Rosedale Clo. Liv —2D 68
Rosedale Rd. Birk —5E 106
Rosedale Rd. Liv —3J 109
Rose Dri. Rainf —7G 47
Rosefield Av. Wir —2E 126
Rosefield Rd. Liv —7G 111
Rose Gdns. L Nes —5K 157
Rosegarth Grn. Liv —3K 89
Roseheath Dri. Liv —2K 131
Roseheath Ho. Liv —2A 132
Rose Hill. —6D 50
(nr. Ashton-in-Makerfield)
Rose Hill. —5K 39
(nr. Wigan)
Rose Hill. Liv —4K 87 (2G 4)
Rose Hill. South —2K 11
Rosehill Av. Bold —2K 95
Rose Hill Av. Wig —5K 39
Rosehill Ct. Liv —4E 110
Rosehill Dri. Augh —1A 34
Rosehill Vw. Ash M —5D 50
Roseland Clo. Liv —7D 32
Roselands Ct. Birk —7E 106
Rose La. Liv —5H 109
Rose Lea Clo. Wid —3C 114
Roselea Dri. South —3E 8
Rosemary Av. Beech —6H 153
Rosemary Av. Stock H —6E 118
Rosemary Clo. Gt San —2G 117
Rosemary Clo. Liv —7C 88 (8N 5)
Rosemary Clo. Pren —7J 85
Rosemary Dri. Newt W —3J 77
Rosemary La. Down —5C 22
Rosemary La. Liv —7J 19
Rosemead Av. Wir —5D 124
Rosemere Dri. Gt Sut —5H 169
Rosemont Rd. Liv —6G 109
Rosemoor Dri. Liv —7G 41
Rosemoor Gdns. App —4F 139
Rose Mt. Pren —5B 106
Rose Mt. Win —6B 78
Rose Mt. Clo. Pren —5A 106
Rose Mt. Dri. Wall —1A 86
Rose Pl. Augh —1B 34
Rose Pl. Birk —5F 107
(New Chester Rd.)
Rose Pl. Birk —4D 106
(Victoria Rd.)
Rose Pl. Liv —4K 87 (2G 4)
(in two parts)
Rose Pl. Rainf —7G 47
Roseside Dri. Liv —3K 111
Rose St. Liv —5G 4
(L1)
Rose St. Liv —6D 110
(L25)
Rose St. Wid —2B 134
Rose Ter. Liv —4J 109
Rose Va. Liv —2A 88
(Gt. Homer St., in two parts)
Rose Va. Liv —2A 88
(Netherfield Rd. N.)
Rose Vw. Av. Wid —6C 114
Rose Vs. Liv —1H 109
Rosewarne Clo. Liv —6D 108
Rosewood Av. Frod —4F 167
Rosewood Av. Warr —1E 118
Rosewood Clo. N'ley —3J 111
Rosewood Clo. Stock V —7F 71
Rosewood Dri. Wir —7K 83
Rosewood Flats. South —5B 8
Rosewood Gdns. Liv —5K 69
Roseworth Av. Liv —6C 54
Rosina Clo. Ash M —6D 50
Roskell Rd. Liv —2G 131
Rosley Rd. Wig —1F 51
Roslin Rd. Pren —4B 106
Roslin Rd. Wir —3B 124
Roslyn St. Birk —5F 107
Rossall Av. Liv —2F 55
Rossall Clo. Hale V —7E 132
Rossall Gro. L Sut —5F 161
Rossall Rd. Gt San —4F 117
Rossall Rd. Liv —5K 89
Rossall Rd. Wid —6F 115
Rossall Rd. Wir —6D 84
Ross Av. Wir —3G 85
Rossbank Rd. Ell P —4J 161
Rosscliffe Rd. Ell P —4J 161
Ross Clo. Bil —6G 49
Ross Clo. Know —3H 71
Ross Clo. Old H —7H 97
Ross Dri. Gt Sut —6E 160
Rossendale Clo. Pren —4H 105
Rossendale Dri. Bchwd —1C 100
Rosset Clo. Wig —2B 50
Rossett Av. Liv —2F 109
Rossett Clo. Call —5J 97
Rossett Rd. Liv —2C 52
Rossett St. Liv —2E 88
Rossfield Rd. Ell P —4J 161
Rossini St. Liv —7G 53
Rosslyn Av. Liv —4D 42
Rosslyn Cres. Wir —7C 84
Rosslyn Dri. Wir —7C 84
Rosslyn Pk. Wir —1C 104
Rosslyn St. Liv —5D 108
Rossmore Bus. Pk. Ell P —4K 161
Rossmore Gdns. L Sut —5F 161
Rossmore Gdns. Liv —6D 68
Rossmore Ind. Est. Ell P —4J 161
Rossmore Ind. Pk. Ell P —5J 161
Rossmore Rd. E. Ell P —4H 161
Rossmore Rd. W. Ell P —4F 161
Rossmount Rd. Ell P —5J 161
Ross Rd. Ell P —5J 161
Ross St. St H —2E 74
Ross St. Wid —7D 114
Ross Tower Ct. Wall —6C 66
Rosswood Rd. Ell P —5J 161
Rostherne Av. Gt Sut —7G 161
Rostherne Av. Wall —4A 86
Rostherne Clo. Warr —4H 117
Rostherne Cres. Wid —6K 113
Rosthwaite Clo. Wig —2E 50
Rosthwaite Gro. St H —4D 60
Rosthwaite Rd. Liv —1K 89
Rostron Cres. Liv —2J 29
Roswell Ct. Liv —1F 91
Rothay Dri. Penk —5B 116
Rothbury Clo. Beech —4G 153
Rothbury Clo. Wir —7A 84
Rothbury Ct. Sut M —5D 94
Rothbury Rd. Liv —1D 90
Rother Dri. Ell P —4J 161
Rotherham Clo. Liv —3J 91
Rotherwood Clo. Wir —3D 126
Rothesay Clo. Cas —7H 135
Rothesay Clo. St H —6G 61
Rothesay Ct. Wir —5F 127
Rothesay Dri. Liv —2E 52
Rothesay Dri. Wir —6A 146
Rothesay Gdns. Pren —7K 105
Rothley Av. South —5A 14
Rothsay Clo. Liv —3A 88 (1J 5)
Rothwell Clo. Orm —5B 24
Rothwell Dri. Augh —1K 33
Rothwell Dri. South —4A 14
Rothwells La. Liv —5H 41
Rothwell St. Liv —3C 88 (1N 5)
Rotten Row. South —3E 10
Rotunda St. Liv —2K 87
Roughdale Av. Liv —6D 56
Roughdale Av. Sut M —3D 94
Roughdale Clo. Liv —6D 56
Rough La. Form —1D 20
Roughlea Av. Cul —2K 79
Roughley Av. Warr —4H 117
Roughwood Dri. Liv —2D 56
Roundabout, The. Wid —2K 113
Round Hey. Liv —6E 70
Round Meade, The. Liv —2D 42
Round Thorn. Croft —7G 79
Roundway, The. Liv —6F 29
Roundwood Dri. Sher I —5D 74
Routledge St. Wid —7D 114
Rowan Av. Liv —5D 70
Rowan Clo. Gt San —2D 116
Rowan Clo. Hay —1H 75
Rowan Clo. Run —3E 152
Rowan Clo. St H —6F 61
Rowan Ct. Liv —6G 109
Rowan Ct. Wir —6K 103
Rowan Dri. Liv —2A 56
Rowan Gro. Liv —7H 91
Rowan Gro. Wir —5E 126
Rowan La. Skel —6H 27
Rowans, The. Augh —4J 33
Rowan Tree Clo. Wir —5A 104
Rowena Clo. Liv —7F 41
Rowland Clo. Fearn —4G 99
Rowley Bank La. H Legh —7K 141
Rowlinson's Green. —4E 140
Rowsley Gro. Liv —6D 54
Rowson St. Prsct —7D 72
Rowson St. Wall —5B 66
Rowswood La. H Walt —4J 137
Rowthorn Clo. Wid —1A 134
Rowton Clo. Pren —5K 105
Roxborough Clo. Btnwd —1E 96
Roxborough Wlk. Liv —5G 111
Roxburgh Av. Birk —6D 106
Roxburgh Av. Liv —5E 108
Roxburgh Rd. L Sut —5B 160
Roxburgh St. Boot & Liv —4A 68
Royal Av. Wid —7H 113
Royal Birkdale Golf Course. —7D 10
Royal Clo. Liv —2A 30
Royal Court Theatre. —5K 87 (5G 4)
Royal Cres. Liv —2A 30
Royal Cft. Liv —3K 89
Royal Gro. St H —5K 73
Royal Liver Building. —6H 87 (6C 4)
Royal Liverpool Golf Course. —3C 102
Royal Mail St. Liv —6A 88 (6H 5)
Royal Oak. —7D 34
Royal Pl. Wid —1H 133
Royal Shop. Arc., The. Nest —4J 157
Royal Standard Way. Birk —5F 107
Royal St. Liv —7A 68
Royal Ter. South —1G 11
Royal, The. Wir —2B 102
Royden Av. Run —2B 152
Royden Av. Wall —2D 86
Royden Av. Wig —2E 50
Royden Cres. Bil —7G 49
Royden Pk. —1J 123
Royden Rd. Bil —7G 49
Royden Rd. Wir —2C 104
(in two parts)
Royden St. Liv —4B 108
Royden Way. Liv —5A 108
Royleen Dri. Frod —5F 167
Roysten Gdns. St H —4F 75
Royston Av. Padd —1F 119
Royston Av. Wall —3D 86
Royston Clo. Gt Sut —1H 169
Royston St. Liv —6D 88 (6P 5)
Royton Clo. Liv —3K 131
Royton Rd. Liv —3F 53
Rozel Cres. Gt San —4F 117
Rubbing Stone. Wir —3F 123
Ruby St. Liv —5B 108
(in two parts)
Rudd Av. St H —4J 75
Ruddington Rd. South —5A 12
Rudd St. Wir —1D 102
Rudgate. Whis —5E 92
Rudgrave M. Wall —2D 86
Rudgrave Pl. Wall —2D 86
Rudgrave Sq. Wall —2D 86
Rudheath La. Run —6B 136
Rudley Wlk. Liv —7K 131
Rudloe Ct. Pad —6E 98
Rudstone Clo. L Sut —6D 160
Rudston Rd. Liv —7A 90
Rudyard Clo. Liv —4A 90
Rudyard Rd. Liv —4A 90
Ruff La. Orm & W'head —6D 24
Rufford Av. Liv —1G 43
Rufford Clo. Liv —5H 55
Rufford Clo. Prsct —2F 93
Rufford Clo. Wid —6J 113
Rufford Ct. Warr —7A 100
Rufford Dri. South —2H 9
Rufford Rd. Boot —1J 67
Rufford Rd. Liv —4E 88
Rufford Rd. Rainf —5F 47
Rufford Rd. South —4E 8
Rufford Rd. Wall —4B 86
Rufford St. Ash M —7D 50
Rufford Wlk. St H —7G 61
Rugby Dri. Liv —4G 55
Rugby Dri. Orr —3H 39
Rugby Rd. Ell P —1A 170
Rugby Rd. Liv —5D 54
Rugby Rd. Wall —2K 85
Rugby Wlk. Ell P —1B 170
Ruislip Clo. Liv —6G 111
Ruislip Ct. Pad —6F 99
Rullerton Rd. Wall —3A 86
Rumford Pl. Liv —5H 87 (5C 4)
Rumford St. Liv —5J 87 (5D 4)
Rumney Pl. Liv —6K 67
Rumney Rd. Liv —6A 68
Rumney Rd. W. Liv —6K 67
Runcorn. —6C 134
Runcorn Dock Rd. Run —7A 134
Runcorn F.C. Ground. —6D 134
Runcorn Golf Course. —4C 152
Runcorn Hill Local Nature Reserve & Vis. Cen. —2B 152
Runcorn Rd. H Walt —3J 137
Runcorn Rd. Nort & Moore —5D 136
Runcorn Spur Rd. Run —7D 134
Runcorn Swimming Pool. —6D 134
Rundle Rd. Liv —6G 109
Rundle St. Birk —7A 86
Runic St. Liv —5H 89
Runnel's La. Liv —7J 41
Runnel, The. Hals —7D 16
Runnel, The. Nest —7H 143
Runnymead Wlk. Wid —6E 114
(off William St.)
Runnymede. Liv —3H 91
Runnymede. Wool —1K 119
Runnymede Clo. Liv —4E 110
Runnymede Dri. Hay —7J 61
Runton Rd. Liv —3G 111
Rupert Dri. Liv —4C 88 (1M 5)
Rupert Rd. Liv —4G 91
Rupert Row. Cas —2J 153
Ruscar Clo. Liv —6J 111
Ruscolm Clo. Gt San —1B 116
Ruscombe Rd. Liv —2D 90
Rushden Rd. Liv —4E 56
Rushey Hey Rd. Liv —3C 56
Rushfield Cres. Brook —5K 153
Rush Gdns. Lymm —4J 121
Rushgreen. —4J 121
Rushgreen Clo. Pren —1G 105
Rushgreen Rd. Lymm —4H 121
Rushlake Dri. Liv —3H 111
Rushmere Rd. Liv —4H 69
Rushmoor Av. Ash M —1J 63
Rushmore Gro. Padd —1G 119
Rusholme Clo. Liv —3A 132
Rushton Av. Newt W —2F 77
Rushton Clo. Wid —5A 114
Rushton Pl. Liv —6E 110
Rushton's Wlk. Boot —1K 53
Rushy Vw. Newt W —2E 76
Ruskin Av. Birk —7F 107
Ruskin Av. Newt W —2G 77
Ruskin Av. Wall —4A 86
Ruskin Av. Warr —5C 98
Ruskin Av. Wig —1D 50
Ruskin Clo. Boot —3J 67
Ruskin Dri. Dent G —2K 73
Ruskin Dri. Ell P —1B 170
Ruskin St. Liv —5A 68
Ruskin Way. Liv —6H 91
Rusland Av. Wir —5D 124
Rusland Rd. Liv —5C 56
Rusling Pk. Liv —2J 129
Russeldene Rd. Wig —1C 50
Russell Av. South —1C 12
Russell Ct. Wid —4D 114
Russell Pl. Gars —3A 130
Russell Pl. Liv —6A 88 (6J 5)
Russell Rd. Birk —5F 107
(in two parts)
Russell Rd. Gars —3A 130
Russell Rd. Huy —5B 92
Russell Rd. Moss H —3H 109
Russell Rd. Run —1A 152
Russell Rd. South —1C 12
Russell Rd. Wall —2J 85
Russell St. Birk —1E 106
Russell St. Liv —5A 88 (5J 5)
Russet Clo. Liv —3J 111
Russet Clo. St H —1B 74
Russian Av. Liv —2H 89
Russian Dri. Liv —2H 89
Rutherford Clo. Liv —6G 89
Rutherford Rd. Mag —5G 43
Rutherford Rd. Moss H —2J 109
Rutherford Rd. Wind —7J 59
Rutherglen Av. Liv —3F 53
Ruth Evans Ct. Rain —3G 93
Ruthin Clo. Call —4J 97
Ruthin Ct. Ell P —1B 170
Ruthin Wlk. Hel —3G 173
Ruthven Rd. Lith —6G 53
Ruthven Rd. Old S —6K 89
Rutland Av. Halew —1K 131
Rutland Av. Seft P —2F 109
Rutland Av. W'ton —1B 138
Rutland Clo. Liv —2B 88
Rutland Cres. Orm —3B 24
Rutland Dri. Ash M —1G 63
Rutland Ho. Liv —3F 109
Rutland Rd. South —3K 11
Rutland St. Boot —2K 67
Rutland St. Run —6B 134
Rutland St. St H —1B 74
Rutland Way. Liv —4B 92
Rutter Av. Warr —5K 97
Rutter St. Liv —3A 108
Ryburn Rd. Orm —7B 24
Rycot Rd. Liv —5F 131
Rycroft Rd. Liv —6G 55
Rycroft Rd. Meol —7G 83
Rycroft Rd. Wall —4C 86
Rydal Av. Cros —3F 53
Rydal Av. Form —7H 19
Rydal Av. Orr —4H 39
Rydal Av. Pren —3G 105
Rydal Av. Prsct —1F 93
Rydal Av. Warr —6A 118
Rydal Bank. Wall —3C 86
Rydal Bank. Wir —2G 127
Rydal Clo. Ain —3H 55
Rydal Clo. Ash M —1G 63
Rydal Clo. Ell P —2A 170
Rydal Clo. Hes —5E 124
Rydal Clo. Kirkby —1B 56
Rydal Clo. L Nes —5K 157
Rydal Gro. Hel —3H 173
Rydal Gro. Run —2D 152
Rydal Gro. St H —6C 60
Rydal Rd. Liv —6J 91
Rydal St. Liv —1C 88
Rydal St. Newt W —3G 77
Rydal Wlk. Wig —4K 39
Rydal Way. Wid —7J 113

Sambourn Fold—Sefton Dri.

Sambourn Fold. South —5A 14
Samphire Gdns. St H —7K 75
Samuel St. St H —7K 73
Samuel St. Warr —4J 117
Samwoods Ho. Ash M —7E 50
Sanbec Gdns. Wid —3K 113
Sandalwood. Run —1A 154
Sandalwood Clo. Liv —2D 88
Sandalwood Clo. Warr —5D 98
Sandalwood Dri. Pren —4H 105
Sandalwood Gdns. St H —7E 74
Sandbeck St. Liv —5B 108
Sandbourne. Wir —7E 84
Sandbrook Ct. Wir —7C 84
Sandbrook Gdns. Orr —6F 39
Sandbrook La. Wir —7C 84
Sandbrook Rd. Liv —7E 90
Sandbrook Rd. Orr —6E 38
Sandbrook Rd. South —6D 14
(in two parts)
Sandbrook Way. South —6C 14
Sandcliffe Rd. Wall —6J 65
Sandeman Rd. Liv —6F 69
Sanderling Rd. Liv —2E 56
Sanderling Rd. Newt W —2G 77
Sanders Hey Clo. Brook —5J 153
Sanderson Clo. Gt San —2B 116
Sandfield. Liv —5H 91
Sandfield Av. Wir —6F 83
Sandfield Clo. Liv —2A 90
Sandfield Clo. Wir —3D 126
Sandfield Cotts. Augh —1B 34
Sandfield Ct. Frod —3D 166
Sandfield Cres. St H —3B 74
Sandfield Golf Course. —7A 172
Sandfield Park. —2K 89
Sandfield Pk. Wir —2B 142
Sandfield Pk. E. Liv —1A 90
Sandfield Pl. Boot —2H 67
Sandfield Rd. Beb —3D 126
Sandfield Rd. Boot —3K 67
Sandfield Rd. Ecc —1G 73
Sandfield Rd. Liv —4F 111
Sandfield Rd. Upt —7F 105
Sandfield Rd. Wall —7B 66
Sandfields. Frod —3D 166
Sandfield Ter. Wall —7B 66
Sandfield Wlk. Liv —3K 89
Sandford Dri. Liv —2F 43
Sandford Rd. Orr —6E 38
Sandford St. Birk —1E 106
Sandforth Clo. Liv —1J 89
Sandforth Ct. Liv —2J 89
Sandforth Rd. Liv —1J 89
Sandgate Clo. Liv —5F 131
Sandham Gro. Wir —2G 143
Sandham Rd. Liv —5A 132
Sandhead St. Liv —7F 89
Sandhey Rd. Wir —7E 82
Sandheys. Park —2G 157
Sandheys Av. Liv —4C 52
Sandheys Clo. Liv —7A 68
Sandheys Dri. South —6B 8
Sandheys Gro. Liv —3C 52
Sandheys Rd. Wall —7B 66
Sandheys Ter. Liv —4C 52
Sandhills. Liv —6F 29
Sandhills Bus. Pk. Liv —7J 67
Sandhills La. Liv —7H 67
Sandhills, The. Wir —4C 84
Sandhills Vw. Wall —2H 85
Sandhill Ter. Warr —5E 118
Sandhurst. Liv —1C 52
Sandhurst Clo. Form —2G 29
Sandhurst Clo. S'frth —6F 53
Sandhurst Dri. Liv —3F 55
Sandhurst Rd. Liv —3A 132
Sandhurst Rd. Rain —2G 93
Sandhurst St. Liv —5C 108
Sandhurst St. Warr —5F 119
Sandhurst Way. Liv —6D 32
Sandicroft Clo. Bchwd —2J 99
Sandicroft Rd. Liv —4D 70
Sandilands Gro. Liv —6F 29
Sandino St. Liv —2A 108
Sandiway. Brom —4J 145
Sandiway. Huy —6K 91
Sandiway. Meol —6F 83
Sandiway. Whis —5D 92
Sandiway Av. Wid —7G 113
Sandiway Ct. South —7A 8
Sandiways. Mag —3G 43
Sandiways Av. Boot —3C 54
Sandiways Rd. Wall —1J 85
Sandlea Pk. Wir —6C 102
Sandlewood Gro. Liv —1D 56
Sandon Clo. Rain —3H 93
Sandon Cres. Nest —6J 157
Sandon Gro. Rainf —6G 47
Sandon Ind. Est. Liv —1H 87
Sandon Pl. Wid —7F 115
Sandon Promenade. Wall —3D 86
(in two parts)
Sandon Rd. South —7F 11
Sandon Rd. Wall —3D 86
Sandon St. St H —6K 73
Sandon St. Tox —7B 88 (9L 5)
Sandon St. Wat —4D 52
Sandon Way. Liv —1H 87
Sandown Clo. Cul —2B 80
Sandown Clo. Run —4D 152
Sandown Ct. Liv —7H 89
Sandown Ct. South —7J 7
Sandown La. Liv —7H 89
Sandown Park. —6H 89
Sandown Pk. Rd. Liv —2G 55
Sandown Rd. S'frth —6F 53
Sandown Rd. W'tree —6H 89
Sandpiper Clo. Newt W —2G 77
Sandpiper Clo. Wir —2B 104
Sandpiper Gro. Liv —7J 111
Sandpiper Rd. Wig —7K 39
Sandpipers Ct. Wir —1C 102
Sandra Dri. Newt W —3H 77
Sandridge Rd. Wall —7B 66
Sandridge Rd. Wir —4D 124
Sandringham Av. Hel —1H 173
Sandringham Av. Liv —5E 52
Sandringham Av. Wir —7E 82
Sandringham Clo. Hoy —7E 82
Sandringham Clo. Liv —7C 44
Sandringham Clo. New F —2G 127
Sandringham Ct. South —7J 7
Sandringham Dri. Gt San —4G 117
Sandringham Dri. Liv —4D 108
Sandringham Dri. St H —1E 94
Sandringham Dri. Wall —6A 66
Sandringham Gdns. Ell P —2B 170
Sandringham Rd. Ains —4C 14
Sandringham Rd. Form —2J 29
Sandringham Rd. Liv —4E 42
Sandringham Rd. South & Bkdle —5E 10
Sandringham Rd. Tue —1F 89
Sandringham Rd. Wat —5E 52
Sandringham Rd. Wid —4B 114
Sandrock Rd. Wall —7B 66
Sands Rd. Liv —4H 109
Sandstone. Wall —2C 86
Sandstone Clo. Rain —6J 93
Sandstone Dri. Whis —2G 93
Sandstone Dri. Wir —6G 103
Sandstone Rd. Wig —2B 50
Sandstone Rd. E. Liv —3H 89
Sandstone Rd. W. Liv —3H 89
Sandstone Wlk. Wir —3E 142
Sandwash Clo. Rainf —1H 59
Sandway Cres. Liv —4J 69
Sandwith Clo. Wig —2F 51
Sandy Brow. Croft —6G 79
Sandy Brow La. Croft —4E 78
Sandy Brow La. Liv —6J 57
Sandy Grn. Liv —7E 54
Sandy Gro. Liv —1H 89
Sandy Knowle. Liv —7J 89
Sandy La. Augh —5K 33
Sandy La. Crank & St H —4A 60
Sandy La. Cron —3K 113
Sandy La. Golb —5K 63
Sandy La. Hel —2H 173
Sandy La. Hes —1E 142
Sandy La. High —7A 30
Sandy La. Irby —2A 124
Sandy La. Lath —3G 25
Sandy La. L Nes —4A 158
Sandy La. Lyd —5D 32
Sandy La. Lymm —3K 121
Sandy La. Mell —7J 43
Sandy La. Newb —1F 27
Sandy La. Old S —1H 89
Sandy La. Orr —7F 39
Sandy La. Penk —4E 116
Sandy La. Pres B —4C 154
Sandy La. Skel —2D 36
Sandy La. Stock H —1D 138
Sandy La. Wall —1J 85
Sandy La. Walt —7D 54
Sandy La. Warr —4B 98
Sandy La. W Kir —1D 122
Sandy La. West P —3K 151
Sandy La. Wid —2J 115
Sandy La. Cen. Uph —2D 36
Sandy La. N. Wir —2A 124
Sandy La. W. Warr —4A 98
Sandymoor La. Run —6B 136
Sandy Moor La. Run —7B 136
Sandymount Dri. Wall —7A 66
Sandymount Dri. Wir —5F 127
Sandy Rd. Liv —5F 53
Sandyville Gro. Liv —6G 69
Sandyville Rd. Liv —6F 69
Sandy Way. Pren —3A 106
Sanfield Clo. Orm —4C 24
Sangness Dri. South —5A 12
Sankey Bri. Ind. Est. Gt San —4G 117
Sankey Bridges. —4H 117
Sankey Grn. Warr —3J 117
Sankey Mnr. Gt San —2D 116
Sankey Rd. Hay —1H 75
Sankey Rd. Liv —5F 43
Sankey St. Liv —7A 88 (9H 5)
Sankey St. Newt W —3E 76
Sankey St. St H —4F 75
Sankey St. Warr —3A 118
(in two parts)
Sankey St. Wid —3C 134
Sankey Valley Country Pk. —5F 77
Sankey Valley Ind. Est. Newt W —4E 76
Sankey Valley Pk. Newt W —4E 76
Sankey Way. Gt San —3E 116
Sankey Way. Warr —3K 117
Sanky La. Hat —1K 155
Santon Av. Liv —2G 89
Sanvino Av. South —4D 14
Sapphire Dri. Liv —7C 44
Sapphire St. Liv —6H 89
Sarah's Cft. Boot —2A 54
Sark Rd. Liv —3H 89
Sartfield Clo. Liv —7C 90
Sarum Rd. Liv —1E 110
Satinwood Cres. Liv —2J 55
Satinwood Rd. Ash M —2D 62
Saughall Massie. —2A 104
Saughall Massie La. Wir —3C 104
Saughall Massie Rd. Upt —2A 104
Saughall Massie Rd. W Kir —5F 103
Saughall Rd. Wir —1A 104
Saunby St. Liv —5A 130
Saunders Av. Prsct —3D 92
Saundersfoot Clo. Call —5J 97
Saunders St. South —6H 7
Saunders Vw. Ell P —4F 161
Saunderton Clo. Hay —6A 62
Saville Av. Warr —1K 117
Saville Rd. Liv —1E 42
Saville Rd. Old S —5K 89
Savon Hook. Liv —2A 30
Savoy Ct. Liv —5D 52
Savoylands Clo. Liv —6E 108
Sawdon Av. South —4A 12
Sawley Clo. Cul —4C 80
Sawley Clo. Murd —3C 154
Sawpit La. Huy —5K 91
Saxby Rd. Liv —2E 90
Saxenholme. South —3F 11
Saxon Clo. Liv —2D 88
Saxon Ct. St H —1A 74
Saxonia Rd. Liv —4C 68
Saxon Rd. Hoy —7E 82
Saxon Rd. Liv —2D 52
Saxon Rd. More —6D 84
Saxon Rd. Run —7E 134
Saxon Rd. South —3F 11
Saxon Ter. Wid —7D 114
Saxon Way. Gt Sut —4H 169
Saxon Way. Liv —6C 44
Saxony Rd. Liv —5C 88 (5N 5)
Saxthorpe Clo. Wig —1B 50
Sayce St. Wid —7D 114
Scafell Av. Warr —4C 98
Scafell Clo. Liv —5A 112
Scafell Clo. Wir —7K 145
Scafell Dri. Wig —5K 39
Scafell Lawn. Liv —5A 112
Scafell Rd. St H —5C 60
Scafell Wlk. Liv —4A 112
Scaffold La. Liv —4B 30
Scape La. Liv —7E 40
Scargreen Av. Liv —3H 69
Scarisbrick. —2F 17
Scarisbrick Av. Liv —6H 53
Scarisbrick Av. South —1G 11
Scarisbrick Clo. Liv —1G 43
Scarisbrick Ct. South —2J 11
Scarisbrick Cres. Liv —3F 69
Scarisbrick Dri. Liv —3F 69
Scarisbrick New Rd. South —2J 11
Scarisbrick Pk. Scar —3J 17
Scarisbrick Pl. Liv —4F 69
Scarisbrick Rd. Liv —3F 69
Scarisbrick Rd. Rainf —5F 47
Scarisbrick St. Orm —4C 24
Scarisbrick St. South —1H 11
Scarsdale Rd. Liv —5H 69
Scarth Hill. —1F 35
Scarth Hill La. Augh & Lath —2C 34
Scarth Hill La. W'head —1F 35
Scarth Pk. Skel —4J 37
Sceptre Clo. Newt W —3E 76
Sceptre Rd. Liv —2A 70
Sceptre Tower. Liv —3A 70
Sceptre Wlk. Liv —3A 70
Scholars Ct. Nest —3J 157
(off Cross St.)
Scholars Grn. La. Lymm —6H 121
Scholar St. Liv —1E 108
Scholes La. St H —7G 73
Scholes Pk. St H —7H 73
Schomberg St. Liv —4C 88 (2N 5)
School Av. L Nes —5K 157
School Av. Liv —7K 19
School Brow. Bil —7G 49
School Brow. Warr —3C 118
School Clo. Augh —2K 33
School Clo. Liv —1G 111
School Clo. South —6H 11
School Clo. Wir —5D 84
School Dri. Bil —7G 49
Schoolfield Clo. Wir —6F 105
Schoolfield Rd. Wir —6F 105
School Hill. Wir —3D 142
School Ho. Grn. Orm —5D 24
School La. Ain —3F 55
School La. Ash M —2A 62
School La. Chap H —1D 36
School La. Chil T —2B 160
School La. Down —7B 22
School La. Elton —1A 172
School La. Form —7K 19
School La. Frod —4E 166
School La. Halt —2H 153
School La. High B —3D 126
School La. Hoy —1D 102
(in two parts)
School La. Huy —5A 92
School La. Know & Know B —7E 56
School La. Lith —5H 53
School La. L Nes —5K 157
School La. Liv —6K 87 (7F 4)
School La. Mag —2J 43
School La. Mell —7J 43
School La. Meol —6F 83
School La. Nest —1B 158
School La. New F —2H 127
School La. Park —2F 157
School La. Pren —6G 85
School La. Rain —6A 94
(in two parts)
School La. Risl —2E 100
School La. Rix —5J 101
School La. Roby M —1D 38
School La. S'frth —6G 53
School La. Skel —4A 38
School La. Thur —3K 123
School La. Uph —4E 38
School La. Wall —3J 85
(in two parts)
School La. W'head —1H 35
School La. Wid —1G 115
School La. Wltn —2E 130
School Pl. Birk —1D 106
School Rd. Ell P —6K 161
School Rd. Liv —7K 29
School Rd. Warr —6C 98
School St. Ash M —7H 51
School St. Hay —7H 61
School St. Newt W —3F 77
School St. Warr —4B 118
School Way. Liv —6F 131
School Way. Wid —5F 115
Schooner Clo. Murd —4B 154
Schubert Clo. Gt Sut —7H 161
Schwartzman Dri. South —1J 9
Science Rd. Liv —5G 131
Scilly Clo. Ell P —3A 170
Scone Clo. Liv —3A 70
Scorecross. St H —6D 74
Score La. Liv —6A 90
Scoresby Rd. Wir —4G 85
Score, The. St H —1C 94
(in two parts)
Scorpio Clo. Liv —2E 90
Scorton St. Liv —2E 88
Scotchbarn La. Prsct —1E 92
Scotchbarn Pool. —1E 92
Scoter Rd. Liv —3D 56
Scotia Av. Wir —2J 127
Scotia Rd. Liv —3J 89
Scotland Rd. Liv —4K 87 (3G 4)
Scotland Rd. Warr —3B 118
Scots Pl. Birk —1K 105
Scott Av. Liv —6A 92
Scott Av. Sut M —4C 94
Scott Av. Whis —4F 93
Scott Av. Wid —1B 134
Scott Clo. Kirk —7B 68
Scott Clo. Mag —3F 43
Scott Dri. Orm —3D 24
Scotton Av. L Sut —6D 160
Scotts Quays. Birk —6E 86
Scott St. Boot —1H 67
Scott St. South —1C 12
Scott St. Wall —2B 86
Scott St. Warr —2B 118
Scott Wlk. Newt W —5G 77
Scretton Grn. Distributor Pk. App —5K 139
Scythes, The. Boot —1D 54
Scythes, The. Wir —4A 104
Scythia Clo. Wir —1J 127
Seabank Av. Wall —2C 86
Seabank Cotts. Wir —5H 83
Seabank Rd. South —7H 7
Seabank Rd. Wall —6B 66
Seabank Rd. Wir —4C 142
Sea Brow. Liv —6J 87 (7D 4)
Seabury St. Warr —5G 119
Seacombe Dri. Gt Sut —1G 169
Seacombe Promenade. Wall —3E 86
Seacombe Tower. Liv —1A 88
Seacombe Vw. Wall —5E 86
Sea Ct. Flats. Wall —7K 65
Seacroft Clo. Liv —1E 90
Seacroft Cres. South —2D 8
Seacroft Rd. Liv —1E 90
Seafield. Liv —1A 30
Seafield Av. Liv —2E 52
Seafield Av. Wir —4C 142
Seafield Dri. Wall —7K 65
Seafield Rd. Boot —2H 67
Seafield Rd. Liv —1B 68
Seafield Rd. South —3C 14
Seafield Rd. Wir —1H 127
Seaford Clo. Wind H —1B 154
Seaford Pl. Warr —3A 98
Seafore Clo. Liv —7D 32
Seaforth. —6E 52
Seaforth Dri. Wir —1C 104
Seaforth Nature Reserve. —6D 52
Seaforth Rd. Liv —1G 67
Seaforth Va. N. Liv —6G 53
Seaforth Va. W. Liv —7G 53
Seagram Clo. Liv —5E 54
Sealand Av. Liv —1H 29
Sealand Clo. Fearn —7E 98
Sealand Clo. Liv —1H 29
Sea La. Run —7F 135
Sealy Clo. Wir —1G 145
Seaman Rd. Liv —1G 109
Seaport Rd. Liv —2C 108
Sea Rd. Wall —6K 65
Seascale Av. St H —6H 73
Seath Av. St H —2G 75
Seathwaite Clo. Beech —5G 153
Seathwaite Clo. Liv —2B 52
Seathwaite Cres. Liv —1B 56
Seatoller Pl. Wig —4K 39
Seaton Clo. Liv —3E 70
Seaton Gro. St H —1K 93
Seaton Pk. Run —6C 136
Seaton Pl. Uph —7E 26
Seaton Rd. Birk —4C 106
Seaton Rd. Wall —1A 86
Seaton Way. South —2C 8
Sea Vw. L Nes —7J 157
Sea Vw. Wir —1D 102
Seaview Av. East —4D 146
Seaview Av. Irby —3B 124
Seaview Av. Wall —2A 86
Seaview La. Wir —3B 124
Sea Vw. Rd. Boot —2G 67
Seaview Rd. Wall —1A 86
Seaview Ter. Liv —4C 52
Seawood Gro. Wir —1B 104
Secker Av. Warr —6D 118
Secker Cres. Warr —6D 118
Second Av. Cros —1D 52
Second Av. Faz —7G 55
Second Av. Liv —6E 54
Second Av. Pren —2F 105
Second Av. Rain —3H 93
Second Av. Run —2H 153
Sedbergh Av. Liv —2E 54
Sedbergh Gro. Beech —5G 153
Sedbergh Rd. Wall —2K 85
Sedburgh Gro. Liv —4F 91
Sedburn Rd. Liv —6E 56
Seddon Clo. Ecc —3F 73
Seddon Pl. Skel —7E 26
Seddon Rd. Liv —3K 129
Seddon Rd. St H —5H 73
Seddons Ct. Ecc L —7D 72
Seddon St. Liv —7K 87 (8F 4)
Seddon St. St H —6B 60
Sedgefield Clo. Wir —7E 84
Sedgefield Rd. Wir —7E 84
Sedgeley Wlk. Liv —2K 91
Sedgemoor Rd. Liv —3G 69
Sedgewick Cres. Btnwd —1C 96
Sedley St. Liv —1D 88
Sedum Gro. Liv —7B 44
Seeds La. Liv —5E 54
Seeley Av. Birk —1A 106
Seel Rd. Liv —5K 91
Seel St. Liv —6K 87 (7F 4)
Sefton. —5B 42
Sefton Av. Liv —6H 53
Sefton Av. Orr —6F 39
Sefton Av. Wid —5C 114
Sefton Bus. Pk. Boot —5C 54
Sefton Clo. Liv —2K 55
(in three parts)
Sefton Clo. Orr —6F 39
Sefton Cricket Club Ground. —3F 109
Sefton Dri. Ain —3F 55
Sefton Dri. Kirkby —2A 56
Sefton Dri. Mag —4D 42
Sefton Dri. Seft P —3D 108

Square, The—Sturdee Rd.

Square, The. Inc —6A 164
Square, The. Lymm —5G 121
Square, The. Park —2F 157
Squires Av. Wid —7B 114
Squires Clo. Hay —7K 61
Squires St. Liv —7C 88 (7N 5)
Squirrel Grn. Liv —5G 19
Stable Clo. Wir —4B 104
Stables, The. Liv —7G 41
Stackfield, The. Wir —5H 103
Stadium Rd. Wir —6A 128
Stadtmoers Pk. —5B 92
Stadtmoers Vis. Cen. —5C 92
Stafford Clo. Liv —3A 92
Stafford Gdns. Ell P —6K 161
Stafford Moreton Way. Liv —3E 42
Stafford Rd. St H —5K 73
Stafford Rd. South —7G 11
Stafford Rd. Warr —6C 118
Stafford St. Liv —5A 88 (4J 5)
Stafford St. Skel —1D 36
Stage La. Lymm —4K 121
Stag La. Boot —3D 54
Stainburn Av. Liv —3G 69
Stainer Clo. Liv —2D 90
Stainer Clo. Newt W —1F 77
Staines Clo. App —4E 138
Stainmore Clo. Bchwd —1D 100
Stainton Clo. Liv —1J 131
Stainton Clo. St H —5D 60
Stairhaven Rd. Liv —7K 109
Stakes, The. Wir —4C 84
Stalbridge Av. Liv —3H 109
Staley Av. Liv —2F 53
Staley St. Boot —7J 53
Stalisfield Av. Liv —4J 69
Stalisfield Gro. Liv —4J 69
Stalisfield Pl. Liv —4J 69
Stalmine Rd. Liv —2C 68
Stamford Ct. Boot —3K 67
Stamford Ct. Lymm —5G 121
Stamfordham Dri. Liv —1A 130
Stamfordham Gro. Liv —2B 130
Stamfordham Pl. Liv —2A 130
Stamford Rd. South —5H 11
Stamford Rd. Uph —1D 36
Stamford St. Ell P —6J 161
Stamford St. Liv —5E 88
Stanbury Av. Wir —3G 127
Standale Rd. Liv —7H 89
Standard Pl. Birk —5F 107
Standard Rd. Liv —2A 70
Standen Clo. St H —2A 74
Stand Farm Rd. Liv —3C 70
Standhouse La. Augh —1A 34
Standish Av. Bil —7G 49
Standish Ct. Wid —1K 133
Standish Dri. Rainf —5G 47
Standish St. Liv —4J 87 (4F 4)
Standish St. St H —2C 74
Stand Pk. Av. Boot —3B 54
Stand Pk. Clo. Boot —3B 54
Stand Pk. Rd. Liv —2B 110
Stand Pk. Way. Boot —2A 54
Standring Gdns. St H —6H 73
Stanedge Gro. Wig —2F 51
Stanfield Av. Liv —2B 88
Stanfield Dri. Wir —6F 127
Stanford Av. Wall —7B 66
Stanford Cres. Liv —7H 111
Stangate. Liv —2D 42
Stanhope Dri. Liv —4G 91
Stanhope Dri. Wir —1K 145
Stanhope St. Liv —2K 107
(in two parts)
Stanhope St. St H —1B 74
Stanier Way. Liv —6E 88
Staniforth Pl. Liv —6B 90
Stanlawe Rd. Liv —4J 19
Stanlaw Rd. Ell P —7A 162
Stanley. —5G 89
(nr. Liverpool)
Stanley. —7E 26
(nr. Skelmersdale)
Stanley Av. Gt San —1B 116
Stanley Av. Rainf —5E 46
Stanley Av. South —5F 11
Stanley Av. Stock H —6F 119
Stanley Av. Wall —1H 85
Stanley Av. Wir —1B 126
Stanley Bank Rd. St H —6J 61
Stanley Bungalows. Know —3G 71
Stanley Clo. Liv —7K 67
Stanley Clo. Wall —5E 86
Stanley Clo. Wid —6E 114
Stanley Ct. Birk —5F 107
Stanley Cres. Prsct —1C 92
Stanley Gdns. Liv —1B 68
Stanley Gate. —4J 35
Stanley Ho. Boot —2H 67
Stanley Ind. Est. Liv —3G 89
Stanley Ind. Est. Skel —7E 26
Stanley La. Wir —6B 146
Stanley Park. —4H 53
Stanley Pk. —6C 68
Stanley Pk. Liv —4G 53
Stanley Pk. Av. N. Liv —5D 68
(in two parts)
Stanley Pk. Av. S. Liv —6D 68
Stanley Pl. Stock H —6F 119
Stanley Precinct. Boot & Liv —3K 67
Stanley Rd. Birk —6K 85
Stanley Rd. Boot & Kirk —7J 53
Stanley Rd. Ell P —4A 162
Stanley Rd. Form —4J 19
Stanley Rd. Hoy —3A 102
Stanley Rd. Huy —4J 91
Stanley Rd. Mag —6E 42
Stanley Rd. New F —1G 127
Stanley Rd. Uph —4C 38
Stanley Rd. Wat —5E 52
Stanley St. Fair —4F 89
Stanley St. Gars —5A 130
Stanley St. Liv —5J 87 (5E 4)
Stanley St. Newt W —3E 76
Stanley St. Orm —5D 24
Stanley St. Run —6D 134
Stanley St. South —1H 11
Stanley St. Wall —5E 86
Stanley St. Warr —4B 118
Stanley Ter. Liv —5J 109
Stanley Ter. Wall —7B 66
Stanley Theatre. —6B 88 (6L 5)
Stanley Vs. Run —1B 152
Stanley Way. Skel & Stan I —7E 26
Stanley Yd. Liv —3C 68
Stanlow. —6H 163
Stanlowe Vw. Liv —3H 129
Stanmore Pk. Wir —5K 103
Stanmore Rd. Liv —2K 109
Stanmore Rd. Run —7F 135
Stannanought Rd. Skel —6A 38
Stannanought Rd. Uph —7K 27
(in two parts)
Stanner Clo. Call —5H 97
Stanney Clo. East —7A 146
Stanney Clo. Nest —4J 157
Stanney La. Ell P —7K 161
(in two parts)
Stanney Mill La. Ell P —3D 170
Stanney Mill Rd. L Stan —1D 170
Stanney Ten Ind. Est. Ell P —2D 170
Stanney Woods Av. Ell P —3A 170
Stannyfield Clo. Liv —6H 41
Stannyfield Dri. Liv —6H 41
Stansfield Av. Liv —3H 43
Stansfield Av. Warr —2F 119
Stanstead Av. Penk —5D 116
Stanton Av. Liv —4G 53
Stanton Clo. Boot —7K 41
Stanton Clo. Hay —7A 62
Stanton Clo. Nest —3J 157
Stanton Clo. Wig —1F 51
Stanton Ct. Nest —3J 157
(off Hinderton Rd.)
Stanton Cres. Liv —3A 56
Stanton Rd. Liv —3H 109
Stanton Rd. Thel —5K 119
Stanton Rd. Wir —6E 126
Stanwood Clo. Ecc —3F 73
Stanwood Gdns. Whis —4E 92
Stapehill Clo. Liv —5K 89
Stapeley Gdns. Liv —3A 132
Staplands Rd. Liv —5B 90
Stapleford Ct. Ell P —3H 161
Stapleford Rd. Liv —2G 111
Staplehurst Clo. Liv —3C 70
Stapleton Av. Liv —6H 131
Stapleton Av. Rain —3J 93
Stapleton Av. Warr —7D 98
Stapleton Av. Wir —4B 104
Stapleton Clo. Liv —1F 111
Stapleton Clo. Rain —3J 93
Stapleton Rd. Liv —3H 29
Stapleton Rd. Rain —2H 93
Stapleton Way. Wid —4H 133
Stapley Clo. Run —1B 152
Starbeck Dri. L Sut —5D 160
Star Inn Cotts. Rainf —7G 47
Starkey Gro. Warr —4F 119
Star La. Lymm —4E 120
Starling Clo. Murd —3B 154
Starling Gro. Liv —5D 70
Star St. Liv —2A 108
Startham Av. Bil —2F 61
Starworth Dri. Wir —2J 127
Statham. —4F 121
Statham Av. Lymm —5E 120
Statham Av. Warr —5C 98
Statham Clo. Lymm —5F 121
Statham Dri. Lymm —5F 121
Statham La. Golb —1C 120
Statham La. Lymm —3D 120
Statham Rd. Pren —7G 85
Statham Rd. Uph —7D 26
Statham Way. Orm —6C 24
Station App. Meol —7G 83
Station App. Orm —5D 24
Station App. Wir —5C 84
Station Av. Hel —7H 165
Station Av. L Sut —4E 160
Station Av. Orr —6F 39
Station Clo. Liv —2G 131
Station Clo. Nest —4K 157
Station Grn. L Sut —4E 160
Station M. Ash M —2B 62
Station M. Liv —2A 56
Station Rd. Ains —4C 14
Station Rd. Ash M —2A 62
Station Rd. Banks —2G 9
Station Rd. Bar —3K 21
Station Rd. Birk —6K 85
Station Rd. Ell P —5A 162
(in two parts)
Station Rd. Gt San —3D 116
Station Rd. Hay —7A 62
Station Rd. Hes —4D 142
Station Rd. Hoy —2D 102
Station Rd. Huy —5G 91
Station Rd. Inc —6A 164
Station Rd. L Sut —5E 160
Station Rd. Lyd —5C 32
Station Rd. Mag —4G 43
Station Rd. Mell —2J 55
Station Rd. Nest —4J 157
(in two parts)
Station Rd. Orm —4D 24
Station Rd. Parb —1J 27
Station Rd. Park —3G 157
Station Rd. Penk —5B 116
Station Rd. Prsct —1D 92
Station Rd. Rain —4J 93
Station Rd. Run —7B 134
Station Rd. St H —7G 75
Station Rd. Sut W —6K 153
Station Rd. Thur —5J 123
Station Rd. Wall —3A 86
Station Rd. Warr —6E 118
Station Rd. Wid —4E 114
Station Rd. Wir —4H 125
Station Rd. Wltn —3E 110
Station Rd. Ind. Est. Latch —6F 119
Station Rd. N. Fearn —5G 99
Station Rd. S. Pad —6G 99
Station St. Rain —4J 93
Statton Rd. Liv —6K 89
Staveley Rd. Liv —1K 129
Staveley Rd. South —5D 14
Staveley Rd. Uph —7E 26
Stavert Clo. Liv —3K 69
Staverton Pk. Liv —4A 56
Stavordale Rd. Wir —6E 84
Steble St. Liv —3B 108
Steel Av. Wall —1C 86
Steel Ct. Liv —1J 87
Steel St. Warr —1D 118
Steeplechase Clo. Liv —5E 54
Steeple Ct. Nest —4J 157
Steeple, The. Wir —3F 123
Steeple Vw. Liv —7C 44
Steers Cft. Liv —6D 70
Steers St. Liv —3B 88 (1L 5)
Steinberg Ct. Liv —3J 87 (1D 4)
Stella Precinct. Liv —7G 53
Stenhills Cres. Run —7E 134
Stepford St. Liv —4B 108
Stephens Gdns. L Sut —5D 160
Stephen's Gro. Hel —2H 173
Stephens La. Liv —5J 87 (5D 4)
Stephenson Ct. Liv —6E 88
(off Crosfield Rd.)
Stephenson Ho. Liv —7C 88 (8N 5)
Stephenson Rd. Liv —5J 89
Stephenson Rd. Newt W —4G 77
Stephenson Way. Form —7B 20
Stephenson Way. W'tree —6G 89
Stephens Ter. L Sut —5D 160
Stephen St. Warr —2D 118
Stephen Way. Rain —2H 93
Step Ho. La. Golb —7G 79
Stepney Gro. Liv —5C 68
Sterling Way. Liv —1K 87
Sterndale Clo. Liv —7D 88
Sterrix Av. Boot —3J 53
Sterrix Grn. Liv —3J 53
Sterrix La. Liv & Boot —3J 53
Stetchworth Rd. W'ton —7B 118
Steve Biko Clo. Liv —1D 108
Stevenage Clo. St H —7B 74
Stevenson Cres. St H —2K 73
Stevenson Dri. Wir —6F 127
Stevenson St. Liv —7G 89
Stevens Rd. Wir —3G 143
Stevens St. St H —6K 73
Steventon. Run —6B 136
Steward Ct. Prsct —2F 93
Stewards Av. Wid —1B 134
Stewart Av. Boot —2A 68
Stewart Clo. Wir —6D 124
Stewart Rd. Wig —1E 50
Stewerton Clo. Golb —3K 63
Stile Hey. Liv —7H 41
Stiles Rd. Liv —6D 44
Stiles, The. Orm —5C 24
Stillington Rd. Liv —4C 108
Stiperstones Clo. L Sut —5B 160
Stirling Av. Liv —2E 52
Stirling Clo. Wool —1A 120
Stirling Ct. Ell P —1B 170
Stirling Ct. South —5C 8
Stirling Cres. St H —1E 94
Stirling Dri. Ash M —1B 62
Stirling Rd. Liv —6F 131
Stirling St. Wall —5B 86
Stirrup Clo. Fearn —4G 99
Stoak. —5E 170
Stockbridge La. Liv —2F 91
Stockbridge Pl. Liv —1C 88
Stockbridge St. Liv —2C 88
Stockbridge Village. —6E 70
Stockdale Clo. Liv —4J 87 (3E 4)
Stockham Clo. Halt —2J 153
Stockham La. Brook —5A 154
Stockham La. Halt —2J 153
(in three parts)
Stockley Cres. Bic —5J 35
Stockmoor Rd. Liv —3H 69
Stockpit Rd. Know I —3G 57
Stockport Rd. Grapp & Thel —6J 119
Stocks Av. St H —3G 75
Stocks La. Gt San & Penk —2B 116
Stockswell Rd. Cron & Wid —4F 113
Stockton Gro. St H —1K 93
Stockton Heath. —7C 118
Stockton La. Grapp —7E 118
Stockton Wood Rd. Liv —6G 131
Stockville Rd. Liv —4C 110
Stockwell Clo. Wig —1B 50
Stoddart Rd. Liv —4C 68
Stoke Clo. Wir —7A 146
Stoke Gdns. Ell P —7A 162
Stokesay. Pren —2H 105
Stokesay Ct. Ell P —1C 170
Stokesley Av. Liv —3A 56
Stoke St. Birk —7B 86
Stoke Wlk. Ell P —7A 162
Stoneacre Gdns. App —5E 138
Stonebank Dri. L Nes —5A 158
Stonebarn Dri. Liv —1E 42
Stone Barn La. Pal —4H 153
Stonebridge La. Walt & Crox —7J 55
Stoneby Dri. Wall —7A 66
Stonechat Clo. Beech —5H 153
Stonechat Clo. Liv —4J 111
Stonechat Wlk. Newt W —3G 77
Stonecrop. Liv —3C 110
Stonecrop Clo. Beech —5H 153
Stonecrop Clo. Bchwd —3J 99
Stonecross Dri. Rain —6K 93
Stone Cross La. Lwtn —1C 78
Stonedale Cres. Liv —2J 69
Stonefield Rd. Liv —3D 90
Stonegate Dri. Liv —4B 108
Stonehaven. Wig —2B 50
Stonehaven Clo. Liv —7D 90
Stonehaven Dri. Fearn —4G 99
Stone Hey. Whis —6D 92
Stonehey Dri. Wir —1E 122
Stonehey Rd. Liv —5C 56
Stone Hey Wlk. Liv —5C 56
Stonehill Av. Liv —1D 88
Stonehill Av. Wir —3G 127
Stonehill Clo. App —5D 138
Stonehills La. Run —7E 134
Stonehill St. Liv —1D 88
Stonehouse M. Aller —5B 110
Stonehouse Rd. Wall —2J 85
Stonelea. Wind H —1K 153
Stoneleigh Clo. South —5C 14
Stoneleigh Gdns. Grapp —7K 119
Stoneleigh Gro. Birk —1F 127
Stone Pit La. Croft —4E 78
Stoneridge Ct. Pren —7G 85
Stone Sq. Boot —1A 68
Stone St. Liv —3H 87 (1C 4)
Stone St. Prsct —1D 92
Stonethwaite Clo. Wig —2E 50
Stoneville Rd. Liv —3J 89
Stoney Brow. Roby M —1D 38
(in two parts)
Stoneycroft. —3J 89
Stoneycroft Clo. Liv —2J 89
Stoneycroft Cres. Liv —2J 89
Stoney Hey Rd. Wall —7A 66
Stoneyhurst Av. Liv —2E 54
Stoney La. Rain —4G 93
Stoney La. Whis —3F 93
Stoney Vw. Rain —4H 93
Stonham Clo. Wir —3C 104
Stonyfield. Boot —7A 42
Stony Holt. Run —2A 154
Stonyhurst Clo. St H —6D 60
Stonyhurst Cres. Cul —1K 79
Stonyhurst Rd. Liv —7F 111
Stopgate La. Sim —6E 44
Stopgate La. Walt —2F 69
Store St. Liv —5K 67
Storeton Brickfields. —4J 125
Storeton Clo. Pren —5A 106
Storeton La. Wir —6G 125
Storeton Rd. Birk —7C 106
Storeton Rd. Pren —5B 106
Stormont Rd. Liv —2K 129
Storrington Av. Liv —3J 69
Storrington Heys. Liv —3K 69
(in three parts)
Storrsdale Rd. Liv —5K 109
Stour Av. Rain —4J 93
Stourcliffe Rd. Wall —3A 86
Stour Ct. Ell P —4K 161
Stourport Clo. Wir —4A 104
Stourton Rd. Liv —5C 56
Stourton Rd. South —5C 14
Stourton St. Wall —5C 86
Stourvale Rd. Liv —1K 131
Stowe Av. Liv —3G 55
Stowe Clo. Liv —2E 130
Stowell St. Liv —7B 88 (8K 5)
Stowford Clo. Liv —4A 70
Strada Way. Liv —4B 88 (3K 5)
Stradbroke Rd. Liv —2J 109
Strafford Dri. Boot —2A 68
Straight Length. Frod —3K 165
Straight Up La. South —7E 8
Straker Av. Ell P —5H 161
Strand Av. Ash M —1F 63
Strand Rd. Boot —3G 67
(in two parts)
Strand Rd. Wir —1D 102
Strand Shop. Cen. Boot —2J 67
Strand St. Liv —6J 87 (7D 4)
Strand, The. Ash M —1F 63
Strand, The. Liv —6H 87 (6D 4)
Strange Rd. Ash M —2B 62
Stratford Clo. South —3A 14
Stratford Rd. Liv —1H 129
Stratford Rd. Nest —5J 157
Strathallan Clo. Wir —7C 124
Strathcona Rd. Liv —1G 109
Strathcona Rd. Wall —1B 86
Strathearn Rd. Wir —4D 142
Strathlorne Clo. Birk —5F 107
Strathmore Av. Ash M —7E 50
Strathmore Dri. Liv —2E 52
Strathmore Gro. St H —1E 94
Strathmore Rd. Liv —3E 88
Stratton Clo. Brook —4K 153
Stratton Clo. Liv —5C 110
Stratton Clo. Wall —1C 86
Stratton Dri. Plat B —3K 51
Stratton Dri. St H —1K 93
Stratton Pk. Wid —3B 114
Stratton Rd. Gt San —3F 117
Stratton Rd. Liv —4A 56
Stratton Wlk. Liv —4A 56
Strauss Clo. Liv —2D 108
Strawberry Clo. Bchwd —3J 99
Strawberry Dri. Whitby —4J 169
Strawberry Grn. Whitby —4J 169
Strawberry La. Moll —7E 168
Strawberry Rd. Liv —4G 69
Streatham Av. Liv —3H 109
Street Hey La. Will —7H 145
Stretford Clo. Liv —7C 44
Stretton. —7D 138
Stretton Av. Bil —7G 49
Stretton Av. St H —3H 75
Stretton Av. Wall —3A 86
Stretton Clo. Liv —3E 70
Stretton Clo. Pren —5J 105
Stretton Clo. Wir —7A 146
Stretton Dri. South —7B 8
Stretton Rd. App & Stre —7D 138
Stretton Way. Liv —6B 92
Strickland Clo. Grapp —2G 139
Strickland St. St H —2D 74
Stringer Cres. Warr —4E 118
Stringhey Rd. Wall —2C 86
Stroma Rd. Liv —7K 109
Stromness Clo. Fearn —4H 99
Stroud Clo. Wir —5A 104
Stuart Av. Liv —2G 131
Stuart Av. Wir —6D 84
Stuart Clo. Wir —7E 84
Stuart Cres. Bil —7F 49
Stuart Dri. Liv —4C 90
Stuart Dri. Stock H —6F 119
Stuart Gro. Liv —5K 67
Stuart Rd. Birk —5D 106
Stuart Rd. Mnr P —5A 136
Stuart Rd. Mell —2K 55
Stuart Rd. Walt —4A 68
Stuart Rd. Wat & Cros —3E 52
Stuart Rd. Wind —7J 59
Stuart Rd. N. Liv & Boot —3A 68
Stubshaw Cross. —7H 51
Studholme St. Liv —7J 67
Studland Rd. Liv —2G 69
Studley Rd. Wall —1J 85
Sturby Ct. Pad —6E 98
Sturdee Rd. Liv —6K 89

Sturgess Clo. *Orm* —3D 24
Sturgess St. *Newt W* —3D 76
Sturton Av. *Wig* —1C 50
Suburban Rd. *Liv* —1E 88
Sudbury Clo. *Liv* —6H 111
Sudbury Clo. *Wig* —2F 51
Sudbury Rd. *Liv* —3B 52
Sudell Av. *Liv* —2H 43
Sudell La. *Liv* —5F 33
Sudley Art Gallery. —6H 109
Sudley Grange. *Liv* —7G 109
Sudworth Rd. *Wall* —7A 66
Suez St. *Newt W* —3E 76
Suez St. *Warr* —3B 118
Suffield Rd. *Liv* —6K 67
Suffolk Av. *Ell P* —6J 161
Suffolk Clo. *Wool* —2A 120
Suffolk Pl. *Wid* —2J 133
Suffolk Rd. *South* —1G 15
Suffolk St. *Boot* —2K 67
Suffolk St. *Liv* —7K 87 (9G 4)
Suffolk St. *Run* —6B 134
Suffton Pk. *Liv* —4A 56
Sugar La. *Know* —3G 71
Sugar La. *Manl* —7K 173
Sugar St. *Liv* —1D 68
Sugnall St. *Liv* —7B 88 (9K 5)
(in two parts)
Sulby Av. *Liv* —2G 89
Sulby Av. *Warr* —5B 118
Sulby Clo. *South* —5F 11
Sulgrave Clo. *Liv* —6A 90
Sullington Dri. *Liv* —2J 111
Sullivan Av. *Wir* —4D 104
Sumley Clo. *St H* —1F 75
Summer Clo. *Cas* —1H 153
Summerfield. *Wir* —7K 127
Summerfield Av. *Warr* —5K 97
Summerfield Clo. *Ecc* —3F 73
Summerhill Dri. *Liv* —5H 43
Summer La. *Halt* —1H 153
Summer La. *Hat* —2J 155
Summer La. *Pres H* —4E 154
Summersales Ind. Est. *Wig* —7K 39
Summers Av. *Boot* —2A 68
Summer Seat. *Boot* —3G 67
Summer Seat. *Liv* —3K 87 (1F 4)
Summers Rd. *Brun B* —3K 107
Summer St. *Skel* —6F 27
Summertrees Av. *Wir* —4B 104
Summertrees Clo. *Wir* —4B 104
Summertrees Rd. *Gt Sut* —2G 169
Summerville Gdns. *Stock H* —7F 119
Summerwood. *Wir* —2B 124
Summerwood La. *Hals* —1E 22
Summit Clo. *Lwr S* —7K 139
Summit, The. *Wall* —2C 86
Summit Way. *Liv* —5D 110
Sumner Av. *Has* —6B 22
Sumner Clo. *Liv* —2J 87
Sumner Clo. *Rain* —6K 93
Sumner Gro. *Liv* —7D 44
Sumner Rd. *Liv* —7K 19
Sumner Rd. *Pren* —7K 85
Sumner St. *Hay* —7J 61
Sunbeam Rd. *Liv* —4J 89
Sunbeam St. *Newt W* —3G 77
Sunbourne Rd. *Liv* —6D 108
Sunbury Dri. *South* —5B 14
Sunbury Gdns. *App* —2E 138
Sunbury Rd. *Liv* —7D 68
Sunbury Rd. *Wall* —4C 86
Sunbury St. *St H* —6J 73
Suncroft Clo. *Wool* —1A 120
Suncroft Rd. *Wir* —3G 143
Sundale Av. *Prsct* —1F 93
Sundew Clo. *Liv* —6B 54
Sundridge St. *Liv* —4C 108
Sunfield Clo. *Gt Sut* —1F 169
Sunfield Rd. *Wir* —5D 84
Sunflower Clo. *St H* —7J 75
Sunlight St. *Liv* —2E 88
Sunloch Clo. *Liv* —5F 55
Sunningdale. *Wir* —7D 84
Sunningdale Av. *Wid* —7H 113
Sunningdale Clo. *Btnwd* —1D 96
Sunningdale Clo. *Liv* —6G 91
Sunningdale Dri. *Brom* —4H 145
Sunningdale Dri. *Hes* —4E 124
Sunningdale Dri. *Liv* —6C 40
Sunningdale Gdns. *Liv* —7J 19
Sunningdale Rd. *Liv* —7H 89
Sunningdale Rd. *Wall* —6K 65
Sunningdale Way. *Nest* —6J 157
Sunniside La. *Run* —5C 136
Sunny Bank. *Beb* —3D 126
Sunnybank. *Upt* —2D 104
Sunnybank Av. *Pren* —4H 105
Sunnybank Clo. *Newt W* —2G 77
Sunny Bank Rd. *Liv* —1B 110
Sunnydale. *Rain* —4K 93
Sunny Dri. *Orr* —5H 39
Sunnyfields. *Orm* —5E 24
Sunnyfields. *Wins* —2A 50
Sunny Ga. Rd. *Liv* —1J 129
Sunnymede Dri. *Liv* —1F 43
Sunny Rd. *South* —5C 8
Sunnyside. *Augh* —4A 34
Sunnyside. Ell P —5A 162
(off Church St.)
Sunnyside. *Gt San* —2C 116
Sunnyside. *Prin P* —3C 108
Sunnyside. *South* —5F 11
Sunnyside. *Wir* —5B 84
Sunnyside Ct. *South* —6J 7
Sunnyside Rd. *Ash M* —6D 50
Sunnyside Rd. *Liv* —2C 52
Sunrise Clo. *Liv* —2K 129
Sunsdale Rd. *Liv* —3J 109
Sunset Clo. *Liv* —7D 44
Surby Clo. *Liv* —7C 90
Surrey Av. *Wir* —3D 104
Surrey Clo. *South* —2E 8
Surrey Dri. *Wir* —1E 122
Surrey St. *Boot* —2K 67
Surrey St. *Liv* —7K 87 (9F 4)
Surrey St. *Run* —7C 134
(in two parts)
Surrey St. *St H* —3F 75
Surrey St. *Wall* —4A 86
Surrey St. *Warr* —5D 118
Susan Dri. *Penk* —3B 116
Susan Gro. *Wir* —7B 84
Susan St. *Wid* —6E 114
Susan Wlk. *Prsct* —2F 93
Sussex Clo. *Boot* —2K 67
Sussex Clo. *Wir* —5C 124
Sussex Gro. *St H* —4E 74
Sussex Rd. *Liv* —5F 43
Sussex Rd. *South* —1J 11
Sussex Rd. *Wid* —7F 115
Sussex Rd. *Wir* —5E 102
Sussex St. *Boot* —2K 67
Sussex St. *Liv* —3C 52
Sutch La. *Lymm* —5J 121
Sutcliffe St. *Liv* —4D 88 (2P 5)
Sutherland Ct. *Run* —7D 134
Sutherland Dri. *Wir* —6K 145
Sutherland Rd. *Prsct* —1E 92
Sutherland Rd. *Wig* —1E 50
Sutton. —6H 75
Sutton Av. *Cul* —2A 80
Sutton Av. *Nest* —5J 157
Sutton Causeway. *Frod* —1G 167
Sutton Clo. *Wir* —7A 146
Sutton Community Leisure Cen. —1D 94
Sutton Cricket Club Ground. —7E 74
Sutton Green. —1E 168
Sutton Hall Dri. *L Sut* —5C 160
Sutton Hall Gdns. *L Sut* —5C 160
Sutton Hall Golf Course. —7J 153
Sutton Heath. —1A 94
Sutton Heath Rd. *St H* —1A 94
Sutton Leach. —2F 95
Sutton Lodge Rd. *St H* —4D 74
Sutton Manor. —5C 94
Sutton Moss Rd. *St H* —6H 75
Sutton Oak Dri. *St H* —5F 75
Sutton Pk. —7E 74
Sutton Pk. Dri. *St H* —7E 74
Sutton Rd. *Liv* —2J 29
Sutton Rd. *St H* —5E 74
Sutton Rd. *Wall* —7B 66
Sutton's La. *Liv* —1E 30
Suttons La. *Wid* —2D 134
Sutton St. *Liv* —2G 89
Sutton St. *Run* —7D 134
Sutton St. *Warr* —4C 118
Suttons Way. *Liv* —7J 111
Sutton Way. *Gt Sut* —7F 161
Sutton Weaver. —7J 153
Sutton Wood Rd. *Liv* —6G 131
Suzanne Boardman Ho. *Liv* —2E 88
Swainson Rd. *Liv* —6G 55
Swale Av. *Rain* —4J 93
Swaledale Av. *Rain* —4K 93
Swaledale Clo. *Gt San* —1D 116
Swaledale Clo. *Wir* —5A 146
Swalegate. *Liv* —2E 42
Swale Rd. *Ell P* —4J 161
Swallow Clo. *Bchwd* —3B 100
Swallow Clo. *Kirkby* —5C 44
Swallow Clo. *N'ley* —3K 111
Swallow Clo. *W Der* —3D 70
Swallowfield Gdns. *App* —4F 139
Swallow Fields. *Liv* —2G 69
Swallowhurst Cres. *Liv* —4J 69
Swanage Clo. *Warr* —6E 118
Swan All. Orm —5C 24
(off Burscough St.)
Swan Av. *St H* —4J 75
Swan Ct. *Pren* —6K 105
Swan Cres. *Liv* —7J 89
Swan Delph. *Augh* —1A 34
Swanhey. *Liv* —5G 43
Swan La. *Augh* —5G 33
Swanpool La. *Augh* —2A 34
Swan Rd. *Newt W* —2B 76
Swanside. —4C 90
Swanside Av. *Liv* —4C 90
Swanside Pde. *Liv* —4C 90
Swanside Rd. *Liv* —4C 90
Swanston Av. *Liv* —5C 68
Swan St. *Liv* —4H 89
Swan Wlk. *Liv* —5G 43
Sweden Gro. *Liv* —4D 52
Sweet Briar Ct. *Clo F* —5F 95
Sweetfield Gdns. *L Sut* —4F 161
Sweetfield Rd. *L Sut* —4F 161
Sweeting St. *Liv* —6J 87 (6D 4)
Swift Clo. *Warr* —4E 98
Swift Gro. *Liv* —2D 70
Swift's Clo. *Boot* —1K 53
Swifts Fold. *Skel* —3D 36
Swift's La. *Boot* —1K 53
Swift St. *St H* —1C 74
Swift Weint. *Park* —2F 157
Swinbrook Grn. *Liv* —3H 69
Swinburne Clo. *Liv* —7D 90
Swinburne Rd. *Dent G* —1K 73
Swinburn Gro. *Bil* —3F 49
Swindale Av. *Warr* —4K 98
Swindale Clo. *Liv* —1D 108 (10P 5)
Swinderby Dri. *Liv* —2K 55
Swindon Clo. *Liv* —7K 67
Swindon Clo. *Wind H* —7B 136
Swindon Clo. *Wir* —4A 104
Swindon St. *Liv* —7K 67
Swineyard La. *H Legh* —5B 140
Swinford Av. *Wid* —6G 115
Swireford Rd. *Hel* —2H 173
Swisspine Gdns. *St H* —7J 73
Swiss Rd. *Liv* —4E 88
Switch Island. *Boot* —7D 42
Sword Clo. *Liv* —3A 70
Sword Wlk. *Liv* —3A 70
Sworton Heath. —4H 141
Swynnerton Way. *Wid* —3D 114
Sybil Rd. *Liv* —7C 68
Sycamore Av. *Cros* —6F 41
Sycamore Av. *Halew* —3K 131
Sycamore Av. *Hay* —1H 75
Sycamore Av. *Newt W* —3G 77
Sycamore Av. *Wid* —6D 114
Sycamore Av. *Wir* —1B 104
Sycamore Clo. *Ecc* —2H 73
Sycamore Clo. *Walt* —3E 68
Sycamore Clo. *Wir* —1B 104
Sycamore Ct. Liv —4C 108
(off Weller Way)
Sycamore Cres. *Rix* —5K 101
Sycamore Dri. *Lymm* —4F 121
Sycamore Dri. *Skel* —1E 36
Sycamore Dri. *Sut W* —6J 153
Sycamore Dri. *Whitby* —3H 169
Sycamore Dri. *Wins* —2K 49
Sycamore Gdns. *St H* —7A 60
Sycamore Gro. *Liv* —2G 29
Sycamore La. *Gt San* —2F 117
Sycamore Pk. *Liv* —6B 110
Sycamore Ri. *Wir* —6A 104
Sycamore Rd. *Birk* —4D 106
Sycamore Rd. *Huy* —7J 91
Sycamore Rd. *Run* —2E 152
Sycamore Rd. *Wat* —3E 52
Sydenham Av. *Liv* —2E 108
Sydenham Ho. *Liv* —3E 108
Syder's Gro. *Know* —3G 71
Sydney St. *Liv* —7C 54
Sydney St. *West P* —3K 151
Syers Ct. *Warr* —7E 98
Sykes Cres. *Wins* —3A 50
Sylvan Ct. *Liv* —7E 110
Sylvandale Gro. *Wir* —6K 127
Sylvania Rd. *Liv* —4C 68
Sylvia Clo. *Liv* —7K 55
Sylvia Cres. *Warr* —6D 98
Synge St. *Warr* —1C 118
Syren St. *Liv* —6J 67
Syston Av. *St H* —7E 60
Sytch Croft. *Nest* —3J 157

Tabby's Nook. *Newb* —1G 27
Tabley Av. *Wid* —6J 113
Tabley Clo. *Pren* —6K 105
Tabley Gdns. *St H* —1K 93
Tabley Rd. *Liv* —1F 109
Tabley St. *Liv* —7J 87 (10F 4)
Tace Clo. *Liv* —1B 108
Tadgers La. *Frod* —2K 165
Tadlow Clo. *Liv* —2G 29
Taggart Av. *Liv* —2B 110
Tagus Clo. *Liv* —2D 108
Tagus St. *Liv* —1D 108
Tailor's La. *Liv* —4G 43
Talaton Clo. *South* —2C 8
Talbot Av. *L Nes* —5K 157
Talbot Av. *Thor H* —1A 144
Talbot Clo. *Bchwd* —4A 100
Talbot Clo. *L Nes* —5K 157
Talbot Clo. *St H* —2B 74
Talbot Ct. *Liv* —6J 91
Talbot Ct. *Pren* —4A 106
Talbot Dri. *South* —2H 11
Talbot Gdns. *L Nes* —5K 157
Talbot Rd. *Gt Sut* —1H 169
Talbot Rd. *Hel* —5E 172
Talbot Rd. *Pren* —4A 106
Talbot St. *Ash M* —1H 63
Talbot St. *Boot* —2H 67
Talbot St. *South* —2G 11
Talbotville Rd. *Liv* —6K 89
Talgarth Way. *Liv* —1E 110
Taliesin St. *Liv* —2K 87
Talisman Clo. *Murd* —3B 154
Talisman Way. *Boot* —2G 67
Talland Clo. *Liv* —7J 111
Tallarn Rd. *Liv* —3K 55
Talman Gro. *Ash M* —2H 63
Talton Rd. *Liv* —1F 109
Tamar Clo. *Liv* —3C 88
Tamarisk Gdns. *St H* —1J 93
Tamar Rd. *Hay* —7A 62
Tamerton Clo. *Liv* —6C 110
Tamneys, The. *Skel* —2F 37
Tamworth St. *Liv* —3A 108
Tamworth St. *Newt W* —3E 76
Tamworth St. *St H* —2A 74
Tanar Clo. *Wir* —6H 127
Tanat Dri. *Liv* —4K 109
Tancaster. *Skel* —2E 36
Tancred Rd. *Liv* —7B 68
Tancred Rd. *Wall* —2A 86
Tanfields. *Skel* —2F 37
Tanhouse. —2K 37
Tanhouse. *Halt* —1G 153
Tan Ho. Dri. *Wig* —2A 50
Tanhouse Ind. Est. *Wid* —2F 135
Tan Ho. La. *Btnwd* —3D 96
Tanhouse La. *Wid* —1E 134
Tan Ho. La. *Wig* —2A 50
Tanhouse Rd. *Liv* —7H 41
Tanhouse Rd. *Skel* —3J 37
Tankersley Gro. *Gt San* —3E 116
Tanners La. *Warr* —2A 118
Tannery La. *Nest* —3J 157
Tannery La. *Penk* —5A 116
Tanning Ct. *Warr* —4B 118
Tan Pit La. *Wig* —2B 50
Tansley Clo. *Wir* —6G 103
Tanworth Gro. *Wir* —6K 83
Tapley Pl. *Liv* —5H 89
Taplow Clo. *App* —3E 138
Taplow St. *Liv* —1D 88
Tarbock Green. —4D 112
Tarbock Rd. *Huy* —6H 91
Tarbock Rd. *Speke* —5H 131
Tarbot Hey. *Wir* —7A 84
Tarbrock Ct. *Boot* —7K 41
Target Rd. *Wir* —2A 142
Tariff St. *Liv* —2J 87
Tarleton Clo. *Liv* —2J 131
Tarleton Rd. *South* —7C 8
Tarleton St. *Liv* —6K 87 (6F 4)
Tarlswood. *Skel* —2F 37
Tarlton Clo. *Rain* —2G 93
Tarnbeck. *Nort* —2A 154
Tarn Brow. *Orm* —7A 24
Tarncliff. *Liv* —6G 71
Tarn Clo. *Ash M* —7F 51
Tarn Ct. *Wool* —1B 120
Tarn Gro. *St H* —5D 60
Tarnrigg Clo. *Wig* —1C 50
Tarn Rd. *Liv* —7H 19
Tarnside Rd. *Orr* —5G 39
Tarporley Clo. *Pren* —5K 105
Tarporley Rd. *Gt Sut* —7G 161
Tarporley Rd. *Stre* —7D 138
Tarran Dri. *Tarr I* —5B 84
Tarran Rd. *Tarr I* —5B 84
Tarrant Clo. *Wig* —2B 50
Tarran Way E. *Tarr I* —4B 84
Tarran Way Ind. Est. *Tarr I* —5B 84
Tarran Way N. *Tarr I* —5B 84
Tarran Way S. *Tarr I* —5B 84
Tarran Way W. *Tarr I* —5B 84
Tarves Wlk. *Liv* —3D 56
Tarvin Clo. *Ell P* —7A 162
Tarvin Clo. *Run* —4E 152
Tarvin Clo. *South* —2F 9
Tarvin Clo. *Sut M* —3D 94
Tarvin Rd. *Alv & Manl* —2K 173
Tarvin Rd. *Frod* —7B 166
Tarvin Rd. *Wir* —6B 146
Tasker Ter. *Rain* —3J 93
Tasman Clo. *Old H* —7G 97
Tasman Gro. *That H* —7A 74
Tate Clo. *Wid* —5K 113
Tate Gallery. —7H 87 (8C 4)
Tate St. *Liv* —6B 68
Tatham Gro. *Wins* —3B 50
Tatlock Clo. *Bil* —7G 49
Tatlock St. *Liv* —3J 87
(in two parts)
Tattersall Pl. *Boot* —4H 67
Tattersall Rd. *Liv* —6G 53
Tattersall Way. *Liv* —5G 89
Tatton Ct. *Warr* —7K 99
Tatton Dri. *Ash M* —7D 50
Tatton Rd. *Birk* —3D 106
Tatton Rd. *Liv* —7B 54
Taunton Av. *Sut L* —2F 95
Taunton Dri. *Liv* —3G 55
Taunton Rd. *Liv* —5B 92
Taunton Rd. *Wall* —1J 85
Taunton St. *Liv* —7G 89
Taurus Rd. *Liv* —3E 90
Tavener Clo. *Wir* —5J 145
Tavistock Dri. *South* —3B 14
Tavistock Rd. *Penk* —4C 116
Tavistock Rd. *Wall* —1K 85
Tavlin Av. *Warr* —6K 97
Tavy Rd. *Liv* —3C 88 (1M 5)
Tawd Bridge. —4J 37
Tawd Brow. *Uph* —3G 37
Tawd Rd. *Skel* —3J 37
Tawd St. *Liv* —6A 68
Tawd Valley Park. —1G 37
Tawny Ct. *Hall P* —3G 153
Taylor Av. *Orm* —5E 24
Taylor Clo. *St H* —6G 75
Taylor Ind. Est. *Cul* —4B 80
Taylor Pk. —4J 73
Taylor Rd. *Hay* —7C 62
Taylors Clo. *Liv* —3A 68
Taylor's La. *Cuer* —6J 115
(in two parts)
Taylor's La. *Ince* —1J 51
Taylors La. *Liv* —3A 68
Taylors Row. *Run* —7E 134
Taylor St. *Birk* —1E 106
Taylor St. *Liv* —2K 87
Taylor St. *St H* —7G 75
Taylor St. *Skel* —2C 36
Taylor St. *Warr* —7A 118
Taylor St. *Wid* —7E 114
Taylor St. Ind. Est. Liv —2K 87
(off Taylor St.)
Teakwood Clo. *Liv* —2C 88
Teal Clo. *Augh* —1A 34
Teal Clo. *St H* —7D 60
Teal Clo. *Warr* —4E 98
Teal Clo. *Wig* —7K 39
Teal Gro. *Bchwd* —4B 100
Teal Gro. *Liv* —7J 111
Teals Way. *Wir* —2C 142
Tears La. *Newb* —2E 26
Teasville Rd. *Liv* —4C 110
Tebay Clo. *Liv* —2H 43
Tebay Rd. *Wir* —2A 146
Teck St. *Liv* —5C 88 (5N 5)
Tedburn Clo. *Liv* —4G 111
Tedbury Clo. *Liv* —5C 56
Tedbury Wlk. *Liv* —5C 56
Tedder Av. *South* —1C 12
Tedder Sq. *Wid* —1K 133
Teddington Clo. *App* —4E 138
Teehey Clo. *Wir* —3D 126
Teehey Gdns. *Wir* —3D 126
Teehey La. *Wir* —3D 126
Tees Clo. *Liv* —5K 67
Tees Ct. *Ell P* —4J 161
Teesdale Clo. *Gt San* —1D 116
Teesdale Rd. *Hay* —6A 62
Teesdale Rd. *Wir* —5E 126
Teesdale Way. *Rain* —2J 93
Tees Pl. *Liv* —5A 68
Tees St. *Birk* —6K 85
Tees St. *Liv* —5K 67
Teign Clo. *Liv* —3C 88 (1M 5)
Teilo St. *Liv* —3B 108
Telary Clo. *Liv* —2J 87
Telegraph La. *Wall* —2G 85
Telegraph Rd. *Hes* —6B 124
Telegraph Rd. *W Kir & Thur* —2H 123
Telegraph Way. *Liv* —3C 56
Telford Clo. *Pren* —4B 106
Telford Clo. *Wid* —4K 113
Telford Rd. *Ell P* —7C 162
Telford's Quay. *Ell P* —4B 162
Tempest Hey. *Liv* —5J 87 (5D 4)
Temple Ct. *Liv* —6J 87 (6E 4)
Temple Ct. *Risl* —1A 100
Temple La. *Liv* —5J 87 (5E 4)
Templemartin. *Skel* —1F 37
Templemore Av. *Liv* —5J 109
Templemore Rd. *Pren* —4A 106
Temple Rd. *Birk* —6C 106
Temple St. *Liv* —5J 87 (5E 4)
Templeton Cres. *Liv* —5K 69
Tenbury Clo. *Gt San* —7E 96
Tenbury Dri. *Ash M* —1D 62
Tenby. *Skel* —1E 36
Tenby Av. *Liv* —4G 53
Tenby Clo. *Call* —5J 97
Tenby Dri. *Run* —7F 135
Tenby Dri. *Wir* —7D 84
Tenby St. *Liv* —1C 88
Tennis St. *Dent G* —1K 73
Tennis St. N. *Dent G & St H* —1A 74

Tennyson Av.—Tramway Rd.

Tennyson Av. Birk —7F 107
Tennyson Dri. Bil —3F 49
Tennyson Dri. Orm —4B 24
Tennyson Dri. Warr —5C 98
Tennyson Rd. Liv —7A 92
Tennyson Rd. Whitby —7J 161
Tennyson Rd. Wid —7C 114
Tennyson St. Boot —1H 67
Tennyson St. Sut M —5C 94
Tennyson Wlk. Liv —2B 108
Tensing Clo. Gt San —7F 97
Tensing Rd. Liv —3F 43
Tenterden St. Liv —3K 87 (1F 4)
Tenth Av. Faz —6F 55
Terence Av. Padd —1F 119
Terence Rd. Liv —2B 110
Terminus Rd. Liv —2G 91
Terminus Rd. Wir —6K 127
Tern Clo. Liv —5C 44
Tern Clo. Wid —4D 114
Ternhall Rd. Liv —2H 69
Ternhall Way. Liv —2H 69
Tern Way. St H —7G 73
Tern Way. Wir —6K 83
Terrace Rd. Wid —4C 134
Terret Cft. Liv —7F 71
Tetbury St. Birk —3C 106
Tetchill Clo. Gt Sut —2F 169
Tetchill Clo. Nort —2B 154
Tetlow St. Liv —6B 68
Tetlow Way. Liv —6B 68
Teulon Clo. Liv —6B 68
Teversham. Skel —1F 37
Teviot. Skel —1E 36
Tewit Hall Clo. Liv —6G 131
Tewit Hall Rd. Liv —6G 131
Tewkesbury. Skel —1E 36
Tewkesbury Clo. Gt Sut —4G 169
Tewkesbury Clo. W Der —2D 70
Tewkesbury Clo. Wltn —7G 111
Teynham Av. Know —2H 71
Teynham Cres. Liv —4H 69
Thackeray Gdns. Boot —5K 53
Thackray Rd. St H —6K 73
Thames Clo. Warr —5D 98
Thamesdale. Whitby —1J 169
Thames Dri. Orr —4H 39
Thames Gdns. Whitby —1J 169
Thames Rd. Cul —4B 80
Thames Rd. St H —1E 94
Thames Side. Whitby —1K 169
Thames St. Liv —2D 108
Thanet. Skel —1F 37
Thatcher's Mt. C Grn —5B 76
Thatto Heath. —6K 73
Thatto Heath Pk. —6K 73
Thatto Heath Rd. St H —6K 73
Thealby Clo. Skel —1E 36
Thelwall. —5K 119
Thelwall La. Warr —5F 119
Thelwall New Rd. Grapp & Thel —6F 119
Thelwall New Rd. Ind. Est. Thel —4J 119
Thelwall Rd. Gt Sut —7G 161
Thermal Rd. Wir —5K 127
Thermopylae Ct. Pren —2H 105 (off Vyner Rd. S.)
Thermopylae Pas. Pren —2G 105 (in two parts)
Thetford Rd. Gt San —2C 116
Thewlis St. Warr —3J 117
Thickwood Moss La. Rainf —7F 47
Thingwall. —3E 124
Thingwall Av. Liv —5B 90
Thingwall Dri. Wir —3E 124
Thingwall Hall Dri. Liv —5B 90
Thingwall La. Liv —4B 90
Thingwall Recreation Cen. —3F 125
Thingwall Rd. Liv —1K 109
Thingwall Rd. Wir —3B 124
Thingwall Rd. E. Wir —3E 124
Third Av. Cros —1D 52
Third Av. Faz —6G 55
Third Av. Liv —6F 55
Third Av. Pren —2F 105
Third Av. Run —2H 153
Third St. Ince —5J 51
Thirlmere Av. Ash M —1G 63
Thirlmere Av. Form —1A 30
Thirlmere Av. Lith —5K 53
Thirlmere Av. Orr —3H 39
Thirlmere Av. Pren —2G 105
Thirlmere Av. St H —5C 60
Thirlmere Av. Uph —4D 38
Thirlmere Av. Warr —4C 98
Thirlmere Clo. Frod —3F 167
Thirlmere Clo. Liv —2G 43
Thirlmere Dri. Liv —5K 53
Thirlmere Dri. Lymm —5H 121
Thirlmere Dri. South —6B 14
Thirlmere Dri. Wall —2B 86
Thirlmere Grn. Liv —2C 88
Thirlmere Rd. Eve —2C 88
Thirlmere Rd. High —7A 30
Thirlmere Rd. Nest —5J 157
Thirlmere Rd. Whitby —2K 169
Thirlmere Rd. Wig —4K 39
Thirlmere Wlk. Liv —1B 56
Thirlmere Way. Wid —1J 133
Thirlstane St. Liv —5D 108
Thirsk. Skel —1F 37
Thirsk Clo. Run —4E 152
Thirty Acre La. Form —5D 20
Thistledown Clo. Liv —5B 108
Thistleton Av. Birk —7K 85
Thistleton M. South —7J 7
Thistlewood Rd. Liv —5G 89
Thistley Hey Rd. Liv —3D 56
Thomas Clo. Liv —4A 130
Thomas Clo. Whitby —2K 169
Thomas Ct. Hall P —3H 153
Thomas Dri. Liv —5A 90
Thomas Dri. Prsct —3C 92
Thomas La. Liv —3B 90
Thomasons Bri. La. H Walt —3J 137
Thomas St. Birk —3E 106 (in two parts)
Thomas St. Golb —5K 63
Thomas St. Run —6D 134
Thomas St. Wid —2C 134
Thomaston St. Liv —1A 88 (in two parts)
Thomas Winder Ct. Liv —1K 87
Thompson Av. Cul —3A 80
Thompson Av. Orm —5E 24
Thompson Clo. Newt W —5G 77
Thompson Rd. Liv —6F 53 (in two parts)
Thompson St. Ash M —1H 63
Thompson St. Bchwd —3A 100
Thompson St. Birk —4E 106
Thompson St. St H —5K 73
Thomson St. Liv —3D 88 (1P 5)
Thorburn Clo. Wir —1H 127
Thorburn Ct. Wir —7H 107
Thorburn Cres. Wir —1H 127
Thorburn Ho. Wig —4K 39 (off Green, The)
Thorburn Rd. Wir —1H 127
Thorburn St. Liv —6D 88
Thoresby Clo. Wig —1C 50
Thorlby Rd. Cul —2B 80
Thorley Clo. Liv —6J 89
Thornaby Gro. St H —1K 93
Thornbeck Av. Liv —7F 29 (in two parts)
Thornbeck Clo. Liv —3C 70
Thornbridge Av. Liv —5K 53
Thornbrook Clo. Liv —7B 70
Thornbury. Skel —1F 37
Thornbury Rd. Liv —7E 68
Thornby. Skel —1F 37
Thorncliffe Rd. Wall —4A 86
Thorn Clo. Penk —5D 116
Thorn Clo. Run —3E 152
Thorncroft Dri. Wir —5F 125
Thorndale. Skel —1F 37
Thorndale Rd. Liv —3D 52
Thorndale St. Liv —7A 68
Thorndyke Clo. Rain —6A 94
Thorne Dri. L Sut —6D 160
Thorne La. Wall —2K 85
Thornes Rd. Liv —4D 88 (3P 5)
Thorness Clo. Wir —6A 104
Thorneycroft St. Birk —7A 86
Thornfield Hey. Wir —7G 127
Thornfield Rd. Cros —6G 41
Thornfield Rd. Walt —1B 68
Thornham Av. St H —6E 74
Thornham Clo. Wir —1E 104
Thornhead La. Liv —1B 90
Thornhill. Augh —2K 33
Thornhill Clo. Augh —3K 33
Thornhill Rd. Ash M —1A 62
Thornhill Rd. Liv —1J 109
Thornholme Cres. Liv —5H 69
Thornhurst. Liv —6C 56
Thornleigh Av. Wir —6B 146
Thornleigh Dri. Ell P —5G 161
Thornley Clo. Lymm —5E 120
Thornley Rd. Lymm —5E 120
Thornley Rd. Wir —1A 104
Thornridge. Wir —7E 84
Thorn Rd. Padd —7G 99
Thorn Rd. Run —3E 152
Thorn Rd. St H —3J 73
Thorns Dri. Wir —6A 104
Thornside Wlk. Liv —4F 111
Thorns, The. Liv —2D 42
Thornton. —6H 41
Thornton. Skel —1F 37
Thornton. Wid —1A 134
Thornton Av. Boot —6K 53
Thornton Av. Wir —1D 126
Thornton Clo. Ash M —1D 62
Thornton Comn. Rd. Wir —4B 144
Thornton Cres. Wir —4F 143
Thorntondale Dri. Gt San —1C 116
Thornton Grn. La. Thor M —2J 171
Thornton Gro. Liv —4G 91
Thornton Gro. Wir —1D 126
Thornton Hough. —4B 144
Thornton-le-Moors. —2J 171
Thornton M. Chil T —3D 160
Thornton Rd. Beb —1C 126
Thornton Rd. Boot —1J 67
Thornton Rd. Ell P —7B 162
Thornton Rd. Gt San —4F 117
Thornton Rd. Liv —6C 90
Thornton Rd. South —1B 12
Thornton Rd. Wall —1A 86
Thornton St. Birk —7A 86
Thornton St. Liv —7H 53
Thorntree Clo. Aig —5B 108
Thorn Tree Clo. Hale V —1E 150
Thorn Tree Grn. App T —5H 139
Thornwood. Skel —1F 37
Thornwood Clo. Liv —2D 88
Thornwythe Gro. Gt Sut —7G 161
Thornycroft Rd. Liv —1F 109
Thorpe. Skel —1F 37
Thorpe Bank. Birk —1F 127
Thorstone Dri. Wir —2A 124
Thorsway. Birk —6F 107
Thorsway. Wir —1F 123
Three Butt La. Liv —1H 89
Three Lanes End. —3K 103
Three Pools. South —4E 8 (in two parts)
Three Sisters Rd. Ash M —6F 51
Three Tuns La. Liv —7K 19
Threlfalls Clo. South —4B 8 (off Threlfalls La.)
Threlfalls La. South —5B 8
Threlfall St. Liv —4C 108
Thresher Av. Wir —4A 104
Threshers, The. Boot —1D 54
Throne Rd. Liv —3A 70
Throne Wlk. Liv —2A 70
Thurcroft Dri. Skel —1E 36
Thurlby Clo. Ash M —1H 63
Thurlstone. Form —6J 19
Thurne Way. Liv —2E 110
Thurnham St. Liv —2E 88
Thursby Clo. Liv —5D 56
Thursby Clo. South —6B 14
Thursby Cres. Liv —4D 56
Thursby Ho. Wig —4K 39
Thursby Rd. Croft B —7A 128
Thursby Wlk. Liv —5D 56
Thurstan St. Ince —1J 51
Thurstaston. —4K 123
Thurstaston Rd. Hes —1C 142
Thurstaston Rd. Irby & Thur —4K 123
Thurston. Skel —1E 36
Thurston Av. Wig —1F 51
Thurston Clo. Gt San —2H 117
Thurston Rd. Liv —1D 88
Thynne St. Warr —4A 118
Tibb's Cross La. Wid —1E 114
Tichbourne Way. Liv —4B 88 (3L 5)
Tickle Av. St H —3F 75
Tidal La. Pad —7F 99
Tideswell Av. Orr —2J 39
Tideswell Clo. Liv —7D 88 (9P 5)
Tideway. Wall —6J 65
Tilbrook Dri. St H —7F 75
Tilbury Pl. Murd —4C 154
Tilcroft. Skel —1E 36
Tildsley Cres. West —4B 152
Tilley St. Warr —2C 118
Tillotson Clo. Liv —3A 108
Tilman Clo. Gt San —7F 97
Tilney St. Liv —7C 54
Tilstock Av. Wir —1H 127
Tilstock Clo. Liv —6A 112
Tilstock Cres. Pren —7K 105
Tilston Av. Warr —4G 119
Tilston Clo. Liv —3F 69
Tilston Rd. Kirkby —3A 56
Tilston Rd. Wall —1A 86
Tilston Rd. Walt —2F 69
Timberscombe Gdns. Wool —2A 120
Time Pk. Whis —2F 93
Timmis Clo. Fearn —4G 99
Timmis Cres. Wid —7C 114
Timms Clo. Liv —5K 19
Timms La. Liv —5J 19
Timon Av. Boot —1A 68
Timor Av. That H —6A 74
Tim Parry & Jonathan Ball Young People's Cen. —3H 117
Timperley Av. Warr —4G 119
Timperley St. Wid —1D 134
Timpron St. Liv —7D 88
Timway Dri. Liv —6C 70
Tinas Way. Wir —3E 104
Tinling Clo. Prsct —1E 92
Tinsley Av. South —5A 12
Tinsley Clo. Liv —6J 111
Tinsley's La. South —7B 12
Tinsley St. Liv —7C 68
Tinsley St. Warr —5F 119
Tintagel. Skel —1D 36
Tintagel Clo. Brook —5A 154
Tintagel Rd. Liv —1B 70
Tintern Av. Ash M —2H 63
Tintern Clo. Call —5J 97
Tintern Dri. Liv —1B 30
Tintern Dri. Wir —7C 84
Titchfield St. Liv —3J 87 (1F 4)
Titptree Clo. Liv —2D 70
Tithebarn Clo. Wir —3D 142
Tithebarn Dri. Park —1F 157
Tithebarn Gro. Liv —1J 109
Tithe Barn La. Kirkby —4B 56
Tithe Barn La. Liv —5A 56
Tithebarn La. Mag —7H 43
Tithebarn Rd. Ash M —3A 62
Tithebarn Rd. Know —2H 71
Tithebarn Rd. Liv —1F 53
Tithebarn Rd. South —2K 11
Tithebarn St. Liv —5J 87 (5D 4)
Tithebarn St. Uph —4D 38
Tithings, The. Halt B —1G 153
Tiverton Av. Skel —1E 36
Tiverton Av. Wall —3A 86
Tiverton Clo. Liv —4B 92
Tiverton Clo. Wid —5J 113
Tiverton Rd. Liv —3J 131
Tiverton Sq. Penk —3C 116
Tiverton St. Liv —7G 89
Tobermory Clo. Hay —1J 75
Tobin Clo. Liv —3J 87 (1E 4)
Tobin St. Wall —3D 86
Tobruk Rd. Liv —3H 91
Todd Rd. St H —3D 74
Todd's La. South —1J 9
Toft Clo. Wid —7B 114
Toft St. Liv —5E 88
Toftwood Av. Rain —6K 93
Toftwood Gdns. Rain —6K 93
Toleman Av. Wir —4G 127
Toll Bar Pl. Warr —3A 98
Toll Bar Rd. Warr —4A 98
Tollemache Rd. Birk & Pren —1J 105
Tollemache St. Wall —6B 66
Tollerton Rd. Liv —1H 89
Tollgate Rd. Burs —1F 25
Tolpuddle Rd. Liv —5D 110
Tolpuddle Way. Liv —6K 67
Tolver Rd. Ash M —6E 50
Tolver St. St H —2C 74
Tomlinson Av. Warr —7D 98
Tom Mann Clo. Liv —4K 87 (4G 4)
Tonbridge Clo. Liv —5F 131
Tonbridge Dri. Liv —2F 55
Tongbarn. Skel —1E 36
Tonge Hey. Liv —4D 56
Tontine. —6E 38
Tontine. Orr —6E 38
Tontine Mkt. St H —3C 74
Tontine Rd. Uph —5E 38
Toothill Clo. Ash M —7F 51
Top Acre Rd. Skel —4J 37
Topaz Clo. Liv —4A 68
Topcliffe Gro. Liv —3E 70
Topgate Clo. Hes —2F 143
Topham Dri. Ain R —3D 54
Topham Ter. Liv —5D 54
Topping Ct. Bchwd —3H 99
Top Rd. Frod & K'ley —6F 167
Top Sandy La. Warr —4B 98
Topsham Clo. Liv —4G 111
Torcross Clo. South —2C 8
Torcross Way. Halew —7J 111
Torcross Way. Wltn —4G 111
Tordelow Clo. Liv —3C 88 (1M 5)
Toronto Clo. Liv —7H 71
Toronto St. Wall —4E 86
Torquay Dri. Bil —4G 49
Torridon Gro. Gt Sut —1H 169
Torrington Dri. Liv —2J 131
Torrington Dri. Wir —3F 125
Torrington Gdns. Wir —2F 125
Torrington Rd. Liv —2K 129
Torrington Rd. Wall —3A 86
Torrisholme Rd. Liv —3F 69
Torr St. Liv —1A 88 (in two parts)
Torus Rd. Liv —3J 89
Torver Clo. Wig —2E 50
Torview. Liv —2J 109
Torwood. Pren —2H 105
Tothale Turn. Liv —4K 111
Totland Clo. Gt San —1A 116
Totnes Av. Liv —7K 111
Totnes Dri. South —2C 8
Totnes Rd. Liv —1A 70
Tourist Info. Cen. —7J 87 (9D 4) (Albert Dock)
Tourist Info. Cen. —1F 107 (Birkenhead)
Tourist Info. Cen. —5C 66 (New Brighton)
Tourist Info. Cen. —6K 87 (6G 4) (Queen Sq.)
Tourist Info. Cen. —6C 134 (Runcorn)
Tourist Info. Cen. —1H 11 (Southport)
Tourist Info. Cen. —3B 118 (Warrington)
Tourney Grn. W'brk —5E 96
Towcester St. Liv —7H 53
Tower End. Liv —5G 19
Tower Gdns. Liv —6H 87 (6D 4)
Tower Hill. —7D 44
Tower Hill. Birk —5D 106
Tower Hill. Orm —5E 24
Tower Hill Rd. Uph —6B 38
Towerlands St. Liv —6C 88 (6P 5)
Tower La. Lymm —6H 121
Tower La. Nort —3A 154
Tower Nook. Uph —6C 38
Tower Promenade. Wall —5C 66
Tower Quays. Birk —7E 86
Tower Rd. Birk —7E 86
Tower Rd. Pren —7B 106
Tower Rd. Tran —5D 106
Tower Rd. N. Wir —7C 124
Tower Rd. S. Wir —1D 142
Towers Av. Liv —2E 42
Towers Ct. Warr —1J 117
Towers La. Hel —5H 173
Tower's Rd. Liv —2A 110
Towers, The. Birk —6E 106
Tower St. Brun B —3K 107
Tower Way. Liv —5E 110
Tower Wharf. Birk —7E 86
Town End. —2J 113
Townfield Av. Ash M —3F 63
Townfield Clo. Pren —5J 105
Townfield Gdns. Wir —2F 127
Townfield La. Frod —4E 166
Townfield La. Lymm —7K 101
Townfield La. Moll —7F 169
Townfield La. Pren —5J 105
Townfield La. Wir —2F 127
Townfield Rd. Wind H —7A 136
Townfield Rd. Wir —6D 102
Townfields. Ash M —2E 62
Town Fields. Wall —1J 85
Townfield Vw. Wind H —7A 136
Townfield Wlk. Newt W —2F 77
Townfield Way. Wall —3B 86
Town Green. —1H 63 (nr. Ashton-in-Makerfield)
Town Green. —3A 34 (nr. Ormskirk)
Town Grn. Ct. Augh —3A 34
Town Grn. La. Augh —3A 34
Town Hall Dri. Run —1D 152
Town Hill. Warr —3B 118
Town La. Beb —3D 126
Town La. Hale V —1D 150
Town La. L Nes —5K 157
Town La. South —4K 11 (in two parts)
Townley Ct. Wir —1D 102 (off Marmion Rd.)
Town Mdw. La. Wir —6K 83
Town of Lowton. —1B 78
Town Pk. Info. Cen. —2K 153
Town Rd. Birk —5D 106
Town Row. Liv —7K 69
Townsend Av. Club & Nor G (in two parts) —6G 69
Townsend La. Anf & Club —1E 88
Townsend St. Birk —6J 85
Townsend St. Liv —1H 87
Townsend Vw. Ford —3H 53
Townsend Vw. Nor G —3G 69
Townsfield Rd. Win —2A 98
Townshend Av. Wir —4B 124
Town Vw. Pren —3C 106
Town Vw. M. Pren —3C 106
Towson St. Liv —1B 88 (in two parts)
Toxteth. —3B 108
Toxteth Gro. Liv —4C 108
Toxteth Sports Cen. —2B 108
Toxteth St. Liv —3A 108
Tracks La. Bil —1F 49
Tracy Dri. Newt W —3J 77
Trafalgar. —5G 127
Trafalgar Av. Wall —2D 86
Trafalgar Ct. Wid —3C 134
Trafalgar Dri. Wir —5G 127
Trafalgar Rd. South —6E 10
Trafalgar Rd. Wall —2C 86
Trafalgar St. Dent G —2A 74
Trafalgar Way. Ersk —4B 88 (3L 5)
Trafford Av. Warr —1J 117
Trafford Cres. Run —4E 152
Tragan Dri. Penk —5B 116
Tramway & Mus. —1F 107
Tramway Rd. Liv —5E 108

Waterford Rd. Pren —3K 105
Waterford Way. Murd —4A 154 (in two parts)
Waterfront. Pres H —4D 154
Watergate La. Liv —6F 111
Watergate Way. Liv —6F 111
Waterhouse Clo. Liv —1D 88
Waterland La. St H —4H 75
Water La. South —2F 9
Water La. Tarb G —4C 112
Waterloo. —4E 52
Waterloo Cen. Wid —3C 134
Waterloo Clo. Ell P —6A 162
Waterloo Clo. Liv —5D 52
Waterloo Ct. Beb —3G 127
Waterloo Park. —4F 53
Waterloo Pl. Birk —3E 106
Waterloo Quay. Liv —4G 87 (2B 4)
Waterloo Rd. Liv —3H 87 (1B 4)
Waterloo Rd. Run —7B 134 (in two parts)
Waterloo Rd. S'frth —6F 53
Waterloo Rd. South —6E 10
Waterloo Rd. Wall —5B 66
Waterloo Rd. Wat —5E 52
Waterloo Rd. Wid —4C 134
Waterloo St. Liv —1J 109
Waterloo St. St H —3B 74
Watermead Dri. Pres B —5D 154
Watermede. Bil —1G 49
Waterpark Clo. Pren —7K 105
Waterpark Dri. Liv —6D 70
Waterpark Rd. Pren & Birk —7K 105
Watersedge. Frod —1F 167
Waterside. App —1D 138
Waterside. Boot —7A 42
Waterside. St H —2D 74
Waterside Ct. St H —2D 74
Waterside Dri. Frod —1E 166
Waterside Pk. Liv —5H 91
Water St. Birk —2F 107
Water St. Cros —6H 41
Water St. Liv —6H 87 (6C 4)
Water St. Newt W —2G 77
Water St. Run —6C 134
Water St. St H —3B 74
Water St. Wall —3D 86
Water St. Wat —5D 52
Water St. Wid —7F 115 (Halton Vw. Rd.)
Water St. Wid —3C 134 (Waterloo Rd.)
Water St. Wir —4J 127
Water Tower Rd. Clay L —2J 157
Waterway Av. Boot —2D 54
Waterways. Gt San —2H 117
Waterworks La. Hoot —2A 160
Waterworks La. Win —1B 98
Waterworks Rd. Orm —4E 24
Waterworks St. Boot —2K 67
Watery La. Ecc —7H 59
Watery La. Frod —4G 167
Watery La. H Grn —1J 97
Watery La. St H —6G 75
Watford Rd. Liv —7C 68
Watkin Clo. Boot —4D 54
Watkins Av. Newt W —3D 76
Watkinson St. Liv —1K 107 (10F 4)
Watkin St. Warr —1B 118
Watling Av. Liv —4G 53
Watling Way. Whis —1G 93
Watmough St. Liv —3A 88 (1J 5)
Watson Av. Ash M —2G 63
Watson Av. Golb —4K 63
Watson St. Birk —1D 106
Watton Beck Clo. Liv —2H 43
Watton Clo. Liv —4E 70
Watton Clo. Thel —5J 119
Watts Clift Way. St H —3D 74
Watts Clo. Liv —1E 56
Watts La. Boot —7A 54
Wauchope St. Liv —7G 89
Wavell Av. South —1D 12
Wavell Av. Wid —1J 133
Wavell Clo. South —1D 12 (in two parts)
Wavell Rd. Liv —3J 91
Waverley. Skel —2D 36
Waverley Av. App —1D 138
Waverley Ct. Wig —1B 50
Waverley Dri. Prsct —2A 92
Waverley Gro. Birk —6C 106
Waverley Rd. Cros —1C 52
Waverley Rd. Seft P —4E 108
Waverley Rd. Wir —1E 102
Waverley St. Boot —3H 67
Waverley St. South —1G 11
Waverton Av. Pren —6J 105
Waverton Rd. Gt Sut —6G 161
Wavertree. —7H 89
Wavertree Athletics Cen. —1H 109
Wavertree Av. Liv —6G 89
Waver Tree Av. Wid —1B 134
Wavertree Boulevd. Liv —6F 89
Wavertree Boulevd. S. Liv —6F 89
Wavertree Ct. Ell P —4H 161
Wavertree Cricket Club Ground. —7H 89
Wavertree Gdns. Liv —1H 109
Wavertree Green. —1K 109
Wavertree Grn. Liv —1J 109
Wavertree Nook Rd. Liv —6K 89
Wavertree Pk. —6E 88
Wavertree Rd. Liv —6D 88 (6P 5)
Wavertree Shop. Cen. Liv —6E 88
Wavertree Technology Pk. Liv (in three parts) —5G 89
Wavertree Tennis Cen. —1G 109
Wavertree Trad. Est. Liv —1G 109
Wavertree Va. Liv —7F 89
Wayfarers Arc. South —1H 11
Wayfarers Dri. Newt W —4J 77
Wayford Clo. Frod —2D 166
Waylands Dri. Liv —2F 131
Wayside Clo. Lymm —6F 121
Wayville Clo. Liv —6J 109
Waywell Clo. Fearn —4F 99
Weald Dri. L Sut —5C 160
Weardale Rd. Liv —2G 109
Wearhead Clo. Golb —6K 63
Weasdale Clo. St H —7F 75
Weaste La. Thel —7K 119
Weates Clo. Wid —5G 115
Weatherby. Wir —4F 105
Weaver Av. Liv —6D 44
Weaver Av. Rain —4H 93
Weaver Ct. Liv —5G 111
Weaver Cres. Frod —2F 167
Weaver Gro. St H —3J 75
Weaver Ho. Liv —5G 111
Weaver Ind. Est. Liv —5A 130
Weaver La. Frod —1D 166
Weaver Pk. Ind. Est. Frod —1F 167
Weaver Rd. Cul —4C 80
Weaver Rd. Ell P —1A 170
Weaver Rd. Frod —2F 167
Weaver Rd. West —4C 152
Weaverside Av. Sut W —6H 153
Weavers La. Liv —6H 43
Weaver St. Liv —3B 68
Weaver Vw. West —4B 152
Webb Clo. Liv —6E 88
Webb Dri. Btnwd —1D 96
Webber Rd. Know I —4F 57
Webb St. Liv —1E 108
Webb St. St H —5F 75
Webster Av. Boot —2A 68
Webster Av. Wall —2D 86
Webster Dri. Liv —3C 56
Webster Rd. Liv —1E 108
Websters Holt. Wir —2D 104
Websters La. Gt Sut —2H 169
Webster St. Lith —6H 53
Webster St. Liv —5K 87 (4F 4)
Webster St. Plat B —1K 51
Weddell Clo. Old H —1H 117
Wedge Av. Hay —1J 75
Wedgewood Gdns. St H —1H 93
Wedgewood St. Liv —5D 88
Wedgwood Dri. Wid —3D 114
Wednesbury Dri. Gt San —2D 116
Weedon Av. Newt W —1F 77
Weightman Gro. Liv —7C 54
Weint, The. Rix —4K 101
Weir La. Wool —2A 120
Weirside. St H —1F 95
Weir St. Warr —7A 118
Welbeck Av. Liv —3H 109
Welbeck Av. Newt W —4H 77
Welbeck Rd. Ash M —7G 51
Welbeck Rd. South —4F 11
Welbeck Rd. Wig —1C 50
Welbeck Ter. South —4G 11
Welbourne. Skel —3D 36
Welbourne Rd. Liv —6A 90
Weld Blundell Av. Liv —6D 32
Weld Dri. Liv —6H 19
Weldon Dri. Orm —6D 24
Weldon St. Liv —4B 68
Weld Pde. South —4F 11
Weld Rd. Liv —2C 52
Weld Rd. South —3E 10
Welfield Pl. Liv —4C 108
Welford Av. Pren —6K 105
Welham Rd. Wig —1F 51
Welland Clo. Liv —3J 131
Welland Rd. Ash M —7J 51
Welland Rd. Wir —4D 126
Wellbank Dri. Liv —7A 112
Wellbrae Clo. Wir —3B 104
Wellbrook Clo. Ash M —2G 63
Wellbrook Clo. Brook —5A 154
Wellbrook Clo. Liv —5H 131
Wellbrook Grn. Liv —6H 131
Wellbrow Rd. Liv —4C 68
Well Clo. Ness —7A 158
Wellcroft Rd. Liv —3J 91
Wellcross Rd. Uph —5D 38
Weller St. Liv —3B 108
Weller Way. Liv —4C 108
Wellesbourne Clo. Nest —5H 157
Wellesbourne Pl. Liv —4J 69
Wellesbourne Rd. Liv —3J 69
Wellesley Av. Ell P —6A 162
Wellesley Clo. Newt W —1F 77
Wellesley Gro. Wir —3G 127
Wellesley Rd. Liv —4C 108
Wellesley Rd. Wall —3B 86
Wellesley Ter. Liv —4C 108
Wellesley Wlk. Ell P —6A 162 (off Wellesley Av.)
Well Farm Clo. Wool —7K 99
Wellfield. Rainf —1G 59
Wellfield. Wid —5C 114
Wellfield Av. Liv —4C 56
Wellfield La. W'head —7G 25
Wellfield Rd. Cul —2A 80
Wellfield Rd. Liv —2C 68
Wellfield St. Warr —4J 117 (in three parts)
Wellgreen Rd. Liv —1D 110
Wellgreen Wlk. Liv —1D 110
Wellington Av. Liv —2F 109
Wellington Clo. Beb —3G 127
Wellington Clo. Ell P —6A 162
Wellington Clo. Fearn —5F 99
Wellington Clo. Liv —2E 54
Wellington Clo. Newt W —3E 76
Wellington Ct. Ell P —6A 162
Wellington Fields. Liv —2F 109
Wellington Gdns. Liv —4D 52 (off Wellington St.)
Wellington Gdns. Newt W —3E 76
Wellington Ga. Hale V —7D 132
Wellington Gro. Liv —7G 89
Wellington Rd. Beb —3G 127
Wellington Rd. Ell P —7K 161 (in two parts)
Wellington Rd. Liv —6G 53
Wellington Rd. Pren —3A 106
Wellington Rd. Tox —4B 108
Wellington Rd. Wall —5A 66
Wellington Rd. W'tree —1G 109
Wellington Rd. N. Ell P —6A 162
Wellington St. Gars —3A 130
Wellington St. Liv —3K 87 (2F 4)
Wellington St. Newt W —3E 76
Wellington St. Run —6C 134
Wellington St. South —2G 11
Wellington St. Warr —3C 118
Wellington St. Wat —4D 52
Wellington St. Wid —3C 134
Wellington St. Ind. Est. Wid (off Wellington St.) —3C 134
Wellington Ter. Birk —3D 106
Wellington Ter. Liv —3C 108
Wellington Ter. St H —1C 74
Well La. Bar —4A 22
Well La. Beb —3D 126
Well La. Birk —5D 106
Well La. Boot —3K 67
Well La. Grea —5A 104
Well La. Hes —4E 142
Well La. H Whit & Lwr S —7K 139
Well La. Liv —1D 110 (in two parts)
Well La. Ness —6K 157
Well La. Penk —5C 116 (in two parts)
Well La. Gdns. Boot —3K 67
Wells Av. Bil —6F 49
Wells Clo. Gt Sut —4G 169
Wells Clo. Wool —7H 99
Wells St. Liv —1H 109
Wellstead Clo. Liv —7J 89
Wellstead Rd. Liv —7J 89
Wellstead Wlk. Liv —7J 89
Wellswood Rd. Ell P —4G 161
Welsby Clo. Fearn —4F 99
Welshampton Clo. Gt Sut —2F 169
Welshpool Clo. Gt San —4H 97
Welsh Rd. L Sut & Chil T —6B 160
Welsh Rd. Wood & Led —4A 168
Welton Av. Wir —3D 104
Welton Clo. Liv —6H 131
Welton Grn. Liv —6H 131
Welton Rd. Croft B —7K 127
Welwyn Av. South —3E 14
Welwyn Clo. St H —1B 94
Welwyn Clo. Thel —5J 119
Wembley Gdns. Liv —7B 54
Wembley Rd. Cros —2F 53
Wembley Rd. Moss H —3K 109
Wendell St. Liv —1E 108
Wendover Av. Liv —5E 108
Wendover Clo. Hay —6B 62
Wendover Clo. Pren —4H 105
Wendron Rd. Liv —1B 70
Wenger Rd. Wid —3D 114
Wenlock Clo. Pad —7G 99
Wenlock Dri. Liv —2J 131
Wenlock Gdns. Gt Sut —2H 169
Wenlock La. Gt Sut —2H 169
Wenlock Rd. Beech —6J 153
Wenlock Rd. Liv —7D 68
Wenning Av. Liv —2G 43
Wennington Rd. South —7B 8
Wensley Av. Liv —2K 131
Wensley Dale. Liv —6C 54
Wensleydale Av. Wir —5A 146
Wensleydale Clo. Gt San —7D 96
Wensleydale Clo. Liv —2D 42
Wensleydale Dri. Rain —4K 93
Wensley Rd. Liv —6C 54
Wentworth Av. Wall —7B 66
Wentworth Av. Wool —1H 119
Wentworth Clo. Pren —4H 105
Wentworth Clo. South —5C 14
Wentworth Clo. Wid —3C 114
Wentworth Dri. Liv —3B 88
Wentworth Dri. Wir —5H 145
Wentworth Gro. Liv —5F 91
Wentworth Rd. Ash M —7D 50
Wernbrook Clo. Pren —4H 105
Wernbrook Rd. Liv —7E 68
Wervin. —7E 170
Wervin Clo. Pren —6J 105
Wervin Rd. Liv —4B 56
Wervin Rd. Pren —6J 105
Wervin Rd. Wer —7D 170
Wervin Way. Liv —4A 56
Wescoe Clo. Orr —6G 39
Wesley Av. Hay —6C 62
Wesley Av. Wall —2C 86
Wesley Clo. Park —4H 157
Wesley Ct. Liv —5D 52
Wesley Gro. Wall —4E 86
Wesley Hall Gdns. St H —1K 93
Wesley Pl. Liv —7H 89
Wesley St. Liv —5D 52
Wesley St. South —1H 11
Wessex Clo. Wool —1A 120
W. Albert Rd. Liv —4D 108
West Av. Stock H —7C 118
West Av. Warr —7B 98
West Bank. —4C 134
Westbank Av. Wall —7C 66
W. Bank Dock Est. Wid —4A 134
Westbank Rd. Birk —5C 106
W. Bank Rd. Liv —5G 89
W. Bank St. Wid —4C 134
Westbourne Av. Liv —6H 41
Westbourne Av. Wir —6D 102
Westbourne Gdns. South —4D 10
Westbourne Gro. Wir —6D 102
Westbourne Rd. Pren —3C 106
Westbourne Rd. South —4D 10
Westbourne Rd. Stock H —2B 138
Westbourne Rd. Wall —3K 85
Westbourne Rd. Wir —6C 102
Westbourne St. Liv —4B 88 (3L 5)
Westbrook. —7F 97
Westbrook Av. Prsct —1B 92
Westbrook Av. Warr —6D 118
Westbrook Cen. W'brk —6F 97
Westbrook Cres. Old H & W'brk —6F 97
Westbrook Rd. Liv —3G 111
Westbrook Rd. W'brk —6F 97
Westbrook Rd. Wir —1A 104
Westbrook Way. W'brk —6E 96
Westbury Av. Wig —2B 50
Westbury Clo. Liv —7E 108
Westbury Clo. Pad —7G 99
Westbury St. Birk —4E 106
Westcliffe Rd. Liv —7H 69
Westcliffe Rd. South —3E 10
Westcliff Gdns. App —6E 138
West Clo. Ecc P —7G 73
West Clo. Pren —3H 105
Westcombe Rd. Liv —7E 68
Westcott Rd. Liv —1D 88
Westcott Way. Pren —4H 105
Westdale Rd. Birk —6E 106
Westdale Rd. Liv —7H 89
Westdale Rd. Padd —1G 119
Westdale Vw. Liv —7H 89
Westdene. Parb —1H 27
West Derby. —7B 70
West Derby Golf Course. —1B 90
W. Derby Rd. Liv —4C 88 (2M 5) (in two parts)
W. Derby St. Liv —5B 88 (5L 5)
West Derby Village. —7K 69
W. Derby Village. Liv —7K 69
West Dri. Gt San —4F 117
West Dri. Hes —3E 142
West Dri. Nest —5H 157
West Dri. Upt —3E 104
W. End Gro. Hay —7H 61
W. End Rd. Hay —7H 61
W. End Ter. South —1G 11
Westenra Av. Ell P —4H 161
Westerdale Dri. Banks —2K 9
Westerhope Way. Wid —5B 114
Western Approaches Mus. —5J 87 (5D 4)
Western Av. Huy —4E 90
Western Av. Speke —7G 131
Western Av. Wir —5K 127
Western Dri. Liv —2J 129
Westerton Rd. Liv —1C 90
Westfield Av. Ash M —1E 62
Westfield Av. Liv —5C 90
Westfield Cres. Run —1A 152
Westfield Dri. Liv —3C 70
Westfield M. Run —1B 152
Westfield Rd. Liv —7A 54
Westfield Rd. Run —1A 152
Westfield Rd. Wall —6D 86
Westfield St. St H —3B 74
Westfield Wlk. Liv —3K 55
Westford Rd. Warr —7A 118
Westgate. Skel —2D 36
Westgate. Wid —2H 133
Westgate Dri. Orr —6F 39
Westgate Ind. Est. Uph —3D 36
Westgate Rd. Liv —3J 109
Westgate Rd. Wir —5H 127
West Gillibrands. —3C 36
West Gro. Wir —2D 142
W. Hall M. Knut —4K 141
Westhaven Cres. Augh —2A 34
Westhay Cres. Bchwd —2C 100
Westhead. —6J 25
Westhead Av. Liv —3D 56
Westhead Clo. Liv —4E 56
Westhead Wlk. Liv —3D 56 (in two parts)
W. Heath Gro. Lymm —4E 120
Westholme Ct. South —6J 7
Westhouse Clo. Wir —5J 145
West Hyde. Lymm —5E 120
West Kirby. —5C 102
W. Kirby Concourse. W Kir —6C 102
W. Kirby Rd. Wir —3K 103
W. Knowe. Pren —4K 105
West Lancashire Golf Course. —5A 40
Westlands Clo. Nest —2K 157
West La. H Legh —5K 141
West La. Liv —4K 19
West La. Run —3G 153
Westleigh Pl. Sut L —2E 94
W. Lodge Dri. Wir —5C 102
West Mains. Liv —6A 132
West Meade. Liv —2D 42
Westminster Av. Boot —1A 54
Westminster Bri. Ell P —6A 162
Westminster Clo. Grapp —5J 119
Westminster Clo. Liv —5A 68
Westminster Clo. Wid —1H 133
Westminster Ct. Pren —3K 105
Westminster Dri. Hay —6D 62
Westminster Dri. South —4A 14
Westminster Dri. Wir —3K 145
Westminster Gro. Ell P —5A 162
Westminster Gro. Prsct —2A 92
Westminster Ind. Est. Ell P —5H 161
Westminster Pl. Warr —3B 118
Westminster Rd. Ell P —5A 162
Westminster Rd. Liv —5K 67
Westminster Rd. Wall —3B 86
W. Moor Dri. Liv —7E 40
Westmoreland Rd. South —3J 11
Westmoreland Rd. Wall —7C 66
Westmorland Av. Boot —2J 53
Westmorland Av. Wid —7D 114
Westmorland Dri. Liv —4J 87 (3E 4)
Westmorland Pl. Liv —2K 87
Westmorland Rd. Liv —5J 91
West Mt. Orr —5H 39
W. Oakhill Pk. Liv —5J 89
Weston. —4B 152
Westonby Ct. Ash M —2H 63
Weston Ct. Liv —2B 52
Weston Ct. Run —3B 152
Weston Cres. West —4B 152
Weston Gro. Halew —3A 132
Weston Gro. Mag —6F 43
Weston Point. —3K 151
Weston Point Docks. West P —3K 151
Weston Point Expressway. West P —1A 152
Weston Rd. Run & West —2A 152
W. Orchard La. Liv —5F 55
Westover Clo. Liv —3E 42
Westover Rd. Liv —3E 42
Westover Rd. Pad —1F 119
West Park. —4K 73
West Pk. Dri. Gt Sut —4H 169
W. Park Gdns. Pren —7G 85
West Pk. Rd. St H —4K 73
West Pimbo. —7K 37
W. Quay Rd. Win —4K 97
Westridge Ct. South —7K 7
West Rd. Ell P —1A 170
West Rd. Hoot —7E 146
West Rd. Liv —5A 90 (L14)

Wilton Rd.—Woodstock Rd.

Wilton Rd. *Liv* —6H **91**
Wilton's Dri. *Know* —3G **71**
Wilton St. *Ash M* —6E **50**
Wilton St. *Liv* —4A **88** (3J **5**)
Wilton St. *Wall* —3B **86**
Wiltshire Clo. *Wool* —1K **119**
Wiltshire Dri. *Boot* —2K **53**
Wiltshire Gdns. *St H* —4B **74**
Wimbledon St. *Liv* —1G **109**
Wimbledon St. *Wall* —2B **86**
Wimbolds Trafford. —7K 171
Wimborne Av. *Wir* —4E **124**
Wimborne Clo. *Liv* —1F **91**
Wimborne Pl. *Liv* —2F **91**
Wimborne Rd. *Liv* —1E **90**
Wimborne Rd. *Orr* —3J **39**
Wimborne Way. *Wir* —2B **124**
Wimbrick Clo. *Orm* —6B **24**
Wimbrick Clo. *Wir* —7D **84**
Wimbrick Cres. *Orm* —7B **24**
Wimbrick Hey. *Wir* —7D **84**
Wimpole St. *Liv* —5D **88**
Winchester Av. *Ain* —2F **55**
Winchester Av. *Ash M* —2E **62**
Winchester Av. *Ell P* —7C **162**
Winchester Av. *Gt San* —3G **117**
Winchester Av. *Liv* —3C **52**
Winchester Clo. *Orr* —4H **39**
Winchester Clo. *Wltn* —1F **131**
Winchester Dri. *Wall* —3K **85**
Winchester Pl. *Wid* —1J **133**
Winchester Rd. *Bil* —3F **49**
Winchester Rd. *Hay* —4C **62**
Winchester Rd. *Liv* —1E **88**
Winchester Wlk. *Huy* —3A **92**
Winchfield Rd. *Liv* —2H **109**
Windbourne Rd. *Liv* —6D **108**
Windermere Av. *St H* —5C **60**
Windermere Av. *Warr* —4C **98**
Windermere Av. *Wid* —4D **114**
Windermere Clo. *L Nes* —4K **157**
*Windermere Ct. Birk —3C **106***
(off Penrith St.)
Windermere Cres. *South* —6C **14**
Windermere Dri. *Kirkby* —1B **56**
Windermere Dri. *Liv* —2G **43**
Windermere Dri. *Rainf* —2F **47**
Windermere Dri. *W Der* —5A **70**
Windermere Pl. *St H* —5C **60**
Windermere Rd. *Ell P* —2A **170**
Windermere Rd. *Hay* —7K **61**
Windermere Rd. *Liv* —7A **30**
Windermere Rd. *Orr* —3H **39**
Windermere Rd. *Pren* —3G **105**
Windermere St. *Liv* —1C **88**
Windermere St. *Wid* —4D **114**
Windermere Ter. *Liv* —3D **108**
Windfield Clo. *Liv* —6E **44**
Windfield Gdns. *L Sut* —4F **161**
Windfield Grn. *Liv* —6A **130**
Windfield Rd. *Liv* —6A **130**
Windgate. *Skel* —3F **37**
Windle Ash. *Liv* —2E **42**
Windle Av. *Liv* —1G **53**
Windlebrook Cres. *Wind* —7H **59**
Windle City. *St H* —7B **60**
Windle Ct. *Bchwd* —3J **99**
Windle Ct. *Clay L* —1J **157**
Windle Gro. *Wind* —7J **59**
Windle Hall Dri. *St H* —6A **60**
Windle Hill. —3C 158
Windlehurst. —6B 60
Windlehurst Av. *St H* —7A **60**
Windle Pilkington Cen. *St H* —2B **74**
Windles Green. —7J 41
Windleshaw Rd. *Dent G* —1K **73**
Windle St. *St H* —1B **74**
Windle Va. *Dent G* —1A **74**
Windmill Av. *Liv* —7F **41**
Windmill Av. *Orm* —5D **24**
Windmill Clo. *App* —3C **138**
Windmill Clo. *Liv* —7C **44**
Windmill Gdns. *Pren* —7G **85**
Windmill Gdns. *St H* —2F **75**
Windmill Heights. *Uph* —3C **38**
Windmill Hill. —7A 136
Windmill Hill Av. E. *Wind H* —7B **136**
Windmill Hill Av. N. *Run* —6B **136**
Windmill Hill Av. S. *Wind H* —1A **154**
Windmill Hill Av. W. *Wind H* —7A **136**
Windmill La. *App* —3C **138**
Windmill La. *Penk* —3C **116**
Windmill La. *Pres H* —4E **154**
Windmill Rd. *Uph* —4B **38**
Windmill Shop. Cen. *Wid* —1D **134**
Windmill St. *Run* —7D **134**
Window La. *Liv* —5A **130**
Windrows. *Skel* —2F **37**
Windscale Rd. *Fearn* —5G **99**
Windsor Av. *Liv* —5G **53**
Windsor Av. *Newt W* —4H **77**
Windsor Clo. *Boot* —7B **42**
Windsor Clo. *Grea* —5B **104**
Windsor Clo. *New F* —2G **127**
Windsor Ct. *Boot* —1A **68**
Windsor Ct. *South* —4E **10**
Windsor Dri. *Grapp* —6K **119**
Windsor Dri. *Hay* —6E **62**
Windsor Dri. *Hel* —2H **173**
Windsor Dri. *Huy* —4E **90**
Windsor Dri. *Whitby* —1J **169**
Windsor Gro. *Run* —2D **152**
Windsor M. *Wir* —2G **127**
Windsor Pk. Rd. *Liv* —2G **55**
Windsor Rd. *Ash M* —3F **63**
Windsor Rd. *Bil* —7G **49**
Windsor Rd. *Boot* —1A **68**
Windsor Rd. *Cros* —7D **40**
Windsor Rd. *Form* —1J **29**
Windsor Rd. *Huy* —5E **90**
Windsor Rd. *Mag* —3E **42**
Windsor Rd. *Prsct* —3F **93**
Windsor Rd. *St H* —3K **73**
Windsor Rd. *South* —2K **11**
Windsor Rd. *Tue* —1F **89**
Windsor Rd. *Uph* —3C **38**
Windsor Rd. *Walt* —7C **54**
Windsor Rd. *Wid* —4C **114**
Windsor St. *Liv* —1A **108** (10K **5**)
Windsor St. *Pren* —3C **106**
Windsor St. *Wall* —5B **66**
Windsor St. *Warr* —2J **117**
Windsor Vw. *Liv* —1D **108**
Windus St. *St H* —3A **74**
Windways. *L Sut* —4F **161**
Windy Arbor. —7C 92
Windy Arbor Brow. *Whis* —7C **92**
Windy Arbor Clo. *Whis* —6D **92**
Windy Arbor Rd. *Whis* —5D **92**
Windy Arbour. —4J 49
Windy Bank. *Port S* —3G **127**
Windy Harbour Rd. *South* —2E **14**
Wineva Gdns. *Liv* —2F **53**
Winfield Way. *Wid* —1D **134**
Winford St. *Wall* —4D **86**
Winfrith Clo. *Wir* —6F **127**
Winfrith Dri. *Wir* —7F **127**
Winfrith Rd. *Fearn* —5G **99**
Winfrith Rd. *Liv* —4G **111**
Wingate Av. *St H* —1K **93**
Wingate Clo. *Pren* —4J **105**
Wingate Rd. *Aig* —6G **109**
Wingate Rd. *Kirkby* —1D **56**
Wingate Rd. *Wir* —5A **146**
Wingate Towers. *Liv* —3H **91**
Wingate Wlk. *Liv* —2D **56**
Wingfield Clo. *Liv* —4K **41**
Wingrave Way. *Liv* —5K **69**
Winhill. *Liv* —4E **110**
Winifred La. *Augh* —2J **33**
Winifred Rd. *Liv* —6K **55**
Winifred St. *Liv* —6D **88** (6P **5**)
Winifred St. *Warr* —1C **118**
Winkle St. *Liv* —3B **108**
Winmarleigh St. *Warr* —3A **118**
Winmoss Dri. *Liv* —7D **44**
Winnington Rd. *Wir* —3C **102**
Winnows, The. *Halt B* —1F **153**
Winser St. *Wir* —3H **127**
Winsford Clo. *Hay* —6D **62**
Winsford Dri. *Btnwd* —7C **76**
Winsford Gro. *Gt Sut* —1E **168**
Winsford Rd. *Liv* —1G **89**
Winsham Clo. *Liv* —5C **56**
Winsham Rd. *Liv* —5C **56**
Winskill Rd. *Liv* —5J **69**
Winslade Ct. *Liv* —4D **68**
Winslade Rd. *Liv* —5D **68**
Winslow Clo. *Wind H* —2B **154**
Winslow St. *Liv* —5B **68**
Winstanley. —1B 50
Winstanley Clo. *Gt San* —3G **117**
*Winstanley Ho. Wir —2H **127***
(off Winstanley Rd.)
Winstanley Ind. Est. *Warr* —6B **98**
Winstanley Rd. *Bam* —4K **51**
Winstanley Rd. *Bil* —7K **49**
Winstanley Rd. *L Nes* —6J **157**
Winstanley Rd. *Liv* —3E **52**
Winstanley Rd. *Orr* —7G **39**
Winstanley Rd. *Wir* —2H **127**
Winster Dri. *Liv* —4A **112**
Winster Dri. *Plat B* —2K **51**
Winster Ho. *Wig* —4K **39**
Winsters, The. *Skel* —2F **37**
Winston Av. *Newt W* —3G **77**
Winston Av. *St H* —4K **75**
Winston Cres. *South* —6A **12**
Winston Dri. *Pren* —3G **105**
Winstone Rd. *Liv* —3E **90**
Winston Gro. *Wir* —7C **84**
Winterburn Cres. *Liv* —7A **70**
*Winterburn Heights. Liv —7B **70***
(off Winterburn Cres.)
*Winter Gdns., The. Wall —6A **66***
(off Atherton St.)
Winter Gro. *St H* —3K **75**
Winterhey Av. *Wall* —4B **86**
Winterley Dri. *Liv* —3A **132**
Winter St. *Liv* —4C **88** (3M **5**)
Winthrop Pk. *Pren* —3J **105**
Winton Clo. *Wall* —6K **65**
Winton Gro. *Wind H* —1B **154**
Winton Rd. *Lwtn* —1E **78**
Winwick. —1A 98
Winwick Green. —7A 78
Winwick La. *Croft & Lwtn* —1E **78**
Winwick Link Rd. *Win* —1B **98**
Winwick Parish Leisure Cen. —1B 98
Winwick Pk. Av. *Win* —1A **98**
Winwick Quay. —4K 97
Winwick Rd. *Newt W* —4J **77**
Winwick Rd. *Warr* —4A **98**
Winwick St. *Warr* —2B **118**
Winwick Vw. *C Grn* —5B **76**
Winwood Hall. *Liv* —7E **110**
Wirral Bus. Cen. *Birk* —5C **86**
Wirral Bus. Pk., The. *Wir* —5D **104**
Wirral Clo. *Cul* —2A **80**
Wirral Clo. *Wir* —6F **127**
Wirral Country Pk. —5H 123
Wirral Cres. *L Nes* —6K **157**
Wirral Dri. *Wig* —2A **50**
Wirral Gdns. *Wir* —6F **127**
Wirral Ladies Golf Course, The. —2J 105
Wirral Leisure Pk. *Wir* —6A **128**
Wirral Mt. *Wall* —2K **85**
Wirral Mt. *Wir* —6F **103**
Wirral Tennis Cen. —5H 85
Wirral Vw. *Liv* —3H **129**
Wirral Vs. *Wall* —1J **85**
Wirral Way. *Pren* —3G **105**
Wirral Way. *Wir* —2B **142**
Wisenholme Clo. *Beech* —6G **153**
Wisteria Way. *St H* —7J **75**
Witham Clo. *Boot* —1C **54**
Witham Rd. *Skel* —2C **36**
Withburn Clo. *Wir* —3C **104**
Withensfield. *Wall* —1B **86**
Withens La. *Wall* —1B **86**
Withens Rd. *Liv* —1F **43**
Withens, The. *Liv* —7F **71**
Withers Av. *Warr* —7D **98**
Wither's La. *H Legh* —3D **140**
(in two parts)
Withert Av. *Wir* —1D **126**
Witherwin Av. *App* —2E **138**
Withington Av. *Cul* —2C **80**
Withington Rd. *Liv* —6K **131**
Withington Rd. *Wall* —4C **86**
Withins Fld. *Liv* —6F **29**
Withins La. *Liv* —4F **31**
Withins Rd. *Cul* —3B **80**
Withins Rd. *Hay* —5C **62**
Within Way. *Hale V* —1E **150**
Withnell Clo. *Liv* —5K **89**
Withnell Rd. *Liv* —5K **89**
Withy Clo. *Frod* —3E **166**
Withycombe Rd. *Penk* —4C **116**
Witley Av. *Wir* —6C **84**
Witley Clo. *Wir* —6C **84**
Witney Clo. *Wir* —5A **104**
Witney Gdns. *App* —3E **138**
Wittenham Clo. *Wir* —4D **104**
Wittering La. *Wir* —2B **142**
Witterings, The. *Nest* —2J **157**
Witton Rd. *Liv* —1F **89**
Witton Way. *Rainf* —5F **47**
Witt Rd. *Wid* —2C **134**
Wivern Pl. *Run* —6D **134**
Woburn Av. *Newt W* —4H **77**
Woburn Clo. *Hay* —6D **62**
Woburn Clo. *Liv* —2H **89**
Woburn Dri. *Cron* —2K **113**
Woburn Grn. *Liv* —3H **89**
Woburn Hill. *Liv* —3H **89**
Woburn Pl. *Birk* —6F **107**
Woburn Rd. *Wall* —1B **86**
Woburn Rd. *Warr & Win Q* —3A **98**
Wokefield Way. *St H* —2J **73**
Wokingham Gro. *Liv* —7J **91**
Wolfe Clo. *Grapp* —1G **139**
Wolfenden Av. *Boot* —1A **68**
Wolfe Rd. *St H* —4G **75**
Wolferton Clo. *Upt* —1F **105**
Wolfe St. *Liv* —3A **108**
Wolfrick Dri. *Wir* —1H **145**
Wolfson Sq. *Ash M* —1D **62**
Wollaton Dri. *South* —5B **12**
Wolmer St. *Ash M* —1E **62**
Wolseley Rd. *St H* —1B **74**
Wolsey Clo. *Ash M* —7E **50**
Wolsey St. *Liv* —5J **67**
Wolstenholme Sq. *Liv* —7K **87** (8G **4**)
Wolverham. —7B 162
Wolverham Rd. *Ell P* —1A **170**
Wolverton. *Skel* —3F **37**
Wolverton Dri. *Wind H* —1B **154**
Wolverton St. *Liv* —1D **88**
Woodacre Gro. *Ell P* —3H **161**
Woodacre Rd. *Ell P* —3G **161**
Woodale Clo. *Gt San* —1C **116**
Woodall Dri. *Run* —1D **152**
Wood Av. *Boot* —1A **68**
Woodbank. —6A 168
Woodbank Clo. *Liv* —7D **90**
Woodbank La. *Ches & Wood* —7A **168**
Woodbank Pk. *Pren* —4J **105**
Woodbank Rd. *Penk* —4E **116**
Woodbank Rd. *Whitby* —2K **169**
Woodberry Clo. *Liv* —6D **44**
Woodberry Clo. *Pren* —4H **105**
Woodbine Rd. *Lymm* —4K **121**
Woodbine St. *Liv* —7K **67**
Woodbourne Rd. *Liv* —3B **90**
Woodbridge Av. *Liv* —6H **111**
Woodbridge Clo. *App* —5E **138**
Woodbrook Av. *Liv* —6B **54**
Woodburn Boulevd. *Wir* —1E **126**
Woodburn Dri. *Wir* —4D **142**
Woodchurch. —6G 105
Woodchurch Ct. *Birk* —5C **106**
Woodchurch La. *Birk* —6B **106**
Woodchurch La. *Ell P* —5G **161**
Woodchurch La. *Upt* —1G **125**
Woodchurch Leisure Cen. —5G 105
Woodchurch Rd. *Birk* —5C **106**
Woodchurch Rd. *Liv* —3J **89**
Woodchurch Rd. *Upt & Pren* —7F **105**
Wood Clo. *Birk* —1D **106**
Wood Clo. *Chil T* —2C **160**
Wood Clo. *Liv* —3B **56**
Woodcote Av. *Whitby* —2K **169**
Woodcote Bank. *Birk* —2F **127**
Woodcote Clo. *Liv* —1E **56**
Woodcote Clo. *Warr* —6D **98**
Woodcotes, The. *Wir* —4K **145**
Woodcot La. *Wir* —1D **142**
Woodcroft. *Skel* —3F **37**
Woodcroft Dri. *Wir* —7D **124**
Woodcroft La. *Wir* —1E **126**
Woodcroft Rd. *Liv* —1F **109**
Woodcroft Way. *Clo F* —3E **94**
Woodedge. *Ash M* —2D **62**
Woodend. —3D 134
Woodend. *Hals P* —7E **92**
Woodend. *Murd* —3C **154**
Woodend. *Wir* —4D **124**
Woodend Av. *Cros* —6E **40**
Woodend Av. *Hunts X & Speke* —3G **131**
Woodend Av. *Mag* —5E **42**
Woodend Ct. *Wid* —6F **115**
Wood End La. *Burt* —7E **158**
Woodend La. *Liv* —5G **131**
Woodend La. *Rix* —5E **100**
Wood End Park. —2H 129
Woodend Rd. *Ell P* —5H **161**
Woodene Clo. *Liv* —6E **56**
Woodfall Clo. *L Nes* —5A **158**
Woodfall Gro. *L Nes* —5A **158**
Woodfall La. *L Nes* —5K **157**
(in two parts)
Woodfarm Hey. *Liv* —6E **70**
Woodfield Av. *Wir* —1E **126**
Woodfield Cres. *Ash M* —3E **62**
Woodfield Rd. *Beb* —6G **127**
Woodfield Rd. *Ell P* —6A **162**
Woodfield Rd. *Hes* —5C **124**
Woodfield Rd. *Huy* —5G **91**
Woodfield Rd. *Orm* —7B **24**
Woodfield Rd. *Walt* —1B **68**
Woodfield Rd. N. *Ell P* —6A **162**
Woodford Clo. *Hel* —2H **173**
Woodford Clo. *Run* —4D **152**
Woodford Clo. *Thel* —5J **119**
Woodford Rd. *Liv* —3C **90**
Woodford Rd. *Wind* —7J **59**
Woodford Rd. *Wir* —1H **127**
Woodford St. *Wig* —5K **39**
Woodgate. *Liv* —2G **111**
Woodger St. *Liv* —4A **130**
Wood Grn. *Pren* —7G **85**
Wood Grn. *Prsct* —1C **92**
Woodgreen Rd. *Liv* —3J **89**
Wood Gro. *Liv* —5H **89**
Woodhall Av. *Wall* —3D **86**
Woodhall Clo. *Gt San* —7E **96**
Woodhall Rd. *Liv* —4J **89**
Woodham Gro. *L Nes* —6K **157**
Woodhatch Rd. *Brook* —5J **153**
Woodhead Gro. *Wig* —2F **51**
Woodhead Rd. *Wir* —3J **127**
Woodhead St. *Wir* —2H **127**
Woodhey Ct. *Wir* —1F **127**
Woodhey Gro. *Wir* —2F **127**
Woodhey Rd. *Liv* —1J **129**
Woodhey Rd. *Wir* —2F **127**
Woodhill. *Wir* —4F **105**
Woodhouse Clo. *Bchwd* —4A **100**
Woodhouse Clo. *Liv* —7A **68**
Woodhouses. —7A 166
Woodin Rd. *Birk* —1G **127**
Woodkind Hey. *Wir* —7G **127**
Woodland Av. *Lymm* —6J **121**
Woodland Av. *Newt W* —3K **77**
Woodland Av. *Scar* —2H **17**
Woodland Av. *Wid* —7B **114**
Woodland Av. *Wir* —6F **83**
Woodland Dri. *Ash M* —7F **51**
Woodland Dri. *Lymm* —6H **121**
Woodland Dri. *Wall* —7C **66**
Woodland Dri. *Wir* —5E **104**
Woodland Gro. *Birk* —1F **127**
Woodland Path. *Form* —1K **19**
Woodland Rd. *Birk* —1F **127**
Woodland Rd. *Halew* —2J **131**
Woodland Rd. *Mell* —1J **55**
Woodland Rd. *S'frth* —6F **53**
Woodland Rd. *Upt* —5E **104**
Woodland Rd. *Walt* —6E **68**
Woodland Rd. *W Kir* —6G **103**
Woodland Rd. *Whitby* —2J **169**
Woodlands Clo. *Liv* —7H **19**
Woodlands Clo. *Orm* —6E **24**
Woodlands Clo. *Park* —3H **157**
Woodlands Clo. *South* —7K **7**
Woodlands Cres. *Knut* —5K **141**
Woodlands Dri. *Thel* —5K **119**
Woodlands Dri. *Wir* —5G **125**
Woodlands Pk. *Liv* —2J **89**
Woodlands Rd. *Aig* —6G **109**
Woodlands Rd. *Faz* —6F **55**
Woodlands Rd. *Form* —1H **29**
Woodlands Rd. *Huy* —5F **91**
Woodlands Rd. *Irby* —4B **124**
Woodlands Rd. *Park* —3H **157**
Woodlands Rd. *St H* —7D **60**
Woodlands Sq. *Liv* —4K **111**
Woodlands, The. *Birk* —3D **106**
Woodlands, The. *Prsct* —7F **73**
Woodlands, The. *South* —4C **14**
Woodlands, The. *Wir* —3D **104**
Woodland Vw. *Chil T* —3D **160**
Woodland Vw. *Liv* —5G **41**
Woodland Wlk. *Cas* —1J **153**
Woodland Wlk. *Wir* —1J **145**
Wood La. *App* —1E **138**
Wood La. *Brook* —4A **154**
Wood La. *Form & Liv* —2J **31**
Wood La. *Grea* —3B **104**
Wood La. *Huy* —5B **92**
Wood La. *N'ley* —3K **111**
Wood La. *Parb* —1K **27**
Wood La. *Park* —7G **143**
Wood La. *Prsct* —2B **92**
Wood La. *Sut W* —6H **153**
Wood La. *Wall* —1J **85**
Wood La. *Will* —2G **159**
Wood Lea. *Liv* —3C **70**
Woodlea Clo. *South* —2F **9**
Woodlea Clo. *Wir* —5K **145**
Woodlee Rd. *Liv* —4G **111**
Woodleigh Clo. *Liv* —6D **32**
Woodley Fold. *Penk* —4D **116**
Woodley Pk. Rd. *Skel* —6H **27**
Woodley Rd. *Liv* —6E **42**
Woodmoss La. *Scar* —5F **13**
Woodpecker Clo. *Bchwd* —3B **100**
Woodpecker Clo. *Liv* —5D **70**
Woodpecker Clo. *Wir* —3B **104**
Woodpecker Dri. *Liv* —6J **111**
Woodridge. *Wind H* —1A **154**
Wood Rd. *Liv* —2J **131**
Woodrock Rd. *Liv* —6F **111**
Woodrow. *Skel* —3E **36**
Woodrow Dri. *Newb* —1F **27**
Woodruff St. *Liv* —4B **108**
Woods Clo. *Has* —6C **22**
Woodside. *Whitby* —2A **170**
Woodside Av. *Ash M* —4E **50**
Woodside Av. *Frod* —4F **167**
Woodside Av. *St H* —5B **60**
Woodside Av. *South* —6B **14**
Woodside Av. *Wir* —1C **104**
Woodside Bus. Pk. *Birk* —1F **107**
Woodside Clo. *Liv* —6K **69**
Woodside Clo. *Uph* —3E **38**
Woodside Ferry App. *Birk* —1F **107**
Woodside La. *Lymm* —7K **121**
Woodside Rd. *Gt San* —2D **116**
Woodside Rd. *Hay* —6C **62**
Woodside Rd. *Wir* —3C **124**
Woodside St. *Liv* —6D **88** (7P **5**)
Woodside Way. *Liv* —7D **44**
Woods La. *Ash M* —1H **63**
Woodsome Clo. *Whitby* —3K **169**
Woodsome Dri. *Whitby* —3K **169**
Woodsorrel Rd. *Birk* —1K **105**
Woodsorrel Rd. *Liv* —1K **109**
Woodstack St. *St H* —7G **75**
Woodstock Av. *Newt W* —4H **77**
Woodstock Dri. *South* —1F **15**
Woodstock Gdns. *App* —3F **139**
Woodstock Gro. *Wid* —6K **113**
Woodstock Rd. *Wall* —4A **86**

HOSPITALS and HOSPICES
covered by this atlas.

N.B. Where Hospitals and Hospices are not named on the map, the reference
given is for the road in which they are situated.

ALDER HEY CHILDREN'S HOSPITAL —3A **90**
Eaton Rd., West Derby
LIVERPOOL
L12 2AP
Tel: 0151 2284811

ARROWE PARK HOSPITAL —7E **104**
Arrowe Park Rd.
WIRRAL
Merseyside
CH49 5PE
Tel: 0151 6785111

ASHTON HOUSE HOSPITAL —4B **106**
26 Village Rd., Oxton
BIRKENHEAD
Merseyside
CH43 5SR
Tel: 0151 653 9660

ASHWORTH HOSPITAL —2K **43**
Parkbourn
LIVERPOOL
L31 1HW
Tel: 0151 4730303

BILLINGE HOSPITAL —2F **49**
Upholland Rd., Billinge
WIGAN
Lancashire
WN5 7ET
Tel: 01942 244000

BROADGREEN HOSPITAL —5A **90**
Thomas Dri.
LIVERPOOL
L14 3LB
Tel: 0151 7062000

CARDIOTHORACIC CENTRE
(BROADGREEN HOSPITAL) —5A **90**
Thomas Dri.
LIVERPOOL
L14 3PE
Tel: 0151 2281616

CLAIRE HOUSE CHILDREN'S HOSPICE —1E **144**
Clatterbridge Rd.
WIRRAL
Merseyside
CH63 4JD
Tel: 0151 3344626

CLATTERBRIDGE HOSPITAL —1E **144**
Clatterbridge Rd.
WIRRAL
Merseyside
CH63 4JY
Tel: 0151 3344000

ELLESMERE PORT HOSPITAL —2J **169**
114 Chester Rd., Whitby
ELLESMERE PORT
CH65 6SG
Tel: 01244 365000

FAIRFIELD HOSPITAL —3A **60**
Crank Rd., Crank
ST HELENS
Merseyside
WA11 7RS
Tel: 01744 739311

HALTON GENERAL HOSPITAL —4H **153**
Hospital Way
RUNCORN
Cheshire
WA7 2DA
Tel: 01928 714567

HALTON HAVEN. —5A **154**
Barnfield Av., Murdishaw
RUNCORN
Cheshire
WA7 6EP
Tel: 01928 719454

HESKETH CENTRE, THE —6J **7**
51-55 Albert Rd.
SOUTHPORT
Merseyside
PR9 0LT
Tel: 01704 530940

HETTINGA HOUSE. —4F **25**
Dark La., Lathom
ORMSKIRK
Lancashire
L40 5TR
Tel: 01695 578713

HIGHFIELD HOSPITAL —6C **114**
Highfield Rd.
WIDNES
Cheshire
WA8 7DJ
Tel: 0151 4242103

HOLLINS PARK —1K **97**
Hollins La., Winwick
WARRINGTON
WA2 8WA
Tel: 01925 664100

HOSPICE OF THE GOOD SHEPHERD —7K **169**
Gordon La., Backford
CHESTER
CH2 4DG
Tel: 01244 851091

HOYLAKE COTTAGE HOSPITAL —7E **82**
Birkenhead Rd.
Meols
WIRRAL
Merseyside
CH47 5AQ
Tel: 0151 6323381

KEVIN WHITE UNIT —2F **109**
Smithdown Rd.
LIVERPOOL
L9 7JP
Tel: 0151 3308074

LIVERPOOL UNIVERSITY DENTAL HOSPITAL
—5B **88** (5L **5**)
Pembroke Pl.
LIVERPOOL
L3 5PS
Tel: 0151 7062000

LIVERPOOL WOMEN'S HOSPITAL
—7C **88** (9N **5**)
Crown St.
LIVERPOOL
L8 7SS
Tel: 0151 708 9988

LOURDES HOSPITAL —3H **109**
57 Greenbank Rd.
LIVERPOOL
L18 1HQ
Tel: 0151 7337123

MARIE CURIE CENTRE, LIVERPOOL —6F **111**
Speke Rd., Woolton
LIVERPOOL
L25 8QA
Tel: 0151 4281395

MARTLEW DAY HOSPITAL —2J **93**
Elton Head Rd.
ST HELENS
Merseyside
WA9 5BZ
Tel: 0151 4263465

MOSSLEY HILL HOSPITAL —4G **109**
Park Av., Mossley Hill
LIVERPOOL
L18 8BU
Tel: 0151 2503000

MURRAYFIELD BUPA HOSPITAL —4H **125**
Holmwood Dri.
Heswall
WIRRAL
Merseyside
CH61 1AU
Tel: 0151 6487000

NEWTON COMMUNITY HOSPITAL —4F **77**
Bradlegh Rd.
NEWTON-LE-WILLOWS
Merseyside
WA12 8RB
Tel: 01925 222731

NORTH CHESHIRE BUPA HOSPITAL —7J **139**
Fir Tree Clo., Stretton
WARRINGTON
WA4 4LU
Tel: 01925 265000

ORMSKIRK AND DISTRICT GENERAL HOSPITAL
—6E **24**
Wigan Rd.
ORMSKIRK
Lancashire
L39 2AZ
Tel: 01695 577111

PARK LODGE DAY HOSPITAL —2F **89**
Orphan Dri.
LIVERPOOL
L6 7UN
Tel: 0151 2876934

QUEENSCOURT HOSPICE —4B **12**
Town La.
SOUTHPORT
Merseyside
PR8 6RE
Tel: 01704 544645

RATHBONE HOSPITAL —5J **89**
Mill La., Old Swan
LIVERPOOL
L13 4AW
Tel: 0151 2503000

RENACRES HALL HOSPITAL —4E **16**
Renacres La., Halsall
ORMSKIRK
Lancashire
L39 8SE
Tel: 01704 841133

ROWAN HOUSE DAY HOSPITAL —6A **162**
York Rd.
ELLESMERE PORT
CH65 0DB
Tel: 0151 3551272

ROYAL LIVERPOOL UNIVERSITY HOSPITAL
—5B **88** (4L **5**)
Prescot St., LIVERPOOL
L7 8XP
Tel: 0151 7062000

SCOTT CLINIC —2J **93**
Rainhill Rd.
ST HELENS
Merseyside
WA9 5BD
Tel: 0151 4306300

SIR ALFRED JONES MEMORIAL HOSPITAL
—3A **130**
Church Rd., Garston
LIVERPOOL
L19 2LP
Tel: 0151 2503000

SOUTHPORT & FORMBY DIST. GEN.HOSP. &
CHRISTIANA HARTLEY MATERNITY WARD
—4A **12**
Town La., SOUTHPORT
Merseyside
PR8 6PN
Tel: 01704 547471

SOUTHPORT GENERAL INFIRMARY —3K **11**
Scarisbrick New Rd.
SOUTHPORT
Merseyside
PR8 6PH
Tel: 01704 547471

ST BARTHOLOMEW'S DAY HOSPITAL —5G **91**
Station Rd., Huyton
LIVERPOOL
L36 4HU
Tel: 0151 4896241

ST CATHERINE'S HOSPITAL (BIRKENHEAD)
—4D **106**
Church Rd., BIRKENHEAD
Merseyside
CH42 0LQ
Tel: 0151 6787272

ST HELENS HOSPITAL (MERSEYSIDE) —5E **74**
Marshalls Cross Rd.
ST HELENS
Merseyside
WA9 3DA
Tel: 0151 4261600

ST JOHN'S HOSPICE IN WIRRAL —1E **144**
Mount Rd.
Higher Bebington
WIRRAL
Merseyside
CH63 6JE
Tel: 0151 3342778

ST JOSEPH'S HOSPICE. —5G **41**
Ince Rd.
LIVERPOOL
L23 4UE
Tel: 0151 9243812

ST ROCCO'S HOSPICE —1J **117**
Lockton La., Bewsey
WARRINGTON
WA5 5BW
Tel: 01925 575780

UNIVERSITY HOSPITAL AINTREE —6G **55**
Longmoor La.
LIVERPOOL
L9 7AL
Tel: 0151 525 5980

VICTORIA CENTRAL HOSPITAL —3B **86**
Mill La.
WALLASEY
Merseyside
CH44 5UF
Tel: 0151 6785111

WALTON HOSPITAL DAY SURGICAL UNIT &
OUTPATIENTS —3B **68**
Rice La.
LIVERPOOL
L9 1AE
Tel: 0151 529 4895

WARRINGTON HOSPITAL —2K **117**
Lovely La.
WARRINGTON
WA5 1QG
Tel: 01925 635911

WATERLOO DAY HOSPITAL —4E **52**
Park Rd.,
Waterloo
LIVERPOOL
L22 3XR
Tel: 0151 9287243

WHISTON HOSPITAL —3F **93**
Warrington Rd.
PRESCOT
Merseyside
L35 5DR
Tel: 0151 4261600

WILLOWBROOK HOSPICE —7G **73**
Portico La.
PRESCOT
Merseyside
L35 7JS
Tel: 0151 4308736

WILLOW HOUSE RESOURCE CENTRE FOR
THE ELDERLY. —4E **92**
168 Dragon La.
PRESCOT
Merseyside
L35 3QY
Tel: 0151 4306048

WOODLANDS DAY HOSPICE —7F **55**
Longmoor La.
LIVERPOOL
L9 7LA
Tel: 0151 5292299

ZOE'S PLACE - BABY HOSPICE. —2C **90**
Yew Tree La.
LIVERPOOL
L12 9HH
Tel: 0151 2280353

Every possible care has been taken to ensure that the information given in this publication is accurate and whilst the
publishers would be grateful to learn of any errors, they regret they cannot accept any responsibility for loss thereby
caused.

The representation on the maps of a road, track or footpath is no evidence of the existence of a right of way.

The Grid on this map is the National Grid taken from the Ordnance Survey mapping with the permission of the Controller
of Her Majesty's Stationery Office.

Copyright of Geographers' A-Z Map Co. Ltd.

No reproduction by any method whatsoever of any part of this publication is permitted without the prior consent of
the copyright owners.